ДЭВИД
МИТЧЕЛЛ

DAVID
MITCHELL

ДЭВИД МИТЧЕЛЛ

ПРОСТЫЕ СМЕРТНЫЕ

МОСКВА
2016

УДК 821.111-31
ББК 84(4Вел)-44
М67

David Mitchell

BONE CLOCKS

Перевод с английского *И. Тогоевой*

**Серия «От создателя «Облачного атласа».
Проза Дэвида Митчелла»**
Художественное оформление *А. Дурасова*

Серия «Интеллектуальный бестселлер»
Художественное оформление *А. Старикова*
В оформлении переплета использован рисунок *В. Люлько*
Фото автора © Photography by Leo van Noort, 2006

Митчелл, Дэвид.

М67   Простые смертные / Дэвид Митчелл ; [пер. с англ. И.А. То-
гоевой]. — Москва : Издательство «Э», 2016. — 736 с.

ISBN 978-5-699-84454-8 (ИБ)
ISBN 978-5-699-84452-4 (ОблАтлПрДМ)

«Простые смертные» — долгожданный роман от Дэвида Митчелла, каждая книга которого становится событием в мировой литературе.
На страницах этого произведения Митчелл создал целый мир, погру-
зившись в который читатель, доверившись фантазии и воле автора,
словно пройдет по лабиринту, где его ждет много интересного: неожи-
данные открытия, непредсказуемые сюжетные повороты, знакомство с
колоритнейшими героями, многих из которых поклонники Митчелла
знают по предыдущим романам.
      Завязка истории — житейская ситуация: 1984 год, главная геро-
иня, Холли Сайкс, убегает из дома, поссорившись с матерью.   Но на
этом реалистическая составляющая истории исчерпывается. Дальше с
Холли произойдут события, которых с простыми смертными произойти не может.

УДК 821.111-31
ББК 84(4Вел)-44

ISBN 978-5-699-84454-8
ISBN 978-5-699-84452-4

Посвящается Ною

В плену страстей
1984 год

30 июня

Я резко раздернула шторы на окне спальни и прямо перед собой увидела исстрадавшееся от жажды небо, широкую реку и множество всевозможных судов и суденышек, но все это заслоняли воспоминания о шоколадных глазах Винни, о струйке пенистого шампуня, стекавшей у него по спине, о каплях пота у него на плечах, о его лукавой усмешке; и стоило мне все это себе представить, как я разом поглупела, и, господи, как же все-таки жаль, что я проснулась утром в своей дурацкой спальне, а не в квартире Винни на Пикок-стрит! Вчера вечером слова сами срывались у меня с языка: «Боже мой, Вин, а ведь я действительно тебя люблю! По-настоящему люблю!», а Винни, выдыхая облачка дыма, говорил ужасно похоже на принца Чарльза: «Следует отметить, и мне очень приятно проводить время с вами, Холли Сайкс». И мне это казалось ужасно смешным, и я хохотала, как сумасшедшая. Хотя, если честно, меня чуточку задело, что он так и не сказал: «Я тоже тебя люблю». Впрочем, все бойфренды, как известно, ведут себя довольно глупо, желая скрыть всякие нежные чувства, это вы в любом журнале прочтете. Жаль, что прямо сейчас нельзя ему позвонить! Хорошо бы изобрели такие телефоны, с помощью которых можно было бы поговорить с кем хочешь откуда хочешь и в любое время. Винни сейчас наверняка уже оседлал свой мотоцикл «Нортон» и покатил на работу в Рочестер, надев свою кожаную куртку, на которой серебряными заклепками выбито «LED ZEP». Вот в сентябре мне наконец исполнится шестнадцать, и тогда он сможет и меня прокатить на своем «Нортоне».

Кто-то внизу с силой захлопнул дверцу буфета.

Мама. Больше никто у нас в семье не осмелился бы так хлопать дверью.

А что, если она обо всем узнала? — раздался у меня в душе неуверенный голосок.

Нет. Мы с Винни вели себя очень осторожно. Даже чересчур.

У нее просто климакс, у мамы. В том-то все и дело.

Я поставила на LP-вертушку группы «Talking Heads» и опустила иглу; эта долгоиграющая пластинка называется «Fear of Music»,

7

Винни купил ее мне на вторую субботу после нашего знакомства в музыкальном магазине «Меджик Бас Рекордз». Пластинка просто потрясающая. Особенно мне нравятся «Heaven» и «Memories Can't Wait», но вообще-то, в этой подборке ни одной слабой вещи. Винни ездил в Нью-Йорк и был на концерте «Talking Heads». А приятель Винни, Дэн, который там служит в охране, сумел в перерыве даже за кулисы его провести, и Винни собственными глазами увидел самого Дэвида Бирна и всю его команду. Если он на будущий год снова туда поедет, то возьмет меня с собой. Я оделась, осматривая каждый синяк, свидетельство нашей бурной страсти, и размышляя, что хорошо было бы и сегодня вечером пойти к Винни, но сегодня он, к сожалению, занят: едет в Дувр на встречу с приятелями. Мужчины терпеть не могут, когда женщины начинают проявлять ревность, и я каждый раз притворяюсь, будто ни капельки его не ревную. Моя лучшая подруга Стелла тоже уехала — в Лондон, порыться в секонд-хенде на Камден-маркет. А меня мама не пустила — сказала, что мне еще рановато ездить в Лондон без взрослых. И вместо меня Стелла взяла с собой Эли Джессоп. Значит, сегодня мне светит самое большее обслуживание посетителей в баре. Ну что ж, зато заработаю свои законные три фунта карманных денег, тоже неплохо. Потом еще нужно хоть немного позаниматься — на следующей неделе уже экзамены. А впрочем, чтобы получить аттестат «О»[1], можно сдать хоть пустые листы и сказать этой школе, куда ей надо засунуть и теорему Пифагора, и «Повелителя мух» и жизненный цикл червей. Запросто!

Вот именно. Я запросто могу так поступить.

* * *

Когда я спустилась вниз, на кухне все дышало холодом, как в Антарктиде.

— Доброе утро, — сказала я, но только Жако поднял голову и посмотрел на меня с подоконника, где он вечно сидит и рисует.

Шэрон валялась в гостиной на диване и смотрела какой-то мультфильм. Папа в холле разговаривал с парнем из доставки — напротив нашего паба как раз разворачивался грузовик пивоваренного завода. Мама для чего-то мелко-мелко крошила на доске яблоки и делала вид, что меня не слышит. В таких случаях мне обычно полагалось спросить: «В чем дело, мам? Что я такого сделала?», только на фиг

---

[1] Аттестат «О» — свидетельство об общем образовании обычного уровня, тогда как аттестат «А» — свидетельство повышенного уровня; экзамен на аттестат сдается в общеобразовательных школах после шестого класса. — *Здесь и далее примечания переводчика.*

мне нужны эти детские игры. Она же наверняка заметила, как поздно я вчера вернулась. Вот пусть сама на эту тему и заговаривает.

Я насыпала в плошку хлопьев «Витабикс», залила их молоком и поставила на стол. Мать с грохотом накрыла сковороду крышкой и подошла ко мне.

— Так. Ну и что ты скажешь в свое оправдание?

— Да, мам, с добрым утром. Сегодня тоже будет жара.

— Что ты намерена *сказать в свое оправдание*, юная леди? Если не знаешь, что сказать, притворись невинной овечкой.

— А что говорить-то? И насчет чего? Можно поточнее?

Она тут же уставилась на меня, не мигая, как змея.

— Ты в котором часу домой вернулась?

— Ну ладно-ладно, ну чуточку опоздала, ну *извини*.

— Два часа — это не «чуточку». Где ты была?

Я продолжала безмятежно жевать «Витабикс».

— У Стеллы. Забыла на часы посмотреть.

— Вот как? Очень странно. Очень и очень странно. Дело в том, что я в десять часов звонила матери Стеллы, хотела выяснить, где тебя черти носят, и догадайся, что она мне ответила? Сказала, что ты ушла, когда и восьми еще не было. Так кто из вас врет, Холли? Ты или она?

Вот вляпалась!

— Ну и что? Я, когда ушла от Стеллы, решила еще немного прогуляться.

— И куда же завела тебя твоя прогулка?

Четко выговаривая каждое слово, я сказала:

— На берег реки. Устраивает?

— И куда же ты двинулась по берегу реки — верх по течению или вниз?

Я старательно выдержала паузу, потом спросила:

— А что, это *так уж* важно?

Из телевизора доносились какие-то взрывы и вопли мультипликационных героев. Мама сердито крикнула сестренке:

— Выключи это немедленно, Шэрон! И уходи отсюда. И дверь за собой закрой.

— Это несправедливо! — возмутилась Шэрон. — Ты Холли ругаешь, а я что, виновата? Пусть Холли отсюда уходит!

— *Быстро*, Шэрон. И ты тоже, Жако. Мне нужно... — Но Жако уже и след простыл. Когда наконец убралась и Шэрон, мама предприняла новую атаку: — Значит, ты отправилась на «прогулку» совсем одна?

Откуда это отвратительное ощущение, что она хочет вывести меня из себя?

9

— Да.

— И далеко ты забрела, гуляя в полном одиночестве?

— Я что, должна назвать расстояние в милях? Или лучше в километрах?

— А может, твоя «прогулка» привела тебя прямиком на Пикок-стрит? Где живет некий тип по имени Винсент Костелло? — На кухне точно вихрь взметнулся. За окном на том берегу реки, в Эссексе, я заметила крошечную фигурку с конечностями-палочками — какой-то мужчина снимал с парома свой мотоцикл. — Что, все слова растеряла? Ну, давай я тебе подскажу, напомню: вчера в десять часов вечера ты опускала там жалюзи, стоя на подоконнике в одной майке, а больше, по сути дела, на тебе ничего и не было.

Да, я действительно спускалась, чтобы купить Винни пиво. Да, я действительно опускала жалюзи на том окне, что выходит на улицу. Да, кто-то действительно проходил мимо. «Расслабься, — сказала я себе. — Неужели этот единственный незнакомец, мельком глянувший на наши окна, так сразу меня и узнал? Мама просто рассчитывает, что я сломаюсь. Но я и не подумаю».

— В тебе пропадает роскошная барменша, мам. Ты бы отлично выслеживала наркоманов и сдавала их в MI5[1].

Мама бросила на меня *классический* гневный взгляд Кэт Сайкс — в нем слились отвращение, презрение и гнев.

— Сколько ему лет?

Теперь уже я упрямо сложила руки на груди.

— Не твое дело.

Мать прищурилась:

— По всей вероятности, двадцать четыре.

— Раз ты и так знаешь, зачем же спрашивать?

— Потому что подобные отношения двадцатичетырехлетнего мужчины и пятнадцатилетней школьницы — это преступление. За это его запросто можно посадить.

— Мне уже в сентябре исполнится шестнадцать. А у полиции Кента, по-моему, найдется рыбка и покрупнее, чтоб бросить на сковородку. И вообще, я уже достаточно взрослая, сама могу решать, с кем мне иметь «подобные отношения», а с кем не иметь!

Мать вытащила сигарету из красной пачки «Мальборо» и закурила. Мне тоже до смерти хотелось курить.

— Когда я все расскажу твоему отцу, он же с этого Костелло кожу заживо сдерет.

---

[1] Military Intelligence (*англ.*) — контрразведка; служба безопасности.

Ну, это фигушки: папе, как и всем хозяевам пабов, и впрямь порой приходится выпроваживать из бара разных упившихся до чертиков и разбуянившихся «артистов», только он совсем не тот человек, который способен содрать с кого-то живьем кожу.

— Брендану, между прочим, тоже было пятнадцать, когда он бегал на свидания с Мэнди Фрай, — сказала я. — И если ты думаешь, что они просто гуляли, держась за ручки, то очень ошибаешься. Хотя я что-то не помню, чтобы ты ему хоть раз сказала, что его за это «запросто можно посадить».

Мать посмотрела на меня и произнесла четко, почти по слогам, точно разговаривая со слабоумной:

— *Мальчики — это — совершенно — другое — дело.*

Я презрительно фыркнула: да ладно тебе, мам!

— Значит так, Холли, запомни: ты будешь встречаться с этим... торговцем автомобилями только через мой труп.

— Ты ошибаешься, мам! Я, черт побери, буду с ним встречаться! Я буду встречаться *с кем захочу!*

— Теперь у нас в доме будут новые правила. — Мама устало загасила недокуренную сигарету. — Я буду сама *отвозить* тебя в школу и *привозить* обратно. И из дому ты одна больше не выйдешь — только со мной, с отцом, с Бренданом или Рут. А если я хоть одним глазком еще раз *замечу* поблизости этого охотника за младенцами, то немедленно заявлю в полицию и потребую привлечь его к уголовной ответственности — да, я это *сделаю*, помоги мне господи! И еще — *еще* — я позвоню к нему на работу и расскажу, что он соблазняет малолетних школьниц.

Огромные жирные секунды тянулись на редкость медленно, и я прямо-таки чувствовала, как проникают в меня злые мамины слова.

Глаза у меня уже начинало пощипывать, но я знала, что *ни в коем случае* не позволю себе доставить этой миссис Гитлер удовольствие видеть, как я реву.

— У нас не Саудовская Аравия! Ты не имеешь права запирать меня в доме!

— Живешь под нашей крышей — подчиняйся нашим правилам. Когда я была в твоем возрасте...

— Да, да, да! И у тебя было двадцать братьев, и тридцать сестер, и сорок бабушек-дедушек, и пятьдесят акров картофельных полей, которые нужно было вскапывать, потому что такова была жизнь в вашей старой гребаной *Ойрландии*, черт бы ее побрал! Но здесь-то Англия, мама, *Англия*! И на дворе 80-е, и если уж жизнь была так прекрасна в вашем гребаном Западном Корке, в этом *вонючем болоте*, то какого же черта ты вообще приехала в...

Хлоп! Она со всего маху врезала мне по левой щеке.

Некоторое время мы молча смотрели друг на друга; я вся дрожала от потрясения, а мама... в таком гневе я ее еще никогда не видела. А еще до нее, похоже, начало доходить, что она собственными руками разрушила отношения с дочерью и восстановить их будет уже невозможно. Я встала и, не говоря ни слова, с видом победительницы вышла из комнаты.

* * *

Я совсем немножко поплакала, но скорей от шока, чем от обиды, потом перестала плакать и подошла к зеркалу. Глаза, конечно, слегка припухли, но, если чуточку подвести, заметно не будет. Теперь еще немножко помады, капельку румян... В общем, сойдет. И девушка в зеркале — точнее, молодая женщина с коротко подстриженными черными волосами, в майке с надписью «Quadrophenia» и в черных джинсах — сказала мне: «А у меня для тебя новости: ты сегодня переезжаешь к Винни». Я начала было перечислять причины, которые не позволят мне так поступить, и умолкла, чувствуя, как кружится от волнения голова, и одновременно испытывая какое-то странное спокойствие. «Да, — согласилась я, — а еще я бросаю школу. Вот прямо сию минуту». Все равно скоро летние каникулы, подумала я, так что школьный инспектор и пукнуть не успеет, а в сентябре мне уже стукнет шестнадцать, так что инспектору и учителям нашей общеобразовательной школы «Уиндмилл-Хилл» придется молчать в тряпочку. Господи, неужели у меня действительно духу хватит?

Хватит. Ну, тогда пакуй вещи! Что с собой-то брать? А то, что в рюкзак влезет. Трусы, бюстгальтеры, майки, куртку-косуху, косметичку, банку из-под бульонных кубиков «Оксо» с моими браслетами и ожерельями. Еще не забыть зубную щетку и пакет с тампонами — менструация у меня немного запаздывает и может начаться в любую минуту. Деньги. Я посмотрела, сколько у меня в кошельке: 13 фунтов 85 пенсов купюрами и мелочью. Еще у меня есть 80 фунтов на тайном счете в банке. Вряд ли Винни заставит меня платить за жилье, а на следующей неделе я уже и работу себе найду. Можно, например, работать бебиситтером, или на рынке, или официанткой — да всегда можно придумать, как заработать несколько фунтов. А вот что делать с коллекцией дисков? Я же не могу прямо сейчас перетащить их все на Пикок-стрит. Зато мама вполне способна отнести их в магазин «Оксфам»[1] с глаз долой. В общем, пришлось взять только «Fear of Music». Я аккуратно завернула пластинку в косуху и пристроила в рюкзаке так, чтоб не повредить. А остальные диски на время спрятала в тайник под специально расшатанными

---

[1] Оксфордский комитет помощи голодающим (Oxford Famine Relief).

досками пола, но когда я уже снова накрывала это место ковром, то испытала, наверно, самый сильный испуг в жизни, заметив, что в дверях стоит мой брат Жако и внимательно за мной наблюдает. Он все еще был в пижаме с надписью «Thunderbirds»[1] и в шлепанцах.

— Мистер, как вы меня напугали! Просто чуть сердце не выскочило!

— Ты уходишь. — У Жако всегда был какой-то потусторонний голос.

— Да, но это между нами. И не волнуйся, я ухожу недалеко.

— Я тебе сувенир сделал. Чтобы ты меня помнила.

Жако вручил мне картонный круг — тщательно распрямленную крышку от коробки из-под сыра «Дейрили» — с изображенным на нем лабиринтом. Мой братишка просто помешан на лабиринтах; их полно в книжках серии «Драконы и драконство», которыми они с Шэрон так увлекаются. Лабиринт, который подарил мне Жако, на самом деле был довольно незамысловат, во всяком случае, сам Жако умел придумывать и куда более сложные. Этот состоял всего из восьми или девяти концентрических кругов, соединенных проходами.

— Возьми, — сказал мне Жако. — Это *дьявольский* лабиринт.

— Мне он вовсе не кажется таким уж страшным.

— «Дьявольский» значит «сатанинский», сестра.

— И что же в нем такого сатанинского? Объясни.

— Тьма неотступно следует за тобой, когда ты идешь по этому лабиринту, и если она тебя коснется, ты просто перестанешь существовать. Так что один неверный поворот, ведущий в тупик, — и тебе конец. Вот почему ты *должна* выучить все повороты лабиринта наизусть.

Господи, только спятившего брата мне и не хватало!

— Ладно, выучу. Спасибо тебе, Жако. Слушай, мне еще нужно кое-что...

Жако крепко сжал мое запястье.

— Выучи этот лабиринт, Холли. И извини своего *спятившего брата*. Пожалуйста.

Мне вдруг стало слегка не по себе.

— Мистер, вы ведете себя как-то очень странно...

— Дай слово, что запомнишь наизусть все повороты и переходы этого лабиринта, чтобы в случае необходимости смогла бы найти путь даже в темноте. *Пожалуйста!*

---

[1] Популярный телевизионный мультсериал («Тандербёрды: Международные спасатели», 1965—1966).

У всех моих друзей младшие братья помешаны на комиксах и играх типа «Scalextrick» или «Top Trumps», почему же только у меня младший братишка мастерит лабиринты и употребляет выражения «в случае необходимости» и «дьявольский»? Господи, а вдруг он окажется геем? Как же он тогда выживет в нашем Грейвзенде? Я ласково взъерошила ему волосы.

— Ладно, даю слово, что непременно выучу твой лабиринт наизусть. — И после этих слов Жако вдруг крепко-крепко меня обнял, и это было совсем уж странно, потому что Жако обниматься-целоваться совсем не любит. — Эй, что это ты? Я ведь совсем недалеко... Ты меня поймешь, когда станешь постарше, и потом я...

— Ты переезжаешь к своему бойфренду.

Теперь я уже ничему не удивлялась, так что покорно призналась:

— Да.

— Береги себя, Холли.

— Винни очень хороший, Жако! И как только мама немного привыкнет к новой ситуации, мы с тобой снова будем часто видеться. Ну вот, например, мы же часто видимся с Бренданом с тех пор, как он женился на Рут, верно?

Но Жако молча засунул картонку с нарисованным на ней лабиринтом поглубже в мой рюкзак, еще раз печально взглянул на меня и исчез.

* * *

Мама появилась на лестничной площадке с корзиной, полной ковриков из бара, которые нужно было вытряхнуть. Вид у нее был такой, словно она попалась мне навстречу случайно, а вовсе не сидела в засаде.

— Я не шучу, Холли. Из дому тебе выходить *запрещено*. Немедленно вернись наверх. На следующей неделе экзамены. Тебе давно пора сесть и подумать о своем будущем.

Я до боли стиснула лестничные перила.

— Ты, кажется, сказала: «Живешь под нашей крышей — подчиняйся нашим правилам»? Что ж, прекрасно. Мне не нужны *ни* твои правила, *ни* твоя крыша, *ни* твои подзатыльники, которые ты мне отвешиваешь, стоит тебе самой потерять какую-нибудь тряпку. Ведь ты же не перестанешь так себя вести, верно?

У матери как-то странно исказилось лицо, и мне показалось, что она вот-вот скажет какие-то правильные слова, и мы наконец поговорим по душам. Но нет, она просто вцепилась в мой рюкзак, гнусно усмехнулась, словно никак не может поверить, до чего глупа ее дочь, и заявила:

— А ведь когда-то и у тебя были мозги!

В общем, я вырвала у нее рюкзак и продолжала спускаться, а она так и осталась стоять на месте.

— Как насчет школы? — спросила она, и голос ее прозвучал весьма напряженно.

— Ну, если эта школа для тебя так важна, так *сама* там и учись!

— У меня-то, черт побери, никогда в жизни и не было возможности учиться! Мне всю жизнь приходилось вкалывать! И паб этот содержать, и детей растить, и всех вас — и тебя, и Брендана, и Шэрон, и Жако — кормить, одевать-обувать, в школе учить, чтобы хоть *вам* потом не пришлось *всю жизнь* мыть туалеты, вытряхивать пепельницы и гнуть спину с утра до вечера, не имея возможности хоть раз лечь спать пораньше.

Что мне ее слова! Как с гуся вода. Я продолжала медленно спускаться.

— Ну, ладно, иди-иди. Ступай. Узнаешь, какова она, жизнь-то, на вкус. Не сомневаюсь, что через три дня твой Ромео тебя вышвырнет вон. Мужчину в девушке интересует вовсе не ее яркая индивидуальность, черт побери! Такого, Холли, никогда не бывает.

Я сделала вид, что не слышу. Из холла мне было видно, как Шэрон хлопочет за барной стойкой у полок с фруктовыми соками, помогая папе обновить запасы спиртного и наполнить кувшины. Я не сомневалась, что она все слышала. Я помахала ей рукой на прощанье, и она махнула мне в ответ, но как-то нервно. Из глубины подвала гулким эхом доносился голос отца, монотонно повторявшего: «Паром из Ливерпуля...» Пожалуй, лучше было его во все это не вмешивать. И потом, сейчас он наверняка принял бы сторону мамы. А в присутствии завсегдатаев паба он выразился бы примерно так: «Я не такой дурак, чтобы разнимать двух дерущихся куриц!», и они стали бы согласно кивать, бормоча: «Это ты верно сказал, Дэйв». Кроме того, стоило убраться из дома, пока он еще не знает о наших с Винни отношениях. Не то чтобы я их стыдилась. Я просто предпочла бы избежать жарких объяснений. Ньюки, как всегда, спал в своей корзинке. «Ты самая вонючая собака в Кенте, — с нежностью сказала я ему, стараясь не заплакать, — ты старый мешок с блохами». Я почесала его за ухом, отодвинула засов на боковой двери, вышла в переулок Марло, и у меня за спиной со щелчком захлопнулась дверь.

* * *

На Вест-стрит свет и тень сменяли друг друга резко, как на экране телевизора с неотрегулированной контрастностью, так что пришлось надеть темные очки, и мир вокруг сразу окутала фантастическая пелена, однако он одновременно стал более живым и реальным. В горле у меня стоял колючий комок, меня всю трясло. Но никто из паба за мной не погнался. Уже и это хорошо. Мимо с грохотом пронесся грузовик с цементом, от него так и летела пыль, больше похожая на дым и заставлявшая конские каштаны покачиваться, отряхивая листву. В воздухе висел запах разогретого солнцем гудрона, жареной картошки и мусора недельной давности, который уже вываливался из мусорных баков, — мусорщики снова устроили забастовку.

Мимо меня со щебетом и свистом пролетали какие-то мелкие птички, похожие на оловянные свистульки на шнурке, которые детям часто дарят на день рождения; в парке у церкви на Крукид-лейн мальчишки играли в футбол, гоняя ногами жестяную банку. *Я взял! Пас, пас! Вон он, за деревом прячется! Да отпусти ты меня!* Малышня. Стелла говорит, что мужчины постарше — куда лучше любовники, чем наши с ней ровесники; с мальчишками, говорит она, все их «мороженое на палочке» сразу тает, как только окажется у тебя в руках. Только одна Стелла знает о Винни — она тоже там была, в «Меджик Бас», в ту самую первую субботу, когда мы с ним познакомились, — но Стелла умеет хранить тайны. Когда она учила меня курить, а меня все время тянуло блевать, она и не думала смеяться и никому ничего не сказала; именно она поведала мне все, что нужно знать о мальчишках. Стелла — самая классная девчонка в нашем классе, это точно.

Крукид-лейн, извиваясь, тянется от реки вверх; пройдя по ней, я свернула на Куинн-стрит, где на меня чуть не наехала детской коляской Джулия Уолкот. Из коляски торчала голова ее малыша, а сама Джулия выглядела совершенно измученной. Когда она забеременела, ей пришлось бросить школу. Так что мы с Винни страшно осторожничаем; мы только один раз занимались *этим* без презерватива — в самый первый раз, а я твердо знаю: наукой доказано, что сразу девственница забеременеть не может. Об этом мне тоже Стелла сказала.

* * *

Через Куинн-стрит были натянуты гирлянды флажков — словно в честь Дня Независимости Холли Сайкс. Хозяйка магазина, торгующего шотландской шерстью, поливала цветы в висячих корзинках, а ювелир мистер Гилберт выставлял в витрину подносы с перстнями. Мясники Майк и Тодд выгружали из задних дверей фургона безголовую тушу свиньи, за которой виднелась еще дюжина таких же туш на крюках. Возле библиотеки стояли несколько активистов профсоюза шахтеров с ведерками и собирали деньги для забастовщиков, а люди из «Socialist Worker»[1] держали в руках плакаты: «Уголь, а не пособие по безработице» и «Тэтчер объявляет войну рабочим»[2]. Я заметила, что в их сторону катит на велосипеде Эд Брубек, и нырнула в крытый рынок, чтобы Эд меня не заметил. Он переехал в Грейвзенд из Манчестера в прошлом году; его отец был уволен с работы и угодил в тюрьму за кражу со взломом и за «оскорбление действием». Друзей Эд Брубек у нас не завел и всем своим видом показывал, что они ему не нужны. Обычно в нашей школе за такое зазнайство буквально распять готовы, но если кто из шестиклассников и пытался катить на Брубека бочку, дело каждый раз кончалось расквашенным носом, и в итоге его оставили в покое. Эд проехал мимо, не заметив меня; к велосипедной раме была прикручена удочка. Я пошла дальше. Возле пассажа бродячий музыкант играл на кларнете нечто похоронное. Кто-то бросил ему в раскрытый футляр монетку, и он тут же переключился на тему из мюзикла «Даллас». Добравшись до магазина граммпластинок «Мсджик Бас», я заглянула внутрь. В тот день я просматривала каталог на букву «Р», искала «Рамонес». А Винни перебирал карточки на букву «Х» — его интересовали «Хот», «Хорни» и «Холли». В задней части магазина всегда висит несколько старых гитар. Вин мог сыграть вступление к «Stairway to Heaven»[3], но дальше дело у него не пошло. И теперь я собиралась самостоятельно учиться играть на его гитаре, пока он на работе. А потом мы с ним могли бы создать собственную группу. Почему бы и нет? Тина Веймаут — девушка, а играет на контрабасе в группе «Talking Heads». Представляю себе мамино лицо, когда она, продолжая твердить «Она мне больше не дочь!», увидит, как я играю на гитаре в группе «Top of the Pops». Все дело в том, что мама никогда никого не любила так сильно, как мы с Вином любим друг друга. Они с отцом, правда, неплохо уживаются, но вся ее родня из Корка папу всегда недолюбливала: во-первых, он не ирландец, а во-вторых, не католик. Мои ирландские кузены и кузины — все они старше меня, страшно веселились, рассказывая мне, что мама забеременела Бренданом еще до того, как они с папой поженились, но теперь-то они уже двадцать пять лет женаты, и это

---

[1] Еженедельная газета троцкистской Социалистической рабочей партии.

[2] В 1984—1985 годах правительство консерваторов во главе с Маргарет Тэтчер развернуло кампанию по ликвидации угольной промышленности в Великобритании и, соответственно, по ослаблению влиятельнейшего Национального профсоюза шахтеров, который с помощью всеобщей забастовки привел к отставке предыдущее правительство консерваторов. Это был один из острейших политических конфликтов в стране в конце XX века.

[3] Имеется в виду композиция «Led Zeppelin».

совсем не смешно, да и вообще, по-моему, у них все не так уж плохо. Но все же между моими родителями нет той удивительной связи, какая существует у нас с Вином. Стелла говорит, что мы с Вином — родственные души и просто созданы друг для друга.

Возле «Нэшнл Вест бэнк» на Милтон-роуд я случайно наткнулась на Брендана. Фу ты ну ты! Волосы зачесаны и напомажены, модный галстук с «огурцами», на плече небрежно брошен блейзер — можно подумать, что это выпускник какой-нибудь «достойной» школы вроде Итона, а не обычный служащий банка «Стотт и Конвей». Сколько же сердечных страданий доставил мой красавец брат старшим сестрам моих приятелей! Ой, меня счас стошнит, подайте ведерко! А женился он на Рут, дочери своего шефа, мистера Конвея; сперва они расписались в городской ратуше, а потом устроили довольно-таки скучный прием в «Чосер кантри клаб». Я не захотела быть подружкой невесты, потому что терпеть не могу платья, особенно такие, которые превращают тебя в этакую Скарлетт О'Хара, героиню «Унесенных ветром», так что всей это чушью занимались Шэрон и племянницы Рут; они же заодно развлекали и наших родственников из Корка, приехавших на свадьбу. Брендан всегда был для мамы «ее золотым мальчиком», а она для него — «золотой мамочкой». Я прекрасно понимала, как они с мамой потом будут в мельчайших подробностях перемалывать все то, что он сейчас от меня услышит.

— Привет, — сказала я. — Как дела?

— Ничего, не жалуюсь. А как у нас в «Капитане»? Все нормально?

— Да, все отлично. Особенно мама — она сегодня прямо-таки переполнена радостью весеннего дня.

— Да ну? — Брендан улыбнулся, но явно был озадачен. — Это с чего же?

Я пожала плечами.

— Должно быть, с нужной ноги встала.

— Здорово. — Он заметил мой рюкзак и спросил: — Что это, мы никак путешествовать собрались?

— Не то чтобы. Иду к Стелле Йирвуд повторять французский, потом у нее ночевать останусь. У нас на следующей неделе экзамены.

Брата явно впечатлила моя жажда знаний.

— Это ты молодец, сестренка!

— Ну что, Рут получше?

— Не особенно. Одному богу известно, почему это принято называть «утренним недомоганием беременных», когда ей хуже всего как раз посреди ночи.

— А может, это мать-природа специально тебя закаляет перед тем, как ребенок родится? — предположила я. — Все эти бессонные ночи, ссоры, тошнота, рвота... Тут требуется воспитывать выдержку.

Но Брендан на подобную наживку не клюнул.

— Наверное, — рассеянно промолвил он.

Вообще-то, мне весьма трудно было представить себе Брендана в роли отца, и все же после Рождества он станет отцом.

У нас за спиной открылись двери банка, и служащие начали цепочкой просачиваться внутрь.

— Вряд ли, конечно, мистер Конвей уволит своего зятя за опоздание, — сказала я, — но разве вы не в девять начинаете?

— Да, верно, мне пора. Ладно, до завтра. Надеюсь, ты уже вернешься от своей подружки. Мама нас на ланч пригласила. Успеха тебе.

— Сегодня уже и так самый успешный день в моей жизни, — заверила я брата, полагая, что в точности передаст мои слова маме.

Брендан победоносно мне улыбнулся и влился в поток людей, одетых в строгие офисные костюмы или в форменную одежду и спешивших в свои конторы, магазины и на фабрики.

* * *

Я решила, что в понедельник непременно закажу себе ключ от парадного Винни, а сегодня проникну в его квартиру привычным, тайным, путем. Я прошла немного по улице, которая почему-то называется Гроув[1]; там, как раз перед офисом налоговой службы, есть один почти незаметный переулочек, и поворот туда скрыт мусорным баком, переполненным использованными подгузниками и гигиеническими прокладками. Там меня, точно Щелкунчика, уже поджидала большая коричневая крыса. В этот-то переулочек я и свернула, потом еще раз свернула направо и оказалась между оградой садиков, которые расположены на задах домов, стоящих на Пикок-стрит, и задней стеной офиса налоговой службы. Самый последний дом по Пикок-стрит, почти у железной дороги — это дом Винни. Я легко проскользнула между расшатанными прутьями ограды и через запущенный сад побрела к его окнам. Трава и здоровенные сорняки выросли мне по пояс, а на сливовых деревьях уже висели зеленые завязи плодов, хотя, конечно, большая часть слив достанется осам и червям. Винни говорил, что никак не может заставить себя поднять собственную задницу, выйти в сад и собрать сливы. Сейчас садик напоминал лес из «Спящей красавицы», поглотивший весь замок, когда в этом замке на целых сто лет все уснули. Вообще-то, Винни полагалось поддерживать порядок в саду, поскольку и дом, и сад принадлежали его тете, но сама она жила в Кингс-Линн и никогда к нему в гости не приезжала. Да и Винни,

---

[1] G r o v e — роща (*англ.*).

19

конечно, настоящий байкер, а вовсе не садовник. Ничего, думала я, вот поселюсь здесь и сразу укрощу эти джунгли. Этому саду просто нужна женская рука — и все пойдет на лад. Можно, кстати, начать прямо сегодня, но сперва я немного поучусь играть на гитаре. Я знала, что в углу сада стоит маленький сарайчик, наполовину скрытый сейчас разросшимися сорняками, где хранятся всякие садовые инструменты; там даже газонокосилка есть. Ничего, я посажу здесь подсолнухи, розы, анютины глазки, гвоздики и лаванду, а еще разные полезные травы в маленьких терракотовых горшочках. Я буду печь и ячменные лепешки, и сливовые пироги, и кофейные кексы, а Винни будет все это с аппетитом лопать и повторять: «Господи, Холли, как же я без тебя обходился?» Во всех журналах пишут, что путь к сердцу мужчины лежит через желудок. Возле бочки для воды сильно разросся какой-то колючий пурпурный кустарник, и его весь облепили белые бабочки — очень красиво, прямо конфетти и кружево; кажется, что куст шевелится, как живой.

Задняя дверь никогда не запирается, потому что ключ от нее Винни давно потерял. На кухне так и валяются коробки из-под пиццы, и в раковине с прошлого вечера стоят стаканы из-под вина, но ни малейших признаков завтрака не видно — должно быть, Винни снова проспал и сразу рванул на работу. Вообще-то, здесь, конечно, нужна хорошая уборка; пыли полно, надо ее вытереть и все пропылесосить. Но сперва кофе, а уж потом за работу. Утром я успела съесть в лучшем случае половину обычной порции «Витабикса», прежде чем мама вздумала лупить меня, как этот знаменитый боксер Мохаммед Али. И сигареты я тоже забыла по дороге купить — как-то совсем из башки вылетело после встречи с Бренданом, — но я знала, что у Винни всегда есть пачка сигарет в ящике прикроватного столика, так что я тихонечко поднялась по крутой лесенке в его спальню. В *нашу* спальню, следовало бы теперь говорить. Шторы раздернуты не были; в комнате стояла духота, и чем-то противно воняло, точно от старых грязных носков. Я решила впустить туда немножко света и воздуха, раздернула шторы, раскрыла окна, обернулась и... чуть не выскочила из собственной кожи: в постели лежал Винни, и вид у него был такой, словно он со страху обкакался.

— Это я, всего лишь я, — торопливо успокоила его я. — Извини, пожалуйста, я... я... я... я думала, ты на работе.

Он хлопнул рукой себя по груди, где сердце, и вроде как *трагически* засмеялся, словно я в него выстрелила.

— *Господи*, Хол! Я же тебя принял за грабителя!

Я вроде как тоже засмеялась.

— Значит, ты... дома? А как же работа?

— Да хрен с ней! Эта новая секретарша, черт бы ее побрал, совершенно безнадежна — никак не усвоит наше расписание. В общем, Кев позвонил мне и сказал, что на сегодня я свободен.

— Блеск! — обрадовалась я. — Нет, правда, здорово, потому что... у меня для тебя сюрприз.

— Отлично, люблю сюрпризы. Но сперва поставь чайник, а? Я быстренько спущусь. Ох, я и забыл! Вот ведь фигня какая! Понимаешь, у меня кофе кончился. Будь паинькой, сбегай в «Стафф», купи пачку «Голд Бленд». Я тебе потом денежки отдам.

Но я не спешила; мне хотелось сперва все ему рассказать.

— Мама все про нас знает, Вин.

— Да? Да-а... — Вид у него стал задумчивым. — Ну, ясно. А как она, э-э...

Мне вдруг стало страшно: а что, если он действительно не захочет, чтобы я у него осталась?

— Не то чтобы здорово. Естественно, повоняла немного. Заявила, что запрещает мне с тобой встречаться; пригрозила даже запереть в подвале. В общем, я просто взяла и ушла. Так что...

Винни как-то первно на меня глянул, словно не понимая намека.

— Так что можно мне... ну, вроде как... пока у тебя пожить? Хотя бы какое-то время.

Винни судорожно сглотнул.

— О'кей... понятно. Ну что ж. О'кей.

Хотя звучало это совсем не о'кей.

— Так это «да», Вин?

— Да-а. Конечно. Да. Но сейчас мне просто *необходимо* немедленно выпить кофе.

— Ты это серьезно говоришь? О, Вин! — Меня затопила волна облегчения. Я словно погрузилась в теплую ванну. Я обняла его и почувствовала, что он весь мокрый от пота. — Ты самый лучший, Винни! Я так боялась, что ты, может, совсем не...

— Ну, мы бы не смогли заниматься сексом, мой пушистый котенок-мурлыка, если бы ты начала спать под мостом, верно? Но послушай, Холли, мне, ей-богу, срочно требуется кофе, почти как Дракуле — кровь, так что, пожалуйста...

Я не дала ему договорить и принялась его целовать, моего любимого Винни, моего дорогого бойфренда, который побывал в Нью-Йорке и пожал руку самому Дэвиду Бирну; моя любовь к нему вскипела — уфф! — как перегревшийся бойлер, и я уронила его навзничь, и мы скатились на какой-то комковатый холмик, наверное, сбившуюся перину, но холмик вдруг, извиваясь, пополз прочь, и я машинально протянула руку и отбросила одеяло в сторону, и под ним оказалась моя лучшая подруга Стелла Йирвуд. Абсолютно голая. Я и сама такой бываю в самых неприличных эротических снах, вот только это был не сон.

Я молча... уставилась на ее промежность, которую она и не подумала прикрыть, и не отводила глаз, пока Стелла не сказала насмешливо:

— Вряд ли *моя* так уж отличается от *твоей*, тебе не кажется?

И я перевела взгляд на Винни, которому было явно не по себе. Впрочем, он, нервно хихикнув, поспешно пояснил:

— Это совсем не то, что ты думаешь.

А Стелла, по-прежнему великолепная, как ни в чем не бывало прикрыла себя периной и сказала:

— Да ладно тебе темнить. Это *именно* то, Холли, о чем ты подумала. Мы все собирались тебе сказать, но, как видишь, непредвиденные события нас опередили. Фактически, моя дорогая, ты получила отставку. Неприятно, конечно, но такое порой случается даже с самыми лучшими из нас, а если честно, так почти с каждой. В общем, c'est la vie. Не расстраивайся, в море житейском полно точно таких же Винни. Так что лучше сразу обрубить концы и попросту уйти. Разве тебе не хочется сохранить хоть немного достоинства?

* * *

Когда я наконец перестала плакать, то поняла, что сижу на какой-то холодной каменной лестнице, ведущей в маленький дворик, рядом со мной высится кирпичная стена пяти- или шестиэтажного дома, и из нее на меня смотрят узкие окна со ставнями. Сквозь плиты, которыми был вымощен дворик, пробивалась трава, в воздухе медленно проплывали семена одуванчика, кружась, как снежинки. Когда я с грохотом захлопнула за собой дверь квартиры Винни, ноги, видимо, сами принесли меня сюда, на зады «Грейвзенд дженерал хоспитал», где когда-то доктор Маринус по моей просьбе избавил меня от мисс Константен — мне тогда всего семь лет было. Я даже не помнила, ударила ли я Винни. Мне казалось, что я тону в патоке. Я даже дышать толком не могла. Я смутно помнила, как он с силой стиснул мое запястье — до сих пор было больно, — а Стелла что-то злобно тявкала, вроде «Да будь ты наконец взрослой, Холли, и чеши отсюда! Это же реальная жизнь, а не эпизод из фильма «Династия»!»; а потом я выбежала, громко хлопнув дверью, и понеслась сама не зная куда... Я знала одно: как только я остановлюсь или хотя бы замедлю бег, так сразу же превращусь в этакое сопливое желе, и тогда, разумеется, одна из маминых шпионок тут же это заметит и доложит. И для нее это уж точно будет самой настоящей «вишенкой на торте»! Потому что окажется, что она была кругом права. Я любила Винни так, словно он был самой важной частью меня самой, а я ему всего лишь *нравилась*... причем не больше, чем какая-нибудь вкусная жевательная резинка. Сунул в рот — и наслаждаешься, но как только из жвачки уходит весь вкус и аромат, ее можно попросту выплюнуть и тут же сунуть в рот новую. Вот Винни меня и выплюнул. А новой жвачкой оказалась не абы кто, а моя лучшая подруга Стелла Йирвуд! Как он мог? Как она могла?!

«Прекрати *реветь*! — велела я себе. — Подумай о чем-нибудь другом...»

* * *

Итак, «Холли Сайкс и Сверхъестественное Дерьмо», глава первая.

В 1976 году мне было семь лет. За все лето не выпало ни одного дождя, и листья в садах стали совершенно коричневыми от засухи. Я хорошо помнила, какая огромная очередь с ведрами выстраивалась в конце Куинн-стрит, где была колонка, мама с Бренданом тоже ходили туда за водой. Из-за той ужасной засухи, наверное, и начались мои странные сны наяву. В ушах у меня то и дело звучали чьи-то чужие голоса. Но не безумные, не несущие всякую чушь и даже не особенно пугающие. Во всяком случае, сначала они меня не пугали... Я называла их «радиолюди», потому что в самый первый раз решила, что где-то в соседней комнате просто включено радио. Вот только оно там включено вовсе не было! Эти голоса я наиболее отчетливо слышала по ночам, но и в школе я их тоже порой слышала, если в классе было достаточно тихо, например во время контрольной. Три или четыре голоса разом что-то нараспев рассказывали, но доносились как бы издали, так что я так и не могла толком понять, о чем они мне говорят. Брендан уже успел поведать мне не одну страшную историю о психушках и тамошних врачах в белых халатах, так что я боялась кому-нибудь рассказать, что со мной происходит. Мама была беременна Жако, папа сбивался с ног в пабе, Шэрон исполнилось всего три года, а Брендану уже и тогда было на все начхать. Я понимала, что слышать какие-то голоса — это ненормально, но вреда они мне никакого не причиняли, и я решила, что это, возможно, просто одна из тех тайн, с которыми людям приходится жить всю жизнь.

Однажды ночью мне приснился жуткий сон о пчелах-убийцах, которые вырвались на свободу и мечутся по нашему «Капитану Марло». Проснулась я вся в поту и увидела, что какая-то дама сидит на кровати у меня в ногах и говорит: «Успокойся, Холли, все хорошо». Я, разумеется, сказала: «Да-да, спасибо, мамочка», потому что кто же еще это мог быть, как не мама? И почти сразу услышала, как мама смеется на кухне в дальнем конце коридора — это было еще до того, как у меня появилась своя комната на чердаке. Услышав мамин смех, я решила, что дама, сидящая у меня на кровати, мне просто снится, и включила свет, чтобы в этом убедиться.

И, естественно, там никого не оказалось!

— Не бойся, — снова услышала я голос все той же дамы, — но я такая же настоящая, как и ты.

Я не завопила и не потеряла рассудок от страха, хотя меня прямо-таки затрясло. И все же я чувствовала, что это какое-то испытание, или что-то вроде пазла, который нужно собрать, или задачки, которую нужно решить. В комнате явно никого не было, но ведь кто-то же со мной разговаривал! И я, стараясь по возможности сохранять спокойствие, спросила у той дамы, не привидение ли она.

— Нет, я не привидение, — ответила мне она, хотя *ее там и не было*, — а гостья твоей души. Именно поэтому ты и не можешь меня видеть.

Я спросила, как ее зовут, эту «гостью моей души», и она сказала: «*Мисс Константен*». А еще она сказала, что отослала прочь всех прочих «радиолюдей», потому что они могли помешать нашей дружеской беседе, и спросила, не против ли я. Я сказала, что нет. И тут мисс Константен вдруг заторопилась, сказала, что ей пора, но она с удовольствием вскоре вновь ко мне заглянет, потому что я «уникальная юная леди».

Потом она исчезла, а я еще долго не могла уснуть, а когда мне все же это удалось, была уже совершенно уверена, что у меня теперь есть новый хороший друг.

* * *

И что теперь? Пойти домой? Да я лучше все зубы дам себе вырвать! Мама же отбивную из меня сделает, потом польет соусом из дерьма, сядет напротив и будет, довольная до потери сознания, смотреть, как я хлебаю полной ложкой. А потом мне до скончания веков и слова ей поперек сказать будет нельзя, только да-сэр-нет-сэр-триполных-кружки-сэр, а иначе она тут же снова припомнит «эту историю с Винсентом Костелло». Ладно, значит, на Пикок-стрит мне не жить. Но дома-то я, по крайней мере, могу достаточно долго не показываться и доказать маме, что я достаточно взрослая и способна сама о себе позаботиться, чтобы она наконец перестала обращаться со мной как с семилетней. Денег мне пока на еду вполне хватит, а из плена жарких страстей я, похоже, выберусь еще не скоро, так что будем считать, что летние каникулы у меня просто начались чуть раньше обычного. И хрен с ними, с экзаменами! Хрен с ней, со школой! Стелла, конечно, все повернет так, будто я — этакая чувствительная истеричка, нежным плющом прильнувшая к бойфренду и упорно не желавшая замечать, что бойфренд попросту от меня устал. И благодаря ей уже к девяти утра в понедельник Холли Сайкс станет официальным посмешищем для всей школы «Уиндмилл-Хилл». Можно не сомневаться.

Сирена «Скорой помощи» звучала все ближе, все настойчивей, где-то совсем рядом, по ту сторону дворика, а потом вдруг умолкла, словно на полуслове... Я подняла с земли рюкзак и встала, по-прежнему не зная, куда направиться. Вообще-то, почти каждый подросток, сбежавший из дома, стремится попасть в Лондон, считая, видимо, что непременно встретится там либо с теми, кто «ищет таланты», либо с крестной-волшебницей, как у Золушки; но я все-таки решила пойти в противоположном от Лондона направлении — вдоль реки в сторону Кентских болот. Когда растешь в пабе, то волей-неволей наслушаешься всяких рассказов о том, какого рода «искатели талантов» и «волшебницы», готовые прибрать к рукам сбежавших подростков, встречаются в Лондоне. Я надеялась, что мне, может быть, удастся найти какой-нибудь пустой амбар или летний домик и немного там пожить. А что, вполне возможно, что и найду. И, приободрившись, я двинулась в путь, обогнув больницу с фасада. На парковке было полно машин, и в солнечных лучах ярко вспыхивали лобовые стекла. В прохладном тенистом приемном покое толпились люди; они курили и явно ждали каких-то известий.

Смешные они, эти больницы...

* * *

Продолжим. «Холли Сайкс и Сверхъестественное Дерьмо», глава вторая.

Прошло несколько недель, и я уже начала думать, что эта мисс Константен мне просто приснилась. Во всяком случае, она больше не появлялась. Если не считать того, что я не знала того слова, которым она меня назвала, «уникальная»... Я нашла слово в словаре и задумалась: а как оно вообще могло попасть мне в голову, если не мисс Константен его произнесла? Я и сейчас не знаю ответа на этот вопрос. А как-то ночью, уже в сентябре, когда мы снова начали ходить в школу — а мне уже исполнилось восемь лет, — я проснулась среди ночи и сразу поняла, что она снова здесь. Пожалуй, я скорее обрадовалась, чем испугалась. Мне было приятно, что меня считают уникальной. Я спросила у мисс Константен, не ангел ли она, и она немножко посмеялась и сказала: нет, она такой же человек, как и я, но давно научилась выскальзывать из собственного тела и отправляться в гости к своим друзьям. Я спросила, отношусь ли теперь и я к числу ее друзей, и она спросила: «А ты бы этого хотела?», и я воскликнула: «Да, конечно, пожалуйста, больше всего на свете!», и она пообещала: «Ну, тогда и ты будешь моим другом». А потом я спросила у мисс Константен, откуда она, и она сказала, что из Швейцарии. А я стала выпендриваться и спросила: «А не в Швейцарии ли изобрели шоколад?» И она сказала: «Ах ты, маленькая пуговица! Я таких одаренных детишек никогда не встречала». С тех пор она стала навещать меня каждую ночь; приходила всего на несколько минут, и я рассказывала, как у меня прошел день, а она очень внимательно слушала и то сочувствовала, то старалась меня подбодрить и развеселить. В общем, она всегда была на моей стороне, а вот мама и Брендан, по-моему, никогда на моей стороне не были. А еще я задавала мисс Константен очень много всяких вопросов. Иногда она мне отвечала; например, когда я спросила, как называется цвет ее волос, она сразу сказала: «рыжеватая блондинка»; но довольно часто она как бы уходила в сторону, говоря: «Давай пока не будем все портить и раскрывать эту тайну, хорошо, Холли?»

Затем однажды самая противная девчонка в нашей школе — ее все считали очень одаренной — Сьюзен Хиллэдж подстерегла меня, когда я возвращалась из школы домой. Отца Сьюзен отправили с отрядом в Белфаст, и она, зная, что моя мама — ирландка, ткнула меня носом в землю, встала коленями мне на спину и не отпускала, пока я не скажу, что мы держим уголь в ванне и любим ИРА. Но я ни за что не соглашалась так говорить, и тогда она зашвырнула мой портфель на дерево, а потом заявила, что все равно заставит меня расплатиться за товарищей ее отца, которых убили в Белфасте, а если я кому-нибудь пожалуюсь, то ее отец прикажет своему отряду открыть огонь по нашему пабу, и там начнется пожар, и вся моя семья поджарится в огне, и во всем этом буду виновата только я. К слабакам меня даже тогда причислить было трудно, но в политике я все-таки еще мало что понимала, а Сьюзен Хиллэдж нажала на все самые болезненные точки. Я, правда, не сказала ни слова ни маме, ни папе, но идти утром в школу боялась — меня просто тошнило при мысли о том, что может случиться, если эта противная Сьюзен пожалуется своему отцу. И вот ночью, когда я, проснувшись, лежала в теплом кармашке своей постели, я услышала голос мисс Константен; но на этот раз я не просто услышала ее голос — она сама, лично, сидела в кресле у моей кровати, тихонько приговаривая: «Просыпайся, соня, просыпайся!» Она была молодая, с очень светлыми, почти белыми, волосами с золотистым отливом и ярко-красными, как пунцовые розы, губами, которые в лунном свете казались чернильно-фиолетовыми; и на ней было очень красивое вечернее платье. Вообще она вся была как картинка. Наконец я сподобилась спросить, не снится ли она мне, и она сказала: «Нет, я решила сама тебя навестить, потому что ты, моя блестящая, уникальная детка, сегодня чувствуешь себя совершенно несчастной, вот я и хочу узнать, в чем дело». И я, естественно, рассказала ей, как Сьюзен Хиллэдж мне угрожала. Мисс Константен молча меня выслушала, а потом сказала, что всегда презирала таких задир, которые запугивают других людей, и спросила, не хочу ли я, чтобы она как-то исправила сложившуюся ситуацию. Я сказала, да, пожалуйста, но прежде чем я успела спросить, как она это сделает, в коридоре послышались отцовские шаги, и папа приоткрыл дверь в мою комнату. Я тут же зажмурилась, потому что меня на мгновение ослепил свет лампы, горевшей на лестничной площадке, и с ужасом подумала: как же мне объяснить папе, откуда у меня в комнате среди ночи взялась мисс Константен. Но папа почему-то повел себя так, словно никакой мисс Константен в комнате нет. Он спросил, все ли у меня в порядке, и сказал, что ему почудилось, будто из моей комнаты доносятся голоса. Конечно, к этому времени мисс Константен успела исчезнуть, и он никого у меня в спальне увидеть не смог, а я сказала, что мне, должно быть, что-то приснилось, вот я и говорила во сне.

Я и сама потом поверила, что мне все это приснилось. Слышать какие-то голоса — это одно, но совсем другое — когда ты ночью видишь рядом с собой женщину в вечернем платье! На следующее утро я, как обычно, пошла в школу и, к счастью, не встретила по дороге никакой Сьюзен Хиллэдж. Впрочем, ее и в школе не было. А потом вдруг посреди урока примчалась наша директриса — она даже на утреннее построение опоздала! — и объявила: Сьюзен Хиллэдж сбил грузовик, когда она на велосипеде ехала в школу, и она серьезно пострадала, так что теперь мы должны молиться за ее выздоровление. Я так и застыла, услышав это; казалось, вся кровь разом бросилась мне в голову, а потом школьные стены словно вдруг сомкнулись надо мной, и больше я ничего не помню. Не помню даже, как грохнулась в обмороке на пол, сильно ударившись головой.

* * *

Вода в Темзе сегодня была какая-то особенно грязная, вся зеленая от тины, а я все шла и шла, уходя от Грейвзенда в сторону Кентских болот. Не успела я оглянуться, как оказалось, что уже половина двенадцатого, а Грейвзенд остался далеко позади и теперь стал похож на какой-то игрушечный макет города. Ветер раздувал клубы дыма над трубами цементного завода компании «Блу Сёркл», и они тянулись друг за другом, точно бесконечная связка носовых платков из кармана у фокусника. Справа от меня ревела автомобильная дорога А-2, уходившая вдаль, за болота. Наш завсегдатай старый мистер Шарки говорил, что эту дорогу проложили прямо поверх старой, построенной еще римлянами в период их владычества; именно по этой дороге до сих пор нужно ехать, чтобы добраться до Дувра и сесть на корабль, отплывающий в одну из стран Континента, как, собственно, поступали и древние римляне. Опоры шоссейных развязок уходили вдаль двойной цепью, а я думала о том, что сейчас там, в «Капитане Марло», папа вовсю хлопочет в баре, если только не пристроил к этому делу Шэрон, которая не прочь будет заработать мои законные три фунта. Теплое и душное утро почему-то тянулось удивительно долго, как три урока математики подряд, и глаза у меня уже болели от яркого солнца, а темные очки я забыла у Винни на кухне — положила на сушилку, когда мыла посуду, да там и оставила. А они, между прочим, стоили целых 14 фунтов 99 центов! Мы их вместе со Стеллой покупали; она еще тогда сказала, что видела точно такие же в одном модном магазине на Карнаби-стрит, только там они были в три раза дороже, и я, конечно, решила, что мне здорово повезло. Я вдруг представила себе, что стискиваю шею Стеллы руками, и от этого у меня руки и плечи сразу как-то онемели. Такое ощущение, словно я и впрямь пыталась ее придушить.

Господи, как же хочется пить! Теперь мама уже наверняка изложила отцу собственную версию того, почему Холли сбежала из дома и вела себя как неуправляемый мальчишка-подросток; я готова была спорить хоть на миллион фунтов, что она, рассказывая об этом, весь наш последний разговор так перекрутила, что отец тут же начал шутить: «Выше грудь, девушки!», а завсегдатаи паба — ПиДжей, Ниппер-японец и Большой Декс — согласно кивали и пьяно ухмылялись. А ПиДжей, сделав вид, будто зачитывает статью из газеты «Сан», провозгласил: «Вот тут сказано, что астрономы из университета Говношира только что обнаружили новые свидетельства того, что тинейджеры действительно являются центром Вселенной!» И все пьянчуги дружно захихикали, даже старина Дэйв Сайкс, всехний любимец, присоединился к ним, покатываясь со смеху: ой-ты-такой-остроумный-что-я-чуть-не-описался-ей-богу! Ладно, посмотрим, как они будут смеяться через несколько дней, когда я так дома и не появлюсь!

Я заметила, что впереди несколько человек удят рыбу, хотя до них было еще довольно далеко.

«Холли Сайкс и Сверхъестественное Дерьмо», глава третья.

Когда после обморока меня подняли и понесли в школьный медицинский кабинет, в ушах у меня вновь зазвучали знакомые голоса, и я поняла, что мои «радиолюди» вернулись. На этот раз их было как-то особенно много, сотни, и все они разом что-то нашептывали, так что в итоге у меня просто голова пошла кругом. Но куда сильней, чем возвращение «радиолюдей», меня потрясла мысль, что Сьюзен Хиллэдж погибла *из-за меня*. В общем, я не выдержала и рассказала нашей старенькой медсестре о «радиолюдях» и о мисс Константен, и эта милая старушка, естественно, решила, что у меня как минимум сотрясение мозга, а может, я и вовсе спятила, и тут же позвонила маме. Мама позвонила нашему семейному врачу, и меня в тот же день показали «ушнику» из «Грейвзенд дженерал хоспитал», но тот не нашел никаких отклонений и предложил проконсультироваться у одного его знакомого, специалиста по детской психиатрии из лондонского «Грейт Ормонд-стрит хоспитал». По его словам, этот врач как раз занимался такими случаями, как у меня. Мама тут же принялась твердить как попугай: «У моей дочери с головой все в порядке!», но доктор припугнул ее словом «опухоль», и она сдалась. После этого я пережила самую ужасную ночь в жизни; я умоляла Господа избавить меня от мисс Константен; я даже Библию под подушку положила; но «радиолюди» непрерывно что-то бормотали у меня в ушах, и я из-за этого всю ночь глаз сомкнуть не могла. А наутро нам позвонил тот ушник и сказал, что его друг, тот самый лондонский специалист, уже через час будет в Грейвзенде и хорошо бы моя мама немедленно подняла меня и привезла к нему.

Доктор Маринус был первым настоящим китайцем, с которым я познакомилась, если не считать тех, не совсем настоящих, китайцев из ресторана «Тысяча осеней», куда нас с Бренданом иногда посылали за едой навынос, если мама слишком уставала и не в силах была сама готовить ужин. Доктор Маринус превосходно, прямо-таки безупречно говорил по-английски, хотя и так тихо, что приходилось вслушиваться в каждое его слово. Он был маленького роста, щуплый, но, тем не менее, как бы заполнял собой всю комнату. Сперва он расспросил меня о школе, о семье и вообще поговорил со мной о всякой всячине и только потом перешел к «радиолюдям». Мама упорно продолжала твердить: «Моя дочь не спятила, если вы *это* мне доказать хотите! У нее просто сотрясение мозга». На что доктор Маринус сказал, что совершенно с нею согласен и я, разумеется, отнюдь не сумасшедшая. Просто мой мозг, сказал он, как бы немножко сбился с пути и утратил присущую ему способность логически мыслить, и, чтобы исключить возможность наличия какой бы то ни было *опухоли*, ему нужно задать мне кое-какие вопросы, и мама очень поможет ему, если позволит мне самостоятельно на эти вопросы ответить. Мама притихла, и я стала рассказывать доктору о «радиолюдях», о Сьюзен Хиллэдж и о мисс Константен. Мама, слушая это, снова задергалась, но доктор Маринус заверил ее, что слуховые галлюцинации — их еще называют «сны наяву» — случаются у девочек моего возраста весьма часто. А мне он сказал, что несчастный случай со Сьюзен Хиллэдж — это просто ужасное совпадение, и такие совпадения, даже куда более невероятные, случаются с людьми повсюду, во всех странах мира и чуть ли не каждую минуту; просто пришел мой черед, только и всего. Мама спросила, есть ли какое-нибудь лекарство от этих снов наяву, и тут, помню, доктор Маринус сказал, что «не хотел бы сразу ступать на этот опасный путь», то есть применять сильнодействующие средства, и предпочел бы воспользоваться неким довольно простым, но весьма действенным способом, издавна известным на его «древней родине». Это похоже на иглоукалывание, сказал он, только иглами при этом не пользуются. Затем доктор велел маме сжать кончик моего среднего пальца — он пометил там нужную точку, — а сам коснулся своим большим пальцем какого-то места прямо посредине моего лба и слегка его потер — словно художник, растирающий краску пальцем. И глаза мои сами собой закрылись...

...а «радиолюди» исчезли. Нет, они не просто притихли, а *совсем* убрались куда-то! По моему лицу мама догадалась, что произошло, и, кажется, была потрясена и обрадована не меньше меня. И тут же стала спрашивать: «Неужели это все? И никаких иголок, никаких пилюль?» И доктор Маринус сказал, что да, это все и это должно мне помочь.

Я спросила: навсегда ли исчезла и эта мисс Константен?

И доктор сказал, что, во всяком случае, на некий обозримый период точно.

Вот и все. Мы попрощались с доктором Маринусом и ушли; потом я выросла, и ни «радиолюди», ни мисс Константен в моей жизни больше никогда не появлялись. Я пересмотрела множество всяких научно-документальных фильмов, где рассказывалось, какие невероятные шутки играет порой с нами наш мозг, и наконец поняла, что мисс Константен была для меня чем-то вроде воображаемого друга — этаким Багзом Банни, у которого что-то не в порядке с механизмом. А несчастный случай со Сьюзен Хиллэдж — это действительно просто невероятное совпадение, как и объяснял мне доктор Маринус. Кстати, Сьюзен тогда не умерла, но, выздоровев, вместе с родителями переехала в Рамзгейт, хотя некоторые, наверное, и могли бы сказать, что это почти одно и то же. А еще доктор Маринус провел со мной что-то вроде сеансов гипноза — примерно таких, как на кассетах для желающих бросить курить. С тех пор мама никогда больше не употребляла слово «китаёза», да и теперь обрушивается, как целая тонна кирпича, на всякого, кто так говорит. «Следует говорить «китаец», а не «китаёза», — строго выговаривает она провинившемуся. — Между прочим, китайцы — лучшие доктора в Государственной службе здравоохранения Великобритании!»

* * *

Я глянула на часы: час дня. Далеко позади какие-то рыболовы — они выглядели как на детском рисунке «палка-палка-огуречик» — удили рыбу на мелководье близ Шорнмид-форта. Впереди виднелась гравиевая шахта и рядом с ней — огромная пирамида гравия и движущийся конвейер, который словно кормил какую-то баржу, ссыпая гравий в разинутый люк трюма. Виден был и Клиф-форт, смотревший на меня пустыми глазницами выбитых окон. Старый мистер Шарки рассказывал, что во время войны там стояли зенитки, и люди в Грейвзенде, заслышав их грохот, знали, что у них есть максимум шестьдесят секунд, чтобы укрыться от воздушного налета в бомбоубежище, или под лестницей, или хотя бы просто выбежать в сад. Жаль, подумала я, что сейчас нельзя сбросить какую-нибудь бомбу на один хорошо знакомый мне дом на Пикок-стрит! Они ведь наверняка сидят на кухне и жрут пиццу — Винни вообще питается почти исключительно пиццей; ему, видите ли, лень поднять задницу и что-нибудь еще себе приготовить. Спорить готова, они сейчас сидят там и смеются надо мной. Интересно, а Стелла у него пробыла всю ночь? Вот так вот влюбишься в кого-нибудь, думала я, и все! Влюбишься, как последняя дура! *Дура, дура!* Со злости я поддела ногой камешек на дороге, но это оказался не «камешек», а край выступившей из земли скальной породы, и я здорово разбила себе палец. Боль молнией прошла все тело насквозь. На глазах сразу выступили горячие слезы, а потом они и вовсе полились ручьем — и откуда в человеке берется столько воды, скажите на милость? Особенно если учесть, что единственной жидкостью, которую я за сегодняшний день выпила, был глоток воды, который я сделала, когда чистила зубы, да еще немного молока, смешанного с «Витабиксом». Язык у меня от жажды стал шершавым, как керамические катышки, которые используют при посадке домашних цветов в качестве дренажа. Я натерла плечо ремнем от рюкзака. А сердце мое наверняка было похоже на заплаканного, забитого палками тюленьего детеныша. И в желудке у меня было пусто, но этого я пока что толком понять не успела — слишком уж несчастной я себя чувствовала. Но поворачивать назад я все равно не собиралась. Ни за что, черт побери!

* * *

К трем часам у меня уже не только во рту, а и в голове все пересохло. По-моему, мне еще никогда в жизни не приходилось столько идти пешком. Как назло, не было ни магазина, ни просто какого-нибудь дома, где можно было бы попросить стакан воды. И тут я заметила на краю пристани или дамбы маленькую женскую фигурку; женщина удила рыбу, так вписавшись в угол этой то ли дамбы, то ли причала, что стала почти незаметной. До нее было еще довольно далеко, пожалуй, и камнем не докинешь, но я все же ухитрилась разглядеть, как она берет фляжку, что-то наливает оттуда в чашку и пьет. Обычно я никогда так не поступаю, но жажда меня прямо-таки измучила, и я двинулась по деревянному причалу прямо к ней, нарочно топая ногами, чтобы она заранее меня услышала и не испугалась.

— Простите, пожалуйста, но не могли бы вы дать и мне хоть капельку воды? Очень вас прошу!

Она даже не обернулась.

— Холодный чай будешь? — Ее хриплый голос как-то странно потрескивал, точно раскаленная плита.

— Еще бы! Это просто замечательно! Спасибо. Мне спешить некуда.

— Ну, раз тебе некуда спешить, то пей на здоровье.

И я налила себе полную чашку, не думая ни о глистах и ни о чем таком. Это был не обычный чай, но ничего столь же освежающего я в жизни не пила; я с наслаждением тянула прохладную терпкую жидкость, позволяя ей медленно омывать мой пересохший рот. Лишь после нескольких глотков я смогла наконец внимательно рассмотреть мою спасительницу. Она была очень старая; лицо все в морщинах, и в них прятались маленькие, как у слона, глазки; седые волосы были коротко подстрижены, а грязноватая рубашка-сафари и кожаная шляпа с широкими полями выглядели так, словно им лет сто.

— Хорошо? — спросила она.

— Да, — сказала я, — просто отлично! Вот только вкус у вашего чая какой-то странный, травянистый.

— Это зеленый чай. Кстати, хорошо, что ты не спешишь.

Я удивилась:

— С каких это пор чай стал зеленым?

— С тех пор, как стали зелеными листья на чайных кустах.

Плеснула рыба. Я видела, где она выскочила из воды, но тут же исчезла.

— Много сегодня наловили?

Она помолчала.

— Пять окуней. Одна форель. В полдень плохо ловится.

Я не заметила ни ведерка, ни другой посудины.

— И где же рыба?

На поля ее старой кожаной шляпы села пчела.

— Я всех отпустила.

— Зачем же вы ловите рыбу, если она вам не нужна?

Она снова несколько секунд помолчала.

— А чтобы разговор поддержать.

Я огляделась: узенькая протоптанная тропинка, заросшее сорняками поле, корявый лесок и старая, еле заметная дорога. Да старуха наверняка просто придуривается!

— Здесь же никого нст.

Пчела явно чувствовала себя прекрасно: она так и осталась сидеть на полях, даже когда старуха стала тянуть леску. Я на всякий случай отошла в сторонку. Старуха проверила наживку на крючке — наживка осталась нетронутой. Капли воды падали на истомившиеся от жажды доски пристани. Река лизала берег и плескалась у деревянных столбиков причала. Старуха, по-прежнему не вставая, умелым движением кисти забросила леску с наживкой и грузилом подальше, катушка негромко зажужжала, и поплавок опустился на воду точно там же, где был до этого. По воде во все стороны пошли легкие круги. Вокруг стояла абсолютная тишь...

А затем старуха сделала нечто совсем уж странное: вытащила из кармана кусок мела и написала на доске у своих ног первое слово: МОЕ. Чуть повернувшись, на следующей доске она написала второе слово: ДЛИННОЕ. И на третьей доске — слово ИМЯ. Затем спрятала мел и как ни в чем не бывало вновь занялась рыбной ловлей.

Я ждала: может, она как-нибудь объяснит, зачем это писала, но она молчала, и я не выдержала:

— Это вы о чем?

— Что значит «о чем»?

— Ну вот, вы только что написали...

— Это инструкция.

— Для кого?

— Для кого-нибудь из тех, кто появится здесь через много лет.

— Но ведь это же мел! Его дождем тут же смоет!

— С пристани смоет, да. Но не из твоей памяти.

Ну, значит, у старушки совсем крыша поехала! Ничего, придется сделать вид, что все в порядке, — уж больно мне хочется еще этого ее зеленого чая.

— Можешь весь допить, если хочешь, — сказала она, словно прочитав мои мысли. — Магазина тебе по дороге ни одного не попадется, пока вы с мальчиком не доберетесь до Олхаллоус-он-Си...

— Большое вам спасибо. — Я налила себе полную чашку и спросила: — А вы точно больше не хотите? Там ведь совсем ничего не осталось.

— Один удачный поворот заслуживает того, чтобы и следующий оказался удачным, — как-то непонятно ответила она. Потом повернулась ко мне и посмотрела на меня зорким глазом профессионального снайпера. — Видишь ли, мне, возможно, понадобится приют.

Приют? Какой еще приют? Приют для душевнобольных?

— Я что-то не понимаю... Какой приют вы имеете в виду?

— Мне нужно убежище. Нора — и желательно с крепкими дверями и запорами. Особенно если Первая Миссия потерпит неудачу. Что, боюсь, так и будет.

Да, нелегко с психами!

— Но мне всего пятнадцать лет, — сказала я. — И у меня нет ни приюта для душевнобольных, ни... э-э-э... норы, запирающейся на замок. Мне, право, очень жаль, но...

— Ты безупречна. И появилась совершенно неожиданно. Ну что, договорились? Я тебе чай, а ты мне убежище?

Папа всегда говорит: с пьяными лучше не связываться; надо просто с шутками-прибаутками свалить пьянчугу куда-нибудь, и пусть проспится. Так, может, и психи тоже вроде пьяниц, которые никогда не трезвеют?

— Ладно, договорились.

Она молча кивнула, а я продолжала пить чай, пока солнечный свет не начал просвечивать сквозь тонкое дно опустевшей пластмассовой чашки.

А эта старая летучая мышь, глядя не на меня, а куда-то вдаль, сказала:

— Спасибо тебе, Холли.

Ну, я тоже ее поблагодарила и уже сделала пару шагов, собираясь уходить, но вдруг остановилась и снова подошла к ней.

— Откуда вы знаете мое имя? — спросила я.

Она не обернулась, но сказала:

— А каким именем я была крещена?

Что за дурацкая игра!

— Эстер Литтл! — выпалила я.

— Ну, а ты откуда знаешь *мое* имя?

— Но вы же... только что мне его сказали! — А она действительно сказала? Должно быть, да.

— Ну, с этим все ясно. — И больше Эстер Литтл не прибавила ни слова.

* * *

К четырем часам дня я вышла на усыпанный галькой пляж, от которого в речную даль уходило нечто вроде деревянного волнореза. Я села и сняла кроссовки. На большом пальце надулась здоровенная водяная мозоль, похожая на раздавленную черничину. Вот черт! Я вытащила из сумки конверт с пластинкой «Fear of Music», закатала джинсы повыше и зашла по колено в воду. Передо мной широченной извилистой лентой расстилалась река. Вода оказалась холодной, как из-под крана, хотя солнце жарило вовсю и вроде бы должно было ее нагреть; впрочем, теперь оно пекло уже и не так сильно, как на пирсе, где та сумасшедшая старуха удила рыбу. Я изо всех сил размахнулась и постаралась зашвырнуть пластинку как можно дальше, но особого аэродинамического эффекта не возникло: пластинка летела, пока не раскрылся конверт, а потом диск шлепнулся в воду, а черный конверт медленно, точно раненая птица, спланировал следом и потом еще некоторое время плавал на поверхности воды. Слезы снова ручьем полились из моих глаз, и без того воспаленных и покрасневших. Я представила себе, как бреду по воде все дальше и дальше к тому месту, где речное дно резко уходит вниз и где моя пластинка медленно, по спирали, опускается на глубину среди форелей и окуней, и течение тащит ее все дальше на дно, где лежат брошенные в реку ржавые велосипеды, кости утонувших пиратов, обломки сбитых немецких самолетов, обручальные кольца, выброшенные поссорившимися супругами, и еще черт знает что...

Но я туда не пошла. Я вернулась на берег и легла на теплую гальку рядом со своими кроссовками. Я легко могла себе представить, как папа поднимется наверх, ляжет на диван, задрав повыше усталые ноги, и скажет: «Знаешь, Кэт, по-моему, мне стоит сходить к этому парню. Ну, к этому Костелло». И мама, ткнув недокуренной сигаретой в холодный кофе на дне своей любимой кружки, ответит: «Нет, Дэйв. Ведь ее высочество, наша дочь, именно этого и хочет. Нам надо постараться и подольше не реагировать на эти ее «громкие заявления». Тогда, может, она и сама поймет, сколько мы для нее делаем, и начнет это ценить...»

Однако «подольше» у мамы не получится: уже завтра к вечеру она не выдержит, начнет волноваться и спрашивать у отца: а как же со школой? А в понедельник, когда позвонят из школы и спросят, почему меня не было на экзамене, она окончательно перестанет развешивать сопли из-за экзаменов и злиться на мои «громкие заявления», а потом объявит: «Орудия к бою!» — и двинет прямиком к Винни. Ну, даже если она его на куски разорвет — ха-ха-ха, вот было бы здорово! — так он ведь все равно не знает, ни где я, ни что со мной, и ничего толком ей не скажет. Значит, решено: проведу пару суток на природе, где-нибудь переночую, а там посмотрим, какое у меня будет настроение. Если не покупать сигарет, то моих 13 фунтов и 85 центов вполне хватит на пару дней; в конце концов, вполне можно питаться яблоками, дешевой жареной камбалой с картошкой и «Вкусным и питательным печеньем к чаю». А если мне удастся добраться до Рочестера, то я смогу снять деньги и со своего тайного банковского счета и продлить эти маленькие каникулы.

Массивное грузовое судно, плывшее вниз по течению, громко загудело. На его оранжевом борту белыми буквами было написано: «Звезда Риги». Интересно, а Рига — это какое-то место или что-то совсем другое? Шэрон и Жако наверняка знают. Я зевнула во весь рот и легла навзничь прямо на хрустящую гальку, тупо следя за волнами, поднятыми тяжелым судном и набегавшими на каменистый берег одна за другой.

Господи, и чего это мне вдруг так ужасно спать захотелось...

* * *

— Сайкс? Ты жива? Эй, Сайкс! — В мои сны ворвался вечерний свет, и у меня тут же возникла масса вопросов: *Где я? Почему я босая? И с какой стати Эд Брубек, чтоб его черти съели, дергает меня за руку?* Я отдернула руку, стремительно вскочила и отбежала на несколько шагов, не сразу почувствовав — ой-ой-ой! — как обожгла мои босые ступни раскаленная галька. Я зашипела и с размаху треснулась головой о край деревянного волнореза.

Эд Брубек даже не пошевелился. Только сказал:

— Больно, должно быть.

— Еще бы не больно! Я же, черт побери, головой ударилась! Ты зачем меня трогал, будь ты проклят!

— Я всего лишь хотел убедиться, что ты не мертвая.

Я потерла ушибленную голову.

— А что, я *похожа* на мертвеца?

— Ну да. Всего несколько секунд назад была очень даже похожа.

— Так учти, урод, я очень даже живая! — Я заметила, что велосипед Брубека лежит на боку, и колесо все еще крутится, и удочка по-прежнему привязана к раме. — Я просто... слегка вздремнула.

— Только не рассказывай, что ты пришла сюда *пешком*, Сайкс.

— Нет, меня сюда на сверхскоростном космическом корабле доставили! Только эта вонючая гнида, корабль ихний, сразу перепрыгнул в другое измерение!

— Хм. Вот уж никогда бы не подумал, что ты так любишь дальние прогулки.

— Вот уж никогда бы не подумала, что у нас в классе учится кто-то из добрых самаритян!

— Пока живешь, все время чему-то учишься. — Где-то в миле от нас вверх по течению громко распевала глупая веселая птица. Эд Брубек откинул с глаз свои черные волосы. Он был такой загорелый, что вполне мог сойти за турка или кого-то в этом роде. — Ну и куда же ты путь держишь? — спросил он.

— Как можно дальше от этого вонючего Грейвзенда! Насколько ноги меня унести смогут.

— Ничего себе. И что же вонючий Грейвзенд тебе сделал?

Я зашнуровала кроссовки. Стертый палец сильно саднило.

— А *сам-то* ты куда направляешься?

— У меня дядя вон там живет. — Эд Брубек показал куда-то в сторону от реки. — Он сейчас из дома практически не выходит, потому что почти ослеп, вот я ненадолго и приезжаю, чтобы составить ему компанию. Я как раз от него ехал к Олхаллоус, хотел немного порыбачить, да вдруг тебя увидел и...

— И решил, что я умерла? А я и не думала умирать! Что ж, не стану тебя задерживать.

Он улыбнулся — дескать, как хочешь — и полез на волнорез.

Я крикнула ему вслед:

— Эй, Брубек, а Олхаллоус далеко отсюда?

Он поставил велосипед на землю.

— Около пяти миль. Хочешь, подвезу?

Я вспомнила Винни, его мотоцикл «Нортон» и покачала головой. Эд, пижонским движением закинув ногу, вскочил на велосипед и уехал. А я, набрав полную горсть камешков и злясь сама на себя, с силой швырнула их в воду.

* * *

Вскоре Эд Брубек, превратившись почти в пылинку, скрылся за купой островерхих деревьев. И даже не оглянулся ни разу! Теперь я уже очень жалела, что не приняла его предложение. Усталые колени не желали сгибаться, ступни распухли, ныли и казались тяжелыми, как свинцовые гири, а икры, казалось, сверлила тысяча крошечных сверл. Пять миль! Да в таком состоянии я буду век туда добираться! И все-таки Эд Брубек — такой же парень, как Винни;

а все парни — это попросту машины для выработки спермы! В животе у меня бурчало от голода, и страшно хотелось пить. Зеленый чай — отличная вещь, пока его пьешь, но он, похоже, вызывает усиленное мочеиспускание, прямо как у скаковой лошади. И потом, во рту после него такой вкус, словно там застряла дохлая крыса. Эд Брубек, конечно, тоже мужского пола, но, по-моему, он все же не обманщик. И смелый. На прошлой неделе, например, он вступил в спор с миссис Бинкёрк, учительницей Закона Божьего, и в итоге его отправили к мистеру Никсону за то, что он назвал миссис Бинкёрк «фанатичкой года», а это сочли оскорблением. Причем получалось, что Эд оскорбил не просто взрослого человека, а *учителя*. Вообще, люди — как айсберги: видна только самая малая их часть, а все остальное скрыто от глаз. Я очень старалась не думать о Винни и все-таки думала; вспоминала, например, как еще сегодня утром мечтала создать вместе с ним музыкальную группу. Пока я об этом размышляла, впереди из-за той же купы островерхих деревьев вновь появился Эд Брубек, только теперь он катил уже в мою сторону. Может, решил, что сейчас слишком поздно для рыбной ловли и пора возвращаться в Грейвзенд? Брубек становился все больше и наконец достиг привычного размера; он, как последний пижон, развернулся у меня перед носом на полном ходу, и это сразу напомнило мне, что он еще совсем мальчишка, хотя с виду уже и довольно взрослый парень. Его глаза на загорелом дочерна лице казались белыми.

— А ты почему все еще здесь, Сайкс? Может, тебя все-таки подвезти? — Он похлопал рукой по багажнику велосипеда. — До Олхаллоус-он-Си еще *несколько миль*. Пока ты пешком туда доберешься, совсем стемнеет.

И мы поехали — довольно быстро, надо сказать, только дорога была уж больно тряской. Миновав очередную кочку или ухаб, Брубек спрашивал: «Ну как ты там?», и я, разумеется, отвечала: «В полном порядке». И морской ветер, дувший нам навстречу, и ветерок, вызванный быстрой ездой, забирались мне в рукава майки и гладили грудь, точно руки какого-то извращенца мистера Тикла[1]. Майка у Брубека на спине насквозь промокла от пота, и я лишь с трудом заставляла себя не думать о потных телах Винни и Стеллы, но это мне плохо удавалось, и стоило мне вспомнить, как они утром лежали в постели, и мои сердечные раны снова начинали кровоточить, а нос и глаза щипало так, словно мне туда плеснули «Деттола». Я изо всех сил цеплялась руками за раму велосипеда, но дорога становилась все более ухабистой, и для большей устойчивости я просунула большой палец в шлёвку джинсов Брубека. Конечно, это могло на

---

[1] Tickle — щекотка (*англ.*).

него подействовать излишне возбуждающе, но мне было плевать: в конце концов, это его проблемы.

На окрестных лугах кудрявые ягнята щипали травку, а овцы-мамаши смотрели на нас с таким видом, словно мы прямо сейчас собираемся зажарить их драгоценных детенышей и слопать с брюссельской капустой и картофельным пюре.

Порой мы вспугивали птиц на длинных, как ходули, ногах, с длинными клювами. Птицы тут же спешили удрать от нас подальше, на тот берег реки. Летели они низко, концами крыльев касаясь воды, и от этого по воде расходились широкие круги.

Здесь Темза впадала в море. Эссекс в закатных лучах солнца казался совсем золотым. Неясное пятно вдали — это, конечно, остров Канвей, а там, дальше, Саутенд-он-Си.

Английский канал был темно-голубым, как летнее небо, а само небо над нами — довольно блеклым, цвета голубого бильярдного мела. Мы протряслись по пешеходному мостику над каким-то ржавым ручьем, точнее, заболоченной низиной в окружении низеньких дюн, и свернули в противоположную от моря сторону. Указатель гласил: «ДОБРО ПОЖАЛОВАТЬ НА ОСТРОВ ГРЕЙН».

Учтите, теперь это не настоящий остров. Хотя, может, когда-то он и был настоящим.

А та птичка-щебетунья, похоже, так и летела за нами. Во всяком случае, она снова запела.

* * *

Олхаллоус-он-Си — это, по сути дела, большой парк, спускающийся к морскому берегу, и ничем нс примечательная деревня. И в этом парке повсюду виднелись автоприцепы и такие длинные автомобили на высоких, как маленькие ходули, колесах, которые в американских фильмах называются трейлерами, или домами на колесах. На пляже кишели полуголые и совершенно голые ребятишки — стреляли друг в друга из водяных пистолетов, играли в мяч и просто носились как оглашенные. Их мамаши, с ног до головы вымазанные кремом для загара и от загара, выразительно округляя глаза, посматривали на порозовевших от солнца мужей, жаривших мясо на раскаленных жаровнях. Я, казалось, готова была съесть даже этот дым, пропитанный восхитительным ароматом барбекю.

— Не знаю, как ты, — сказал Брубек, — а я просто умираю от голода.

Я откликнулась — пожалуй, с несколько избыточным энтузиазмом:

— Да, мне тоже что-то есть захотелось.

Брубек припарковал велосипед у закусочной, где продавали фиш-н-чипс — там еще рядом была совершенно роскошная площадка для гольфа «Лейзи Рольф Крейзи Гольф», — и заказал треску с жареной картошкой. Треска дорогая, целых два фунта, так что я заказала просто жареную картошку, которая стоила всего пятьдесят центов, но Брубек тут же вмешался и сказал могучему типу, сидевшему на кассе: «*Две* порции трески с чипсами, пожалуйста» — и подал ему пятерку. Этот тип мельком глянул на меня, а потом — этак одобрительно, «отечески» — на Брубека, словно желая сказать ему: «Молодец, сынок!», и это меня почему-то страшно разозлило, потому что мы с Брубеком ни в каких *таких* отношениях не состояли и вступать в них не собирались, и он вовсе не был моим бойфрендом, сколько бы кусков зажаренной в масле трески он мне ни принес. Брубек еще раз сходил к стойке и принес нам по банке кока-колы, а потом, заметив мою разгневанную физиономию, сказал примиряюще:

— Это же всего-навсего фиш-н-чипс. И абсолютно ничего из этого не следует.

— Вот тут ты, черт возьми, прав! Абсолютно не следует! — Я, в общем-то, не хотела, чтобы это звучало зло, поэтому поспешно прибавила: — Но все равно спасибо.

Мы прошли мимо последнего трейлера и еще чуть дальше, к какому-то бетонному строению на щеке огромной дюны. Из узкого, щелевидного окошка в стене просачивалась тонкая струйка дыма и запах съестного, но Брубек решительно взобрался прямо на низкую плоскую крышу этого «убежища» и пояснил:

— Это дот. Здесь в войну сидели пулеметчики, поджидая, когда немцы в атаку пойдут. Таких дотов тут поблизости сотни, если присмотреться. Подумай, ведь это замечательное свидетельство того, что мир длится уже достаточно долго, — то, что доты с пулеметными гнездами используют как столы для пикников.

Я смотрела на него и думала: «А ведь ты бы никогда не осмелился сказать что-нибудь такое же умное в школе». Потом я тоже влезла на крышу дота и стала любоваться открывающимся оттуда шикарным видом. Напротив, на той стороне широченного устья Темзы, где она больше мили шириной, виднелся Саутенд, а если посмотреть в другую сторону, то были хорошо видны доки Ширнесса на острове Шеппи. Затем мы дружно открыли свои банки с кокой, и я осторожно отогнула кольцо, чтобы потом засунуть его обратно в банку. Брошенное на землю, такое кольцо может сильно порезать собаке лапу. Брубек протянул ко мне руку с зажатой в ней банкой, и мы с ним чокнулась кокой, словно вином; но в глаза я ему все же старалась не смотреть, чтобы у него не возникло всяких таких мыслей. Первый глоток ледяной коки был как взрыв холодных шипящих пузырьков. Боже, какое наслаждение! Картошка была еще теплая, сбрызнутая уксусом, все как полагается; и масло было горячим, когда мы прямо руками брали кусочки жареной трески и клали их в рот.

— Ужас как вкусно! — не выдержала я. — *Cheers*. — И мы снова чокнулись банками.

— А все ж не так, как в закусочных «Фиш-н-чипс» в Манчестере! — возразил Брубек.

Какой-то воздушный змей с розовым хвостом демонстрировал в голубом небе фигуры высшего пилотажа.

* * *

Я с наслаждением затянулась сигаретой «Данхилл», которой угостил меня Брубек. Поев, я сразу почувствовала себя гораздо лучше. И вдруг совершенно неожиданно я снова вспомнила о Стелле Йирвуд и Винни, которые наверняка сейчас лежат в постели и курят «Мальборо». Разумеется, пришлось притвориться, что мне в глаз попала соринка, и я, желая прогнать непрошеные мысли, спросила у Брубека:

— А кто он, этот твой дядя? Тот, которого ты навещаешь?

— Дядя Норм — родной брат моей матери. Он раньше работал крановщиком на цементном заводе «Блу Сёркл», но давно уже не работает. Он слепнет.

Я решила копнуть поглубже:

— Но ведь это ужасно! Бедняга!

— Дядя Норм говорит: «Жалость — это одна из разновидностей оскорбления».

— Он что, совсем слепой или только частично? А может...

— У него уже оба глаза на три четверти не видят и зрение все падает. Но его это угнетает в основном из-за того, что он больше не может читать газеты. Он говорит, что теперь это для него все равно что искать ключи в куче грязного снега. Так что я почти каждую субботу езжу к нему на велосипеде и выборочно читаю ему разные статьи из «Guardian». Потом он говорит со мной о противостоянии Тэтчер и профсоюзов, или о том, почему русские находятся в Афганистане, или о том, почему ЦРУ борется с демократическими правительствами в Латинской Америке.

— Прямо как у нас в школе, — сказала я.

Брубек покачал головой:

— Как раз нет. У нас большинство учителей только и думают о том, чтобы вернуться домой к четырем, а в шестьдесят лет спокойно выйти на пенсию. А мой дядя Норм любит и мыслить, и рассуждать логически; он хочет, чтобы и я это полюбил. А ум у него острый как бритва. В общем, мы с ним неторопливо беседуем, потом тетя подает нам основательный поздний ланч, и после этого дядя кивком отпускает меня — мол, можешь быть свободен; и тогда, если погода подходящая, я иду ловить рыбу. Ну, это, конечно, если мне на глаза не попадется кто-то из моего класса, замертво лежащий на берегу. — Эд погасил окурок о бетонную плиту и спросил: — Ну, Сайкс, колись: что за история с тобой приключилась?

— С чего это мне колоться? Какая еще история?

— В 8:45 я видел, как ты шла по Куинн-стрит, такая вся несчастная, осунувшаяся...

— Ты меня там *видел*?

— Да... шла вся такая несчастная, а потом вдруг — шасть! — и нырнула в крытый рынок, словно от кого-то спряталась. Но семь часов спустя «цель» была мной снова обнаружена — в десяти милях к востоку от Грейвзенда на берегу реки.

— Это еще что такое, Брубек?! Ты что, частный сыщик?

Маленькая бесхвостая собачонка, виляя вместо отсутствующего хвоста всем телом, подошла к доту, умильно на нас глядя. Брубек кинул ей кусочек рыбы.

— Если бы я действительно был сыщиком, я бы предположил, что твой несчастный вид связан с неким бойфрендом.

Я сразу ощетинилась:

— Не твое дело!

— Верно, не мое. Но этот твой кидала, кем бы он ни был, не стоит таких переживаний.

Я нахмурилась и тоже бросила псу кусок рыбы. Он, бедный, схватил подачку так жадно, что я сразу подумала: наверное, бродячий. Как и я.

Брубек сложил трубочкой пакет из-под картошки, высыпал хрустящие остатки себе в рот и как ни в чем не бывало спросил:

— Ты сегодня вечером собираешься в город возвращаться?

У меня невольно вырвался стон. Грейвзенд казался мне черной тучей. Там Винни и Стелла. Там мама. Собственно, *они* — это и есть Грейвзенд. Я посмотрела на часы: 18:19. Сейчас в «Капитане Марло» людно; в пивном зале звучат смех и разговоры, поскольку уже заявились вечерние завсегдатаи. А наверху Жако и Шэрон сидят на диване перед телевизором и смотрят «Команду-А», пристроив между собой плошку с сырным печеньем и кусок шоколадного кекса. Как бы мне хотелось сейчас тоже там оказаться! Но разве можно так сразу простить ту пощечину, которую мне утром отвесила мама?

— Нет, — сказала я Брубеку. — Не собираюсь.

— Через три часа будет совсем темно. У тебя осталось не так уж много времени, чтобы найти подходящий цирк и убежать вместе с циркачами.

Трава на дюнах клонилась под ветром. Со стороны Франции, скрывая небо, наползали клубы облаков. Я натянула шерстяную кофту и сказала:

— Постараюсь подыскать себе какой-нибудь уютненький дот, который не используется в качестве сортира. Или, может, чей-то пустой амбар.

Теперь над нами закружились чайки, пронзительными криками выпрашивая подачку. Брубек встал и захлопал руками, распугивая птиц. Потом снова сел и сказал:

— Пожалуй, я знаю место получше.

* * *

И мы снова куда-то поехали — на этот раз по вполне приличной дороге. Местность вокруг была плоская, как лепешка; по обе стороны дороги до самого горизонта виднелись бескрайние поля, изрезанные длинными черными тенями от редких деревьев. Брубек с таинственным видом молчал, ни слова не говоря о том, куда мы едем. «Либо ты мне доверяешь, Сайкс, либо не доверяешь». Но он заверил меня, что там совершенно точно будет тепло, сухо и безопасно, и сказал, что и сам раз пять или шесть ночевал в этом месте, когда допоздна ловил рыбу, так что я решила пока этими сведениями и удовольствоваться. Эд Брубек сказал еще, что отвезет меня и сразу же поедет прямо домой, в Грейвзенд. В том-то и проблема с парнями: обычно они готовы тебе помочь только потому, что ты им нравишься, и нет ни малейшей возможности как-нибудь непринужденно выяснить, что же на самом деле у них на уме, пока не становится слишком поздно. Вообще-то, Брубек вполне ничего, очень трогательно, что он тратит субботы на то, чтобы читать своему слепому дяде, но из-за Винни и Стеллы, черт бы их побрал, я была совсем не уверена в своей способности быстро разобраться, что у этого Брубека за душой. С другой стороны, близилась ночь, так что выбора у меня, собственно, не оставалось. Мы проехали мимо какого-то огромного предприятия, и я уже хотела спросить, что тут производят, но Эд, словно прочитав мои мысли, сообщил, что это электростанция, которая обеспечивает электричеством весь Грейвзенд и половину Юго-Восточного Лондона.

— Да, я знаю, — соврала я.

* * *

Церковь была приземистая, с колокольней, узкими окнами-бойницами и куполом, золотившимся в лучах заходящего солнца. Голоса птиц в окружавшей церковь роще звучали то громче, то тише, как накатывающие на берег волны, а вспугнутые нами грачи кружили, мелькая, точно черные носки в сушильном барабане. Вывеска на двери гласила: «Приходская церковь Св. Марии из Ху»; внизу был указан номер телефона викария. Сам городок Ху был чуть дальше; точнее, даже не городок, а деревушка, состоявшая всего из нескольких старых домов и паба, возле которого встречались две улицы.

— Спать тут, конечно, жестковато, — сказал Брубек, когда мы слезли с велосипеда, — зато Бог-отец, Бог-сын и Бог Святой Дух обеспечивают полную безопасность, причем бесплатно, а это в наши дни особенно ценно.

Неужели он действительно предложит мне переночевать в церкви?

— Ты что, шутишь?

— Проверка бывает ровно в семь утра, и до этого надо непременно отсюда убраться. Иначе можно схлопотать массу неприятностей от церковного начальства.

Да, именно церковь он и имел в виду, говоря о «местечке получше». У меня на лице отразилось сомнение.

Брубек в ответ только плечами пожал: *хочешь — бери, а не хочешь — уходи*.

Пришлось смириться. Оказалось, что Кентские болота отнюдь не усеяны симпатичными амбарами, полными теплой соломы, как в моей любимой детской книжке «Маленький домик в прериях»[1]. За весь наш путь сюда я только один раз, несколько миль назад, видела какой-то сарай из рифленого железа, и его охраняли два добермана весьма свирепого вида.

— А разве церкви на ночь не запирают?

Брубек пробурчал «Запирают, запирают» точно таким же тоном, как я бы сказала «Ну и что?». Он внимательно огляделся по сторонам, убедился, что рядом никого нет, затащил велосипед на церковное кладбище и спрятал в темном густом кустарнике под стеной; затем он наконец подвел меня к крыльцу — на ступенях грязноватыми пестрыми кучками собрались конфетти, оставшиеся после чьей-то свадьбы.

— Внимательно следи за воротами, — велел он мне и вытащил из кармана что-то вроде кожаного кошелька, в котором оказалась целая связка гремящих ключей и какая-то тонкая металлическая пластинка в форме буквы L. Еще раз быстро глянув в сторону улицы, он вставил один из ключей в замок и слегка им там подвигал.

Меня вдруг охватил страх: вдруг нас сейчас поймают?

— Где это ты научился вламываться в чужие дома?

---

[1] «Маленький домик в прериях» — серия детских книг американской писательницы Лауры Инголлз Уайлдер, публиковались в 1932–1943 годы. В 1974–1984 годы по ним был сделан телесериал.

— Ну, отец меня научил не только резину менять или проколотые шины ремонтировать.

— Да нас же за это в тюрьму посадить могут! Это называется, это называется...

— Вторжение на чужую территорию. Причем со взломом. Поэтому смотри в оба.

— Но что мне делать, если действительно кто-нибудь придет?

— Изобрази крайнее смущение, как если бы нас поймали, когда мы тут выпивали или ширялись.

— Ну... Я *не уверена*, Эд Брубек, что это...

Он снова то ли усмехнулся, то ли сердито прошипел:

— *Сделай вид*, я сказал! Расслабься. Копы смогут тебя прижать к ногтю только в том случае, если докажут, что это *ты* взломала замок. А если ты ни в чем не признаешься и вообще будешь вести себя осторожно и не будешь трогать замок руками... — Он вставил в замочную скважину тонкую штуковину в форме буквы L, —... то никто не сможет доказать, что ты не оказалась тут случайно — просто гуляла поблизости, обнаружила, что дверь открыта, и вошла внутрь, потому что всегда интересовалась архитектурой саксонских церквей. Между прочим, это и будет нашей легендой — просто на всякий случай. — Брубек приложил ухо к замку, продолжая орудовать отмычкой. — Хотя после Пасхи я тут три раза по субботам ночевал и ни разу не слышал, чтобы сюда заглянул хоть один полицейский. И потом, мы же ничего отсюда уносить не собираемся. Да ты к тому же еще и девочка. Тебе надо просто смотреть умоляюще и ныть: «Пожалуйста, господин викарий, не выдавайте меня! Я убежала от отчима-насильника...»; можешь даже слезу пустить. И, вполне возможно, тебя не только отпустят, но еще и чаю с печеньем «Пингвин» на дорогу выпить заставят. — Брубек жестом велел мне помолчать; в тишине раздался щелчок, и он сказал: — Ну вот, готово.

Церковная дверь распахнулась с поистине трансильванским, как в замке Дракулы, зловещим скрипом петель, и мы вошли.

В церкви Святой Марии из Ху пахло, как в благотворительной лавке для бедных; там царил полумрак, из-за витражей окрашенный в цвета фруктового салата. Церковные стены были толстыми, как в бомбоубежище, и скрежет петель, когда Брубек снова закрыл дверь и запер ее изнутри, гулким эхом взвился под купол, точно в средневековом донжоне. Наверху виднелись старые балки и стропила. Мы прошли по короткому приделу мимо десяти или двенадцати молельных скамей, мимо деревянной кафедры проповедника, мимо каменной купели и органа, похожего на странное пианино с вентиляционными трубами. Аналой наверняка был всего лишь позолоченным, иначе какой-нибудь грабитель — папаша Брубека, например, — давно бы его умыкнул. Над алтарным столиком висел витраж с изображением сцены Распятия; голубь в небе был буквально утыкан стрелами, похожими на вязальные спицы. Обе Марии, два самых верных апостола и римлянин у подножия креста выглядели так, словно обсуждают самую насущную для этой страны проблему: пойдет дождь или не пойдет.

— Ты ведь католичка, да? — спросил Брубек.

Странно, с чего это ему вообще в голову пришло.

— У меня же мама — ирландка.

— Значит, ты веришь и в рай, и в Бога, и во все такое прочее?

Я перестала ходить в церковь еще в прошлом году; и это вызвало самый большой в моей жизни взрыв негодования со стороны мамы — если, конечно, не считать сегодняшнего утреннего скандала.

— У меня на все это вроде как аллергия развилась.

— Мой дядя Норм называет религию «духовным парацетамолом», и, по-моему, в определенном смысле он прав. Если только Бог не способен трансплантировать души тех, кто попадает в рай, то в раю, должно быть, происходит бесконечное воссоединение семей — в том числе и с такими людьми, как мой дядя Трев. Я просто представить себе не могу более *адской* муки, чем постоянное общение с ним.

— Значит, твой дядя Трев — это совсем не то, что твой дядя Норм?

— Как говорится, это две большие разницы. Дядя Трев — старший брат моего отца. Про себя он говорит: «Я — мозг любой операции», и это, в общем, действительно так. Во всяком случае, у него вполне хватает мозгов, чтобы заставить таких лузеров, как мой папаша, делать всю грязную работу. Дядя Трев занимается прикрытием и, если дело прошло удачно, скупкой краденого; ну, а если запахнет жареным, он сразу начинает изображать мистера «Тефлоновую Сковородку», и выходит, что он тут совершенно ни при чем. Он даже мать мою попытался таким образом обработать, когда отца посадили; мы отчасти именно поэтому и переехали на юг.

— Похоже, этот дядя Трев — порядочная гнида, — сказала я.

— Да, это точно. — В закатных лучах от лица Брубека исходило какое-то психоделическое сияние, но солнце зашло, и его лицо тоже померкло. — Но, знаешь, если бы мне привелось умирать в хосписе, я бы согласился принять любой «духовный парацетамол», до какого смог бы дотянуться.

Я коснулась рукой перил алтаря.

— А что, если... рай действительно существует? Но не всегда, а временами? И проявляется, скажем, как стакан воды, который тебе предложат в жаркий день, когда ты *просто умираешь* от жажды? Или

46

как когда кто-нибудь по-хорошему к тебе относится — просто так, без всякой причины? Или... — Мамины вкуснейшие лепешки с соусом; папа, на минутку забежавший ко мне из бара только для того, чтобы сказать: «Спи крепко, дорогая детка, и не позволяй клопам кусать тебя»; Жако и Шэрон, на каждом дне рождения нарочно певшие «такой корявый корень» вместо «такой хороший парень» и буквально писавшиеся от смеха, хотя это уже, по-моему, давно перестало быть так уж смешно; Брендан, подаривший свой старый проигрыватель именно мне, а не кому-то из своих приятелей... — А что, если рай похож не на картину, вечно висящую на стене, а, например, на... лучшую песню из всех когда-либо написанных? Только пока ты жив, ты можешь услышать эту песню только урывками, случайно, скажем, из проезжающего мимо автомобиля или... из окна на верхнем этаже незнакомого дома в незнакомом квартале...

Брубек смотрел на меня так внимательно, словно *действительно* слушал каждое мое слово.

И я, черт побери, почувствовала, что краснею, а потому сердито спросила:

— Ну, что ты так на меня уставился?

Ответить он не успел: в двери заскрежетал ключ.

Секунды ползли, как в замедленной съемке; такое ощущение, словно мы и впрямь обкурились и превратились в персонажей детских мультфильмов, в две половинки лошади из какого-то спектакля или еще в кого-то в этом роде. Мы так и застыли на месте; потом, словно очнувшись, Брубек пропихнул меня в маленькую деревянную дверцу позади органа, которую я и не заметила, и мы очутились в какой-то странной комнате с высоким потолком и лесенкой, ведущей к люку. Наверное, это была ризница, а лестница вела на колокольню. Брубек прислушался, прижавшись ухом к дверной щели; никакого другого выхода оттуда не было, только в углу стояло нечто вроде буфета или шкафа. Вошедшие явно приближались к нашей двери; во всяком случае, я отчетливо слышала два мужских голоса, а третий голос, по-моему, принадлежал женщине. *Надо же было так вляпаться!* Мы с Брубеком посмотрели друг на друга. Выбор у нас был невелик: либо остаться и попробовать как-то заговорить этим людям зубы, либо спрятаться в шкафу, либо белкой взлететь по лестнице, надеясь, что люк откроется, а пришедшие, кто бы они ни были, за нами не погонятся. Хотя теперь мы, пожалуй, удрать по лестнице уже не успели бы... Одним махом Брубек засунул меня в шкаф, затем залез туда сам и поплотней прикрыл за собой дверцу. Внутри шкафа оказалось куда меньше места, чем представлялось снаружи; у меня было такое ощущение, словно я прячусь в половинке гроба, поставленного вертикально... да еще и вплотную прижата к парню, к которому не питаю никаких чувств и уж тем более не хочу к нему прижиматься.

— ...но ведь он считает себя вторым воплощением этого гребаного Фиделя Кастро! — донеслось до нас. Значит, эти люди уже вошли в ризницу. — Можете любить Мэгги Тэтчер или ненавидеть — хотя очень многие делают и то, и другое, — но ведь она-то выборы *выиграла*, а Артур Скаргилл[1] нет. Да он даже и от собственного профсоюза не баллотировался.

— Дело совсем не в этом, — сказал второй мужчина, явно лондонец. — Забастовка напрямую связана с нашим будущим. Вот почему правительство использует любой грязный трюк — шпионов МI5, лживые СМИ, ликвидацию льгот для семей шахтеров... Попомните мои слова: если шахтеры проиграют, то вашим детям скоро придется работать по викторианскому графику за викторианскую плату.

Брубек так вдавил свое колено в мое бедро, что нога у меня начала неметь.

Я попыталась шевельнуться, и он тут же чуть слышно прошипел: «Тс-с-с».

— Но нельзя же вечно поддерживать умирающие отрасли, — возразил лондонцу первый мужчина с деревенским выговором, — тут она права. Иначе мы бы и до сих пор махали вилами и кирками, трудясь на хозяев замков, строителей каналов или жрецов-друидов. Скаргилл пытается отстоять экономику и политику некоего Волшебного острова, этакой дерьмовой Волшебной Горы.

Я чувствовала спиной, как тяжело дышит Брубек, как поднимается и опускается его грудь.

— А ты когда-нибудь бывал в шахтерском городке? — спросил лондонец. — Сейчас-то тебе туда лучше не ездить, слишком уж там шумно; да тебя, собственно, и близко не подпустят. Но, знаешь, когда умирает шахта, то умирает и сам такой городок. Уэльс и Север — это тебе не Юг, а Йоркшир — это далеко не Кент, и энергетические ресурсы — это не просто промышленное производство. Энергия — это безопасность. Нефтяные месторождения на Северном море в итоге иссякнут, и что потом?

— Философский спор, господа, — вмешалась женщина. — Как насчет того, чтобы подняться наконец на колокольню?

Затопали ноги, заскрипели перекладины деревянной лестницы: какое счастье, что мы не выбрали колокольню в качестве убежища!

---

[1] А р т у р   С к а р г и л л (р. 1938) — председатель Национального профсоюза шахтеров (1981—2002). В 1984—1985 годах возглавлял борьбу шахтеров с консервативным правительством М. Тэтчер за сохранение угольной промышленности. Эта борьба была шахтерами проиграна.

Через несколько минут в ризнице воцарилась тишина — видимо, все трое поднялись наверх. Я снова попыталась размять онемевшую ногу, и Брубек охнул от боли. Я еле слышным шепотом осторожно спросила:

— Ты что?

— Ничего. Но раз уж ты спросила, то ты кое-куда очень удачно попала.

— Ты уж как-нибудь пристройся поудобней. — Я втиснулась в стенку шкафа, пытаясь освободить для него хоть чуточку места. — Слушай, может нам попробовать выбраться отсюда?

— Может быть. Только двигаться надо совсем бесшумно. В общем, как только...

И тут душная тьма буквально загудела от звона колоколов. Брубек моментально распахнул дверцу — в шкаф так и хлынул свежий воздух — и чуть ли не кубарем выкатился оттуда; затем помог вылезти мне. Высоко наверху в открытом люке виднелись чьи-то полные лодыжки. Мы на цыпочках прокрались к двери, точно парочка отпетых бандюганов из «Скуби-Ду»...

* * *

Мы сломя голову неслись прочь от церкви, словно военнопленные, сбежавшие из лагеря Колдиц[1]. В голубых вечерних сумерках колокола звучали светло и сентиментально. В итоге от бега у меня закололо в боку, и мы плюхнулись на скамейку возле дорожного указателя с названием деревни.

— Совершенно типичный случай, — сказал Брубек. — Как только я собираюсь продемонстрировать свое Умение Выживать В Диком Краю, тут же случается Вторжение. Нет, мне просто необходимо покурить! Тебе сигарету дать?

— Давай. Как ты думаешь, сколько они еще будут трезвонить?

— Не особенно долго. — Брубек дал мне сигарету и поднес зажигалку: я прикурила, низко склонившись над язычком пламени. — Ты не бойся, я тебя туда снова впущу, как только они уйдут. Йельские замки на редкость ненадежные, их даже в темноте открыть ничего не стоит.

— Но тебе разве не надо домой?

— Позвоню маме из телефонной будки в пабе и скажу, что все-таки решил остаться на ночную рыбалку. Небольшая и вполне невинная ложь.

---

[1] Замок К о л д и ц в Саксонии во время Второй мировой войны служил местом заключения для особо важных узников и считался одной из самых неприступных крепостей Третьего рейха.

Мне, конечно, требовалась его помощь, но меня волновало, чем, возможно, придется за это расплачиваться.

— Не волнуйся, Сайкс. У меня самые благородные намерения.

Я вспомнила Винни Костелло и вздрогнула.

— Вот и хорошо.

Обычно парень не станет *просто* думать, как бы ему с девушкой уединиться, а сделает так...

Я выпустила струю дыма прямо Брубеку в лицо, так что ему пришлось зажмуриться и отвернуться, и на всякий случай сказала:

— Между прочим, у меня старший брат есть.

Мы сидели возле какого-то заросшего сада, так что, докурив сигареты, забрались туда и нарвали незрелых яблок. Сад был окружен старой кирпичной стеной, но мы легко через нее перелезли. Яблоки были кислые и терпкие, как лаймы, но после жирной рыбы с картошкой это было даже приятно. Над электростанцией, мимо которой мы проехали раньше, мерцали огни.

— Вон там, — Брубек махнул в нужном направлении рукой, заодно зашвырнув туда яблочный огрызок, — за теми призрачными огнями на острове Шеппи есть одна фруктовая ферма. Ее хозяина зовут Гэбриел Харти. Я там работал прошлым летом, клубнику собирал и, между прочим, зарабатывал по двадцать пять фунтов в день. Там даже спальни для сборщиков есть; как только кончатся экзамены, я снова туда поеду. Я на «ИнтерРейл» коплю, хочу в августе отправиться путешествовать.

— А что это такое — «ИнтерРейл»?

— Ты серьезно?

— Серьезно.

— Поезд такой. Международный. Платишь сто тридцать фунтов — и в течение месяца можешь путешествовать по всей Европе бесплатно. Вторым классом, конечно, но все-таки. От самой западной ее точки в Португалии до самой северной в Норвегии. И по некоторым странам Восточного блока тоже можно ездить, по Югославии например. Можно на Берлинскую стену посмотреть. Или в Стамбул попасть. Ведь это в Стамбуле тот знаменитый мост, верно? У которого один конец в Европе, а второй — в Азии? И я намерен непременно по нему пройтись!

Где-то вдали лаяла одинокая собака, а может, лисица.

— А что ты будешь делать во всех этих странах? — спросила я.

— Смотреть. Гулять. Найду дешевый ночлег. Есть буду то, что едят местные. И пить местное дешевое пиво. Постараюсь, конечно, не подцепить вшей или блох. Буду с людьми разговаривать. И непременно выучу хотя бы несколько слов на местном языке. Я там просто *буду*, понимаешь? Иногда, — Брубек впился зубами в яблоко и откусил большой кусок, — мне хочется быть *одновременно везде* и хочется так сильно, что я даже... — Брубек взмахнул руками, изображая взрыв бомбы у него в груди. — А у тебя такого чувства никогда не бывает?

Мимо, дергаясь и хлопая крыльями, пролетела летучая мышь, словно кукла-марионетка из детского мультика про вампиров.

— Вообще-то нет, если честно. Я дальше Ирландии нигде и не бывала. Мы туда иногда ездим, чтобы повидаться с маминой родней из Корка.

— И как там?

— Там все по-другому. В Корке, конечно, нет всяких КПП, как на севере, в Ольстере, и бомбежек там тоже нет, но и там тревога так и висит в воздухе, и о политике лучше особо не распространяться. Они там действительно *ненавидят* Тэтчер из-за Бобби Сэндса[1] и других участников голодной забастовки. Зато у меня там есть двоюродная бабушка, тетка моей матери, ее зовут Айлиш — так вот она просто блеск! Она разводит кур, а свое ружье прячет в угольной яме. Когда она была моложе, то ездила на *велосипеде* аж в Катманду! Нет, правда. Вот ей точно это твое чувство знакомо — ну, что нужно везде-везде побывать. Я много раз рассматривала у нее разные фотографии и всякие вырезки из газет, и тому подобное. О ней много писали. Сейчас она живет на длинном мысу недалеко от Бантри — на полуострове Шипсхед. Иной раз кажется, что это просто *край света*. Там же вообще ничего нет — ни магазинов, ничего такого... зато там совсем мало людей. И мне, если честно, это нравится. Очень даже нравится!

В небе появился серп месяца, такой острый, что, казалось, палец обрезать можно.

Мы немного помолчали, но молчание это отнюдь не было неловким. Потом Брубек спросил:

— Слушай, Сайкс, а насчет второй пуповины ты знаешь?

Стало уже так темно, что я почти не видела его лицо, а потому переспросила:

— Как это второй? Что ты хочешь этим сказать?

— Ну, когда младенец — в материнском чреве, он снабжается всем необходимым через пуповину...

— Спасибо, что растолковал! Я и без тебя знаю, что такое пуповина. Но что значит — «вторая»?

---

[1] Б о б б и   С э н д с (1954—1981) — борец за объединение Ирландии, член Временной Ирландской республиканской армии, политзаключенный, избранный депутатом парламента Великобритании. Умер в результате голодовки протеста в тюрьме.

— Видишь ли, психологи считают, что существует и вторая пуповина, невидимая, эмоциональная, которая связывает тебя с родителями все то время, пока длится детство. Затем однажды ты крепко ссоришься с матерью, если ты девочка, или с отцом, если ты мальчик, и такая ссора способна разорвать эту вторую пуповину. И только когда эта пуповина тоже перерезана, ты можешь уйти в огромный широкий мир, стать взрослым, жить по своим правилам. В общем, это что-то вроде права на пропуск в мир взрослых.

— Да я все время с мамой спорю! Можно сказать, *каждый божий день*. Она до сих пор обращается со мной как с десятилетней.

Брубек снова закурил, с наслаждением затянулся и протянул пачку мне.

— Я говорю о куда более крупной и неприятной ссоре. После которой сразу становится ясно: это произошло; ты больше уже не ребенок.

— А с чего это ты вдруг решил поделиться со мной подобными перлами премудрости?

Он ответил, очень осторожно подбирая слова и выстраивая предложения:

— Если ты убегаешь из дома, потому что твой папаша — просто мелкий преступник, который бьет твою мать и швыряет тебя с лестницы, когда ты пытаешься его остановить, то бегство вполне разумно. Беги. Я готов отдать тебе все свои деньги, скопленные на «ИнтерРейл». Но если сегодня ты сидишь здесь, под этой садовой изгородью, потому, что твою пуповину просто слегка надорвали, тогда — да, я понимаю, это больно — это еще только должно будет с тобой случиться. Прости матери ее несдержанность. Тебе не следует ее за это наказывать. Покажи, что ты сильнее, чем она. Это ведь тоже часть взросления...

— Но она *дала мне пощечину*!

— Спорим, у нее сейчас тоже на душе на редкость дерьмово.

— Ты ее просто не знаешь!

— А ты уверена, что так хорошо ее знаешь, Сайкс?

— Что, черт побери, ты *хочешь* этим сказать?!

Брубек не ответил. Ну и я настаивать на разъяснениях не стала.

* * *

В церкви было тихо, как в могиле. Брубек мгновенно уснул, рухнув на груду каких-то пыльных занавесей. Мы с ним забрались на галерею, тянувшуюся вдоль задней стены, чтобы нас не заметили, если кто-то из сатанистов вдруг заглянет сюда, желая отслужить черную мессу. Ноги у меня были все в царапинах, кровавая мозоль на ноге жутко болела, а в голове крутилась все та же утренняя сцена: Винни со Стеллой в постели. Неужели я была недостаточно хороша? Неужели секс со мной был так плох? Неужели я неправильно одевалась или неправильно разговаривала? Или, может, Винни считал, что мне нравится неправильная музыка?

На светящемся циферблате часов было 22:58. Самые сумасшедшие минуты в «Капитане Марло» — конец недели, последние заказы на субботний вечер. Мама, отец и Гленда — она работает у нас только по уик-эндам — крутятся волчком: рев пьяной толпы; хлопанье по стойке и столикам пятерками и десятками, дымный смрад, монотонный шум голосов, прерывающийся выкриками, смехом, проклятиями, попытки ухаживать, флирт... И никому нет дела до того, где сегодня приткнулась на ночь Холли. Из джукбокса по всему дому гремит «Daydream Believer», или «Rockin' All over the World», или «American Pie». В конце концов Шэрон так и уснет со спрятанным под одеялом включенным фонариком. Жако будет спать под аккомпанемент радио, где неведомые люди что-то бормочут на чужих языках. А в моей комнате наверху постель так и останется неприбранной, и моя школьная сумка будет висеть на спинке стула, и корзина с выстиранным бельем будет стоять у самой моей двери, там, куда мама обычно ее ставит, когда мы с ней в очередной раз разругаемся. Впрочем, в последнее время это случалось почти каждый день. И ночью оранжевое электрическое зарево над Эссексом будет по-прежнему светиться за рекой, просвечивая сквозь неплотно задернутые занавески, и в этом фантастическом свете будут видны афиши «Zenyatta Mondatta» и «The Smiths», которые я стащила в магазине «Меджик Бас». Нет, сейчас мне совсем некстати скучать по своей комнате. Я и не буду!

Ни за что, черт бы все это побрал!

1 июля

Оловянные свистульки, скрип старого дерева, пение птиц и ангел на церковном витраже — маленькую церковь на острове Грейн, пронизанную первыми лучами утреннего солнца, я теперь буду вспоминать именно такой. И я сразу же подумала о маме. О скандале с ней. О том, что Стелла и Винни наверняка проснулись в объятиях друг друга. У меня перехватило дыхание. Похоже, если ты достаточно долго позволяла мужчине заниматься с тобой любовью, тебе не так-то просто будет выбросить из головы мысли о нем. Любовь — это чистая свободная радость, когда она у тебя есть, но когда с ней что-то не так, то за каждую минуту счастья приходится платить по драконовским ценам, да еще и с процентами. 06:03, сообщили мне мои часы, воскресенье. Эд Брубек по-прежнему крепко спал на груде пыльных портьер. Рот разинут, волосы растрепались. Но свою ковбойку, грубую, как у лесоруба, он аккуратно свернул, а бейсболку пристроил сверху. Я протерла глаза, разгоняя сон. Мне снились Жако и мисс Константен; они вместе раздвинули какой-то воздушный занавес и придерживали его руками, а дальше виднелась каменная лестница, уходящая вверх, как в кино про Индиану Джонса...

Да какая разница, что мне снилось? Я же потеряла Винни! Стелла его у меня украла.

Эд Брубек храпел, как медведь. Вот Брубек наверняка не стал бы обманывать свою девушку. Если бы она у него была. Большинство ребят из моего класса, поглаживая свои уродские шелковистые усики, любят намекнуть, что давно потеряли невинность «как-то на вечеринке у друга»; особенно те, кто со своей невинностью вовсе еще не расстался. А Эд Брубек как раз никаких таких намеков не отпускает, так что у него-то, скорее всего, все уже было. Только вряд ли с кем-то из нашей школы, иначе я бы об этом уж точно услышала. Хотя черт его знает. У Брубека привычка держать рот на замке.

Береги себя, кажется, так он сказал мне совсем недавно, почти что вчера.

Его отец, его семья и все такое. При чем здесь я?

Я смотрела на спящего Брубека: резкие черты, полувзрослое-полудетское лицо.

Ответ явился сам собой и был совершенно очевиден: *Потому что ты ему нравишься, креветка безмозглая!*

Но если я ему нравлюсь, почему же он не пытался за мной ухаживать?

Он умный, догадалась я. Сперва он хочет добиться того, чтобы ты была ему благодарна.

Правильно. Ну, конечно. И вот тут мне стало ясно: пора делать ноги.

* * *

Вдоль потрескавшейся проселочной дороги росли одуванчики и чертополох, а зеленые изгороди были выше меня. Утреннее солнце светило ярко, как луч лазера. Сама не знаю зачем, я стащила у Брубека его кепку, когда потихоньку выбиралась из церкви, но сейчас эта кепка с козырьком очень мне пригодилась. Ничего, Брубек не рассердится, а если и рассердится, то не очень сильно. Я прикинула, что до Рочестера отсюда миль шесть или семь и надо бы поскорее пройти напрямик через поля до ведущего туда шоссе. Я надеялась, что мои стертые в кровь ноги это выдержат. Ничего, придется выдержать: все равно у меня в рюкзаке не имеется ни походной аптечки, ни хотя бы пластыря. В животе бурчало от голода, но и желудку придется потерпеть, так что до Рочестера пусть лучше заткнется — а уж там я найду что поесть. Все-таки стоило, пожалуй, попрощаться с Брубеком и сказать ему спасибо, но если бы он в ответ на это непринужденным тоном сказал: «Мне это было совсем не трудно, Сайкс, но ты действительно не хочешь, чтобы я отвез тебя назад, в Грейвзенд?», то я вряд ли сумела бы ответить: «Нет, не хочу».

Заметив, что проселочная дорога упирается в ворота какой-то фермы, я подошла поближе, взобралась на ворота и увидела перед собой целое поле капусты.

Дальше виднелись еще одни ворота. В небе еле заметной точкой кружил коршун. Ладно, шести дней мне вполне хватит, подумала я. Обычно полиция начинает искать пропавших подростков не раньше чем через неделю. Так что шесть дней как раз хороший срок, чтобы доказать маме, что я *вполне могу* сама о себе позаботиться в этом «огромном гадком мире». И тогда у меня будет — как это говорят? — более сильная позиция в спорах с нею. Да, я прекрасно обойдусь и без помощи Брубека, без его «товарищеской» поддержки. Просто нужно очень аккуратно расходовать деньги, чтобы хватило на подольше. А может, вспомнить времена, когда я развлекалась мелкими магазинными кражами?

Как-то раз в прошлом году, в субботу, мы, несколько девчонок, пошли в «Чатем роллер диско» праздновать день рождения Эли Джессоп, но там была такая тоска, что я, Стелла и Аманда Кидд потихоньку выбрались оттуда и оказались на главной улице Лондона. Аманда Кидд спросила: «Ну, кто хочет половить рыбку?» Я отказалась, но Стелла сказала: «Ладно», так что и мне пришлось притвориться, будто я тоже вся такая крутая, и мы пошли в этот гигантский магазин «Дебнемз». Я в жизни своей ничего не украла и чуть не описалась от страха, когда Стелла сперва спросила у продавщицы что-то совершенно бессмысленное, а потом как бы случайно уронила со стенда в косметическом отделе два тюбика помады, наклонилась, чтобы поднять их, и один сунула себе в туфлю. Потом и я поступила точно так же с какими-то понравившимися мне сережками, а при выходе из отдела даже нагло спросила у продавщицы, до какого времени они открыты. Как только мы благополучно вышли на улицу, мне показалось, что весь мир выглядит иначе, словно все правила в нем полностью переменились. Я поняла: если умеешь держать себя в руках, то можешь получить все что хочешь. Аманда Кидд, например, прикарманила темные очки стоимостью фунтов десять. Стелла — помаду от Эсти Лаудер, да и в моих сережках «бриллианты» сверкали, как настоящие. Затем мы направились в кондитерский магазин «Свит фэктори», и пока мы с Амандой Кидд совали в карманы и за пазуху всякие сладости, Стелла заговаривала зубы какому-то парнишке из тех, что подрабатывают там по субботам: она, мол, уже сто лет по субботам его здесь видит, и он ей даже снился, и не хочет ли он немного погулять с ней где-нибудь после работы? Последним на нашем пути оказался универмаг «Вулворт». Мы со Стеллой пошли примерять кофточки сорокового размера, причем с самыми невинными намерениями, но буквально через минуту менеджер и продавец взяли нас в кольцо, а следом явился и тамошний полицейский, держа за руку Аманду Кидд, трясущуюся и белую как полотно, и заявил: «Вот вместе с этими самыми она как раз сюда и явилась!» Менеджер велел нам подняться к нему в кабинет, и все мое самообладание тут же куда-то улетучилось, но Стелла по-прежнему держала себя в руках и довольно-таки нагло рявкнула в ответ: «А кто вы, собственно, *такой*?»

Менеджер миролюбиво сказал: «Давайте, милочка, просто пройдем ко мне в кабинет» — и попытался положить руку ей на плечо.

Стелла гневно отшвырнула его руку и заорала уже в полную силу: «Держите свои грязные лапы *подальше*, мерзкий карлик! И вообще, с какой стати вы решили, будто я и моя сестра как-то связаны с этой... *магазинной воровкой*? — Она зыркнула глазами в сторону Аманды Кидд, которая уже вся тряслась и рыдала в голос. — Нет, вы мне *скажите*, с какой стати нам что-то красть в вашей мерзкой лавчонке, где торгуют всяким хламом? — С этими словами Стелла вытряхнула содержимое своей сумочки на прилавок и заявила: — Ох, *лучше бы* вы оказались правы, мистер Менеджер! А теперь мой отец прямо в понедельник пришлет вам судебную повестку! Не заблуждайтесь на мой счет: я отлично знаю свои права». Многие покупатели уже чуть шею себе не свернули, глазея на нас, — и, чудо из чудес, менеджер отступил и пробормотал, что, возможно, полицейский ошибся, так что мы свободны и можем идти. Стелла снова рявкнула: «Я *и так знаю*, что свободна и могу идти куда захочу!» Сложила свои вещички в сумочку, и мы с ней вывалились на улицу.

Потом мы потихоньку вернулись обратно в «Роллер диско» и никому не сказали, что случилось. Мать Аманды Кидд в конце концов была вынуждена пойти в «Вулворт», чтобы ее вызволить. Я страшно боялась: вдруг Аманда нас заложит, но она не посмела. Но всю следующую неделю ходила завтракать с другими девчонками, и мы с ней больше, пожалуй, ни разу по-настоящему не разговаривали. Она у нас в выпускном классе сейчас вторая по успеваемости, так что, похоже, то, что ее тогда поймали, даже пошло ей на пользу. Но дело в том, что я, в отличие от Стеллы, по природе своей не воровка и не лгунья, однако ей в тот день, после «Вулворта», вполне удалось *убедить* меня, что мы совершенно ни в чем не виноваты. Представляете, какой дурой я чувствовала себя теперь, когда она и из меня сделала «Аманду Кидд»? Неужели Стелле вообще не нужны никакие друзья? Или для Стеллы друзья — это только средство получить то, что ей хочется?

* * *

Слева от меня высилась крутая насыпь и наверху широкое, четырехполосное шоссе, а справа — поле, расчищенное, судя по всему, для массовой застройки. Там было полно всяких экскаваторов, бульдозеров и самосвалов; и повсюду — высокие проволочные ограждения и объявления типа «Наденьте защитную каску!»; а над табличкой «Вход только по пропускам» кто-то написал краской из баллончика: «Aint No Black in the Union Jack»[1] да еще и пририсовал пару свастик. Все еще было довольно рано, только без двадцати восемь. Брубек, наверное, уже покатил на своем велосипеде домой, а в «Капитане Марло» все еще спят. Впереди виднелся проход под шоссе, и я направилась к нему. Я была метрах в ста от прохода, когда заметила там какого-то мальчишку и остановилась, потому что это было *очень и очень* странно, но я могла бы поклясться...

Да, это был Жако! Он просто стоял там и смотрел, как я иду к нему. Я отлично понимала, что *настоящий* Жако сейчас находится в двадцати с лишним милях отсюда; наверняка рисует какой-нибудь лабиринт, или читает книгу о шахматах, или делает что-нибудь такое, свойственное только ему одному; однако у стоявшего передо мной парнишки были точно такие же растрепанные каштановые волосы, такая же форма головы, те же черты лица, та же манера держаться; и даже майка у него была такая же, как у Жако, с надписью «Liverpool FC»[2]. Я слишком хорошо знала, как выглядит мой брат, и это действительно был либо он, либо абсолютно идентичный ему близнец, о котором просто никто до сих пор не знал. Я стала медленно приближаться к нему, не осмеливаясь даже моргнуть, чтобы он вдруг не исчез, и, когда до него оставалось метров пятьдесят, помахала ему рукой. И этот парнишка, который никак не мог быть моим младшим братом, тоже помахал мне в ответ. Не выдержав, я громко окликнула его по имени, но он никак мне не ответил, а повернулся и вошел в туннель под шоссе. Я просто не знала, что

---

[1] «И никаких черных в нашем Соединенном Королевстве» (*англ.*). Граффити английских наци-скинхедов.

[2] Liverpool Football Club (*англ.*) — футбольный клуб «Ливерпуль».

думать, и поспешила за ним следом. Мне вдруг пришла в голову нелепая мысль: а что, если Жако тоже сбежал из дома, чтобы меня отыскать? Хотя разумная часть моего «я» возражала и твердила, что это никак не может быть он. Да и откуда Жако было знать, в какой стороне меня искать?

Теперь я уже бежала со всех ног, понимая, что происходит нечто очень странное, но не зная, что это значит. Туннель предназначался только для пешеходов и велосипедистов, так что был довольно узким и коротким, длиной ровно в четыре автомобильных полосы плюс газон, отделявший правую сторону шоссе от левой. На его дальнем конце, словно в квадратном окошке, виднелись поле, небо и крыши домов. Я вошла в туннель и сделала несколько шагов, не сразу заметив, что чем ближе к центру, тем становится светлее, а не темнее, и вместо гулкого эха вокруг царит почти полная тишина. Я сказала себе: ерунда, тебе просто показалось, не тревожься, но уже через несколько шагов мне стало совершенно ясно — проход под шоссе полностью изменил форму, стал значительно шире и выше и превратился в некое странное, какой-то ромбической формы помещение... причем помещение это находилось явно *не в Англии*, в каком-то ином, *далеком,* месте. Это было просто невероятно, и я испугалась. Однако же я понимала, что не сплю, что все это происходит на самом деле, но все же никак не может быть *реальностью.* Я остановилась, потому что боялась налететь на невидимую стену. Где же я? Я никогда в этом месте не бывала. Неужели это кошмарный сон наяву? Может, все это исчезнет, как только я очнусь? Слева и справа от меня были узкие окна, до каждого — шагов десять. *Я не собиралась* смотреть в эти окна — все равно я там не увижу никаких бетонных стен и никакого прохода под шоссе. И все же в окне слева я заметила какие-то странные серые дюны, словно карабкавшиеся по склону высокой горы, а в окне справа была почти ночь, и там дюны пологими волнами катились к морю, казавшемуся абсолютно черным. Да, оно было черным-пречерным, точно тьма, запертая в шкатулке, хранящейся в подземной пещере на глубине по крайней мере мили. К центру это помещение, где бы оно ни находилось, явственно расширялось, и там стоял длинный стол; я подошла к этому столу слева, а справа к нему одновременно со мной подошла какая-то молодая и очень красивая женщина. Вот только красота ее была холодной и неживой, как у загримированной актрисы, к которой даже прикасаться нельзя. У нее были очень светлые, казавшиеся почти седыми, волосы, очень бледная, цвета слоновой кости, кожа и очень яркие темно-розовые губы; одета она была в темно-синее, как полночь, бальное платье и выглядела как сказочная фея...

Да, это была она, мисс Константен. Та самая, что сидела в кресле возле моей постели, когда мне было восемь лет. Но почему мой разум вдруг вздумал проделывать подобные фокусы именно сейчас? Мисс Константен подвела меня к какой-то картине, висевшей в остром углу этого ромбовидного зала; картина изображала мужчину, похожего на библейского святого, только на его лице не было глаз. Я стояла всего в нескольких дюймах от картины и хорошо разглядела его лицо. На лбу у этого святого чуть выше переносицы виднелось черное пятно. И это пятно росло. И в нем был *зрачок*. Значит, это глаз? И я вдруг почувствовала, что и у меня во лбу есть такой же «глаз», причем в том же самом месте; но теперь я уже не была полностью уверена, что я — это по-прежнему Холли Сайкс; хотя, если я перестала быть собой, то кем еще я могу являться? Из пятна у меня на лбу что-то *вышло* и теперь болталось прямо у меня перед глазами. Когда я пыталась посмотреть прямо на него, оно исчезало, но если я немного отводила глаза, то краем глаза видела, что оно похоже на маленькую мерцающую планету. Затем появилась еще одна такая «планета», и еще, и еще. Четыре непонятные мерцающие штуковины! Я почувствовала во рту вкус зеленого чая, и вдруг вокруг меня словно стали взрываться бомбы, и мисс Константен страшно завыла, и пальцы у нее на руках превратились в когти, и вспышка какого-то невероятно яркого синего света отбросила ее прочь, и она покатилась по столу под ударами этого света, потрескивавшего как кнут. А святой старец на картине разинул рот, и оказалось, что во рту у него полно острых звериных зубов, и он издавал такие жуткие вопли и стоны, что казалось, будто со скрежетом трутся друг о друга металл и камень. Вокруг метались какие-то тени, силуэты людей, точно в театре теней, порожденном воображением некого безумца. На стол вдруг впрыгнул какой-то старик с глазами рыбы пираньи. У него были длинные вьющиеся черные волосы и красный, как у пьяницы, нос; на нем был черный костюм, и от него исходил какой-то странный ярко-синий свет, словно он весь был насквозь пропитан радиацией. Старик помог мисс Константен подняться, и она указала пальцем с длинным серебристым ногтем-когтем прямо на меня. Помещение тут же охватило черное пламя, послышался громкий рев, как от двигателя реактивного самолета, и я поняла, что не могу ни убежать, ни вступить с ними в бой; я даже ничего толком разглядеть не могла в языках этого черного пламени; я могла лишь неподвижно стоять и слушать отчаянные крики, звучавшие так, словно здание рушится прямо на его обитателей. И все же в этом оглушительном шуме и грохоте я сумела услышать чей-то ясный и очень спокойный голос, отчетливо сказавший мне: «*Я буду здесь*». Затем последовали новые толчки, грохот, и невероятно яркий, ярче солнца, свет стал разгораться все сильней, и я почувствовала, что мои глазные яблоки тают прямо в глазницах...

* * *

...а потом сквозь трещины в стенах стал проникать серый свет, послышалось пение птиц, грохот грузовика над головой, и я ощутила острую боль в ушибленной коленке. Оказалось, что я лежу, скрючившись, на бетонном полу того самого прохода под шоссе, почти у его противоположного конца, до которого мне оставалось всего несколько шагов. Мое лицо обдувал ветерок, пахло автомобильными выхлопами... Значит, кончился тот кошмарный сон наяву, или видение, или... что бы это ни было? И не у кого было спросить: *А ты тоже это видел?* Но в ушах у меня по-прежнему звучали три слова: *Я буду здесь*. Я поспешила выбраться из туннеля навстречу ясному голубому утру, но все еще дрожала от какого-то странного душевного опустошения, от кошмарной необычности того, что со мной только что произошло. Я села на траву у дороги и задумалась. Может быть, сны наяву — это что-то вроде рака, который то проходит, то вдруг неожиданно возвращается, когда тебе кажется, что ты уже совсем выздоровел? Может быть, заканчивается срок моего пребывания в нормальном состоянии? Ведь доктор Маринус предупреждал, что «исцелил» меня лишь на время, пусть даже довольно длительное. Может быть, испытанный вчера стресс — ссора с мамой, история с Винни и все остальное — как бы спустил курок для рецидива? Я не знала, что и подумать. Никакого Жако рядом, разумеется, не было; наверняка я просто вообразила себе, что видела его. Ну и хорошо. Я была рада, что малыш в безопасности, дома, в «Капитане Марло», в двадцати милях отсюда, хотя мне, конечно, было очень приятно с ним повидаться. Зато теперь я была уверена, что с ним все в порядке и беспокоиться совершенно не о чем.

* * *

Впервые я увидела Жако в «инкубаторе» родильного отделения, потому что он появился на свет раньше времени. Я тогда во второй раз побывала в «Грейвзенд дженерал хоспитал», но уже в другом здании, где находилось родильное отделение. Мама только-только приходила в себя после кесарева сечения и выглядела какой-то необыкновенно усталой — я, во всяком случае, такой измученной ее никогда не видела. И все-таки она счастливо улыбалась нам и сказала, чтобы мы поздоровались с нашим новым братиком Джеком. Папа весь предыдущий день и всю ночь провел в больнице и выглядел таким помятым, небритым и немытым, словно неделю ночевал в автомобиле на парковке. Шэрон, помнится, более всего была огорчена тем, что теперь ей придется расстаться с положением всеобщей любимицы, да еще и из-за какого-то непонятного существа — то ли обезьянки, то ли креветки, лежащей в «инкубаторе» и утыканной разными трубочками. Брендану тогда было уже пятнадцать, и он заранее испытывал отвращение к плачу очередного младенца и бесконечной возне с кормлениями, отрыжкой и обкаканными памперсами. Я постучала пальцем по стеклу и сказала: «Привет, Жако, я твоя старшая сестра», и его пальчики шевельнулись в ответ; совсем чуть-чуть, но мне показалось, что это он вроде как приветливо махнул мне рукой. Богом клянусь, он действительно мне *ответил*; это чистая правда, хотя больше никто этого не заметил; зато у меня в сердце словно что-то защекотало, и я почувствовала, что готова кого угодно убить, лишь бы защитить эту кроху от любых невзгод. Я и теперь относилась к Жако точно так же; особенно меня бесило, когда какие-нибудь ублюдки заводили речь о том, какой это «странный ребенок», а может, и вовсе «эльфийский подменыш» или «просто урод недоношенный». Среди людей все-таки очень много сволочей и невежд. Почему, собственно, считается нормальным, когда ребенок в семь лет рисует межпланетные корабли, а если ему нравится рисовать «дьявольские» лабиринты, то он «урод»? Кто решил, что тратить деньги на игру «Космические пришельцы» можно, а если ребенок купит себе калькулятор с кучей всяких математических операций, то его попросту задразнят? Почему детям разрешается слушать по радио «Топ-40» всякие идиотские передачи, но если тебе в шесть лет нравится слушать передачи на иностранных языках, тебя непременно сочтут фриком? Мама и папа, правда, порой просили Жако поменьше читать и побольше играть в футбол и другие подвижные игры, и после этого он какое-то время вел себя почти как нормальный семилетний мальчик, но все прекрасно понимали, что он просто притворяется. Просто время от времени тот, кем он был на самом деле, как бы взглядывал на меня с улыбкой из глубины его черных глаз — так бывает, когда случайно заметишь в окне проносящегося мимо поезда лицо человека, который посмотрел на тебя и приветливо тебе улыбнулся, — и в такие моменты мне всегда хотелось помахать ему рукой, даже если Жако сидел напротив меня за столом или мы с ним вместе поднимались по лестнице.

* * *

В общем, галлюцинация то была или нет, но нельзя же было сидеть так весь день. Пора было поднять задницу и двигаться дальше. И еды мне нужно было раздобыть, и придумать какой-нибудь план действий. В общем, я заставила себя встать, и вскоре, уже за первым поворотом дороги, поля закончились, и я вновь оказалась в привычном мире садовых изгородей, указателей и полосатых дорожных переходов. В небе над головой качалось жаркое марево, и меня опять донимала жажда. В последний раз я вволю напилась воды — прямо из-под крана! — когда мы с Брубеком проникли в церковь; а в городе по правилам *приличия* нельзя просто так постучаться в дверь и попросить стакан воды, хотя где-нибудь в пустынном краю такое вполне допустимо. Господи, хоть бы попался какой-нибудь парк с фонтанчиком питьевой воды — это было бы идеально! — или хотя бы общественный туалет, но поблизости не было ни малейших признаков ни того, ни другого. А еще мне очень хотелось почистить зубы: их внутренняя сторона стала какой-то шершавой, как чайник изнутри, когда там нарастает накипь. Из какого-то окна на меня так пахнуло поджаренным беконом, что мой бедный живот прямо-таки свело от голода, а тут еще словно нарочно мимо проехал автобус, направлявшийся в Грейвзенд. Стоило на него сесть, и через сорок пять минут я была бы дома...

Это, конечно, так, но я тут же представила себе торжествующее лицо мамы, когда она, открыв боковую дверь, впустит меня в дом, и... автобус, пыхтя, проехал мимо. Некоторое время я продолжала уныло брести по дороге, потом нырнула под железнодорожный мост и наконец увидела впереди ряд магазинов и газетных киосков, где наверняка можно будет купить бутылку воды и пачку печенья. Я рассматривала вывески магазинов: «Христианская книга», «Все для вязанья», «Игорная лавка»[1], магазин детских конструкторов и моделей самолетов фирмы «Эрфикс», чуть дальше — зоомагазин, где в клетках сидели шелудивые хомяки. Почти все магазины были закрыты, и в целом улица имела весьма унылый вид. Ну что ж, во всяком случае, до Рочестера я добралась. А дальше что?

Вон там телефонная будка земляничного оттенка...

Земляника, клубника... А что, это неплохая идея.

---

[1] Официально санкционированные законом (1960) бюро, где принимают денежные ставки при игре на скачках и т. п. и выплачивают выигрыши.

Женщина в справочной будке довольно быстро отыскала телефон фермы Гэбриела Харти «Черный вяз», что на острове Шеппи, и спросила, не хочу ли я сразу с ним переговорить. Я сказала, что хочу, и уже через минуту меня соединили с фермой. На моих часах было без трех минут девять. Для фермы, безусловно, это не слишком рано даже в воскресенье. Но трубку никто не брал. По совершенно непонятной причине я вдруг страшно разнервничалась. Если через десять гудков мне так никто и не ответит, решила я, то повешу трубку и смирюсь с неизбежностью. Значит, просто не суждено.

На девятом звонке кто-то все же снял трубку, и послышалось тягучее «Да-а?».

Я сунула в щелку десять пенсов и сказала:

— Добрый день. Это ферма «Черный вяз»?

— Да вроде бы так. Во всяком случае, еще вчера она именно так называлась. — Голос был хрипловатый, и его хозяин невыносимо растягивал слова.

— Вы мистер Харти?

— Да вроде бы так. Когда я последний раз в зеркало смотрелся, то все еще был мистером Харти.

— Я звоню, чтобы спросить: вы нанимаете сборщиков урожая?

— Нанимаем ли мы сборщиков? — Он помолчал. Мне было хорошо слышно, как где-то на заднем плане захлебывается лаем собака; потом какая-то женщина громко крикнула: «Борис, заткни пасть!» — Да-а, нанимаем.

— Одна моя подруга пару лет назад работала у вас на ферме, и если вы не против, я бы тоже хотела к вам приехать и немного поработать. Мне очень нужно. Пожалуйста!

— Клубнику раньше собирать доводилось?

— Доводилось, но не на настоящей ферме. А вообще я к тяжелой работе привыкла, — я вспомнила о своей ирландской двоюродной бабушке Айлиш, — я раньше часто своей тете в огороде помогала, а огород у нее просто огромный, так что я не боюсь испачкать руки.

— Значит, у нас, фермеров, руки всегда грязные, так?

— Я просто хотела сказать, что не боюсь тяжелой работы и могла бы хоть сегодня начать. — Последовала пауза. Очень длинная пауза. Очень-очень длинная. Я забеспокоилась: видно, придется совать в автомат еще монетку. — Мистер Харти? Алло? Вы меня слышите?

— Да-а. По воскресеньям никто ничего не собирает. Во всяком случае, у нас, на ферме «Черный вяз». По воскресеньям мы даем ягодам и фруктам возможность подрасти. А собирать начнем завтра ровно в шесть. Кстати, у нас имеются спальни для сборщиков, но предупреждаю: это не отель «Ритц». И горничных у нас нет.

Блеск!

— Это просто отлично! Значит... вы меня берете?

— Тридцать пять пенсов за ящик. Полный. И никаких гнилых ягод. Иначе заставлю все снова собирать. И никаких камней, иначе сразу выгоню.

— Хорошо-хорошо. Так я могу сегодня подъехать?

— Да-а, давай. У тебя имя-то есть?

Я испытала такое облегчение, что, не подумав, тут же выпалила «Холли!» и сразу поняла: разумней было бы назваться вымышленным именем. Прямо передо мной на железнодорожном мосту висела реклама сигарет «Ротманз», и я сказала: «Холли Ротманз» — и снова пожалела об этом. Надо было выбрать что-нибудь легко забывающееся, вроде Трейси Смит, но теперь уж ничего не попишешь.

— Значит, Холли Боссман?

— Холли *Ротманз*. Как сигареты.

— Значит, сигареты? Я-то трубку курю.

— Как мне добраться до вашей фермы?

— Наши сборщики сами как-то добираются. У нас тут такси нет.

— Я знаю, потому и спрашиваю, как мне ехать.

— Это очень просто.

Черт побери, надеюсь, что так! Если он будет продолжать в том же духе, то у меня все монетки кончатся.

— Это хорошо, а все-таки как мне до вас добраться-то?

— Сперва переберешься по мосту на остров Шеппи. А там спросишь, где ферма «Черный вяз». — И с этими словами Гэбриел Харти повесил трубку.

* * *

Рочестерский замок высился на берегу реки Медуэй и был похож на гигантский макет самого себя; металлический мост охранял большой черный лев, и я, проходя мимо, погладила льва по лапе — на удачу. Фермы моста стонали и скрипели, когда по ним проезжали тяжелые грузовики. Мои стертые ноги нестерпимо болели, но я все равно была страшно собой довольна: всего сутки назад я чувствовала себя глубоко несчастной — жалкая, исцарапанная, с кровавыми мозолями на пальцах, — и вот уже вполне успешно договорилась насчет работы и ночлега, так что всю следующую неделю можно ни о чем не беспокоиться. Ферма «Черный вяз» — это как раз такое место, где можно залечь на дно и подсобрать немного деньжонок. Я думала о тех маленьких бомбах, которые станут взрываться в Грейвзенде одна за другой. Папа наверняка сегодня сходит к Винни: «О, доброе утро! Вы, я полагаю, спите́ с моей несовершеннолетней дочерью? Так вот: я не уйду, пока не поговорю с ней!» Ага! Морда у Винни сразу станет как у хорька, и он скажет: «А ее здесь нет». Ага! И папа бросится назад и сообщит об этом маме. Ух, что тогда начнется! Мама примется прокручивать в памяти все обстоятельства нашего с ней разговора, завершившегося пощечиной. Потом она сама двинет к Винни. Ну и вляпается в дерьмо! «Никак не ожидала тебя здесь увидеть, Стелла!» Впрочем, может, ее там и не будет, и мама, испепелив Винни взглядом и заставив лепетать в свое оправдание что-то жалкое, уйдет, а он, прилипнув к полу, как коровья лепешка, так и останется стоять посреди холла. Затем мама поспешит к Брендану и Рут, чтобы проверить, не там ли я случайно. Брендан скажет, что встретился со мной утром, когда я шла к Стелле Йирвуд, так что они оба ринутся туда, и Стелла, разумеется, вежливо объяснит: «Что вы, миссис Сайкс, она сюда вообще не приходила, да меня на самом деле и дома-то не было, так что я понятия нс имею, где она», но она должна понимать: ракета теплового наведения в ее направлении уже вылетела. Наступит и закончится понедельник, затем вторник, и в среду наконец позвонят из школы и спросят, почему я не являюсь на экзамены. Мистер Никсон сурово скажет: «Миссис Сайкс, давайте говорить начистоту. Почему ваша дочь с субботы отсутствует в школе?» Мама начнет бормотать что-то насчет небольшой семейной ссоры, закончившейся «легким шлепком», и папа, разумеется, тут же захочет выяснить, из-за чего была ссора и что имелось в виду под «легким шлепком». Насколько он был легким? Ага, ага, ага. И тут она, потеряв самообладание, завопит: «Я же, черт побери, Дэйв, уже рассказывала тебе об этом!», а потом пойдет на кухню и будет смотреть вдаль, за реку, и думать: «Ведь девочке всего пятнадцать! С ней что угодно могло случиться...» Ничего, пусть помается, это ей только на пользу.

Чайки устроили внизу, на поверхности реки, жуткую драку.

Под мостом с жужжанием проплыл полицейский катер. Я посмотрела ему вслед и пошла дальше.

Вон впереди заправка фирмы «Тексако» — и магазин при ней, к счастью, открыт.

* * *

— Где здесь лучше всего голосовать, чтобы добраться автостопом до Шеппи? — спросила я у парня, сидевшего на кассе, после того как он вручил мне сдачу, две жестянки с фруктовым напитком «Тайзер», двойной сэндвич и пачку печенья «Ритц». Мои заветные 13 фунтов 85 пенсов уменьшились до 12 фунтов 17 пенсов.

— Я никогда стопом не езжу, — сказал он, — но если б поехал, то поднялся бы на Чатемский холм и попытал счастья на Окружной дороге А-22.

— А до Чатемского холма как добраться?

Но ответить он не успел: в магазин вошла какая-то молодая женщина с малиновыми волосами, и парень из «Тексако» так и впился в нее глазами.

Мне пришлось напомнить, что я все еще здесь.

— Извините, но как мне все-таки добраться до Чатемского холма?

— От нашего двора сверните налево, минуете первый светофор, затем гостиницу «Стар» и поднимайтесь вверх до башни с часами. Там свернете налево, в сторону Чатема, пройдете мимо больницы Святого Варфоломея и продолжайте идти прямо, пока не доберетесь до автомагазина «Остин-Ровер». Это уже почти Чатем. Там выставляйте большой палец и ждите, пока возле вас не остановится рыцарь на сверкающем «Ягуаре». — Он нарочно сказал все это скороговоркой, чтобы мне было трудней запомнить. — Может, конечно, вам и повезет, а может, будете ждать несколько часов. С автостопом никогда не знаешь наверняка. Убедитесь, что вас высадили у поворота на Ширнесс — если окажетесь в Фавершеме, то заедете слишком далеко. — Он поправил штаны в промежности и повернулся к женщине с малиновыми волосами: — Итак, моя дорогая, чем я могу вам помочь?

— Для начала не называйте меня «моя дорогая», договорились? Вот и прекрасно.

Я не стала сдерживаться и расхохоталась. И он, по-моему, готов был меня за это убить.

* * *

Я двинулась в путь, но не прошла и ста шагов, как меня нагнал разбитый «Форд Эскорт». Возможно, когда-то он был оранжевого цвета, а может, просто ржавчина проступила. Пассажир на переднем сиденье открыл окошко: «Привет!» Я уже успела набить рот печеньем «Ритц» и, должно быть, выглядела как полная кретинка, но ее я сразу узнала. Это была та женщина с малиновыми волосами.

— Это, правда, не совсем сверкающий «Ягуар», — весело сказала она и приглашающим жестом похлопала по дверце, — да и Йен на рыцаря определенно не похож, — парень за рулем слегка поклонился и помахал мне рукой, — но если тебе нужно на остров Шеппи, то мы как раз едем в ту сторону и можем довезти тебя почти до самого моста. Клянусь честью, мы не рубим людей топорами на куски и не распиливаем их циркулярной пилой. По-моему, лучше ехать на нашей развалюхе, чем стоять на обочине дороги часов шесть и в итоге дождаться кого-нибудь вроде *вон того урода*, — и она мотнула головой в сторону заправочной станции, — который притормозит со словами: «Итак, моя дорогая, чем я могу вам помочь?», а потом на тебя набросится.

Стертые ноги болели просто невыносимо, и потом, если тебя подвозит парочка, это действительно гораздо безопасней, чем когда в машине один мужчина; тут эта особа с малиновыми волосами права.

— Спасибо! Это было бы классно!

Она открыла заднюю дверь и переставила какие-то ящики, освобождая для меня место. Я еле втиснулась, зато со всех сторон были окна и можно было сколько угодно любоваться видами. Водитель Йен — на вид ему было лет двадцать пять, но он уже начинал лысеть, а нос у него был как у самолета «Конкорд» — спросил, чуть повернувшись ко мне:

— Надеюсь, тебя там не раздавит? Тесно, наверное?

— Совсем нет, — сказала я. — Очень даже уютно.

— Ничего, тут недолго ехать, всего минут двадцать пять, — сказал Йен, и мы поехали.

— Когда мы тебя нагнали, я как раз говорила Йену, что если мы тебя не подвезем, то я весь день буду волноваться, — сказала женщина. — Меня, между прочим, Хейди зовут. А тебя?

— Трейси, — ответила я. — Трейси Коркоран.

— Знаешь, среди моих знакомых не было ни одной Трейси, которая была бы мне неприятна.

— А я вполне могла бы вам парочку таких подыскать, — сказала я, и Йен с Хейди рассмеялись, словно это было чертовски остроумно, и я решила, что и впрямь удачно пошутила. — Хейди тоже очень симпатичное имя.

Йен что-то промычал с сомнением, и Хейди ткнула его в бок.

— Не мешай водителю, — сказал он ей.

Мы проехали мимо школы, явно созданной по тому же образцу, что и наша общеобразовательная «Уиндмилл-Хилл» — такие же большие окна, такая же плоская крыша, такая же грязная спортивная площадка. На самом деле я только сейчас начала понимать, что *действительно* бросила школу: а ведь все получилось именно так, как всегда утверждал старый мистер Шарки: «В жизни всегда кто смел, тот и съл».

— А ты, Трейси, живешь на острове Шеппи? — спросила Хейди.

— Нет. Я там работать буду. На ферме. Клубнику собирать.

— На ферме Гэбриела Харти, да? — спросил Йен.

— Да. А вы его знаете?

— Не лично, но он всем известен своим весьма субъективным отношением к арифметике, особенно когда дело доходит до выплаты людям заработанного. Так что не теряй бдительности, Трейси. И учти: ошибки он всегда делает исключительно в свою пользу.

— Спасибо, я буду очень бдительной. Но, вообще-то, я думаю, все будет нормально. Моя школьная подруга прошлым летом работала на этой ферме. — Я чувствовала, что слишком тараторю, надеясь, что так мне скорее поверят. — А я только что на аттестат «О» сдала. И мне уже шестнадцать, так что теперь я коплю деньги, чтобы в августе купить билет на «ИнтерРейл».

На мой взгляд, все это звучало так, словно я только что прочла об «ИнтерРейле» в каком-то буклете.

— Да, это, наверно, здорово — поехать на поезде «ИнтерРейла», — сказала Хейди. — Значит, тебе в Европу захотелось? А живешь-то ты где?

Где бы это мне *лучше* жить?

— В Лондоне.

Зажегся красный свет. На дорогу вышел слепой мужчина с собакой-поводырем.

— Лондон — большой город, — сказал Йен. — А если поточней?

Меня охватила легкая паника.

— В Гайд-парке.

— Как это — *в* Гайд-парке? На дереве, что ли, вместе с белками?

— Нет. На самом деле мы скорее живем в Камдентауне[1].

Хейди и Йен немного помолчали — я уж решила, что сказала какую-то глупость, — потом Йен сказал:

— Знакомое место. — Слепец тем временем благополучно добрался до противоположного тротуара; Йен некоторое время повозился с коробкой передач, а потом мы поехали дальше. — Я жил в Камдентауне, когда впервые приехал в Лондон. Спал на диване у своего приятеля. Это на Раунтри-сквер рядом с площадкой для крикета, там еще поблизости станция метро есть. Знаешь это место?

— Конечно, — солгала я. — Я, можно сказать, все время мимо хожу.

— Так ты, наверное, сегодня с утра из Камдена автостопом сюда добралась? — спросила Хейди.

— Да. Меня один водитель грузовика довез до самого Грейвзенда, а потом еще какой-то турист из Германии до Рочестерского моста подбросил, а потом уж вы меня подобрали. У вас в коробках варенье, что ли? — Мне уже давно хотелось сменить скользкую тему. — Вы что, на другую квартиру переезжаете?

---

[1] Район Лондона.

— Нет, это тираж «Socialist Worker» за эту неделю, — сказала Хейди.

— Ее на Куинн-стрит продают, — сказала я. — В Камдене.

— Мы связаны с центральным лондонским отделением, — сказал Йен. — Мы с Хейди — аспиранты LSE[1], но уик-энды обычно проводим в этих местах, неподалеку от Фавершема, так что вроде как заодно и распространители газеты. Вот и тащим с собой все эти коробки.

Я вытащила одну газету.

— Читать-то хоть интересно?

— Все прочие британские газеты — сплошь пропагандистское дерьмо, — ответил Йен. — Даже «Гардиан». Возьми себе одну.

Отказываться было невежливо. Я поблагодарила и стала изучать первую полосу с крупным заголовком «Рабочие, объединяйтесь прямо сейчас!» и фотографией бастующих шахтеров.

— Значит, вы вроде как... заодно с Россией?

— Вовсе нет, — сказал Йен. — Мясник Сталин зарезал русский коммунизм еще в колыбели, Хрущев был бесстыдным ревизионистом, а Брежнев строил роскошные магазины для партийных лизоблюдов, тогда как рабочие стояли в очереди за черствым хлебом. Советский империализм столь же плох, как и американский капитализм.

Домики пролетали мимо, точно задник в дешевом мультфильме.

— А чем твои родители зарабатывают на жизнь, Трейси?

— У них свой паб. «Голова короля» называется. Это совсем рядом с Камденом.

— Владельцы пабов, — сказал Йен, — сейчас практически обескровлены крупными пивоваренными предприятиями. В общем, все та же старая история. Рабочий создает прибавочную стоимость, а хозяева снимают с нее сливки. Эй-эй, что это там такое?

Движение впереди замерло на полпути к вершине холма.

— Постоянно идет невидимая война, — сказала Хейди, и я даже не сразу поняла, что она имеет в виду не пробку на дороге, — и во все периоды истории это война носит классовый характер. Хозяева против рабов, аристократы против простонародья, обладающие непомерным аппетитом владельцы предприятий против рабочих. В общем, те, кто имеет, против тех, кто не имеет. Класс тружеников стараются подавить как с помощью силы, так и с помощью лжи.

— Какой лжи? — спросила я.

— Например, такой: ты обретешь счастье, если займешь деньги, которых у тебя нет, и купишь какую-нибудь совершенно ненужную тебе вещь, — сказал Йен. — Так же лживо и утверждение, что мы

---

[1] Лондонская школа экономики, колледж Лондонского университета.

живем в демократическом государстве. Но самая подлая ложь — это то, что классовой борьбы *не существует.* Именно поэтому наш истеблишмент такой железной хваткой вцепился в школьную программу, особенно в преподавание истории. Ведь как только рабочие поумнеют, начнется революция и правителям придется убираться с насиженного места. Но этого, как говорится, по телевизору точно не покажут.

Я не очень-то понимала, о чем он, и как-то не могла себе представить, что наш учитель истории мистер Симмс — тоже винтик в широком заговоре, направленном на подавление рабочих. Интересно, думала я, а мой отец — тоже «обладающий непомерным аппетитом владелец предприятия», потому что использует «наемную силу» в лице Гленды? И я спросила:

— Но разве зачастую революции не приводят к тому, что все становится только хуже?

— Справедливое замечание, — сказала Хейди. — Ты права: революции и впрямь часто привлекают всяких Наполеонов, Мао, Пол Потов. Но это там, где главенствующую роль играет какая-то конкретная партия. А когда разразится британская революция, мы сохраним всю нашу упорядоченную структуру и защитим ее от происков фашистов и всевозможных бандитов.

Наконец-то, пробка — в час по чайной ложке — двинулась вперед, и автомобиль Йена тоже со скрежетом тронулся с места.

— Значит, вы думаете, что у нас скоро разразится революция? — спросила я.

— Нынешняя забастовка шахтеров могла бы стать спичкой, поднесенной к цистерне с газом, — сказал Йен. — Когда рабочие видят, как уничтожаются их профсоюзы — сперва с помощью новых законов, а затем и с помощью пуль, — они начинают понимать: революция на классовой основе — это отнюдь не воплощение мечты о манне небесной, а вопрос элементарного выживания.

— Карл Маркс, — продолжила Хейди, — доказал, как именно капитализм пожирает сам себя. Когда он окажется не в состоянии прокормить те миллионы, которые он пожевал и выплюнул, тогда никакое количество лжи или жестокости его не спасет. Конечно, американцы постараются нас придушить — им же захочется сохранить свой главный, пятьдесят первый штат! — а Москва попытается перехватить вожжи, но когда к нашей революции присоединится армия, как это было в 1917 году в России, тогда нас будет не остановить. — И она, и Йен говорили с такой же убежденностью, с какой говорят Свидетели Иеговы. Хайди привстала и высунулась в окно, чтобы посмотреть, что творится впереди, а потом сказала: — Полиция.

Йен что-то пробормотал насчет свиней и бойцовых псов Тэтчер, и мы выехали на площадь с круговым движением, где лежал на боку какой-то грузовик. Асфальт был усыпан осколками разбитого ветрового стекла. Женщина-полицейский направляла трафик на единственную свободную полосу из трех. Она казалась очень спокойной и уравновешенной и совсем не была похожа ни на свинью, ни на бойцового пса; да и сбежавшего из дома подростка она, похоже, в машинах не высматривала.

— Даже если Тэтчер в этом году и не спустит курок революции, — сказала Хейди, поворачиваясь ко мне, и длинные пряди ее малиновых волос тут же разметал ветер, — то все равно революция близко. Она случится еще при нас. Не нужен синоптик, чтобы узнать, куда дует ветер[1]. К тому времени, как мы станем стариками, обществом будут управлять по принципу «от каждого по способностям, каждому по потребностям». Конечно, богатеи, либералы, фашисты будут недовольны и начнут верещать, но, как говорится, нельзя приготовить омлет, не разбив яиц. Кстати о яйцах... — Она выразительно посмотрела на Йена, и тот утвердительно кивнул. — Слушай, Трейси, хочешь вкусно позавтракать вместе с нами? Йен отлично готовит, прямо как в ресторане пятизвездочного отеля. И это будет настоящая английская еда.

* * *

Домик Хейди был окружен полями и оказался совсем не таким, каким я воображала себе штаб социалистической революции Кента: на окнах висели аккуратные занавески, на диване были разложены красивые подушки и повсюду — фарфоровые статуэтки, сухие букеты и тому подобное. А в ванной даже коврик на полу был. Хейди пояснила, что здесь раньше жила ее бабушка, которая уже умерла; а ее мать и отчим живут где-то во Франции, вот они с Йеном и приезжают сюда почти каждый уик-энд, чтобы проверить, не забрались ли в дом какие-нибудь сквоттеры, а заодно и распространить газету. Хейди показала мне, как запереть дверь ванной изнутри, и пошутила насчет уютного мотеля, но я ее уже не слушала. Мне еще никогда не доводилось пользоваться душем — у нас, в «Капитане Марло», была только ванна, — и мне далеко не сразу удалось нормально отрегулировать воду: сперва я чуть не замерзла, а потом чуть не сварилась в кипятке. Зато у Хейди был целый шкафчик шампуней, кондиционеров и разного мыла, и на всем наклейки исключительно

---

[1] Героиня цитирует строку из песни Боба Дилана «Subterranean Homesick Blues» «You don't need a weatherman to know which way the wind blows» («Вам не нужен синоптик, чтобы узнать, куда дует ветер»).

на иностранных языках; я попробовала все понемножку, и в итоге от меня стало пахнуть, как на первом этаже большого универмага. Когда я вылезла из душа, то увидела на запотевшем зеркале призрак написанных кем-то слов: «А кто у нас такой хорошенький мальчик?» Неужели Хейди написала это про Йена? Мне стало жаль, что я не назвалась своим настоящим именем: хорошо было бы по-настоящему подружиться с Хейди! Я втерла немного увлажняющего крема «Виндзорский лес» в кожу, слегка обгоревшую на солнце, думая о том, что Хейди запросто могла бы родиться в каком-нибудь жалком пабе Грейвзенда, тогда как я, вся такая умная и уверенная в себе, изучала бы политику в Лондоне и пользовалась бы французскими шампунями, и у меня был бы такой вот добрый, смешной, заботливый и верный бойфренд, который к тому же готовит пятизвездочные английские завтраки. Все-таки появиться на свет в той или иной семье — это такая, черт возьми, лотерея!

* * *

— У них, в Турции, есть такой мост, — я воткнула вилку в сосиску, и сок так и брызнул из проколов, — который одним концом в Европе, а другим — в Азии. Вот я куда непременно поеду! И в Пизу, к Падающей башне. И еще мне очень нравится Швейцария. Нет, если честно, мне просто очень хочется поехать в Швейцарию, хотя я о ней совсем ничего не знаю, разве что несколько шоколадок «Тоблерон» съела...

— Швейцария тебе очень понравится. — Хейди сунула в рот кусок тоста и вытерла губы салфеткой. — Ла-Фонтейн-Сент-Аньес — одно из самых моих любимых мест на Земле. Это недалеко от Монблана. У второго мужа моей матери в тех местах есть шале, и мы почти каждое Рождество катаемся там на лыжах. Единственное «но»: Швейцария — очень дорогая страна.

— Ничего, я буду пить воду из растопленного снега и есть печенье «Ритц». Еще раз спасибо вам, Йен, за чудесный завтрак! Эти сосиски — просто что-то невероятное.

Йен скромно пожал плечами.

— У меня в роду три поколения йоркширских мясников, должен же я знать фамильное ремесло. А ты, Трейси, в этот гранд-тур отправишься соло или возьмешь с собой спутника?

— Личная жизнь этой милой девочки тебя совершенно не касается! — тут же заявила Хейди. — Тоже мне, Капитан Надоеда! Не обращай на него внимания, Трейси.

— Да ничего, все нормально, — сказала я и, нервно сглотнув, прибавила: — Вообще-то, сейчас у меня никакого бойфренда и нет.

Хотя до недавнего времени он... он у меня был, но... — У меня перехватило дыхание.

— А братья или сестры у тебя есть? — Хейди постаралась поскорей сменить тему, и я заметила, как она под столом пнула Йена ногой.

— У меня есть сестра Шэрон и братишка Жако. — Я сделала несколько глотков чая и решила оставить Брендана за скобками. — Но они оба еще маленькие, на несколько лет моложе меня. Так что да, это будет поездка соло. Ну а вы что-нибудь планируете на лето?

— Ну, наверное, в августе, между партийной конференцией и организацией помощи шахтерам, — сказала Хейди, — попробуем вырваться в Бордо. Навестить мою мать.

— Просто дождаться не могу встречи с нею, — Йен изобразил повешенного. — Понимаешь, Трейси, я *ни о чем серьезном не думаю*. Я прибегнул ко всем *самым мерзким уловкам*, чтобы не только соблазнить Хейди, но и сделать ее поклонницей *этого отвратительного левацкого культа*.

— Самое смешное, что и родители Йена убеждены, что это *я* его совратила, так что и они говорят примерно то же самое, но про меня, — засмеялась Хейди. — Нам бы, наверное, следовало устроить антисвадьбу и разбежаться. — Она легонько стукнула себя пальцами по губам. — А Коркоран — это ведь ирландская фамилия, да, Трейси?

Я кивнула и поддела вилкой кусок помидора.

— Моя мама родом из Западного Корка.

— Каковы бы ни были достижения и ошибки Тревожных лет[1], — Йен потянулся за кетчупом, — но каждая революция, имевшая место после 1920-х годов, обязана ирландцам. Англичане полагают, что передали Ирландии политические права исключительно из великодушия, но это не так: ирландцы *отвоевали* свои права, создав современное искусство ведения партизанской войны.

— А моя тетя Ройзин, — встряла я, — говорит так: «Англичане никогда ничего не помнят, а ирландцы никогда ничего не забывают».

Йен все еще хлопал по донышку бутылки с кетчупом, но оттуда не выливалось ни капли.

— Я просто в отчаянии: человечество способно послать своего представителя на Луну, но никак не изобретет способ добывания томатного соуса из бутылки... в которой его, по всей видимости, нет!.. — Огромная клякса кетчупа, булькнув, вылетела из горлышка и шлепнулась в тарелку Йена прямо на ломтик бекона.

---

[1] Тревожные годы (The Troubles) — гражданская война в Ирландии 1919—1923 годов; партизанская война против английского господства и вооруженная борьба между Ирландской республиканской армией (IRA) и сторонниками соглашения с Великобританией.

* * *

Я мыла посуду. Йен и Хейди, естественно, возражали: «Нет-нет-нет, ты наша гостья!», но я настояла. Втайне я надеялась, что, может, они потом предложат подвезти меня до фермы «Черный вяз» или хотя бы снова пригласят к себе в следующий уик-энд, если, конечно, я к тому времени не вернусь в Грейвзенд. И, может быть, Хейди тогда поделится со мной этой потрясающей краской для волос.... Сперва я ополоснула стаканы, а затем вытерла их сухим полотенчиком, как мы всегда делаем в пабе, — тогда не остается никаких потеков. С мраморной кухонной доски все еще стекала мыльная пена, и я оставила ее в раковине рядом со смертельно острым ножом — пусть подсохнут. Из кассетного проигрывателя доносилась песня Боба Дилана «As I Went out One Morning»: Йен сказал, что я могу поставить любую запись, какая мне нравится, и я выбрала этот вариант, запись с группой «John Wesley Harding», хотя вообще-то я терпеть не могу губную гармошку. Но эта песня просто великолепна; и его голос, похожий на ветер, разгоняющий в роковой день все напасти...

— Классный выбор! — мимоходом бросила Хейди, босиком шлепая через кухню. — Я, наверно, тысячу лет это не слушала.

И я прямо-таки возликовала. А она вышла во двор, прихватив с собой книгу Джорджа Оруэлла «Внутри кита». Мы проходили его «Скотный двор» в школе, на уроках английской литературы, так что, возможно, мне еще удастся произвести на Хейди впечатление своими познаниями. Хейди оставила дверь, выходившую во внутренний дворик, открытой, и на кухню с ветерком залетал запах травы. Затем пришел Йен, налил молоко в жаростойкую стеклянную кастрюлю фирмы «Пайрекс» и сунул кастрюлю в микроволновку. Я микроволновки еще ни разу вблизи не видела. Поверни колесико, нажми на кнопку, и через сорок секунд молоко вскипит.

— Прямо как в «Звездных войнах»! — восхитилась я.

— Будущее, — сказал Йен голосом комментатора из документального фильма, — наступит очень скоро и сменит окружающее тебя Настоящее. — Он поставил на поднос кастрюльку с молоком, три кружки и кофейник с роскошным кофе. — Когда закончишь, присоединяйся к нам — выпьем на свежем воздухе café au lait[1].

— Хорошо, — сказала я.

Йен вынес поднос во дворик, а я посмотрела на часы: половина одиннадцатого. Сейчас мама соберется в церковь и, возможно, возьмет с собой Жако, который вроде бы не прочь составить ей компанию. Папа поведет Ньюки на пробежку по берегу реки в сто-

---

[1] Кофе с молоком (*фр.*).

рону Эббсфлита и Лондона. А может, они сейчас уже вместе идут на Пикок-стрит? А я вот она! И у меня все прекрасно; я заканчиваю уборку на кухне, а Дилан уже добрался до песни «I Dreamed I Saw St Augustine». Эта песня более медленная, даже немного тяжеловесная, типа «выть-на-луну», но я, слушая эту запись, кажется, наконец поняла, почему все с ума сходят по Дилану. Было видно, как за окном, на дальнем конце сада, покачиваются на ветерке высокие цветы наперстянки и чемерицы. Лужайки и клумбы в саду были просто очаровательны, прямо как картинка на крышке коробки с песочным печеньем; я даже спросила за завтраком у Хейди и Йена: может, они не только аспиранты, но еще и садовники? И Хейди объяснила мне, что они договорились с одним человеком из Фавершема, и теперь он раз в две недели приходит сюда на несколько часов, «чтобы вдохнуть в этот хаос порядок». По-моему, это как-то не слишком согласовывалось с социалистическими взглядами, но я решила придержать язык: не хотелось перед ними выпендриваться.

* * *

Остатки воды в кухонной раковине с хлюпаньем устремились в сливное отверстие, брякнула забытая чайная ложечка, а Боб Дилан все пел, заставляя мое сердце замирать, и вдруг на середине песни «All Along the Watchtower»... Ой, нет! Пленка, наверное, была старая, вот и порвалась: когда я нажала на клавишу «Eject», из магнитофона вместе с кассетой вывалился клубок коричневого спагетти. Вообще-то, я отлично приноровилась ремонтировать пленку с помощью маленького кусочка скотча, но решила, что все-таки стоит сперва спросить разрешения у Йена и Хейди, а заодно узнать, где у них скотч. Я вышла в патио и увидела, что оба возлежат на таких деревянных штуковинах типа шезлонгов за стеной из красивых глиняных горшков с травами, как в сказке про Али-Бабу. Рука Хейди, в которой она держала книгу, упала на траву; нужная страница была заложена пальцем. Йен тоже уснул; голова его склонилась набок, темные очки съехали. Поднос с кофе, чашками и всем прочим стоял на низенькой стене. «Они, наверное, очень устали», — решила я и осторожно окликнула Хейди, но она не пошевелилась. Пчелы возились в травах, росших в горшках; где-то блеяли овцы; вдали ревел трактор. Я посмотрела туда — вон тот невысокий бугорок и есть, должно быть, остров Шеппи, а та штуковина, будто сложенная из спичек, — это мост. И вдруг я заметила, что по руке Хейди стремительно перемещаются три или четыре черные точки. А может, и не четыре, а даже больше... Вряд ли это муравьи.

Я присмотрелась внимательней. Да, это они!

— Хейди! По тебе же муравьи ползают!

Но она не прореагировала. Я смахнула муравьев с ее руки, но парочку нечаянно раздавила. Что-то с ними было не так, но что?

— Хейди!

Я сильнее тряхнула Хейди за руку, и она мешком сползла на подлокотник, развалившись, точно пьяница в какой-то комедии, но только это было совсем не смешно. Голова у нее запрокинулась, темные очки свалились, и я вдруг поняла, что глаза у нее открыты, но выглядят как-то странно: видна только радужка, а зрачка, хотя бы в виде черной точки, нет вовсе! Я с испуганным воплем отпрянула от нее и чуть не упала. А Йен так и не пошевелился, и я, теперь уж окончательно охваченная паникой, громко его окликнула и... заметила крупную мохнатую муху, которая ползла прямо по его пухлым губам. Руки у меня тряслись, когда я, приподняв бейсбольную кепку, заглянула ему в лицо. Муха, разумеется, с жужжанием улетела прочь. Глаза у Йена были в точности как у Хейди — словно они оба внезапно умерли от какой-то новой чумы. Я невольно уронила кепку, и из моего горла вырвался дрожащий захлебывающийся вопль. Рядом в зарослях роз как ни в чем не бывало продолжала весело петь какая-то птичка, время от времени пронзительно посвистывая, а у меня в душе все трепетало, и голова плыла, как у пьяной. У меня точно отшибло мозги, но все же какая-то часть их еще способна была соображать, и эта часть сподобилась выдать одно-единственное объяснение случившегося: Хейди и Йен чем-то отравились за завтраком. *Да, да, отравились, съев что-то за завтраком!* Но почему это подействовало только через двадцать минут? И почему только на них? Ведь у меня-то никаких опасных симптомов нет, хотя все мы ели одно и то же. Затем я подумала: может, это *инфаркт*? У обоих одновременно? Вряд ли. Впрочем, тут моих познаний в медицине явно не хватало. Передозировка? Да нет вроде... И тут я приказала себе: *Вот что, Сайкс, перестань думать и немедленно вызови «Скорую помощь»*...

* * *

...телефон на стойке в гостиной. Быстрей беги через кухню, быстрей, набирай 999 и жди ответа. *Да отвечайте же скорей! Скорей!* Но линия молчала. И тут я заметила в зеркале отражение какого-то человека, который явно наблюдал за мной из кресла, стоявшего в углу. Понимание того, что есть реальность, расплылось и куда-то исчезло. Я обернулась, и он действительно оказался там, в углу, возле арочного прохода из гостиной на кухню. И я тут же его узнала. Я вспомнила эти глаза пираньи, и черные вьющиеся волосы, и нос пьяницы — это был тот самый человек из моего видения, из моего сна наяву, явившегося мне в туннеле под шоссе, когда этот туннель вдруг превратился в зал странной ромбической формы. Грудь черноволосого мужчины тяжело вздымалась, словно он только что бегом поднялся на вершину холма. Голос у него был хриплый и злобный.

— Которая из них ты? — рявкнул он.

— Я...я...я... я знакомая Йена и Хейди, я...

— Эстер Литтл или Ю Леон Маринус? — В его ледяном голосе было столько ненависти!

Что-то слабо мерцало у него на лбу между бровями, похожее на... Да нет, ничего подобного я никогда в жизни не видела! Но неужели он сказал «Маринус»? Впрочем, какая разница, что он сказал? Он — человек из моего кошмарного сна. Но почему он не исчезает? Ведь когда во сне тебе становится так страшно, то сразу посыпаешься, и все пропадает. Я невольно отступила от него и, споткнувшись, шлепнулась на диван.

— Моим друзьям плохо. Нужно немедленно вызвать «Скорую помощь», — пролепетала я.

— Назови мне свое имя, и я подарю тебе чистую смерть.

Это не пустая угроза. Кто бы он ни был, это он убил Хейди и Йена,— поняла я. — *Он и тебя убьет, это ему раз плюнуть, легче, чем спичку сломать.*

— Я... я... я не понимаю, сэр. — Я скорчилась на диване, превратившись в этакий клубок страха. — Я...

Он встал и сделал шаг по направлению ко мне.

— Назови свое имя!

— Холли Сайкс. И я бы хотела просто уйти отсюда... поскорее. Пожалуйста, разрешите мне просто...

— Холли Сайкс... — Он задумчиво склонил голову к плечу. — Да, мне это имя известно. Одна из тех, кому удалось улизнуть. Что ж, использовать своего брата в качестве наживки было весьма умно, но смотри, как низко ты теперь пала. Хоролог![1] Пытаешься спрятаться в теле какой-то жалкой сучонки, какой-то *простой смертной!* Кси Ло содрогнулся бы от отвращения, глядя на это! Холокаи вывернуло бы наизнанку! *Если бы*, конечно, они были живы, но они, увы, — тут он глумливо усмехнулся, — погибли во время вашего

---

[1] В русском языке х о р о л о г и я, или ареалогия, — наука об ареалах распространения отдельных видов, семейств и других систематических групп растений и животных. В английском языке слово «horology» имеет два значения: 1) искусство измерения времени; 2) часовое дело, мастерство часовщика. Понятия «хорология» и «хорологи», изобретенные Д. Митчеллом, имеют косвенное отношение к английскому термину «horology», однако значение их значительно глубже, как покажет дальнейшее развитие сюжета романа.

полуночного налета, который прошел ужасающе неудачно. Неужели вы полагали, что Путь Мрака не оснащен сигнализацией, способной предупредить о проникновении взломщиков? Неужели вы не знали, что Часовня — это Катар, а Катар — это Часовня? Что они единое целое? Душа Холокаи обратилась в пепел. Душа Кси Ло — в ничто. А *ты*, кем бы ты сейчас ни была, *сбежала*. Следуя вашему священному Сценарию, несомненно. Мы *просто обожаем* этот ваш Сценарий. Ведь благодаря ему Хорологии *положен конец*. Это великий день для всех Плотоядных. Что вы без Кси Ло и Холокаи? Отряд чародеев, умеющих читать чужие мысли и живущих за счет обмана простофиль. Так что признайся мне перед смертью: ты Маринус или Эстер Литтл?

Меня трясло.

— Богом клянусь, я... не та, за кого вы меня принимаете...

Он с подозрением вгляделся в меня, словно пытаясь прочесть мои мысли.

— Знаешь, что я тебе скажу? Эти двое любителей позагорать там, в садике, еще не совсем мертвы. Воспользуйся своей магией Глубинного Течения прямо сейчас и, возможно, успеешь спасти кого-то из них. Ну же, давай! Ведь Хорологи обычно именно так и поступают.

Где-то далеко-далеко лаяла собака, ворчал трактор...

...а этот страшный человек был теперь так близко от меня, что я чувствовала его запах. Запах горячей духовки. Голос мой звучал совсем слабо, когда я спросила:

— Значит, мне можно позвонить и вызвать врача?

— А что, ты сама не можешь их исцелить?

Я молча покачала головой, хотя даже этот жест дался мне с трудом.

— В таком случае им понадобится гроб, а не «Скорая помощь». Но мне нужны доказательства, что ты не из Хорологов. Маринус — трус, но дьявольски хитрый трус. Беги отсюда. Не бойся, беги. Посмотрим, как далеко ты сумеешь от меня убежать.

Я не верила ни его словам, ни собственным ушам.

— Что вы сказали?

— Видишь дверь? Вот и беги. Давай, маленький мышонок, беги.

И он отступил в сторону, открывая передо мной путь к спасению. Я ожидала какого-то фокуса, а может, удара ножом в спину или не знаю чего, но он наклонился ко мне так близко, что я видела у него на лице шрамы от пуль и порезов, а еще я видела его огромные черные глаза, словно обведенные серыми светящимися тенями. И тут до меня дошло, что он кричит во всю силу своих легких: «БЕГИ, ПОКА Я НЕ ПЕРЕДУМАЛ!»

Я бежала сквозь колючие розовые кусты, сквозь какие-то заросли и густую траву, через пыльную лужайку — бежала так, как не бегала никогда в жизни. В лицо мне било солнце, и садовая ограда была совсем близко. Я уже добралась до шпалер с какими-то вьющимися растениями и решила оглянуться. Я очень опасалась, что он погонится за мной, но он не погнался; он по-прежнему стоял в нескольких шагах от Йена и Хейди, недвижимых в своих шезлонгах. Похоже, он действительно позволил мне убежать — кто его знает, с чего бы это. Может, он просто псих? Так что *беги беги беги беги беги беги*, говорила я себе, *беги, беги*, но... бег помимо моей воли уже начинал замедляться. Что такое, почему? Сердце старалось изо всех сил, толкая по жилам кровь, но отчего-то возникало ощущение, словно внутри меня кто-то одновременно нажал и на акселератор, и на тормоз; во всяком случае, это замедление движения не было вызвано ни переутомлением моего организма, ни действием яда; что-то воздействовало на меня извне, нечто невероятно мощное, способное, казалось, замедлить даже бег времени, или усилить гравитацию, или превратить воздух вокруг меня в воду, в песок, в патоку... Мне нередко снились подобные сны, но на это раз, среди бела дня, я, безусловно, не спала и *совершенно точно знала,* что не сплю... А в итоге — это было просто невероятно! — я замерла на месте, точно статуя бегуна: одна нога поднята, как бы для следующего шага, которого больше уже не будет. Это было какое-то безумие. Просто какое-то чертово безумие. Я вдруг вспомнила, что надо бы попытаться громко позвать на помощь, именно так обычно и поступают нормальные люди, но сумела издать лишь какой-то хриплый сдавленный писк...

...и мир начал сжиматься, сворачиваться, увлекая меня, совершенно беспомощную, назад, к домику. Увидев у себя на пути арку, увитую чем-то вроде плюща, я уцепилась за нее и за этот плющ, и ноги мои оторвались от земли, словно я — какой-то мультипликационный персонаж, подхваченный ураганом и пытающийся спасти свою жизнь, повиснув на плюще; однако тяга была настолько сильной, что боль в напряженных до предела запястьях заставила меня выпустить плющ, и я упала, больно ударившись копчиком, и меня поволокло по земле. Обдирая локти и колени, я перевернулась на спину и попыталась зацепиться каблуками, но земля на лужайке оказалась слишком твердой, и удержаться на месте мне не удалось. Тогда я вскочила и увидела, как мимо меня, дрожа крылышками и словно не замечая этого воздушного течения, пролетела пара бабочек; похоже, эта несокрушимая сила действовала только на меня.

Затем меня снова протащило сквозь густые розовые кусты, а бледнолицый человек по-прежнему спокойно стоял в дверном проеме, как в раме, и на устах его играла кривоватая усмешка, а руками с вытянутыми растопыренными пальцами он совершал какие-то странные жесты, словно разговаривая на неведомом языке с глухонемыми инопланетянами, и все тянул, тянул меня к себе, точно попавшуюся на крючок рыбу — через внутренний дворик, мимо неподвижных тел Хейди и Йена, которых этот страшный человек непостижимым образом убил; а потом он, пятясь, отступил в кухню, освобождая мне проход, и я поняла: как только я снова окажусь в этом доме, то никогда больше из него не выйду. И я отчаянно вцепилась в дверную раму и в ручку двери, пытаясь задержаться, но тут сквозь меня словно пропустили ток в двадцать тысяч вольт, и меня швырнуло, как тряпичную куклу, через всю гостиную. Я перелетела через диван, рухнула на ковер, и перед глазами у меня замигали яркие вспышки света...

* * *

...а потом этот кошмарный сон наяву вдруг закончился. И я почувствовала нечто реальное: колючий ворс ковра, впившийся мне в щеку. А все-таки, что это было? Может, приступ эпилепсии или что-то в этом роде? Фотография Хейди-школьницы и ее седовласой бабушки отчего-то валялась на ковре примерно в дюйме от моего носа; должно быть, я нечаянно ее задела, пролетая через гостиную, вот она и свалилась на пол с комода. Пожалуй, мне и впрямь надо вернуться домой и обратиться к врачу. Наверное, нужно сделать сканирование головного мозга. Ничего, думала я, Хейди подвезет меня до Грейвзенда, и я пойду прямо в больницу, а уже оттуда позвоню маме. И весь этот кошмар забудется, как и прочая чушь, связанная с Винни. Но почему же у меня ощущение, словно все это происходило *наяву*? Помнится, я собиралась починить пленку с записью Боба Дилана с помощью ножниц и кусочка скотча, а уже в следующее мгновение... Муравьи на руке Хейди. Черноволосый человек из моего кошмара с красным носом, как у пьяницы. Мощная упругая волна воздуха, упрямо толкающая меня обратно в дом... Какая безумная часть моего мозга породила все эти проклятые видения? Скажите ради бога, откуда только берется такая фигня? Я с трудом заставила себя подняться, понимая, что, если Хейди или Йен обнаружат, что я валяюсь у них в гостиной на полу, то, естественно, сразу решат, что я умерла.

— Я верю тебе, моя дорогая, — услышала я. Он сидел в кожаном кресле, небрежно положив ступню одной ноги на колено другой. —

Ты — простодушная бессодержательная кукла; ты — ничто в нашей Войне. Но почему же две души, гибнущие, спасающиеся бегством, лишенные тела, устремились *именно к тебе*, Холли Сайкс? Вот в чем вопрос. Для чего-то ты явно предназначена?

Я застыла на месте. О чем это он?

— Ни для чего, — пролепетала я. — Клянусь. Я всего лишь хочу... я просто хочу... поскорей отсюда уйти и...

— Заткнись! Я думаю. — Он взял из стоявшей на буфете миски зеленое яблоко — это был популярный сорт «Гренни Смит» — смачно откусил кусок и стал жевать. В этой отупляющей тишине чавканье казалось просто оглушительным. — Когда ты в последний раз видела Маринуса?

— Моего старого доктора? В... в... в больнице, в «Грейвзенд дженерал хоспитал». Это было очень давно, много лет назад, я тогда...

Он поморщился и поднял руку, призывая меня к молчанию; казалось, от моего голоса у него начинают болеть уши.

— И Кси Ло никогда не говорил тебе, что Жако — это не Жако?

До сих пор мой страх звенел на пронзительно высокой ноте, но при упоминании Жако среди этого визга вдруг прозвучала басовая струна — и теперь это был уже не страх, а леденящий, смертельный ужас.

— А какое отношение Жако имеет... к чему бы то ни было?

Черноволосый с отвращением уставился на надкушенное яблоко.

— Какая кислятина! Эти яблоки люди покупают исключительно из-за их внешнего вида. — Он отшвырнул яблоко. — Здесь Глубинное Течение не действует, значит, этот дом далеко не безопасен. Где мы находимся?

Я не решилась вновь спросить о Жако, опасаясь, что своими вопросами могу вызвать к жизни еще большее зло, потому что слово «зло» в данном случае как раз и было бы самым правильным, с точки зрения моего брата.

— Мы в доме, принадлежащем бабушке Хейди. Она сама живет во Франции и разрешает Хейди с... — *Но они же мертвы!* — вдруг вспомнила я.

— Я хочу знать наше *местонахождение*, девочка! Какая это страна, город, деревня? Постарайся действовать так, словно у тебя действительно есть мозги. Если ты та самая Холли Сайкс, которую Маринус когда-то обвел вокруг пальца, то мы, по всей видимости, должны находиться в Англии.

И я подумала: а ведь он не шутит.

— Да, в графстве Кент. Тут недалеко — остров Шеппи. Но... я не уверена, что у того места, где мы в данный момент находимся, есть какое-то... конкретное название.

Он побарабанил пальцами по кожаному подлокотнику кресла. Ногти у него были какие-то чересчур длинные.

— Эстер Литтл. Ты ее знаешь?

— Да. Но не совсем. Не то чтобы знаю...

Он перестал барабанить.

— Хочешь, я расскажу, что я с тобой сделаю, если пойму, что ты мне лжешь, Холли Сайкс?

— С Эстер Литтл я вчера встретилась на берегу реки, но до этого я ее ни разу в жизни не видела. Она меня угостила чаем. Зеленым. А потом она попросила...

Глаза черноволосого так и впились мне в лоб, точно ответ был написан именно там:

— Попросила *о чем*?

— Об убежище. Если ее планы... — я лихорадочно пыталась вспомнить точные слова, — ...потерпят неудачу.

Его бледное лицо вспыхнуло радостью.

— Значит... Ты была нужна Эстер Литтл в качестве oubliette[1]. Некоего временного безопасного убежища. Ну что ж, все ясно. Значит, все-таки ты! Использованная пешка, настолько незначительная, что, как ей казалось, мы о тебе попросту забудем. Итак, — он встал, закрывая собой выход, — Эстер, если ты все еще там, внутри, то мы тебя нашли!

— Послушайте, — запинаясь, сказала я, — если вы из MI5 и все это связано с той чушью, которую мне Хейди и Йен рассказывали насчет коммунизма, то я к этому не имею ни малейшего отношения. Они просто меня подвезли, и я... я...

Он вдруг подошел ко мне так близко, что я испугалась.

— Правда?

— Не подходите ко мне! — невольно почти взвизгнула я. — Я буду... буду... драться! Полиция...

— Будет поставлена в тупик тем, что творится в этом доме, принадлежащем бабушке Хейди. Двое мертвых любовников на лужайке в шезлонгах, тело несовершеннолетней Холли Сайкс... К тому времени, как тебя здесь обнаружат, судебным медикам придется поломать голову, распутывая причины этих загадочных смертей, особенно когда увидят, что тут явно совершено тройное убийство, а дверь во внутренний дворик оставлена гостеприимно распахнутой для лисиц, ворон, бродячих кошек... Представь, *что* здесь будет твориться после визитов этих милых тварей! Зато ты прославишься на всю страну. Самое страшное и кровавое преступление в Велико-

---

[1] Oubliette — каменная тюрьма, донжон (*фр.*); в современном значении — «временная квартира».

британии 80-х, которое так и останется нераскрытым! Наконец-то тебя настигнет слава.

— Отпустите меня! Я... я... уеду за границу, я... уйду отсюда. *Пожалуйста!*

— Мертвая ты будешь выглядеть просто очаровательно. — Бледный черноволосый тип улыбнулся как бы собственным пальцам, неустанно их разминая. — Человек, лишенный всяких принципов, сперва, пожалуй, позабавился бы с тобой, но я противник жестокости по отношению к бессловесным тварям.

Я услышала чей-то хриплый вздох. И в полном отчаянии взмолилась:

— Нет, не надо, пожалуйста, *пожалуйста...*

— Ш-ш-ш... — Он сделал пальцами какое-то вращательное движение, и мои губы, язык и горло лишились способности воспроизводить звуки. Бессильны были и мои ноги и руки, я чувствовала себя жалкой марионеткой с обрезанными нитями, которую за ненадобностью забросили куда-то в угол. Бледный человек сел рядом со мной на ковер, скрестив ноги, как древний сказитель; по-моему, он наслаждался этими мгновениями и был чем-то похож на Винни, у которого было примерно такое же выражение лица, когда он собирался меня трахнуть. — Ну, Холли Сайкс, каково это — знать, что через шестьдесят секунд ты будешь мертва и холодна, как какой-то гребаный булыжник? Какие картины возникают в твоем жалком мозгу насекомого перед неизбежным концом?

Глаза у него все-таки были не совсем человеческие. Вокруг как-то странно потемнело, словно надвигалась ночь, я дышала с трудом, словно легкие мои были заполнены... нет, не водой, а какой-то удушающей пустотой, и я вдруг поняла, что *слишком* давно не могу вдохнуть, я пыталась, но у меня ничего не получалось, и тот грохот, тот барабанный бой, что звучал у меня в ушах, совсем смолк, ибо сердце мое перестало биться. И откуда-то из наплывающей со всех сторон тьмы ко мне протянулась рука бледного человека, и он, слегка мазнув мне по груди тыльной стороной ладони, сказал: «Приятных сновидений, моя дорогая», и в голове мелькнула последняя мысль: «Что за странная дрожащая фигура возникла там, на заднем плане, далеко-далеко от меня, может, даже на расстоянии мили, и все же на дальнем конце гостиной?..»

Бледный человек, похоже, тоже ее заметил, оглянувшись через плечо, и вскочил. И сердце мое вновь забилось, а легкие наполнились живительным кислородом, причем так быстро, что я задохнулась, закашлялась и узнала Хейди.

— Хейди! Скорей вызови полицию! Это убийца! Беги! — Но Хейди была то ли больна, то ли обколота наркотиками, то ли ранена, а может, просто пьяна, но голова у нее так тряслась, словно у нее эта ужасная болезнь... ах да, рассеянный склероз! И голос у нее вдруг стал совсем другим — похожим на голос моего деда после инсульта. Хейди как бы с трудом выталкивала слова изо рта, и они получались какими-то неровными, шероховатыми, зазубренными.

— Не волнуйся, Холли, — сказала она.

— Как раз наоборот, Холли, — то ли фыркнул, то ли хрюкнул бледный человек. — Если это *существо* и есть твой рыцарь в сияющих доспехах, то самое время тебе предаваться отчаянию. Ты ведь Маринус, я полагаю? Я чую твой елейный запах даже в теле этого парфюмированного зомби.

— Временное убежище, — сказала Хейди, и голова ее сперва упала на грудь, потом запрокинулась назад, потом опять бессильно свесилась на грудь. — Зачем было убивать двоих влюбленных, принимавших солнечную ванну, Раймс? *Зачем?* Это же лишено всякого смысла.

— А почему бы и нет? Ты и твои люди вечно носятся с этими «зачем» и «почему». *Зачем?* Да просто потому, что у меня кровь взыграла. Просто потому, что Кси Ло устроил в Часовне огненное сражение. Просто потому, что я это *мог*. Просто потому, что ты и Эстер Литтл привели меня сюда. Она ведь умерла, не так ли? Она ведь не успела обрести убежище в этом существе женского пола, в этой представительнице великого немытого народа? Дьявольски трудно ей пришлось, когда она бежала сюда по Пути Камней. Уж я-то знаю, я сам наносил ей безжалостные удары. Кстати об ударах: приношу свои искренние соболезнования по поводу кончины Кси Ло и бедняги Холокаи — теперь ваш маленький клуб добрых фей поистине *обезглавлен*. Ну а ты, Маринус? Разве ты не собираешься снова начать войну? Я знаю, ты скорее целитель, чем боец, но все же постарайся создать хотя бы некую видимость сопротивления, умоляю тебя. — Раймс снова сделал это странное, закручивающее движение пальцами, и — если только это мне не почудилось — мраморная кухонная доска для разделки мяса поднялась с кухонного стола и понеслась по воздуху к нам, словно ее метнул кто-то невидимый. — Что, Маринус, язык проглотил? — спросил Раймс у Хейди, которая никак не могла заставить свою голову держаться прямо.

— Отпусти девочку, — сказала Хейди, и в этот момент разделочная доска, пролетев через всю комнату, врезалась ей в затылок. Раздался негромкий хруст, словно ложкой разбили яичную скорлупу, хотя удар был такой силы, что Хейди должно было бы швырнуть вперед, как кеглю. Но Хейди не упала; мало того, мне показалось, что ее подхватил и поднял вверх кто-то... кто-то... невидимый, а Раймс тут же принялся сплетать пальцы, крутить в воздухе руками, совершая хватательные движения, и тело Хейди вдруг стало закручиваться какими-то жуткими, неровными, резкими рывками. С хрустом и треском ломались ее кости, лопались мышцы; вот с резким хлопком переломился позвоночник, отвалилась нижняя челюсть, а из дыры во лбу, похожей на входное отверстие пули, ручейком забила кровь. Раймс хлопнул в ладоши у себя за спиной, и изуродованное тело Хейди, отлетев назад, с силой ударилось о стену, и картина с малиновкой, сидящей на черенке лопаты, грохнулась Хейди на голову, а потом ее тело бесформенной кучей сползло по стене на пол.

У меня было такое ощущение, словно на мне наушники, приклеенные к ушам каким-то сверхпрочным клеем, и в одно ухо кто-то громко твердит: «Ничего этого на самом деле не происходит!», а в другое: «Да, все это происходит прямо у тебя на глазах!», и эти фразы повторяются бесконечно с максимальной громкостью. Но стоило Раймсу заговорить — а он говорил *очень* тихо, — и оказалось, что я отлично слышу каждое его слово.

— Неужели у тебя никогда не случалось таких дней, когда ты радовалась уже просто тому, что жива? — Он повернулся ко мне. — Что тебе хочется... засмеяться, увидев солнце? Ведь я только что, по-моему, пытался выдавить из тебя жизнь... — И он как бы толкнул воздух по направлению ко мне, сперва ладонями, а затем поднятыми руками, и меня буквально размазало по стене, а потом с невероятной силой подбросило вверх, и я ударилась головой о потолок. Раймс вскочил на подлокотник дивана — казалось, он прямо в воздухе собирается меня поцеловать — и я попыталась хорошенько его стукнуть, но обе моих руки тут же оказались словно пришпиленными к стене, а в легкие опять перестал поступать воздух. Но я успела заметить, что один глаз Раймса стал быстро наливаться темно-красным, словно в глазном яблоке лопнул сосудик. — Кси Ло, видимо, унаследовал братскую любовь Жако к тебе, — сказал он, — и мне это, пожалуй, даже нравится. Если я тебя убью, это, разумеется, не вернет назад погибших Анахоретов, но Хорологи теперь перед нами в долгу, а при выплате этого кровавого долга считается каждый грош. Так что прими это к сведению. — Зрение мое стало меркнуть, страшная боль где-то в мозгу заслонила все остальное, и я...

Изо рта Раймса вдруг показался острый кончик языка.

Кончик был ярко-красный и, похоже... *металлический*! И он был буквально на расстоянии дюйма от моего носа. Что это? Нож?

Глаза Раймса закатились под лоб, веки сомкнулись, и я мягко соскользнула по стене на пол. А он замертво свалился с подлокотника, стукнувшись затылком об пол. При этом лезвие ножа вылезло у него изо рта еще на пару дюймов, все покрытое чем-то белым и липким. Ничего более мерзкого я в жизни не видела. Но закричать я по-прежнему не могла.

— Удачный бросок, — сказал Йен, с трудом втаскивая себя в гостиную и хватаясь за стены и мебель.

Он явно обращался ко мне. Больше живых в комнате не было. Йен нахмурился, глядя на перекрученное тело Хейди, и довольно спокойно сказал:

— Ничего, Маринус, мы с тобой еще увидимся. Теперь тебе поскорей нужно раздобыть другого носителя.

Что? И никаких тебе «О господи! Хейди! Нет, Хейди, нет, нет, нет!»? Потом Йен посмотрел на тело Раймса и промолвил:

— В плохие дни всегда кажется: «А может, отказаться от этой войны и вести тихую, спокойную метажизнь?» Но затем перед тобой предстают сцены вроде сегодняшней, и ты вспоминаешь, зачем вы затеяли... — Йен с трудом повернул голову в мою сторону. — Извини, что тебе пришлось стать свидетельницей всего *этого*.

Я затаила дыхание, я вообще почти перестала дышать.

— Кто же... — только и сумела вымолвить я.

— Помнишь, ты сказала, что с удовольствием выпьешь чаю и никуда не торопишься?

Та старуха, удившая рыбу на берегу Темзы. Ее, кажется, звали Эстер Литтл. Но откуда Йен может об этом знать? Я, словно Алиса, провалилась в кроличью нору и приземлилась не там, где нужно.

В холле подали голос часы с кукушкой.

— Холли Сайкс, — сказал Йен, а может, Эстер Литтл, если это, конечно, Эстер Литтл, но разве такое возможно? — Я требую, чтобы ты предоставила мне убежище.

Рядом лежали двое мертвых. Ковер уже насквозь пропитался кровью Раймса.

— Холли, это тело тоже умирает. Я *отредактирую*, то есть облеку в более приемлемую для тебя форму, то, что ты только что видела, ради твоего же собственного душевного спокойствия, а потом спрячусь глубоко, глубоко, глубоко в... — И тут этот Йен-или-Эстер-Литтл рухнул на пол и буквально рассыпался, как груда книг. Теперь у него был открыт только один глаз, и щекой он прижимался к расплющенной диванной подушке. Он смотрел на меня умоляюще, как наш колли Давенпорт — он был у нас перед тем, как появился Ньюки, — когда его приводили к ветеринару и укладывали на операционный стол. — Прошу тебя, Холли.

Эти слова вдруг словно освободили меня от чар; я опустилась на колени возле этой Эстер-Литтл-внутри-Йена, если можно так выразиться, и спросила:

— Что я могу сделать?

Его глаз слегка дернулся под почти сомкнувшимися веками.

— Дать убежище.

Мне ведь тогда просто хотелось еще немного зеленого чая, но раз дала обещание, надо его держать. И потом, как бы ни воспринимать все то, что здесь со мной случилось, сейчас я жива только потому, что Раймс мертв, и убили Раймса то ли Йен, то ли Эстер Литтл, то ли они оба вместе.

— Конечно... Эстер. Как мне *действовать* дальше?

— Средний палец... — прошелестели мертвые уста умирающего от жажды призрака. — Мне ко лбу.

Я прижала свой средний палец ко лбу Йена.

— Так?

Нога Йена чуть дернулась и замерла.

— Ниже.

Я сдвинула палец чуть ниже.

— Здесь?

Тот угол его рта, который был еще немного жив, дрогнул, и до меня донеслось еле слышное:

— *Там...*

* * *

Солнце приятно пригревало шею; с моря дул легкий соленый ветерок; внизу, в узком проливе между Кентом и островом Шеппи, гудел какой-то траулер — капитан явно высматривал место, где бы причалить и сгрузить улов. Центральная секция моста, построенного компанией «Thomas The Tank Engine», поднялась между двумя коренастыми башнями, и когда разведенные части моста достигли верхней точки, раздался сигнал, и траулер прошел прямо между ними. Жако был бы в восторге, увидев это, подумала я и стала шарить в рюкзаке, пытаясь выудить банку с напитком «Танго». Неожиданно под руку мне попалась газета «Socialist Worker». А это еще откуда? Неужели Эд Брубек сунул? Глупая шутка. Я уже хотела перегнуться через поручни и бросить газету вниз, но вовремя заметила, что ко мне приближается какой-то велосипедист. Пришлось плюнуть на газету, откупорить «Танго» и следить за дальнейшими манипуляциями с мостом. Велосипедист был немолод, примерно ровесник моего отца, только худой и гибкий, как змея, и голова почти лысая, тогда как у моего отца лицо довольно-таки круглое и весьма пышная шевелюра, недаром его прозвали Волчарой.

— Ну что, все хорошо? — спросил у меня незнакомец, вытирая лицо чем-то вроде свернутого полотенца.

На извращенца он был совершенно не похож, так что я вежливо ответила:

— Да, спасибо.

Он утерся и посмотрел на мост с такой гордостью, словно сам его строил.

— Таких мостов больше не строят!

— Да, наверное.

— На Британских островах всего три таких разводных моста, как Кингзферри. Самый старый — нарядный маленький мост в викторианском стиле над каналом в Хаддерсфильде, но он только для пешеходов. А этот был открыт в 1960 году. Во всем мире есть еще только два таких же моста, приспособленных как для автомобилей, так и для поездов. — Он сделал несколько глотков из бутылки с водой, и я спросила:

— А вы что, инженер?

— Нет-нет, я всего лишь любитель редких мостов. Мне нравится их фотографировать. Мой сын тоже очень это дело любил. Вообще-то, я хотел вас попросить... — Он вытащил из сумки, прикрепленной к багажнику, фотоаппарат: — Вы не могли бы снять меня на фоне этого моста?

Я заверила его, что охотно это сделаю, и присела на корточки, чтобы в кадр уместились и лысая голова этого типа, и поднятая центральная секция моста.

— Три, два, один — пуск! — И камера зажужжала.

Потом он попросил меня сделать еще один снимок, я сделала и вернула ему фотоаппарат, а он поблагодарил меня и стал возиться в своих пожитках. Я потихоньку прихлебывала «Танго», удивляясь тому, что есть мне почему-то совсем не хочется, хотя уже почти полдень, а с тех пор как я сбежала из церкви от крепко спавшего Эда Брубека, мне удалось подкрепиться только пакетиком крекеров «Ритц». И, что еще страннее, во рту у меня был вкус каких-то весьма качественных сосисок, даже отрыжка была сосисочная, что уж вообще никак объяснить было невозможно. Неподалеку от нас у шлагбаума остановился белый «Фольксваген Кемпер». В машине сидели две девушки и двое парней; все четверо курили, поглядывая на меня, и на лицах у них было прямо-таки написано: «А эта-то, интересно, что здесь делает?» В машине у них вовсю орал магнитофон. Чтобы доказать им, что я не какая-то жалкая никому не нужная бродяжка, я снова повернулась к велосипедисту и спросила:

— Значит, вы сюда издалека приехали?

— Да нет, сегодня у меня путь был недолгий, — сказал он. — Из Брайтона.

— Из Брайтона? Но ведь до него чуть ли не сто миль!

Он глянул на какое-то приспособление на руле и сообщил:

— Всего семьдесят одна.

— Значит, это у вас хобби такое — фотографировать мосты?

Велосипедист задумался.

— Это скорее ритуал, а не хобби. — И, заметив мое замешательство, пояснил: — Хобби ты занимаешься для удовольствия, а ритуалы помогают тебе жить дальше. Видите ли, мой сын умер, вот я и фотографирую мосты — вместо него и для него.

— Ох, я... — Я очень старалась скрыть, до какой степени меня потряс его неожиданный ответ. — Извините меня!

Он пожал плечами и отвел глаза.

— Это случилось пять лет назад.

— А что... — Господи, ну почему бы мне было просто не заткнуться? — Это... какой-то несчастный случай?

— Лейкемия. Он сейчас был бы примерно вашим ровесником.

Снова раздался сигнал, и проезжая секция моста стала опускаться.

— Как это, должно быть, ужасно! — сказала я и тут же почувствовала, насколько фальшиво прозвучали эти слова.

Длинное тощее облако, похожее отчасти на ирландскую гончую, а отчасти на русалку, зависло над горбатым островом Шеппи. Я все пыталась придумать, что бы мне еще сказать этому человеку, но так и не придумала. «Фольксваген» взревел и сорвался с места в ту же секунду, как подняли шлагбаум, оставляя в воздухе клубы мелкой каменной пыли. Велосипедист тоже сел на велосипед, повернулся ко мне и сказал:

— Берегите себя, юная леди, не тратьте свою жизнь попусту.

Он развернулся и поехал обратно в сторону дороги А-22.

Надо же, столько проехал, а по мосту так и не прошел!

* * *

Легковые автомобили и грузовики проезжали мимо, и семена созревших одуванчиков так и разлетались во все стороны, но пока что вокруг не было ни души, и не у кого было спросить, как пройти на ферму «Черный вяз». Покачивались какие-то нежные кружевные цветы на высоких стеблях, когда грузовики, содрогаясь, с ревом громыхали по дороге, и голубые бабочки в растерянности вспархивали с этих цветов и устремлялись прочь, а другие бабочки, оранжево-тигровой окраски, наоборот, держались вместе, стайкой. Теперь Эд Брубек будет работать в садовом центре и мечтать об итальянских девушках, загружая брикеты торфа в машины заказчиков. А меня он, должно быть, считает просто унылой коровой. Впрочем, может, и не считает. Хотя то, что Винни так подло меня бортанул, скорее всего, означает, что это именно так: я глупая унылая корова. Вчера мысли об этом причиняли мне такую острую боль, как рана, из которой только что извлекли пулю; а сегодня это больше похоже на синяк, пусть даже здоровенный, от резиновой пульки, выпущенной из детского духового ружья. Да, я верила Винни, я любила его, но я же не стала от этого дурой, так что прекрасно понимаю: для таких, как Винни Костелло, любовь — это та дерьмовая чушь, которую они нашептывают тебе на ушко, желая тебя поиметь. А для девушек, во всяком случае для меня, секс — это то, чем ты занимаешься на первой странице книги, прочитав которую надеешься добраться наконец до настоящей любви. «Ну и слава богу, что я окончательно избавилась от этого похотливого ублюдка!» — сказала я какой-то корове, смотревшей на меня из-за ворот пастбища, хотя пока я еще не успела почувствовать, что окончательно от него избавилась, но была уверена, что однажды это непременно произойдет. Возможно, Стелла даже оказала мне своеобразную услугу, всего через несколько недель сорвав с Винни маску «чудесного парня». Впрочем, и она Винни скоро надоест, это ясно как день, и когда она обнаружит его в постели с другой девицей, уже *ее*, а не моим мечтам о поездках с Винни на мотоцикле придет конец. И тогда она приползет ко мне, и глаза у нее будут такими же красными и воспаленными, как у меня вчера, и она будет просить у меня прощения, и я, возможно, ее прощу. А может, и нет.

Впереди, у поворота дороги, виднелось какое-то кафе. И оно было открыто. Что ж, дела явно пошли на лад.

* * *

Кафе называлось «Смоки Джо» и изо всех сил старалось подражать американским заведениям, где такие высокие прозрачные перегородки, сквозь которые все видно, но все же они дают возможность, хоть и довольно фиговую, хоть как-то уединиться. Посетителей там было немного, и почти все они пялились на экран плоского телевизора, висевшего на стене, поскольку шел футбольный матч. У дверей сидела какая-то женщина и читала «News of the World». Ее прямо-таки окутывали облака табачного дыма, струей вытекавшего у нее из вздернутого носа. Глаза у нее были как оловянные пуговицы; губы сложены в болезненную гримасу; голова вся в крутых завитках, а на лице — сплошные сожаления о прошлом. Над женщиной висел поблекший постер с изображением аквариума и побуревшей от старости золотой рыбки; из аквариума смотрели два круглых глаза, а внизу было написано: «У золотой рыбки Джеффа снова понос». Женщина смерила меня взглядом и махнула рукой на свободные места за перегородками, что означало: садись где хочешь.

— Вообще-то, — сказала я, — я хотела только спросить, не знаете ли вы, как добраться до фермы «Черный вяз».

Она посмотрела на меня, пожала плечами и выдохнула облако дыма.

— Это здесь, на Шеппи. Я там раньше работала.

Сказав это, она снова уткнулась в свою газету, время от времени стряхивая с сигареты пепел.

Я решила еще раз позвонить мистеру Харти.

— Скажите, здесь есть телефон-автомат?

Но эта старая корова только головой покачала, даже глаз не подняла.

— Тогда, может быть, вы разрешите мне сделать один местный звонок с вашего...

Она так гневно на меня зыркнула, словно я спросила, не торгует ли она наркотиками.

— Но... может быть, здесь кто-нибудь еще знает, как добраться до фермы «Черный вяз»? — Я упорно не сводила от нее глаз, давая понять, что она быстрее вернется к своей газете, если поможет.

— Пегги! — вдруг рявкнула она, поворачиваясь в сторону кухни. — Ты ферму «Черный вяз» знаешь?

Оттуда сквозь звон посуды донесся голос:

— Ферму Гэбриела Харти? Да, а что?

Оловянные глаза-пуговицы скользнули по моему лицу.

— Да тут спрашивают...

Появилась Пегги: красный нос, пухлые щечки, как у хомяка, и въедливые глаза, как у нацистского следователя.

— Хочешь туда наняться, чтоб клубнику пособирать, да, дочка? В мое время мы там хмель собирали, только теперь это все машины делают. Значит, так: пойдешь по дороге на Лейсдаун, вон туда, — и она показала влево от входной двери, — минуешь Истчёрч, там свернешь направо по Олд-Ферри-лейн. Ты ведь пешком, дочка? — Я кивнула. — Пять или шесть миль пройти придется, но дорога приятная, все равно что в парке прогуляешься, потому что...

Из кухни донесся жуткий грохот алюминиевых подносов, и Пегги поспешила туда. Ну и ладно. Я вполне заслужила пачку сигарет «Ротманз», поскольку мне все же удалось узнать то, зачем я сюда зашла. Я подошла к автомату в центральной части кафе: пачка из двадцати сигарет здесь стоила один фунт и сорок пенсов — натуральный грабеж! — но на ферме, конечно же, будет полно незнакомцев, и с ними придется как-то завязывать отношения. В общем, я бросила монеты в щель автомата, не успев убедить себя, что делать это вовсе необязательно; диск повернулся, в отверстие вывалились сигареты, я выпрямилась, держа в руках пачку «Ротманз», и вдруг увидела, кто сидит прямо за автоматом, отделенный от него лишь прозрачной перегородкой. Это были Стелла Йирвуд и Винни Костелло!

Я низко присела, чтобы они меня не заметили, и меня вдруг так затошнило, что чуть не вырвало. Надеюсь, они не обратили внимания, кто там сигареты покупает. Иначе Стелла наверняка уже отпустила бы какое-нибудь презрительно-ядовитое замечание. От автомата до прозрачной перегородки, за которой они сидели, было не больше шага, и я хорошо видела, как Стелла кормит Винни мороженым, протягивая руку через стол, а Винни смотрит на нее, точно ошалевший от любви щенок. Она возила ложкой ему по губам, словно мазала их жидкой ванильной помадой, а он облизывался.

— Дай мне клубничку.

— Не слышу волшебного слова, — сказала Стелла.

Винни улыбнулся.

— Дай мне клубничку, *пожалуйста*.

Стела наколола на вилку клубничку из вазочки с мороженым и сунула Винни прямо в нос, но он успел перехватить ее запястье своей рукой — *своей прекрасной рукой* — и направил клубничину себе в рот, и они так посмотрели друг на друга, что ревность прожгла меня насквозь, словно я выпила полный стакан «Доместоса». Чей же это ненормальный, пренебрегающий своими обязанностями ангел-хранитель привел их в «Смоки Джо» именно сейчас, чтобы мы встретились? Ага, вот и мотоциклетные шлемы! Значит, Винни привез Стеллу на своем драгоценном неприкосновенном «Нортоне». Она подцепила своим пальчиком его палец и потянула на себя, так что он всем телом навалился на стол, а потом ее поцеловал. Во время поцелуя глаза у него были закрыты, а у нее нет. А потом Винни одними губами произнес три заветных слова — мне он этих слов никогда не говорил — и снова повторил их уже с открытыми глазами, и Стелла восприняла это с видом пай-девочки, разворачивающей дорогой подарок, который, безусловно, и должна была получить.

Я могла бы, наверное, взорваться, начать бить тарелки, обзывая их всякими словами и заливаясь слезами, а потом меня увезли бы в Грейвзенд на полицейской машине. Но ничего этого я не сделала. Я сразу ринулась назад, к выходу, и стала тянуть тяжелую дверь на себя вместо того, чтобы ее толкнуть; перед глазами у меня все плыло, и теперь уже та старая корова, отложив свою газету, наблюдала за мной с явным любопытством. Еще бы, это наверняка куда интересней, чем ее «News of the World»! Ее оловянные глаза-пуговицы старались не упустить ни одной детали...

* * *

Вырвавшись наконец на воздух, я почувствовала, что буквально тону в слезах и соплях, и тут, как назло, какой-то «Моррис-макси» остановился совсем рядом, и сидевший за рулем старый засранец стал мной любоваться. Я злобно заорала: «Какого хрена ты на меня уставился, старый урод?», — и, господи, как же мне было больно, больно, *больно*! Я, не разбирая пути, ринулась куда-то в поле, в густую пшеницу, где меня ниоткуда не было видно, и уж там дала себе волю. Я плакала, плакала, плакала и никак не могла остановиться. Вот, наконец подумала я, теперь у меня слез совсем не осталось, но тут же передо мной вновь возникла картинка: Винни, одними губами шепчущий: «Я тебя люблю», и Стелла Йирвуд, отражающаяся в его прекрасных карих глазах, — и все началось сначала. Примерно так бывает, когда отравишься этим противным яйцом по-шотландски[1] — каждый раз, когда кажется, что выблевал все, тошнота подступает снова и снова. Когда я все же достаточно успокоилась, чтобы сунуть в рот сигарету и закурить, то оказалось, что пачку драгоценных «Ротманз» я уронила там, возле автомата в «Смоки Джо». Ну, черт побери! Я скорее бутерброд с кошачьим дерьмом съем, чем еще *хоть раз* войду в это кафе! Затем я услышала — разумеется, я сразу его узнала! — рев этого распроклятого мотоцикла «Нортон» и осторожно прокралась к воротам кафе. Ну да, точно: они преспокойно сидели рядышком на заднем сиденье мотоцикла и курили — и я, черт возьми, *спорить готова*, что курили они *мои* сигареты, те самые, за которые я только что заплатила фунт сорок пенсов! Наверняка это Стелла высмотрела пачку, валявшуюся на полу возле автомата, с нее еще даже целлофан не был содран, и взяла себе. Сперва она украла моего бойфренда, а теперь еще и мои сигареты! Затем она уселась как полагается, крепко обняла Винни за талию, прижалась щекой к его кожаной куртке, и они поехали прочь, по дороге, ведущей к мосту Кингзферри, куда-то в полосатую голубую даль. А я, мрачная и зареванная, осталась у ворот кафе, прячась, точно бродяга, за деревом, на ветвях которого сидели вороны и кричали: *Дур-ра, какая дур-ра!..*

Ветер колыхал и гладил пшеничные колосья.

И колосья что-то ему шептали.

Нет, никогда мне не отделаться от мыслей о Винни! Никогда! Это я прекрасно понимала.

---

[1] Крутое яйцо, запеченное в колбасном фарше.

Через два часа блужданий вокруг да около я наконец добралась до богом забытой деревушки Истчёрч, у въезда в которую висел дорожный указатель «Рочестер 23». Двадцать три мили? Ничего себе! Что ж удивляться, что у меня все ноги в мозолях величиной со скалу Эйр-рок. Странное дело, но свой путь после автозаправки «Тексако» в Рочестере и до моста Кингзферри, ведущего на остров Шеппи, я помнила очень плохо, словно в тумане. Причем туман этот был довольно-таки густой. Так иной раз бывает: слушаешь какую-нибудь песню и нечаянно нажмешь на «запись»; а потом там остается такой странный безмолвный провал. Вот и сейчас с моей памятью было примерно то же самое. *Может, меня погрузили в какой-то транс?* Во всяком случае, эта жалкая деревушка Истчёрч явно была погружена в транс. Там имелся всего один крошечный «Спар», но и он был закрыт по случаю воскресенья; газетный киоск с ним рядом тоже был закрыт, но я заметила, что его хозяин возится внутри, и стучалась до тех пор, пока он не открыл дверь и не продал мне пачку печенья, банку арахисового масла, сигареты «Ротманз» и коробок спичек. Он, правда, спросил, есть ли мне шестнадцать, и я, нагло глядя ему в глаза, заявила, что мне еще в марте семнадцать исполнилось, и моя наглость вполне сработала. Выйдя на улицу, я тут же закурила и даже не обратила особого внимания на какого-то пижона, проехавшего мимо на мопеде со своей пижонкой, но смотревшего только на меня, причем во все глаза. Но мне сейчас было не до него: я с ужасом думала о том, как катастрофически быстро тают мои фунты и пенсы. Ничего, завтра подзаработаю еще деньжонок, если только этот мистер Харти меня не прокатит. С другой стороны, я так и не решила, как долго будут продолжаться мои трудовые каникулы. Если Винни и Стеллы не было дома, когда туда заявились мои предки, значит, они так и не узнают, что меня у Винни нет и я давно уже покинула Грейвзенд. *Может, все-таки позвонить им?*

Как раз возле автобусной остановки была телефонная будка. Я понимала, конечно, что, если я позвоню, мама сразу начнет язвить и будет разговаривать со мной как с младенцем. *А что, если позвонить Брендану?* Тогда можно надеяться, что трубку возьмет Рут, и я просто попрошу ее передать папе — не маме, а именно папе! — что со мной все в порядке, но я решила бросить школу и некоторое время поживу в другом месте. Тогда мама, когда мы с ней в следующий раз встретимся, не сможет сразу начать меня обвинять в том, что я никого не предупредила, и не будет без конца твердить «тебя-же-могли-изнасиловать». Но, открыв дверцу будки, я сразу увидела, что телефонная трубка вырвана с корнем. Ну что ж, ничего не поделаешь.

Может быть, мне разрешат позвонить с фермы? Вполне возможно.

* * *

Было уже почти четыре часа, когда я свернула с Олд-Ферри-лейн, ведущей к паромной переправе, на покрытую белой меловой пылью проселочную дорогу, которая и привела меня к ферме «Черный вяз». По обе стороны от дороги тянулись поля, и оросительные установки на них то включались, то выключались, разбрызгивая облака прохладной водяной пыли, и я вроде как напилась, вдыхая эти мельчайшие капельки, и вдоволь налюбовалась крошечными радугами. Сам фермерский дом представлял собой старое приземистое кирпичное здание с небольшой современной пристройкой; рядом виднелся большой железный сарай и пара строений из бетонных блоков; все это было отгорожено ветрозащитной полосой из высоких тощих деревьев. Навстречу мне выскочила черная собачонка на коротких мощных лапах, похожая на толстого тюленя, и принялась лаять так яростно, что у нее чуть голова не отрывалась, но при этом она виляла не только хвостом, но и всем телом, и через пять секунд мы с ней уже стали лучшими друзьями. Я вдруг поняла, что ужасно соскучилась по Ньюки, и принялась ласково гладить собаку.

— Я вижу, вы с Шебой уже познакомились, — сказала мне какая-то девушка лет восемнадцати в джинсах на лямках, появляясь из старой части дома. — Ты, наверное, только что приехала? Клубнику собирать? — Она говорила с каким-то смешным акцентом — уэльским, наверное.

— Да-а. Да, клубнику. Где мне... зарегистрироваться?

Она почему-то нашла выражение «зарегистрироваться» ужасно смешным, и меня это ужасно разозлило: ну, откуда мне было знать, как у них тут это называется? Продолжая смеяться, она ткнула пальцем на дверь — оба запястья у нее были обмотаны эластичным бинтом, как у какой-нибудь звезды тенниса, хотя мне подобная предосторожность казалась на фиг ненужной, — а сама пошла в сторону сарая, явно намереваясь рассказать остальным сборщикам, что новенькая, видно, вообразила, что будет жить в гостинице.

* * *

— Завтра к трем утра тебя там будут ждать двадцать корзин, ясно? — услышала я мужской голос, доносившийся из кабинета в конце коридора. — И если ты со своим грузовиком опоздаешь хоть на одну минуту, весь товар будет отправлен на склад универсама

«Файн Фэр» в Эйлсфорд. — Мужчина швырнул трубку на рычаг и сердито прибавил: — Лживая тварь!

После этого я окончательно поняла, что это тот самый голос, который я слышала по телефону сегодня утром. Да, это был мистер Харти. Вдруг у меня за спиной распахнулась какая-то дверь, и пожилая женщина в перепачканном комбинезоне, зеленых резиновых сапогах и не слишком чистом шейном платке стала загонять меня в кабинет, как какую-то курицу, — широко расставив руки.

— Давай-давай, юная леди, доктор тебя сейчас посмотрит. Шевелись. Новая сборщица, да? Ну, я так и думала. — Она впихнула меня в тесный кабинет, где пахло картошкой. Там был письменный стол, пишущая машинка, телефон, полки с папками, постер с надписью «Великолепная Родезия» и множество фотографий дикой природы; за окном виднелся двор и разобранный трактор. Мистеру Харти было, пожалуй, за шестьдесят; лицо у него было спокойное, почти флегматичное, а из носа и из ушей торчали клочья волос. Не обращая на меня внимания, он сказал женщине:

— Билл Дин, похоже, только что хорошенько нюхнул. И ему захотелось обсудить «детали развозки», представляешь?

— Дай-ка подумать, — сказала женщина. — У него там все шоферы какой-то «бубонной чумой» заболели, так что завтра нам, пожалуй, лучше отвезти всю клубнику в Кентербери.

— Да-а, пожалуй. А знаешь, что он еще сказал? «Хорошо бы вам, землевладельцам, и всем нам, остальным, тоже помочь». Землевладельцы! Это банк землей владеет, а земля владеет тобой. Вот что такое быть «землевладельцем». И, между прочим, это он, а не я возит свою семью отдыхать на Сейшелы или куда-то там еще... — Мистер Харти снова раскурил погасшую трубку и мрачно посмотрел в окно. — А это еще что такое?

Я проследила за его взглядом, увидела за окном все тот же разобранный ржавый трактор и наконец поняла, что он имеет в виду меня.

— Я новая сборщица.

— Новая сборщица, вот как? Не уверен, что нам нужны еще сборщики.

— Мы же с вами сегодня утром говорили по телефону, мистер Харти! Вы сказали, что нужны.

— Утром! Так это когда было! Чего об этом вспоминать?

— Но... — Господи, думала я, если я не получу здесь работу, что же мне тогда делать?

Пожилая женщина, рывшаяся в шкафу с папками, оглянулась на нас через плечо и сказала только одно слово:

— Гэбриел.

— Но ведь мы уже взяли эту... Холли Бенсон-Хеджес. Она сегодня утром нам звонила и едет сюда.

— Это я вам звонила, — сказала я, — только Холли Ротманз, а не «Бенсон-Хеджес», и это я... — Да ладно тебе, он наверняка просто придуривается. У него такое лицо, что никогда и не поймешь, шутит он или нет. — В общем, Холли — это я.

— Ага, значит, это ты была? — Трубка, зажатая в зубах мистера Харти, издала убийственный треск. — Что ж, в таком случае тебе повезло. На работу завтра ровно в шесть. Не две минуты седьмого. Учти, проспать здесь никто права не имеет. У нас здесь не лагерь отдыха. Ну все, теперь иди. Мне еще надо много кому позвонить.

* * *

— По воскресеньям у нас почти пусто, — рассказывала мне миссис Харти, пока мы с ней шли через двор к сараю. Она вообще оказалась куда более воспитанной и обходительной, чем ее муж. Интересно, подумала я, что их когда-то соединило? — Большинство наших сборщиков — из Кента, так что они уезжают по воскресеньям домой, чтобы помыться и переночевать по-человечески. Ну а студенты — те на пляж в Лейздаун с утра отправляются и к вечеру должны вернуться, если только их полиция по дороге не сцапает. Значит, так: душ вон там, сортир чуть дальше, а это вот прачечная. Ты сегодня утром вроде говорила, откуда ты приехала-то?

— Ой, да я... — В эту минуту к нам подлетела Шеба и от восторга начала нарезать круги, что дало мне возможность получше сформулировать свою легенду. — Из Саутенда. Я только в прошлом месяце сдала экзамены на аттестат «О», а родители все время на работе... И потом, мне хотелось скопить немного денег. Подруга одной моей подруги здесь пару лет назад работала, вот папа мне и разрешил; сказал, ладно, раз тебе уже шестнадцать. Ну, я и...

— Ну, ты и приехала. А школе ты что, sayonara[1] сказать решила?

Шеба вдруг метнулась за груду старых шин и стала яростно что-то там вынюхивать.

— На аттестат «А» ты экзамены-то сдавать собираешься? А, Холли?

— Да, конечно, собираюсь! Хотя на особо хорошие результаты что-то не рассчитываю.

Похоже, миссис Харти мои ответы вполне удовлетворили, да она и не собиралась особенно любопытничать. У распахнутых настежь дверей кирпичного сарая или амбара она остановилась и сказала:

— В передней части у нас в основном парни спят. — Там выстроились рядами десятка два металлических кроватей, как в больнич-

---

[1] Японский вариант «гудбай».

ной палате, но стены были все же амбарные, пол каменный, даже окна прорублены не были. Должно быть, на лице у меня отразилось то, что я подумала, представив себе, каково это — спать среди целой орды храпящих, пукающих, воняющих потом и приставучих парней, потому что миссис Харти сказала: — Не волнуйся, мы этой весной тут перегородки поставили. — И она указала на дальний конец амбара. — Надо же было обеспечить дамам хоть какое-то личное пространство. — Примерно треть сарая была отгорожена стеной более чем в два человеческих роста из чего-то типа клееной фанеры, и в стене имелся дверной проем, занавешенный старой простыней. Над ним кто-то написал мелом «Гарем», а еще кто-то пририсовал к этому слову стрелку, ведущую ко второй надписи: «Размер не имеет значения, Гэри, так что продолжай мечтать». За простыней царил полумрак, и это отгороженное пространство было очень похоже на примерочную в магазине одежды: по обе стороны узенького прохода было по три таких же «двери», и каждая вела в клетушку с двумя кроватями и голой электрической лампочкой, свисавшей с потолочной балки. Видел бы это мой папа! Заглянув сюда, он бы наверняка презрительно поморщился и стал бормотать что-то насчет несоблюдения законов об охране здоровья и безопасности труда, хотя, на мой взгляд, здесь было вполне тепло, сухо и достаточно безопасно. Кроме того, я заметила в стене амбара еще одну дверь, запертую изнутри на засов, так что в случае пожара легко можно было успеть выскочить наружу. Единственное «но»: все кровати, похоже, были уже заняты, и на них лежали спальные мешки, рюкзаки и прочие манатки. Однако, добравшись до последней клетушки, кстати, единственной, где горел свет, миссис Харти постучала по дверной раме и сказала:

— Тук-тук-тук, Гвин, ты дома?

— Это вы, миссис Харти? — откликнулся кто-то изнутри.

— Я тут тебе соседку привела.

Мы вошли. Внутри, скрестив по-турецки ноги в джинсах, сидела на кровати та самая улыбчивая девица из Уэльса и что-то писала — то ли дневник, то ли еще что. От кружки, стоявшей на полу, поднимался пар, и слегка дымилась сигарета, ловко пристроенная на горлышко бутылки с водой. Гвин посмотрела на меня и гостеприимным жестом указала на соседнюю кровать: мол, это все твое.

— Добро пожаловать в мою скромную обитель. Которая отныне станет *нашей* скромной обителью.

— Ну что ж, девочки, на этом я вас и оставлю, — сказала миссис Харти и ушла, а Гвин снова уткнулась в свой дневник. Ну прекрасно, черт побери. И слава богу, что она не вздумала сразу же *пытаться меня разговорить*! Просто так болтать ни о чем сейчас совершенно не хотелось. Негромко шуршала шариковая ручка фирмы «Байро». Возможно, сейчас она писала как раз обо мне и о моем появлении на ферме; писала почти наверняка на уэльском, чтобы я не смогла прочитать. Ну, раз она не собирается со мной разговаривать, так и я первой разговор заводить не стану. Я швырнула рюкзак на кровать и прилегла рядом с ним, стараясь не обращать внимания на звучавший у меня в ушах насмешливый голос Стеллы Йирвуд, рассуждавшей о том, что невероятное стремление Холли Сайкс к свободе и самостоятельности завершилось, естественно, тем, что она оказалась в какой-то вонючей крысиной норе... Ну и пусть. Все равно идти мне некуда, да и сил у меня совсем не осталось. Ноги, как ни странно, выдержали, хотя у меня было ощущение, словно их обработали электроинструментами фирмы «Блэк энд Декер». Но самое главное — у меня не было спального мешка.

* * *

Я, как истинный вратарь, ловким и сильным ударом отбила мяч от своих ворот и — *чпок!* — попала прямо в ворота Гэри, выступавшего за команду студентов; на зрителей это произвело должное впечатление, и они радостно завопили. Брендан называл этот мой удар «особым ударом Питера Шилтона» и вечно ныл, что я левша и это дает мне безусловное преимущество. Пять — ноль в мою пользу. Это была уже моя пятая победа подряд, а играли мы до победного конца.

— Она же, черт побери, меня в пух и прах разбила! Что тут скажешь? — Лицо у Гэри пылало, а речь после нескольких банок пива «Хайнекен» была несколько невнятной. — Холли, ты просто ундервуд, то есть вундеркинд! Самый что ни на есть bona fide[1] вундеркинд настольного футбола! Такому и проиграть не стыдно... в общем. — И Гэри театрально мне поклонился, а потом потянулся через весь стол со своей банкой «Хайнекена», так что пришлось с ним чокнуться.

— Где это ты научилась так здорово играть? — спросила одна девица, имя которой было очень легко запомнить: ее звали Дебби, но не от «дебила», а от «дерби» — это ее родители так назвали. Я только плечами пожала и сказала, что мне очень часто доводилось играть в доме у одних наших родственников. И тут же вспомнила, как Брендан говорил в таких случаях: «Просто поверить не могу, что меня обыграла какая-то девчонка!»; мне только теперь стало ясно, что он говорил так, чтобы одержанная победа стала для меня еще слаще.

Но пока что с меня настольного футбола было более чем достаточно, и я вышла на улицу покурить. «Гостиной» нам служила старая

---

[1] B o n a f i d e — настоящий (*лат.*).

конюшня, где все еще немного пахло конским навозом, но было, пожалуй, даже веселее, чем в «Капитане Марло» воскресным вечером. Человек двадцать сборщиков устроились за столами, лениво болтая и покуривая; кто-то закусывал и выпивал, кто-то флиртовал, а кто-то играл в карты; телевизора там не было, но кто-то притащил старенький портативный магнитофон и записи песен индейцев сиу и ирландских баньши. Бескрайние поля фермы «Черный вяз» полого спускались к морю, где точками светились огоньки, отмечая линию побережья от Фавершема до Уитстебла и даже дальше. Невозможно было поверить, что это тот же самый мир, где людей зверски убивают или бьют по лицу, где матери пинками выгоняют на улицу собственных дочерей.

Я глянула на часы: девять вечера. Мама наверняка уже велела Жако и Шэрон погасить свет и сказала им «спокойной ночи», а сама со стаканчиком вина устроилась в гостиной, чтобы посмотреть по телику очередную серию «Бержерака». Впрочем, сегодня она, возможно, спустилась вниз, чтобы выкурить сигаретку и предаться горестным рассуждениям о судьбе «этой сучонки», то есть меня: «Я просто не представляю, в какой момент у нас с ней все пошло наперекосяк. Господи, помоги мне в этом разобраться, ибо сама я понять не в силах!» А папа в это время уверяет слесаря Ниппера, Пи Джея и старого мистера Шарки, что «потом все наверняка разъяснится и встанет на свои места» — в общем, изрекает всякие «мудрые сентенции», которые ровным счетом ничего не значат.

Я вытащила из нагрудного кармана пачку «Ротманз» — восемь сигарет я уже выкурила, двенадцать осталось, — но закурить не успела: рядом возник Гэри в своей дурацкой майке с надписью «Реальность — это иллюзия, вызванная недостаточным потреблением алкоголя» — и угостил меня сигаретой «Силк Кат».

— Это в счет моего проигрыша, Холли, — сказал он. Я поблагодарила, а он прибавил: — Нет, тут уж ничего не скажешь: ты меня обыграла честно и по всем статьям. — Глаза у него при этом так и скользили по моей груди; точно так же когда-то вел себя и Винни.

Гэри уже собирался еще что-то мне сказать, но тут его окликнул какой-то приятель, и он, быстро шепнув «Еще увидимся», ушел. Ну, во-первых, еще большой вопрос, захочу ли я с тобой «увидеться»; а во-вторых, хватит с меня историй с парнями.

Три четверти сборщиков составляли студенты колледжей или университета, а также те, кто собирался в сентябре туда поступать; я была там самой молодой, моложе всех года на два, а то и больше, даже если считать, что мне уже шестнадцать, а не пятнадцать, как на самом деле. Я старалась вести себя так, чтобы не выглядеть застенчивой букой, потому что это мгновенно выдало бы мой истинный возраст, но все равно выделялась: никто из этих ребят не собирался становиться слесарем, парикмахером или сборщиком металлолома; все они хотели стать программистами, учителями, юристами, и это было очень даже заметно. Хотя бы по тому, как они говорили. Они всегда выражались как-то очень точно, словно обладали некой властью над словами, и слова им подчинялись; между прочим, примерно так выражал свои мысли и мой младший братишка Жако; а вот в нашем классе практически никто из ребят так говорить не умел. Кроме, пожалуй, Эда Брубека. Но он такой был единственным в двух параллельных выпускных классах. Я невольно посмотрела в сторону Гэри, и он, словно почувствовав мой взгляд, доброжелательно мне улыбнулся — типа «как-чудесно-что-мы-с-тобой-здесь-встретились». Я, естественно, тут же отвела глаза, пока он что-нибудь совсем уж не то не подумал.

Те немногочисленные сборщики, что не были студентами и не собирались поступать в университет, держались вроде как особняком. Например, Гвин. Она играла в шашки с Марион и Линдой, а на меня совершенно не обращала внимания, если не считать брошенного с фальшивой улыбкой «привет!». Зато смеялась Гвин довольно часто. Марион была, по-моему, немного глуповата, и ее сестра Линда вечно о ней заботилась, пасла, прямо как мамаша; даже фразы за нее договаривала. Они, похоже, каждое лето все каникулы проводили здесь, собирая разные фрукты. Еще там была супружеская пара, Стюарт и Джина; у них имелась собственная палатка, которую они поставили в сторонке у подножия холма. Обоим было под тридцать, и на самом деле они были фолк-сингерами и вечно рыскали в поисках работы в небольших городках, где имелся свой рынок. Когда я получила первую зарплату, Джина предложила мне и Дебби вместе с ней ездить за жратвой в Истчёрч, в «Спар». Стюарт и Джина, как сообщила мне Дебби, вообще служили как бы посредниками между остальными сборщиками и мистером Харти. И, наконец, там был один парнишка примерно моих лет по имени Алан Уолл, который обычно ночевал в крошечном «Караване», припаркованном сбоку от фермерского дома. Я еще в самый первый раз, когда вышла, чтобы осмотреться, видела, как он развешивал на просушку выстиранное белье. Вряд ли он был старше меня больше чем на год, максимум на два, но его тощее тело было на редкость жилистым и крепким, и он так сильно загорел, что кожа у него приобрела оттенок крепкого чая. Дебби сказала, что этот Алан — то ли цыган, то ли просто бродяга; «любитель путешествий», как теперь принято говорить; и мистер Харти каждый год нанимает кого-нибудь из его родичей, но она не знала, то ли это у них традиция такая, то ли эти Уоллы долг мистеру Харти выплачивают, а может, он и вовсе берет их на работу из суеверия.

Возвращаясь из туалета, я заметила, что в небольшом овражке между фермерским домом и нашим сараем кто-то меня поджидает. Потом услышала, как чиркнули спичкой, и из темноты вынырнул Гэри.

— Вот хорошо, что я тебя здесь встретил, — сказал он. — Хочешь еще покурить?

Да, Гэри был, пожалуй, недурен собой, но я заметила, что он как минимум поддатый, да и познакомились мы всего пару часов назад.

— Да нет, спасибо. Я, пожалуй, лучше вернусь в гостиную.

— Ну что ты, Холл, давай вместе покурим! Все равно каждый от чего-нибудь да умрет.

Он уже совал мне прямо в лицо пачку «Силк Кат», а из пачки торчала сигарета — это чтобы я ее губами взяла. Теперь отказаться было уже почти невозможно, иначе, пожалуй, вышла бы шумная ссора, так что я взяла сигарету, только не губами, а пальцами, и даже «спасибо» сказала.

— Прикуривай... Расскажи-ка о себе. Твой бойфренд в Саутенде, должно быть, до чертиков по тебе скучает.

И я, вспомнив о Винни, невольно выдохнула: «Господи, нет!» — и тут же подумала: *«Ты все-таки полная дура, Сайкс!»* А потому поспешно прибавила: «Ну, наверное, да...»

— Рад, что мы это выяснили. — Освещенное огоньком сигареты, лицо Гэри на этот раз показалось мне отвратительным; и улыбочка у него была какая-то скотская. — Давай погуляем немного, полюбуемся звездами, и ты мне еще расскажешь об этом мистере «Господи-нет-наверное-да».

Я что-то совсем не горела желанием «гулять» с Гэри; он наверняка стал бы запускать свои грязные лапы мне в лифчик или еще куда-нибудь, но я никак не могла сообразить, как бы послать его ко всем чертям и при этом не уязвить его гордость.

— Девичья застенчивость — это, конечно, круто, — вещал Гэри, — но она порой здорово мешает жить. Давай прогуляемся — у меня есть что выпить и что покурить... и все остальное, что тебе может понадобиться.

Господи, если бы парни хотя бы на одну ночь могли стать девушками, которых преследуют такие вот распаленные самцы! Думаю, тогда такие дешевые приемчики, какими сейчас Гэри пытался меня соблазнить, попросту исчезли бы из их обихода.

— Послушай, Гэри, сейчас неподходящее время. — Я встала и попыталась его обойти, чтобы вернуться во двор.

— Ты же с меня глаз не сводила! — Его руки преградили мне путь, словно автомобильный шлагбаум, а пальцы уже скользили по моему животу. От него исходил запах крема после бритья и пива, а еще от него прямо-таки разило сексуальной озабоченностью. — Ты же весь вечер на меня пялилась! И вот теперь у тебя есть все возможности...

Если я пошлю его куда подальше, он, пожалуй, постарается настроить всех сборщиков против меня. Если я взорвусь, как атомная бомба, и громко позову на помощь, то он все повернет в пользу своей версии, что «не следует брать на работу *всяких малолетних истеричек*», и снова начнет выяснять, сколько мне на самом деле лет и действительно ли мои родители знают, где я нахожусь.

— Сперва научись за девушками ухаживать как следует, Осьминожек, — раздался рядом с нами знакомый голос с уэльским акцентом, и мы тут же отскочили друг от друга чуть ли не на милю. Разумеется, это была Гвин. — Твои попытки соблазнить эту девочку больше, по-моему, похожи на разбой с применением насилия.

— Мы же просто... мы... просто разговаривали! — Гэри уже вскочил, явно намереваясь ретироваться в сторону «гостиной». — Только и всего.

— Он несколько надоедлив, но в целом безвреден. — Гвин посмотрела ему вслед. — Как язвочки во рту. На ферме он делает подобные предложения каждому существу женского пола за исключением Шебы.

Мне почему-то показалось, что быть спасенной — это унизительно, и я проворчала:

— Да ладно, я бы и сама с ним справилась.

— Ни капли в этом не сомневаюсь! — воскликнула Гвин с чуть большей горячностью, чем требовалось.

Похоже, я ее разозлила?

— Я прекрасно могу сама о себе позаботиться!

— До чего же ты мне напоминаешь... меня, Холли!

Ну, и как на это реагировать? Из «гостиной» доносилось «Up the Junction» в исполнении Squeeze.

— Смотри-ка, наш Осьминожек со страху даже сигареты свои обронил. — Гвин подняла пачку и кинула мне; я поймала. — Хочешь — верни ему. А можешь и себе оставить — в качестве компенсации за моральный ущерб. Теперь твой ход.

Я тут же представила себе, какова будет версия случившегося в изложении Гэри.

— Он же теперь меня возненавидит!

— Да он сам до смерти боится, что ты всем расскажешь, в какой жопе он оказался. Когда такому типу, как этот болтун, дают от ворот поворот, он сразу начинает чувствовать себя жалким карликом ростом в четыре фута, у которого пенис два дюйма максимум. А вообще-то, я пришла всего лишь для того, чтобы сказать, что выпросила для тебя у миссис Харти спальный мешок. Взаймы. Одному богу известно, скольким людям до этого довелось в нем спать, но мешок, безусловно, был выстиран, так что, по крайней мере, не липнет, хотя и весь в пятнах. А то у нас в амбаре по ночам довольно-таки холодно и сыро. Короче, я ложусь, так что если усну до твоего прихода, то приятных тебе сновидений. Гудок дают в половине шестого.

2 июля

Месячные у меня запаздывают всего на несколько дней, так что вряд ли я беременна, но почему же тогда у меня вырос живот? И откуда взялась эта третья сиська, покрытая сетью голубых вен, которая теперь болтается чуть ниже двух других, нормальных? Мама, естественно, смотрит на все это косо и не желает поверить, что я понятия не имею, кто отец этого ребенка: «Но ведь кто-то же засадил тебе его в живот! И мы обе прекрасно понимаем, что ты у нас отнюдь не Дева Мария». Но я действительно не знаю. Конечно, главный подозреваемый — Винни; но разве я могу быть абсолютно уверена, что у нас с Эдом Брубеком ничего не было там, в церкви? Или с Гэри на ферме «Черный вяз»? Или с этим цыганом Аланом Уоллом? Когда с твоей памятью уже однажды проделали какие-то обезьяньи трюки, разве можно быть полностью в ней уверенной? Та старая корова из «Смоки Джо» гневно смотрит на меня поверх своей «Financial Times» и требует: «А ты у ребенка спроси! Он-то должен знать».

И все вокруг начинают петь: *Спроси у ребенка! Спроси у ребенка!* И я пытаюсь сказать, что не могу этого сделать, он же еще не родился, но такое ощущение, будто рот у меня наглухо зашит. А живот мой тем временем все растет и становится похож на огромный кожаный шатер, и сама я болтаюсь где-то сбоку, накрепко привязанная к этому шатру. И ребенок внутри этого «шатра» светится красным — так светятся промежутки между стиснутыми пальцами, когда поднесешь руку к зажженной лампе; и этот ребенок такой же большой, как взрослый человек, и совсем голый. И я его боюсь.

«Ну, спроси же у него!» — шипит мама.

И я спрашиваю: «Скажи, кто твой папа?»

Мы ждем. И он, повернув голову в мою сторону, начинает говорить, хотя движения его губ почти не совпадают с произносимыми звуками, сквозь которые слышно какое-то странное потрескивание, словно голос доносится из какого-то страшного, раскаленного места: *Когда Сибелиус будет превращен в груду обломков, то в три часа в День Звезды Риги ты поймешь, что я рядом...*

...и жуткий сон как-то вдруг сразу кончился. И я испытала невероятное облегчение. Знакомый спальный мешок, темнота, пахнущая мясной похлебкой, и никакой беременности, и голос с уэльским акцентом, шепчет: «Все хорошо, Холли, тебе просто приснился страшный сон, детка».

Наша фанерная перегородка, сарай на ферме и эта девушка — как ее зовут? Ах да, Гвин. Я прошептала:

— Прости, я, кажется, тебя разбудила?

— Ничего, у меня легкий сон. Но тебе, похоже, снилось что-то страшное? Во всяком случае, звучало очень неприятно.

— Да-а... Впрочем, пожалуй, сон был просто глупый. А который час?

Ее наручные часы вспыхнули золотистым светом.

— Двадцать пять пятого.

Значит, большая часть ночи прошла. Стоит ли пытаться снова уснуть?

Густой, громкий, как рев зверей в зоопарке, храп спящих парней доносился, казалось, отовсюду, становясь то громче, то тише.

Меня вдруг охватил приступ тоски по дому, по моей комнате, но я тут же заставила свою тоску заткнуться. *Помни о пощечине!*

— А знаешь, Холли, — прошелестел шепот Гвин в черных простынях тьмы, — *там* ведь будет гораздо труднее, чем ты думаешь.

Какие странные слова, в какое странное время они сказаны!

— Если все они могут это делать, — сказала я, имея в виду студентов, — то и я, черт побери, наверняка смогу!

— Я не сбор клубники имею в виду. А твою историю с бегством из дома.

Быстро все отрицай!

— А с чего ты взяла, что я сбежала из дома?

Но Гвин на мои слова даже внимания не обратила — так вратарь не обращает внимания на мяч, пролетевший в миле от его ворот.

— Если только ты на сто процентов — *на сто процентов,* понимаешь? — уверена, что возвращение назад сделает тебя... — Она, похоже, вздохнула, —...несчастной, тогда возвращаться назад не надо. Но если дела обстоят иначе, я тебе советую: возвращайся. Лето кончится, и деньги твои тоже подойдут к концу, а мистер Ричард Гир не примчится к тебе на своем «Харли-Дэвидсон» и не предложит: «Запрыгивай, детка!», и ты будешь сражаться за местечко у мусорных баков на задах «Макдоналдса» после его закрытия, и ты *действительно,* что бы там ни Гэбриел Харти ни говорил, будешь мечтать об этом сарае на ферме «Черный вяз», как о пятизвездном отеле. В общем, ты как бы составляешь список, озаглавленный: «Всё то, что я никогда в жизни не пропущу», и сам этот список остается прежним, но вот его название вскоре будет совсем другим: «Всё то, что мне пришлось сделать, чтобы выпутаться».

Я очень старалась, чтобы мой голос звучал спокойно:

— Я ниоткуда не сбегала.

— Тогда почему назвалась не своим именем?

— Меня *действительно* зовут Холли Ротманз.

— А меня Гвин Аквафреш. Нравится тебе вкус зубной пасты?

— Аквафреш — это не фамилия. А Ротманз — фамилия.

— В общем, верно, но я готова спорить на пачку «Бенсон энд Хеджес», что это вовсе не твоя фамилия. Не пойми меня неправильно, назваться не своим именем — ход очень даже неглупый. Я, например, в первые месяцы своей «вольной жизни» то и дело меняла фамилию и имя. Но я хочу, чтобы ты поняла: если положить на весы все те неприятности, что ждут тебя впереди, и те неприятности, из-за которых ты сбежала из дома, то первые перевесят вторые раз в двадцать.

Просто ужасно, что она так легко прочла все мои мысли, словно видит меня насквозь!

— Ладно, сейчас еще рано размышлять о дне Страшного суда, — проворчала я. — Спокойной *ночи*!

Снаружи как раз запела первая утренняя птица.

* * *

После того как я стаканом воды смыла вкус трех «легкоусвояемых и питательных» крекеров с арахисовым маслом, мы вышли на большое южное поле, где миссис Харти и ее муж уже устанавливали некое подобие временного навеса. Было еще холодно, на траве лежала роса, но день явно грозил стать таким же липким и потным, как и вчерашний. Я не испытывала к Гвин ни ненависти, ни чего-то подобного, но у меня было ощущение, словно я предстала перед ней совершенно голая, и я, не решаясь встретиться с ней глазами, старалась держаться поближе к Марион и Линде. Гвин, похоже, обо всем догадалась и сама выбрала дальний ряд рядом со Стюартом, Джиной и Аланом Уоллом, так что теперь мы с ней не смогли бы разговаривать, даже если б захотели. Гэри вел себя так, словно я внезапно превратилась в невидимку; впрочем, он и работал на том краю поля, где собрались все студенты. И это меня совершенно устраивало.

Собирать клубнику — занятие, конечно, весьма нудное и утомительное, зато здорово успокаивает. Это вам не суета в баре. А еще очень приятно было провести день на свежем воздухе, в мирной обстановке — птички, овечки, рев трактора вдали, веселая болтовня студентов, хотя она-то через некоторое время почти смолкла. Каждому из нас выдали по картонному ящику, в который помещалось двадцать пять плетеных корзиночек; нужно было наполнить каждую корзинку зрелыми или почти зрелыми ягодами. Отщипываешь ягоду от стебля ногтем большого пальца, кладешь ее в корзинку, и так далее. Сперва я собирала клубнику, присев на корточки, но вскоре у меня смертельно устали и заныли колени и икроножные мышцы, так что пришлось встать коленями на солому в междурядье и так, на коленях, переползать дальше, и я очень пожалела, что не взяла с собой какие-нибудь более свободные штаны или шорты. Если клубничина оказывалась перезрелой настолько, что, пачкая пальцы, превращалась в кашицу, я отправляла ее в рот, но мне казалось, что было бы глупо слопать просто хорошую зрелую ягоду — все равно что съесть часть собственного заработка. Когда все двадцать пять корзиночек были заполнены, мы относили свой ящик под навес, где миссис Харти все это взвешивала и, если вес был точный или чуть больше, выдавала сборщику пластмассовый жетон, а если нет, то приходилось возвратиться и поднабрать еще немного, чтобы веса хватило. Линда сказала, что в три часа все двинут обратно на ферму, и в конторе нам обменяют жетоны на деньги, и посоветовала бережно хранить накопившиеся жетоны, иначе без жетонов и денег никаких не получишь.

С самого начала стало ясно, кто привык к работе в поле, а кто нет: Стюарт и Джина продвигались вдоль своего ряда в два раза быстрее всех остальных, а Алан Уолл — даже еще быстрей, чем они. А вот многие студенты постоянно отвлекались, то и дело бегали пописать, так что я оказалась далеко не самой медлительной. Солнце поднималось все выше и пригревало все сильней, и теперь я уже была рада, что стащила у Эда Брубека его бейсболку — я надела ее козырьком назад, и она хорошо защищала мне шею от палящих солнечных лучей. Через час я вроде как включила автопилот. Корзинки наполнялись словно сами собой — ягодка за ягодкой, ягодка за ягодкой; и заработок мой все рос да рос: два пенса, пять, десять... За работой я все время думала о том, что сказала мне ночью Гвин. Похоже, она все это познала на собственном горьком опыте. А еще я представляла себе, как Жако и Шэрон сейчас садятся завтракать, и рядом с ними стоит мой пустой стул, словно я умерла или что-нибудь такое. Спорить готова — мама по-прежнему твердит: «Даже говорить о ней не желаю, об этой юной мамзель!» Она, когда рассердится или просто заведется, то сразу начинает говорить как самая настоящая ирландка. Я думала о том, что быть ребенком — все равно что быть шариком в пинболе, когда тобой стреляют через центральную линию, не давая тебе возможности отклониться ни влево, ни вправо, и ты от себя совершенно не зависишь. Но как только ты возьмешь нужную высоту, то есть тебе исполнится шестнадцать, семнадцать или даже восемнадцать лет, перед тобой сразу открывается тысяча разных путей, и ты сама можешь выбрать, по какому из них пойти, — и одни пути просто удивительные, а другие так себе, самые обычные. Достаточно лишь слегка изменить скорость и направление, и это полностью изменит все твое будущее; отклонишься на какую-то долю дюйма вправо, и шар откатится к партнеру, пролетев между твоими неуклюжими «ластами», так что не отвлекайся, иначе потеряешь очередные десять пенсов. Но возьмешь чуть левее, и шар окажется в игровой зоне — удар, еще удар, яростная атака — и вот она, славная победа с высоким счетом. Моя главная проблема в том, что я сама не знаю, чего хочу, думала я. К тому же у меня совсем мало денег; впрочем, на сегодня хватит, чтобы хоть еды себе прикупить. Вплоть до позавчерашнего дня единственное, что мне было нужно, — это Винни, но больше я такой ошибки ни за что не сделаю. И, словно сверкающий серебристый шар пинбола, откуда-то прилетела мысль: «А ведь я, черт побери, совершенно не представляю себе, ни куда я направляюсь, ни что со мной будет дальше».

* * *

В половине девятого объявили перерыв; мы выпили под навесом сладкого чая с молоком, который разливала женщина с невероятно трескучим кентским акцентом, похожим на хруст ломающейся земляной корки. Предполагалось, что у каждого имеется собственная кружка, и я приспособила старую банку из-под мармелада, которую выудила из кухонного помойного ведра; кое-кто, правда, удивленно поднял брови, но мне было наплевать, зато у моего чая был привкус апельсина. Сигареты «Бенсон энд Хеджес», забытые вечером перепуганным Гэри, я переложила в свою коробку из-под «Ротманз» и с удовольствием выкурила парочку; они оказались немного покрепче, чем «Ротманз». А Линда угостила меня сливочным печеньем, и Марион, одобрительно глядя на меня, сказала своим ровным, чуть глуховатым голосом: «Когда фрукты собираешь, всегда есть хочется», и я ответила: «Да, это верно», и Марион была просто счастлива, и мне вдруг захотелось, чтобы жизнь у нее оказалась более легкой, чем это ей явно светит. Потом я подошла к Гвин, которая сидела рядом со Стюартом и Джиной, и предложила ей сигарету, и она сказала: «Давай, я не прочь, спасибо», и с этого момента мы с ней стали друзьями. Вот так просто. Голубое небо, свежий воздух, ноющая спина — зато я уже стала на три фунта богаче, чем в ту минуту, когда сорвала свою первую клубничину. Без десяти девять мы снова начали сбор ягод. А в школе сейчас наша классная мисс Суонн как раз взяла журнал и громко выкликнула мое имя, но ей никто не ответил. «А ее нет в классе, мисс Суонн», — сказал кто-то из учеников, и в эту минуту Стелла Йирвуд наверняка должна была вспотеть от страха, если у нее есть хоть какие-то мозги, а они у нее точно есть. Если она успела похвастаться, что увела у меня парня, народ сразу догадается, почему меня нет в школе, а раньше или позже об этом узнают и учителя, и тогда Стеллу вызовут в кабинет к мистеру Никсону, куда, возможно, пригласят и кого-нибудь из полиции. Если же насчет Винни она держала язык за зубами, то будет вести себя совершенно спокойно, даже чуть высокомерно, но в душе, конечно, запаникует. Как и Винни. Секс с неоперившимися птенчиками — это, конечно, замечательно, но, по-моему, только до тех пор, пока никто ничего не знает и все спокойно; но теперь все очень быстро переменится, особенно если я останусь на ферме «Черный вяз» еще на пару дней. Я вдруг превратилась в несовершеннолетнюю школьницу, которую некий Винсент Костелло в течение четырех недель соблазнял с помощью подарков и алкоголя, а потом она исчезла без следа. И теперь этот Винсент Костелло двадцати четырех лет, продавец автомобилей с Пикок-стрит в Грейвзенде, стал главным подозреваемым. Я, вообще-то, по натуре не злая, и мне совсем не хотелось, чтобы Жако, или папа, или Шэрон из-за меня лишились сна, особенно Жако; а все-таки испортить жизнь Винни и Стелле, хоть чуть-чуть, было очень и очень соблазнительно...

* * *

Когда я отнесла очередной полный ящик к миссис Харти под навес, там уже все толпились вокруг радиоприемника, и у всех лица были какими-то невероятно серьезными — а миссис Харти и та женщина, что поила нас чаем, и вовсе выглядели очень напуганными, — и на какой-то ужасный миг у меня мелькнула мысль, что по радио уже объявили о моем исчезновении. Так что я почти с облегчением выслушала сбивчивый рассказ Дерби-Дебби о том, что неподалеку были обнаружены тела троих зверски убитых людей. То есть убийство — это, конечно, всегда ужасно, но в новостях каждый день сообщают о подобных находках и особого впечатления это, по-моему, ни на кого не производит.

— Где это случилось? — спросила я.

— В деревне Ивейд, — сказал Стюарт за себя и за Джину.

Я даже никогда о таком селении не слышала, так что спросила:

— А где это?

— Примерно миль десять отсюда, — сказала Линда. — Ты вчера мимо него проезжала. Это чуть в стороне от основной дороги, ближе к мосту Кингзферри.

— Тише! — сказал кто-то, и радио опять заскрипело:

«В полиции Кента нам подтвердили, что причина смерти этих людей не установлена и представляется весьма подозрительной. Настоятельно просим каждого, кто располагает какой бы то ни было информацией по этому поводу, связаться с полицейским участком в Фавершеме, где производится опрос свидетелей и осуществляется координация действий, связанных с расследованием этого дела. Убедительно просим местных жителей не...»

— Боже мой! — вырвалось у Дерби-Дебби. — Так ведь это *убийство*!

— Давайте не делать поспешных выводов, — сказала миссис Харти, поворачиваясь к своему гроссбуху. — Ну, сказали там что-то такое по радио, но это еще не значит, что все так и было на самом деле.

— Да нет, три мертвеца — это три мертвеца, — сказал «цыган» Алан Уолл. — Вряд ли кто-то их нарочно там оставил. — До сих пор я ни разу не слышала, чтобы Алан сказал хоть слово.

— И все-таки это вовсе не значит, что у нас по острову Шеппи бродит Джек-Потрошитель номер два, верно? Я сейчас схожу в офис и постараюсь разузнать об этом поподробнее. А Мэгг, — миссис Харти кивнула той женщине, что разливала чай, — пока побудет здесь за главную. — И она широким шагом поспешила к дому.

— Ну, тогда ладно, — сказала Дебби. — Наш «Шерлок» Харти наверняка в курсе дела. Но вот что я вам скажу: если сегодня ночью на двери амбара не будет засова толщиной с мою руку и с хорошим замком, я немедленно отсюда уезжаю, а *она* может отвезти меня на станцию.

Кто-то спросил, говорили ли по радио, как были убиты эти люди, и Стюарт сказал, что сообщили про «зверски жестокое нападение», более всего похожее на «убийство неким острым предметом», а не из огнестрельного оружия, но пока что никто ни в чем не уверен. В общем, мы могли совершенно спокойно вернуться к работе, потому что находиться на открытой местности среди множества людей всегда безопасней, чем в уединенном домике.

— Мне кажется, что это очень похоже на классический любовный треугольник, — сказал Гэри, тот приставучий студент. — Двое мужчин и одна девушка. Явное преступление на почве страсти.

— А мне кажется, они просто не смогли договориться по поводу наркотиков, — предположил его приятель.

— А *мне* кажется, что вы оба несете полную хренотень, черт бы вас побрал! — сердито отрезала Дебби.

110

Все дело в том, что уж если в голову тебе западет мысль о каком-то психе, который *вполне может* скрываться даже вон в той купе деревьев на краю поля или за этой зеленой изгородью, ты сразу как бы боковым зрением начинаешь видеть там какие-то фигуры. Это как у меня тогда было с теми «радиолюдьми», только их я едва слышала, а тут убийцы мне все время *мерещатся*. Я все пыталась прикинуть, когда именно были совершены убийства: а что, если это случилось, когда я шла через поля совсем близко от моста Кингзферри? А что, если это сделал тот велосипедист, спятив от горя и тоски по умершему сыну? Он, правда, совсем не был похож на психа, но, если честно, разве можно в реальной жизни вот так сразу отличить, кто псих, а кто нет? И та дружная компания парней и девиц в автомобиле «Фольксваген Кемпер» тоже выглядела довольно подозрительно... Пока мы перекусывали — Гвин угостила меня бутербродами с сыром, да еще и банан дала, потому что отлично понимала, какие у меня запасы еды, — то заметили, как над мостом пролетел вертолет, а в час дня «Радио Кента» сообщило в новостях, что в тот дом прибыла команда судебных медиков, что там все обследуют с собаками-ищейками и так далее. Полиция пока отказывалась называть имена жертв, но знакомая миссис Харти, жена одного тамошнего фермера, сказала ей, что в этом доме бывала по выходным некая молодая женщина по имени Хейди Кросс. Она всю неделю обычно проводила в Лондоне, потому что училась в тамошнем университете, так что могла приезжать только на уик-энд. Судя по всему, найденная мертвая женщина — это она и есть. Ходили слухи, что Хейди Кросс и ее бойфренд увлекаются «радикальной политикой», а значит, как утверждал теперь все тот же студент Гэри, это наверняка было убийством на политической почве, возможно, спонсированным ИРА, или ЦРУ, если убитые выступали против американского вмешательства, или MI5, если они были на стороне бастующих шахтеров.

Я слушала его и думала: ведь в университет вроде бы можно поступить, только если ты до чертиков умный, а про Гэри этого никак не скажешь. С другой стороны, мне вроде как и хотелось ему верить, потому что если он прав, то это означает, что никакой псих-убийца за стогами сена не прячется, а от мыслей об этом психе мне до конца отделаться так и не удавалось.

После ланча мы еще пару часиков пособирали клубнику, а потом потащились на ферму, где миссис Харти поменяла наши жетоны на деньги. За один только этот день я заработала больше пятнадцати фунтов! Когда мы вернулись в амбар, Гэбриел Харти как раз прилаживал на дверь засов — с внутренней стороны, как и хотела Дерби-Дебби. Наш работодатель явно не хотел, чтобы все сборщики дружно покинули его ферму, а созревающая клубника так и осталась гнить на плантациях. Гвин сказала, что обычно все сборщики сами ходят в Лейздаун за продуктами и пивом, но сегодня туда отправились только те, у кого есть машина. Тем лучше, решила я: сэкономлю деньги, а обед мне заменит плошка мюсли из тех остатков, что найдутся на кухне, и печенье «Ритц», да еще Гвин обещала угостить меня хот-догом. Мы поели, а потом долго сидели и курили в теплой тени под стеной, осыпающейся от старости, на поросшем травой клочке земли у входа на ферму. Оттуда был хорошо виден весь двор, где голый по пояс Алан Уолл развешивал на веревке выстиранную одежду. Он был такой мускулистый, загорелый, с выгоревшими светлыми волосами, и судя по тому, как Гвин на него смотрела, он ей явно нравился. Вид у него всегда был совершенно невозмутимый, говорил он мало и только по делу, и его явно не беспокоила возможность того, что убийца может скрываться где-то поблизости — в кустах или в густой траве. Гвин тоже весьма спокойно реагировала на все разговоры об убийствах, рассуждая примерно так: «Если ты вчера зверски прирезал сразу троих, то разве станешь скрываться на острове, плоском, как лепешка, и находящемся всего в миле от места преступления? Здесь же каждый незнакомец сразу оказывается на виду, и на него смотрят как на трехголового... Адольфа Гитлера! Ну, или примерно так...»

В общем, надо признать, это были вполне достойные аргументы. Мы с Гвин, затягиваясь по очереди, выкурили последнюю сигарету «Бенсон энд Хеджес». И я принялась вроде как извиняться перед ней за то, что ночью так грубо с ней разговаривала.

— Да ты что? — усмехнулась Гвин. — Неужели ты подумала, что я буду тебе проповедь читать? Видела бы ты меня, когда я из дома сбежала! — И противным тягучим голосом, как у сонной коровы, процитировала себя: «Мне ваша помощь не требуется, ясно? Вот и чешите отсюда!» — Она потянулась и снова устроилась поудобней. — Великий боже, ведь я тогда просто понятия не имела, как мне быть дальше! Ни малейшего понятия!

Мимо прогрохотал грузовик, увозивший в супермаркет клубнику, собранную нами за сегодняшний день.

Мне показалось, что Гвин никак не решит: то ли совсем ничего мне не рассказывать, то ли сказать кое-что, то ли поведать все...

— Я родилась в горной долине чуть выше деревни Ривлас, это недалеко от Бангора, в самом верхнем левом углу Уэльса. Я была единственным ребенком в семье, а мой отец был владельцем куриной фермы. Да и сейчас владеет ею, насколько я знаю. Больше тысячи птиц, все в таких маленьких клетках, не крупнее коробки для обуви — об этих клетках все время талдычат борцы за права животных. Куры начинали нестись уже через шестьдесят шесть дней. Яйца мы поставляли в супермаркет. А жили в коттедже, которого и не видно было за огромным курятником. Мой отец получил этот дом и землю в наследство от дяди и со временем создал там ферму. Когда Господь раздавал людям обаяние, моему отцу явно досталась тройная порция. Он спонсировал в Ривласе команду регби, а раз в неделю отправлялся в Бангор, чтобы петь в тамошнем мужском хоре. Хозяином он был жестким, но справедливым. Делал пожертвования в Плайд Камри[1]. Надо было очень постараться, чтобы найти во всем Гуинедде[2] человека, который сказал бы о моем отце хоть одно плохое слово.

Глаза Гвин были закрыты. Над бровью, сползая на веко, виднелся еле заметный шрам.

— Но самое главное в моем отце — это то, что в нем жили как бы два совершенно разных человека. Один публичный, этакий столп местного общества. Другой домашний, жестокий, лживый и деспотичный урод и извращенец. И это еще мягко сказано. Самое главное для него — это правила; он очень любил правила. Кто имеет право носить в дом грязь, а кто — ее убирать. Как следует накрывать на стол. В какую сторону должны быть повернуты щетиной зубные щетки. Какие книги разрешается читать в доме и какие радиостанции слушать — телевизора у нас не было. И правила эти постоянно менялись, потому что, видишь ли, ему *хотелось*, чтобы моя мать и я их нарушали, а он мог бы нас за это наказывать. Орудием наказания служила свинцовая труба, тщательно обернутая ватой, чтобы на теле не оставалось следов. Получив свою порцию наказания, мы должны были его поблагодарить. И моя мать тоже. Если же мы не проявляли должной благодарности, нас наказывали по второму разу.

— Черт возьми, Гвин! Даже когда ты была совсем маленькой?

— Да, он всегда был таким, сколько я себя помню. И его папаша вел себя в семье точно так же.

— И твоя мама просто... терпела и все это ему спускала?

— Если ты сама через такое не прошла, то вряд ли сможешь это понять. Во всяком случае, до конца никогда не поймешь. И я бы сказала, что в таком случае тебе здорово повезло. Понимаешь, желание повелевать всегда основано на страхе. Если кто-то очень боится

---

[1] Плайд Камри (Plaid Cymru, *валл.*) — название уэльской национальной партии, созданной в 1925 году и выступавшей за предоставление Уэльсу самоуправления.

[2] Gwynedd (*валл.*) — северо-западная часть Уэльса.

твоих наказаний, он никогда не скажет тебе «нет», не даст сдачи, не убежит. Ему легче сказать «да» — для него это способ выжить. И постепенно это становится нормой. Чудовищной, но все-таки нормой. Чудовищной — именно потому, что считается чем-то естественным. Тебе повезло, раз ты можешь сказать: «Вскакивать по первому его приказу — значит разрешать ему тобой командовать!», но учти: если тебя держали на подобной «диете» с первого дня твоего существования, то для тебя просто *не существует возможности* восстать против этого. Жертвы — отнюдь не всегда трусы. Скорее это аутсайдеры среди прочих людей, которым и невдомек, сколько мужества требуется для того, чтобы *продолжать жить* в подобных условиях. Моей маме просто некуда было пойти, понимаешь? Ни братьев, ни сестер. И родители ее умерли еще до того, как она вышла замуж. Отцовские правила навсегда отрезали нас от всех остальных людей. Завести друзей где-то в деревне означало, что ты пренебрегаешь родным домом, а стало быть, заслуживаешь наказания свинцовой трубой. Я слишком сильно его боялась, так что даже друзей в школе не завела. И речи не могло идти о том, чтобы попросить у него разрешения пригласить домой подругу; а уж просьба разрешить тебе пойти поиграть к кому-то означала, что ты неблагодарная свинья, а быть неблагодарной свиньей — значит опять свинцовая труба. Этот безумец находил массу поводов для наказания.

Алан Уолл ушел в дом. С его рубашки и джинсов, висевших на веревке, капала вода.

— А разве ты или твоя мама не могли на него заявить?

— Кому заявить? Куда? Папа пел в хоре Бангора вместе с судьей и начальником полиции. Мои школьные учителя были от него в восторге, он их совершенно очаровал. Социальная защита? Но тут наше слово было против его слова, а отец наш, между прочим, считался героем, был награжден за храбрость во время Корейской войны. От мамы осталась лишь оболочка женщины, она постоянно сидела на валиуме; я была совершенно запущенным подростком, едва способным складно составить фразу. А в мой последний вечер дома, — Гвин как-то невесело усмехнулась, — он стал угрожать мне тем, что убьет и маму, и меня, если я попытаюсь очернить его имя. И подробно описал, как именно это сделает — словно зачитал вслух инструкцию из серии «Сделай сам» — и как легко ему потом удастся выйти сухим из воды. Не хочу рассказывать, не хочу вслух произносить слова о том, что он к этому времени сделал со мной, доведя все до точки кипения, но это было именно то, о чем ты, скорее всего, подумала. Мне было всего пятнадцать... — Гвин усилием воли заставила себя говорить спокойно, а я пожалела, что мы вообще затеяли этот разговор. — Столько, сколько тебе сейчас,

114

верно? — Я невольно кивнула. — С тех пор уже пять лет прошло. Мама знала, чем он со мной занимается, — коттедж у нас маленький, — но даже не пыталась его остановить, не осмеливалась. Наутро после того, как он пригрозил, что убьет нас, я, как обычно, ушла в школу, сунув в сумку для физкультурной формы еще кое-какую свою одежду, и с того дня я в Уэльс ни ногой. У тебя случайно еще сигаретки не найдется?

— Сигареты Гэри все кончились, так что теперь придется мои курить.

— А мне «Ротманз», если честно, больше нравятся.

Я протянула ей пачку.

— Сайкс. Это моя настоящая фамилия.

Она кивнула.

— Холли Сайкс, значит. А я Гвин Бишоп.

— Я думала, ты Гвин Льюис.

— В обеих этих фамилиях есть буква «и».

— А что было после того, как ты уехала из Уэльса?

— Манчестер, Бирмингем. Полубездомное существование или просто бездомное. В Бирмингеме я попрошайничала в торговом центре «Буллринг». Спала в чужих домах вместе со сквоттерами или у друзей, которые в итоге начинали вести себя как-то не совсем по-дружески. В общем, старалась выжить. Хотя и с трудом. Если честно, чудо уже то, что я сейчас сижу здесь и все это тебе рассказываю. А второе чудо — то, что я ухитрилась избежать возвращения домой, куда меня стремились вернуть сотрудники социальной службы. Видишь ли, пока тебе не исполнится восемнадцать, всем этим сотрудникам больше всего хочется отправить тебя назад и передать в руки местных чиновников, а те, естественно, вернут тебя домой. Меня до сих пор преследует кошмар, как меня приводят домой, папаша радостно приветствует блудную дочь, а полицейский смотрит на это и думает: «Все хорошо, что хорошо кончается», не представляя себе, что как только мой отец запрет за ним дверь... Все, хватит. Но вот, собственно, зачем я рассказала тебе эту светлую и радостную историю: я хочу, чтобы ты поняла, как человеку должно быть плохо дома, если он решится на такой отчаянный шаг, как побег. На этом пути столько жутких трещин — упадешь, так уж не выберешься. Мне понадобилось пять лет, прежде чем я осмелилась просто предположить, что самое плохое уже позади. Дело в том, что я смотрю на тебя и вижу... — Она не договорила, потому что какой-то парень на велосипеде резко затормозил прямо перед нами, с грохотом уронил велосипед на землю и воскликнул:

— Сайкс!

Эд Брубек? Ну да, Эд Брубек!

— А *ты-то* откуда тут взялся?

Волосы у него взмокли от пота и встали дыбом.

— Тебя искал.

— Только не говори, что все это расстояние ты проехал *на велосипеде*. И ты ведь должен быть в школе?

— Сегодня утром был экзамен по математике, но теперь я свободен. Сел вместе с велосипедом на поезд, а потом от Ширнесса сюда прикатил. Слушай...

— Тебе, должно быть, *очень* хотелось получить обратно свою бейсболку?

— Это совершенно не важно, Сайкс, нам нужно поскорей...

— Умолкни. Откуда ты узнал, где меня искать?

— Я и не знал, но потом вспомнил, что мы с тобой говорили насчет фермы Гэбриела Харти, и позвонил ему. Он, правда, сказал, что никакой Холли Сайкс у него нет, есть только некая Холли Ротманз. Ну, я и подумал, что это вполне можешь быть ты, и оказался прав.

Гвин пробормотала:

— Да уж, ничего не скажешь.

— Брубек, это Гвин, — сказала я. — Гвин, это Брубек, — и они кивнули друг другу. Потом Брубек снова повернулся ко мне:

— Кое-что случилось.

Гвин встала, понимающе мне подмигнула, сказала: «Ладно, увидимся в наших апартаментах в пентхаусе» — и удалилась, слегка вальсируя. А я сердито сказала Брубеку:

— Да слышала я!

Он неуверенно на меня посмотрел.

— Тогда почему ты все еще здесь?

— Об этом по «Радио Кент» сообщили. Ну, о троих убитых. В деревне Ивейд.

— Да я совсем не об этом! — Брубек прикусил губу. — Твой брат тоже здесь?

— Жако? Конечно, нет! С чего бы это он мог тут оказаться?

Примчалась Шеба и залаяла на Брубека, а он все молчал, все колебался, как человек, принесший ужасную весть.

— Жако пропал.

Когда до меня наконец дошел смысл сказанного, у меня все завертелось перед глазами. А Брубек молчал, только велел Шебе: «Заткнись!», и та послушалась.

Взяв себя в руки, я слабым голосом спросила:

— Когда?

— В ночь с субботы на воскресенье.

— Жако? — Должно быть, из-за всей этой кутерьмы я просто плохо расслышала. — Пропал? Но... он никак не мог пропасть! Ведь паб на ночь запирают.

— Полиция уже с утра пораньше заявилась в школу, и мистер Никсон пришел прямо в зал, где у нас шел экзамен, и спросил, не знает ли кто, где ты находишься. Я чуть было не сказал. А потом... В общем, теперь я здесь. Эй, Сайкс? Ты меня слышишь?

Меня охватило то противное зыбкое ощущение, какое иной раз возникает в лифте, когда ты словно не доверяешь прочности пола.

— Слышу. Но я не видела Жако с субботнего утра...

— *Я-то* знаю, а вот полицейские в этом не уверены. Они, похоже, считают, что вы с Жако сговорились и вместе сбежали.

— Но это же бред, Брубек... ты же знаешь, что бред!

— *Да, знаю!* Но ты должна обо всем рассказать в полиции, иначе они так и не начнут искать Жако по-настоящему.

В голове у меня был полный сумбур; мне то мерещились поезда, идущие в Лондон, то полицейские водолазы, обшаривающие дно Темзы, то какой-то неведомый убийца, притаившийся среди зеленых изгородей.

— Но Жако даже не знает, где я! — Меня трясло, и небо как-то странно перекосилось и соскальзывало вбок, и голова у меня просто раскалывалась от боли. — Он не обычный ребенок и... и... и...

— Послушай меня, — Брубек схватил и держал мою голову обеими руками так, словно хотел поцеловать. Только целовать он меня вовсе не собирался. — *Послушай меня, Холли.* Хватай свой рюкзак — и едем в Грейвзенд. На моем велосипеде, а потом на поезде. Я помогу тебе через все это пройти. Обещаю. Давай, Холли, собирайся. И едем прямо сейчас.

Myrrh is mine, its bitter perfume...[1]
1991 год

13 декабря

— *Громче*, тенора! — велел хормейстер. — Заставьте свои неподвижные диафрагмы дрожать! Вверх-вниз, вверх-вниз, мальчики! Дисканты, не шипите! Не нажимайте так на «ссс» — вы все-таки не отряд голлумов[2]. И не цыкайте, уберите эти звонкие «ц». Эйдриен — если ты можешь взять верхнее «до» на фразе «не плачьте больше, о печальные фонтаны», значит, сможешь взять его и здесь. Еще раз и бодрее. И раз, и два, и...

Шестнадцать ушастых, как летучие мыши, хористов Королевского колледжа[3], патлы которых давно не знали ножниц парикмахера, и четырнадцать преподавателей выдохнули в унисон...

> О той, что так прекрасна и светла,
> Velut maris stella[4]...

Бенджамин Бриттен, «Гимн Деве Марии»[5]. Эхо дивных голосов разлилось под роскошным куполом и обрушилось на россыпь зимних туристов и немногочисленных студентов, сидевших перед алтарем прямо во влажной верхней одежде. Для меня Бриттен — композитор, действующий как бы наудачу: иногда он излишне многословен и кажется даже нудным, но иногда, словно набравшись сил после плотной трапезы, он словно привязывает твою дрожащую,

---

[1] «О, горький запах моей мирры...» — первая строка рождественского гимна «Мы — три царя Востока» (We Three Kings), слова и музыка преподобного Джона Генри Хопкинса (1857).

[2] Персонажи эпопеи Дж. Р. Р. Толкина «Властелин колец».

[3] King's College, Королевский колледж — один из крупных колледжей Кембриджского университета, известный своей церковной капеллой, выдающимся памятником архитектуры. Основан в 1441 году.

[4] Как морская звезда (*лат.*).

[5] Бенджамин Бриттен (1913—1976) — английский композитор, пианист, дирижер. Возродил английский музыкальный театр. Стиль Бриттена связан с национальными музыкальными традициями XVI—XVII веков. «Гимн Деве Марии» написан им на стихи анонимного английского поэта (ок. 1300).

118

корчащуюся душу к мачте и хлещет ее своими яростными возвышенными звуками...

> Светлей, чем свет дневной,
> Parens et puella[1]...

Когда выдавалась свободная минута, я размышлял, какую музыку хотел бы слушать, лежа на смертном одре в окружении целой стаи взволнованных сиделок. И ничего более ликующего, чем «Гимн Деве Марии», мне в голову не приходило; меня, впрочем, беспокоило одно: когда придет это великое мгновение, диджей Бессознательное снова включит в моей голове это дурацкое «Gimme! Gimme! Gimme!» (из «A Man after Midnight»)[2], и тут уж у меня точно не будет возможности исправиться и послушать нечто более торжественное. Мир, заткнись, ибо звучит один из самых великолепных музыкальных оргазмов:

> Со слезами взываю я к Тебе, не оставь меня,
> Богородица, моли за меня Сына своего...

У меня даже волосы на затылке зашевелились словно от сквозняка. А может, кто-то и впрямь на них подул? Например, она, та дама, что сидит через проход от меня? Вообще-то, ее там только что не было... Тоже глаза закрыла и словно пьет музыку, как и я. На мой взгляд, ей было сильно за тридцать... волосы — цвета ванили, кожа — цвета сливок, а губы — как божоле; скулы высокие и такие острые, что можно обрезаться. Ее гибкая фигура отчасти была скрыта теплым темно-синим пальто. Кто она? Покинувшая сцену русская оперная певица-иммигрантка, ожидающая своего спутника? Разве угадаешь — это же Кембридж! Но внешность у нее на редкость аристократическая...

> Tam pia[3],
> Что я могу прийти к тебе...
> Мария...

Пусть она останется после того, как хор строем удалится. Пусть повернется к молодому человеку, сидящему через проход, и шепнет: «Разве не было это дыханием Рая?» Пусть мы с ней обсудим симфонические интерлюдии к «Питеру Граймсу» и «9 симфонию»

[1] Мать и Дева (*лат.*).
[2] Хит группы «Abba» (1979).
[3] Столь милосердная (*лат.*).

Брукнера[1]. Пусть мы избежим разговоров о ее семейных проблемах, пока будем пить кофе в «County Hotel». Пусть кофе превратится в форель и красное вино, и к черту мою последнюю кружку пива в Михайловом триместре[2] с ребятами из «Берид Бишоп». Пусть мы с ней поднимемся по застеленной ковром лестнице в уютную квартирку, где мы с матерью Фицсиммонса резвились в течение всей «недели первокурсников». Ф-фу! Мой Кракен[3], кажется, пробудился в трусах. Все-таки я — молодой мужчина двадцати одного года от роду, и уже минимум десять дней прошло с тех пор, как я в последний раз ложился в постель с женщиной, так чего же вы от меня хотите? Только меня вряд ли удовлетворит всего лишь наблюдение за красивой женщиной. Ого! Ну-ну-ну! Похоже, и она исподтишка за мной наблюдает. Я сделал вид, что рассматриваю «Поклонение волхвов» Рубенса, висевшее над алтарем, и стал ждать, когда она сделает первый шаг.

Хористы удалились, но женщина осталась сидеть. Какой-то турист нацелился было увесистой камерой на картину Рубенса, но гоблин-охранник тут же рявкнул: «Со вспышкой нельзя!» Пространство перед алтарем постепенно опустело, и гоблин вернулся в свою будку возле органа. Текли бесконечно долгие минуты. Мой «Ролекс» показывал уже половину четвертого, а мне еще надо было довести до ума эссе о внешней политике Рональда Рейгана. Но эта волшебная богиня сидела в шести футах от меня и явно ждала, что первый шаг сделаю все-таки я.

— У меня всегда такое ощущение, — сказал я, обращаясь к ней, — что наблюдение над тем, сколько крови, пота и слез тратят хористы, отделывая ту или иную вещь, способно только углубить тайну музыки, а отнюдь не приуменьшить ее. Вы не находите, что в этом есть некий смысл?

— Пожалуй, да — для студента последнего курса, — с улыбкой сказала она.

Ах ты кокетка!

— А вы аспирантка? Или, может, преподаватель?

---

[1] Антон Брукнер (1824—1896) — австрийский композитор, один из ведущих симфонистов (11 симфоний), испытал значительное влияние И. С. Баха, прославился как органист-импровизатор. «Питер Граймс» (1945) — опера Брукнера.

[2] Осенний триместр в некоторых школах, колледжах и университетах, начинающийся в сентябре-октябре.

[3] Легендарное морское чудовище, вызывающее огромные водовороты близ берегов Норвегии.

Она опять улыбнулась призрачной улыбкой:

— Разве я так академично одета?

— Конечно, нет! — горячо возразил я. В ее тихом голосе мне чудилась некая французская округлость звуков. — Хотя, по-моему, мучить студентов вы умеете не хуже самых маститых академиков.

Сделав вид, что не заметила намека, она сказала:

— Я просто чувствую себя здесь как дома.

— Я тоже. Почти. Вообще-то я учусь в Хамбер-колледже, это всего несколько минут отсюда пешком. Третьекурсники в основном живут не в кампусе, но я стараюсь почти каждый день сюда забежать и послушать хор, нам это разрешают.

Она насмешливо глянула на меня: *Кто-то старается не терять времени даром, верно?*

Я выразительно пожал плечами: *Завтра я вполне могу и под автобус попасть.*

— И что же, учеба в Кембридже вполне соответствовала вашим ожиданиям?

— Если вы как следует не воспользуетесь Кембриджем, значит, вы и не заслуживали того, чтобы здесь учиться. Эразм, Петр Великий и лорд Байрон — все они жили в том же кампусе, что и я. Это исторический факт. — Черт возьми, но я люблю действовать! — Я часто думаю о них, лежа в кровати и глядя на тот же потолок, каким он был и в их времена. Вот что такое для меня Кембридж. — Это был не раз испытанный на практике способ познакомиться с женщиной. — Меня, между прочим, зовут Хьюго. Хьюго Лэм.

Инстинкт подсказывал мне, что не стоит и пытаться пожать ей руку.

В ответ она одними губами произнесла:

— Иммакюле Константен[1].

Господи! Ну и имечко! Ручная граната из семи слогов.

— Вы француженка?

— На самом деле я родилась в Цюрихе.

— Я обожаю Швейцарию. И каждый год езжу кататься на лыжах в Ла-Фонтейн-Сент-Аньес: там у одного моего друга есть шале. Вы знаете это место?

— Когда-то знала. — Она положила на колено руку в замшевой перчатке и спросила: — На чем вы специализируетесь, Хьюго Лэм? На политике?

Ничего себе!

— Как вы догадались?

---

[1] По-французски это примерно означает «вечно непорочная» или «всегда безупречная».

121

— Расскажите мне, что такое власть, как вы ее себе представляете.

Мне и впрямь показалось, что Кембридж я уже окончил.

— Вы хотите обсудить со мной проблему власти? Прямо здесь и сейчас?

Она слегка качнула аккуратной головкой.

— Не существует иного времени, кроме настоящего.

— Ну, хорошо. — *Но только потому, что она действительно высокий класс.* — Власть — это способность заставить человека или людей делать то, что в ином случае он или они делать не пожелали бы, или же это способность удержать людей от того, что они в ином случае непременно стали бы делать.

Лицо Иммакюле Константен осталось абсолютно непроницаемым.

— И каким же образом?

— С помощью принуждения и поощрения. Кнута и пряника, хотя порой не сразу и разберешься, что это два конца одной палки. Принуждение основано на боязни насилия или страданий. «Подчинись, не то пожалеешь». Датчане еще в X веке с помощью этого лозунга успешно взимали дань; на этом лозунге держалась сплоченность стран Варшавского договора; да и на спортивной площадке хулиганы правят с помощью того же принципа. На этой же основе покоятся Закон и Порядок. Именно поэтому у нас на выборах порой с блеском проходят преступники; именно поэтому даже самые демократические государства стремятся монополизировать силу. — Пока я вещал, Иммакюле Константен внимательно следила за моим лицом. Меня это и возбуждало, и отвлекало. — Поощрение работает в основном за счет обещаний: «Подчинитесь и почувствуете выгоду». Подобная динамика работает, скажем, при размещении военных баз НАТО на территориях государств, не являющихся членами этой организации, при дрессировке служебных собак и при необходимости на всю жизнь примириться с дерьмовой работой. Ну что, правильно я рассуждаю?

Охранник-гоблин у себя в будке оглушительно чихнул, и по всей капелле раскатилось гулкое эхо.

— Вы всего лишь царапаете по поверхности, — пожала плечами Иммакюле Константен.

Я уже весь пылал от вожделения и несколько раздраженно предложил:

— Ну, так царапните поглубже.

Она аккуратно сняла с замшевой перчатки какую-то пушинку и сказала, словно обращаясь к собственной руке:

— Власть есть нечто либо утраченное, либо завоеванное, но ее невозможно ни создать, ни уничтожить. Власть — это просто гость в руках тех, кому она дает силу, но отнюдь не их собственность.

Безумцы жадно стремятся к власти, но к ней стремятся и многие святые, но лишь поистине мудрых тревожат ее долговечные побочные эффекты. Власть — это наилучший кристаллический кокаин для человеческого эго и гальванический элемент для человеческой души. Власть приходит и уходит, перемещаясь от одного к другому, проходя через войны, браки, урны для голосования, диктатуры и случайные рождения — все это составляет суть истории. Наделенные властью способны вершить правосудие, переделывать землю, превращать цветущие государства в выжженные поля сражений, ровнять с землей небоскребы, но сама по себе власть аморальна. — Теперь Иммакюле Константен смотрела прямо на меня. — Власть заметит вас. Ибо власть в данный момент за вами пристально наблюдает. Продолжайте и дальше в том же духе, и власть вас облагодетельствует. Но власть и посмеется над вами, причем безжалостно посмеется, когда вы будете умирать в частной клинике всего через несколько незаметно пролетевших десятилетий. Власть высмеивает всех своих прославленных фаворитов, стоит им оказаться на смертном одре. «И венценосный Цезарь, коль время умирать, заткнуть бы должен анус, чтобы сильно не вонять». И мысль об этом вызывает у меня особое отвращение. А у вас, Хьюго Лэм, она отвращения не вызывает?

Мелодичный голос Иммакюле Константен убаюкивал, точно шелест ночного дождя.

У тишины в часовне Королевского колледжа на сей счет явно имелось собственное мнение. А я, немного помолчав, сказал:

— А чего же вы, собственно, хотите? В договор жизни со смертью заранее включен этот пункт — человеческая смертность. Всем нам когда-нибудь придется умереть. Но пока ты жив, властвовать другими, черт возьми, куда приятней, чем находиться в их власти.

— То, что рождено на свет, должно когда-нибудь умереть. Так ведь говорится в договоре жизни и смерти, да? Но я здесь, однако, для того, чтобы сказать вам: в редких случаях этот «железный» пункт договора может быть... переписан.

Я посмотрел прямо в ее спокойное и серьезное лицо.

— Какую невероятную чушь мы с вами тут обсуждаем, а? Вы это о чем? О занятиях фитнесом? О вегетарианских диетах? О пересадке органов?

— О той форме власти, которая позволяет постоянно отсрочивать смерть.

Да, эта мисс Константен, конечно, классная, но если она ушиблена сайентологией или криогенетикой, то ей придется понять, что меня подобной чушью не проймешь.

— А вы случайно не пересекли границу Страны Безумцев?

— Ложь целой страны не имеет никакого отношения к ее границам.

— Но вы говорите о бессмертии так, словно это некая реальность.

— Нет, я говорю не о бессмертии, а о постоянной отсрочке смерти.

— Постойте, вас что, Фицсиммонс послал? Или Ричард Чизмен? Вы что, с ними сговорились?

— Нет. Я просто пытаюсь заронить в вас некое семя...

Да уж, это, пожалуй, слишком креативно для очередной дурацкой шутки Фицсиммонса.

— Семя чего? Что из него вырастет? Можно поточнее?

— Семя вашего исцеления.

Она была настолько серьезна, что это вызывало тревогу.

— Но я не болен!

— Смертность вписана в вашу клеточную структуру, и вы еще утверждаете, что не больны? Посмотрите на эту картину. Посмотрите, посмотрите. — Она мотнула головой в сторону «Поклонения волхвов». Я подчинился. Я всегда буду готов ей подчиняться. — Тринадцать человек, если их пересчитать. Как и на фреске «Тайная вечеря»[1]. Пастухи, волхвы, родственники. Посмотрите внимательно на их лица, по очереди на каждого. Кто из них верит, что этот новорожденный человечек сумеет однажды победить смерть? Кто хочет доказательств? Кто подозревает Мессию в том, что он — лжепророк? Кто знает, что он изображен на картине? Что на него смотрят? И кто оттуда смотрит на вас?

* * *

Гоблин-охранник махал рукой у меня перед носом.

— Эй, очнись! Извини, что *побеспокоил*, но нельзя ли закончить ваши дела со Всевышним завтра?

Моей первой мыслью было: «Да как он смеет?!» Но второй мысли не последовало, потому что меня чуть не вырвало от исходившей от него вони горгонзолы и растворителя для красок.

— Закрываться пора, — сказал он.

— Но часовня открыта до *шести*! — сердито возразил я.

— Ну... *да-а*. Точно, до шести. А сейчас сколько?

И тут я заметил, что за окнами — густая темнота.

Без двух минут шесть — сообщили мне часы. Не может быть! Ведь только что было четыре. Я попытался за внушительным брюхом своего мучителя разглядеть Иммакюле Константен, но она исчезла. Причем, видимо, довольно давно. Но нет, нет, нет, нет, нет! Она же

---

[1] Фреска Леонардо да Винчи (1452–1519) в трапезной монастыря Санта-Мария-деле-Грацие в Милане (1495–1497).

только что говорила, чтобы я посмотрел на картину Рубенса, всего несколько секунд назад! Я и посмотрел, и...

...Я, нахмурив брови, уставился на гоблина-охранника, ожидая ответа.

— Шесть часов, пора уходить, — сказал он. — Пора, пора. Расписание есть расписание.

Он постучал по циферблату своих наручных часов и поднес их мне к самому носу, но держал вверх тормашками. Но даже и так на отвратительном дешевом циферблате было отчетливо видно: 17:59. Я пробормотал:

— Но... — А что, собственно, «но»? Не может же быть, чтобы целых два часа куда-то провалились за две минуты! — Была здесь... — собственный голос показался мне каким-то на редкость жалким, — ...была здесь некая женщина? Она вон там сидела?

Охранник посмотрел туда, куда указал я, и спросил:

— Когда-нибудь раньше? В этом году? Или когда?

— Сегодня, примерно... в половине третьего, я думаю. В таком темно-синем пальто. Настоящая красавица.

Гоблин сложил на груди массивные ручищи и заявил:

— Будь так любезен, подними свою заколдованную волшебными травами задницу и двигай отсюда, а то мне домой пора; у меня, между прочим, дом имеется.

* * *

Ричард Чизмен, Доминик Фицсиммонс, Олли Куинн, Джонни Пенхалигон и я чокались стаканами и бутылками, а вокруг пьяно ревели посетители «Берид Бишоп». Эта забегаловка находится на противоположной стороне мощенной булыжником улочки, на которую выходят западные ворота нашего Хамбер-колледжа. Народу сегодня было битком: завтра начинался «рождественский исход» из кампуса, и нам еще повезло, что удалось найти столик в самом дальнем углу. Я припрятал «Килмагун спешл резерв» и время от времени делал добрый глоток этого скотча, оставлявшего огненный след от миндалин и до желудка. Мне казалось, что виски должен хоть немного уменьшить ту внутреннюю тревогу, которая не оставляла меня с тех пор, как несколько часов назад я очнулся в часовне, пребывая в полном ауте и совершенно не понимая, что же со мной произошло. Я пытался мыслить рационально: ну да, месяц был на редкость тяжелый, сдача письменных работ, жесткие сроки, да и Марианджела без конца оставляла свои исполненные нытья послания; к тому же на прошлой неделе, чтобы смягчить сердце Джонни Пенхалигона, мне пришлось выдержать две полновесные ночные попойки у Жабы. То, что я внезапно утратил счет времени, еще не свидетельствует об опухоли мозга; во всяком случае, я пока еще не падаю без причины и не брожу голый по крышам нашего колледжа среди каминных труб. Смешно то, что я потерял счет времени, когда сидел в самой красивой позднеготической церкви нашей страны и размышлял о шедевре Рубенса, — собственно, подобное окружение просто создано для того, чтобы вызывать у человека возвышенные мысли.

Олли Куинн, грохнув о столешницу полупустой пинтовой кружкой и с трудом подавив отрыжку, спросил:

— Ну что, Лэм, нашел ты ответ на вопрос «Как Рональд Рейган случайно выиграл «холодную войну»?

Я его с трудом расслышал: так громко «молодые консерваторы»[1] Хамбер-колледжа в соседней комнате подвывали Клиффу Ричарду, точнее, его бессмертному рождественскому хиту «Омела и вино».

— Ага, начертал, присыпал песочком и подсунул профессору Дьюи под дверь, — сказал я.

— Просто не понимаю, как ты выдерживаешь — целых три года заниматься сплошной политикой! — Ричард Чизмен вытер со своей бородки а-ля молодой Хемингуэй пену, оставленную «Гиннессом». — Я бы скорее сам себе сделал обрезание с помощью терки для сыра.

— Жаль, что ты пропустил обед, — сказал мне Фицсиммонс. — Пудинг был сдобрен последней волшебной травкой Джонни. Не могли же мы позволить, чтобы миссис Моп отыскала ее во время генеральной уборки, которую устраивает в конце каждого триместра, решила, что это комок засохшего дерьма, и выбросила вместе с липкими скаутскими грамотами Джонни. — Джонни Пенхалигон, не отрываясь от кружки с горьким пивом, показал Фицсиммонсу средний палец; его узловатый кадык так и прыгал вверх-вниз. От нечего делать я представил себе, как провожу по этому кадыку опасной бритвой. Фицсиммонс фыркнул и повернулся к Чизмену: — А где же твой приятель в кожаных штанах, этот уроженец таинственного Востока?

Чизмен быстро глянул на часы.

— В тридцати тысячах футов над Сибирью. В данный момент он превращается в истинного последователя Конфуция и старшего сына своего достойного семейства. С какой стати мне было бы рисковать репутацией в компании знатных гетеросексуалов, если бы Сек все еще оставался в городе? Я же полностью обращенный райс-

---

[1] Молодежная организация Консервативной партии Великобритании.

квин[1]. Сокруши мое здоровье маленькой канцерогенной палочкой, Фиц: за сигарету я сейчас вполне могу даже пидора убить, о чем с большим удовольствием и сообщаю нашим американским друзьям.

— Тебе совершенно необязательно курить прямо здесь! — сказал Олли Куинн, извечный сторонник борьбы с курением. — Достаточно просто вдохнуть весь этот висящий в воздухе дым.

— Разве ты не собирался бросать? — Фицсиммонс протянул Чизмену пачку «Данхилла»; мы с Пенхалигоном тоже взяли по сигарете.

— Завтра, завтра, — сказал Чизмен. — И еще, Джонни, будь так любезен, одолжи мне зажигалку Германа Геринга. Я ее просто обожаю, от нее прямо-таки исходят эманации зла.

Пенхалигон вытащил свою зажигалку времен Третьего рейха. Самую настоящую, приобретенную его дядей в Дрездене. На аукционе всякие толстосумы готовы были отдать за нее три тысячи фунтов.

— А где сегодня наш РЧП? — спросил Пенхалигон.

— Наш будущий лорд Руфус Четвинд-Питт, — ответил ему Фицсиммонс, — нынче вырубает наркоту. Какая жалость, что это не академическая дисциплина.

— Зато это надежный, защищенный от спада сектор нашей экономики, — заметил я.

— На будущий год, — сказал Олли Куинн, сдирая наклейку со своего безалкогольного пива, — мы в это время уже вывалимся в широкий и вполне реальный мир и будем сами зарабатывать себе на жизнь.

— Просто дождаться не могу, черт побери! — воскликнул Фицсиммонс, поглаживая ямку на подбородке. — Ненавижу считать каждый грош! Это отвратительно — быть бедным.

— Сердце мое просто кровью истекает, — Ричард Чизмен зажал сигарету в углу рта а-ля Серж Генсбур, — ибо люди, естественно, делают относительно тебя *совершенно* неверные выводы, когда видят особняк твоих родителей в двадцать комнат среди Котсуолдских холмов, твой «Порше» и твои шмотки от Версаче.

— Все это добыто моими предками, — сказал Фицсиммонс, — и вполне справедливо, что мне выделили *собственную*, хотя и весьма жалкую, долю, которую можно промотать.

— Папочка все еще подбирает тебе теплое местечко в Сити? — спросил Чизмен и нахмурился, поскольку Фицсиммонс вдруг принялся заботливо отряхивать плечи его твидового пиджака от перхоти. — Что это ты делаешь?

— Стряхиваю с твоих плеч стружки, наш обожаемый Ричард.

---

[1] Гомосексуал, которого привлекают представители Юго-Восточной Азии.

— Они у него приклеены особым клеем, — заметил я Фицсиммонсу. — А ты, Чизмен, не критикуй непотизм: все мои дядья, у которых, кстати, отличные связи, полностью согласны с мнением, что именно благодаря непотизму наша страна стала такой, как сейчас.

Чизмен выдохнул на меня целое облако сигаретного дыма.

— Когда ты превратишься в никому не нужного бывшего аналитика Сити-банка и у тебя отнимут твой «Ламборгини», а адвокат твоей третьей жены подложит тебе такую свинью, что у тебя просто голова треснет от удара судейского молотка, ты пожалеешь о своих словах.

— Это точно, — сказал я, — а Призрак Рождественского Будущего уже видит Ричарда Чизмена, осуществляющего благотворительный проект по защите бездомных детей Боготы.

Чизмен обдумал идею с бездомными детишками Боготы, что-то пробурчал, но не стал возражать.

— Благотворительность порождает беспомощность, — сказал он. — Нет, мне светит путь рабочей лошадки, литературного поденщика. Колонка здесь, рассказик там, время от времени выступление на какой-нибудь радиостанции. К слову сказать... — Он порылся в кармане пиджака и выудил оттуда книжку, на обложке которой было написано: «Криспин Херши. «Сушеные эмбрионы»; и еще наискосок ярко-красным: «Сигнальный экземпляр, не для печати». — За рецензию на это мне впервые заплатили. И опубликовали ее у Феликса Финча в «Piccadilly Review». Двадцать два пенса за слово, между прочим. Там тысяча двести слов, так что за два часа работы я получил триста фунтов. Неплохой результат, а?

— Ну, Флит-стрит[1], берегись! — сказал Пенхалигон. — А кто такой Криспин Херши?

Чизмен только вздохнул.

— Думаю, сын Энтони Херши.

Пенхалигону это явно ничего не говорило, и он все с тем же недоумевающим видом уставился на Чизмена.

— Ой, да ладно тебе, Джонни! Энтони Херши! Знаменитый режиссер, киношник! Он еще в шестьдесят четвертом получил «Оскара» за «Бокс-Хилл», а в семидесятые снял «Ганимед-5», *самый лучший* британский фантастический фильм всех времен!

— Этот фильм украл у меня волю к жизни, — заметил Фицсиммонс.

— А меня, кстати, вполне впечатляет полученное тобой вознаграждение, наш гениальный Ричард, — сказал я. — Последний ро-

---

[1] Улица в Лондоне, на которой находятся редакции многих крупнейших газет; в переносном смысле — пресса и мир журналистики.

ман Криспина Херши был просто блеск. Я его подобрал в хостеле, в Ладакхе, когда уходил в академку. А что, этот новый роман так же хорош?

— Почти. — Мсье Критик сложил вместе кончики пальцев, как бы сосредоточиваясь. — Херши-младший — *действительно* одаренный стилист, а Феликс — для вас, плебеев, Феликс Финч! — и вовсе ставит его на одну ступень с Макивеном, Рушди, Исигуро и так далее. Похвалы Феликса, правда, несколько преждевременны, но еще несколько книг — и Криспин вполне созреет.

— А как продвигается твой роман, Ричард? — спросил Пенхалигон.

Мы с Фицсиммонсом тут же скорчили друг другу рожи и провели пальцем по горлу.

— Развивается понемногу. — Чизмен задумался: казалось, заглянул в свое славное литературное будущее, и ему очень понравилось то, что он там увидел. — Мой герой — студент Кембриджа по имени Ричард Чизмен — пишет роман о студенте Кембриджа Ричарде Чизмене, который работает над романом о студенте Кембриджа Ричарде Чизмене. Еще никто не пробовал написать нечто подобное!

— Класс! — восхитился Джонни Пенхалигон. — Это прямо как...

— Большая пенистая кружка мочи, — провозгласил я, и Чизмен бросил на меня просто-таки убийственный взгляд, но я тут же пояснил: — Вот что представляет собой в данную минуту мой мочевой пузырь. Извини, Ричард, у меня просто некстати вырвалось. А замысел книги просто потрясающий!

* * *

В мужском туалете стоял густой запах мочи. Свободен был только один писсуар, но он оказался засорен и полон отвратительной янтарной жидкости, готовой вот-вот политься через край. Пришлось встать в очередь, точно девчонке. Наконец какой-то великан, похожий на мохнатого гризли, отвалил, и я поскорей занял свободное место. Но как только я с огромным облегчением начал опорожнять свой измученный мочевой пузырь, как кто-то у соседнего писсуара воскликнул:

— Да это никак Хьюго Лэм!

Незнакомец был коренастым смуглым мужчиной с темными кудрявыми волосами, в рыбацком свитере. Моя фамилия — Lamb[1] — в его устах звучала как «лимб», типично новозеландское произноше-

---

[1] Фамилия Лэм (Lamb) имеет в английском вполне конкретное значение: «ягненок, агнец», что неоднократно обыгрывается в романе.

ние; к тому же он был существенно старше меня, пожалуй, за тридцать. Я никак не мог взять в толк, кто бы это мог быть.

— Мы встречались, когда ты еще учился на первом курсе. «Кембриджские снайперы», помнишь? Извини, но таковы отвратительные нравы мужского туалета — запросто помешать человеку заниматься нужным делом. — Свое «дело» он, надо сказать, делал не слишком аккуратно. — Элайджа Д'Арнок, аспирант факультета биохимии, колледж Corpus Christi[1].

В памяти что-то мелькнуло: конечно, как я мог забыть такую редкую фамилию!

— Стрелковый клуб, да? Ты с тех островов, что к востоку от Новой Зеландии?

— Да, верно, с островов Чатем. А знаешь, я ведь именно тебя тогда запомнил, потому что ты действительно просто снайпер, черт возьми. А я по-прежнему живу в гостинице.

Окончательно осознав, что это никак не связано с моим нынешним жилищем, я начал спокойно «заниматься делом».

— Боюсь, ты меня переоцениваешь, — заметил я.

— Да ты что, дружище! Ты мог бы на любых соревнованиях призовые места занимать, серьезно.

— Пожалуй, я размазывал себя слишком тонким слоем; уж больно хотелось составить хорошее резюме.

Он кивнул.

— Жизнь слишком коротка, чтобы заниматься всем, верно?

— Да, вроде того. Ну и... как тебе понравилось учиться у нас в Кембридже?

— Потрясающе. Отличные лаборатории, и наставник[2] у меня классный. Ты ведь экономикой и политикой занимаешься, верно? И, должно быть, уже на последнем курсе?

— Да, как-то быстро время пролетело. А ты все еще стреляешь?

— Религиозно. Я теперь Анахорет.

А интересно, подумал я, слово «анахорет» как-то связано со словом «анкер» или это некий новозеландский «кивиизм»? Или, может, в стрелковом клубе какой-то новый термин появился? В Кембридже полно таких выражений, которые понятны только посвященным, инсайдерам; ими пользуются специально, чтобы держать аутсайдеров вне своего тесного круга.

---

[1] Тело Господне (*англ.*). К о р п у с - К р и с т и — колледж Кембриджского университета, основан в 1352 году. Колледж с тем же названием есть и в Оксфорде.

[2] В отличие от всех прочих британских университетов Оксфорд и Кембридж имеют общую черту — систему личных наставников, или научных руководителей, персонально прикрепленных к каждому студенту.

— Класс, — сказал я, хотя так ничего и не понял. — А на стрельбище я действительно ездил с удовольствием.

— Никогда не поздно начать снова. Стрельба — это как молитва. А когда цивилизация прикроет лавочку окончательно, владение оружием будет цениться куда больше любых университетских степеней. Ну ладно, счастливого Рождества! — Он застегнул молнию на штанах. — До встречи.

* * *

— Ну, Олли, и где же она, эта твоя таинственная женщина? — спросил Пенхалигон.

Олли Куинн нахмурился:

— Она сказала, что будет в половине седьмого.

— Подумаешь, всего-то опаздывает на полтора часа, — успокоил его Чизмен. — Это *вовсе* не значит, что она решила тебя продинамить с каким-нибудь спортивным гадом, у которого физиономия как у Киану Ривза, мускулатура как у Кинг-Конга, а харизма, *как у меня*.

— Я ее сегодня вечером должен был домой везти, в Лондон, — сказал Олли. — Она в Гринвиче живет... так что она непременно должна прийти с минуты на минуту...

— Скажи честно, Олли, — продолжал подначивать его Чизмен, — ведь мы же все-таки твои друзья. Это *действительно* твоя подружка, или ты ее... ну, в общем... придумал?

— Я могу подтвердить, что эта девушка действительно существует, — загадочным тоном произнес Фицсиммонс.

— Да ну? — Я сердито посмотрел на Олли. — И давно этот *преступник*, делающий добропорядочных мужей рогоносцами, имеет преимущества перед твоим соседом по площадке?

— Это была абсолютно случайная встреча в библиотеке. — Фицсиммонс ссыпал себе в рот остатки жареных орешков. — Я наткнулся на Олли и его даму сердца в секции драмы.

— И, будучи новым, реформированным представителем постфеминистского общества, сколь высоко ты оценил бы королеву Несс? — спросил я у него.

— Она очень даже секси. Я полагаю, тебе, Олли, придется нанимать ей охрану.

— Да пошел ты! — Олли улыбался, как добравшийся до сметаны кот. Вдруг он подскочил и завопил: — Несс! — Мы увидели, что какая-то девушка с трудом пробирается к нам сквозь густой заслон из студенческих тел. — Вот уж действительно: вспомни черта — и он тут как тут! Хорошо, что ты все-таки сюда добралась!

— Ох, прости, пожалуйста, Олли, что я так опоздала! Я *ужасно* перед тобой виновата! — сказала она, и они чмокнули друг друга в губы. — Этот автобус, наверно, лет восемьсот сюда тащился.

Я ее сразу узнал; вообще-то, однажды я успел неплохо ее *познать* в самом что ни на есть библейском смысле этого слова. Фамилию я, разумеется, вспомнить не смог, зато кое-что другое в ней помнил очень хорошо. Мы познакомились на одной вечеринке, когда я еще учился на первом курсе, хотя тогда она называла себя Ванесса и частенько материлась. Вроде бы она училась в женском колледже Челтнем[1], а жила в большом доме, который снимала вместе с каки-ми-то девицами, в самом конце этой вонючей Трампингтон-роуд. Мы тогда откупорили бутылку «Шато Латур» семьдесят шестого года, которую она стащила в погребе каких-то своих знакомых еще до той вечеринки. Потом мы несколько раз случайно встречались в городе и издалека кивали друг другу, стараясь проявить вежливость и не делать вид, будто мы друг друга не заметили. Она, безусловно, куда лучше умела управлять людьми, чем Олли, но, даже пытаясь понять, чем все-таки Олли мог ей понравиться, я вспоминал, как меня временно лишили прав за езду в пьяном виде, и я, обиженный, очутился в теплой сухой «Астре» Олли. В любви, как и на войне, все правильно и справедливо, и хотя меня можно считать кем угодно, я, по крайней мере, не лицемер. Тем более что Несс уже меня заметила, и нам даже пятой доли секунды было достаточно, чтобы заключить договор о политике сердечной амнезии.

— Садись на мой стул, — говорил Олли, снимая с нее пальто, как истинный джентльмен, — а я... просто постою перед тобой на коленях. Фиц, вы ведь знакомы? А это Ричард.

— Очарован. — Чизмен обменялся с ней слабым рукопожати-ем. — Учтите, я человек злой и странноватый, так что сразу отве-чайте: вы — Несси-чудовище или Несси-чудо?

— И я вами совершенно очарована, — улыбнулась она. Я и голос ее, оказывается, помнил: кокетливый голос посетительницы трущоб, но исключительно с благотворительной целью. — Друзья обычно называют меня просто Несс, но вы можете говорить Ванесса.

— А я Джонни, Джонни Пенхалигон. — Джонни, перегнувшись через стол, пожал ей руку. — Очень рад с вами познакомиться. Олли нам уже столько о вас рассказывал...

— Но только хорошее, — быстро вставил я и, протягивая руку, представился: — Привет, меня зовут Хьюго.

---

[1] Cheltenham Ladies' College — женская привилегированная частная средняя школа в г. Челтнеме, графство Глостершир. Основана в 1853 году.

Несс отлично отбила удар:

— Значит, Хьюго, Джонни, затем этот злобный дознаватель и Фиц. Всех, кажется, запомнила. — Она повернулась к Олли: — Извини, но повтори, пожалуйста, а ты-то кто?

Олли расхохотался, хотя, пожалуй, нарочито громко. Его зрачки превратились в нарисованные сердечки, как у мультяшного героя, и я, в энный раз протрезвев, подумал о том, какова все-таки любовь изнутри, потому что ее внешнее проявление делает из тебя настоящего «короля горы» и «властелина женского тела».

— Между прочим, на этот раз за выпивку собирался платить Ричард, — объявил Фицсиммонс. — Да, Ричард? Ну что, проветришь свой бумажник?

Чизмен изобразил фальшивое смущение.

— Разве сейчас не твоя очередь, Пенхалигон?

— Нет. Я оплатил предпоследний заказ. Но твоя попытка весьма трогательна.

— Но ты же владеешь половиной Корнуолла! — обиделся Чизмен. — Ах, Несс, вот бы вам увидеть его поместье! Сады, павлины, олени, конюшни, а вдоль парадной лестницы — портреты капитанов Пенхалигонов за триста лет их владычества.

Пенхалигон фыркнул.

— Тридейво-хаус как раз и есть *причина*, по которой нам вечно не хватает чертовых денег! Содержать его можно только себе во вред. А эти павлины — полные ублюдки.

— Ой, только не изображай из себя Скруджа[1], Джонни! Подушный налог наверняка дает вам немалую сумму. А мне, пожалуй, придется торговать собой, чтобы набрать денег на «Нэшнл экспресс» и с комфортом поехать в Лидс, на свою голубятню.

Чизмен всегда отлично умел запудрить мозги кому угодно — на его счете в банке лежало никак не меньше десяти тысяч фунтов, их оставил ему дед, — но сегодня у меня не было ни малейшего желания хорохориться и выщипывать перышки у кого бы то ни было. Даже у Чизмена.

— На этот раз заплачу я, — вызвался я. — А тебе, Олли, лучше остаться трезвым, раз ты собираешься вести машину. Как ты насчет томатного сока с соусом табаско? Соус тебя подбодрит и согреет сердце. Итак? Чизмену — «Гиннесс», Фицу — маленькую кружку пенистого австралийского. А вам, Несс? Какой... яд предпочитаете вы?

— Выпьешь красного — и жизнь прекрасна. — Олли явно хотелось напоить свою подружку.

---

[1] Персонаж повести Ч. Диккенса «Рождественская песнь», скряга, герой последующих многочисленных экранизаций этого произведения.

— В таком случае бокал красного — в самый раз. Мне красное вино, Хьюго, — сказала она.

Я помнил эту слегка причудливую манеру играть словами.

— Я бы, пожалуй, не стал рисковать и пить здесь красное вино, если только у вас в сумочке нет запасной трахеи. Это далеко не «Шато Латур».

— Тогда «Арчерз» со льдом, — сказала Несс. — Лучше проявить осторожность, чем потом пожалеть.

— Мудрый выбор. Мистер Пенхалигон, вы не поможете мне донести эти шесть напитков в целости и сохранности? Боюсь, сделать это в нашем баре будет непросто.

* * *

«Берид Бишоп» славится своим превосходным гриль-ассортиментом и всем-что-ты-можешь-взять-в-юности: «Стивен Хокинг и Далай-лама правы: в основе их учений — одна и та же истина»; короткие джинсовые юбки, рубашки «Gap and Next», кардиганы под Курта Кобейна, черные ливайсы; «Ты видела, как эта сексуально озабоченная свинья возле сортира прямо-таки раздевала меня глазами?»; «Ох, от этой песни «The Pogues» и Кирсти Маккол у меня дрожат колени и екает под ложечкой»; «Единственный прок от этой благотворительной лавки — вши, блохи и чесотка»; дымная духота, наполненная запахами лака для волос, пота, дезодоранта и «Шанель №5»; отлично ухоженные зубы с полным отсутствием пломб, которые с удовольствием демонстрируют в ответ на весьма посредственную шутку: «А ты слышал новость о коте Шрёдингера? Он сегодня умер; погоди-ка... нет, не умер, нет, все-таки умер, нет, не...»[1]; разговор на повышенных тонах о том, кто лучше сыграл Джеймса Бонда или кто лучше в «Pink Floyd» — Гилмор, Уотерс или Сид; рассуждения о гиперреальности и о соотношении доллара и фунта; споры о Сартре; перескакивание с Барта Симпсона на «Мифологию» Барта[2]; «Двойной, пожалуйста!»; хороша ли щетина Джорджа Майкла?; «Это похоже на «Smiths»[3], нет, музыка окончательно выдохлась!»; все сплошь урбанисты, причем большинство — из знатных дворянских семейств; их глаза и надежды на будущее сияют, как звезды; с момента зачатия они уже чувствуют себя госу-

---

[1] Кот Шрёдингера — мысленный эксперимент, предложенный австрийским физиком-теоретиком, одним из создателей квантовой механики, Эрвином Шрёдингером.

[2] Ролан Барт (1915—1980) — французский критик, литератор, семиотик. «Мифология» (1957) — одно из его основных сочинений. Барт Симпсон — герой мультсериала «Симпсоны».

[3] Знаменитая британская инди-рок-группа 80-х годов.

дарственными мыслителями, судьями и банкирами, хотя пока и in statu pupillari[1]; они уже прорастают из лона всемирной элиты (или, черт возьми, очень скоро прорастут!); власть и деньги, как Винни-Пух и мед, мгновенно прилипают друг к другу — тут я никого не стану критиковать, я и сам точно такой же; а что касается «лона элиты», то «разве вам не говорили, что вы похожи на Деми Мур в фильме "Привидение"?»; в общем, розы красные, фиалки голубые, у меня есть масло, а Несс похожа на теплый, только что из тостера, ломтик хлеба, так что...

— Хьюго, ты чего? — Пенхалигон смотрел на меня с какой-то неуверенной улыбкой.

Мы все еще стояли в плотной толпе у стойки бара; перед нами была еще по крайней мере пара страждущих.

— Все нормально. — Мне приходилось почти кричать. — Извини. Я просто задумался и пребывал в нескольких световых годах отсюда. Кстати, пока мы с тобой наедине, Джонни: Жаба просил передать тебе приглашение на завтрашнюю пьянку. Будем гулять всю ночь, прежде чем разлететься по домам. Ты, я, Джусибио, Брайс Клегг, Ринти и еще пара человек. Все классные ребята.

На лице Пенхалигона снова появилась неуверенность.

— Вообще-то, мать ждет меня завтра вечером в Тридейво...

— Ну, я же тебе руки не заламываю? Я просто передаю приглашение Жабы, только и всего. Но он утверждает, что ты всегда как-то улучшаешь общую атмосферу.

Пенхалигон, естественно, тут же купился.

— Жаба действительно так сказал?

— Да, он сказал, что ты обаятельный и люди к тебе прямо тянутся. А Ринти даже окрестил тебя «пиратом Пензанса», потому что ты всегда уходишь с добычей.

Джонни Пенхалигон улыбнулся и спросил:

— А ты тоже там будешь?

— Господи, конечно! Ни за что на свете не пропущу такое сборище!

— Ты на этой неделе и так, по-моему, много потратил... на выпивку.

— Я никогда не трачу больше, чем могу себе позволить. «Начнешь скаредничать — скорее деньги потеряешь» — и это, между прочим, ты сказал. Мудрые слова для картежников и экономистов.

Мой партнер по развлекательно-азартному времяпрепровождению свое авторство отрицать не стал, хотя это выражение, если честно, я сам только что придумал.

---

[1] В положении подопечного (*лат.*).

— Ну, в общем-то, я *мог бы* поехать домой и в воскресенье...

— Слушай, я вовсе не пытаюсь отговорить тебя от завтрашней поездки.

Он только хмыкнул.

— Можно, например, сказать родителям, — продолжал он размышлять вслух, — что у меня встреча с научным руководителем...

— И это не будет таким уж враньем! — подхватил я. — Для встречи с научным руководителем у тебя масса тем: теория вероятности, психология, прикладная математика... Все это весьма ценные для бизнеса науки; твоя семья вполне оценит подобное рвение, а ты получишь зеленый свет для повышения квалификации по игре в гольф в Тридейво-хаус. Кстати, Жаба предлагает на этот раз поднять ставку до ста фунтов: симпатичная круглая цифра и изрядная порция нектара для *вас*, сэр, если вам будет все так же везти. Хотя пират Пензанса вряд ли так уж нуждается в каком-то везении.

Джонни Пенхалигон усмехнулся:

— Пожалуй, мне *действительно* часто везет.

Я тоже усмехнулся и подумал: *Ну, и кто тут у нас глупый жирный индюк?*

* * *

Через пятнадцать минут мы уже несли в свой уголок заказанные напитки, но там нас, увы, ждала неприятность. Ричарда Чизмена, нашего гениального критика и восходящую звезду «Piccadilly Review», загнали в угол трое кембриджских готов-металлистов из группы «Come up to the Lab», концерт которой на Корн-маркет месяц назад Чизмен ядовито высмеял в газете «Варсити»[1]. Басист у них был натуральным Франкенштейном — такой же безгубый рот и неуклюжие движения; у одной готессы были глаза бешеной собаки, акулий подбородок и все пальцы в колючих перстнях; вторая же щеголяла в шапке боулера[2] команды «Clockwork Orange», из-под шапки у нее торчали волосы цвета фуксии и заколка для волос с фальшивым бриллиантом, а глаза были такие же безумные, как у первой. Амфетамин, насколько я мог понять.

— Сам-то ты небось никогда ничего такого? — Вторая готесса явно стремилась продырявить грудь Чизмена своими длиннющими и абсолютно черными ногтями и кровью написать самое важное для нее. — Никогда небось живьем не выступал перед реальными слушателями?

---

[1] «Varsity» — сокращенное от «university», «университет»; разговорное выражение, принятое в Оксфорде и Кембридже.

[2] Боулер — тот, кто в крикете бросает мяч по калитке противника.

— А также никогда не трахал осла, не подрывал основ ни одного из государств Центральной Америки и не играл в «Драконы и донжоны», — огрызался Чизмен, — но я имею право высказывать свое мнение о тех, кто этим занимается. Ваше шоу — полное дерьмо, да вы еще и под кайфом выступали! Нет, я не возьму назад ни единого слова!

Вторая готесса перехватила инициативу:

— *Скрип-скрип-скрип* — поскрипываешь своим ублюдочным пером в своем ублюдочном блокноте, все что-то *вынюхиваешь, все гробишь* настоящих артистов, педик волосатый, комок вонючего сыра!

— Дик Чиз, — сказал Чизмен, — это производное от Ричард Чизмен и никакого отношения к сыру не имеет![1] И это действительно *очень* оригинальный псевдоним. Мне такой ни разу не попадался.

— Да что ты хочешь от убогого поклонника Криспина Херши? — заорала первая готесса, размахивая книгой «Сушеные эмбрионы». — Два сапога — пара, и оба ублюдки.

— Не делай вид, будто и ты книги читаешь! — Чизмен тщетно пытался выхватить у нее книгу, а я, глядя в окно, увидел, как какой-то упившийся юнец опустошил свой желудок прямо с закопченного моста над железной дорогой Лидс-Бредфорд.

Вторая готесса разорвала книгу по корешку и отшвырнула обе половинки прочь. Гот мужского пола продолжал что-то невнятно бормотать.

Олли поднял одну половину книги, Чизмен — вторую. Теперь наш Ричард окончательно завелся.

— Даже в самых ужасных опусах Криспина Херши куда больше художественных достоинств, чем во всем вашем поганом бренчании! Ваша музыка вообще из дерьма сделана, в дерьмо и превратится. Это музыка-паразит. Она вроде той шпильки, которой нечаянно проткнули барабанную перепонку, так что лишился человек слуха.

Вообще-то, держался он очень даже неплохо, но этой последней фразы ему лучше было все-таки не произносить, ибо если ты демонстрируешь голую задницу разъяренному единорогу, то количество возможных исходов сводится практически к единственно возможному. Когда мне наконец удалось как-то пристроить принесенные напитки, вторая готесса и в самом деле откуда-то вытащила шпильку и ринулась на Мсье Критика, который картинно рухнул на пол, точно герой-любовник в опере, и при этом схватился за край стола; стол накренился, стаканы полетели на пол, женская половина зрителей заахала, завизжала, запричитала «Ах, боже мой!»,

---

[1] C h e e s e — «сыр» *(англ.)*; dick — здесь: «пенис», а также «тупица» *(англ.)*.

а вторая готесса прыгнула на несчастного Чизмена и с размаху вонзила в него шпильку; к счастью, я вовремя успел выхватить у этой дуры ее блестящее смертоносное оружие, а Пенхалигон оттащил ее от Чизмена за волосы, и в ту же секунду кулак басиста пролетел буквально в миллиметре от носа Пенхалигона; тот отшатнулся и налетел на Олли и Несс, а в верещании первой готессы стали различимы звуки, доступные человеческому слуху. «А ну уберите от нее свои вонючие лапы!» — орала она. Фицсиммонс опустился на пол и положил голову Чизмена к себе на колени. Теперь Чизмен выглядел как прибабахнутый герой комедии, но из уха у него ручейком текла кровь, и меня лично это беспокоило куда больше, чем идиотическое выражение лица моего приятеля. Я внимательно осмотрел его ухо: ничего страшного, похоже, порвана только мочка, но напавшим на него бандитам из группы «Come up to the Lab» об этом знать было вовсе необязательно, и я взревел, точно нападающий в кулачном бою:

— Ну, я вам устрою всемирный потоп из дерьма! Вы что это с ним сделали, а?

— Он сам напросился! — заявила вторая готесса.

— Да, он первый начал! — поддержала ее подружка. — Он нас спровоцировал!

— Тут полно свидетелей, — я широким жестом обвел толпу любопытствующих, которые явно жаждали продолжения скандала, — и все они *отлично видели*, кто на кого первым напал. Если вы думаете, что «вербальная провокация» — это оправдание для нанесения тяжких телесных повреждений, то, должен заметить, вы еще глупее, чем кажетесь с первого взгляда. Видите эту заколку? — Вторая готесса заметила на конце шпильки кровь и побледнела, а я спрятал трофей в карман. — Между прочим, это смертельно опасное оружие, которое вы использовали с преступным умыслом. И на нем полно ваших ДНК. За такое дают *четыре года тюрьмы*. Да, девочки: четыре года. А если вы повредили моему другу барабанную перепонку, то и все семь получить можете. Ну, а к моменту завершения *мною* своего выступления в суде ваш срок *наверняка* будет именно таким: *семь лет*. Итак... Или вы считаете, что я блефую?

— А ты кто такой? Гребаный юрист, что ли? — спросил гот-басист, хотя агрессивность его уже явно была поколеблена.

Я расхохотался безумным хаббардистским смехом и объявил:

— Знай, юный гений, что я аспирант юридического факультета! Но гораздо интереснее то, кем *ты* теперь являешься: *соучастником преступления*! А ты знаешь, *что* это означает на нашем простом и ясном английском языке? Что ты, мой дорогой, тоже будешь *осужден и наказан*.

После этих моих слов самоуверенность второй готессы стала таять буквально на глазах.

— Но я же...

Басист схватил ее за руку и потянул за собой:

— Хватит, Андреа, пошли отсюда.

— Беги, Андреа, беги! — издевательски оскалился я. — Смешайся с толпой — хотя нет, погоди! Ты же оставила отпечатки на каждой пивной кружке Кембриджа. Я прав? Ну, тогда тебе и впрямь *капец*. Точно и несомненно. — Группа «Come up to the Lab», явно решив, что надо сматываться, пока не поздно, поспешила к выходу. Я заулюлюкал и крикнул вслед: — До встречи в суде! Не забудьте запастись телефонными карточками — в камере предварительного заключения они вам очень даже понадобятся!

Пенхалигон поставил на место стол, Олли собрал стаканы, а Фицсиммонс втащил Чизмена на скамью. Я подошел к ним и спросил у Чизмена, сколько пальцев я в данный момент держу у него перед носом. Он чуть поморщился, утер губы и сказал:

— Отстань! Эта стерва, черт бы ее побрал, проколоть пыталась мне ухо, а не глаз!

Появился страшно недовольный хозяин заведения:

— Что здесь происходит?

Я повернулся к нему:

— На нашего друга только что напали трое учащихся подготовительного колледжа. Все трое были пьяны. Его нужно немедленно отвезти к врачу. Мы — ваши завсегдатаи, и нам бы очень не хотелось, чтобы вас лишили лицензии, так что присутствующие здесь мои друзья, Ричард и Олли, готовы заявить в суде, что нападение произошло *вне* вашего заведения. Но, возможно, я не совсем правильно понимаю ситуацию, и вы все же предпочли бы обратиться в полицию?

Хозяин мгновенно все просек и воскликнул:

— Ну что вы, конечно нет! Очень вам признателен.

— Всегда пожалуйста. Олли: твоя «Мэджик Астра» близко припаркована?

— Возле нашего колледжа. Но Несс...

— Но ведь можно воспользоваться и моей машиной, — с готовностью предложил Пенхалигон.

— Нет, Джонни, ты и так, по-моему, перебрал, а отец у тебя все-таки — начальник полиции.

— Сегодня будет дежурить особенно много полицейских, они каждого обнюхивать станут, — предупредил нас хозяин.

— Значит, Олли, ты — единственный из нас, кто вполне трезв. А если мы по телефону вызовем «Скорую помощь» из Адденбрука, то вместе с ней приедут и полицейские, и тогда начнутся...

— Вопросы, письменные заявления, всякие там «а-как-поживает-ваш-отец», — подсказал хозяин. — Тогда и начальство вашего колледжа будет оповещено.

Олли смотрел на Несс, как маленький обиженный мальчик, которого самым отвратительным образом обвели вокруг пальца.

— Ладно, поезжай, — сказала ему Несс. — Я бы тоже с тобой поехала, но меня от вида крови... — Она сделала вид, будто ее тошнит. — Помоги своему другу.

— Но я вроде как должен был сегодня отвезти тебя в Гринвич...

— Не беспокойся. Я прекрасно доберусь и на поезде. Если ты забыл, то напоминаю: я уже вполне взрослая девочка. Ладно, позвони мне в воскресенье, и мы с тобой обсудим планы на Рождество. Хорошо? Ну все, поезжай.

* * *

Светящиеся цифры в окошечке электронного будильника означали, что сейчас 01:08. Я услышал шаги на лестнице. Шаги стихли у моей двери, и кто-то застенчиво постучался: тук-тук-тук. Я накинул халат, закрыл дверь в спальню, пересек гостиную, приоткрыл входную дверь, не снимая цепочки, и выглянул в щель. Затем, щурясь от света на площадке и зевая, воскликнул:

— Господи, Олли! Ты знаешь, который час?

В тусклом электрическом свете у Олли был вид, точно на картине Караваджо[1].

— Половина первого, наверное.

— Черт возьми. Что с тобой, бедолага? И как там наш бородач?

— Если переживет приступ жалости к себе, то все будет хорошо. Ему влепили противостолбнячную сыворотку, а ухо великолепно заклеили пластырем. Когда я вернулся, наши общие друзья как раз отмечали Ночь Памяти Всех Усопших. Я только что отвез Чизмена домой. Скажи, как Несс добралась до вокзала?

— Нормально. Мы с Пенхалигоном проводили ее на стоянку такси на Драммер-стрит, хотя, конечно, вечер пятницы — это вечер пятницы. Уже после вашего отъезда Фиц встретил Четвинд-Питта и Ясмину и отправился с ними в клуб. Затем, когда Несс благополучно отбыла, Пенхалигон тоже пошел домой. Ну и мне пришлось уйти, зато я весьма плодотворно, с точки зрения секса, провел пару часов с книжкой И. Ф. Р. Коутса «Бушономика и новый монетаризм»,

---

[1] *Здесь*: краше в гроб кладут.

пока не решил, что уже ночь и давно пора спать. Видишь ли... — я во весь рот зевнул, — я бы пригласил тебя войти, но Буш со своей экономикой меня совершенно доконал.

— А она не...— Олли, подумав, явно сложил два и два, — сюда случайно не заходила? Ну там, чтобы выпить еще немного или... Или, может, она задержалась в «Берид Бишоп»?

— Этот И. Ф. Р. Коутс — парень что надо, Олли. Он, между прочим, в Нью-Йорке преподает, в Блитвуд-колледже.

— Вообще-то я спросил о Несс. — Олли явно не хотел мне верить. — О Несс.

— *Несс?* Несс всего лишь хотела поскорей добраться до Гринвича. — Я был слегка задет: Олли следовало поверить мне на слово, а не пытать насчет своей неверной подружки. — Она должна была успеть на 9:57 от Кингс-Кросс. Теперь она уже наверняка дома, крепко спит и видит во сне Олли Куинна, эсквайра. Прелестная девушка, между прочим, хотя я, конечно, очень недолго ее видел. И, по-моему, по уши в тебя влюблена.

— Тебе действительно так показалось? Дело в том, что всю последнюю неделю она... ну, не знаю... в общем, она как-то неприятно себя вела. Я уж испугался, что, может, она...

Я продолжал изображать из себя тупого, глухого и немого, ожидая, когда Олли закончит фразу. Но он так и не договорил, и я встрепенулся:

— Что?! Неужели ты мог подумать, она тебя динамит? По-моему, ни капли не похоже. Когда эти юные охотницы и прелестницы западают на парня *по-настоящему*, они тут же начинают изображать из себя школьную директрису. Но это только для вида. Не стоит также недооценивать и более очевидную и вполне регулярную причину женских капризов, вызванных естественным недомоганием: Люсиль, например, через каждые двадцать восемь дней превращалась в ядовитую насмешницу и психопатку.

Олли несколько повеселел.

— Ну да... это, конечно, возможно...

— Вы же завтра встречаетесь, чтобы договориться насчет Рождества, верно?

— Собственно, мы как раз сегодня собирались уточнить наши планы...

— Очень жаль, что нашему дорогому Ричарду потребовались добрые самаритяне. Но не забывай о том, что твоя готовность позаботиться о пострадавшем товарище произвела на Несс сильнейшее впечатление. Она так и сказала: сразу видно, что он умеет держать себя в руках в кризисной ситуации.

— Она правда так сказала? На самом деле?

— Повторил тебе практически слово в слово. Сказано было на стоянке такси.

Олли просиял.

— Олли, друг, извини, но я, ей-богу, заслужил несколько часов полноценного сна.

— Извини, Хьюго, конечно. Спасибо тебе. Спокойной ночи.

* * *

И я вернулся в свою теплую постель, пахнувшую женщиной. Несс обвила ногой мои бедра и спросила:

— Значит, как школьная директриса? Вот я сейчас вышвырну тебя из постели!

— Попробуй. — Я провел рукой по соблазнительному изгибу ее тела. — Но на рассвете тебе все-таки лучше уйти. Я же только что отправил тебя в Гринвич.

— Ну, до рассвета еще далеко. Мало ли что за это время может случиться.

Я рисовал пальцем вокруг ее пупка круги и зигзаги, но мысли мои были заняты Иммакюле Константен. Ребятам я о ней даже не упомянул: мне казалось, что неразумно превращать столь загадочную встречу в какой-то глупый анекдот. Нет, даже не неразумно: запрещено. Когда я пытался к ней клеиться, а потом впал в какое-то забытье, она, должно быть, подумала... А что, собственно, она могла подумать? Что я, сидя на скамье, вдруг впал в состояние комы? И она, увидев это, встала и ушла. А жаль.

Несс откинула одеяло, ей стало жарко.

— Дело в том, что все Олли в мире...

— Как хорошо, что ты так зациклилась на мне, — подсказал я.

— ...отвратительно *точны и аккуратны*. А уж их *щепетильность* и вовсе способна с ума свести.

— Разве такой милый парень, точный, аккуратный и щепетильный, — это не то, что ищет каждая девушка?

— О да, но это чтобы выйти замуж. А я в присутствии Олли чувствую себя пойманной в ловушку, как в какой-то пьесе на британском «Радио-4» о... *пугающе* серьезном и щепетильном молодом человеке 50-х.

— Он действительно упомянул, что ты в последнее время была какой-то не такой.

— Ну, если он считает меня неприятной и раздражительной, то сам он — просто дрожащий щенок-переросток!

— Путь истинной любви никогда не был...

142

— Заткнись. Он такой *невыносимо* привестливый, такой *чудовищно* любезный! Я, собственно, уже давно решила, что в это воскресенье пошлю его куда подальше. А сегодняшний вечер просто поставил печать под приговором.

— Но если бедный приговоренный Олли — это персонаж пьесы из репертуара «Радио-4», то кто же тогда я?

— А ты, Хьюго, — она поцеловала меня в мочку уха, — герой грязного низкобюджетного французского фильма, на какие порой натыкаешься среди ночи, если вдруг включишь телевизор. Причем ведь отлично понимаешь, что утром станешь об этом жалеть, а все равно смотришь.

В квартире под нами сосед насвистывал какую-то знакомую, полузабытую мелодию.

20 декабря

— Малиновка. — Мама указала на окно, выходившее в сад; низ оконного стекла затянула льдистая корка. — Вон там, на черенке лопаты.

— Красавец. Словно с рождественской открытки слетел, — сказал Найджел.

Папа прожевал брокколи и спросил:

— А что моя лопата там делает? Она должна стоять в сарае.

— Это я виноват, — сказал я. — Я ей уголь в ведро набирал. Потом поставлю на место. Но сперва я поставлю погреться тарелку Алекса: жаркие сплетни и горячая любовь еще не означают, что человек должен есть свой ланч холодным. — Я взял тарелку старшего брата, отнес к нашей новой дровяной плите и сунул в духовку, накрыв крышкой от сковородки. — Черт возьми, мам! При такой духовке тебе бы очень подошел облик ведьмы.

— Ага, и еще с колесами, — вставил Найджел. — Желательно «Остин Метро».

— Ну, *теперь-то*, — сказал папа, который просто обожал старые автомобили, — такой «Остин» обошелся бы в целос состояние.

— Какая жалость, что ты не увидишься с тетей Элен на Новый год, — сказала мама, повернувшись ко мне.

— Да, мне тоже жаль. — Я снова сел за стол и принялся за еду. — Ты ей скажи, что я очень ее люблю.

— *Вот-вот*, — тут же вставил Найджел. — Словно ты и впрямь сожалеешь, что тебе не удастся весь Новый год толкаться в Ричмонде в пробках, а *придется* кататься на лыжах в Швейцарии! Ты ведь у нас *мегалюбитель* потолкаться в пробках, верно, Хьюго?

— Сколько раз я тебе говорил? — вмешался папа. — Самое главное не то...

— ...*что* ты знаешь, а *кого* ты знаешь, — закончил за него Найджел. — Девять тысяч шестьсот восемь раз, папа. Включая этот.

— Именно поэтому так важно получить диплом *приличного* университета, — сказал папа. — Чтобы в будущем ловить с большими людьми крупную рыбу, а не мелочь, которая только на сковородку годится.

— Да, кстати, я совсем забыла вам сказать, — вступила мама, — что Джулия опять отличилась: выиграла грант и поедет в Монреаль изучать законы о правах человека.

Я всегда был неравнодушен к кузине Джулии, и мои мысли о том, что я мог бы ее в чем-то перещеголять, носили, если честно, несколько извращенный, байроновский характер.

— Как хорошо, что Джулия пошла в вашу породу, Элис, — заметил папа, кисло намекая на отца Джулии, моего *бывшего* дядю Майкла, который десять лет назад развелся с ее матерью и ныне был женат на своей бывшей любовнице-секретарше и имел от нее ребенка. — Я забыл, что там Джейсон изучает?

— Какую-то психолингвистику, — сказала мама, — в Ланкастере.

Папа нахмурился:

— А почему мне все время казалось, что он занимается лесоводством?

— Это он в детстве хотел стать лесником, — подсказал я.

— А теперь он твердо намерен стать дефектологом, — сказала мама.

— Б-будет з-заик л-лечить, — пояснил Найджел.

Я посыпал свежемолотым перцем тыквенное пюре и сказал:

— Что-то ты, Найдж, никак не повзрослеешь и не поумнеешь? Лечить от заикания — это для дефектолога самый высокий уровень квалификации. Тебе так не кажется?

Найджел слегка покачал головой с выражением «я так и думал», но вслух моей правоты не признал.

Мама сделала глоток вина и воскликнула:

— Какое чудесное вино, Хьюго!

— Вот именно, *чудесное*! Определение как раз для «Монтраше-78», — поддержал ее папа. — Но тебе, право, не следует тратить на нас свои деньги, Хьюго.

— Во-первых, папа, у меня очень четкий бюджет. А во-вторых, та нудная работа, которой я занимаюсь в адвокатской конторе, тоже приносит кое-какой доход. И потом, вы столько для меня сделали, что я хоть иногда должен раскошелиться и поставить вам бутылку приличного вина.

144

— Но нам было бы очень неприятно думать, что ты остался без денег... — сказала мама.

— ...*или* из-за необходимости подрабатывать пострадали твои занятия, — прибавил папа.

— Так что просто дай нам знать, — попросила мама, — если у тебя вдруг будет туго с деньгами. Обещаешь?

— Хорошо, если когда-нибудь что-то подобное случится, я непременно именно к вам приду с протянутой рукой. Обещаю.

— Это *у меня* туго с деньгами, — с тайной надеждой заметил Найджел.

— Но ты ведь живешь дома, а не где-то в широком *мерзком* мире. — Папа нахмурился и посмотрел на часы. — Я, кстати, не понимаю: в этом *мерзком* мире существуют хоть какие-то представления о времени? Надеюсь, что родителям *фройляйн* нашего Алекса известно, что она сейчас гостит в Англии? Кстати, где они? Сейчас уже середина дня.

— Они же немцы, пап, — сказал Найджел. — Большие толстые немецкие кошельки.

— Тебе легко говорить, но это объединение Германии невероятно дорого обойдется. Мои клиенты во Франкфурте, например, *очень* нервничают из-за падения Берлинской стены.

Мама аккуратно отрезала ломтик жареного картофеля.

— Хьюго, что тебе Алекс рассказывал об этой Сюзанне?

— Ни слова. — С помощью ножа и вилки я тщательно снимал с костей мясо форели. — Не забывай, что существует такая вещь, как братское соперничество.

— Но ведь вы с Алексом всегда были лучшими друзьями!

— Ага, — сказал Найджел, — до тех пор, пока кто-нибудь не произносил смертельно опасных слов: «А не сыграть ли нам в «Монополию»?»

Я обиженно спросил:

— Я что, *виноват*, что никогда не проигрываю?

Найджел фыркнул.

— То, что никто *не замечает*, как ты жульничаешь...

— Так! Родители, вы слышали эту оскорбительную, беспочвенную клевету?

— ...еще не доказывает, что ты этого *не делаешь*. — Найджел на всякий случай выставил в мою сторону столовый нож. Мой младший брат этой осенью потерял невинность и сменил шахматные журналы и приставку «Атари» на KLF[1] и дезодорант с кремом для бритья. — Между прочим, не Хьюго, а *мне* известны об этой Сюзан-

---

[1] Британская эйсид-хаус-группа, популярная в начале 90-х.

не целых три вещи. А все благодаря моей способности применять метод дедукции. Раз она находит Алекса привлекательным, то она: а) слепа, как летучая мышь; б) привыкла иметь дело с сопляками; с) у нее напрочь отсутствует обоняние.

В эту минуту в столовой как раз нарисовался Алекс.

— У кого это напрочь отсутствует обоняние? — спросил он.

— Принеси-ка нашему старшему братцу из духовки его обед, — велел я Найджелу, — иначе я прямо сейчас тебя заложу, и тогда уж ты точно получишь по заслугам.

Найджел без малейших возражений мгновенно подчинился.

— Ну, как там Сюзанна? — спросила мама. — Все ли в порядке у ее родителей в Гамбурге?

— Да, все прекрасно.

И Алекс сел за стол. Мой брат никогда многословием не отличался.

— Она ведь, кажется, изучает фармакологию, да? — поинтересовалась мама.

Алекс пронзил вилкой кусок цветной капусты, похожий на муляж мозга, и сунул его себе в рот.

— Угу.

— Но когда же ты все-таки нас с ней познакомишь?

— Трудно сказать, — буркнул Алекс, а я подумал о тщетных надеждах моей дорогой бедняжки Марианджелы.

Найджел принес старшему брату подогретый ланч и поставил тарелку перед ним на стол.

— Никак не могу привыкнуть, — сказал папа, — к невероятно съежившимся расстояниям. Подружка в Германии, катание на лыжах в Альпах, лекции в Монреале — и все это сегодня норма. Когда я впервые покинул Англию и поехал в Рим — мне тогда было примерно столько же, сколько сейчас тебе, Хьюго, — еще *никто* из моих приятелей так далеко от дома не уезжал. А мы с моим другом сели на паром «Дувр — Кале», потом автостопом добрались до Марселя, а потом через Турин — до Рима. На это у нас ушло шесть дней. И нам обоим казалось, что мы уехали на край света.

— Пап, а у вашей почтовой кареты в дороге колеса не отваливались? — тут же спросил вредный Найджел.

— Ах, как смешно! Во второй раз я побывал в Риме только два года назад, когда летел в Нью-Йорк на Европейское ежегодное собрание. Помнится, мы вылетели вовремя и прибыли как раз к позднему ланчу; еще успели провести несколько заседаний комиссии — сплошная болтовня до полуночи, а уже на следующий день снова были в Лондоне и как раз поспели к...

В гостиной зазвонил телефон, и мама сказала:

— Наверняка звонят кому-то из вас, мальчики.

Найджел выскочил в коридор и помчался в гостиную; моя обглоданная форель смотрела на меня одним, полным разочарования, глазом. Через минуту Найджел вернулся и сообщил:

— Хьюго, это тебя. Какая-то Диана Спинстер. А может, Спенсер[1], я как-то не уловил. Она сказала, что ты можешь подскочить к ней в театр «Палас», пока ее муж совершает поездку по странам Общего рынка... Она еще что-то такое вещала насчет тантрических поз в театральной уборной... в общем, она сказала, что ты поймешь.

— Есть такая операция, братишка, — сказал я ему, — которая очень помогла бы выправить твою единственную мозговую извилину. Ветеринары ее запросто делают, и, кстати, очень недорого.

— И все-таки кто звонил, Найджел? — строго спросила мама. — Скажи, пока не забыл.

— Миссис Первис из «Риверсайд Виллас». Она просила передать Хьюго, что бригадный генерал сегодня чувствует себя гораздо лучше, так что если Хьюго все еще собирается сегодня к нему заехать, то добро пожаловать от трех до пяти.

— Отлично. Если ты, пап, уверен, что обойдешься без меня...

— Ступай, ступай. Мы с мамой очень гордимся тем, что ты до сих пор ездишь к этому генералу, чтобы ему почитать. Не правда ли, Элис?

— Очень гордимся! — с чувством поддержала его мама.

— Спасибо. — Я сделал вид, что мне даже несколько неловко. — Знаете, бригадный генерал Филби был просто великолепен, когда я занимался с ним основами гражданского права. Я для этого специально ездил к нему в Далвич. Он знает невероятное количество всяких историй. Уж такую-то малость я теперь могу для него сделать.

— О господи! — простонал Найджел. — Такое ощущение, что меня заперли внутри сентиментального романа для детишек «Маленький домик в прериях»!

— В таком случае я с удовольствием помогу тебе оттуда выбраться, — сказал папа. — Поможешь мне убрать это дерево вместо Хьюго, а он поедет навестить бригадного генерала.

Найджелу эта идея явно пришлась не по вкусу.

— Но мы с Джаспером Фарли собирались сегодня на Тоттнем-Корт-роуд!

— Зачем? — Алекс навалил себе на тарелку целую груду еды. — Вы только и делаете, что таскаетесь там по магазинам и пускаете

---

[1] S p i n s t e r — старая дева (*англ.*). Д и а н а С п е н с е р (1962—1997) — первая жена принца Чарльза, наследника британского престола. В начале 1990-х желтая пресса муссировала слухи о ее любовных связях.

слюни, любуясь хайфай и синтезаторами, которые себе позволить не можете.

Из патио вдруг донесся грохот, и я краем глаза успел заметить какой-то черный промельк, затем по плитам покатился перевернутый цветочный горшок, упала стоявшая рядом лопата, и черный промельк превратился в кошку, из пасти которой торчала еще слабо трепыхавшаяся малиновка.

— Ох, — вздрогнула мама. — Как это *ужасно*! Может быть, мы еще успеем спасти птичку? Хотя эта противная кошка, по-моему, страшно собой довольна...

— Вот вам иллюстрация к принципу «выживает сильнейший», — спокойно сообщил Алекс.

— Может, опустить жалюзи? — спросил Найджел.

— Ничего страшного, дорогая, пусть природа сама во всем разберется, — сказал папа.

Я встал и вышел в патио через заднюю дверь. Было холодно, воздух так и обжигал лицо. Я крикнул кошке: «Брысь, брысь! Пошла прочь!», и маленькая черная хищница нырнула с добычей в садовый сарай и притаилась там, нервно следя за мной. Хвост у нее так и дергался. Растерзанная птичка уже почти не шевелилась.

В небе самолет с грохотом, подобным взрыву, преодолел звуковой барьер.

У меня под ногами хрустнула ветка. И я вдруг почувствовал себя каким-то невероятно живым.

* * *

— По мнению моего мужа, — сестра Первис, точно большой пароход, плыла по ковру, который можно было «чистить влажной щеткой и даже мыть», к библиотеке «Риверсайд Виллас», — молодежь в наши дни либо выпрашивает у родителей подачки, либо пьет, либо без всяких на то оснований изображает из себя бодрячков типа «у-меня-все-в-порядке-ребята». — Ноздри мне щекотал запах хвойного дезинфектанта, а сестра Первис между тем продолжала вещать: — Но пока в семьях Великобритании все еще вырастают порой такие прекрасные молодые люди, как вы, Хьюго, я лично готова поверить, что в ближайшее время полное варварство нам все-таки не грозит.

— Пожалуйста, сестра Первис, помогите! У меня голова в дверь библиотеки не проходит!

Свернув за угол, мы обнаружили одну из постоянных обитательниц лечебницы. Вцепившись в перила, тянувшиеся вдоль стены, она хмуро смотрела в сад, на качавшиеся под ветром деревья, словно что-то там забыла. С ее нижней губы на мятно-зеленый кардиган тянулась нитка липкой слюны.

— Выше голову, миссис Болито, — сказала медсестра, выхватывая откуда-то из рукава чистую салфетку. — Что мы там видим? Наши знамена, не так ли? — Она ловко удалила слюнный сталактит и выбросила салфетку в мусорное ведро. — Миссис Болито, вы ведь помните Хьюго? Молодого друга нашего бригадного генерала?

Миссис Болито повернула голову в мою сторону, и я тут же вспомнил глаз той форели, что недавно лежала у меня на тарелке.

— Страшно рад снова вас видеть, миссис Болито, — радостно приветствовал ее я.

— Поздоровайтесь с Хьюго, миссис Болито. Хьюго — наш гость.

Миссис Болито посмотрела на меня, на сестру Первис и захныкала.

— Ну, что такое? Что случилось? — заворковала медсестра. — А что там такое веселенькое по телевизору в гостиной показывают? Летающая машина? Так, может, и нам пойти посмотреть? Пойдемте, миссис Болито, вместе и посмотрим.

За нами со слабой улыбкой наблюдала голова лисицы, висевшая на стене.

— Вы меня немножко здесь подождите, — сказала сестра Первис миссис Болито, — а я быстренько провожу Хьюго в библиотеку и сразу вернусь. А потом мы с вами вместе пойдем в гостиную и посмотрим телевизор.

Я, конечно, пожелал миссис Болито счастливого Рождества, но, по-моему, надеяться на это особенно не стоило.

— У нее четверо сыновей, — сказала сестра Первис, когда мы двинулись дальше, — и у всех лондонский адрес, но ни один к ней никогда не приходит. Можно подумать, старость — это уголовное преступление, а не та цель, к которой все мы неизбежно придем.

Я подумал, уж не озвучить ли мне собственную теорию о том, что наша культурная стратегия, якобы направленная на победу смерти, — это всего лишь попытки похоронить смерть под запросами консюмеризма и надеждой на сансару, а все «Риверсайд Виллас» мира служат лишь ширмой, способствующей этому самообману; старики *действительно* виновны, ибо самим своим существованием доказывают, что наше сознательно близорукое отношение к смерти — это и есть тот самый самообман.

Нет, решил я, не надо ничего усложнять, вынуждая сестру Первис изменить свое мнение на мой счет. Мы, собственно, уже достигли дверей библиотеки, и моя провожатая сказала sotto voce[1]:

---

[1] Вполголоса (*лат.*).

— Я знаю, Хьюго, вы не подадите вида, если бригадный генерал вас не узнает, не так ли?

— Ну что вы! Конечно, нет. А его все еще преследует то... заблуждение насчет пропажи почтовой марки?

— Да, эта мысль по-прежнему время от времени приходит ему в голову. А, вот и Марианджела! Марианджела!

Марианджела подошла к нам с кипой аккуратно сложенного постельного белья.

— Юго! Сестра Первис говорила, что ты сегодня придешь. Как там твой Нор-витч?

— Хьюго учится в университете Кембриджа, Марианджела. — Сестра Первис даже содрогнулась. — *Кембриджа*, а не Нориджа[1]. Это очень большая разница!

— Пардон, Юго. — Чуть раскосые, эльфийско-бразильские глаза Марианджелы пробудили во мне не только надежды. — Я и не знала, что есть такой город. Я еще так плохо знаю географию Англии.

— Марианджела, вы не могли бы принести в библиотеку кофе для Хьюго и нашего бригадного генерала? А то мне надо поскорей вернуться к миссис Болито.

— Конечно. Приятно было встретить вас хотя бы в коридоре, сестра Первис.

— Только не забудьте попрощаться со мной перед уходом, — напомнила ей миссис Первис и решительно направилась в обратный путь.

А я спросил у Марианджелы:

— Что ей, собственно, так уж нравится в этой кошмарной работе?

— Повелевать. Ничего, у нас на континенте все привыкли к диктаторам.

— Она ночью-то спит или подзаряжается от магистральной сети?

— Она не такой уж плохой босс, если с ней всегда соглашаться. По крайней мере она надежна. И всегда говорит то, что думает.

Марианджелу, пожалуй, можно было бы назвать человеком, не слишком довольным жизнью, но все же явно лишенным сарказма.

— Не сердись, Анж, нам просто нужно было немного отдохнуть друг от друга.

— *Восемь недель*, Юго! Два письма, два звонка, два сообщения на моем автоответчике. *Мне* нужен контакт, а не отдыхать друг от друга. — Ладно, значит, она, пожалуй, уже ближе к состоянию оби-

---

[1] Марианджела заменяет название города Norwich (Норидж) искаженным, но более понятным ей выражением Nor-witch («не ведьма»), которые пишутся почти одинаково, но произносятся по-разному.

женной женщины. — Ты плохо представляешь себе, в чем именно нуждаюсь я.

Скажи ей, что все кончено, — посоветовал мне внутренний голос Хьюго Мудреца, но Сексуально Озабоченный Хьюго обожает постоянных любовниц.

— Ты права, я действительно не так уж хорошо тебя знаю, Марианджела. Как и любую другую женщину. Как и самого себя. У меня, конечно, были до тебя две или три подружки — но ты... ты *совсем другая*. К концу лета ты постоянно стояла у меня перед глазами — казалось, нский телевизионный канал сутки напролет показывает одну только Марианджелу Пинто-Перейра. Я чуть не сбрендил, честное слово! Так что единственным способом как-то восстановить душевное равновесие была временная разлука с тобой. Часто я не выдерживал и уже *почти* готов был тебе позвонить... но... понимаешь, Анж, все это от неопытности, а не со зла. — Я открыл дверь в библиотеку. — Спасибо тебе за все. Я до конца жизни сохраню великолепные воспоминания о проведенных с тобой днях. И мне, право, очень жаль, что я вел себя порой как бесчувственный чурбан, не понимая, что причиняю тебе боль.

Она вставила ногу в щель, не давая двери закрыться. Сейчас она была очень сердита на меня и вся так и пылала от страсти.

— Сестра Первис просила, чтобы я принесла кофе тебе и бригадному генералу. Тебе как всегда: черный и одна ложка сахара?

— Да, пожалуйста. Но, если можно, только с сахаром и без всякого амазонского колдовства вуду, от которого ссыхаются яйца. Хорошо?

— Острый нож куда лучше, чем вуду. — Она нахмурилась. — А как ты пьешь кофе в своем университете Кейм-бридж? С молоком или еще с чем-то?

— От кофе с молоком у меня мгновенно портится настроение.

— Значит, если... *если*... я найду для тебя настоящий бразильский кофе, ты его выпьешь?

— Марианджела, ты же прекрасно знаешь: если хоть раз попробуешь настоящий кофе, все остальные его разновидности станут для тебя просто дешевой имитацией.

* * *

— Уже скоро конец, генерал, — сказал я старику и перевернул страницу. — «Но для меня весь Восток воплощен в том видении моей юности. Он весь — в том мгновении, когда я, открыв свои молодые глаза, вдруг его увидел. Я набрел на него, выйдя из схватки с морем — о, как я был еще юн! — и я увидел, что и он смотрит на меня. И все, что от него осталось, — только одно это мгновение, мгновение, исполненное силы, романтики, волшебства... юности!.. Луч солнечного света на незнакомом берегу, мгновение, чтобы вспомнить, мгновение для вздоха и — прощай!.. Ночь... Прощай...»[1]

Я отхлебнул чуть теплого кофе; бригадный генерал Филби к своей чашке так и не прикоснулся. Этот еще пять лет назад полный жизни и невероятно умный человек теперь бесформенной грудой горбился в инвалидном кресле. Тогда, в 1986 году, генералу было уже семьдесят, однако вполне можно было дать и пятьдесят; он жил в большом старом доме в Кью со своей преданной овдовевшей сестрой миссис Хаттер. Генерал Филби был старым другом директора нашей школы, и хотя предполагалось, что я всего лишь буду косить траву у них на лужайке, пока не срастется его сломанная нога, он отнесся ко мне с поразительной добротой и великодушием. В итоге все кончилось тем, что вместо уроков гражданского права мы с ним играли в покер и криббедж, попивая пиво из большого кувшина. И потом, уже после того, как его нога зажила, я заходил к нему почти каждый четверг. И миссис Хаттер тут же непременно принималась меня кормить, чтобы «сделать чуточку толще», а потом мы пересаживались за карточный стол, где он учил меня так «увлечь Госпожу Удачу, чтобы она сама сняла панталоны». Даже Жаба не догадывался, где я так научился играть. В свое время генерал Филби был настоящим щеголем и любимцем женщин, одержимым филателистом, прирожденным рассказчиком и лингвистом. После стаканчика порто генерал готов был сколько угодно рассказывать о своей службе в Специальном подразделении подводного флота в Норвегии во время Второй мировой и после нее, а потом и во время Корейской войны. Он заставлял меня читать Конрада и Чехова, научил, как получить фальшивый паспорт, отыскав подходящее имя на кладбище и написав запрос в Сомерсет-Хаус[2] о выдаче свидетельства о рождении. Я об этой уловке уже знал, но притворился, будто не знаю.

Бригадный генерал Филби почти не шевелился, лишь время от времени голова его покачивалась и кренилась набок, как у Стиви Уандера за роялем; в складках пиджака у него скопилась перхоть. Брил его теперь медбрат; он же осуществлял и прочие гигиенические процедуры — в связи с недержанием мочи старик теперь был вынужден носить памперсы. Время от времени с уст бригадного генерала срывалось несколько невнятных слов, но со мной он

---

[1] Перевод И. Тогоевой.

[2] Большое здание на берегу Темзы в Лондоне, где размещается Управление налоговых сборов.

практически не разговаривал. Я понятия не имел, доставляет ли ему «Юность» Конрада[1] такое же удовольствие, как прежде, или, может, ему мучительно слушать то, что служит напоминанием о былых, куда более счастливых днях? А может, он уже и не воспринимает того, что я ему говорю или читаю, и даже не узнает меня?

И все-таки. Марианджела, например, утверждала, что, когда имеешь дело со старческой деменцией, лучше всего вести себя так, словно этот человек, которого ты раньше знал как совершенно нормального, по-прежнему держится на плаву, просто прячется где-то внутри своего корабля, пока его еще не разнесло волнами. В этом нет ничего плохого, даже если же ты ошибаешься и того человека, которого ты когда-то знал, больше нет, потому что за любым больным следует заботливо ухаживать; но если ты прав, и тот, прежний, человек все еще существует где-то там, внутри, за непробиваемой кирпичной стеной, то ты для него — как веревка спасателя, как единственная дорога к жизни.

— Ну вот, мы уже на последней странице, генерал, — сказал я и продолжил чтение: — «Из всех чудес мира самое чудесное, по-моему, это морс, море само по себе, а может, всего лишь юность, проведенная в море? Кто знает? Вот вы, например: все вы получили от жизни немало: деньги, любовь — все то, что человек обычно обретает на берегу. Так скажите, разве не лучшими годами вашей жизни были те, когда мы были молоды, и бороздили моря, и ничего не имели, и получали от моря одни лишь тяжкие удары, хотя порой оно и давало нам возможность почувствовать собственную силу? Неужели вы не сожалеете о тех временах?»

В горле бригадного генерала что-то затрепетало.

Тяжкий вздох? Или просто воздух в голосовых связках?

В просвет между деревьями виднелась Темза, серебристая, как сплав меди с оловом и цинком, который называют «пушечным металлом».

Лодка с пятью людьми пролетела с левого берега на правый и во мгновение ока исчезла.

Садовник в плоской кепке сгребал граблями опавшие листья.

Я дочитал в мсркнущем свете дня последний абзац: «И все мы кивали ему, финансовому воротиле, человеку богатому, с которым считаются, который и сам уважает закон; да, все мы ему кивали, сидя за полированным столом, поверхность которого была так похожа на застывшую коричневую водную гладь, и в ней отражались наши лица, избороженные морщинами, носившие следы тяжких

---

[1] Джозеф Конрад (Юзеф Коженёвский) (1857—1924) — английский писатель.

153

трудов и подлых предательств, успехов и любви. Наши усталые глаза смотрели спокойно, но по-прежнему жадно пытались отыскать что-то, не связанное с этой жизнью, ждали чего-то, что уже промелькнуло незаметно и растворилось — во вздохе, в мимолетном воспоминании — вместе с твоей юностью, твоей былой силой, романтикой твоих иллюзий».

Я захлопнул книгу и зажег лампу. Мои часы показывали четверть пятого. Я встал и задернул занавески.

— Ну что ж, сэр. — У меня было такое ощущение, словно я обращаюсь к пустой комнате. — Мне кажется, не стоит вас чрезмерно утомлять...

Неожиданно лицо бригадного генерала напряглось, оживилось, он открыл рот, и хотя голос его был глухим, как у призрака, а речь — невнятной из-за перенесенного инсульта, я смог различить сказанные им слова:

— *Мои... проклятые... марки...*

— Генерал Филби... это Хьюго, сэр. Хьюго Лэм.

Трясущейся рукой он попытался схватить меня за рукав.

— *Полиция...*

— Какие марки, генерал? О чем вы?

— *Целое... состояние...*

К нему вернулся разум, глаза смотрели осмысленно, и на мгновение мне показалось, что он готов бросить обвинение похитителю в лицо, но это мгновение тут же миновало. За дверью в коридоре проскрипела тележка — развозили обед. Тот бригадный генерал, которого я знал когда-то, больше не смотрел на меня с застывшим выражением гнева, потрясения и неожиданно постигшей его неудачи; он оставил меня наедине с этими красивыми настенными часами, с полками, полными чудесных книг, которые никто никогда не читает, и с ясным пониманием того, что, как бы я ни прожил свою жизнь, сколько бы власти, богатства, опыта, знаний или красоты ни выпало мне на долю, в итоге я закончу так же, как и этот старик, ставший теперь таким уязвимым. И я, глядя на бригадного генерала Реджинальда Филби, словно смотрел в некий телескоп, устремленный в будущее, и видел самого себя.

* * *

Амулет, вызывающий сладкие сны, свисал с шеи Марианджелы; я слегка покачал его, и под ним среди буйных кудрей моей любовницы, рассыпавшихся по плечам и по груди, обнаружился крестик с распятием. Я взял Сына Божьего в рот и вообразил, что Он растворяется у меня на языке. Секс, возможно, и является противоядием от смерти, но вечную жизнь предлагает только целым биологическим видам живых существ, а не отдельным их представителям. Из CD-плейера доносился голос Эллы Фицджеральд, которая, как всегда, забыла слова из зонга Мэкки-Ножа[1] об одной жаркой ночке в Берлине полсотни лет назад. Где-то под нами прогрохотал поезд районной линии лондонского метро. Марианджела поцеловала мое мускулистое предплечье, потом вдруг укусила, и довольно сильно.

— Ой! — жалобно вскрикнул я, наслаждаясь этой болью. — Это что, по-португальски означает: «Земля поплыла подо мною, мой господин и повелитель. А хорошо ли было тебе?»

— По-португальски это означает: «Я тебя ненавижу! Ты лжец, обманщик, чудовище, псих, извращенец, и чтоб тебе вечно гнить в аду, сукин ты сын!»

Подобные вещи всегда меня заводят; мы оба рассмеялись, предвкушая миг наслаждения, и в итоге я кончил раньше времени. Я аккуратно снял презерватив, стараясь не испачкать пурпурные простыни Марианджелы, и завернул его в салфетку. Хороший секс — это неистовая страсть, безумие, но завершается он всегда сущим фарсом. Марианджела перевернулась на живот и легла лицом ко мне; странно, но женщины почему-то становятся почти безобразными, когда с них снята вся шелуха, когда они уже использованы и прямо на глазах словно начинают покрываться ржавчиной. Марианджела села, сделала несколько глотков из стакана, охраняемого статуэткой Иисуса из Рио, потом поднесла стакан к моим губам:

— Хочешь? — И она прижала мою руку к своей левой груди; было слышно, как ее сердце стучит: *люблю, люблю, люблю, люблю, люблю.*

Ах, надо было мне все-таки послушаться голоса Хьюго Мудрого...

* * *

— Юго, когда мне можно будет познакомиться с твоей семьей?

Я натянул боксеры. Мне очень хотелось сполоснуться под душем, но контора по продаже автомобилей «Астон Мартин» скоро должна была закрыться, так что стоило поспешить.

— А зачем тебе знакомиться с моей семьей?

— Хочу. Это же совершенно нормально. Мы ведь с тобой встречаемся уже шесть месяцев. 21 июня ты впервые сюда пришел, а завтра 21 декабря.

Господи, какой-то счетчик памятных дат!

---

[1] Герой знаменитой «Трехгрошовой оперы» Бертольда Брехта, поставленной на музыку Курта Вайля (1928).

155

— Лучше давай пойдем с тобой куда-нибудь — поужинаем, отметим это событие, а мою семью, пожалуй, оставим в покое. Хорошо, Анж?

— Но я действительно *хочу* познакомиться с твоими родителями, с твоими братьями...

Ну да: *мама, папа, Найджел, Алекс, позвольте вам представить Марианджелу. Она родом из неописуемых трущоб Рио, работает в «Риверсайд Виллас» сиделкой у престарелых пациентов, и я после посещения бригадного генерала Филби классно ее трахнул. Итак, что у нас на обед?* Я отыскал под кроватью свою майку.

— Вообще-то, если честно, я не вожу домой подружек.

— Значит, я буду номером первым. Это очень приятно.

— В некоторые области моей жизни... — так, теперь быстро джинсы, молния, ремень, — ...я стараюсь никого не пускать.

— Я твоя девушка, а не какая-то «область». Ты что, меня стыдишься?

Какой очаровательный удар кинжалом! Какой эмоциональный шантаж!

— Ты же знаешь, что нет.

Умом Марианджела понимала, конечно, что эту тему следовало бы немедленно закрыть, но сердцу, как говорится, не прикажешь, и сейчас ею правили исключительно эмоции.

— Значит, ты стыдишься своей семьи?

— Не больше чем обычный средний сын из троих имеющихся.

— Тогда, значит... ты стыдишься того, что я на пять лет тебя старше?

— Тебе всего двадцать шесть, Анджела! Это вряд ли можно назвать старостью.

— А может... я недостаточно белая для твоих родителей?

Я уже застегивал пуговицы на рубашке фирмы «Пол Смит».

— Ну, эта ерунда вообще не имеет никакого значения.

— Тогда почему же мне нельзя познакомиться с родными моего бойфренда?

Один носок, второй...

— Ну, у нас еще... просто не та стадия отношений.

— Какая еще, на фиг, стадия? Ты несешь по-о-олную чушь, Юго! Когда у тебя отношения с кем-то, вы делитесь друг с другом не только телом. Так ведь? Когда ты в Кембридже попиваешь свой чертов кофе со всеми этими белыми девицами, имеющими PhD, я и не думаю сидеть здесь, моля бога, чтобы ты позвонил или прислал письмо. Нет, не сижу. Один парень — врач-консультант из частной клиники — постоянно просит меня о свидании и приглашает в самый модный японский ресторан Мейфера[1]. Все мои друзья говорят мне: «Ты просто сумасшедшая! Почему ты ему отказываешь?» Но я все равно ему отказываю — из-за тебя.

Я еле сдержал улыбку — столь неумелыми были ее попытки меня убедить.

— Так для чего я тебе? — не унималась Марианджела. — Только для секса? Когда у тебя свободный денек выдастся?

Ладно. Вон моя куртка, возле двери; там же мои ковбойские сапоги. А Марианджела по-прежнему сидела совершенно голая, пухлая, как снеговик, и, увы, никакого оружия у меня под рукой не было.

— Ты мой друг, Марианджела. Мало того, в настоящее время ты самый близкий мой друг. Но хочу ли я представить тебя своим родителям? Нет. Хочу ли я переехать и жить вместе с тобой? Нет. Хочу ли я вместе с тобой планировать будущее, раскладывать в шкафу принесенное из прачечной белье, завести в доме кошку? Нет.

Прямо под окнами проехал еще один поезд районного метро, как бы намекая, что пора завершать эту душещипательную сцену — сцену, столь же древнюю, как гоминиды. Такое повсеместно случалось и случается на планете Земля, и люди во время подобных сцен с печальным концом объясняются на всех языках мира. Марианджела вытерла мокрое от слез лицо и отвернулась, и все Олли Куинны мира тут же упали бы на колени, обещая все-все исправить. А я молча надел куртку и сапоги. Она это заметила и тут же перестала лить слезы.

— Ты уходишь? *Сейчас?*

— Если это действительно наше с тобой последнее свидание, Анж, то ни к чему продлевать агонию.

Я сделал ей очень больно, и в пять секунд она совершила этот шаг — от любви до ненависти — и разразилась пулеметной очередью бранных слов:

— Sai da minha frente! Vai pra puta que pariu![2]

Ну и прекрасно. Когда девушка тебя возненавидела, порвать с ней гораздо проще. Уже занеся ногу над порогом, я сказал:

— Если этот твой врач-консультант захочет взять уроки, как следует управляться с некой Марианджелой Пинто-Перейра, скажи ему, что я с удовольствием поделюсь с ним кое-какими ценными наблюдениями.

Один убийственно мрачный взгляд, одно стремительное движение сильной руки, один промельк великолепной бразильской

---

[1] Фешенебельный район Лондона, известный дорогими магазинами и гостиницами; в старину служил местом майских ярмарок (May Fair — «майская ярмарка»).

[2] Здесь: «Пошел прочь! Вали ко всем чертям!» (*порт.*)

груди — и в меня со скоростью метеора полетел увесистый Иисус из Рио, вращаясь, как пущенный из пращи камень; меня спасла какая-то доля секунды, и фигурка Иисуса врезалась в захлопнутую дверь, превратившись в тысячу гипсовых осколков.

* * *

К шести часам над городом нависли тяжелые мрачные тучи, обещавшие обильный снегопад. Я надел свою меховую шапку из опоссума. На богатых боковых улочках Ричмонда было тихо. Владельцы домов, достойные представители среднего класса, задернули шторы на окнах своих жилищ, где вдоль стен выстроились книжные шкафы, на стенах висели картины и прочие предметы искусства, а у порога светилась рождественская елка. Я немного прогулялся по Ред-Лайон-стрит. Девица на ресепшене в автомагазине «Астон Мартин» обладала такими же дерзкими и соблазнительными округлостями, как и продаваемые там роскошные спортивные машины, но вот лицом, к сожалению, не вышла: ей явно требовалась помощь косметологов. Она сплетничала по телефону, когда я неторопливо, но вполне решительно прошел мимо нее, коротко кивнув и как бы давая понять: твой босс меня ждет. Я пересек выставочный зал и подошел к распахнутой двери с табличкой: «Винсент Костелло. Отдел продаж». За дверью сидел человек лет тридцати с небольшим; он прямо из коробочки ел заливного лобана и одновременно пытался завернуть в красивую бумагу подарок — большую коробку из магазина детской технической игрушки «Скейлекстрик». Одет он был в костюм, приобретенный на одной из центральных улиц города в магазине готового платья, хотя и достаточно приличный.

— Добрый день, — приветствовал он меня. — Чем могу служить?

У Костелло был выговор жителя Восточного Лондона; на письменном столе стояла фотография: он и какой-то маленький мальчик; но мамочки рядом видно не было, и обручального кольца у него на пальце я тоже не заметил.

— Винсент Костелло, я полагаю?

— Да. Как на двери написано.

— Я хотел бы задать вам несколько вопросов относительно того, какова может быть стоимость подержанного автомобиля «Астон Мартин Кода». Но прежде разрешите *мне* помочь вам. — Я указал глазами на коробку, завернуть которую ему так и не удалось. — Вам ведь наверняка не помешает дополнительный большой палец?

— Нет, нет, что вы! Это очень мило с вашей стороны, но я и сам справлюсь.

— Да, я очень милый, но вы не справитесь. Так что позвольте все-таки вам помочь.

— Ладно, спасибо. Это для моего пятилетнего сынишки.

— Он, значит, «Формулой-1» увлекается?

— Просто помешан на всем, у чего есть двигатель — на автомобилях, мотоциклах и тому подобном. Обычно подарки заворачивает его мать, но сегодня... — Язычок клейкой ленты, намертво прилипший к бумаге, оторвался вместе с длинной бумажной полоской, и Костелло, явно не желая грубо выражаться в присутствии клиента, с ходу превратил «Oh, fuck!..» в «Ох, ф-фу!..»

— Коробки надо обвязывать по диагонали. — И прежде чем он начал спорить, я отодвинул его и взялся за дело сам. — Нужно заранее приготовить несколько кусочков скотча, потом закрепить бумагу, и... — Через несколько секунд идеально завернутая подарочная коробка уже стояла у него на столе. — Ну вот, годится?

Винсент Костелло был впечатлен.

— Где это вы так здорово научились?

— Моя тетя владеет несколькими маленькими магазинами подарков. И племянник-неслух время от времен ей помогает.

— Повезло вашей тете! Итак, вы, кажется, спрашивали о нынешней стоимости автомобиля «Астон Мартин Кода»?

— Да, 1969 года выпуска. 110 миль пробега — по счетчику. А водитель был всего один, человек очень осторожный и аккуратный.

— *Чрезвычайно* маленький пробег для такого зрелого экземпляра. — Костелло вытащил из ящика лист бумаги А4, сплошь покрытый цифрами. — Могу я спросить, кто этот осторожный водитель? Потому что *вы-то* никак не можете водить машину с 1969 года.

— Нет, конечно же, речь не обо мне. Один мой приятель получил этот автомобиль в наследство от отца. Меня, между прочим, зовут Хьюго, Хьюго Лэм, — представился я, и мы с Костелло пожали друг другу руки. — А этот мой друг принадлежит к семейству знаменитых Пенхалигонов из Пензанса. Когда его отец скончался, то оставил семье чудовищную неразбериху в финансовых делах. Им еще и пришлось платить кошмарный налог на наследство.

Винсент Костелло состроил сочувственную гримасу.

— Да, представляю себе.

— Мать моего друга — женщина очаровательная, но в финансах абсолютно ничего не смыслит. И в довершение всех неприятностей их фамильный адвокат и одновременно советник по финансовым вопросам только что попался на мошенничестве.

— Господи, да это просто какая-то череда несчастий!

— Вот именно. Когда я в последний раз разговаривал с Джонни, я сам предложил сходить к вам и спросить насчет его «Астон Мартина» — я ведь местный, мои родители живут на Крислхёрст-роуд. Я догадываюсь, что в торговле винтажными автомобилями ковбоев куда больше, чем честных шерифов; кроме того, мне кажется, что такой лондонский дилер, как вы, способен проявить куда больше благоразумия при заключении подобной сделки, чем если бы мой друг вздумал обратиться к дилеру из Девоншира или Корнуолла.

— Вам правильно показалось, Хьюго. Но позвольте, я сверюсь с текущими ценами... — Костелло открыл какой-то файл. — А ваш отец, простите, случайно не наш клиент?

— Папа в настоящий момент водит свой любимый «БМВ», но, вполне возможно, через какое-то время обратится к вам, рассчитывая купить что-нибудь помоднее. В конце концов, «бумер» есть чуть ли не у каждого стандартного яппи[1]. Я, конечно, расскажу отцу, как вы мне помогли.

— Спасибо, буду обязан. Значит, так, Хьюго. Скажите вашему другу, что вполне приличная ориентировочная цена автомобиля «Астон Мартин Кода» 1969 года выпуска с сотней километров пробега и в пристойном состоянии — это... — Винсент Костелло провел пальцем по столбцу цифр... — *около* двадцати двух тысяч. Хотя, если он будет продавать в Лондоне, то отчисления будут выше. У меня есть на примете один арабский коллекционер — он давно числится моим клиентом, — так вот, он может заплатить и больше, особенно если машина действительно в хорошем состоянии, и при желании я *мог бы попытаться* вытянуть из него тысяч двадцать пять. Но нашему механику обязательно нужно будет самому осмотреть машину, а мистер Пенхалигон, разумеется, должен сам приехать и заполнить все необходимые документы.

— Естественно. Мы тоже хотим, чтобы все было чисто и по высшему разряду.

— В таком случае вот моя карточка — я буду готов в любой момент, пусть он только позвонит.

— Вот и прекрасно. — Я спрятал карточку в свой бумажник из змеиной кожи, и мы обменялись прощальным рукопожатием. — Веселого Рождества, мистер Костелло!

23 декабря

Звякнул дверной колокольчик — и филателистический магазин «Бернард Крибель» на Чаринг-Кросс-роуд встретил меня густым запахом трубочного табака. Это было довольно узкое продолго-

---

[1] Аббревиатура от «молодые городские профессионалы» (Young urban professionals, *англ.*) — представители популярной в конце 1980-х — начале 1990-х годов субкультуры, ориентированные карьеру и материальный успех.

ватое помещение, в центре которого размещалась, как в магазине грампластинок, стойка с кляссерами, в которых были марки, так сказать, средней стоимости. Более дорогие экземпляры жили в запертых шкафах, тянувшихся вдоль стен. Я размотал шарф, но моя старая сумка для книг осталась висеть у меня на шее. По радио передавали Моцарта — «Дон Жуан», второй акт. Бернард Крибель, упакованный в зеленый твид, но с темно-синим галстуком на шее, быстро глянул на меня поверх клиента, сидевшего за столом, дабы удостовериться, что я пришел с миром; я всем своим видом сказал ему «нет-нет-не-торопитесь-пожалуйста» и тактично остановился на вполне приличном от него расстоянии, делая вид, что старательно рассматриваю довольно большое количество марок «Penny Black»[1] в специальной витрине с постоянно поддерживаемым уровнем влажности. Вскоре мне стало ясно, что клиент, сидящий перед Крибелем, — отнюдь не милый зайчик.

— Что вы имеете в виду? — возмущенно вопрошал он. — Что значит *подделка*?

— Возраст этого образца — от силы дней сто, — хозяин магазина снял очки в изящной оправе и потер слезящиеся глаза, — а отнюдь не сто лет.

Но клиент упорно «цеплялся за воздух», как в итальянской комедии.

— А как же выцветшие краски? И эта коричневая бумага? Эта бумага никак не может быть современной!

— Время создания бумаги определить нетрудно — хотя вот эти пересекающиеся волокна предполагают, что это, скорее всего, 1920-е годы, а никак не 1890-е. — Неторопливый английский Бернарда Крибеля страдал несколько излишней чисто славянской резкостью: он был родом из Югославии, как я случайно узнал. — А смачивание бумаги некрепкой чайной заваркой — уловка весьма старая. Признаю, впрочем, что деревянную печатную форму создать было непросто, наверняка понадобился не один день — хотя выставленная цена в двадцать пять тысяч фунтов оправдывает затраченный труд. Кстати, чернила тоже вполне современные... краска «Уинзор и Ньютон», жженая охра, не так ли? И все это слегка разбавлено... В целом весьма неумелая подделка.

Возмущенный клиент завопил фальцетом:

— Вы что, обвиняете меня в *подделке*?!

— Я обвиняю не вас, а того, кто совершил эту подделку. Причем из корыстных побуждений.

---

[1] Черная пенсовая марка; первая клейкая почтовая марка, выпущенная в 1840 году и представляющая большую филателистическую ценность.

— Вы просто пытаетесь сбить цену! Признайтесь!

Крибель с отвращением поморщился.

— Какой-нибудь перекупщик из тех, что неполный день работают на Портобелло[1], может, и заглотнет вашу наживку; или еще можно попытать счастья на какой-нибудь передвижной ярмарке, торгующей марками и монетами. А теперь извините, мистер Бадд, но меня дожидается настоящий клиент.

Мистер Бадд, страшно оскорбленный, взревел и вылетел из магазина. Он попытался даже хлопнуть дверью, но дверь была устроена так, что хлопнуть ею было невозможно. Крибель горестно покачал головой, сокрушаясь, до чего дошел мир, и я спросил:

— И часто к вам приходят с такими подделками?

Крибель выразительно втянул щеки и вытянул губы дудкой, показывая, что мой вопрос он оставит без внимания. Потом, помолчав, сказал:

— Мне знакомо ваше лицо... — он покопался в своей мысленной картотеке, — ... э-э-э... мистер Анидер. Вы мне продали в августе блок из восьми марок острова Питкэрн. Хороший чистый блок.

— Надеюсь, вы пребываете в добром здравии, мистер Крибель?

— Более или менее. Как ваши занятия? Юриспруденция в университетском колледже Лондона, не так ли?

Мне показалось, что он хочет меня на чем-то подловить.

— Астрофизика в Имперском[2].

— Да-да, конечно. И что, вы уже нашли там, *наверху*, разумную жизнь?

— По крайней мере, ее там не меньше, чем здесь, мистер Крибель.

Он улыбнулся старой шутке и посмотрел на мою сумку.

— Вы сегодня как, покупаете или продаете?

Я вытащил черный кляссер и извлек блок из четырех марок.

Ручка «Биро» в руках у Крибеля тут же, как живая, принялась постукивать по прилавку: тук-тук-тук.

А сам филателист вместе со своей лампой на штативе, сгибающейся под любым углом, склонился над марками.

Ручка «Биро» наконец перестала стучать, и старые глаза Бернарда Крибеля уперлись в меня инквизиторским взглядом, так что я процитировал то, что старательно выучил наизусть:

---

[1] Портобелло-роуд — уличный рынок в Лондоне, известный своими антикварными магазинами, а также туристическими лавками.

[2] Imperial College of Science and Technology — Имперский колледж науки и техники, высшее техническое учебное заведение, входящее в состав Лондонского университета.

— «Четыре индийские темно-синие монеты в пол-анны[1] 1854 или 1855 года; с правой стороны листа частично заметна печать гашения; в хорошем состоянии; неиспользованные». Ну что, пока что я вас ничем не разочаровал?

— Да, пока неплохо. — Он возобновил изучение, пользуясь лупой, как Шерлок Холмс. — Не стану притворяться и утверждать, что ко мне в руки то и дело попадают такие редкие марки. Вы прикидывали... какова может быть их цена?

— Единственная такая франкированная марка была продана на аукционе «Сотбис» в июне прошлого года за две тысячи сто фунтов. Если умножить на четыре, то получается восемь тысяч четыреста. Прибавьте пятьдесят процентов за неиспользованность всего блока, и получится примерно тысяч тринадцать. Однако я понимаю: у вас немало накладных расходов, связанных, во-первых, с тем, что ваш магазин находится в центре Лондона, во-вторых, вы всегда расплачиваетесь сразу, и в-третьих, у меня имеются большие надежды на наши с вами долгосрочные отношения, мистер Крибель.

— О, в таком случае с сегодняшнего дня вы вполне можете называть меня просто Бернард.

— Ну, раз так, то и вы называйте меня просто Маркус. Итак, моя цена — десять тысяч.

Крибель явно решил согласиться с этой ценой, но из вежливости делал вид, что страдает.

— Марки Содружества[2] в настоящее время выставлять запрещено. — Он раскурил трубку и завершил свою арию такими словами: — Увы, самое большее, на что я могу пойти, — это восемь с половиной.

— Сегодня очень холодный день, чтобы заставлять меня тащиться на Трафальгарскую площадь, Бернард.

Он вздохнул, выпустив воздух из волосатых ноздрей.

— Жена мне руки-ноги оторвет за подобную уступчивость, но я считаю, что молодых филателистов следует поощрять. Давайте договоримся и разделим разницу пополам: получится девять тысяч двести пятьдесят фунтов, а?

— Десять — число более простое и круглое. — Я намотал на шею шарф.

---

[1] Анна — индийская монета достоинством в 1/16 рупии.

[2] До 1947 года — Британское Содружество наций. Оформлено Вестминстерским статутом 1931 года. Межгосударственное объединение Великобритании и нескольких бывших английских доминионов, колоний и зависимых территорий; устава или конституции не имеет; в настоящее время объединяет 6 доминионов, признающих главой государства английскую королеву, и ряд иных стран, имеющих собственного главу государства.

Финальный вздох.

— Ладно. Пусть будет десять. — Мы пожали друг другу руки. — Вы возьмете чек?

— Да, но скажите, Бернард... — Он обернулся, уже стоя у двери, ведущей в глубь его уютного жилища. — Вот *вы* бы выпустили из виду ваши драгоценные «пол-анны» *до того*, как деньги за них оказались бы у вас в руках?

И Бернард Крибель склонил голову в знак признания моего профессионализма. Он молча вернул мне марки и пошел выписывать чек. Больной, на последнем издыхании, автобус с трудом тащился вверх по Чаринг-Кросс-роуд. В радиоприемнике демоны уже влекли Дон Жуана в ад: что ж, такова судьба всех дилетантов, которые пренебрегают выполнением домашних заданий.

* * *

Вклиниваясь в толпу, я пробирался по рождественскому Сохо, ревущему, задымленному и опасному, поскольку тротуары были покрыты скользким снежным месивом, затем пересек обледенелый, с чудовищным трафиком перекресток на Риджент-стрит и прибыл в неприметный лондонский офис банка «Suisse Integrity», приткнувшийся в тихом уголке за Беркли-сквер. Гориллоподобный охранник придержал пуленепробиваемую дверь, пропуская меня, и кивнул головой в знак того, что ему известно, что у меня назначена встреча. Оказавшись внутри помещения банка, изящно оформленного красным деревом и кремовыми коврами и портьерами, я перенес деньги с выписанного Крибелем чека на свой счет; мне помогала сидевшая за полированным столом маленькая кассирша, которая не задала мне ни одного вопроса, кроме: «Как у вас сегодня дела, мистер Анидер?» Возле ее компьютерного терминала красовался маленький швейцарский флажок, и пока она заполняла бланк на сделанный мною очередной вклад, я размышлял, не бывает ли здесь случайно и мадам Константен, будучи швейцарской экспатриаткой, не желающей полностью посвящать британские власти в свои финансовые дела. Что, если она, приняв изысканную позу, сидит на этом вот самом стуле, обитом бархатом? Я все время вспоминал наше с ней странное знакомство в часовне Королевского колледжа, хотя больше не испытывал таких провалов памяти, какой случился со мной там. «До свидания, мистер Анидер, надеюсь, вы вскоре снова нас навестите», — сказала кассирша, и я подтвердил, что, мол, да, вскоре непременно приду. Деньги были всего лишь побочным продуктом моего искусства, и все же я покидал банк, ощущая себя вооруженным и надежно защищенным — должно быть, столь же защищенной чувствует себя под кожухом артиллерийская установка; после уплаты пошлины мой счет благодаря чеку Крибеля перевалит за пятьдесят тысяч. Это, конечно, мелочь по сравнению со счетами многих, кто хранит свои деньги в банке «Suisse Integrity», но для студента, пусть даже старшего курса, который сам оплачивает свой путь наверх, все равно очень и очень неплохо. И эта сумма, безусловно, еще умножится. Половина моих приятелей из Хамбер-колледжа — за исключением тех, у кого чересчур добрые и позволяющие постоянно себя доить родители, — буквально погрязла в долгах и вынуждена постоянно притворяться, что в течение по крайней мере первых пяти лет после окончания университета им *не придется* соглашаться на любую, даже самую дерьмовую, работу. Очень даже придется! И дерьмо им придется хлебать полной ложкой, но они по-прежнему будут притворяться, будто питаются исключительно черной икрой. Ну, от меня вы этого не дождетесь, думал я, и если кто-то вздумает предложить мне дерьмо, я тут же швырну его ему жс в лицо. И вложу в этот бросок всю свою силу.

* * *

В подземном переходе, ведущем от станции метро «Пиккадилли-сёркус», два человека в костюмах и дождевиках блокировали проход, ведя оживленные переговоры с кем-то третьим, скрытым от моих глаз. Сквозь завесу мокрого снега ярко светились витрины магазина «Тауэр Рекордз», в двери метро уже вливалась первая волна владельцев сезонных билетов, но мне вдруг стало любопытно. Между спинами мужчин в дождевиках я мельком заметил какого-то жалкого волосатого йети, съежившегося в углу вестибюля.

— Нечего сказать, отлично ты тут устроился! — говорил один из его мучителей. — Смотришь, кто из людей *вон там* цветы покупает, а потом *здесь* пристаешь к ним и просишь денег, понимая, что они не смогут просто так тебе отказать, не почувствовав себя при этом бессердечными ублюдками. — Судя по голосу, мучитель, похоже, здорово выпил. — Между прочим, мы тоже тут промышляем, ясно тебе? Говори, сколько ты уже настрелял?

— Я... — йети испуганно хлопал глазами, — ...ни в кого не стрелял.

Мучители, переглянувшись, расхохотались: их смех показался мне малоприятным.

— Я ведь... всего лишь прошу дать мне немного мелочи. В хостеле мне приходится платить тринадцать фунтов за ночь.

— Ну, так побрейся и найди себе работу — хотя бы грузчика!

— Никто меня на работу не возьмет, пока у меня не будет постоянного адреса.

— Ну, так получи пос-с-стоянный адрес!

— Никто не сдаст мне комнату, пока я не получу работу.

— Похоже, у этого типа на все объяснение найдется, верно, Газ?

— Эй, эй, тебе нужна работа? Я дам тебе работу. Хочешь? — спросил второй мучитель.

Первый мучитель — он был покрупнее и посильнее — низко склонился над несчастным йети.

— Мой коллега спрашивает тебя, приятель, причем *очень вежливо* спрашивает: нужна ли тебе работа?

Йети нервно сглотнул, кивнул и спросил неуверенно:

— А какая работа-то?

— Нет, ты слышишь, Газ? Нищий побирушка, а еще кочевряжится!

— Деньги собирать будешь, — сказал Газ. — Десять фунтов в минуту. Гарантированно.

У йети задергалось лицо.

— А что мне придется делать?

— Сейчас поймешь. — И мерзкий тип повернулся лицом к улице и швырнул целую пригоршню монет в образовавшийся просвет между машинами, двигавшимися сплошным ревущим потоком по Пиккадилли-сёркус. — Давай, Эйнштейн, собери-ка эти гребаные деньги! — Монеты катились между движущимися колесами, закатывались под днища автомобилей, разлетались по лепешкам не успевшего растаять грязного льда. — Ты только посмотри, и улицы Лондона покажутся тебе *действительно* вымощенными золотом.

И оба мучителя, страшно довольные, заплетающейся походкой потащились прочь, оставив совсем съежившегося йети решать, есть ли у него возможность и монетки собрать, и под автобус не угодить.

— Не надо, — быстро сказал я бездомному.

Он сердито сверкнул глазами:

— *Сам* попробуй спать в мусорном баке!

Я вытащил бумажник и протянул ему две банкноты по двадцать фунтов.

Он смотрел то на деньги, то на меня.

— Этого ведь хватит на три ночи в хостеле, верно? — спросил я.

Он взял банкноты и сунул их во внутренний карман грязной куртки.

— Очень обязан.

А я, чувствуя, что должным образом совершил жертвоприношение богам, нырнул в двери подземки, позволив «трубе» засосать меня в свое неспокойное нутро, где пахло потом и зловонным дыханием бесчисленного множества людей.

Строки были достаточно просты: «Люди просто вообразили себе такие республики и государства, каких на самом деле никогда не существовало. И все же то, как люди живут, столь мало похоже на то, как им следует жить, что любой, кто отказывается от того, что у него «есть», во имя того, что у него «должно было бы быть», неизменно приходит к собственному краху, а не к спасению; и человек, который всем своим существом, всеми деяниями своими стремится к добру, скорее всего, потерпит крах или даже погибнет, поскольку его окружает слишком много людей, которые отнюдь не питают склонности к добрым деяниям». И за этот честный, ясным и простым языком выраженный прагматизм кардиналы объявили Никколо Макиавелли[1] пособником дьявола! После станции «Эрлз-Корт» поезд метро вынырнул на поверхность, навстречу умирающему свету дня. Мимо промелькнули газовый завод, эдвардианские крыши, каминные трубы, антенны, забитая машинами парковка возле супермаркета, рекламные щиты, сообщающие о сдаче жилья внаем. Пассажиры, владельцы сезонных билетов, держась за поручни, качались из стороны в сторону, точно говяжьи туши, или плюхались на сиденье и превращались в живые трупы — красноглазые офисные рабы, уши которых заткнуты «вокманами» с тупой музыкой диско; те их представители, что постарше и поплотнее, сорокалетние, сидели, уткнувшись в «Evening Standard»[2]; ну а те, кто уже почти достиг пенсионного возраста, с изумлением смотрели на Западный Лондон и удивлялись: куда же подевалась их жизнь? *Я — та Система, которую ты должен побороть,* стучали колеса вагона. *Я — та Система, которую ты должен побороть.* Но что значит «побороть систему»? Стать настолько богатым, чтобы выкупить себя из рабства, избавить себя от ежедневного унижения рабским трудом? По параллельным путям прошел другой поезд; он двигался так медленно, что я успел разглядеть в одном из вагонов молодого трудящегося Сити — вот точно таким и я должен был бы стать на будущий год. Лицо этого человека, прижатое к окну, пролетело всего в метре от меня. У него была хорошая кожа, хорошая одежда и совершенно пустые, точнее, опустошенные глаза. Я успел даже прочесть заголовок статьи в журнале, который он читал, — «Как к тридцати годам стать по-настоящему богатым». Парень поднял

---

[1] Никколо Макиавелли (1469–1527) — итальянский общественный деятель, мыслитель, военный теоретик. Приведена цитата из самого известного трактата Макиавелли «Государь» (1513).

[2] Лондонская вечерняя газета консервативного направления; основана в 1827 году.

глаза, увидел меня и, прищурившись, тоже попытался прочесть название моей книжки из серии «Пенгуин-классик», но поезд унес его в противоположном направлении.

Если бы у меня и были сомнения, что можно побороть систему, двигаясь вверх, то мне, черт побери, было отлично известно, что выпадением из обоймы ее точно не побороть. «Помнишь Ривенделл?» — спросил я себя. Летом перед моим поступлением в Кембридж мы с ребятами решили вскладчину смотаться в Камдентаун, где находился знаменитый клуб «Floating World».

— Там я накушался экстази и удалился вместе с какой-то девчонкой, похожей на беспризорницу; на губах у нее была помада цвета засохшей крови, а одежда казалась сделанной из черной паутины. Мы с этой девушкой-пауком взяли такси и приехали к ней домой; собственно, в этом доме жили члены коммуны, которая называлась «Ривенделл»[1], а у моей новой знакомой там имелась жалкая клетушка в виде отгороженной части террасы, смотревшей прямо на фабрику по переработке макулатуры. Девушка-паук и я сперва долго резвились под диск раннего Джонни Митчелла, певшего что-то про чаек, а потом продрыхли до полудня, после чего меня отвели вниз, в «комнату Элронда», и покормили чечевицей с карри. А потом эти «пионеры-сквоттеры» поведали мне, что их коммуна — это аванпост будущего, посткапиталистического, постнефтяного и постденежного общества. Все то, что «внутри системы», они считали плохим, а все то, что «вне системы», — хорошим. Когда один из них спросил, как я хочу провести время, отведенное мне на земле, я сказал что-то насчет работы в СМИ, и меня тут же со всех сторон подвергли словесной бомбардировке и коллективной диатрибе, поскольку, с их точки зрения, свойственные данной системе СМИ способны только разделять людей, а не объединять их. Девушка-паук сказала: «Только здесь, в Ривенделле, мы по-настоящему разговариваем друг с другом и слушаем легенды, созданные иными, более мудрыми культурами, например индейцами-инуитами, ибо мудрость древних — это наше основное богатство и наша валюта». Когда я уходил, Девушка-паук попросила у меня «взаймы» двадцать фунтов: ей нужно было купить кое-какие продукты. Я предложил в порядке обмена процитировать какую-нибудь инуитскую премудрость, раз уж это их «основная валюта». Какая-то часть ее ответа была радикально-феминистской, но по большей части ответ был англо-саксонским и весьма непристойным. В общем, я вынес из «Ривенделла» — если не считать лобковых вшей и аллергии на Джонни Митчелла, которая продолжается и

---

[1] Поместье Элронда, героя эпопеи Дж. Р. Р. Толкина «Властелин колец».

по сей день, — твердое убеждение, что «вне системы» существует только нищета и больше ничего.

Можно, кстати, было бы спросить у того йети, насколько свободным *он* себя чувствует.

* * *

Пока я снимал шапку и сапоги в прихожей, услышал, как мама в гостиной говорит: «Подождите минутку, это, возможно, как раз он пришел». И почти сразу же она появилась в дверях, держа в руках телефонный аппарат, шнур которого был натянут до предела.

— Да, это действительно он! — сказала она в трубку. — Как удачно! Я сейчас вас соединю. Мне очень приятно называть вас по имени, Джонни... Примите мои поздравления с праздником и все такое.

Я вошел в гостиную следом за ней и одними губами спросил: «Джонни Пенхалигон?»; мама кивнула и вышла, затворив за собой дверь. Темная гостиная была освещена только мерцанием волшебных елочных огоньков, то ярко вспыхивавших, то почти затухавших. Телефонная трубка лежала в плетеном кресле. Я прижал ее к уху, слушая нервное дыхание Пенхалигона и мелодию из сериала «Твин Пикс», способную кого угодно ввести в транс, которая доносилась откуда-то из другого конца огромного Тридейво-хаус. Я медленно сосчитал про себя от десяти до нуля и только после этого воскликнул:

— Джонни! Какая неожиданность! Извини, что заставил тебя ждать.

— Привет, Хьюго. Да, это я, Джонни. Привет. Как у тебя дела?

— Отлично. На полном ходу несусь навстречу Рождеству. А ты как?

— Вообще-то не очень, если честно. Да, Хьюго, не очень.

— Грустно это слышать. Я могу чем-нибудь помочь?

— Ну... не знаю. Это как-то... неудобно...

— Да ла-адно тебе! Давай говори.

— Ты помнишь вчерашний вечер у Жабы? Помнишь, что я выиграл уже больше четырех тысяч, когда ты сказал: «Вот это вечер!»

— Помню ли я? Да я, еще и часа не прошло, в пух и прах проигрался! А ты, наш пират Пензанса, значит, все время выигрывал?

— Да, и это было... какое-то безумие! Просто какие-то волшебные чары...

— Какие там чары! Четыре тысячи фунтов! Да ведь это больше стипендии за год!

— Ну да, это-то мне мозги немного и размягчило. Да нет, не немного, а очень даже сильно. Ну и еще глинтвейн... И я вдруг подумал: как фантастически здорово было бы не клянчить денег у мамы каждый раз, как я остаюсь с пустым карманом... В общем, когда ты ушел, карты сдавал Джусибио, и у меня сразу оказался флеш-рояль, пики, козырной валет. Я сыграл безупречно — изображал, будто просто блефую, а на самом деле у меня на руках полное дерьмо, — в итоге на столе было уже больше двух тысяч...

— Дьявол тебя задери, Джонни! Это же целая куча денег!

— Ну да. Только мы заранее договорились, что предел устанавливать не будем, и все трое только и делали, что повышали и повышали ставки, и никто не желал отступать. У Ринти оказалось всего две пары, а Брюс Клегг, увидев мой флеш, сказал: «Опять этот Пират нас обхитрил», но когда я уже потянул к себе денежки, он вдруг прибавил: «Если только у меня не... Ой, что это? Никак фул-хаус?» И у него действительно был фул-хаус. Три дамы, два туза. Мне бы нужно было сразу встать и уйти. Ну почему я сразу не ушел! У меня еще оставалось две тысячи, но две я уже проиграл. И все-таки я решил, что просто случайно ошибся, что все это ерунда, что если я буду держать себя в руках, то непременно отыграюсь. Как говорится, фортуна покровительствует смелым! Еще одна игра, и все повернется в другую сторону... Жаба пару раз все-таки спросил, не хочу ли я выйти из игры, но я... к этому времени уже... уже — голос Пенхалигона явственно задрожал, — ...проиграл десять тысяч.

— Ничего себе! Ну ты, Джонни, даешь.

— В общем, мы продолжили игру, и я все время проигрывал, а потом никак не мог понять, почему это среди ночи звонят колокола Королевского колледжа, но тут Жаба раздернул шторы, и оказалось, что уже день, и Жаба сказал, что закрывает казино на все праздники, и предложил нам яичницу. Но есть мне не хотелось...

— Ты же сперва выиграл, — утешал его я, — а потом проиграл. В покер всегда так бывает.

— Нет, Хьюго, ты не понимаешь! Джусибио схватил какую-то железяку, а я... что-то вроде мясорубки, и тогда Жаба, чтобы нас остановить, написал на листке сумму, составлявшую мой долг. Это... — задушенный шепот, — ...*пятнадцать тысяч двести фунтов!* Жаба, правда, сказал, что округлит ее до пятнадцати тысяч, однако...

— Твое благородство всегда пробуждало в Жабе самые лучшие чувства, — заверил я его, глядя сквозь синюю бархатную занавеску холодного оттенка темного индиго, на янтарное пятно света от уличного фонаря. — Он же понимает, что имеет дело не с каким-то прощелыгой, который считает, что если ему нечем платить, то он и не будет платить.

— В том-то и загвоздка, — вздохнул Пенхалигон.

Я сделал вид, что его слова меня озадачили:

— Если честно, Джонни, я как-то не совсем понимаю...

— Видишь ли, пятнадцать тысяч фунтов — это... действительно очень много. Да, черт побери, очень и очень много!

— Для такого простого в финансовом смысле человека, как я, это, конечно, сумма большая, но для старой корнуэльской аристократии пятнадцать тысяч — это, безусловно...

— Да у меня и на счете столько нет!

— А, понятно! Ничего. Послушай, я знаком с Жабой с того дня, как поступил в Кембридж, и, клянусь, тебе совершенно не о чем беспокоиться.

Пенхалигон издал какое-то хриплое, вымученное, но полное надежды карканье.

— П-правда?

— Ну, конечно. Жаба — классный мужик. Скажи ему, что на Рождество банки закрыты, и до Нового года ты никак не сможешь перевести ему эту сумму. Он же понимает, что слово Пенхалигона — это его долговое обязательство.

Ну, вот я и услышал то, что хотел:

— Но у меня *нет* этих пятнадцати тысяч фунтов!

Так, сделаем драматическую паузу, прибавим капельку смущения и щепотку недоверия:

— Ты хочешь сказать... что у тебя *вообще* нет денег?

— Ну... В настоящий момент. Если бы я мог уплатить этот долг, я бы уплатил, но сейчас...

— Джонни. Прекрати. Долг есть долг, Джонни. И потом, я же *поручился* за тебя. Перед Жабой. Я сказал: «Это же Пенхалигон!», и ему этого было достаточно. Больше и объяснять ничего не пришлось.

— То, что твои предки были адмиралами и ты живешь в аристократическом особняке, еще не делает тебя миллиардером! Кстати сказать, Тридейво-хаусом владеет банк «Куртард», а вовсе не мы!

— Ладно, *ладно*. Просто попроси твою мать выписать тебе чек.

— На уплату покерного долга? Ты что, спятил? Она совершенно точно мне откажет. Слушай, а не мог бы Жаба *сделать так*, чтобы, знаешь... эти пятнадцать тысяч...

— Нет, нет и нет! Жаба — человек дружелюбный, но деловой; для него вопрос бизнеса — это такой козырь, который побьет любые дружеские отношения. Пожалуйста, Джонни. Заплати.

— Но ведь это всего лишь покер, игра! Это же не... скрепленный юридически договор.

— Долго есть долг. Жаба считает, что ты ему должен. Извини, но, пожалуй, и я того же мнения. А если ты откажешься честно выплатить долг, то это будет уже вызов. Он, конечно, не станет подкладывать тебе в постель лошадиную голову[1], но подключит к этому разбирательству и твою семью, и Хамбер-колледж, которому вряд ли понравится, что его доброе имя треплет «желтая пресса».

До Пенхалигона, кажется наконец дошло, что его ждет в недалеком будущем; для него это прозвучало как рухнувшая с крыши многоэтажной парковки гора бутылок.

— О господи, в какое же я вляпался дерьмо! *Какое дерьмо!*

— Я тут подумал, что, *вообще-то*, выход есть... а впрочем, нет, забудь об этом.

— Говори. Сейчас я готов рассматривать любую возможность. *Любую!*

— Нет, забудь. Это все ерунда. И я прекрасно понимаю, каков будет твой ответ.

— Да уж давай, Хьюго, колись.

Способность убеждать заключается вовсе не в силе убеждения, а в умении соблазнить, указать человеку «волшебную дверцу», которую ему непременно захочется открыть.

— Я имел в виду ваш старый спортивный автомобиль. «Альфа Ромео», кажется?

— Нет, винтажный «Астон Мартин Кода» 1969 года выпуска. Но... продать его?

— Немыслимо, я понимаю. Лучше просто пади к ногам матери, Джонни.

— Это... была папина машина. Он ее мне оставил, и я очень ее люблю. Да и как я смогу объяснить исчезновение «Астон Мартина»?

— Ты же изобретательный человек, Джонни. Скажи дома, что тебе предпочтительнее продать ненужное имущество и положить деньги на надежный офшорный счет, а не рассекать по Девону и Корнуоллу на дорогущем спортивном автомобиле, даже если он и достался тебе от отца. Послушай — мне, кстати, только сейчас это в голову пришло, — здесь, в Ричмонде, есть один вполне приличный дилер, который занимается покупкой-продажей винтажных автомобилей. *Очень* осторожный человек и неболтливый. Я *мог бы* подскочить к нему, пока он не закрылся на Рождество, и спросить хотя бы, о какой сумме пойдет речь.

Судорожный вздох с замороженного большого пальца ноги Англии[2].

— Ну, как я понимаю, это «нет», — сказал я. — Мне очень жаль, Джонни, но я не могу...

---

[1] Эпизод из романа Марио Пьюзо «Крестный отец», по которому был поставлен знаменитый фильм Ф. Копполы (1972).
[2] Самая западная оконечность Корнуолла.

— Нет, я согласен. Хорошо, иди и поговори с ним. Пожалуйста!

— А ты не хочешь объяснить Жабе, что происходит, или, может...

— Ты не мог бы сам ему позвонить? Мне кажется... что вряд ли я... нет, я не...

— Ладно, предоставь все мне. Друзья познаются в беде.

* * *

Я набрал номер Жабы по памяти. Его автоответчик включился после первого же звонка, и я быстро сказал: «Пират продает. А я после Дня подарков[1] уезжаю в Альпы. Увидимся в Кембридже в январе. Счастливого Рождества». Я повесил трубку и позволил себе некоторое время бездумно созерцать сделанные на заказ книжные шкафы, телевизор, отцовский бар с напитками, мамины безделушки из дутого стекла, старую карту Ричмонда-на-Темзе, фотографии Брайана, Элис, Алекса, Хьюго и Найджела Лэмов в разном возрасте и на разных стадиях своего развития. Болтовня моих родственников доносилась до меня, как голоса из другого мира, эхом долетающие из какой-то фантастической переговорной трубки.

— Ну что, Хьюго, все хорошо и даже превосходно? — спросил отец, появляясь в дверях. — Добро пожаловать обратно к нам.

— Привет, пап. Это Джонни звонил, мой приятель из Хамбера. Справлялся насчет списка литературы по экономике на следующий триместр.

— Похвальная организованность. Видишь ли, я забыл в машине, в бардачке, бутылку коньяка и как раз хотел выскочить...

— Не надо, пап! — остановил сго я. — Там *жуткий холод*, а ты все еще немного простужен. Вон моя куртка на вешалке, давай я схожу и принесу.

* * *

— Ну, вот мы и снова встретились холодной зимнею порой, — сказал кто-то, когда я закрывал заднюю дверцу отцовского «BMW».

Черт возьми! Я так вздрогнул от неожиданности, что чуть бутылку не выронил. Незнакомец был укутан в анорак, и его лицо полностью скрывалось в тени капюшона, туда не проникал даже свет уличного фонаря. Он стоял всего в нескольких шагах от тротуара, но определенно на нашей подъездной дорожке.

---

[1] Boxing Day (*англ.*) — День подарков, второй день Рождества, 26 декабря, официальный праздник. В этот день принято дарить подарки; в том числе обычно делают небольшие денежные подарки прислуге, почтальону и т. п.

— Чем я могу вам помочь? — Вообще-то, я не собирался демонстрировать особую вежливость.

— Мы желаем знать, кто я? — Он немного сдвинул капюшон, и я узнал того йети-попрошайку с Пиккадилли-сёркус; бутылка все же выскользнула у меня из пальцев и глухо шлепнулась мне на ногу.

Я только и смог выдохнуть:

— *Вы?* Я... — Мое дыхание повисло белым облачком тумана.

— По-моему, да, — только и сказал он.

Разом охрипнув, я спросил:

— Почему... вы меня преследуете?

Он посмотрел на дом моих родителей с таким видом, словно собирался его купить. Руки йети держал в карманах, и я подумал, что там вполне может оказаться нож.

— У меня больше нет денег, чтобы вам дать, если вы за этим...

— Я проделал весь этот путь совсем не ради банкнот, Хьюго.

Я лихорадочно вспоминал: я совершенно точно не называл ему своего имени! Да и с какой стати я стал бы это делать?

— Откуда вам известно мое имя?

— Оно нам известно уже года два. — Вульгарная речь и характерный выговор представителя лондонского дна исчезли без следа; да и дикция, как я успел заметить, была теперь абсолютно безупречной.

Я уставился на него. Может, мы с ним в школе вместе учились?

— Вы кто?

Йети поскреб ногтями грязную башку: на нем были перчатки с обрезанными кончиками пальцев.

— Если вас интересует, *кто бывший хозяин этого тела*, то до этого, честно говоря, никому нет никакого дела. Он вырос неподалеку от Глостера, у него были вши, пристрастие к героину и активный вирус иммунодефицита. Если же вы хотите спросить: «С кем я имею честь разговаривать?», то ответ будет несколько иным: я — Иммакюле Константен, с которой вы совсем недавно обсуждали природу власти. Я знаю, что вы меня помните.

Я невольно отшатнулся и больно ударился ногой о выхлопную трубу отцовского «БМВ». Тот йети с Пиккадилли-сёркус слова «Иммакюле Константен» даже произнести бы не смог.

— Это подстроено. Она наверняка вас подготовила, сказала, что нужно говорить, но как...

— Как она могла узнать, какому именно бездомному нищему вы сегодня подадите милостыню? Это же невозможно. И как она могла знать о Маркусе Анидере? Думайте шире. Вспомните весь спектр возможных решений.

На соседней улице взвыла и умолкла автомобильная сигнализация.

— Я понял: вы из секретной службы. Вы оба... являетесь ее сотрудниками... и участниками...

— Правительственного заговора? Ну, я полагаю, это действительно несколько шире, но до каких пределов распространяется ваша паранойя? Может, Брайан и Элис Лэм — тоже агенты секретных служб? Может, к этому причастны также Марианджела и сестра Первис? А может, бригадный генерал Филби отнюдь не утратил разум, как вам казалось? Паранойя — вещь поистине всепоглощающая.

Я понимал, что все это происходит на самом деле. Я видел отпечатки ног йети на хрустком снегу. Я чувствовал его запах — смесь прелой соломы, блевотины и алкоголя. Губы мои онемели от мороза. Нет, таких галлюцинаций попросту не бывает.

— Что вам нужно?

— Прорастить семя.

Мы в упор смотрели друг на друга. От него пахло жирным печеньем.

— Слушайте, — сказал я, — я не понимаю, что здесь происходит, и зачем она вас ко мне послала, и почему вы утверждаете, что вы — это она... Но вам нужно довести до сведения мисс Константен, что она совершила ошибку.

— Какого рода ошибку я совершила? Уточните, пожалуйста, — спросил йети.

— Ну все, с меня хватит. Я вовсе не тот, кем вы меня считаете. И я хочу одного: спокойно встретить Рождество и спокойно жить да...

— Мы лучше знаем, что вам нужно, Хьюго Лэм, и чего вы хотите. Мы знаем вас гораздо лучше, чем вы сами себя знаете.

Йети удовлетворенно проворчал себе под нос что-то еще, развернулся и пошел прочь по нашей подъездной дорожке. Затем остановился, бросил через плечо: «Счастливого Рождества» — и исчез.

29 декабря

Тут Альпы, там Альпы, всюду Альпы, Альпы. Изломанные вершины, похожие на замки; бело-голубые, лилейно-белые, изрезанные выступами скал, опушенные заснеженным лесами... Я уже много раз гостил в шале, принадлежавшем семейству Четвинд-Питт, так что успел выучить названия всех этих вершин: вот похожая на гигантский клык Гран-Дан-де-Вейзиви; а по ту сторону долины Сассенер — пики Ла-Пуант-дю-Сате и Пуант-де-Брикола; а за спиной у меня Паланш-де-ла-Кретта, «Коромысло Кретты», закрывающее большую часть неба. Я с наслаждением наполнил легкие морозным воздухом, любуясь слегка размытыми красками вокруг: пролетевшим и исчезнувшим самолетом в лучах заходящего солнца; огнями Ла-Фонтейн-Сент-Аньес шестьюстами метрами ниже; многочисленными шале, колокольней, домами с островерхими крышами, очень похожими на игрушечную деревянную деревушку, которая у меня была в детстве; мощным зданием вокзала Шемёй, сложенным из отвратительных бетонных блоков в стиле 70-х годов XX века, и примыкавшей к нему обшарпанной кофейней и дискообразной платформой, где совсем недавно высадились мы, четверо студентов Хамбер-колледжа. Кабины подвесной канатной дороги поднимали лыжников в верхнюю часть склона, а более легкие открытые сиденья доползали до самой вершины Паланш-де-ла-Кретта и исчезали в клубах снежной пыли. Сорок, а может, даже пятьдесят или шестьдесят лыжников скользили вниз по склону горы по извилистой синей трассе или чуть дальше, по более крутой и опасной черной. Интересно, что это за лыжники? Рядом с собой лично я никаких лыжников не вижу. Здесь всего лишь Руфус Четвинд-Питт, Олли Куинн и Доминик Фицсиммонс — приятно познакомиться. Ну что, наверх, к вершине? Вон туда? Кстати, именно оттуда открывается вид, который я называю «средневековым». Неужели деревушка Ла-Фонтейн-Сент-Аньес действительно существовала уже в Средние века? Так, а это еще что за худенькая девушка в светло-зеленом, цвета мяты, лыжном костюме? Прислонилась к перилам и курит так отчаянно, как курят только француженки — похоже, курение у них входит в расписание школьных занятий. А впрочем, пусть и она поднимется вместе с нами. В конце концов, каждому Адаму нужна Ева.

* * *

— А что, если мы прибавим к этому лыжному спуску капельку славы? — Руфус Четвинд-Питт поднял на лоб защитные очки «Сноу-Фокс» стоимостью сто восемьдесят фунтов. — Трое поигравших пусть платят за победителя в баре в течение всего этого дня. Принимаете пари?

— Я пас, — заявил Олли Куинн. — Я лучше спущусь по синей трассе. У меня нет ни малейшего желания в первый же день каникул угодить в больницу.

— По-моему, это не слишком честное пари, — сказал Доминик Фицсиммонс. — Куда нам с тобой тягаться — ты здесь съезжал вниз чаще, чем сортир посещал!

— Итак, наши бабули Куинн и Фиц высказались в свое оправдание. — Четвинд-Питт повернулся ко мне. — А ты как, наш Агнец Божий?

176

Четвинд-Питт считался отличным лыжником и здесь, и где угодно и, разумеется, катался гораздо лучше всех нас; к тому же я понимал, что в ночной жизни Сент-Аньес цена минуты славы будет для меня чрезмерно высокой, но я все же изобразил полную готовность и деловито поплевал на ладони.

— Что ж, Руфус, пусть победит сильнейший.

Моя логика была незыблема. Если он выиграет сейчас, то потом куда более опрометчиво, чем обычно, будет делать ставки в бильярдной или за карточным столом. А если он все же случайно споткнется на спуске и проиграет мне, то тогда тем более будет вечером повышать ставки, желая восстановить славу альфа-самца.

Четвинд-Питт усмехнулся и надел свои «сноу-фоксы».

— Рад, что *хоть у кого-то* яйца на нужное место пришиты. Фиц, ты дашь нам старт. — Мы поднялись на самую верхнюю точку трассы, и Четвинд-Питт лыжной палкой прочертил в грязном снегу стартовую линию. — Кто первым придет к гигантскому снеговику, который стоит в конце черной трассы, тот и будет считаться победителем. Никаких жалоб, никаких «если» — гоним по прямой до самого дна, как сказал один студент Итона другому. А с вами, двое красавцев в изящных шерстяных свитерах... — он презрительно посмотрел на Фицсиммонса и Куинна, — мы увидимся позже, уже chez moi[1].

— В таком случае слушайте мою команду: на старт... — объявил Фицсиммонс, и мы оба, я и Четвинд-Питт, присели, точно олимпийские чемпионы во время зимних игр, — ...внимание, марш!

* * *

К тому времени, как я, не сразу обретя равновесие, начал спуск, Четвинд-Питт оказался уже далеко впереди, похожий на большой снежный ком. Пока это был еще относительно пологий участок трассы, и мне пришлось обогнуть группу испанских ребятишек, выбравших для группового фото как раз середину спуска. Но дальше лыжня раздваивалась — синяя трасса направо, черная налево и вниз с отвесного выступа. Четвинд-Питт свернул на черную, и я, естественно, последовал за ним, ворча себе под нос, потому что весьма неловко приземлился, прыгнув с этого естественного трамплина. На ногах я, впрочем, устоял. Снег на склоне был плотный, слежавшийся, больше похожий на наст, покрытый блестящей корочкой, и мои лыжи свистели по нему, как ножи во время заточки. Я все увеличивал скорость, но задница моего соперника, обтянутая черно-оранжевыми эластичными штанами, все равно мелькала да-

---

[1] Здесь: у меня дома (*фр.*).

леко впереди. Лыжня, огибая пилоны канатной дороги, сворачивала в высокогорный лесок, при этом угол наклона все увеличивался, а скорость была уже километров тридцать, а может, и все сорок в час; ветер, обжигая кожу, так и хлестал меня по щекам. Еще утром мы вчетвером спускались по этому самому склону аккуратной «змейкой», но сейчас Четвинд-Питт летел по прямой, как стрела. Скорость выросла, должно быть, уже километров до пятидесяти — так быстро на лыжах я еще никогда не ездил; от напряжения ныли икроножные и бедренные мышцы; в ушах свистел бешеный встречный ветер. На каком-то незаметном, но достаточно вредном бугорке я подскочил и пролетел в воздухе метра три, а может, и все восемь... и чуть не упал, но все же сумел удержать равновесие. Если на такой скорости упасть, то тебе в лучшем случае гарантированы множественные переломы. Четвинд-Питт нырнул в какую-то глубокую впадину, и секунд через пятнадцать я тоже влетел туда, но, увы, неправильно рассчитал скорость на резком повороте, и меня швырнуло прямо на ветви елей, низко нависавшие над трассой и изрядно меня исцарапавшие своими когтями, так что я сумел вернуться на лыжню, змеей извивавшуюся среди деревьев, лишь с большим трудом. После серии слаломных поворотов я снова увидел впереди Четвинд-Питта — он то исчезал, то снова возникал в поле зрения, и я старался следовать избранному им углу наклона, непроизвольно приседая и втягивая голову в плечи, когда вспугнутые вороны с жутким криком вылетали из-под свесившихся до земли ветвей. Внезапно лес кончился, и я оказался на более спокойной части трассы между голым скалистым выступом и обрывом, сорвавшись с которого ничего не стоило сломать себе шею. Желтые ромбовидные знаки с черепами и скрещенными костями предупреждали, что от края обрыва следует держаться подальше. Мой соперник чуть притормозил и оглянулся... Теперь он был так далеко от меня, что выглядел как детский рисунок человечка с конечностями-палочками; в эти мгновения он как раз огибал Одинокую Сосну, торчавшую на скале, похожей на палец великана, — Одинокая Сосна отмечала примерно середину трассы, а значит, еще четыре-пять минут, и все. Я выпрямился, давая отдых мышцам живота, и глянул вниз, на город в долине — мне показалось, что я вижу даже елочные огоньки на площади, хотя мои дешевые ублюдочные очки здорово запотели. А ведь та молоденькая продавщица клялась, что запотевать они не будут! Четвинд-Питт между тем уже нырнул в нижний лесок, так что я обычным шагом, с силой отталкиваясь палками, добежал почти до самой Одинокой Сосны, а возле нее снова присел и стремительно полетел вниз. Вскоре моя скорость опять приблизилась к пятидесяти километрам в час, и я понимал, что скорость надо бы сбросить, но искуситель ветер, свистевший у меня в ушах, нашёптывал: «Неужели ты не осмелишься лететь еще быстрее?» И когда я влетел в нижний лес, то у меня было полное ощущение, что я — поезд, мчащийся в туннеле; ветвей я практически не различал, а скорость уже явно достигла километров шестидесяти, и на этой сумасшедшей скорости я налетел на какой-то бугор, за которым предательски спряталась дьявольски глубокая впадина: земля полетела куда-то в сторону... я воспарил, точно обкурившийся архангел-подросток... и этот свободный полет показался мне вечным... но потом почему-то вдруг ноги оказались на одном уровне с подбородком...

* * *

Сперва о землю ударилась моя правая нога, а левая при этом ушла «в самоволку», и я никак не мог понять, куда же она делась. Я катился и кувыркался по земле, и каждая встреча с ней была отмечена вспышкой боли — в лодыжке, в колене, в локте. *Вот ведь гадство* — оказывается, вместе с левой ногой куда-то исчезла и левая лыжа! Видимо, ее сорвало при ударе о землю, и она тоже решила от меня удрать. Земля—деревья—небо, земля—деревья—небо, земля—деревья—небо, земля—деревья—небо... Всю физиономию мне залепило колючим снегом; я чувствовал себя игральной костью в стаканчике или нарезанными для просушки яблоками в сушильном барабане. Я ворчал, стонал, молился... *О, какое все-таки гад...* Сила притяжения — великая сила, и при такой скорости остановка будет стоить целое состояние, а единственная приемлемая валюта в данном случае — это *боль...*

* * *

Уф! Запястье, голень, ребро, ягодица, лодыжка, мочка уха... Наверняка все изодрано, все в синяках... но если мое восприятие не слишком затуманено выбросом естественных анальгетиков в кровь, то голова у меня все еще немного варит и вроде бы ничего не сломано. Я немного полежал на спине, раскинув руки, точно распятый, на относительно мягкой подстилке из снега, сосновых игл, мха и всяких мелких веточек, потом сел, удивившись тому, что позвоночник мне это позволил, а значит, вполне нормально функционирует. А нормально функционирующий позвоночник — это всегда полезно для организма. Мои часы, как ни странно, шли и показывали 16:10, как это и должно было быть. Откуда-то доносились тонкие, как игла, птичьи трели. Интересно, а встать я смогу? Правой ягодицы я почти не чувствовал — там был сплошной сгусток боли, а копчик мне словно вколотили внутрь геологическим молотком, но встать я все же действительно смог и понял, что мне на редкость повезло. Я поднял защитные очки, стряхнул с куртки снег, отстегнул оставшуюся лыжу и, используя ее как посох, стал, передвигаясь неуклюжими прыжками, искать левую, сбежавшую. Прошла минута, потом две, но удача мне так и не улыбнулась. Четвинд-Питт наверняка уже спустился в деревню и на радостях мутузит того пухлого снеговика, который отмечает конец черной трассы. Мне же теперь предстоит тащиться по лыжне, пытаясь отыскать в подлеске проклятую лыжу. Никакого позора, разумеется, в падении на черной трассе нет — во всяком случае, если ты не профессионал и не лыжный инструктор, — но возвращаться в шале Четвинд-Питта на сорок минут позже Фицсиммонса и Куинна да еще всего с одной лыжей мне, честно говоря, ужасно не хотелось.

И тут послышался шелест — по трассе спускался кто-то еще, — и я поспешно отступил с лыжни. Это оказалась та французская девушка, что курила на смотровой площадке, — кто же еще, кроме француженки, надел бы в такое время года костюм цвета мяты? Она слетела по склону стремительно и грациозно, напомнив мне, до какой степени я сам напоминаю больного слона. Заметив меня, она профессионально затормозила и с первого взгляда поняла, что случилось. Она выпрямилась, стоя в нескольких метрах от меня, потом вдруг наклонилась, вытащила из снега нечто, оказавшееся моей лыжей, и подала мне. Я, естественно, тут же начал рыться в памяти, собирая в кучу свои, весьма посредственные, знания французского:

— Merci... Je ne cherchais pas du bon côté[1].

— Rien de cassé?[2]

Я понял, что она спрашивает, не сломано ли у меня что-то.

— Non. A part ma fierte, mais bon, ça ne se soigne pas[3].

Она так и не сняла защитных очков, так что я видел лишь несколько прядей волнистых черных волос, выбившихся из-под шапочки, и неулыбчивый рот; лицо моя добрая самаритянка показывать явно не собиралась.

— Tu en as eu, de la veine[4].

Я полный урод — ни слова не могу толком сказать!

— Tu peux...— Мне жутко хотелось чертыхнуться, но я постарался начать снова. — C'est vrai[5].

---

[1] Спасибо... Я с той стороны не искал (фр.).

[2] Ничего не сломано? (фр.)

[3] Нет. Кроме моей гордости, но это не стоит внимания (фр.).

[4] Вон там скальная порода на поверхность выходит, ты на нее и налетел (фр.).

[5] Ты можешь... Да, так и есть (фр.).

— Ça ne rate jamais: chaque année, il y a toujours un cuillon qu'on vient ramasser a la petite cuillère sur cette piste. Il restera toute sa vie en fauteuil roulant, tout ça parce qu'il s'est pris pour un champion olympique. La prochaine fois, reste sur la piste bleu[1].

Господи, мой французский заржавел куда сильней, чем мне казалось. Она, кажется, сказала, что здесь каждый год кто-нибудь ломает себе позвоночник и мне следует придерживаться синей трассы. Что-то в этом роде. Впрочем, она, даже не попрощавшись, мгновенно сорвалась с места и стремительно понеслась вниз, ловко проходя повороты.

* * *

Добравшись наконец до шале Четвинд-Питта, я долго отмокал в ванне, слушал доносившуюся из гостиной «Nevermind» и курил джойнт; ванная уже вся была полна змеящихся клубов пара, но я продолжал лежать, в тысячный раз прокручивая в уме ту историю о перепрыгивании души из одного тела в другое. Факты, собственно, были обманчиво просты: шесть дней назад возле дома моих родителей я познакомился с неким Разумом, вселившимся в *чужое тело*. Эта невероятная и довольно дерьмовая история требовала теоретического обоснования, и у меня в наличии имелось целых три теории.

Теория 1. Мне все это привиделось (галлюцинация или что-то в этом роде). Причем померещилось мне не только второе пришествие этого йети, но и, так сказать, вторичные доказательства этого пришествия вроде следов на снегу и сообщенных йети фактов, которые могли быть известны только мисс Константен и мне.

Теория 2. Я стал жертвой невероятно сложной мистификации, в которой участвовали мисс Константен и ее помощник, изображавший бездомного.

Теория 3. Все именно так, как я это видел собственными глазами, и переход разума (или души?) из одного тела в другое — а как еще это назвать? — явление вполне реальное.

Галлюциногенная теория. Я не чувствую себя психом — довод довольно слабый, хотя психом я действительно себя не чувствую. Если у меня один раз возникла столь реалистичная галлюцинация, значит, должны возникать и другие? Например, мне мог бы померещиться Стинг, который поет «Англичанина в Нью-Йорке», находясь внутри электрической лампочки.

---

[1] Каждый раз одно то же — из года в год; эта трасса в плачевном состоянии, поэтому здесь постоянно собирают подобный «урожай». Вообразив себя олимпийским чемпионом, можно на всю жизнь в инвалидном кресле остаться. В следующий раз выбирай синюю трассу.

Теория сложной мистификации. Почему выбрали именно меня? Кое-кто, возможно, и точит зуб на Маркуса Анидера, если ему стали известны кое-какие проделки последнего. Но зачем мстить подобным образом, создавая столь грандиозную мистификацию и рискуя навсегда повредить мой рассудок? Почему, черт возьми, попросту меня не прикончить?

Теория перемещения душ. Она вполне правдоподобна, но только *если* вы живете в фантастическом романе. А здесь, в реальном мире, где живу я, душа обычно остается внутри своего тела. Все эти паранормальные штучки — всегда-*всегда* связаны с некой мистификацией, с обманом.

Из подтекающего водопроводного крана неумолчно капала вода. Я так давно лежал в ванне, что мои ладони и пальцы стали розовыми и сморщенными. Наверху кто-то глухо стучал или топал ногами.

Итак, что же мне все-таки делать с Иммакюле Константен и с йети? Надо же было так вляпаться! Впрочем, единственный возможный ответ: «Пока что ничего не делай». Вполне возможно, что сегодня ночью, например, мне преподнесут еще один кусок такого же дерьма или, скажем, эта «радость» будет ждать меня в Лондоне или Кембридже. Или, что тоже вполне возможно, вся эта история окажется просто неким невероятным извивом моего жизненного пути, на который я больше никогда уже не ступлю.

— Хьюго, ты как там? — Олли Куинн, благослови его, боже, постучался в дверь ванной. — Ты еще жив?

— Пока вроде бы да! — крикнул я, пытаясь перекрыть включенного на полную мощность Курта Кобейна.

— Руфус говорит, что нам, пожалуй, пора в «Ле Крок», пока там все не забито под завязку.

— Вот вы втроем и идите. Столик займете. А я вскоре тоже подойду.

«Ле Крок» — весьма сомнительное заведение для любителей крепко выпить — находился недалеко, на небольшой улочке поблизости от центральной площади Сент-Аньес, с трех сторон окруженной горами. Владелец заведения Гюнтер насмешливо меня приветствовал, мотнув головой в сторону так называемого Орлиного Гнезда — уютной маленькой антресоли, которую уже успели захватить трое моих ричмондских приятелей. Вечер был в самом разгаре, народу полно, и ощутимо попахивало наркотой; две saisonières[1], нанятых Гюнтером, — одна темноволосая, тощая и вся в черном, как принц Гамлет,

---

[1] Сезонные работницы (*фр.*).

а вторая чуть потолще, пособлазнительней и с более светлыми волосами — без конца принимали заказы. Когда-то давно, в 70-е, Гюнтер занял в рейтинге лучших теннисистов мира 298-е место (правда, всего на одну неделю), но с тех пор на стене у него висела газетная вырезка в рамке, доказывавшая это достижение. Теперь он снабжал кокаином всяких богатеньких европодонков, в том числе и старшего отпрыска лорда Четвинд-Питта. Его длинные крашеные патлы а-ля Энди Уорхол служили явным примером стилистической жертвы, принесенной окружению, но говорить, что такую прическу уже не носят, было бессмысленно: ни один пятидесятилетний наркоторговец швейцарско-немецкого происхождения ни за что не принял бы советов какого-то англичанина. Я заказал горячего красного вина и вскарабкался в Орлиное Гнездо, пробравшись сквозь плотный лесок собравшихся в кучу семифутовых немцев. Четвинд-Питт, Куинн и Фицсиммонс уже поели — знаменитое daube[1] Гюнтера и огромный яблочный пирог с корицей, порезанный клиньями, — и теперь принялись за коктейли, за которые благодаря проигранному Четвинд-Питту пари платить сегодня нужно было мне. Олли Куинн успел окосеть и сидел с остекленевшими глазами.

— Даже капельку не могу голову повернуть, так кружится, — мрачно сообщил он мне.

Этот мальчик совсем не умел пить.

— А зачем тебе голову поворачивать? — спросил я, снимая шарф.

Фицсиммонс одними губами сказал: «Несс», и я тут же изобразил, что прямо сейчас повешусь на собственном шарфе. Впрочем, Куинн ничего этого не заметил и уныло продолжил жалобы:

— Мы же с ней обо всем заранее *договорились*! Что я отвезу ее в Гринвич, что она представит меня своим маме-папе, что мы будем вместе все Рождество, сходим на распродажу в этот дорогущий «Хэрродз», покатаемся на коньках в Гайд-парке... Мы обо всем договорились. И вдруг в субботу после того, как я отвез Чизмена в больницу, где ему накладывали его дурацкие швы, она мне звонит и заявляет: «Наш с тобой совместный путь закончен, Олли». — Куинн судорожно сглотнул. — И я как последний... А *она*... тут же стала меня уговаривать: «Ах, это не твоя вина, во всем виновата я одна!» И объяснила, что в моем присутствии испытывает некие *противоречивые чувства*, и ей кажется, будто она *по рукам и ногам связана*, и еще...

— Я знаком с одной португальской шлюшкой, которой страшно нравится, когда ее связывают по рукам и ногам. Может, это хоть немного умаслит твою бедную задницу? — сказал Четвинд-Питт.

[1] Тушеное мясо (*фр.*).

— Женоненавистник! И, кстати, ничего смешного тут нет, — вступился за Олли Фицсиммонс, с наслаждением вдыхая пары своего vin chaud[1]. — Так поступить с человеком могла только самая распоследняя шлюха.

Четвинд-Питт пососал вишенку из коктейля и сказал:

— Ага. Особенно если купишь в подарок на Рождество ожерелье из опала, а тебя бортанут еще до того, как ты успел превратить свой подарочек в секс. Кстати, Олли, если ты купил это ожерелье в ювелирном магазине «Ратнерз», то подарки там вполне охотно обменивают, но денег, к сожалению, не возвращают. Наш служитель, который на крикетной площадке следит за порядком, получил отказ от своей невесты чуть ли не во время свадьбы — вот откуда я знаю про «Ратнерз».

— Нет, распроклятый «Ратнерз» тут ни при чем, — проворчал Куинн, — я не там покупал.

Четвинд-Питт выплюнул вишневую косточку в пепельницу и сказал:

— Да ладно тебе! Выше нос! В Сент-Аньес на Новый год собирается куда больше всяких еврокошечек, чем во всем Шлезвиг-Гольштейнском обществе спасения кошачьих. И потом, готов спорить с тобой на тысячу фунтов, что эти ее рассуждения насчет «внутреннего конфликта» попросту означают, что она завела себе другого бойфренда.

— Несс? Нет, вряд ли, — заверил я бедного Куинна. — Все-таки она уважает и тебя, и себя — пожалуй, даже чересчур уважает. Это невозможно, поверь мне. А ты, между прочим, — повернулся я к Четвинд-Питту, — когда Лу тебя бортанула, несколько месяцев был не в себе, словно пережил крушение поезда.

— У нас с Лу было серьезно. А Олли и Несс и знакомы-то были — сколько? — недель пять в лучшем случае. И, кстати, Лу вовсе меня не бортанула. Мы расстались по взаимному согласию.

— Шесть недель и четыре дня, — поправил его Куинн; он выглядел до предела измученным. — Но разве это так важно, *сколько* дней мы были знакомы? У меня было такое ощущение... будто мы попали в какое-то потайное место, о существовании которого знаем только мы двое... — Он отхлебнул своего невразумительного мальтийского пива. — Она мне *подходила*, понимаешь? Я не знаю, что такое любовь — мистика, химия или еще что-то, — но я знаю: когда она у тебя была и вдруг ушла, это как... как...

— Как ломка, — подсказал Руфус Четвинд-Питт. — «Roxy Music» правы насчет того, что любовь — это *тоже наркотик*, и когда у тебя

---

[1] Горячее вино (*фр.*).

кончается любовь, то ни один наркоторговец на земле не может тебе помочь. Ну, кроме одного, конечно: *той самой* девушки. Но ее больше нет, она ушла, и ты уже никогда не получишь от нее того, что тебе так необходимо. Ясно тебе, Олли? Между прочим, я *действительно* хорошо тебя понимаю, бедолага. И, знаешь, что бы я тебе в данном случае прописал? — Четвинд-Питт покрутил в пальцах пустой стакан из-под коктейля. — «Angels' Tits»[1]. Это какао-крем и вишневый ликер, — пояснил он, поворачиваясь ко мне. — Pile au bon moment, Monique, tu as des pouvoirs télépathiques[2]. — Официантка попухлее принесла мне горячее вино, и Четвинд-Питт продемонстрировал свой хитрожопый французский: — Je prendrai une «Alien Urine», et ce sera mon ami ici present, — он кивнул в мою сторону, — qui reglera l'ardoise[3].

— Bien, — сказала Моник; она вела себя так, словно обпилась шампанского. — J'aimerais bien moi aussi avoir des amis comme lui. Et pour ces messieurs? Ils m'ont l'air d'avoir encore soif[4].

Фицсиммонс заказал черносмородиновую наливку «Cassis», Олли пробурчал: «Просто еще одно пиво», и Моник, собрав грязные тарелки и стаканы, удалилась.

— Ну, с такой девочкой я бы, пожалуй, пострелял из своего неукороченного дробовичка, — сказал Четвинд-Питт, глядя ей вслед. — Классная задница, а размерчик — полные шесть с половиной. И она куда приятней, чем та, вторая, которая похожа на Венсди из «Семейки Аддамс». Интересно, зачем Гюнтер ее нанял? В качестве пугала, что ли? — Я проследил за его взглядом и увидел, как вторая, более тощая, официантка наливает в большой бокал коньяк. Я спросил у Руфуса, не француженка ли она, но он мне не ответил, и тогда я сказал, повернувшись к Фицсиммонсу: — Это Фиц у нас сегодня на вопросы отвечает. Что это за любовную чушь все сегодня несут, а, Фиц?

Фицсиммонс закурил и передал пачку нам.

— Любовь — это анестезия, применяемая Природой, чтобы добывать детей.

Где-то я уже слышал нечто подобное. Четвинд-Питт стряхнул пепел в тарелку.

— Может быть, ты, Лэм, дашь определение получше?

---

[1] Буквально «сиськи ангелов» (*англ.*).

[2] Как ты кстати появилась, Моник, у тебя явно телепатические способности (*фр.*).

[3] Я возьму «Alien Urine», а вот этот мой приятель заплатит по счету (*фр.*). Alien Urine — букв. «моча инопланетянина».

[4] Хорошо. Хотелось бы и мне иметь таких друзей, как он. А для этих мсье? Мне кажется, они не прочь еще выпить (*фр.*).

Я следил за тем, как тощая официантка создавала то, что, по всей видимости, и было «Alien Urine», заказанное Четвинд-Питтом.

— Меня не спрашивай. Я никогда не был влюблен.

— Да неужели? Бедный барашек! — поддразнил меня Четвинд-Питт.

— Что за чушь, — сказал Куинн. — Ты же менял девчонок одну за другой.

Память тут же подсунула мне фотографию одной милашки — она, между прочим, считалась девушкой Фицсиммонса.

— Я действительно обладаю кое-какими познаниями и в области анатомии, и в области практической физиологии, но эмоционально все они для меня — сущий Бермудский треугольник. Любовь, тот самый наркотик, о котором упоминал Руфус, или, с иной точки зрения, состояние полнейшей благосклонности и всепрощения, по которому так тоскует Олли, — это поистине великая тема... Но у меня, увы, к этому недугу абсолютный иммунитет. Я ни разу не испытывал любви к девушке или к юноше — если это важно.

— Господи, что ты гонишь? Что за кучу дерьма ты тут только что навалил? — возмутился Четвинд-Питт.

— Но это же чистая правда! Я действительно никогда и ни в кого не был влюблен. И, по-моему, это даже хорошо. Дальтоники, например, прекрасно существуют, не различая цвета — синий и пурпурный, зеленый и красный.

— Тебе просто до сих пор не встретилась подходящая девушка, — решил наш блаженный дурачок Куинн.

— Или, наоборот, тебе встречалось *слишком много* подходящих девушек, — предположил Фицсиммонс.

— Человеческие существа, — сказал я, с наслаждением вдыхая пары горячего вина, сдобренного мускатным орехом, — это ходячие скопища желаний. Людям хочется вкусной еды, чистой воды, уютного жилища, яркого секса, надежной дружбы, высокого статуса в том племени, к которому они принадлежат, всевозможных удовольствий, в том числе и запретных, власти, достижения цели и так далее по одному и тому же пути, который в итоге ведет к роскошной квартире с ванной в шоколадно-коричневых тонах. Любовь — это просто один из способов удовлетворить хотя бы некоторые из перечисленных желаний. Но любовь — это не только наркотик: она же является и наркоторговцем. Тот, кто дарит любовь, взамен тоже хочет ее получать, или я не прав, Олли? Она и действует как наркотики или алкоголь: сперва все чудесно, человек чувствует себя на подъеме; я даже начинаю завидовать тем, кто пользуется ее дарами. Но потом появляются неприятные побочные эффекты — ревность, приступы безудержного гнева, тоска, — и я, видя все это, думаю: ну

186

нет, я в этом не участвую. Елизаветинцы[1], например, приравнивали любовь к безумию. Буддисты рассматривали ее как отвратительного ребенка, который вызывает раздражение или даже гнев, когда душа твоя пребывает в покое и радости. Я же...

— А я подсматривал за тем, как вы готовили «Alien Urine»! — Четвинд-Питт самодовольно усмехнулся, глядя на тощую официантку, которая принесла на подносе высокий стакан с каким-то пойлом цвета незрелой дыни. — J'espére que ce sera aussi bon que vos «Angels' Tits»[2].

— Les boissons pour ces messieurs[3].

Тонкие губы без помады. А это «messieurs» прозвучало в ее устах как нож, спрятанный в ножны иронии. Впрочем, она тут же исчезла.

Четвинд-Питт фыркнул:

— Вот вам настоящая «Мисс Харизма-1991»!

Остальные чокнулись с ним в знак согласия, а я на всякий случай спрятал под столом одну свою перчатку.

— Может быть, ей ты вовсе и не показался таким остроумным, каким ты сам себя считаешь, — сказал я Четвинд-Питту. — Ну, и какова на вкус твоя «Моча пришельцев»?

Он сделал глоток бледно-зеленого пойла и ответил:

— В точности соответствует названию.

* * *

Магазины для туристов на городской площади Сент-Аньес — все для лыжного спорта, антикварные лавки, ювелирные магазины, chocolatiers[4] — в одиннадцать вечера все еще работали; гигантская рождественская ель все еще сияла огнями, а crepier[5] в костюме гориллы весьма бойко торговал своими блинами. Несмотря на пакетик с кокаином, который Четвинд-Питт только что выиграл у Гюнтера, мы решили отложить поход в клуб «Вальпургиева ночь» до завтрашнего вечера. Начинался снегопад.

— Черт побери, — сказал я, останавливаясь и собираясь повернуть назад, — я забыл в «Ле Крок» перчатку. Ребята, вы доставьте Куинна домой, а я вас нагоню...

---

[1] Современники королевы Елизаветы I, правившей с 1558-го по 1603 год; обычно так называют британских поэтов и драматургов XVI века.

[2] Надеюсь, что это будет так же вкусно, как ваши «Angels' Tits» (*фр.*).

[3] Напитки для этих мсье (*фр.*).

[4] Шоколадные лавки (*фр.*).

[5] Торговец блинами (*фр.*).

И я поспешил обратно в «Ле Крок». Оттуда навстречу мне вывалилась большая компания норвежцев и норвежек, а за круглой витриной я заметил ту тощую официантку: она готовила кувшин сангрии, уверенная, что никто ее не видит. На нее было очень приятно смотреть; она была похожа на почти неподвижного контрабасиста в гиперактивном рок-ансамбле. Она сочетала этакий пофигизм панка с поразительной четкостью даже самых мелких движений. «Ее волю абсолютно невозможно будет поколебать», — подумал я. Когда Гюнтер унес кувшин в зал, она повернулась и вдруг посмотрела прямо на меня, так что я быстро вошел в знакомое дымное пространство и стал пробираться к бару, огибая группы уже изрядно выпивших клиентов. После того как она ловко, острием ножа, сняла пышную пивную пену и подала бокал клиенту, я воспользовался этой секундной передышкой и обратился к ней со своей заранее продуманной просьбой о «забытой» перчатке.

— Desole de vous embeter, mais j'etais installe la-haut... — я указал на Орлиное Гнездо, но она по-прежнему смотрела на меня так, словно видит впервые, — ...il y a deux minutes et j'ai oublié mon gant. Est-ce que vous l'auriez trouvé?[1]

Спокойная, как гоблин, бегущий по следу разгневанного хоббита, она нагнулась и вытащила из-под стола мою перчатку.

— Bizarre, cette manie que le gents comme vous ont d'oulier leur gants dans les bars[2].

Отлично, значит, она видит меня насквозь.

— C'est surtout ce gant; ça lui arrive souvent[3]. — Я поднял свою перчатку, точно напроказившего щенка, и ворчливо спросил у нее: — Qu'est-ce qu'on dit à la dame?[4] — Но девушка так на меня посмотрела, что шутка умерла у меня на устах. — En tout cas, merci. Je m'appelle Hugo. Hugo Lamb. Et si pour vous, ça fait... — Черт, как же по-французски будет «превосходно»? — ...chic, eh bien le type qui ne prend que des cocktails s'appelle Руфус Четвинд-Питт. Je ne plaisante pas[5].

Она даже глазом не моргнула. Вновь появился Гюнтер с целым подносом пустых стаканов.

---

[1] Мне очень не хотелось вам мешать, но я сидел вон там... всего две минуты назад, и я забыл там свою перчатку (*фр.*).

[2] Странно, что за мания у таких людей, как вы, забывать в барах перчатки (*фр.*).

[3] Вечно эта перчатка; с ней это постоянно случается (*фр.*).

[4] Ну что нужно сказать этой даме? (*фр.*)

[5] В любом случае, спасибо. Меня зовут Хьюго. Хьюго Лэм. И если вам это кажется... шикарным, то того типа, который пьет только коктейли, зовут Руфус Четвинд-Питт. Я не шучу (*фр.*).

— Почему ты говоришь с Холли по-французски, Хьюго? — спросил он.

Я с озадаченным видом посмотрел на него:

— А как мне еще с ней говорить?

— По-моему, ему просто хочется применить на практике знание французского языка, — сказала девушка на чистейшем английском, причем выговор у нее был типичной жительницы Лондона. — А клиент *всегда* прав, верно, Гюнтер?

— Эй, Гюнтер! — окликнул его какой-то австралиец, стоявший у стола с настольным футболом. — Эта ублюдочная машинка ведет себя просто непорядочно! Я только и делаю, что кормлю ее франками, а она и не думает мне выдавать приз!

Гюнтер подошел к нему, а Холли стала загружать грязные стаканы в посудомоечную машину. Тем временем я попытался сообразить, в чем тут дело. Когда она там, на черной трассе, вернула мне удравшую лыжу, мы разговаривали по-французски, и она ни слова не сказала по-английски, хотя мой акцент, безусловно, тут же меня выдал; впрочем, это-то как раз понятно: когда хорошенькая женщина работает на лыжном курорте, к ней наверняка по пять раз на дню подкатываются всякие типы, и если она разговаривает по-французски даже с англоязычной публикой, это весьма усиливает ее оборону.

— Я лишь хотел поблагодарить вас за то, что тогда, днем, вы вернули мне мою лыжу, — сказал я.

— Вы меня уже поблагодарили. — Пожалуй, она из рабочей семьи; но богатенькие мальчики ее ничуть не смущают; очень хороший французский.

— Это верно, но я бы медленно умирал от переохлаждения в пустынном швейцарском лесу, если бы вы меня не спасли. Может быть, мы вместе пообедаем?

— Пока туристы обедают, я работаю в баре.

— В таком случае мы могли бы вместе позавтракать?

— К тому времени, когда *вы* обычно завтракаете, я уже часа два как выволакиваю отсюда горы грязи, а потом еще как минимум два часа навожу чистоту. — Холли с грохотом захлопнула посудомоечную машину. — *А потом я иду кататься на лыжах.* У меня каждая минута на счету. Извините.

Терпение — лучший союзник охотника, и я сказал:

— Хорошо, я все понял. И мне в любом случае не хотелось бы, чтобы ваш бойфренд неправильно расценил мои намерения.

Она сделала вид, что ей нужно что-то достать из нижнего ящика кухонного стола.

— Разве вас не ждут друзья? — спросила она, не разгибаясь.

Так, четыре к одному, что никакого бойфренда у нее нет!

— Я пробуду здесь еще дней десять, — сказал я. — Так что наверняка еще увижу вас. До свидания, Холли.

— До свидания. — *И катись отсюда к такой-то матери*, прибавили ее огромные, как у привидения, голубые глаза.

30 декабря

Гул парижской толпы сменился нудным воем снегоуборочной машины, а мои поиски некоего одноглазого, как Циклоп, ребенка по всем сиротским приютам Франции завершилась тем, что в мою крошечную комнатку в фамильном швейцарском шале Четвинд-Питтов явилась Иммакюле Константен и строго сказала: *Вы ведь и не жили толком, Хьюго, пока не пригубили Черного Вина.* И после этого я наконец проснулся — в знакомой мансарде Четвинд-Питта, крепко прижавшись своими причиндалами к какой-то загадочной трубе, огромной, как ракета «земля—воздух». Шкаф с книгами, глобус, махровый халат, висящий на двери, плотные шторы... «Вот сюда, на чердак, мы селим тех, кто получает стипендию!» — не слишком удачно пошутил Четвинд-Питт, когда я впервые приехал в Швейцарию. В старинной трубе что-то ухало и вздыхало. Все ясно: алкоголь плюс высота вызывают странные эротические сны. Я лежал в теплом чреве постели и думал об этой официантке по имени Холли. Похоже, я уже успел позабыть лицо Марианджелы, хотя тело ее все-таки еще немного помнил, зато лицо Холли вспоминалось мне в мельчайших, прямо-таки фотографических, подробностях. Надо было спросить у Гюнтера, как ее фамилия. Вскоре колокола на церкви Сент-Аньес пробили восемь. Странно, но и во сне мне слышались колокола. Рот был пересохшим, как лунная пыль, и я с жадностью выпил стакан воды, стоявший на прикроватном столике, а заодно и полюбовался весьма приличной кучкой франков, которую вчера высыпал возле лампы, — выигрыш после ночной пульки с Четвинд-Питтом. *Ха!* Он, конечно, возжелает отыграться, но игрок, жаждущий выигрыша, неизбежно проигрывает, ибо становится небрежным.

Сперва я заглянул в крошечный туалет, устроенный в мансарде, а затем опустил лицо в таз с ледяной водой и держал его там, пока не сосчитал до десяти, после чего раздернул шторы и отворил ставни, впустив в комнатку утренний свет, оказавшийся настолько резким, что даже глаза защипало. Я спрятал свой вчерашний выигрыш в тайник, который устроил под половой доской — я специально расшатал эту доску еще два года назад, — сделал привычные сто приседаний,

190

надел теплый махровый халат и стал спускаться по крутой деревянной лесенке вниз, крепко держась за веревочные перила. Четвинд-Питт все еще храпел у себя в комнате. Я спустился еще ниже и в гостиной с задернутыми шторами обнаружил Фицсиммонса и Куинна, которые спали на кожаных диванах, зарывшись в груду одеял. Видак прокрутил и выплюнул кассету с «Волшебником страны Оз», но из магнитофона, явно включенного на повтор, все еще доносилась «Dark Side of the Moon» «Pink Floyd». В воздухе пахло гашишем, в камине тлели вчерашние угли. Я на цыпочках прошел между этими любителями поиграть в настольный футбол, хрустя какими-то непонятными крошками, рассыпанными по ковру, и подбросил в камин большое полено и немного растопки. Язычки пламени сразу принялись лизать долгожданную пищу. Над каминной полкой висела голландская винтовка, привезенная с Бурской войны, а на полке в серебряной рамке стояла фотография отца Четвинд-Питта, пожимающего руку Генри Киссинджеру в Вашингтоне году так в 1984-м. Я прошел на кухню и только стал наливать себе грейпфрутовый сок, как негромко зазвонил телефон. Я снял трубку и вежливо сказал:

— Доброе утро. Резиденция лорда Четвинд-Питта-младшего.

Мужской голос уверенно произнес:

— Хьюго Лэм, я полагаю?

Голос был знакомый.

— А вы, собственно, кто?

— Ричард Чизмен, из Хамбера, козел ты этакий!

— Чтоб меня черти съели! И не в переносном смысле! Как твоя мочка?

— Хорошо, хорошо, но послушай, у меня серьезные новости. Я тут встретил...

— Да ты где? Не в Швейцарии?

— Я в Шеффилде, у сестры. Но ты все-таки заткнись и послушай меня — тут каждая минута стоит миллион. Я вчера вечером встретился с Дейлом Гоу, и он мне сказал, что Джонни Пенхалигон умер.

Неужели я не ослышался?

— *Наш* Джонни Пенхалигон? Да, черт побери, быть такого не может!

— Дейлу Гоу об этом сказал Коттиа Бенбо, который сам все видел по местному новостному каналу «News South-West». Самоубийство. Он сел в автомобиль, разогнался и рухнул с утеса близ Труро в пятидесяти ярдах от шоссе. Пробил ограду и упал прямо на скалы с высоты триста футов. В общем... он, скорее всего, не страдал... Если, конечно, не думать о том, что заставило его это сделать... и о том, что он чувствовал, когда летел в пропасть.

Мне хотелось плакать. А все эти проклятые деньги! Глядя в кухонное окно, я видел, как мимо прополз бульдозер-снегоуборщик. Следом за ним очень удачно пристроился розовощекий молодой священник; у него изо рта белым облачком вырывалось дыхание.

— Это просто... ну, я не знаю, что и сказать, Чизмен. Трагедия. Невероятная трагедия. Джонни, надо же! Уж кто-кто...

— Да, я тоже все время об этом думаю. Действительно, Джонни — *последний*, от кого можно было бы ожидать...

— А он... Он был за рулем «Астон Мартина»?

Чизмен помолчал.

— Да. А как ты догадался?

Осторожней! Попридержи язык!

— Никак. Просто он еще в последний вечер в Кембридже, в «Берид Бишоп», говорил, что очень любит этот автомобиль. Когда похороны?

— Сегодня днем. Я не смогу поехать... Феликс Финч достал мне билеты в оперу. Да я и не успел бы вовремя добраться до Корнуолла... Впрочем, может, это и к лучшему. Родным Джонни совершенно не нужна в такой ситуации толпа незнакомых людей, которые намерены остановиться у них в... в... как там их поместье называется?

— Тридейво. А записки Пенхалигон не оставил?

— О записке Дейл Гоу ничего не говорил. А что?

— Просто подумал, что это могло бы пролить какой-то свет...

— Я думаю, во время расследования станут известны еще какие-то подробности.

Расследование? Подробности? Вот черт!

— Да, будем надеяться.

— Ну, Фицу и остальным ты сам скажешь, ладно?

— Господи, конечно! Спасибо, что позвонил, Чизмен.

— Мне очень жаль, что я испортил вам отдых, но мне показалось, что лучше вам все-таки об этом узнать. Ладно, с наступающим Новым годом!

* * *

Два часа дня. Пассажиры фуникулера проходили через зал ожидания на станции Шемёй, болтая чуть ли не на всех европейских языках, но *ее* среди них не было, и я снова мысленно вернулся к «Искусству войны»[1]. Однако в голове у меня имелись и собственные мысли, и думал я сейчас о корнуэльском кладбище, где кожаный мешок с разлагающейся токсической плотью, недавно известной

---

[1] Трактат древнекитайского военного теоретика и полководца Сунь-Цзы (VI—V века до н. э.).

под именем Джонни Пенхалигона, воссоединятся в раскисшей земле со своими предками. Скорее всего, там воет восточный ветер, несущий дождь, и рвет своими когтями зонты оплакивающих. И в струях дождя словно растворяются слова молитвы «За тех, кто, подвергая себя опасности, уходит в море», вчера отксерокопированные на листах А4. Громадная пропасть между мной и *нормальными* людьми никогда не ощущается столь сильно — одновременно принося мне невероятное облегчение, — как во время тяжких утрат и всеобщего оплакивания. Даже в самом нежном возрасте, семилетний, я был смущен реакцией родных — тогда как их как раз невероятно смутила моя реакция! — на смерть нашего пса Твикса. Найджел выплакал себе все глаза; Алекс был расстроен куда сильней, чем в тот день, когда его долгожданный Sinclair ZX Spectrum прибыл без процессора; а уж родители и вовсе несколько дней были мрачнее тучи. Но почему? Ведь Твикс больше не испытывал боли. И мы больше не должны были терпеть невыносимую вонь, исходившую от пса, страдавшего раком кишечника. То же самое было, и когда умер дедушка. Неужели непременно нужно было рвать на себе волосы и скрежетать зубами от горя? И ведь никто даже не вспоминал о том, каким на самом деле «Мессией» был этот старый пьяница и развратник. На похоронах все отмечали, что я держался «как настоящий мужчина», но если бы они могли в этот момент прочесть мои мысли, то наверняка сочли бы меня человеконенавистником.

Вот она, истина: любви не знать — горя не знать.

* * *

В начале четвертого наконец появилась Холли, та официантка из «Ле Крока». Заметив меня, она нахмурилась и замедлила ход: уже неплохо. Я закрыл «Искусство войны».

— Как это приятно, что я вас здесь встретил!

Лыжники потоком текли к фуникулеру мимо нас, между нами и у нас за спиной. Холли огляделась:

— А где же ваши развеселые друзья?

— Четвинд-Питт — по-моему, это имя прекрасно рифмуется с «Angel's Tit»...

— А также, *по-моему*, с «piece of shit» и «sexist git»[1].

— Я это непременно запомню. Так вот, Четвинд-Питт страдает от похмелья, а остальные двое прошли тут примерно час назад, но я надел на палец свое кольцо, делающее меня невидимкой, поскольку понимал, что мои шансы встретиться с вами у фуникулера и вместе

---

[1] Буквально «кусок дерьма» и «прибабахнутый сексист».

подняться на вершину... — я ткнул указательным пальцем на вершину Паланш-де-ла-Кретта, — ...свелись бы к огромному жирному нулю, если бы они сейчас оказались рядом со мной. Меня вчера возмутили выходки Четвинд-Питта. По-моему, он вел себя по-хамски. Но я совсем не такой.

Холли обдумала мои слова, пожала плечами и спокойно обронила:

— Для меня все это не имеет ровным счетом никакого значения.

— А для меня имеет. И я очень надеялся, что мне удастся покататься на лыжах с вами вместе.

— И поэтому вы просидели здесь с?..

— С половины двенадцатого. Три с половиной часа. Но не чувствуйте себя обязанной.

— Я и не чувствую. Мне просто кажется, что вы немного пьяница, Хьюго Лэм.

Ага, значит, она запомнила мое имя!

— Все мы в разные периоды своей жизни разные. Сегодня я пьяница, а в другое время нет человека трезвее и благороднее меня. Вы с этим не согласны?

— В настоящий момент я бы сказала, что вы любитель нарушать границы дозволенного и весьма посредственный лыжник.

— Скажите, чтобы я проваливал ко всем чертям, и я покорно подчинюсь.

— Какая девушка способна устоять перед подобным предложением? Проваливайте!

Я изысканно поклонился — дескать, как вам будет угодно, — и сунул «Искусство войны» в карман лыжной куртки.

— Извините, что побеспокоил вас.

Я уже направился прочь, когда у меня за спиной раздалось:

— А кто вам сказал, что *вы* способны побеспокоить *меня*?

Она сказала это легко и насмешливо, что отнюдь не свидетельствовало об ослаблении сопротивления.

Я только головой покачал.

— Ну и ну. Может, вам больше понравилось бы: «Извините, что нашел вас такой интересной»?

— Некоторые девушки после очередного курортного романа просто упивались бы такими словами. Но нам — то есть тем, кто здесь *работает,* — подобные «комплименты» несколько приелись.

Раздался оглушительный лязг, и огромный механизм фуникулера пришел в движение; кабина, только что спустившаяся вниз, вновь поползла на вершину.

— Я понимаю, что вам нужна броня, раз вы работаете в баре, куда европейские Четвинд-Питты приезжают исключительно поразвлечься. И все же озорство так и сквозит в вас, Холли, словно это ваша вторая натура.

Она недоверчиво усмехнулась.

— Вы же меня совсем не знаете.

— Вот *это-то* и есть самое странное: я прекрасно понимаю, что совсем вас не знаю, но у меня такое ощущение, словно я знаю вас очень хорошо. Откуда могло взяться это ощущение?

Она с несколько преувеличенным раздражением проворчала:

— Но есть же определенные *правила*... Не полагается разговаривать с человеком, которого знаешь всего пять минут, так, словно знаешь его долгие годы. И прекратите это, черт побери!

Я поднял руки вверх.

— Сдаюсь, Холли, и если я даже довольно наглый тип, то все же совершенно безвредный. — Я вдруг вспомнил Пенхалигона. — Совершенно безвредный. Скажите, вы могли бы позволить мне вместе с вами подняться на подъемникс до всрхнсй площадки? Это всего минут семь-восемь. Если вам и это покажется свиданием с дьяволом, то терпеть придется не так уж долго — нет, нет, я знаю: это *не свидание*, а просто совместный подъем на вершину горы. А там будет достаточно одного вашего умелого взмаха лыжной палкой, и я уйду в историю. Позвольте мне, пожалуйста. Ну, пожалуйста!

* * *

Служитель защелкнул поручни нашего сиденья, и я с трудом удержался, чтобы не пошутить, что, мол, без этого меня бы давно уже унесло, но в следующее мгновенье нас обоих действительно унесло в сияющую высь, и мы воспарили над землей. Однако наверху стало ясно, что сегодняшний день, тридцатое декабря, вскоре утратит свою безоблачную ясность: за вершину Паланш-де-ла-Кретта уже зацепилось какое-то облако. Я смотрел, как мимо одна за другой мелькают опоры канатной дороги, выстроившиеся на склоне горы. А под нами разверзлась такая пропасть, что я, борясь с головокружением и чувствуя, как сердце уходит в пятки, заставил себя посмотреть вниз, на далекую землю, думая о последних мгновениях жизни Пенхалигона. Что он испытывал? Сожаление? Облегчение? Слепящий ужас? Или у него в ушах вдруг зазвучала «Babooshka» в исполнении Кейт Буш? Прямо под ногами у нас пролетели две вороны. Я знал, что они выбирают себе партнера на всю жизнь — об этом мне однажды рассказал мой кузен Джейсон.

— Вы когда-нибудь летали во сне? — спросил я у Холли.

Она смотрела строго вперед. Ее глаза скрывались под защитными очками.

— Нет.

Мы уже миновали пропасть и теперь спокойно поднимались над широкой извилистой трассой, по которой чуть позже собирались спускаться. Лыжники скользили по ней вниз, к станции Шемёй, то ускоряя спуск, то переходя на легкий шаг.

— По-моему, сегодня кататься гораздо лучше — вчера столько снегу выпало,— сказал я.

— Да. Хотя туман с каждой минутой становится все плотней.

И правда, вершина горы была теперь уже почти не видна, а ее верхние склоны казались серыми.

— Вы каждую зиму работаете в Сент-Аньес?

— Это что, интервью по поводу трудоустройства?

— Нет, но мои телепатические способности несколько заржавели.

— Я раньше работала в Мерибеле, во Французских Альпах,— пояснила Холли,— у одного человека, который знал Гюнтера еще по тем временам, когда тот занимался теннисом. И когда Гюнтеру понадобилась неболтливая работница, он предложил мне трансфер, полную оплату дорожных расходов и ски-пасс.

— Но с какой стати Гюнтеру могла понадобиться неболтливая работница?

— Ничего удивительного. И потом, я даже не прикасаюсь к наркотикам. Наш мир и без того достаточно нестабилен, чтобы превращать собственные мозги в яичницу-болтунью ради минутного улета.

Я подумал о мадам Константен и сказал:

— Пожалуй, вы правы.

Пустые сиденья подъемника выныривали из тумана, царившего впереди. Шемёй, оставшийся далеко внизу, был уже почти не виден. И за нами наверх, по-моему, никто больше не поднимался.

— Вот было бы фантастическое зрелище,— вслух подумал я,— если бы навстречу нам выплывали мертвецы, сидящие в креслах подъемника...

Холли как-то странно на меня посмотрела, но ничего не сказала.

— ...но не такие, как в лимбе, с отваливающимися кусками плоти,— с удивлением услышал я собственный голос,— а такие, какими ты представляешь себе своих умерших близких. Тех, кого хорошо знал, кто был для тебя важен. Или даже собак...— Или *некоторых* жителей Корнуолла.

Наше сиденье из стальных трубок и пластмассы поскрипывало, скользя на колесиках по стальному канату. Холли явно решила проигнорировать мои безумные рассуждения. Впереди уже была видна вершина, словно парившая в воздухе. Я был страшно удивлен, когда Холли вдруг спросила:

— А вы случайно не из семьи армейского офицера?

— Господи, нет! Мой отец — бухгалтер, а мама работает в театре Ричмонда. А почему вы спрашиваете?

— Потому что вы читаете книгу под названием «Искусство войны».

— А, это. Я читаю Сунь-Цзы, потому что его трактату три тысячи лет и каждый агент ЦРУ со времен Вьетнама его изучал. А вы любите читать?

— Люблю, но моя сестра — это действительно настоящий книгочей; она мне вечно присылает всякие книги.

— Вы часто ездите домой, в Англию?

— Не очень. — Она играла с эластичной пряжкой на своей перчатке. — Вообще-то, я не из тех, кто уже в первые десять минут готов вывернуться наизнанку. Ясно?

— Ясно. Не беспокойтесь. Это просто означает, что вы совершенно нормальный человек.

— Я *знаю*, что я нормальный человек, и я ничуть не беспокоюсь.

Повисло неловкое молчание. Что-то вдруг заставило меня оглянуться через плечо: за нами теперь виднелось пять пустых сидений подряд, и только в шестом сидел лыжник в серебристой парке с черным капюшоном. Он сидел скрестив на груди руки, и его лыжи выглядели как большая буква Х. Я отвернулся и посмотрел вперед, пытаясь придумать что-нибудь достаточно умное и оригинальное, но, похоже, растерял все свое внутреннее чутье и умение заговаривать зубы еще внизу, на площадке подъемника.

* * *

Напротив вывески «Паланш-де-ла-Кретта» Холли ловко, как гимнастка, соскользнула с сиденья, я же тяжело рухнул в снег, точно мешок с железками. Служитель приветствовал Холли по-французски, и я отъехал в сторону, чтобы она не подумала, что я подслушиваю. Я вдруг понял, что жду, когда тот лыжник в серебристой парке появится из быстро наползающего на нас тумана; я подсчитал: кресла прибывают на площадку примерно каждые двадцать секунд, так что этот человек должен был оказаться здесь всего на пару минут позже нас. Странно, но он так и не прибыл. И я с некоторым, но все возраставшим чувством тревоги смотрел, как мимо меня проплыло пятое, шестое, седьмое кресло, и все они были *пусты*... На десятом я встревожился — и не из-за того, что он мог вывалиться из кресла, а из-за того, что его, скорее всего, вообще там не было. Йети и мадам Константен расшатали мою веру в собственное здравомыслие, и мне, надо сказать, это совсем не нравилось. Наконец появилась парочка веселых американцев, каждый величиной с медведя, которых так разбирал смех, что им понадобилась помощь служителя, чтобы спрыгнуть на площадку. И я решительно сказал себе: тот лыжник в серебристой парке был просто обманчивым воспоминанием о ком-то другом. Или же просто привиделся мне в тумане. Пока я стоял у начала трассы, отмеченной флажками, терявшимися в густом тумане, ко мне снова подошла Холли, и, если бы этот мир был идеален, она вполне могла бы сказать: слушай, а почему бы нам не съехать вниз вместе?

— Ну вот, — сказала она, — здесь я с вами и прощаюсь. Будьте осторожны, старайтесь все время видеть шесты разметки и не геройствуйте.

— Ладно. И спасибо, что позволили мне проехаться с вами до вершины.

Она пожала плечами.

— Вы, должно быть, разочарованы?

Я поднял на лоб защитные очки, чтобы она могла видеть мой взгляд, хотя свои глаза она мне так и не показала.

— Нет. Нисколько. Я очень вам благодарен.

Интересно, подумал я, она назовет мне свою фамилию, если я спрошу? Я ведь даже этого не знал.

Она смотрела куда-то вниз.

— Я, должно быть, кажусь недружелюбной?

— Нет, просто осторожной. Что вполне оправданно.

— Сайкс, — сказала она.

— Что, простите?

— Холли Сайкс. Это мое имя. Вы ведь это хотели узнать?

— Оно... вам подходит.

Я ничего не видел за ее проклятыми очками, но догадывался, что она озадачена.

— Я и сам толком не знаю, что хотел этим сказать, — признался я.

Она оттолкнулась палками, и ее поглотила белизна.

* * *

Средний склон Паланш-де-ла-Кретта считается не слишком сложным, но если отклониться от трассы вправо метров на сто, то вам понадобится умение прыгать с практически отвесного обрыва или... парашют; к тому же туман настолько сгустился, что я решил не торопиться и почти каждые две минуты останавливался, чтобы протереть очки. Минут через пятнадцать передо мной возник какой-то валун, похожий на гнома, окутанного клубами тумана. Валун был на самом краю спуска, и я прислонился к нему с подветренной стороны, чтобы выкурить сигарету. Вокруг было тихо. Очень тихо. Я думал о том, почему тебе не дано самому выбирать того, кто тебе нравится; почему ты можешь только ретроспективно размышлять о том, чем кто-то так сильно тебя увлек. Я всегда считал, что определенные расовые различия обладают, так сказать, эффектом афродизиака, а вот классовые различия — это поистине Берлинская стена в области секса. Я, разумеется, понимал, что не могу «считывать» Холли так же легко, как девушек из собственного племени с его вечными разговорами о налогах и брекетами на зубах, но никогда ведь не знаешь, где найдешь, где потеряешь. И вообще, Бог за шесть дней создал всю Землю, а я приехал в Швейцарию на целых девять или даже десять дней!

Группа лыжников обогнула моего гранитного «гнома», точно стайка светящихся рыб, но ни один из них меня не заметил. Я бросил окурок и последовал за ними. Те веселые техасцы, видно, решили, что им этот спуск не по зубам, и вернулись назад; а может, они просто спускаются еще осторожней, чем я. Никакого лыжника в серебристой парке я на трассе тоже не заметил. Вскоре туман стал редеть, трещины, скалистые выступы и контуры соседних скал то возникали, то пропадали, но к тому времени, как я достиг станции Шемёй, туман снова сгустился и накрыл меня, точно серое облако. Я подбодрил себя чашкой горячего шоколада и, выбрав более спокойную, синюю, трассу, помчался вниз, в Ла-Фонтейн-Сент-Аньес.

* * *

— Ну-ну-ну, никак наш талантливый мистер Лэм явился? — Четвинд-Питт готовил на кухне чесночный хлеб или, точнее, пытался это делать. Был уже шестой час, но он так с утра и ходил в халате. Раскуренная сигара балансировала на кромке стакана с вином; CD-плейер наигрывал «Listen without Predjudice» Джорджа Майкла. — А Олли и Фиц ушли тебя искать. Еще часа два или три назад.

— Альпы — довольно большой и старый *горный массив*. Знаешь поговорку насчет иголки и стога сена?

— И куда же твои скитания по Альпам завели тебя aujourd'hui?[1]

— На вершину Паланш-де-ла-Кретта, а потом я пробежался через равнину. По этим отвратительным черным трассам я больше не спускаюсь. Это не для меня. Как ты себя чувствуешь с похмелья?

— Как Сталинград в сорок третьем. Вот напиток, замечательно снимающий похмельный синдром: узо со льдом. — Руфус взболтал молочного цвета жидкость в маленьком стаканчике и одним глотком проглотил половину.

---

[1] Сегодня (*фр.*).

— Извини, но узо всегда вызывает у меня воспоминания о сперме. — К сожалению, под рукой у меня не оказалось фотоаппарата, чтобы запечатлеть, как выглядит Четвинд-Питт, только что проглотивший эту гадость. — Еще раз извини, это было бестактно с моей стороны.

Он гневно на меня глянул, затянулся сигарой и вернулся к рубке чеснока. Я порылся в ящике кухонного стола.

— Попробуй воспользоваться вот этим революционным приспособлением: оно называется чеснокодавилка.

Четвинд-Питт не менее гневно посмотрел на несчастную давилку и сказал:

— Должно быть, домоправительница купила это еще до нашего приезда.

Я совершенно точно пользовался чеснокодавилкой в прошлом году, но говорить об этом не стал. Просто вымыл руки и включил духовку, чего Четвинд-Питт до сих пор не сделал.

— Ладно, дай-ка лучше я. — Я выдавил чесночную кашицу в сливочное масло.

Все еще что-то ворча, довольный Четвинд-Питт тут же пристроил свой зад на кухонный стол и заявил:

— Работай, работай. По-моему, это незначительная компенсация за то, что ты вчера обдурил меня в пульку.

— Ничего, еще отыграешься. — Так, теперь поперчить, добавить нарезанной петрушки и размешать вилкой.

— Я вот все думаю: почему он это сделал?

— Ты о Джонни Пенхалигоне, я полагаю?

— Понимаешь, Лэм, ведь только с первого взгляда кажется, что все так просто...

Вилка замерла у меня в руке: взгляд у Руфуса был... обвиняющим? Вообще-то, у Жабы принят «кодекс омерта»[1], но ни один кодекс не может на сто процентов быть нерушимым.

— Продолжай. — Как это ни глупо, но я вдруг поймал себя на том, что шарю глазами по кухне в поисках орудия убийства. — Я очень внимательно тебя слушаю.

— Джонни Пенхалигон стал жертвой привилегий!

— Неплохо. — Моя вилка снова энергично задвигалась. — Во всяком случае, изысканно.

— Плебей — это тот, кто считает, что привилегии связаны исключительно с роскошью, множеством слуг, горничными, которые подносят тебе вкусные яства. А ведь на самом деле голубая кровь в наше время и в наш век — это серьезное проклятие. Во-первых,

_____
[1] Обет молчания у мафии.

над тобой без конца грязно насмехаются, говоря, что в твоем имени слишком много слогов, а *кроме того,* лично на тебя возлагается вина за классовое неравенство, за уничтожение лесов Амазонии, за то, что цены на пиво все время ползут вверх, и за все остальное. Во-вторых, брак в аристократических семьях — сущее наказание: откуда мне знать, что моя будущая жена действительно меня любит, если на карту поставлены мои одиннадцать сотен акров земли в Букингемшире и титул леди Четвинд-Питт? В-третьих, на моем будущем висят тяжкие оковы в виде управления этим проклятым имением. Так что, если, например, *ты* захочешь стать брокером, или торговцем, или археологом, занимающимся раскопками в Антарктиде, или вздумаешь изучать вибрацию звука в невесомости, то *твои* родные скажут примерно так: «Если ты счастлив в своей профессии, то счастливы и мы, дорогой Хьюго». Ну, а мне в любом случае придется поддерживать на плаву своих арендаторов, жертвовать на благотворительные цели, кого-то спонсировать и с утра до ночи заседать в Палате лордов.

Я принялся вилкой запихивать чесночное масло в бороздки, сделанные в каравае хлеба.

— У меня просто сердце кровью обливается от твоих рассказов. Ты у нас какой по счету в очереди на престол? Шестьдесят третий?

— Шестьдесят четвертый. Ведь теперь родился еще этот, как бишь его... Но я говорю совершенно серьезно, Хьюго. И потом, я еще не закончил. Четвертое проклятие — это охота у нас в поместье. Я, чéрт побери, *ненавижу* биглей, а уж лошади... О, эти своенравные и чрезвычайно дорогостоящие средства передвижения, которые постоянно мочатся тебе на сапоги, а гонорар их ветеринарам исчисляется многими тысячами! И, наконец, пятое проклятье — это постоянная, черт бы ее побрал, тревога, даже ужас, что ты, *именно ты*, можешь все потерять, и тогда тебе придется начать все сначала, жить как простой смертный, как социальное ничтожество, как ты или Олли — только ради бога не обижайся! — и все время ползти вверх, только вверх, ибо таково единственно возможное для тебя направление. Но если с самого начала твое имя записано в «Книге Судного Дня»[1], как, например, у меня или у Джонни, то единственное направление для тебя — это вниз, к треклятому погосту. Такое ощущение, словно внутри подобных семейств из поколения в поколение передается толстенный пакет документов о банкротстве, а вовсе не приз победителя, и кто бы ни остался в живых, когда запас

---

[1] Кадастровая книга, земельная опись Англии, произведенная Вильгельмом Завоевателем в 1085—1086 годах; считается основным документом при разборе тяжб о недвижимости.

денег окончательно иссякнет, он, во-первых, обязан быть одним из Четвинд-Питтов, а во-вторых, знать, как собрать мебель, присланную из Аргоса.

Я завернул чесночный хлеб в фольгу и спросил:

— И ты предполагаешь, что этот букет проклятий и заставил Джонни направить свою машину с обрыва?

— Да, — сказал Руфус Четвинд-Питт. — И еще то, что ему некому было позвонить в самый черный час своей жизни. Некому довериться.

Я сунул противень в духовку и добавил жару.

31 декабря

По всей долине таяли сосульки; капли талой воды так и сверкали в косых лучах солнца. Дверь в «Ле Крок» была приоткрыта и подперта барным табуретом, а в самом баре суетилась Холли в мешковатых армейских штанах, белой майке и кепке-бейсболке цвета хаки, из-под которой торчали волосы, стянутые в «конский хвост». Пока я стоял на крыльце, с одной из сосулек мне накапало за воротник, противная холодная струйка поползла по шее и дальше между лопатками. Холли почувствовала мое присутствие, обернулась, и стоны пылесоса «Хувер» наконец затихли.

— Тук-тук-тук, — сказал я. — Можно?

Она узнала меня и тут же заявила:

— У нас еще закрыто. Приходите попозже — часов через девять.

— Неправильно. Вы должны были сказать: «Кто там?» Неужели с вами и пошутить нельзя?

— Нельзя. И дверь я вам не открою, Хьюго Лэм.

— Но она уже *немного* приоткрыта. И вот, смотрите, — я показал ей бумажные пакеты из кондитерской, — это завтрак. Гюнтер, конечно же, должен разрешить вам перекусить?

— Кое-кто из нас позавтракал еще два часа назад, выпендрежник.

— Когда учишься в Ричмондском колледже для мальчиков, тебя начинают дразнить, если ты *недостаточно* выпендриваешься. Там скромность считается преступлением. Так как вы насчет позднего завтрака?

— «Ле Крок» сам себя не вымоет.

— Разве Гюнтер и ваша напарница вам никогда не помогают?

— Гюнтер здесь хозяин. Моник наняли только для работы в баре. И они до ланча проваляются в постели, потому что сейчас заняты исключительно друг другом. Вообще-то, Гюнтер расстался со своей третьей женой всего несколько недель назад. Так что привилегия вывозить навоз из этого хлева целиком выпала на долю менеджера.

Я огляделся.

— И где же он, этот менеджер?

— Вы же на него смотрите, черт побери! Это я.

— Ого! Скажите, а если выпендрежник вымоет мужскую уборную, вы сделаете перерыв на двадцать минут?

Холли колебалась. Но какая-то часть ее души явно хотела сказать «да».

— Видите вон ту длинную штуковину? Она называется швабра. Беритесь за тонкий конец.

* * *

— Я же говорила, что это настоящий хлев!

Холли нажимала на ручки и клапаны хромированной кофеварки с таким видом, словно управляла машиной времени. Кофеварка шипела, плевалась и клокотала.

Я вымыл руки и снял со стола парочку барных табуретов.

— Это было одно из самых отвратительных заданий, какие мне когда-либо приходилось выполнять. Мужчины — просто свиньи. Вытрут задницу, швырнут комок туалетной бумаги *мимо* урны, да так и оставят там валяться. А в последней кабинке была целая лужа блевотины. Нет, это *просто прелесть*! Такое ощущение, словно блевотину там оставили специально, в качестве этакой «Полифиллы»[1].

— А вы отключите обоняние. Дышите ртом. — Холли принесла капучино. — И ведь все туалеты, которыми вы когда-либо пользовались, кто-то, безусловно, убирает. Если бы ваш отец владел не банком, а пабом, как в моем случае, то и вы вполне могли бы оказаться таким вот грязнулей. Ну вот, теперь вам будет о чем днем подумать.

Я вытащил из пакета круассан с миндалем, а остальные пакеты и свертки подвинул поближе к Холли.

— А почему вы не делаете уборку с вечера?

Холли отщипнула кусочек пирожного с абрикосами.

— У Гюнтера завсегдатаи зависают до трех утра и даже не думают проваливать. В три это еще хорошо. Вот *попробуйте* представить себе, каково это — убирать в *таком хлеву*, когда девять часов подряд без передышки подавала напитки?

Я признал правильность ее доводов и сказал:

— Но сейчас-то бар выглядит полностью готовым к битве, не так ли?

— Более или менее. Краны я протру позже и спиртное из погреба потом принесу тоже.

---

[1] Фирменное название целлюлозной массы для гидроизоляции.

— А мне-то казалось, что в барах все делается само собой!

Холли закурила сигарету.

— В таком случае у меня попросту не было бы работы.

— А вы что, рассчитываете на, так сказать, долгосрочное гостеприимство подобного заведения?

Холли нахмурилась: это был нехороший знак.

— А вам-то что за дело?

— Я просто... Не знаю. Мне кажется, вы могли бы заниматься... да *чем угодно!*

Теперь в ее нахмуренных бровях читались одновременно и настороженность, и раздражение. Она постучала ногтем по сигарете, стряхивая пепел, и сказала:

— Знаете, школы, в которых учатся представители низших классов, как-то не особенно вдохновляют на подобные мысли о будущем. Курсы парикмахеров или автослесарей — вот это годится.

— Но нельзя же во всем винить какую-то дерьмовую школу?

Она снова стряхнула пепел с сигареты.

— Вы, безусловно, умны, мистер Лэм, но в некоторых вещах вы все-таки ни хрена не понимаете.

Я кивнул, сделал глоток кофе и заметил:

— Зато у вас был великолепный преподаватель французского.

— Никакого преподавателя французского у меня не было. Язык я выучила во время работы. Пришлось. Надо было как-то выживать. И от французов обороняться.

Я выковырял из зубов кусочек миндального ядрышка.

— А где, кстати, находится ваш паб?

— Какой паб?

— Тот, в котором работает ваш отец.

— Вообще-то, он владелец этого паба. Точнее, совладелец. Вместе с мамой. Паб называется «Капитан Марло» и стоит на берегу Темзы в Грейвзенде.

— Звучит весьма живописно. Так вы выросли в этих местах?

— Слова «Грейвзенд» и «живописно» как-то не очень сочетаются; во всяком случае, они точно не кружат в вальсе вокруг прогуливающихся под руку парочек. В Грейвзенде полно закрытых предприятий; там также есть фабрика по переработке макулатуры, цементная фабрика фирмы «Блу Сёркл», муниципальные жилые дома, ломбарды и букмекерские конторы.

— Но вряд ли там одна только нищета и постиндустриальный упадок.

Она что-то поискала на дне своей кофейной чашки и сказала:

— Старые улицы там довольно симпатичные, это правда. Ну а Темза — это всегда Темза. Кстати, нашему «Капитану Марло» уже

204

три века — кажется, есть даже письмо Чарльза Диккенса, доказывающее, что он частенько заходил туда выпить. Как вам такая подробность, выпендрежник? Все-таки Диккенс — классик английской литературы.

У меня уже просто звенело в ушах от крепкого кофе.

— Ваша мать ирландка?

— Что привело вас к такому выводу, Шерлок?

— Вы сказали «вместе с мамой», а не «с матерью».

Холли выдохнула густое облако дыма.

— Да, она из Корка. А ваши друзья не злятся, когда вы так себя ведете?

— Как именно?

— Анализируете каждое слово, вместо того чтобы просто слушать.

— Я же скучный книжный червь, придающий особое внимание деталям. Кстати, вы засекли время? Когда заканчиваются отпущенные мне двадцать минут?

— Вы израсходовали уже... — она посмотрела на часы, — шестнадцать минут.

— В таком случае в оставшиеся четыре минуты я бы хотел сразиться с вами в настольный футбол.

Холли поморщилась.

— Дурацкая затея.

Совершенно невозможно было понять, насколько она серьезна.

— Это почему же?

— Потому что я сниму скальп с вашей задницы, выпендрежник!

* * *

На городской площади, покрытой пятнами тающего снега, было полно народу; толпами бродили любители шопинга; духовой оркестр, состоявший из краснощеких музыкантов, играл рождественские гимны. Я купил у группы юных школьников, вместе с учителем стоявших за прилавком рядом со статуей святой Агнессы, какой-то календарь, «способствующий преумножению денежных средств», и получил в ответ целых хор «Merci, monsieur!» и «Счастливого Нового года!»: наверняка мой акцент сразу выдал во мне англичанина. Во время матча в настольный футбол Холли действительно «сняла скальп с моей задницы»: она ухитрялась ловко забивать голы, заставляя шарик рикошетом отлетать от бортов, давала высокие «свечи», а ее умение действовать левой рукой, забивая голы, и вовсе было смертельным оружием. Она даже не улыбнулась, но, по-моему, эта победа доставила ей удовольствие. Мы не строили никаких планов, но я пообещал непременно заскочить в бар сегодня вечером, и она, вместо того чтобы ответить уклончиво или саркастически, просто сказала, что в таком случае я знаю, где ее найти. Поразительный прогресс! Я был настолько потрясен, что не сразу узнал Олли Куинна, который разговаривал с кем-то из телефонной будки возле банка. Вид у него был до крайности возбужденный. Если Олли решил воспользоваться телефонной будкой, а не домашним телефоном Четвинд-Питта, значит, он не хочет, чтобы его подслушивали. Но ведь это нормально, когда порой любопытство берет над тобой верх, не правда ли? И я спрятался за толстой стеной телефонной будки, где Олли никак не смог бы меня увидеть. Связь явно была плохая, и Олли орал так громко, что я отчетливо слышал каждое слово.

— Да нет, Несс, *сделала! Сделала!* Ты сказала, что тоже любишь меня! Ты сказала...

О господи. Отчаяние столь же привлекательно, как холодный гнев.

— Семь раз. В первый раз в постели. Я помню... Возможно, это было шесть раз, а может, восемь — какая разница, Несс, я... О чем ты, Несс? Неужели все это была одна большая ложь?.. В таком случае, может, ты ставила какой-то чертов эксперимент, способный свести человека с ума?

Слишком поздно теперь нажимать на педаль тормоза: мы уже перелетели через край пропасти.

— Нет-нет-нет, я *вовсе не впадаю* в истерику, я просто... Нет. *Нет!* Я просто не понимаю, что случилось, вот и... Что? Что ты сказала? Повтори последние слова! Господи, какая дерьмовая связь... Нет, повтори то, что *ты* сказала... Нет, я просто говорю, что *телефонная связь* здесь дерьмовая... Как это? Ты *считаешь*, что для тебя это именно так?

Олли с силой ударил кулаком в стекло телефонной будки. Господи, как можно хотя бы *думать*, будто ты кого-то любишь?

— ...Нет, Несс, нет-нет... не вешай трубку! Послушай, я просто... хочу, чтобы все стало по-прежнему, Несс!.. Но если ты объяснишь, если мы поговорим, если ты... Я *совершенно* спокоен. Да, спокоен. Нет, Несс! Нет, нет, нет...

Ложное затишье, затем взрыв: «Так твою мать!», и Куинн снова несколько раз врезал кулаком по стеклу. Это привлекло внимание прохожих, и я незаметно ускользнул прочь, слившись с потоком любителей шопинга, а потом, сделав петлю, вернулся назад и, проходя мимо будки, увидел, как мой однокашник, больной от любви, сгорбился и спрятал лицо в ладонях. Плакать? Да еще на публике? Это весьма прискорбное и поучительное зрелище меня слегка отрезвило, и я даже взглянул на свое отношение к Холли иными глазами. Помни: что Купидон дает, то Купидон и отнимает.

* * *

Австрийско-эфиопский диджей был молчалив, скрывался под капюшоном, заявок не принимал и только в самый последний час ринулся в ремиксы KLF «3 a.m. Eternal», «Phuture» «Your Only Friend» и «Norfolklorists'» «Ping Pong Apocalypse». Клуб «Вальпургиева ночь» размещался в нижнем этаже крыла большого и старого отеля «Le Sud», шестиэтажного, состоявшего из сотни номеров углового лабиринта; в 50-е это здание было превращено в гостиницу из санатория для богатых людей, больных туберкулезом. Благодаря последней перестройке клуб «Вальпургиева ночь» оказался внизу, в помещении с голыми кирпичными стенами в стиле «Дэвид Боуи в Берлине», и расширил дансинг до размеров теннисного корта. Пульсирующий свет прожекторов, как на подводной лодке, время от времени высвечивал ту или иную группу из двух или трех сотен танцующих, изрядное количество которых были представительницами женского пола, обладавшими упругой юной плотью. Пара понюшек дури с милым названием «перхоть дьявола» вновь поставила на ноги нашего Могущественного Куинна, только что пережившего глубокую душевную травму, так что мы вчетвером решили отправиться в клуб и хорошенько повеселиться. Редкий случай, но я был единственным, кто не участвовал в оргии, которую устроили трое моих приятелей-«хамберитов»; теперь они все сидели на диване в форме подковы, и каждый обхаживал молодую привлекательную чернокожую девицу. Несомненно, Четвинд-Питт разыгрывал свою традиционную карту девятнадцатого наследника престола, Фицсиммонс швырялся франками, а милашка, которую выбрал Куинн, по всей видимости, находила его просто симпатичным, неглупым и пьяным. Что ж, все они вели вполне честную игру. В любой другой вечер я бы тоже с удовольствием «половил рыбку» и не стал бы притворяться, что мой альпийский загар, и взгляд, страстный, как у Руперта Эверетта, и угольно-черная рубашка, как у Гарри Энна, и джинсы, как у Макото Грелша, плотно обтягивающие бедра, не привлекают внимания красоток с длинными ресницами; но на этот раз в канун Нового года я бы предпочел, чтобы меня захватила музыка какого-нибудь данс-трека. Может быть, я решил подвергнуть себя, так сказать, «искушению Христа» во имя того, чтобы половое воздержание сегодня вечером в клубе «Вальпургиева ночь» дало мне хоть какой-то кредит в банке кармы, а также возможность возродиться к новой жизни благодаря одной девушке из Грейвзенда? На это был способен ответить только «доктор Кокаин», и после архангельского ремикса «Walking on Thin Ice», исполняемого черт знает кем, я решил, что мне, пожалуй, стоит пойти и проконсультироваться у этого доброго доктора...

* * *

Кабинки в мужском туалете здесь были столь же удобны, сколь неудобны они были в сортире «Ле Крока»; похоже, их дизайн был создан специально для вдыхания кокаина: кабинки часто мыли, они были достаточно просторны и *не имели* того провоцирующего преступления, пустого пространства между верхней частью дверцы и потолком, как это принято в большей части британских клубов. Я воздвигся на «троне» и вытащил карманное зеркальце — я позаимствовал его у одной миниатюрной, как эльф, филиппинки, пытавшейся подцепить на крючок того, кто обеспечит ей супружескую визу, — и чек, этим вечером выигранный у Четвинд-Питта в «двадцать одно»; порошок был завернут в маленький пластиковый пакетик и спрятан в коробочку с пастилками «Друзья рыбака», чтобы в случае чего сбить с толку любого полицейского с собакой-ищейкой... Первые пять секунд так жгло, словно мне в носоглотку напихали крапивы, но потом...

Уф-ф, наконец-то отпустило!

Звуки контрабаса вибрирующим эхом отдавались у меня во всем теле, и господи-как-это-было-хорошо! Я спустил в унитаз бумажную «соломинку», смочил клочок туалетной бумаги и дочиста вытер поверхность зеркальца. Крошечные огоньки, которые я никак не мог толком рассмотреть, легкими колючими вспышками мелькали на самом краю моего поля зрения. Я вывалился из кабинки, точно Сын Божий, повергающий в прах идола, и тщательно рассмотрел себя в зеркале — все было хорошо, даже если зрачки у меня и были невероятно расширены, как у дракона с острова Комодо, а не обыкновенного Homo sapiens. Выходя из сортира, я встретился с одним юнцом, с ног до головы одетым в «Армани»; этот тип всему на свете предпочитал хороший косяк, а звали его Доминик Фицсиммонс. Он уже успел выкурить джойнт, и свойственные ему остроумие и сообразительность как прыгнули с тарзанкой с моста, так до сих пор и не вернулись.

— Хьюго, а ты-то что делаешь в этом чудесном местечке, черт подери?

— Зашел попудрить носик, дорогой Фиц.

Он вгляделся в мою левую ноздрю.

— Похоже, туда залетела снежная буря. — Он улыбнулся подтаявшей улыбкой, и я невольно подумал, что у его матери точно такая же улыбка, а больше ничего общего у них нет. — А мы познакомились с замечательными *девочками*, Хьюго! Одна для Ч.-П., одна для Олли и одна для меня. Пойдем, я тебя с ними познакомлю.

— Ты же знаешь, как я стесняюсь в женском обществе.

Фиц нашел это заявление слишком смешным, чтобы над ним смеяться.

— В штанах у меня... просто... *пожар!*

— Ей-богу, Фиц, кому приятно быть третьим лишним? Они хоть кто?

— В этом-то самая фишка и есть! В общем, помнишь африканскую народную песню «Ye Ke Ye Ke»? Лето... восемьдесят восьмого, по-моему. Невероятный был хит.

— Ну... что-то такое, кажется, помню. Как звали этого типа? Мори Канте?

— *Мы* будем сегодня на подпевках у Мори Канте.

— *Точно!* А разве самому Мори Канте девочки-припевочки сегодня не нужны?

— У них вчера был большой концерт в Женеве, но сегодня они свободны. Знаешь, их никогда не учили кататься на лыжах — наверное, у них там, в Алжире, снега не хватает, — так что они всей компанией на два-три дня приехали в Сент-Аньес, чтобы научиться.

Вся эта история не внушала мне доверия, даже, пожалуй, сильно не внушала, но озвучить свой скептис я не успел: к нам, слегка покачиваясь, подошел Четвинд-Питт и заявил:

— Самое время з-*заманить их chez* Ч.-П. Там, в холодильнике, еще остался изрядный кусок грюйера, тебе вполне хватит, чтобы насытиться, Лэм, и ты не будешь чувствовать себя обделенным.

Спиртное, кокаин и сексуальное возбуждение превратили моего старого друга Четвинд-Питта в тупоголового альфа-самца, и я был вынужден ответить ему тем же.

— Я совершенно не желаю участвовать в вашей дерьмовой пирушке, Руфус, но неужели до вас еще не дошло, что вы подцепили трио проституток? По ним же сразу видно, что это за птички. Не злись, я же только спросил.

— Ты, *может,* и лучше нас умеешь мухлевать за карточным столом, но сегодня ты точно не в выигрыше. — Четвинд-Питт ткнул меня пальцем в грудь, и я представил себе, как с наслаждением отрываю этот указательный палец, которым мне нанесли оскорбление. — *Мы* без особых усилий и меньше чем за час заполучили трех очаровательных смуглых милашек, и, Лэм, разумеется, решил, что мы им заплатили. А на самом деле *нет, ничего подобного!* Они женщины опытные и со вкусом, так что ты лучше заранее себе уши заткни: Шанди наверняка в постели будет орать.

Я не смог ему этого так спустить:

— Я за карточным столом *не мухлюю.*

— А по-моему, *очень даже* мухлюешь, стипендиат!

— Убери-ка от меня подальше свой палец, гей-лорд Чет-винд-Питт! И докажи, что я мухлюю.

— Не-ет, ты, черт тебя побери, слишком умен, чтобы можно было собрать какие-то доказательства, — ты у нас улик не оставляешь, зато из года в год обираешь своих друзей, выигрывая у них тысячи. Кишечный паразит!

— Если ты так уверен, что я мухлюю, *Руфус*, зачем же ты со мной играешь?

— А я больше не буду с тобой играть! И, между прочим, Лэм, так твою мать, почему бы тебе не...

— Парни-парни, — сказал Фиц, наш вечный миротворец, хотя в данный момент слегка одурманенный алкоголем и наркотиком, — это же не вы говорите: это колумбийская понюшка черт знает ка-кой-дряни, которую вам продал Гюнтер! Хватит, хватит, пошли отсюда! Швейцария! Канун Нового года! Шанди ждет любви, а не драки. Поцелуйтесь и кончайте ваше дурацкое препирательство.

— Пусть этот мальчик-плут поцелует меня в ж..., — пробормо-тал Четвинд-Питт, проталкиваясь мимо меня к выходу. — Забери наши куртки, Фиц. Скажи девочкам, что чудесная вечеринка еще не закончена.

Мы с Фицсиммонсом вышли вместе, и, когда дверь в мужской туалет за нами захлопнулась, Фиц сказал мне извиняющимся тоном:

— Он так вовсе не думает!

Надеюсь, что нет. По разным причинам мне очень хотелось на это надеяться.

* * *

Я остался в дансинге, чтобы послушать ремикс диджея Алан-ски на тему гимна середины 80-х «Exocets for Breakfast» Деймона Макниша, но прощальный «выстрел» Четвинд-Питта совершенно испортил мне настроение, ибо пошатнулась моя вера в надежность всего проекта «Маркус Анидер». Я ведь создал этого Анидера не только в качестве фальшивого держателя счетов, скрывающего мои неправедным путем полученные доходы, но и для того, чтобы он являл собой лучшую, более умную и более правдивую, версию Хьюго Лэма. Но если какой-то жалкий отпрыск привилегирован-ного знатного семейства вроде Четвинд-Питта способен так легко разглядеть, что у меня внутри, значит, я не настолько умен и мой Анидер не настолько хорошо спрятан, как мне до сих пор казалось. И хотя я мастерски умею притворяться, но все же что дальше? Ну, допустим, поступлю я через восемь месяцев в какую-нибудь фир-му в Сити и с помощью предательских ударов вроде злословия за спиной и блефа за карточным столом года через два сумею сделать так, что мой доход будет обозначен тем же количеством цифр, что и мой телефонный номер. Ну и что? Даже если к началу следующего столетия я стану владельцем «Мазерати Конвертибл», виллы на Кикладах и яхты в Лондонском пруду[1], то что дальше? Даже если Маркус Анидер сумеет построить собственную империю капиталов, недвижимости, должностей, то что дальше? Империи умирают, как и все мы, танцующие в темноте, прерываемой пульсирующими вспышками света. Видишь, *как свету нужны тени?* Посмотри: морщинки расползаются, как плесень, по нашей молодой, нежной, как персик, шкурке; бит-за-битом-бит-за-битом-бит-за-битом; варикозные вены выступают на дергающихся голенях; торсы и груди наливаются жиром и становятся дряблыми; вот бригадный генерал Филби, вот французский поцелуй с миссис Болито; и лучшая песня прошлого года сталкивается с лучшей песней этого года и следующего, и следующего, а стрижки танцоров, словно замороженные, покрываются инеем, съеживаются и опадают радиоактивными прядями; рак завоевывает пространство в прокуренных легких, в стареющей поджелудочной железе, в ноющей простате; ДНК изнашивается, как шерстяная ткань, и мы все чаще спотыкаемся, падаем, кубарем скатываемся по лестнице, и вот уже инфаркт, инсульт, и мы уже не танцуем, а содрогаемся. Вот что такое клуб «Вальпургиева ночь». Это еще в Средние века понимали. Жизнь — заболевание неизлечимое.

* * *

Я шел мимо той сгеге͡ге на площади, где торгует человек-горилла; колючие ветви сосен были украшены гирляндами ярких разноцветных лампочек; воздух, холодный, как горный ручей, дрожал от колокольного звона. Ноги мои сами знали дорогу, но вела эта дорога не в фамильное швейцарское шале Четвинд-Питтов. Я снял перчатки и закурил. Мои часы показывали 23:58 — хвала Богу Точного Времени. Уступив дорогу полицейской машине с полным приводом и надетыми по случаю снегопада позвякивающими цепями, я спустился по узкой улочке к «Ле Кроку» и заглянул в круглое окно, рассматривая местных жителей и приезжих, а также весьма сомнительного вида посредников между первыми и вторыми. Моник смешивала коктейли и подавала напитки, а Холли не было видно. Я все-таки вошел и стал проталкиваться между телами и стойками с одеждой, сопровождаемый клубами дыма, треском болтовни,

[1] Или Пул. Название участка Темзы ниже Лондонского моста; вверх по реке океанские суда не поднимаются.

211

звоном бокалов и с трудом доносившейся сквозь весь этот шум «Maiden Voyage» Херби Хенкока. Не успел я добраться до бара, как Гюнтер приглушил музыку, взобрался на табурет и призвал игроков, грохочущих настольным футболом, обратить внимание на огромные настенные часы, стрелки которых были величиной с теннисную ракетку: от старого года оставалось не более двадцати секунд. «Mesdames et messieurs, Damen und Herren, ladies and gentlemen, signore e signori — le countdown, s'il vous plaît...»[1] Я всегда испытывал аллергию к подобным мероприятиям, так что воздержался от участия в общем хоре, но когда толпа дружно досчитала до пяти, я почувствовал взгляд Холли; ее глаза заставляли меня смотреть на нее, а не на часы, и мы неотрывно смотрели друг на друга, точно дети, играющие в гляделки, ожидая: кто первым улыбнется, тот и проиграл. Толпа вдруг взорвалась безумными ликующими криками, и я, улыбнувшись, проиграл. Холли бросила в бокал кубик льда, налила «Килмагун» и, подвинув бокал ко мне, спросила:

— Какой таинственный объект вы забыли на этой раз?

— С Новым годом! — сказал я в ответ.

1992-й, первый день нового года

Утром я проснулся в своей мансарде у Четвинд-Питта и понял, что ровно через шестьдесят секунд в гостиной двумя этажами ниже зазвонит телефон и это будет отец, которому нужно сообщить мне некие неприятные новости. Потом я стал убеждать себя, что ничего такого не будет, что мне просто приснился дурной сон, из пут которого я никак не могу выбраться, — иначе я должен был бы обладать силой предвидения, которой я, что совершенно очевидно, не обладаю. А вдруг отцовский звонок будет связан со смертью Пенхалигона? Вдруг Пенхалигон все же что-то такое написал в предсмертной записке? И что, если полицейские из Труро уже побеседовали с моим отцом? Нет, этот внезапный приступ паранойи, решил я, конечно же, вызван употреблением кокаина! Но на всякий случай, *просто на всякий случай*, я встал, накинул махровый халат и спустился в гостиную; шторы были все еще задернуты, а стоявший на столике телефон молчал и явно собирался молчать и дальше. Из комнаты Четвинд-Питта просачивалась «In a Silent Way» Майлса Дэвида, предназначенная, безусловно, для того, чтобы как-то поддержать его веру в себя, несколько пошатнувшуюся после избыточного употребления алкоголя и наркотиков. В гостиной никого не было, но там царил жуткий беспорядок: грязные винные бокалы,

---

[1] Дамы и господа... пожалуйста, отсчет... (*фр., нем., ит.*)

переполненные пепельницы, конфетные фантики, коробки из-под еды, а на пресловутой винтовке времен Бурской войны почему-то висели шелковые трусы-боксеры. Когда я ночью вернулся домой, все «три мушкетера» и их чернокожие «бэк-вокалистки» веселились вовсю, так что я прямиком отправился спать.

Пристроившись на спинке дивана, я следил за телефоном.

Часы показывали 09:36. По британскому времени — 08:36.

Я чувствовал, что папа уже вглядывается поверх очков в оставленный мною номер телефона.

+41 для Швейцарии; затем код региона; номер шале...

Да, скажу я, *Джонни действительно время от времени играл в карты.*

Просто играл с друзьями. Это отличная возможность расслабиться после напряженной недели.

Максимальная ставка, впрочем, была пятьдесят фунтов. Ерунда, как раз на пиво.

Сколько? Тысячи? Я рассмеюсь разок, как бы не веря.

Нет, папа, он не расслабился. Он просто помешался. Я хочу сказать, что...

Он, должно быть, играл и еще с кем-то, в какой-то другой компании...

09:37. Стандартный пластмассовый телефон по-прежнему молчал и был абсолютно безвреден.

Если он не зазвонит до 09:40, значит, я просто сам себя пугаю...

* * *

09:45, и по-прежнему все спокойно. Слава богу! Я, пожалуй, перестану употреблять кокаин хотя бы на какое-то время — а может, и совсем от него откажусь. Разве тот йети не предупреждал меня насчет паранойи? Завтрак с апельсиновым соком и интенсивные занятия лыжным спортом быстро удалят из организма все токсины, так что...

И тут зазвонил телефон. Я схватил трубку:

— Папа?

— Доброе утро... Хьюго? Это ты?

Да, черт побери, да! И это *действительно* был он, мой отец!

— Папа! Ты как?

— Несколько озадачен. Откуда, Диккенс меня задери, ты узнал, что это я?

Хороший вопрос.

— У Руфуса есть определитель номера, — солгал я. — Так что... э-э-э... с Новым годом! У вас все нормально?

— И тебя тоже с Новым годом, Хьюго. Мы можем сейчас поговорить?

Я заметил, что отец говорит приглушенным голосом. Что-то явно случилось.

— Да, конечно. Давай поговорим.

— В общем, самое страшное случилось вчера. За ланчем я смотрел «Новости бизнеса», и тут вдруг позвонили из полиции. Женщина-следователь, представляешь? Из Скотленд-Ярда!

— Великий боже. — *Думай, думай, думай!* Но пока что-то ничего не придумывалось.

— Некая Шила Янг, суперинтендант отдела, занимающегося поиском произведений искусства и всяких старинных предметов. Я понятия не имел, что такой отдел вообще существует; наверно, если украдут «Кувшинки» Моне, то как раз им и поручат их отыскать.

Либо это Бернард Крибель меня заложил, либо кто-то заложил Крибеля.

— Увлекательная работа, насколько я могу догадаться. Но тебе-то они зачем позвонили?

— Вообще-то, Хьюго, эта дама хотела переговорить с тобой.

— О чем? *Я* определенно не спер ни одной картины Моне.

Отец засмеялся, но как-то тревожно.

— Мне она на самом деле не очень хотела что-то объяснять. Я сказал, что ты в Швейцарии, и она очень просила тебя позвонить ей, как только ты вернешься, «чтобы помочь в расследовании одного дела».

— А ты уверен, что это не чей-то дурацкий розыгрыш?

— Да нет, на розыгрыш не похоже. Когда она говорила, на заднем плане отчетливо слышались деловитые голоса сотрудников офиса.

— Ну, раз так, то я, конечно же, сразу, как только вернусь, позвоню следователю Шиле Янг. Наверное, из библиотеки Хамбера сперли какой-то манускрипт, там довольно много редких книг. Или... да нет, чего там *гадать*! Хотя я прямо-таки *чешусь* от любопытства.

— Еще бы! Знаешь... должен признаться, что я не сказал маме ни слова.

— И правильно поступил. Хотя, по-моему, ты совершенно спокойно можешь ей все рассказать. Послушай, пап, если я все-таки попаду в «Уормвуд Скрабз»[1], она запросто сможет начать кампанию «Освободите Хьюго!».

Отец засмеялся уже несколько веселее и сказал:

— Ага, и я тоже туда приду со своим плакатом!

---

[1] Лондонская тюрьма для впервые совершивших преступление.

— Класс! Итак, если не считать того, что на тебя вышел Интерпол, пытаясь выяснить местопребывание твоего сына-рецидивиста, все остальное у вас нормально?

— Да, все в полном порядке. Я третьего января уже снова выхожу на работу, а мама и вовсе с ног сбилась у себя в театре из-за праздников, но ты, я надеюсь, отдыхаешь по-настоящему. Кстати, ты уверен, что за тобой не нужно заехать в аэропорт, когда вы вернетесь?

— Спасибо, пап, но меня Фицсиммонс подбросит, за ним все равно пришлют водителя. Думаю, когда мы дней через восемь с тобой увидимся, эта таинственная история со следователем уже сама собой рассосется.

Я снова поднялся к себе в мансарду; мысли сменяли одна другую со скоростью двадцать четыре кадра в секунду. Сценарии могли быть самые различные, например бригадный генерал помер, и его душеприказчик или судебный исполнитель задался вопросом: о *каких таких* ценных марках беспокоился покойный? Сестру Первис, естественно, тут же расспросили, кто именно и когда посещал бригадного генерала в последнее время. А Крибель незамедлительно назвал имя Маркуса Анидера. Затем они просмотрели записи видеокамер, и я был опознан. Меня вызывают к Шиле Янг, мы беседуем, и я отрицаю все ее обвинения, но Крибель, находящийся за стеной с зеркальным стеклом, говорит: «Это он». Далее следует официальное обвинение; в залоге и поручительстве нам отказывают; из Кембриджа меня исключают; я получаю четыре года за кражу и мошенничество, но два из них условно. Далее, если день не будет особенно богат новостями, моей истории удастся занять в государственных газетах первую полосу: «*Студент-выпускник университета в Ричмонде похитил у несчастного старика, жертвы инсульта, целое состояние*». Через восемнадцать месяцев меня за хорошее поведение выпустят на свободу, но в моем досье навсегда останется запись о совершенном преступлении и судимости, так что единственное, чем я смогу заняться, это крутить баранку или менять резину на чужих автомобилях.

Я протер затянутое изморозью стекло в окне мансарде, и мне стали видны заснеженные крыши, отель «Ле Сюд», острые вершины гор. Снегопад еще не начался, но тяжелое, словно гранитное, небо выглядело угрожающе.

Наступило 1 января; я почувствовал, что стрелка компаса уже слегка дрогнула.

Куда же она указывает? В тюрьму? Или куда-то еще?

Мадам Константен со случайными людьми в разговор явно не вступает.

Надеюсь, что так. Внизу послышались тяжелые кроличьи прыжки: Куинн поднимался по лестнице.

Причем очень быстро; и топал, словно огорченный бронтозавр. Следователь Шила Янг — это еще не ловушка: она скорее некий катализатор...

Собирай-ка поскорей вещички, твердил мне инстинкт. *Будь наготове. И жди.*

Я подчинился инстинкту и нашел в «Волшебной горе»[1] то место, где вчера остановился.

* * *

Тем временем наша «обитель греха» постепенно пробуждалась и приходила в движение. Мне было слышно, как Фицсиммонс этажом ниже орет: «Я быстро, только душ приму!..» Пробудился бойлер, зарычали трубы, в душевой зашуршали струйки воды; незнакомые женщины заговорили на каком-то африканском языке; послышался грубый смех; Четвинд-Питт громогласно провозгласил: «Доброе утро, Оливер Куинн! Скажи-ка, разве это не то, что доктор прописал?» Одна из женщин — Шанди? — спросила: «Руфус, лапочка, можно мне позвонить нашему агенту и сообщить, что с нами все в порядке?» Кто-то спустился в полутемную гостиную; на кухне на полную мощность включили радио, и до меня донеслась надоевшая песня «One Night in Bangkok»; Фицсиммонс вышел из душа, и я услышал, как на лестничной площадке мужские голоса бубнят: «А наш-то стипендиат все еще спит наверху, в своем пенале... Между прочим, он только что говорил по телефону!... Впрочем, если ему нравится дуться, пусть дуется...» Я с трудом подавил искушение заорать в ответ: «И вовсе я, черт побери, не дуюсь! Наоборот, я совершенно счастлив, что вам уже удалось очухаться после вчерашнего кокаина в сочетании с алкоголем!», но потом подумал: с какой стати мне тратить силы и что-то объяснять, тем самым только усиливая их высокомерное ко мне отношение? На кухне засвистел закипевший чайник, а потом вдруг послышался какой-то странный голос — полуфальцет-полухрип: «Что ты мне эту *чертову лапшу* на уши вешаешь?»

Я тут же насторожился. На несколько секунд внизу воцарилась тишина... И во второй раз за это невероятно странное утро я испытал необъяснимую уверенность: сейчас случится что-то страшное. Такое ощущение, словно я заглядывал в некий сценарий будущих событий. И во второй раз я решил подчиниться инстинкту: закрыл «Волшебную гору» и сунул ее в рюкзак. Одна из чернокожих «бэк-вокалисток» что-то говорила, но так быстро и тихо, что я ни-

---

[1] Имеется в виду философский роман Томаса Манна (1875—1955) «Волшебная гора» (1924).

чего не смог разобрать, а потом на лестнице громко затопали, и на площадку вылетел Четвинд-Питт с воплем: «Тысячу долларов! Они хотят тысячу гребаных долларов! *Каждая!*»

Звяк, звяк, звяк — падают пенсы. Или доллары. Как в самых лучших песнях — не знаешь, какой будет следующая строчка, но как только она пропета, становится ясно, что никакой другой она и быть не могла.

Фицсиммонс: «Да они, черт побери, наверняка просто шутят!»

Четвинд-Питт: «Ни хрена! Они и не думают шутить!»

Куинн: «Но они же... не *сказали* нам, что они проститутки!»

Четвинд-Питт: «Да они и на проституток-то не похожи!»

Фицсиммонс: «Но у меня *просто нет* тысячи долларов! Во всяком случае здесь».

Куинн: «У меня тоже, а если б и была, то почему я должен просто так им ее отдать?»

Меня так и подмывало выскочить из комнаты, быстро спуститься вниз и с веселым видом спросить: «Ну что, трое Ромео, вы как предпочтете — чтобы из ваших яиц сделали болтунью или глазунью?» Звонок Шанди ее «агенту» обернулся неожиданно включившийся сигнализацией, когда автомобиль без конца гудит, а фары ослепительно мигают в такт гудкам. Можно было бы назвать просто счастливой случайностью то, что у меня в комнате есть пара новых горных ботинок «Тимберленд», еще не вынутых из коробки, но выражение «счастливая случайность» попахивает ленью.

Четвинд-Питт: «Это вымогательство. И пошли они все на...»

Фицсиммонс: «Согласен. Они просто видели, что деньги у нас есть, вот и думают: хорошо бы урвать побольше».

Куинн: «Но, по-моему, если мы им скажем «нет», то разве они...»

Четвинд-Питт: «Боишься, что они забьют нас до смерти упаковками тампонов и тюбиками губной помады? Нет уж, решать нам: пошли вон — значит пошли вон. Пусть поймут, что это Европа, а не Момбаса или еще хрен знает что. На чьей стороне будет швейцарская полиция? На нашей или этих грязных шлюх с юга Сахары?»

Я поморщился. Из своего «банка» под полом я извлек все свои выигрыши и переложил пачку банкнот и паспорт в бумажник, который засунул поглубже во внутренний карман лыжной куртки, размышляя о том, что если богатые и рождаются глупцами не чаще, чем бедные, то все же слишком благополучное детство и соответствующее воспитание здорово их оглупляет, тогда как трудное детство как бы растворяет глупость в необходимости выживать — хотя бы в соответствии с дарвиновской теорией о труде, который создал человека. Именно поэтому, думал я, элита и *нуждается* в профилактической защите от остального общества в виде этих говенных государственных школ, дабы не дать умным ребятам из рабочего класса, получившим хорошие аттестаты, вытеснить детей из богатых и знатных семейств из Анклава Привилегированных[1]. Снизу доносились сердитые голоса, британские и африканские; они смешивались, и каждый старался звучать громче остальных. С улицы донесся гудок автомобиля, и я, выглянув в окно, увидел серый «Хёндэ», на крыше которого красовалась пышная шапка снега; автомобиль медленно полз в нашу сторону, и намерения у него были явно нехорошие. Остановился он, разумеется, у въезда в «замок» Четвинд-Питтов, перегородив подъездную дорожку. Из него вылезли двое здоровенных парней в куртках-дубленках. Затем появилась эта Канди, Шанди или Манди, приветственно махая рукой и приглашая их в дом...

* * *

Гвалт в гостиной мгновенно стих.

— А ну-ка, кто бы вы ни были, — заорал Руфус Четвинд-Питт, — *немедленно* убирайтесь из моего дома, иначе я вызову полицию! Это частная собственность!

Ему ответил какой-то гнусавый голос с педерастически-психозно-немецким акцентом:

— Вы, мальчики, покушали в чудесном ресторане. Теперь пора платить по счету.

Четвинд-Питт:

— Но эти шлюхи даже *не сказали*, что они берут за это деньги!

Немец-педик:

— *А вы* не сказали, что умеете из своего пениса йогурт добывать, а оказалось, что умеете. Ты ведь Руфус, по-моему?

— Не твое дело, *черт побери, как* меня...

— Неуважительное отношение к собеседнику только вредит делу, Руфус.

— Убирайтесь — отсюда — немедленно! — отчеканил Четвинд-Питт.

---

[1] Послевоенный лозунг «Среднее образование — для всех» оказался ширмой для того, о чем говорит Д. Митчелл, поскольку существует два вида государственных школ: общеобразовательные и грамматические, причем первые весьма отличаются от вторых, которые готовят к поступлению в вузы и имеют иную, расширенную, программу обучения (о частных закрытых и очень дорогих школах даже упоминать не стоит). Но в грамматическую школу нужно еще поступить: экзамен туда сдают в 11 лет, он так и называется «одиннадцать плюс», и его сдают не более четверти всех детей, закончивших начальную школу. Обычная средняя школы (как раз такую закончила Холли) права на поступление в вуз не дает, так что ее выпускники вынуждены с 16 лет начинать трудовую жизнь.

— К сожалению, не можем: вы нам должны три тысячи долларов.

— Правда? — удивился Четвинд-Питт. — Хорошо, посмотрим, что скажет полиция...

Должно быть, это телевизор разбился с таким оглушительным звоном и грохотом. А может, они уронили книжный шкаф со стеклянными дверцами? Бум-трах-тарарах — в ход пошли хрустальные бокалы и фаянсовая посуда, картины и зеркала; тут, пожалуй, даже Генри Киссинджер не сумел бы удрать невредимым. Потом вдруг послышался пронзительный крик Четвинд-Питта:

— *Моя рука! Черт побери, моя рука!*

Далее последовала череда неслышных вопросов и ответов. Потом снова раздался голос того немецкого педика:

— Я НЕ СЛЫШУ, РУФУС!

— Мы заплатим, — жалобно проныл Четвинд-Питт, — заплатим...

— Конечно, заплатите. Однако ты вынудил Шанди нас вызвать, так что плата будет выше. По-английски это, кажется, называется «плата за вызов на дом»? У нас бизнес, так что мы должны покрывать расходы. Ты. Да, ты. Как твое имя?

— О-О-Олли, — сказал Олли Куинн.

— У моей второй жены был чихуахуа по кличке Олли. Он меня укусил, и я бросил его в... scheisse, как называется эта штука, в которой лифт ходит то вверх, то вниз? Такая большая дыра. Олли — я спрашиваю тебя, как это будет по-английски.

— Шахта лифта?

— Точно. Я бросил Олли в шахту лифта. Так что ты, Олли, меня кусать не будешь. Верно? Значит, так: сейчас вы соберете свои денежки и принесете сюда.

— Мои... мои... мои — что? — пролепетал Куинн.

— Денежки. Фонды. Заначки. Ты, Руфус и ваш дружок. Если сумма будет достаточной для того, чтобы оплатить наш вызов, мы оставим вас праздновать Новый год. Если же нет, нам придется придумать иной способ *помочь* вам выплатить долг.

Одна из женщин что-то сказала, послышалось невнятное бормотание, и через пару секунд немец-педик громко крикнул:

— Эй, «битл номер четыре», спускайся вниз и присоединяйся к нам! Тебя никто бить не будет, если, конечно, ты не станешь совершать героических поступков.

Я беззвучно открыл окно — бр-р-р, ну и холодно было снаружи! — и осторожно перекинул ноги через подоконник. Просто кадры из «Головокружения» Хичкока; альпийские крыши, по которым я собирался соскользнуть на землю, вдруг показались мне куда более крутыми, чем когда любуешься ими издали, стоя на земле. Хотя крыша шале Четвинд-Питтов над помещением кухни была, пожалуй, несколько более пологой. И все-таки существовал значительный риск того, что через пятнадцать секунд я с обеими сломанными ногами буду, пронзительно вопя, кататься по земле.

— Лэм? — услышал я под своей дверью голос Фицсиммонса. — Послушай, Лэм, та сумма, которую ты выиграл у Руфуса... сейчас очень ему нужна. У них ножи, Хьюго! Хьюго, ты меня слышишь?

Я поставил ноги на черепицу, цепляясь за подоконник.

Пять, четыре, три, два, один...

* * *

Двери «Ле Крока» были заперты, внутри темно и, естественно, ни малейших признаков Холли Сайкс. Наверное, раз вчера вечером бар был закрыт, то Холли нужно будет там убирать только завтра утром. Господи, почему я не спросил у нее номер телефона?! Я побрел на городскую площадь, но даже в самом центре Ла-Фонтейн-Сент-Аньес было мрачно и пусто, точно перед концом света: туристов почти не видно, машин и того меньше, даже человек-горилла сегодня не торговал блинами, и практически на всех магазинах висела табличка «Ferme»[1]. Интересно, что случилось? Ведь в прошлом году 1 января город так и гудел. Тучи над головой было низкими, давящими, точно груда серых, насквозь промокших матрасов. Я зашел в кондитерскую «Паланш-де-ла-Кретта», попросил кофе и бокал красного вина и плюхнулся в угол у окна, не обращая внимания на ноющую после прыжка с крыши лодыжку. Во всяком случае, сегодня следователь Шила Янг уж точно не станет думать обо мне. И как же мне быть теперь? Как вести себя дальше? Активировать Маркуса Анидера? У меня есть паспорт на это имя, хранящийся в банковской ячейке на станции метро «Юстон»[2]. Может быть, так: автобусом до Женевы, затем поездом до Амстердама или до Парижа, затем на катере через Ла-Манш, а из Англии — уже на самолете в Панаму или на Карибские острова?.. Наняться на какую-нибудь яхту...

Неужели действительно придется так поступить? Неужели я решусь так просто покончить с прошлой жизнью?

И никогда больше не увижу родителей и братьев? Как-то чересчур внезапно...

По-моему, в Святом Писании совсем не так говорится...

---

[1] Закрыто (*фр.*).

[2] Большой вокзал в Лондоне и конечная станция Лондонско-Мидлендской районной ветки метро.

За окном всего в трех футах от меня прошел Олли Куинн в сопровождении какого-то страшно веселого человека в дубленке. Мне почему-то показалось, что это тот самый немецкий педик-психопат. Куинн, шедший от него по правую руку, выглядел совершенно больным и очень бледным. Странная парочка проследовала мимо той самой телефонной будки, где только вчера Олли беседовал с Несс, а потом заливался безутешными слезами, и вошла в уставленный банкоматами вестибюль швейцарского банка. Там Куинн три раза снял деньги с трех разных карточек, а потом его снова под конвоем повели обратно. Я прикрылся газетой, весьма удачно оказавшейся под рукой. Наверное, нормальный человек должен был бы испытывать вину или желание оправдаться хотя бы перед самим собой, но у меня было ощущение, словно я наблюдаю проходной эпизод из сериала «Инспектор Морс».

— Доброе утро, выпендрежник, — раздался голос Холли. Она стояла рядом, держа в руках чашку с горячим шоколадом. Она была прекрасна. И догадлива. И она была совершенно самой собой. И на ней был симпатичный красный берет. — Ну, и в какую беду вы теперь угодили?

Не знаю, что на меня нашло, но я стал это отрицать:

— Да нет, у меня все прекрасно.

— Можно мне присесть? Или вы ждете кого-то?

— Да. Нет. Пожалуйста. Садитесь. Никого я не жду.

Она сняла лыжную куртку — ту самую, цвета мяты, — и села напротив. Потом сняла берет и положила его на стол. Потом размотала кремовый шарф, скатала его в комок и положила поверх берета.

— Я только что заходил в бар, — признался я, — и понял, что вы, наверное, пошли кататься на лыжах.

— Склоны закрыты. Надвигается снежная буря.

Я снова выглянул в окно.

— Какая снежная буря?

— Вам следовало бы слушать местное радио.

— Там только и делают, что крутят без конца «One Night in Bangkok»! Уже в ушах навязло.

Она невозмутимо помешивала свой шоколад.

— Вам бы лучше вернуться домой — скоро, не позже чем через час, здесь все окутает непроницаемая белая мгла. Ничего не будет видно даже на расстоянии трех метров. Это почти то же самое, что внезапно ослепнуть.

Она сняла ложечкой шоколадную пенку, проглотила и стала ждать, когда я признаюсь, что же все-таки со мной случилось.

— Я только что выписался из отеля «Четвинд-Питт».

— Я бы на вашем месте вписалась обратно. Правда.

Я изобразил сбитый самолет и пробормотал:

— В данный момент это весьма проблематично.

— Раздор среди друзей Руфуса-сексиста?

Я наклонился к ней чуть ближе.

— Они подцепили каких-то подвыпивших девиц в клубе «Вальпургиева ночь», а те оказались проститутками. И сутенеры этих девиц в данный момент выжимают из ребят все до последнего сантима. Я убрался через аварийный люк.

Холли не выказала ни малейшего удивления: подобные истории на лыжных курортах случаются сплошь и рядом.

— Ну, и каковы же ваши планы на будущее?

Я посмотрел в ее серьезные глаза. Разрывная пуля счастья прошила мои внутренности.

— Пока не знаю.

Она с наслаждением, маленькими глоточками пила свой шоколад, и мне захотелось стать этим шоколадом.

— Во всяком случае, вы не кажетесь таким уж обеспокоенным; я бы на вашем месте так не смогла.

Я молча пил кофе. Было слышно, как на кухне пекарни шипит сковородка.

— Я не могу этого объяснить. У меня ощущение... словно мне грозит некая неминуемая метаморфоза. — Было очевидно, что Холли меня не понимает, но я ее за это не винил. — Вам когда-нибудь случалось... столкнуться с обманом? Причем с таким, которого вы понять не в силах... Или...или... незаметно для себя пропустить несколько часов? Нет, не в смысле «ой, как время летит!», а как при гипнозе... — я прищелкнул пальцами, — ...щелк — и пары часов как не бывало? Хотя кажется, что между двумя ударами твоего сердца никакого перерыва не ощущалось. Возможно, эта штука с провалом куска времени служила просто для отвлечения внимания, но я *действительно* отчетливо ощущаю, что моя жизнь меняется. Со мной происходит некая *метаморфоза* — вот самое подходящее для этого слово... Вы очень стараетесь не показать, что я выгляжу в ваших глазах настоящим фриком, только я и сам понимаю, что говорю такие вещи, словно у меня не все дома.

— Что-то чересчур много сложностей. Я ведь работаю в баре, если вы помните.

Я пытался подавить сильнейшее желание перегнуться через стол и поцеловать ее. Но она, конечно же, дала бы мне пощечину и прогнала. Я бросил в кофе еще кусочек сахара. А она, еще помолчав, спросила:

— А где вы собираетесь жить во время этой своей «метаморфозы»?

Я пожал плечами.

— Метаморфоза происходит *со мной*. И я на нее никак повлиять не могу.

— Круто, но я так и не получила ответа на свой вопрос. На автобусе отсюда сейчас не выберешься — они не ходят, а гостиницы заполнены под завязку.

— Я же говорил, что эта снежная буря нагрянула очень не вовремя.

— Вы ведь мне выложили еще не всю ту ерунду, которой у вас голова забита? Есть и еще кое-что, верно?

— О, буквально тонны! Но об этой «ерунде» я вряд ли кому-нибудь когда-нибудь расскажу.

Холли отвела глаза, явно принимая какое-то решение...

* * *

Когда мы покидали городскую площадь, с неба сыпался всего лишь не особенно сильный колючий снежок, осторожно кружа на уровне крыш, но не успели мы пройти и ста метров и раза два завернуть за угол, как возникло ощущение, словно из огромного сопла размером с гору гигантский насос стал выбрасывать на равнину невероятно мощные заряды снега. Снег забивался в нос, в глаза, сыпался на спину и даже попадал под мышки; снежная буря выла нам вслед, когда мы, нырнув под каменную арку, похожую на грот, оказались во дворе, уставленном мусорными баками и уже наполовину погребенном под снегом. Снег, снег, снег... Холли немного повозилась с ключом, и мы поспешно вошли внутрь, но снег все же успел ворваться в дверную щель, а ветер так и взвыл у нас за спиной. Но Холли захлопнула дверь, и вокруг стало неожиданно тихо и спокойно. Небольшая прихожая, горный велосипед, лестница, ведущая наверх. Щеки Холли были покрыты темно-розовым румянцем. Слишком худенькая: если бы я был ее матерью, я бы пичкал ее всякими питательными десертами, способствующими набору веса. Мы сняли куртки и сапоги, и Холли велела мне подниматься по лестнице, покрытой ковром. Наверху оказалась маленькая, но светлая и полная воздуха квартирка с бумажными абажурами и скрипучими полами, покрытыми лаком. Жилище Холли было куда проще, чем мои комнаты в Хамбер-колледже, и мебель тут явно была 1970-х годов, а не 1570-х, но в этом отношении я ей даже позавидовал. Все было очень опрятным, и мебели было совсем мало — в большой комнате имелись: древний телевизор, допотопный проигрыватель, видавшая виды софа, кресло в виде большого мягкого мешка, набитого бобами, низенький столик и аккуратная стопка книг в углу; больше там, собственно, почти ничего и не было.

В крохотной кухоньке обстановка тоже была совершенно минималистской: на сушилке я заметил одну тарелку, одно блюдо, одну чашку, один нож, одну ложку и одну вилку. На полочке росли в горшках розмарин и шалфей. Пахло в основном жареным хлебом, сигаретами и кофе. Единственной уступкой украшательству была маленькая картина маслом, изображавшая бледно-голубой домик на зеленом склоне холма, за которым простиралась серебристая гладь океана. Из большого окна, должно быть, открывался чудесный вид, но сегодня за окном метались облака, похожие на «снежную пыль» на экране плохо настроенного телика.

— Это просто невероятно, — сказал я. — Столько снега!

— Снежная буря, — пожала плечами Холли, наливая в чайник воду. — Они тут порой случаются. Что у вас с ногой? Вы довольно сильно хромаете.

— Свое старое оборудование а-ля Человек-паук мне пришлось оставить в прежнем жилище.

— И приземлиться а-ля мешок картошки?

— Мое скаутское оборудование всегда помогало мне прыгать с крыш, уходя от преследования жестоких сутенеров!

— Ничего, у меня найдется эластичный бинт, могу вам одолжить. Но сперва... — Она открыла дверь в крошечную комнату-шкаф с окошком не больше крышки от обувной коробки. — Вот. Моя сестра, когда в прошлом месяце приезжала в гости, вполне нормально обошлась диванными подушками и одеялами.

— Еще бы! Тут тепло и сухо. — Я кинул в комнатку свою сумку. — Тут просто великолепно!

— Вот и хорошо. Значит, я сплю в своей комнате, а вы здесь. Ясно?

— Ясно. — Когда женщина в тебе заинтересована, она непременно даст тебе это понять; если же нет, то никакой крем после бритья, никакие подарки, никакие попытки поймать ее на крючок не заставят ее передумать. — Я очень вам благодарен. Серьезно — очень благодарен. Бог знает, что бы я сейчас делал, если бы вы надо мной не сжалились.

— Ничего, выжили бы. Такие, как вы, всегда выживают.

Я посмотрел на нее.

— Такие, как я?

Она только фыркнула.

* * *

— Ради бога, Лэм! *Бинт* — это не шина. — Холли явно не впечатлили мои умения в плане оказания медицинской помощи самому себе. — Вы явно пропускали соответствующие занятия в школе, и значок «Юный доктор» вы тоже не получили. А у вас вообще какие-нибудь значки есть? Что вы *на самом деле* умеете? Нет, забудьте: это дурацкий вопрос. Ну, *ладно*. — Она отложила сигарету. — Я сама перебинтую вам ногу. Но если вы вздумаете отпускать всякие скабрезные шуточки насчет «сестринской помощи», то я сломаю вам вторую лодыжку вон той мраморной доской для резки хлеба.

— Что вы, что вы! Никаких скабрезных шуток!

— Ногу на стул. Я не собираюсь преклонять перед вами колени.

Она размотала мою неуклюжую повязку, подшучивая над моими «способностями». Без носка моя распухшая лодыжка выглядели чужой, голой и очень непривлекательной. Особенно в тонких пальчиках Холли.

— Вот, для начала разотрите ушиб кремом с арникой — он отлично помогает при опухолях и синяках.

Она подала мне тюбик, и я подчинился. Когда лодыжка заблестела от крема, она умело наложила повязку, и мне сразу стало не так больно. Я следил за ее ловкими пальцами и любовался ее черными кудрями. На подвижном лице Холли сразу отражалась любая смена настроения. В моем любовании ею не было ни капли похоти. Похоть требует, получает свое и снова, отступая на мягких лапах, скрывается в лесу. Любовь куда требовательней. Она жадная. Она требует круглосуточного внимания и заботы; требует защиты, обручальных колец, брачных клятв, совместного счета в банке; ароматических свечей в день рождения; страхования жизни; детей. Любовь — это диктатор. Я прекрасно все *понимал*, но проклятый очаг, внезапно разгоревшийся в моей груди, продолжал жадно реветь: *ты ты ты ты ты,* и я, черт побери, ровным счетом ничего не мог с этим поделать.

Ветер так ломился в оконное стекло, словно хотел его выбить.

— Не слишком туго? — спросила Холли.

— По-моему, идеально, — сказал я.

* * *

— Как искусственный снег в прозрачном игрушечном шарике, — сказала Холли, глядя на снежные завихрения за окном.

Она уже рассказала мне об охотниках за НЛО, которые приезжают в Сент-Аньес, и это странным образом привело ее к воспоминаниям о том, как она собирала клубнику на ферме в Кенте и работала на виноградниках в Бордо; затем она почему-то переключилась на беспорядки в Северной Ирландии, которые, с ее точки зрения, никогда не прекратятся, если в школах не покончат с сегрегацией; потом вдруг вспомнила, как однажды шла на лыжах через долину, и буквально через три минуты после того, как она эту долину покинула, туда сошла снежная лавина.

Я закурил и стал рассказывать, как я в Кашмире опоздал на автобус, который на дороге, ведущей к храму Ладакх, занесло, и он свалился в пропасть глубиной пятьсот футов; затем я поведал, почему местные жители в Кембридже ненавидят студентов; затем объяснил, зачем на колесе рулетки есть ноль; затем предался воспоминаниям о том, как прекрасно летом часов в шесть утра идти на веслах по Темзе. Мы вспомнили самые первые, самостоятельно купленные нами синглы, поспорили, какой фильм лучше — «Экзорцист» или «Сияние»; затем обсудили планетарии и музеи мадам Тюссо — в общем, болтали о всякой ерунде, но мне было чрезвычайно приятно смотреть на Холли Сайкс, когда она что-то рассказывала. Когда я в очередной раз вытряхнул полную пепельницу, она спросила, интересной ли была моя трехмесячная стажировки в Блитвуд-колледже на севере штата Нью-Йорк. Разумеется, основные факты своей жизни я излагал ей в несколько подредактированном виде, в том числе и эпизод с охотником, который выпалил в меня из ружья, приняв за оленя. Потом она сообщила мне, что ее подруга Гвин в прошлом году все лето работала в летнем лагере в Колорадо. А я в ответ рассказал, как Барт Симпсон звонит Мардж из летнего лагеря и сообщает: «Я больше не боюсь смерти», но Холли спросила, кто такой Барт Симпсон, так что мне пришлось объяснить. О группе «Talking Heads» она говорила как католичка о своих любимых святых. Неожиданно мы заметили, что утро давно кончилось. И я из полпакета муки и всяких остатков, найденных у Холли в холодильнике, сварганил пищу, которая, по-моему, впечатлила ее куда сильней, чем ей хотелось показать. Баклажан, помидоры, сыр, соус песто и дижонская горчица. В холодильнике была еще бутылка вина, но я подал на стол просто воду, чтобы она не подумала, что я хочу ее подпоить. Я, правда, спросил, вегетарианка ли она, успев заметить, что даже бульонные кубики у нее вегетарианские. Да, она действительно оказалась вегетарианкой и рассказала мне, как в шестнадцать лет гостила в Ирландии у своей двоюродной бабушки Айлиш и, «увидев проходившую мимо овечку», вдруг поняла: «Господи, ведь я же ем ее детей!» Я заметил, что люди великолепно умеют не задумываться о неприятных истинах. Потом я помыл посуду — «чтобы оплатить свое проживание», — и тут случайно выяснилось, что Холли никогда не играла в трик-трак, и я моментально смастерил игральную доску с помощью внутренней стороны коробки из-под хлопьев «Витабикс» и фломастера. А она отыскала в какой-то банке в шкафу пару игральных костей, а в качестве фишек мы использовали серебряные и медные монетки. К третьей игре она играла уже настолько хорошо, что я смог милостиво позволить ей выиграть.

— Поздравляю, — сказал я. — Ты быстро учишься.

— Может, мне следует тебя поблагодарить? Ведь это ты позволил мне выиграть!

— Да нет, я не позволял! Серьезно. Ты выиграла вполне честно, и я...

— И ты виртуозный лжец, выпендрежник!

* * *

Позже мы попытались смотреть телевизор, но сигнал из-за бури проходил плохо, и на экране был почти такой же туман, как за окном. Холли отыскала видеокассету с каким-то черно-белым фильмом, доставшуюся ей в наследство от предыдущего обитателя квартиры, и мы решили ее посмотреть. Холли растянулась на диване, а я утонул в мешкообразном кресле; пепельница заняла весьма неустойчивое положение на подлокотнике дивана между нами. Я пытался сосредоточиться на фильме и не думать о ее теле. Фильм был английский, снятый, наверное, в конце 40-х. Записали его не с самого начала, так что ни названия, ни имени режиссера мы так и не узнали, но сюжет был вполне захватывающий, несмотря на дикцию актера Ноэля Кауарда. Действующие лица были помещены на судно, совершающее круиз и движущееся в некоем, затянутом туманом пространстве; лишь через некоторое время и сами пассажиры, и мы с Холли поняли, что все они мертвы. Характер каждого персонажа был углублен с помощью ретроспективной истории — в стиле старого доброго Чосера, — а потом на судне появился Судебный Следователь, чтобы решить, какая судьба в дальнейшей, загробной, жизни ждет каждого пассажира. Например, безгрешная Энн получила пропуск в Рай, а ее муж Генри, пианист и боец австрийского Сопротивления, совершивший самоубийство — сунул голову в духовку и включил газ, — «получил назначение» в качестве стюарда на борт аналогичного океанского лайнера, курсирующего между мирами. И тогда его жена сказала Следователю, что отказывается от Рая, лишь бы остаться с мужем. В этом месте Холли фыркнула: «Ох, *ради бога*!» В финале Энн и Генри слышат звон разбивающегося стекла и просыпаются в своей квартире: они спасены от отравления газом, поскольку окно разбито и в комнату вливается поток свежего воздуха. Мощное крещендо. Муж и жена обнимают друг друга и приветствуют начало новой жизни. Конец фильма.

— Господи, до чего душещипательная история! — сказала Холли.

— Однако мы смотрели не отрываясь.

За окнами уже оказались розовато-лиловые сумерки, но снежные хлопья по-прежнему яростно бились в оконное стекло. Холли встала, чтобы задернуть занавески, да так и осталась у окна, словно завороженная вьющимся снегом.

— Какую самую глупую вещь в своей жизни ты совершил, выпендрежник?

Я повозился в своем кресле-мешке. Кресло противно шуршало.

— А что?

— Ты прямо-таки невероятно самоуверенный тип! — Она задернула занавески и повернулась ко мне с почти обвиняющим видом. — Полагаю, богатым людям вообще свойственна самоуверенность, но ты всех обошел и оказался на ином, более высоком уровне. Разве ты никогда не делаешь глупостей, которые заставляют тебя корчиться от растерянности, от изумления — или от стыда? — когда оглядываешься назад?

— Если бы я начал перечислять сотни тех глупостей, которые мне довелось совершить, мы бы просидели здесь до следующего Нового года.

— Я спрашиваю только об одной глупости.

— Ну, хорошо, тогда...

Я догадывался, что ей хочется хотя бы мельком увидеть мое уязвимое, незащищенное подбрюшье — примерно такой же вопрос обычно задают всякие безмозглые интервьюеры: «Каков ваш самый большой недостаток?» Что такого я сделал, что было бы и достаточно глупым, и не слишком отталкивающим в моральном плане (как, скажем, последний проигрыш Пенхалигона)? Чтобы ответ мой прозвучал достойно, но не заставлял нормального человек корчиться от ужаса?

— Тогда вот что: у меня есть кузен Джейсон; он вырос в Вустершире, в деревне, которая называется Лужок Черного Лебедя. Однажды — мне тогда было лет пятнадцать — мы с родителями поехали туда в гости, и мать Джейсона послала нас с кузеном в деревенский магазин. Он был моложе меня, и его, как говорится, ничего не стоило развести. Ну и я, считая себя обладателем богатого *лондонского* опыта, решил развлечься. Украл в магазине пачку сигарет, заманил бедного Джейсона в лес и сказал, что, если он хочет изменить свою дерьмовую жизнь и стать настоящим мужчиной, ему обязательно нужно научиться курить. Я сказал это с самым серьезным видом, точно негодяй из антитабачной рекламы. И мой слабовольный кузен, разумеется, согласился, и уже через пятнадцать минут он, упав на колени у моих ног, исторгал на травку все, что слопал за последние полгода. Ну, вот тебе очень глупый и жестокий поступок. Стоит мне вспомнить об этом, и моя совесть твердит: «Ах ты, ублюдок!»

Я даже поморщился, стараясь скрыть, что выдумал всю эту историю минуту назад, и я говорю про себя: «Прости меня, Джейсон!»

— А теперь он курит? — спросила Холли.

— По-моему, он в жизни никогда не курил.

— Возможно, потому, что ты тогда сделал ему прививку.

— Возможно. А тебя кто курить научил?

* * *

— Я уходила все дальше и дальше, в болота Кента, — рассказывала Холли. — Никакого плана у меня не было. Просто... — Ее рука очертила некие холмистые дали. — В первую ночь я спала в какой-то церкви в богом забытой глуши... именно в ту ночь все и случилось. Именно в ту ночь исчез Жако. Дома, в «Капитане Марло», он, как всегда, принял ванну, потом Шэрон ему почитала, мама сказала «спокойной ночи», и он лег спать. Все было нормально, все как обычно — если не считать того, что я сбежала. Заперев на ночь паб, папа, как всегда, поднялся в комнату Жако, чтобы выключить его радио — Жако всегда засыпал, слушая, как разные люди говорят на иностранных языках, говорил, что это его убаюкивает. Но утром в воскресенье Жако в его комнате не оказалось. И нигде в пабе его тоже не было. Такое ощущение, словно вся семья попала внутрь какого-то паршивого пазла, неизвестно кем придуманного, — ведь даже двери были по-прежнему заперты *изнутри*. Сперва в полиции решили — и этому предположению поверили даже мама с папой! — что *я подговорила* Жако бежать вместе со мной... — Холли умолкла, пытаясь успокоиться. — Только после того, как меня выследили и обнаружили на острове Шеппи у тех фермеров, которых я упросила взять меня на работу — я там клубнику собирала, — полиция все-таки начала настоящие поиски. Тридцать шесть часов спустя. Сперва его искали с собаками, объявляли по радио... — Холли опять умолкла и потерла лицо ладонями. — Потом местные цепью прошлись по пустошам Грейвзенда, а полиция стала проверять всякие... ну, знаешь, всякие злачные места. Но никто ничего не нашел. Ни следов, ни тела, ни свидетелей. День шел за днем, но все наши попытки хоть что-то узнать о Жако терпели неудачу. Мои родители закрыли паб и не открывали его много недель подряд; я не ходила в школу; Шэрон все время плакала... — У Холли перехватило дыхание. — Понимаешь, я молила Бога, чтобы зазвонил телефон, но когда раздавался звонок, мне было невыносимо страшно снять трубку, я боялась услышать какое-то ужасное известие... Мама вся извелась, почернела, а папа... он всегда был такой веселый, всегда шутил... Но после того как это произошло, он стал... вроде как...

пустым изнутри. Я неделями не выходила из дома. И школу я, в общем, бросила. Если бы Рут, моя невестка, не вмешалась, не взялась за хозяйство, не заставила маму осенью поехать в Ирландию, честно признаюсь: вряд ли мама была бы сейчас жива. Даже теперь, семь лет спустя, это все еще... Страшно сказать, но теперь, когда я слышу в новостях о каком-нибудь зверски убитом ребенке, я думаю: для его родителей это сущий ад, самый страшный и нескончаемый кошмар, но они, по крайней мере, *точно знают*, что случилось. Они, по крайней мере, могут горевать и плакать, *зная* причину. Мы даже этого не можем. То есть я *уверена*, что Жако вернулся бы домой, если б мог это сделать, но пока нет никаких *доказательств его смерти*, пока не будет найдено... — голос у Холли сорвался, — ...тело, невозможно сказать своему воображению: «Заткнись!» Оно все равно не заткнется и будет продолжать подбрасывать тебе варианты: а что, если случилось это? а что, если случилось то? а что, если он все еще жив? а что, если он сидит в подвале у какого-нибудь психа и молит Бога, чтобы как раз сегодня наступил тот день, когда ты, его старшая сестра, найдешь его и спасешь? Но даже и *это* еще не самое худшее... — Холли отвернулась, чтобы я не видел ее лица. Не было необходимости говорить, чтобы она не спешила, что мне некуда торопиться, хотя даже ее маленький дорожный будильник, стоявший на полочке, говорил, что сейчас уже поздно, без четверти десять. Я раскурил для нее сигарету и вложил ей в пальцы. Она глубоко затянулась, медленно выпустила дым и сказала: — Если бы тогда, в ту субботу, я не убежала — Господи, из-за какого-то гребаного бойфренда! — вряд ли Жако позволил бы кому-то увести его ночью из «Капитана Марло». — Она сидела, по-прежнему отвернувшись от меня. — Нет, конечно же, нет. А значит, во всем виновата я. Родные уверяют меня, что это не так, что я сама все это выдумала, и психотерапевт, к которому я ходила, говорил мне то же самое; да, собственно, все пытаются убедить меня, что я не права. Но ведь у них-то не возникает мучительного вопроса: «А не я ли во всем виновата?» Этот вопрос не сверлит им мозги каждый час, каждый день. Как и ответ на этот вопрос.

Ветер снаружи с воем ударил по всем клавишам, точно какой-то безумный органист.

— Я просто не знаю, что сказать, Холли...

Она промолчала, только залпом допила свое белое вино.

— ...кроме «Перестань! Прекрати себя мучить!». Но это было бы *грубо и оскорбительно*.

Она повернулась ко мне — глаза красные, на лице потрясение.

— Да, — сказал я. — Оскорбительно. Оскорбительно по отношению к Жако.

Было совершенно очевидно, что никто никогда так с ней не говорил.

— Посмотри на это с другой стороны. Предположим, Жако куда-то ринулся из дома; предположим, ты отправилась его искать, но некое... зло опередило тебя и помешало тебе вернуться назад. Ты бы хотела, чтобы Жако на всю жизнь погряз в самообвинениях, стал наркоманом или алкоголиком из-за того, что уверил себя, будто тем своим давнишним необдуманным поступком заставил тебя так из-за него волноваться?

У Холли было такое выражение лица, словно она никак не может поверить, что я посмел сказать ей такое. Да я и сам, честно говоря, не мог в это поверить. И она, по-моему, *явно* была готова немедленно вышвырнуть меня из своего дома.

— Ведь ты бы наверняка захотела, чтобы Жако жил полной жизнью, верно? — продолжал я. — Жил *полной* жизнью, а не абы как, наполовину? Ты бы хотела, чтобы он прожил жизнь как бы и за себя, и за тебя!

Видеомагнитофон вдруг решил с грохотом выплюнуть кассету. Холли вздрогнула и спросила каким-то неровным, словно зазубренным голосом:

— Значит, я должна вести себя так, словно ничего не произошло?

— *Нет*. Просто перестань казнить себя за то, что тебе в 84-м году не удалось понять, как семилетний мальчишка оказался способен прореагировать на твой вполне заурядный акт подросткового неповиновения. Прекрати заживо хоронить себя в этом дерьмовом «Ле Крокс»! Твое бесконечное искупление грехов Жако не поможет. Конечно, его исчезновение переменило твою жизнь — разве могло быть иначе? — но почему ты считаешь правильным бесцельно растрачивать свои таланты и свою цветущую молодость, подавая коктейли таким, как Четвинд-Питт и я, обогащая таких, как Гюнтер, безжалостный эксплуататор и гнусный наркоторговец?

— Так что же ты мне, в таком случае, *посоветуешь* делать? — заорала Холли в ответ.

— Ну, *я* тебе ничего не посоветую, потому что не знаю. Мне не приходилось переживать такого. Хотя раз уж ты спросила, то в Лондоне так много других маленьких Жако, которым именно ты *могла бы* помочь. Беглецов, бездомных подростков, жертв бог знает чего. Ты мне сегодня очень много о себе рассказала, Холли, и для меня это большая честь, даже если тебе сейчас кажется, что я предал твое доверие, раз я так жестоко с тобой говорю. Но во всем твоем рассказе я не услышал *ни одной вещи*, которая лишала бы тебя права на полезную и приятную — да-да, приятную! — жизнь.

Холли встала; она явно была уязвлена и рассержена; заплаканные глаза припухли.

— С одной стороны, мне очень хочется треснуть тебя чем-нибудь железным и тяжелым, — вполне серьезно сказала она. — Впрочем, и с другой стороны мне хочется того же. Так что уж лучше я пойду спать. А тебе утром лучше уйти. Не забудь выключить свет, когда будешь ложиться.

* * *

Меня разбудил еле заметный рассвет. В голове стоял туман; тело было стиснуто перекрученным спальным мешком. Крошечная комнатка, больше похожая на стенной шкаф; силуэт девушки в мужской футболке; длинные, кольцами вьющиеся волосы... Холли? Это хорошо. По всей вероятности, Холли, которой я велел перестать оплакивать ее братишку, пропавшего семь лет назад — наверняка давно мертвого и умело похороненного в каком-нибудь неприметном месте, — все-таки решила вышвырнуть меня из своего дома без завтрака навстречу моему, в высшей степени неопределенному, будущему... Что ж, ничего не попишешь. Впрочем, за окошком все еще черно. И глаза у меня щиплет от усталости, они так и не успели отдохнуть. И во рту сушь от бесчисленных сигарет и «Пино блан».

— Что, уже утро?

— Нет, — сказала Холли.

* * *

Дыхание девушки стало более глубоким — значит, уснула. Выданный мне матрас-футон был нашим плотом, а сон — рекой, и я скользил по этой реке сквозь волны запахов. «У меня давно не было практики», — сказала она мне, выныривая на мгновенье из путаницы волос, одежды и наших сплетенных тел. Я ответил, что и у меня практики давно не было, и она притворно возмутилась: «Ну что ты врешь, выпендрежник!» Из приемника со светящимся окошечком электронных часов доносились звуки музыки: какой-то давно умерший скрипач играл партиту Баха. Дрянной динамик отвратительно дребезжал на высоких нотах, но я бы не променял этот час музыкального сопровождения даже на концерт, устроенный лично для меня сэром Иегуди Менухиным, играющим на драгоценной Страдивари. Мне даже вспоминать теперь не хотелось о тех щенячьих, достойных разве что первокурсников, разговорах о любви, которые мы вели с моими друзьями-«хамберитами» однажды вечером в «Ле Кроке», но если бы я все же снова там оказался, я бы сказал Фицсиммонсу и всем остальным, что любовь — это слияние двух расплавленных душ и тел в самой сердцевине солнца. Любовь — это полное смешение местоимений «я», «ты», «мы». Любовь — это субъект и объект. Различие между присутствием любви и ее отсутствием — это различие между жизнью и смертью. На всякий случай я одними губами прошептал Холли прямо в ухо: *Я люблю тебя*. Холли дышала спокойно, как море, и я снова прошептал «Я люблю тебя» — но уже громче, почти на громкости поющей скрипки. Никто не слышит, никто не видит, но дерево в лесу все равно падает.

* * *

Все еще было темно. Альпы притихли где-то за много миль от нас. Окошко в крыше прямо над постелью Холли было совершенно засыпано снегом, но снежная буря, по всей видимости, стихла. Я подумал о том, что в небе сейчас наверняка светят звезды, и мне вдруг очень захотелось купить Холли телескоп. Интересно, смогу я ей его прислать? И откуда? Все тело ныло, голова кружилась, но память все же выхватывала события прошлых суток со скоростью поисковика, мгновенно находящего на долгоиграющей пластинке нужную запись. Приемничек с часами сообщил, что некий ночной дежурный по имени Антуан Тангей «будет с нами» в течение всего «часа ноктюрна», с трех до четырех ночи. Как и все лучшие диджеи, этот Антуан Тангей не произносил практически ни слова. Я поцеловал Холли в волосы и, к своему удивлению, обнаружил, что она не спит.

— Когда улегся этот ветер? — спросила она.

— Час назад. Его словно кто-то выключил.

— Так ты уже целый час не спишь?

— Ага. У меня рука совсем затекла, но я не хотел тебя тревожить.

— Идиот. — Она приподнялась и велела мне немедленно вытащить руку.

Я накрутил длинную прядь ее волос на большой палец и потерся о нее губами.

— Зря я вчера вылез со своими рассуждениями насчет твоего брата. Извини.

— Ты уже прощен. — Она щелкнула резинкой моих трусов. — Это же очевидно. И может быть, мне даже необходимо было это услышать.

Я поцеловал ее в закрученный на затылке узел волос, потом распустил его и спросил:

— У тебя чисто случайно сигаретки не осталось?

В бархатной тьме я сумел разглядеть ее улыбку, и счастье пронзило мне грудь, точно острие ножа.

— Что ты улыбаешься?

— Воспользуйся выражением «чисто случайно» в Грейвзенде, и тебя распнут где-нибудь на Эббсфлит за то, что ты, скорее всего, голосовал за консерваторов. Нет, сигарет, к сожалению, не осталось. Я вчера специально вышла, чтобы купить немного про запас, но наткнулась на одного более-менее привлекательного бродягу, который весьма умело притворился бездомным за сорок минут до начала снежной бури, и сигареты я в итоге так и не купила.

Я провел пальцем по ее лицу, обрисовывая высокие скулы.

— Более-менее привлекательный? Ах ты, щекастая нахалка!

Она зевнула во весь рот и даже с подвывом.

— Надеюсь, что завтра мы сумеем откопаться и выйти отсюда.

— А я надеюсь, что не сможем! Мне нравится быть погребенным под снегом вместе с тобой.

— Да, это, конечно, хорошо, но кое-кому надо еще и работать. Гюнтер рассчитывал, что сегодня у него будет полно. Туристы всегда жаждут флиртовать и веселиться-веселиться-веселиться.

Я уткнулся головой в сгиб ее обнаженной руки и пробормотал:

— Нет.

Ее рука скользнула по моей спине, ощупала лопатку.

— Что «нет»?

— Нет, ты никак не сможешь завтра пойти в «Ле Крок». Извини. Во-первых, потому, что теперь я твой мужчина, и я тебе это запрещаю.

Она засмеялась, но как бы шепотом.

— А во-вторых?

— А во-вторых, если ты туда пойдешь, то я буду вынужден перестрелять всех представителей мужского пола от двадцати до девяноста лет, которые осмелились заговорить с тобой, а заодно и всех лесбиянок. Между прочим, это семьдесят пять процентов всей вашей клиентуры! И заголовки завтра в газетах будут примерно такими: «Кровавая резня в Альпах» или «Лэм-убийца, или Волк в овечьей шкуре». Я знаю, что ты, будучи вегетарианкой-пацифисткой, не захочешь играть какую бы то ни было роль в подобной кровавой резне, так что тебе лучше остаться здесь и весь день напролет заниматься со мной любовью... — И я поцеловал ее в нос, в лоб и в висок.

Холли, прижавшись ухом к моей груди, спросила:

— А ты когда-нибудь сам *слышал*, как бьется твое сердце? Оно у тебя скачет, как Кейт Мун. Серьезно. Я что, имею дело с мутантом?

Одеяло сползло с ее плеча, и я заботливо вернул его на место. Некоторое время мы оба молчали. Этот Антуан что-то там шептал в своей радиостудии, где бы она ни находилась, а потом поставил «In a Landscape» Джона Кейджа. Мелодия текла, как извилистая река.

— Если бы у времени была кнопка «pause», — сказал я Холли Сайкс, — я бы сейчас на нее нажал. Вот здесь... — я нажал ей между бровями и чуть выше. — Прямо сейчас нажал бы.

— Но если бы ты это сделал, то замерла бы вся Вселенная, в том числе и ты сам, и ты уже не смог бы снова нажать на кнопку «play» и запустить время. И мы бы навсегда застряли в этом мгновении.

Я поцеловал ее в губы; кровь во мне так и кипела.

А она прошептала:

— Что-то по-настоящему ценишь, только когда знаешь: это скоро кончится.

* * *

В следующий раз, когда я проснулся, комната Холли была залита странным сероватым светом, словно в пещере, сделанной в толще пакового льда. Шепчущий Антуан давно уже умолк; из приемника доносилось монотонное гудение какого-то франко-алжирского рэпа; на часах было 08:15. Холли плескалась под душем. Я чувствовал, что сегодня я либо полностью изменю свою жизнь, либо все останется как прежде. Я определил местонахождение своей одежды, расправил перекрученный спальный мешок, а простыни аккуратно свернул и сложил в плетеную корзинку. И тут я вдруг заметил прилепленную к стене над коробкой, служащей прикроватным столиком, какую-то почтовую открытку и обвивавшую ее серебряную подвеску в виде лабиринта из желобков и выступов. Подвеску явно сделали вручную, весьма аккуратно и с большой любовью, хотя она, пожалуй, была тяжеловата, если ее носить в качестве украшения, и великовата, так что наверняка постоянно привлекала к себе внимание. Я попытался на глаз определить, где выход из лабиринта, но запутался и в первый раз, и во второй, и в третий. И лишь когда я положил подвеску на ладонь и стал водить ногтем мизинца по желобкам, я сумел отыскать нужный проход и добраться до центра. В общем, подумал я, если бы вы угодили в *настоящий* такой лабиринт, вы бы надолго в нем застряли и вам понадобилось бы немало времени и везения, чтобы оттуда выбраться. Я решил, что непременно выберу подходящий момент и спрошу у Холли, что это за лабиринт.

Так, теперь открытка. На ней изображен висячий мост, но это может быть любой из сотен висячих мостов в какой угодно стране мира. Холли все еще была в душе, так что я отлепил открытку от стены и перевернул ее...

«Холли Сайкс, «Капитан Марло», Уэст-стрит, Грейвзенд, СК
19 авг. '85

Сегодня я наконец прошел по этому мосту через Босфор! Вообще-то ходить пешком по нему не разрешается, так что я одним махом преодолел расстояние между континентами на автобусе вместе с какими-то школьниками и их бабушками. Теперь я с полным правом могу сказать, что побывал в Азии. Стамбул — поразительный город! Мечети, *спинареты*, а по улицам все гоняют, как камикадзе! Днем жара, как в аду. Уличные мальчишки пытаются всучить краденые сигареты (только «Ротманз», 25 центов пачка). На рынках такие фрукты, каких я никогда в жизни не видел. На тенистых площадях воркуют голуби. В кафе угощают чаем с лимоном. В зоопарке животные пребывают в депрессии (даже терьеры!). У фонтана полно подвыпивших мужчин. В хостеле тонкие стенки и скрипучие кровати. Все боковые улочки почему-то всегда ведут к морской гавани, где у причала сотни маленьких лодочек (наверное, как на Темзе в былые времена) и огромные грузовые суда — интересно, не проплывет ли один из них мимо «Капитана Марло», направляясь в доки Тилбери? Следующая остановка — Афины. Не унывай, береги себя. Эд Х.»

Итак, Хьюго Лэм, познакомьтесь с ревностью к сексуальному партнеру. Ничего себе — «Эд»! Да как он *смеет* присылать Холли какие-то открытки? А может — и это куда хуже! — им прислан уже целый ворох таких вот открыток? Была ли, например, открытка из Афин? Он что, ее бойфренд? Так вот почему, оказывается, нормальные люди способны совершить преступление из-за страстной любви! Мне хотелось засунуть голову этого Эда в колодки и до тех пор швырять ему в лицо двухкилограммовыми статуэтками Христа Спасителя из Рио, пока от его лица ничего не останется. Именно так и Олли Куинн захотел бы поступить со мной, если бы когда-нибудь узнал, что я трахал Несс. Затем я обратил внимание на дату: 1985 год! Аллилуйя! Но почему Холли почти шесть лет хранит эту открытку? Этот кретин даже не знает, что там не «спинареты», а «минареты»! А может, это какая-то интимная шутка? Тогда все гораздо хуже. Как он *смеет* иметь с Холли общие интимные шутки? Неужели и лабиринт ей этот Эд подарил? А что, возможно. Может, и во время нашего с ней секса она воображала, что рядом он? Да-да-да, конечно, подобные злые мысли просто нелепы и к тому же лицемерны, но мне действительно было *больно, очень больно*! Мне хотелось немедленно сжечь открытку этого Эда, да, поджечь ее зажигалкой и смотреть, как сгорает и мост через Босфор, и жаркий солнечный день, и все это сочинение в стиле ученика средней школы. Да, беби, пусть все горит синим пламенем! А потом я бы спустил пепел в унитаз, как русские поступили с тем, что осталось от Адольфа Гитлера. Нет. Вдохни поглубже, успокойся, выброси Гитлера из головы и подумай над этим прохладным «Не унывай. Эд». Настоящий бойфренд написал бы «Люблю. Эд». И что это еще за «Х»? С другой стороны, если Холли в 85-м находилась в Грейвзенде и ей *туда* присылали открытки, то вряд ли этот Эд мог ее трахать на скрипучей европейской кровати. Должно быть, он ей и не совсем любовник, и не совсем друг.

Наверное, так.

* * *

— Теперь ты, если хочешь! — крикнула она из-за двери, и я совершенно нормальным тоном сказал: «Спасибо!» Обычно я почти наслаждаюсь всякими необдуманными поступками «утром после *этого*», но сегодня все было иначе: проклятый осиновый кол под названием «любовь» по-прежнему торчал у меня в сердце, и мне хотелось доказательств того, что интимные отношения между нами кое-что значили; а еще мне очень хотелось пойти и поцеловать Холли, но это желание пришлось придушить в корне. А что, если она скажет «нет»? Не надо форсировать события. Сейчас я приму обжигающе горячий душ, переоденусь в чистое — интересно, как беглецы или дезертиры решают вопрос со стиркой белья? — пойду на кухню и... Когда я туда вошел, на столе лежала записка:

«Хьюго... я всегда трушу, когда наступает время прощаться, а потому решила побыстрей пойти в «Ле Крок» и начать там уборку. Если захочешь и сегодня у меня остаться, принеси мне чего-нибудь на завтрак, а я подыщу тебе подходящую метелку для смахивания пыли и фартучек в оборках. Ну, а если ты там не появишься, значит, такова жизнь, и я желаю тебе удачи в твоей *метаморфизе* (это слово именно так нужно писать?). Х.»

Это было, конечно, не любовное послание, но все же ее записка была мне дороже любого другого послания, какое я когда-либо получал. Эта ее решительная буква «Х» выглядела одновременно и удивительно интимной, и какой-то рунической. И почерк у нее был совсем не девчачий; он был, правда, немного неровный с точки зрения каллиграфии, словно она писала в поезде, но вполне разборчивый, особенно если чуточку прищуриться; и это, безусловно, был *ее* почерк. Господи, сегодня у меня сплошные открытия.

Я свернул записку и положил в бумажник; потом схватил куртку, с грохотом сбежал по лестнице и, выскочив на улицу, побрел по следам Холли, оставленным ею не более десяти минут назад в глубоком, по колено, снегу. Утро было действительно очень холодным, зато голубое небо сияло той самой голубизной, какой, должно быть, окутана наша Земля, когда на нее смотришь из космоса; и теплые лучи солнца были как дыхание любимой; и сосульки таяли, истекая сверкающей капелью на крутых, совершенно сказочных улочках; и люди, которые шли по этим улочкам, были всей душой влюблены в горы; и дети вокруг радовались жизни; снежки так и летели с одного тротуара на другой, так что мне пришлось поднять руки и крикнуть: «Je me rends!»[1], но один снежок в меня все-таки угодил; я обернулся, отыскал глазами маленького шельмеца, схватился за сердце и притворился, что умираю; «Il est mort! Il est mort!»[2] — завопили юные снайперы, но стоило мне воскреснуть, как они бросились улепетывать, рассыпавшись, как осенние листья. Так, теперь за угол — вот и площадь, моя самая любимая площадь в Швейцарии, если не во всем мире, отель «Ле Зюд», островерхие крыши домов, исполненных гражданской гордости, таких аккуратных и одинаковых, словно все они построены из конструктора «Лего». Часы на церкви пробили девять раз; со всех сторон в небо вздымались белые альпийские вершины; торговец блинами устанавливал свой лоток напротив кондитерской, где вчера все это и началось; «Я не влюблен», — убеждал я себя, зная, что au contraire[3] так оно и есть: я влюбился; и у торговца блинами был такой вид, словно он знает, что я всюду вижу только лицо Холли, что она отражается в любой поверхности, движется, поворачивается — видны то затылок и шея сзади, то губы и подбородок, то волосы и одежда; в ушах у меня звучали эти ее «вроде как», «врешь!» и «дерьмо»; я вспоминал ее чуть заостренные, эльфийские уши; ее нежность; ее чуть приплюснутый нос; ее настороженные, голубые, как небо, глаза; ее шампунь с маслом чайного дерева из магазина «Боди шоп»; я чувствовал, что она приближается ко мне с каждым шагом. Интересно, о чем она сейчас думает? Пытается угадать, приду я или нет? Транспорт еле двигался по улицам, засыпанным снегом, но я все же решил подождать, когда включится зеленый свет...

Кремовый «Лендкрузер», залепленный мокрыми комьями грязного снега, проехал совсем рядом со мной и остановился. Прежде чем я успел разозлиться, что теперь придется его обходить, водитель, опустив тонированное стекло, высунулся в окошко, и я решил, что

---

[1] Сдаюсь! (*фр.*)

[2] Он убит! (*фр.*)

[3] Наоборот (*фр.*).

это просто какой-то турист, который хочет спросить дорогу. Но я ошибся. Я узнал этого коренастого смуглого водителя в рыбацком свитере.

— Добрый день, Хьюго. Выглядите как человек, у которого сердце поет. — Его новозеландский акцент был поистине неистребим. — Элайджа Д'Арнок, король «Кембриджских снайперов», — на всякий случай представился он.

Я заметил, что на заднем сиденье сидит еще кто-то, но Элайджа меня этому человеку не представил.

— То, что вы практически не удивились, встретив меня, — сказал я Д'Арноку, — наводит на мысль, что это не случайная встреча.

— В самую точку. Вам привет от мисс Константен.

Я понял: мне придется выбирать между двумя метаморфозами. Одна называется «Холли Сайкс», а вторая... А какова, собственно, эта «вторая»?

Элайджа Д'Арнок похлопал по дверце своего автомобиля.

— Прыгайте в машину. Лучше выяснить, что к чему, чем умирать от любопытства, пытаясь отыскать разгадку. Сейчас или никогда.

Мимо кондитерской, вниз вон по той улочке — до паба Гюнтера оставалось совсем немного, я уже видел крокодила на вывеске над дверью. Всего полсотни шагов... *Выбери девушку! —* советовало мое опьяненное любовью «я», бывший диккенсовский Скрудж, только совершенно преобразившийся. — *Только представь себе, какое у нее будет лицо, когда ты войдешь в бар!*» Но мое второе «я», мыслящее куда более трезво, задумчиво сложив на груди руки, смотрело на Д'Арнока и спрашивало: «А что ты будешь делать потом?» Ну, хорошо, мы с Холли позавтракаем; я помогу ей с уборкой, а потом затаюсь в ее квартирке, пока мои приятели-хамбериты не улетят домой; мы с ней будем без конца совокупляться, как кролики, и в итоге едва в состоянии будем ходить; и в какой-то момент, задыхаясь от страсти, я выпалю ей в лицо: «*Я тебя люблю!*», и мне покажется, что это именно так и есть; и она выпалит в ответ: «*И я тебя люблю, Хьюго!*», и ей тоже покажется, будто она меня любит, и в этот конкретный момент, в этом конкретном месте мы будем счастливы. А что потом? А потом я позвоню в канцелярию Хамбер-колледжа и скажу, что у меня небольшой психический срыв и я бы хотел на год отложить окончание курса. Родителям я тоже что-нибудь такое скажу — понятия не имею, что именно, но что-нибудь придумаю, — и куплю Холли телескоп. Ну, а потом? Потом окажется, что во время бодрствования я уже не думаю о ней каждое мгновение; что ее привычка постоянно использовать выражения «вроде как» или «ой, правда?» начинает меня раздражать; и в конце концов придет день, когда мы оба поймем, что Джон Леннон со своей знаменитой «All You Need Is

Love» был все-таки не до конца прав. А к этому времени следователь Шила Янг уже выследит меня, и ее швейцарские коллеги, остановив меня на вокзале и «взяв интервью», разрешат мне вернуться в квартиру Холли, только если я отдам им свой паспорт. *«В чем дело, выпендрежник?»* — спросит она, и мне придется признаться ей либо в том, что я украл у несчастного старика, умиравшего от инсульта, ценную коллекцию марок, либо в том, что я сознательно увлек своего приятеля-хамберита азартными карточными играми и втянул в такие долги, что тот не выдержал и покончил с собой, на бешеной скорости направив автомобиль прямо в пропасть. Возможно, впрочем, мне придется признаться ей и в том и в другом, но это, собственно, уже не будет иметь значения, потому что Холли тут же вернет мне телескоп и поменяет замок на входной двери. А потом что? А потом я соглашусь вернуться в Лондон, где меня будут допрашивать уже британские следователи, но я успею взять из тайника паспорт на имя Маркуса Анидера и закажу дешевый билет на самолет куда-нибудь на Дальний Восток или в Центральную Америку. Подобные повороты сюжета отлично подходят для кинофильмов, но на самом деле такая жизнь — полное дерьмо. А потом? А потом мне придется кое-как перебиваться теми средствами, что имелись на счету у Анидера, пока я не приду к неизбежному: не открою бар для таких вот молодых любителей повеселиться, с легкостью пропускающих год в университете, и не превращусь в очередного Гюнтера.

Я вдруг заметил на пассажире, что сидел рядом с Д'Арноком, знакомую серебристую парку и сказал:

— Могу я попросить хотя бы немного очертить...

— Нет, так не пойдет, — отрезал Д'Арнок. — Вам сейчас нужно совершить прыжок через пропасть, ухватиться за новую веру и оставить позади всю свою прежнюю жизнь. Настоящая метаморфоза не знает приливов и отливов.

А вокруг нас все было как обычно, и никто даже не подозревал, в каком затруднительном положении я оказался.

— Вот что я вам скажу, — сказал новозеландец. — Все мы, Анахореты, в какой-то степени стали жертвами «охоты за головами», за исключением основателя нашего общества. — Д'Арнок мотнул головой в сторону человека на заднем сиденье, лишь смутно различимого в полутьме салона. — Так что я отлично понимаю, Хьюго, *что* вы чувствуете в данную минуту. Расстояние между тротуаром, на котором вы стоите, и этим автомобилем — это на самом деле бездонная пропасть. Но мы тщательно вас проверили, и если вы сумеете преодолеть эту пропасть, то будете процветать. С вами будут считаться. Вы будете иметь вес. Вы будете иметь все, чего бы вы ни захотели.

Я, разумеется, спросил:

— А если бы вам пришлось снова делать тот же выбор, вы бы его сделали?

— Зная то, что я знаю сейчас, я даже *убийство совершил бы* ради того, чтобы оказаться в этом автомобиле. Да, даже убийство. То, что вы видели, — те мелочи, которые продемонстрировала вам мисс Константен: нажала на кнопку «pause», разговаривая с вами в Королевском колледже, или действовала как кукловод, управляя тем бездомным юношей, — это всего лишь прелюдия к самому первому уроку. Но дальше еще так много всего, Хьюго!

Я вспомнил, что еще совсем недавно обнимал Холли.

Но ведь любим мы скорее *ощущение* любви, а не какого-то конкретного человека.

Мы любим то головокружительное возбуждение, которое я только что испытывал.

Сознание того, что выбрали именно тебя, что тебя нежно любят, что ты *желанен*.

Звучит весьма патетично, когда размышляешь об этом с ясной головой.

Итак. Мне предлагается заключить некий вполне реальный фаустианский договор.

Я едва сдержал улыбку: вообще-то, конец в «Фаусте» не такой уж счастливый.

Но какой конец на самом деле счастливый? Так, как бригадный генерал Филби?

Он мирно скончался в окружении семьи.

Если это, черт возьми, считается счастливым концом, то флаг им в руки: пусть они сами к нему стремятся.

Когда приходится самому прокладывать себе путь, расталкивая других, то чего стоит Фауст без своего договора?

Ничего. Без этого договора он — никто. И мы бы никогда о нем не узнали.

Куинн. Доминик Фицсиммонс. Все-таки еще один умный выпускник университета.

Еще один серый обладатель сезонного билета, уныло покачивающийся в вагоне районной линии метро.

Задняя дверца «Лендкрузера» щелкнула и приоткрылась еще на дюйм.

* * *

Человек на заднем сиденье — это его Д'Арнок назвал «основателем» — вел себя так, словно меня нет, и новозеландец молчал, пока мы ехали куда-то в сторону от городской площади. Я сидел

241

практически неподвижно, исподтишка изучая своего спутника — точнее, его отражение в стекле: на вид лет сорок пять; очки без оправы; волосы густые, хотя и тронутые сединой; на подбородке глубокая ямочка; чисто выбрит; нижнюю челюсть украшает шрам, явное свидетельство некой интересной истории. Тело у него было худощавое, мускулистое. Он был похож на бывшего военного откуда-нибудь из Центральной Европы. А вот одежда ровным счетом ни о чем не свидетельствовала: крепкие высокие, выше щиколотки, сапоги; черные штаны из «чертовой кожи», кожаная куртка, когда-то черная, но сильно потертая и теперь ставшая почти серой. Увидев такого человека в толпе, вы могли бы подумать: наверное, архитектор или, возможно, преподаватель философии; но, скорее всего, вы бы его и вовсе не заметили.

Из Ла-Фонтейн-Сент-Аньес можно было выехать только двумя путями. Одна дорога поднималась вверх, к деревне Ла-Гуй, но Д'Арнок поехал по другой, ведущей вниз, в долину, к деревне Юсейн. Мы проехали поворот, ведущий к шале Четвинд-Питта, и я подумал: интересно, встревожило ли ребят мое исчезновение или же они просто сбросили меня со счетов, поскольку я сбежал, оставив их на растерзание бандитов-сутенеров? Да, я об этом подумал, но мне, в общем, было все равно. Еще минута — и мы оказались за пределами города. Вдоль дороги с обеих сторон высились осыпающиеся снежные стены. Д'Арнок вел машину очень осторожно — на колесах была зимняя резина, да и расчищенную дорогу предусмотрительно посыпали солью, но все же это была Швейцария и на дворе — начало января. Я расстегнул молнию на куртке и стал думать о Холли, поглядывая на часы, циферблат которых светился рядом с бардачком; но я понимал: сожаления — это для нормальных людей.

— Прошлой ночью мы вас совсем потеряли, — вдруг сказал мой сосед; по-английски он говорил как хорошо образованный, культурный европеец. — Это снежная буря вас спрятала.

Теперь я уже мог к нему повернуться и хорошенько его рассмотреть.

— Да, — сказал я, — у меня возникли разногласия с... моим квартирным хозяином. Извините, если я доставил вам какие-то неудобства... сэр.

— Вы можете называть меня мистер Пфеннингер, мистер Анидер. Кстати, «Анидер» — отличная идея. Главная река на острове Утопия[1].

---

[1] Имеется в виду «Утопия» (1516) Томаса Мора (1478—1535), английского гуманиста, государственного деятеля и писателя.

Говоря это, Пфеннингер смотрел в окно, за которым расстилалась монохромная долина, отделенная от шоссе стенами снега; крестьянские поля и дома тоже были погребены под толстым слоем снега. Вдоль дороги стремительно мчалась куда-то черная и очень быстрая река.

Похоже, первый допрос уже начался, догадался я и спросил:

— Могу я поинтересоваться, откуда вы узнали о существовании «мистера Анидера»?

— Мы вас изучали, мы за вами следили. Нам нужно было знать о вас все.

— Вы сотрудники секретной службы?

Пфеннингер покачал головой.

— Нет. Но наши пути изредка пересекаются.

— Значит, к политике вы отношения не имеете?

— Нет — но только пока нас оставляют в покое.

Д'Арнок замедлил движение и прошел опасный поворот на выключенном двигателе.

Я решил, что пора спросить напрямик:

— Кто вы, мистер Пфеннингер?

— Мы — Анахореты Часовни Мрака Слепого Катара из монастыря Святого Фомы с Сайдельхорнского перевала. Это очень длинное и сложное название, и вам наверняка тоже так показалось, а потому мы обычно называем себя просто Анахоретами.

— Да, запомнить непросто. По-моему, звучит как-то по-масонски. Вам не кажется?

В его глазах блеснуло веселье.

— Нет, не кажется.

— Тогда, мистер Пфеннингер, объясните мне, зачем существует ваша... группа?

— Мы существуем, чтобы обеспечить бесконечное выживание тех, кого посвящаем в психозотерику Пути Мрака.

— И вы являетесь... основателем этой... группы?

Пфеннингер смотрел прямо перед собой. За окном один за другим мелькали столбы высоковольтной линии электропередач.

— Да, я — Первый Анахорет. А мистер Д'Арнок ныне стал Пятым Анахоретом. Вторым Анахоретом является уже знакомая вам мисс Константен.

Д'Арнок осторожно обогнал грузовик, посыпавший дорогу солью.

— «Психозотерика»? — сказал я. — Я даже слова такого не знаю.

И вдруг я услышал голос Пфеннингера:

— «И тяжкий сон тогда меня сморил, // людские страхи разом уничтожив. — Пфеннингер выглядел как-то странно: губы были плотно сжаты, и я понял, что говорит он, не раскрывая рта. Но это же совершенно невозможно, я наверняка ошибся, решил я и снова услышал его голос: — Казалось, время на Земле не сможет // вернуть ей жизнь, придать немного сил. — Его голос звучал прямо у меня в ушах, точнее, где-то внутри головы, живой и сочный, словно из самых лучших наушников. Но неподвижное лицо заставляло предположить, что это все же какой-то трюк. — Ее глаза не видят, в ней движенья нет; // она не слышит, и она не с нами... — Голос ничуть не приглушен, горло предательски не вздрагивает, и нет ни малейшего разрыва между плотно сжатыми губами или крошечной щелки в уголке рта. Магнитофонная запись? Я попытался заткнуть уши, но голос Пфеннингера звучал столь же отчетливо: — С Землею вместе в пустоте летит, // сливаясь с ее скалами, деревьями, камнями»[1].

Почувствовав, что у меня от удивления открылся рот, я закрыл его и спросил:

— *Но как?*

— Есть одно слово, — сказал Пфеннингер уже вслух, — назовите его.

Я неуверенно пробормотал:

— Телепатия?

— Вы слышали, мистер Д'Арнок? — обратился к нашему водителю Пфеннингер.

Элайджа Д'Арнок смотрел на нас в зеркало заднего вида.

— *Да*, мистер Пфеннингер, я слышал.

— А вот мистер Д'Арнок обвинил меня в чревовещании, когда я попытался мысленно с ним побеседовать. Словно я какой-то фокусник, выступающий на арене мюзик-холла.

Д'Арнок запротестовал:

— У меня же не было такого образования, как у мистера Анидера! И даже если слово «телепатия» тогда уже существовало, то до Четемских островов оно еще не добралось. Меня тогда словно ударило электрическим током. Это же все-таки 1922 год был!

— Мы давно вас простили, мистер Д'Арнок, много десятилетий назад — и я, и моя маленькая деревянная марионетка, способная двигать челюстью.

Пфеннингер глянул в мою сторону; в глазах его плескался смех, но их добродушная перепалка вызвала у меня еще больше вопросов. 1922 год? Почему Д'Арнок сказал, что это был 1922 год? Может, он хотел сказать 1982-й? Впрочем, это не имеет значения: телепатия реальна. Телепатия существует. Если только в последние шестьдесят

---

[1] Стихотворение (1798) Уильяма Вордсворта (1770—1850), английского поэта-романтика; опубликовано в сборнике «Lyrical Ballads» в 1800 г. Перевод Ирины Тогоевой.

секунд я не стал жертвой галлюцинации. Промелькнул какой-то гараж, возле которого трудился механик, лопатой разгребая снег. Промелькнуло заснеженное поле, посреди которого стояла на пеньке светло-рыжая лисица и принюхивалась.

— Значит, — промямлил я пересохшим ртом, — психозотерика — это телепатия?

— Телепатия — одна из низших дисциплин психозотерики, — ответил Пфеннингер.

— *Низших?* Господи, на что же еще способна эта ваша психозотерика?

Промелькнуло и исчезло вдали пышное облако; рядом с дорогой вновь ярким светом вспыхнула та быстрая горная река.

— Какое сегодня число, мистер Анидер? — спросил Пфеннингер.

— Э-э... — Мне пришлось собраться с мыслями, поэтому ответил я не сразу. — Второе января.

— Верно. Второе января. Запомните это. — И мистер Пфеннингер посмотрел на меня в упор: зрачки его глаз сузились, превратившись в точки, и я, ощутив странный укол в лоб...

* * *

...невольно моргнул, и все исчезло: поля, «Лендкрузер», дорога, — а я оказался на довольно широком и длинном каменистом выступе; в двух шагах от меня был отвесный обрыв, а напротив — горный склон, залитый ярким светом полуденного солнца. Я не свалился с обрыва только потому, что меня кто-то заботливо усадил на холодную каменную плиту. Я несколько раз судорожно вздохнул, охваченный паническим страхом, и выдохнутый мною воздух повис в воздухе белыми расплывчатыми пузырями невысказанных вопросов. Как я здесь оказался? И где это «здесь»? Вокруг я видел руины какого-то здания, лишенного крыши, скорее всего бывшей часовни. Возможно, здесь когда-то находился монастырь — вдали виднелись стены еще каких-то старинных построек. Глубокий, по колено, снег покрывал землю; на ближнем конце выступа, всего в нескольких футах от меня, стояла невысокая стена. Руины монастыря были окружены голыми скалами. Я был по-прежнему в своей теплой лыжной куртке и, похоже, только что совершил весьма значительные физические усилия: лицо мое пылало от жара, в ушах гулко пульсировала кровь. Но все эти мелкие детали не имели значения; куда больше меня потряс тот невероятный факт, что секунду назад я сидел на заднем сиденье «Лендкрузера» вместе с мистером Пфеннингером, а Д'Арнок был за рулем, и вот теперь... теперь...

— С возвращением! — услышал я голос Элайджи Д'Арнока.

— *Боже мой!* — выдохнул я, вскочил, чуть не упал, снова вскочил и, пригнувшись, принял позу, означавшую готовность то ли к драке, то ли к бегству.

— Остыньте, Лэм! Это чертовски странно, я знаю... — Он сидел рядом и спокойно отвинчивал крышку термоса, — но совершенно безопасно. — Его серебристая парка поблескивала в солнечных лучах. — Если, конечно, вы не броситесь бежать и не прыгнете с обрыва, как безмозглый цыпленок.

— Д'Арнок, где... Что случилось? Где мы находимся?

— Там, где все это началось, — сказал Пфеннингер, и я так резко к нему повернулся, что у меня чуть сердце не разорвалось. На Пфеннингере была русская меховая шапка-ушанка и теплые зимние ботинки. — В монастыре Святого Фомы на Сайдельхорнском перевале. Точнее, среди развалин этого монастыря. — Он, утопая в снегу, прошел к низенькой стене и остановился возле нее, глядя куда-то вдаль. — Вам было бы легче поверить в возможность чуда, если бы вы всю жизнь прожили здесь, наверху...

Значит, это они меня сюда притащили. Но зачем?

И как? В «Лендкрузере» я совершенно точно ничего не ел и не пил. Гипноз? Пфеннингер действительно смотрел на меня очень пристально, когда я...

Нет. Такой дешевый трюк, как гипноз, применяют только герои плохих фильмов. Слишком глупое объяснение.

И тут я вспомнил мисс Константен и нашу беседу в часовне Королевского колледжа. Что, если тогда она меня «отключила» точно так же, как сейчас Пфеннингер?

— Мы подвергли вас *хиатусу*[1], мистер Анидер, — сказал Пфеннингер. — Стерли кусочек вашей памяти, чтобы проверить, можно ли вас транспортировать. Согласен, я поступил с вами не слишком деликатно, но особо нежничать мы не могли.

Если для него или для Д'Арнока слово «хиатус» и имело какой-то смысл, то я ничего не понимал.

— Я совершенно не понимаю, о чем идет...

— Я бы, пожалуй, встревожился, если бы вы это понимали. Во всяком случае, на данной стадии.

Я потрогал голову, пытаясь обнаружить какие-то повреждения.

— И сколько времени я пребывал в этом... хиатусе?

Пфеннингер вытащил газету «Die Zeit» и протянул ее мне. На первой странице Хельмут Коль обменивался рукопожатием с шейхом Саудовской Аравии. Ну и что? Только не говорите, что и немецкий канцлер в этом замешан.

---

[1] H i a t u s — зияние (*лат.*).

— Обратите внимание на *дату*, мистер Анидер. Посмотрите хорошенько.

Под названием газеты красовалась дата: «4 января 1992 года».

Что за ерунда? Это никак не может быть правдой: сегодня 2 января 1992 года!

Тогда, в машине, Пфеннингер сказал, чтобы я хорошенько запомнил, какой сегодня день. Но ведь это было всего несколько минут назад!

Ну да, и все же газета «Die Zeit» настаивала: сегодня 4 января 1992 года.

У меня закружилась голова; мне казалось, я куда-то падаю. Пробыть без сознания целых два дня? Нет, скорее всего, газета просто поддельная. Я пошуршал страницами, отчаянно пытаясь найти доказательства того, что все совсем не так, как мне кажется.

— Газета, разумеется, *могла бы* быть поддельной, — сказал Пфеннингер, словно читая мои мысли, — но зачем создавать себе дополнительные трудности? Ведь подобную подделку легко разоблачить.

Теперь в голове у меня была полная каша; к тому же я вдруг понял, что чудовищно голоден. Я пощупал изрядно отросшую щетину у себя на щеках. Но ведь утром я брился, это было совсем недавно, в квартире у Холли! Я пошатнулся и чуть отступил назад; я боялся этого Элайджи Д'Арнока и этого мистера Пфеннинга. Это какие-то... паранормальные... Да черт их знает, кто они такие! Кем бы они ни были, мне нужно немедленно отсюда бежать...

А куда бежать-то? Наши следы в снегу исчезали за выступом скалы. А вдруг там — цивилизованная автомобильная парковка с центром обслуживания, с нормальными телефонами? Просто ее отсюда не видно. А может, эта парковка в тридцати километрах отсюда и путь к ней преграждают ледники и бездонные пропасти? Дальний конец узкого скалистого выступа, на котором мы стояли, слегка сужался, и там росло несколько упрямых горных елей, а дальше был почти вертикальный и совершенно обледенелый обрыв и на другой стороне — неприступная, уходящая ввысь скала. Пфеннингер внимательно смотрел на меня, а Д'Арнок тем временем наливал в крышку от термоса какую-то густую, даже слегка комковатую, жижу. Я с трудом подавил желание заорать: «*Вы что же, пикник здесь решили устроить?*», и, до боли стиснув виски пальцами, приказал себе: немедленно возьми себя в руки и успокойся! Сейчас явно уже больше полудня. Легкая пелена перистых облачков в небе начинала приобретать неприятный металлический отлив. Я глянул на часы... и понял, что забыл их у Холли в ванной. Сделав несколько шагов, я подошел к невысокой стене, возле которой стоял Пфеннингер, и остановился в нескольких шагах от него; за стеной был довольно пологий склон, а внизу, метрах в пятидесяти, виднелась дорога. Чуть дальше был глубокий овраг с перекинутым через него довольно безобразным и вполне современным мостом; у моста имелся дорожный указатель, но на таком расстоянии мне было не прочесть, что там написано. Дорога вела к мосту — до него, по моим прикидкам, было с полкилометра, — извиваясь, спускалась по склону, погруженному в глубокую тень, и исчезала за плечом горы. Возле нас был также странный, замерзший водопад, словно воплотивший в себе ту глубочайшую тишину, что царила вокруг. Кроме нас самих, дорожного указателя, моста и дороги, никаких других признаков конца XX века не было.

— Зачем вы притащили меня сюда? — спросил я.

— Мне показалось, что это будет очень кстати, раз уж мы все равно находимся в Швейцарии, — сказал Пфеннингер. — Но сейчас первым делом нужно позаботиться о вашем желудке: вы же с четверга ничего не ели.

Д'Арнок уже стоял рядом со мной, держа в руках исходившую паром крышку от термоса. Я почувствовал аромат куриного бульона с шалфеем, и в животе у меня забурчало.

— Осторожней, язык не обожгите.

Я подул на бульон и сделал осторожный глоток. Было вкусно.

— Спасибо, очень вкусно.

— Я дам вам рецепт.

* * *

— Быть погруженным в *хиатус* и в этом состоянии переместиться в пространстве — это для мозга почти как одновременный взрыв двух ручных гранат, однако... — Пфеннингер смахнул снег с невысокой стенки и жестом пригласил меня сесть с ним рядом, — нам все же требовалось подвергнуть вас некоему... карантинному периоду, если можно так выразиться. Нельзя же было сразу допустить вас в наши владения. Вы находились в одном шале близ Обервальда с полудня второго января, это недалеко отсюда, а сюда мы вас перенесли сегодня утром. Этот пик называется Галмихорн; а вон тот — Лекихорн; а дальше — уже Сайдельхорн.

— Вы сами из этих мест, мистер Пфеннингер? — спросил я.

Пфеннингер внимательно на меня посмотрел.

— Из этого кантона. Я родился в Мариньи в 1758 году. Да, в 1758-м. Я учился, стал инженером и весной 1799 года, будучи на службе у Гельветической республики[1], прибыл сюда, чтобы наблюдать за

---

[1] Гельветическая республика существовала на территории Швейцарии в 1798—1803 годах; старинное название Швейцарии — Гельвеция.

восстановлением предшественника вон того моста, соединяющего края глубокой пропасти.

Ну, приехали! Если Пфеннингер действительно верит в то, что мне рассказывает, то у него, безусловно, не все дома. Я повернулся к Д'Арноку, надеясь на его здравомыслие и поддержку.

— А я родился в 1897 году, — весело сказал Д'Арнок, — и был *очень-очень далеким* подданным королевы Виктории — моя семья проживала в домишке из камня и торфа на острове Питт, в трехстах километрах к востоку от Новой Зеландии. Когда мне стукнуло двадцать, мы с моим кузеном сели на судно, перевозившее овец, и отравились в Крайстчерч. Так я впервые оказался на Большой земле, впервые — в борделе и впервые — на пункте регистрации новобранцев. Да, я стал «анзаком»[1] — выбор, собственно, был невелик: либо приключения в чужих странах во имя короля и империи, либо еще шестьдесят лет жизни среди овец на острове Питт, богатом дождями и инцестуальными связями. Я прибыл в Галлиполи, и вы, зная историю Великобритании, можете догадаться, что меня там ждало[2]. Мистер Пфеннингер после войны отыскал меня в Англии, в госпитале близ Лайм-Риджиса. Я стал Анахоретом в двадцать восемь лет и с тех пор сохраняю и свою моложавость, и свою привлекательность, хотя через неделю мне стукнет девяносто четыре. Так что берегитесь, Лэм! Вокруг вас — сплошные психи!

Я смотрел то на Пфеннингера, то на Д'Арнока, то снова на Пфеннингера. Телепатия, хиатус, какой-то йети, который просил меня «всего лишь» переоценить свои ментальные возможности; и все же это сообщение о возрасте нарушало некие, более фундаментальные законы природы.

— Так вы говорите...

— Да, — сказал Пфеннингер.

— Что Анахореты...

— Да, — сказал Д'Арнок.

— Не умирают?

— *Нет,* — нахмурился Пфеннингер, — конечно же, и они умирают — если, скажем, на кого-то из них нападут или с ним произойдет несчастный случай. Но мы действительно никогда не стареем. Во всяком случае, с точки зрения анатомии.

Я отвернулся и посмотрел на водопад. Они или сумасшедшие, или лжецы, или все же — и это сильнее всего смущало мой душевный покой — ни то ни другое. Голова просто пылала, я даже шапку

---

[1] Так называют солдат Австралии и Новой Зеландии.

[2] В 1915 году, во время Первой мировой войны, там проводилась кровопролитная Дарданелльская операция.

снял. Что-то впилось мне в запястье — тонкая черная ленточка, которой Холли Сайкс стягивала свои густые волосы. Я развязал ленточку и сказал, обращаясь к водопаду:

— Джентльмены, я просто не знаю, что мне думать и что вам сказать.

— Разумнее — не делать сразу тех выводов, которые напрашиваются в связи с неверными умозаключениями, — заметил Пфеннингер. — Позвольте теперь показать вам нашу Часовню Мрака.

Я огляделся, пытаясь обнаружить хоть какое-то подходящее строение.

— Где же она?

— Недалеко, — сказал Пфеннингер. — Видите вон ту полуразрушенную арку? Смотрите внимательно.

Элайджа Д'Арнок заметил мое беспокойство и поспешил успокоить:

— Нет, нет, мы не станем снова погружать вас в сон. Слово скаута.

Сломанная арка как бы обрамляла некий пейзаж — сосну, покрытое чистейшим снегом пространство вокруг нее и голую отвесную скалу. Мгновения летели мимо неровными толчками, как птицы. Голубое небо было пронзительным, как высокая нота; горы казались почти прозрачными. Было слышно, как шипит, плюется и грохочет водопад. Я быстро глянул на Д'Арнока, но он неотрывно смотрел туда, куда должен был бы смотреть я. «Смотрите внимательно», — повторил он шепотом, и я подчинился. И почти сразу заметил оптическую иллюзию: вид по ту сторону арки стал как-то странно покачиваться, шевелиться, словно был нарисован на полотнище, которое колеблет ветер; потом «полотнище» отодвинула в сторону чья-то элегантная белая рука, выглядывавшая из рукава прусского военного мундира. Затем мисс Константен, белокожая и златовласая, выглянула из-за этого «занавеса» и вздрогнула от ледяного воздуха и ослепительного сияния снегов.

— Это Вход, — прошептал Элайджа Д'Арнок. — Вход в наше царство.

Я сдался: порталы появляются прямо из воздуха; люди обладают какими-то волшебными кнопками, способными ставить время на паузу; телепатия оказывается столь же реальной, как телефон...

Невозможное способно служить предметом сделки.

А возможное, оказывается, способно изменять свою форму.

— Так вы присоединитесь к нам, мистер Анидер? — спросила мисс Константен.

Свадебный пир
2004 год

16 апреля

— Если ты хочешь спросить, не подсел ли я на войну, то нет, не подсел! — сердито сказал я Брендану. Да я, если честно, и впрямь разозлился.

— Да я не о *тебе*, Эд! — Мой «виртуальный» шурин столь же искусно скрывал свое истинное мнение на сей счет, как и обходительный Тони Блэр[1]. Брендан выглядел именно так, как и должен выглядеть довольно крупный предприниматель сорока с лишним лет, занимающийся продажей недвижимости, типичный трудоголик, у которого чисто случайно выдался свободный уик-энд. — Мы прекрасно понимаем, что *ты-то* на войну не подсел. Это же совершенно очевидно — ты ведь только что прилетел в Англию, преодолев тысячи километров пути ради того, чтобы присутствовать на свадьбе Шэрон. Я просто хотел узнать, часто ли случается, что военный корреспондент вроде как и жить уже не может без того адреналина, который получает, находясь в зоне военных действий. Только и всего.

— Да, с некоторыми такое случается, — согласился я и потер усталые глаза. В голове крутилась одна и та же мысль: как там Биг Мак? — Но мне эта опасность не грозит. И потом, симптомы подобного «привыкания» сразу заметны.

Я попросил проходившую мимо юную официантку принести мне еще виски «Glenfiddish». Она ответила, что сейчас принесет.

— И каковы эти симптомы? — Шэрон была на четыре года младше Холли, и лицо у нее было более круглое. — Мне просто любопытно.

Я почувствовал себя загнанным в угол, но тут рука Холли отыскала мою ладонь, крепко ее стиснула, и я ответил:

— Тебя интересуют симптомы чрезмерной приверженности к зонам военных действий? Ну, в общем, они примерно те же, что и у зарубежных корреспондентов. Неустойчивый брак; нежелание

---

[1] Тони Блэр (р. 1953) — бывший лидер Лейбористской партии Великобритании, премьер-министр Великобритании (1997–2007).

заниматься делами семьи, даже некоторое отчуждение; постоянная неудовлетворенность обычной «цивильной» жизнью. Чрезмерное пристрастие к алкоголю.

— Я полагаю, к шотландскому виски это не относится? — спросил Дэйв Сайкс.

Добрый и мягкий, отец Холли, как всегда, своим вопросом несколько разрядил напряжение.

— Полагаю, что нет, Дэйв. — Полагаю, тема на этом закрыта?

— Тебе, Эд, наверно, приходится встречаться с огромным множеством всяких тупых и агрессивных людей? — Это спросил Пит Уэббер, бухгалтер и большой любитель велосипедных прогулок, который завтра должен был стать мужем Шэрон. Уши у Пита были как у летучей мыши, а его волосы, точно спасаясь бегством, отступали ото лба все дальше и дальше; но Шэрон выходила за него по любви, не задумываясь о том, сколько волосяных луковиц осталось у него на голове. — Шэрон говорила, что ты освещал события в таких местах, от которых большинство людей старается держаться подальше: в Боснии, в Руанде, в Сьерра-Леоне и даже в Багдаде.

— Ну и что? Одни журналисты куют карьеру на чужом бизнесе, другие — на пластических операциях, которым подвергают себя всякие «звезды». Ну а я построил свою карьеру на войне.

Пит поколебался, но все же спросил:

— А ты никогда не задавался вопросом: «Почему меня интересует именно война?»

— Скорее всего, потому, что я совершенно равнодушен к чарам силиконовых бюстов.

Официантка принесла очередную порцию виски. Передо мной на экране были Пит, Шэрон, Брендан, его жена Рут, Дэйв Сайкс и Кэт, обладавшая неиссякаемым запасом энергии ирландская мама Холли. Все они терпеливо ждали, что я сообщу о своих журналистских амбициях нечто более глубокое. Семейство Сайкс хорошо знало, что такое горе: младший брат Холли, Жако, пропал еще в 1984 году, и его так и не нашли ни живым, ни мертвым; но то горе и те утраты, которые я видел собственными глазами, с которыми мне постоянно приходилось иметь дело, были куда более крупного, можно сказать промышленного, масштаба. Уже одно это отличало меня от Сайксов, хотя я вряд ли смог бы как-то объяснить существующую между нами разницу. Да я, пожалуй, и сам не был уверен, что достаточно хорошо ее понимаю.

— Вот скажи: ты пишешь, чтобы привлечь внимание мировой общественности к самым болевым точкам? — спросил Пит.

— Господи, нет, конечно. — Я вспомнил Пола Уайта, лежащего в луже крови, — это было во время моей первой поездки в Сараево; вот

Пол как раз хотел «привлечь внимание мировой общественности» к тому, что там творилось. — Главным и постоянным недостатком нашего мира является такая его исходная черта, как равнодушие. Он, может, и проявил бы внимание и заботу, но в данный момент у него слишком много других дел.

— В таком случае зачем рисковать головой? Зачем служить адвокатом дьявола? Зачем писать статьи, которые все равно ничего не изменят? — спросил Брендан.

Я изобразил улыбку — специально для Брендана.

— Во-первых, я не так уж рискую головой: я чрезвычайно строго соблюдаю все меры предосторожности. Во-вторых...

— А какие меры предосторожности там можно предпринять? — прервал меня Брендан. — Как, например, остановить тяжелый автомобиль, начиненный взрывчаткой, который сейчас взорвется у дверей твоей гостиницы?

Я посмотрел на Брендана и три раза моргнул, пытаясь заставить его исчезнуть с экрана. Черт побери! Волшебство не работало. Может, в следующий раз получится? И я спокойно продолжил:

— Во-вторых, вернувшись в Багдад, я буду отныне иметь право жить и передвигаться только в пределах «Зеленой зоны». В-третьих, если о зверствах не писать, они как бы сами собой «перестают происходить», как только погибает их последний свидетель. Вот этого я как раз и не могу вынести. Когда о массовых расстрелах, бомбардировках и прочих ужасах *пишут*, то в памяти мировой общественности все-таки остается пусть крошечная, но зарубка. И кто-то где-то в какой-то момент, получив возможность узнать, что происходит, начинает действовать. *Возможно*, начинает. Но по крайней мере информация уже уйдет в массы.

— Так ты, значит, как бы ведешь летопись событий во имя будущего? — спросила Рут.

— Спасибо, Рут, это хорошо сказано. Я, пожалуй, соглашусь с этим и даже приму на вооружение. — Я снова потер усталые глаза.

— А ты не будешь по всему этому скучать? — спросил Брендан. — Ну, после июля?

— После июня! — весело поправила его Холли.

Надеюсь, никто не заметил, как я вздрогнул и внутренне скорчился.

— Когда это наконец произойдет, — сказал я Брендану, — я непременно опишу тебе свои ощущения.

— А ты уже присмотрел себе какое-нибудь приличное местечко? — спросил Дэйв.

— Ну, конечно, пап! — сказала Холли. — У Эда имеется далеко не одна запасная тетива для лука. Возможно, он станет работать в какой-нибудь газете или на Би-би-си, да и Интернет сейчас просто невероятными темпами завоевывает новостное пространство. Один из бывших издателей Эда, например, преподает в Лондонском университете.

— Ну, по-моему, было бы просто *великолепно*, если бы ты, Эд, навсегда осел в Лондоне, — сказала Кэт. — Мы действительно очень беспокоимся, когда ты уезжаешь. Я видела фотографии из Фаллуджи... и эти тела, которые они развесили на мосту... *Чудовищно!* И отвратительно! А я-то считала, что американцы еще несколько месяцев назад победили! А иракцы искренне ненавидят Саддама, потому что он — чудовище...

— Да, Кэт, Ирак оказался куда сложнее, чем это представлялось нашим великим Хозяевам войны[1]. Чем они *хотели* себе это представить.

Дэйв хлопнул в ладоши:

— Ну, что-то наша беседа зашла куда-то совсем не туда! Давайте-ка вернемся к более серьезным проблемам: Пит сегодня вечером устраивает мальчишник, что ты на это скажешь, Эд? Кэт сказала, что с удовольствием посидит с Аоифе[2], так что никаких извинений мы от тебя не примем.

— Там будет еще несколько моих приятелей с работы, — сказал Пит. — Встречаемся в «Cricketers»[3], — это очень симпатичный паб и совсем рядом, за углом, а потом...

— Я бы предпочла остаться в блаженном неведении относительно того, что будет «потом», — быстро вставила Шэрон.

— О, разумеется, — сказал Брендан. — Ведь сами наши милые цыпочки наверняка собираются весь вечер играть в «Скраббл». — И он сценическим шепотом, как великую тайну, поведал мне: — Представляешь: они сперва отравятся смотреть мужской стриптиз в «Королевском павильоне»[4], а потом завалятся в какую-нибудь берлогу на пристани.

_____

[1] «M a s t e r s   o f   W a r» — знаменитая антивоенная песня Боба Дилана (1962—1963).

[2] Эд и Холли дали своей дочери весьма впечатляющее имя: в мифологии ирландских кельтов две богини Аоифе — первая была женой Лира, бога моря, и так сильно ревновала мужа к его четверым детям от первого брака, что на девятьсот лет превратила их в лебедей, а вторая считается грозной соперницей царицы-воительницы Скатах.

[3] Игроки в крикет (*англ.*).

[4] R o y a l   P a v i l l i o n — известный архитектурный памятник в Брайтоне; пышное здание в восточном стиле, построенное по приказу принца Уэльского в конце XVIII — начале XIX века; некоторое время служило королевской резиденцией.

Рут игриво шлепнула его по руке:

— Ты клеветник, Брендан Сайкс!

— Абсолютно точно, — сказала Холли. — Разве можно застать таких респектабельных дам, как мы, где-то вдали от доски для «Скраббла»?

— Напомни мне, чем вы на самом-то деле собираетесь заниматься, — сказал Дэйв.

— Умеренной дегустацией вин, — ответила Шэрон, — в баре, которым владеет один из самых старых друзей Пита.

— Значит, сеанс дегустации вин? — хмыкнул Брендан. — А у нас в Грейвзенде пьянку так пьянкой и называют. Так как ты насчет мальчишника, Эд?

Холли ободряюще мне покивала, но я бы предпочел прямо сейчас начать доказывать, какой я замечательный отец, пока Холли еще не перестала со мной разговаривать.

— Не обижайся, Пит, но я, пожалуй, воздержусь. Мне скоро снова вылетать на свою каторжную службу и хочется провести какое-то время с Аоифе. Даже если она будет крепко спать. Тогда, кстати, и Кэт не пропустит сеанса дегустации вин.

— Эд, милый, я совсем не против посидеть с девочкой, — сказала Кэт.— И пить мне вредно, мне надо следить за давлением.

— Нет, правда, Кэт. — Я допил скотч и наконец-то с наслаждением почувствовал, что пьянею. — Лучше вы в таком случае уделите больше внимания своим родственникам из Корка, а я с удовольствием пораньше завалюсь спать, иначе сегодня в церкви буду без конца зевать. То есть завтра, конечно. Господи, видите, что я несу?

— Ну, ладно, — сказала Кэт. — Если ты действительно уверен...

— Совершенно уверен, — сказал я ей, потирая дергающийся глаз.

— Не три глаза, Эд, — сказала Холли. — Только хуже сделаешь.

* * *

Было одиннадцать вечера, и вокруг стояла полная тишина. Олив Сан опять потребовала, чтобы я как можно скорее вылетел обратно, самое позднее — в четверг, и теперь мне предстояло сообщить об этом Холли. Желательно прямо сегодня вечером — иначе она так и будет строить планы на всю следующую неделю, которую мы наконец чудесно проведем все втроем. В Фаллудже сейчас было сосредоточено невероятное количество американской морской пехоты — больше, чем во время сражения за город Хюэ во Вьетнаме, — а я торчал здесь, на побережье Сассекса. Узнав о моем скором отъезде, Холли, скорее всего, разнесет весь этот проклятый отель вдребезги, но уж лучше сразу сказать и покончить с этим. Ничего, ей так или иначе придется взять себя в руки, потому что завтра свадьба ее сестры. Аоифе крепко спала на узкой кроватке в уголке нашего гостиничного номера. Я добрался до отеля довольно поздно, когда она уже легла, так что даже поздороваться с дочерью не успел, но, как известно, Первое Правило Родителей — никогда не будите мирно спящее дитя. Интересно, подумал я, а как спится сегодня дочерям Насера, когда вокруг лают собаки и трещат выстрелы, а внизу стучат ногами в дверь морские пехотинцы? Я включил телевизор, убрав звук; на плоском экране возникли кадры Си-эн-эн: морпехи под огнем пробираются по крышам Фаллуджи. Я все это видел собственными глазами раз пять, а может, и больше, однако ничего нового в этом новостном блоке даже самые маститые журналисты показать не смогли; надо было ждать новых сообщений, когда, уже через несколько часов, в Ираке наступит утро. Четверть часа назад Холли прислала эсэмэс, сообщив, что скоро вернется в гостиницу, поскольку девичник уже почти закончился. Впрочем, это «скоро» могло означать все что угодно, особенно после посещения винного бара. Я выключил телевизор, доказывая самому себе, что вовсе не подсел на войну, и подошел к окну. Брайтонский пирс весь так и светился огнями, точно «Волшебная страна» пятничным вечером; на ярмарочной площади бумкала поп-музыка. Сегодня выдался вполне теплый весенний вечер — по английским меркам, разумеется, — и рестораны и бары на набережной были полны. Держась за руки, прогуливались парочки. Дребезжали ночные автобусы. И, как ни странно, уличное движение вполне подчинялось правилам, а мое появление ничуть не нарушило порядок в мирном и успешно функционирующем обществе. Но я отлично понимал: да, я буду наслаждаться этим порядком несколько дней, может быть, даже недель, но уже через пару месяцев здешняя хорошо организованная жизнь приобретет для меня вкус выдохшегося безалкогольного пива. Нет, нельзя сказать, будто я подсел на войну, как выразился Брендан, будто меня неудержимо тянет в зону военных действий. Это было бы столь же нелепо, как обвинять Дэвида Бэкхема в том, что его неудержимо тянет на футбольное поле. Просто футбол для Бэкхема — это его искусство и ремесло, а репортажи из «горячих точек» — это мое искусство и ремесло. Жаль, что я не сумел сформулировать эту мысль именно так, когда беседовал с кланом Сайксов.

Аоифе засмеялась во сне, потом вдруг громко застонала, и я подошел к ней.

— Что ты, Аоифе? Все хорошо, милая, спи, это тебе просто приснилось.

Аоифе, не открывая глаз, пожаловалась: «Нет, глупый! Это все та же *уродина номер один*!» Неожиданно глаза ее распахнулись, как у куклы в фильме ужасов: «А потом, — снова заговорила она, — мы поедем в Брайтон и будем жить в гостинице, потому что тетя Шэрон и дядя Пит женятся. И там мы увидимся с тобой, папочка, а я буду подружкой невесты».

Я, стараясь не смеяться, ласково пригладил растрепавшиеся волосы Аоифе, убрал их со лба и сказал тихонько:

— Да, дорогая, только мы все уже в этой гостинице, в Брайтоне, а ты поскорей снова засыпай и спи спокойно, потому что утром я тоже буду здесь и нам предстоит просто замечательный день.

— Это хорошо, — пробормотала Аоифе, соскальзывая в сон...

...и вот она уже снова уснула. Я прикрыл дочку одеялом — она была в пижаме «Мой маленький пони» — и поцеловал ее в лоб, вспоминая ту неделю 1997 года, когда мы с Холли сотворили эту, уже не такую маленькую, форму жизни. В ночном небе светилась комета Хейла — Боппа, а в Сан-Диего тридцать девять последователей культа Врат Господних совершили массовое самоубийство, чтобы их души смогли подобрать какие-то НЛО, летящие в хвосте кометы, и переправить на более высокий уровень сознания. Я снял коттедж в Нортумбрии, и мы собирались поехать автостопом вдоль Римского вала[1], но так получилось, что поездка автостопом в ту неделю оказалась для нас не самой главной. И вот теперь — пожалуйста! Вы только на нее посмотрите! А интересно, как она меня воспринимает? Как колючего бородатого великана, который загадочным образом то появляется в ее жизни, то снова исчезает; возможно, ее восприятие не так уж сильно отличается от моего собственного детского восприятия отца, но разница в том, что я вынужден часто расставаться со своим любимым ребенком, потому что все время уезжаю в командировки, а мой папаша меня почти не видел, потому что постоянно сидел то в одной тюрьме, то в другой. Интересно, как он воспринимал меня, когда мне было шесть лет? Мне вообще очень многое хотелось бы узнать. Сотни разных вещей. Когда умирает кто-то из родителей, то и заветный шкаф с выдвижными ящичками, полный всевозможных записей, фотографий и прочих замечательных вещей, тоже перестает существовать. Раньше я и представить себе не мог, до чего мне когда-нибудь захочется заглянуть в такой шкаф.

— Интересно, как Холли, когда вернется, отнесется к тому, чтобы заняться сексом?

---

[1] Р и м с к и й, или А н д р и а н о в, в а л — древнеримская стена, созданная для защиты северной границы Англии от нападения кельтских племен; построена по приказу императора Андриана (76—138). Римский вал пересекает страну от реки Тайн до реки Солуэй, его длина около 120 км.

Услышав, как в двери поворачивается ключ Холли, я сразу почувствовал себя чуточку виноватым.

Но это крошечное чувство вины нельзя было и сравнить с тем, которое она вскоре заставила меня испытать.

У Холли что-то не открывался замок, и я, подойдя к двери, набросил цепочку, чуть приоткрыл дверь и сказал голосом Майкла Кейна:

— Извините, дорогая, но я эротический массаж не заказывал. Попробуйте постучаться в соседнюю дверь.

— Впусти меня немедленно, — сладким шепотом потребовала Холли, — иначе я тебе мозги вышибу.

— Ну нет, дорогуша, этого я тоже не заказывал. Попробуйте...

Она начала злиться и довольно громко заявила:

— Брубек, мне нужно в сортир!

— О, тогда так и быть. — Я быстро снял цепочку и отошел в сторону, пропуская ее. — Хотя ты явилась домой, так наклюкавшись, что даже дверь собственным ключом открыть не способна, грязная пьянчужка!

— В этой гостинице какие-то идиотские антивандальные замки. Нужно иметь докторскую степень, чтобы открыть эту чертову штуковину. — Холли ворвалась в номер и ринулась в туалет, мимоходом глянув на спящую Аоифе и бросив мне через плечо: — Между прочим, я выпила *всего несколько* бокалов вина. Вспомни: там ведь и мама была.

— Это так, но я что-то не помню, чтобы Кэт Сайкс когда-нибудь требовалось надевать памперсы для похода на «дегустацию вин».

Холли закрылась в ванной и спросила из-за двери:

— У Аоифе все в порядке?

— Да. Проснулась буквально на секунду, но в целом даже ни разу не пискнула.

— Это хорошо. Она была *настолько* возбуждена, пока мы ехали в поезде, что я боялась, как бы она не вздумала всю ночь на потолке танцевать.

Холли спустила воду в унитазе, заглушая все прочие звуки, и я снова отошел к окну. Веселье на дальнем конце пирса вроде понемногу затухало. Какая чудесная ночь! Хотя ее, разумеется, испортит мое известие о необходимости продлить командировку в Ирак еще на полгода, как того требуют мои нынешние работодатели из «Spyglass».

Холли открыла дверь в ванную; она сушила руки, глядела на меня и улыбалась.

— Как ты провел свой «тихий вечерок» в гостиничном номере? Дремал, писал?

Волосы она зачесала наверх; на ней было облегающее черное платье с глубоким вырезом; на шее — ожерелье из черных и голубых камней. «Как жаль, что она теперь крайне редко так выглядит», — подумал я.

— Я думал. И в голове у меня вертелись всякие непристойные мысли насчет нашей любимой мамочки Холли. Могу я помочь вам выбраться из этого платья, очаровательная мисс Сайкс?

— Спокойно, мальчик. — Она беспокойно оглянулась на Аоифе. — Как ты, возможно, уже заметил, мы спим в одной комнате с дочерью.

Я зашел с другой стороны:

— Но я могу действовать по самому тихому сценарию.

— Не сегодня, мой пылкий Ромео. У меня «эти дела».

Да, дела, дела. В последние шесть месяцев я слишком редко бывал дома, чтобы точно помнить, когда у Холли «критические дни».

— В таком случае мне, пожалуй, придется ограничиться страстными поцелуями.

— Боюсь, что так, приятель.

Мы поцеловались, но отнюдь не так страстно, как было заявлено, и Холли оказалась вовсе не так уж пьяна, хотя я отчасти все же на это надеялся. Господи, когда это Холли перестала перед поцелуем приоткрывать губы? Сейчас у меня было ощущение, словно я целую застегнутую молнию. Я вспомнил афоризм Биг Мака: чтобы заняться сексом, женщине необходимо почувствовать, что ее любят; а мужчине, чтобы почувствовать, что его любят, нужно заняться сексом. Я-то придерживался своей половины сделки — во всяком случае, мне так казалось, — а вот Холли в последнее время вела себя так, словно ей не тридцать пять, а все сорок пять или даже пятьдесят пять. Конечно, жаловаться нельзя, иначе она сочтет, что я оказываю на нее давление. А ведь когда-то мы с Холли могли разговаривать о чем угодно, то есть абсолютно обо всем, но теперь количество запретных тем и территорий существенно увеличилось. И это вынуждало меня... Нет, печальным выглядеть мне тоже не полагалось, потому что тогда я «становился похож на мальчика, который дуется, потому что не получил мешочек со сластями, который, с его точки зрения, он вполне заслужил». Я никогда не вел себя нечестно по отношению к Холли — никогда! — хотя Багдад, конечно, отнюдь не рассадник доступного секса; но иной раз меня просто угнетало, что мне, тридцатипятилетнему здоровому мужику, без конца приходилось все «брать в свои руки». Хотя, например, одна датская фотожурналистка, с которой мы в прошлом году общались в Таджикистане, была очень даже не прочь приятно провести со мной время, но меня слишком беспокоила мысль, как я буду чувствовать себя,

259

когда такси доставит меня на Стоук-Невингтон, и Аоифе выбежит мне навстречу с радостным воплем: «Папочка-а-а приехал!»

Холли снова ушла в ванную. На этот раз дверь она оставила открытой. Смывая макияж, она как бы между прочим спросила:

— Ну что, ты собираешься мне все рассказать или нет?

Весь подобравшись, я осторожно присел на краешек двуспальной кровати и сделал вид, что не понял:

— Что «все»? Что ты хочешь, чтобы я тебе рассказал?

Она протерла ваткой под глазами.

— Ну, я пока еще не знаю.

— А почему ты решила, что мне есть... что тебе рассказать?

— Не знаю, Брубек. Должно быть, просто женская интуиция сработала.

Я в такие штуки не особенно верил, но Холли, пожалуй, и впрямь обладала недюжинной интуицией.

— Олив просила меня остаться в Багдаде до декабря.

Холли на секунду замерла; потом уронила ватку и повернулась ко мне:

— Но ты же сказал ей, что в июне уходишь.

— Да. Сказал. Но теперь она просит меня передумать и остаться.

— Но ведь ты и *мне* уже сказал, что в июне уходишь. Мне и Аоифе.

— Я обещал ей перезвонить в понедельник. После того как обсужу ее просьбу с тобой.

У Холли был такой вид, будто я ее предал. Или она поймала меня за загрузкой порнофильма.

— Мы же *договорились*, Брубек! Что это будет твое самое-самое последнее продление!

— Речь идет всего лишь о каких-то шести месяцах.

— Ой, ради бога! Ты и в *прошлый* раз говорил то же самое.

— Конечно, но поскольку я получил премию Шихан-Дауэр, то мне...

— *А также* в позапрошлый раз. «Всего каких-то полгода, и я уволюсь».

— Благодаря этим деньгам, Холл, мы сможем заплатить за колледж для Аоифе на целый год вперед.

— Аоифе предпочла бы иметь живого отца, а не возможность расплатиться с долгами!

— Зачем же так... гиперболизировать! — В наши дни нельзя так просто назвать рассерженную женщину «истеричкой»: это считается сексизмом. — Не зацикливайся ты на этом ради бога.

— По-моему, то же самое и Дэниел Пирл сказал своей девушке, вылетая в Пакистан: «Ну что ты гиперболизируешь!» Так ведь?

— Знаешь, это просто бестактно. И совершенно неправильно. И потом, Пакистан — не Ирак.

Холли опустила крышку унитаза, уселась сверху; теперь наши с ней глаза оказались на одном уровне.

— Меня каждый раз просто *тошнит* от страха, когда я слышу по радио слова «Ирак» и «Багдад». Меня *тошнит* от бесконечных бессонных ночей. Меня *тошнит* от необходимости постоянно скрывать свой страх от Аоифе. Фантастика! Ты — востребованный, получивший массу премий журналист, но у тебя есть шестилетняя дочка, которая хочет, чтобы ей помогли научиться ездить на обыкновенном двухколесном велосипеде без вспомогательных колесиков. А еще она хочет постоянно слышать твой голос, а не какие-то прерывающиеся, еле слышные восклицания раз в два-три дня и не дольше одной минуты — это еще *если* спутниковый телефон будет работать! Мне, во всяком случае, этого недостаточно! Ты действительно *подсел на войну*. Брендан прав.

— Ничего я *не подсел*! Я просто журналист, занимающийся своим делом. Точно так же, как Брендан занимается своим делом, а ты — своим.

Холли потерла виски, словно у нее вдруг разболелась голова, и сказала:

— Ну так поезжай! Возвращайся в свой Багдад, где твою гостиницу в любую минуту может разнести бомбой! Пакуй вещички и проваливай. «Занимайся своим делом», раз оно для тебя важнее, чем мы с Аоифе. Только лучше заранее попроси тех, кто сейчас живет в твоей квартире на Кингс-кросс, оттуда убраться, потому что в следующий раз, когда ты вернешься в Лондон, тебе надо будет где-то жить.

Стараясь сдерживаться и говорить как можно тише, я попросил:

— *Пожалуйста*, Холли, *прислушайся* к тому, что ты говоришь, черт побери!

— Нет, лучше *ты*, черт побери, к себе прислушайся! Месяц назад ты пообещал нам, что в июне уйдешь из этой «Spyglass» и вернешься домой. И вдруг твоя американская начальница, наделенная поистине безграничной властью над тобой, заявляет: «Нет, это произойдет не раньше декабря». И ты послушно соглашаешься. А потом как бы между прочим сообщаешь об этом мне. Ты вообще с кем, Брубек? Со мной и Аоифе или с этой Олив Сан из «Spyglass»?

— Мне предлагают поработать еще шесть месяцев. Только и всего.

— Нет, не *только*! Потому что когда в Фаллудже все затихнет или ее разбомбят к чертовой матери, это будет Багдад, или Афганистан-2, или еще что-нибудь. *Всегда* ведь найдется какое-нибудь такое место, где стреляют, и это будет продолжаться до тех пор, пока удача от тебя не отвернется, — и тогда я стану вдовой, а наша Аоифе лишится отца. *Да*, я смирилась со Сьерра-Леоне, *да,* я пережила твое пребывание в Сомали, но теперь Аоифе стала старше. Ей необходим отец.

— Предположим, я скажу тебе: «Все, Холли, больше ты помогать бездомным не будешь. Они опасны: у одних СПИД, другие вооружены ножами, третьи полные психопаты. Немедленно бросай эту работу и поступай, скажем... в «Теско». Направь все свое умение общаться с людьми на рекламу сублимированных продуктов. Я не шучу: я *приказываю* тебе это сделать, а иначе я вышвырну тебя вон из дома». Как бы *ты* отреагировала на подобное заявление с моей стороны?

— Ради бога, Брубек! В моем случае *риск совершенно иной*. — Холли с досадой вздохнула. — И вообще, какого черта ты поднял эту тему, да еще на ночь глядя? Мне завтра Шэрон к алтарю вести, а у меня под глазами будут фонари, как у панды, страдающей от похмелья. Короче, Брубек: ты сейчас на перекрестке, так что выбирай дорогу.

Я попытался пошутить, но вышло довольно глупо:

— Это больше похоже на тупик, в который уперлись две дороги — во всяком случае с технической точки зрения.

— Ах да, я и забыла: для тебя ведь все это просто шутка, не так ли?

— Ох, Холли, пожалуйста... Я совсем не то...

— Ну, а *я не шучу*. Уходи из «Spyglass» или съезжай от нас. Мой дом — не помойка для твоих сдохших лэптопов.

* * *

Три часа ночи, а дела у меня по-прежнему хуже некуда. «Никогда не устраивай ссор на закате дня», — говаривал мой дядя Норм, но у моего дяди Норма не было общего ребенка с такой женщиной, как Холли. Погасив повсюду свет, я довольно мирно сказал ей «Спокойной ночи», но ее «*Спокойной ночи*», брошенное мне в ответ, прозвучало больше похоже на «так твою мать», и она тут же отвернулась. А ее спина столь же манила к себе, как граница Северной Кореи. Сейчас в Багдаде шесть утра, подумал я вдруг. Звезды меркнут на фоне разгорающейся зари, словно подсушенной утренним ветерком, и жалкие псы — кожа да кости — роются на помойках в поисках пропитания, и муэдзины в мечетях созывают верующих, и становится видно, что странные кучи на обочине дороги — это очередной урожай трупов, собранный минувшей ночью, и у тех, кому повезло, только одно пулевое отверстие, в голове. В отеле «Сафир» снова начнутся ремонтные работы. Дневной свет зальет мою комнату №555 на задах отеля. Но моя кровать временно будет занята Энди Родригесом из журнала «Экономист» — я его должник еще со времен падения Кабула два года назад. А все остальное будет, наверное, примерно таким же, как всегда. Над письменным столом — карта Багдада. Районы, куда доступ запрещен, помечены розовым фломастером. В марте прошлого года, после *вторжения*, на этой карте лишь кое-где были розовые пометки: «розовыми» были хайвэй-8, ведущий от города Хилла на юг, и хайвэй-10, ведущий в западном направлении от Фаллуджи; по всем остальным дорогам можно было ездить относительно спокойно, и покрытие было вполне приличным. Но когда инсургенты усилили сопротивление, розовый цвет так и пополз по всем дорогам в северном направлении — к Тикриту и Мосулу, где попала под обстрел и была разнесена вдребезги команда американского телевидения. То ж самое творилось и на дороге в аэропорт. А когда оказался заблокирован Садр-сити, то есть восточная треть Багдада, карта стала уже на три четверти розовой. Биг Мак утверждал, что я воссоздаю старую карту Британской империи. Но проклятый розовый цвет невероятно затруднял работу журналистов. Я больше не осмеливался выбираться за город, чтобы сделать сюжет и пообщаться со свидетелями; иной раз на улицах даже нельзя было разговаривать по-английски, а порой и из гостиницы выходить не разрешалось. С Нового года моя работа для «Spyglass» чаще всего сводилась к «журналистике по доверенности». Если бы не Насер и Азиз, я был бы вынужден, как попугай, повторять всякие глянцевые банальности, которые в качестве подачки бросали представителям прессы в «Зеленой зоне». И все это, безусловно, вызывало вопрос: если в Ираке столь сложно заниматься журналистикой, то почему я так нервничаю и так хочу поскорей вернуться в Багдад и приступить к работе?

Потому что это трудно, но я один из лучших.

Потому что сейчас работать в Ираке *способны* только лучшие.

Потому что если я не поеду, то окажется, что два хороших человека погибли зря.

17 апреля

Виндсерферы, чайки, солнце, кисловато-соленый ветерок, стеклянное море и ранняя прогулка по пирсу с Аоифе. До этого Аоифе никогда не бывала на пирсе, и ей все там страшно нравилось. Она совершила несколько лягушачьих прыжков, наслаждаясь мельканием светодиодов на подошвах своих кроссовок. В моем детстве мы бы, наверное, поубивали друг друга из-за таких «светящихся» кроссовок, а теперь, по словам Холли, практически невозможно найти такие, которые *не светятся*. Аоифе привязала к запястью гелиевый воздушный шарик с персонажем детского фильма Дорой-исследо-вательницей; за этот шарик я только что заплатил пять долларов ка-кому-то очаровательному проходимцу. Я оглянулся на отель «Grand Maritime», пытаясь определить, какое окно наше. Мы, разумеет-ся, приглашали на прогулку и Холли, но она сказала, что должна помочь Шэрон подготовиться к приходу парикмахера, хотя было известно, что тот появится не раньше половины десятого. Сейчас было всего лишь начало девятого, но для Холли это был способ дать мне понять, что ее позиция с прошлой ночи ничуть не изменилась.

— Папа! Папочка! Ты меня слышишь?

— Извини, куколка. Я был за много миль отсюда.

— А вот и не был! Ты прямо тут был.

— Это просто метафора. Просто мысленно я как бы оказался далеко отсюда.

— Что такое мета... фра?

— Противоположность буквальному.

— А что такое букварь-ное?

— Противоположность метафорическому.

Аоифе надулась.

— Ну, папа, говори *серьезно*!

— Я всегда серьезен. А о чем ты хотела меня спросить, моя ку-колка?

— Вот если бы ты мог стать каким-нибудь животным, то кем бы ты хотел быть? Я, например, хотела бы стать белым Пегасом с чер-ной звездой на лбу, и меня звали бы Даймонд Быстрокрылый. Тогда я могла бы взять маму и вместе с ней слетать в Bad Dad[1] и пови-даться с тобой. И потом, Пегасы не приносят вреда нашей планете, они не такие, как самолеты, — они только какают, и все. Дедуш-ка Дэйв говорит, что когда он был маленьким, *его* папочка всегда развешивал на высоких-высоких шестах яблоки вокруг сада, и все Пегасы парили над этим местом, ели яблоки и какали. А какашки у Пегасов такие волшебные, что тыквы вырастают прямо огромны-ми, даже больше меня, и одной тыквой можно целую неделю всю семью кормить.

— Да, очень похоже на дедушку Дэйва. А скажи, кто такой этот Bad Dad?

Аоифе нахмурилась и посмотрела на меня.

— Место, где *ты* живешь, глупый!

— Багдад. *Баг-дад*. Только я там не живу. — Господи, хорошо, что хоть Холли этого не слышит! — Я там просто работаю. — Я пред-

---

[1] Буквально «плохой папочка» (*англ.*); Аоифе просто переделывает слово «Багдад» в нечто ей понятное.

ставил себе Пегаса над «Зеленой зоной», потом его изрешеченный пулями труп, стрелой летящий на землю, и радостных юных республиканцев, которые жарят мясо Пегаса на решетке. — Но я же не вечно буду там находиться.

— А мамочка хочет стать дельфином, — сказала Аоифе, — потому что дельфины умеют хорошо плавать, знают много слов, всегда улыбаются и очень верные. А дядя Брендан хочет быть вараном с острова Комодо, потому что в Совете Грейвзенда есть такие люди, которых ему хочется сперва укусить, а потом разорвать на мелкие кусочки; он говорит, что комодские вараны всегда так делают, чтобы удобней было глотать. Тетя Шэрон хочет быть совой, потому что совы мудрые, а тетя Рут — морской выдрой, каланом, и весь день плавать на спине у берегов Калифорнии, а потом встретить Дэвида Аттенборо[1]. — Мы достигли уже той части пирса, где он, расширяясь, как бы окаймлял местную сводчатую галерею с магазинами. Огромные буквы «БРАЙТОНСКИЙ ПИРС» очень прямо стояли между двумя покосившимися государственными флагами Великобритании. Галерея была еще закрыта, так что мы двинулись дальше по боковой дорожке. — Ну, и каким животным ты бы хотел стать, папочка?

Мама частенько называла меня «бакланом», а потом, уже став журналистом, я частенько получал всякие неприятные клички вроде «стервятника», или «жука-навозника», или «коварной змеи»; а одна девушка, которую я когда-то знал, называла меня «своим псом», но отнюдь не в социальном контексте.

— Кротом, — сказал я.

— Почему?

— Они отлично умеют рыть норы и залезать во всякие темные места.

— А зачем тебе рыть норы и туда лезть?

— Чтобы узнавать разные интересные вещи. Впрочем, кроты и еще кое-что отлично умеют делать. — Я поднял руку, согнув пальцы, как когти. — Например, *щекотать*.

Но Аоифе склонила голову набок — ну просто уменьшенная копия Холли! — и заявила:

— Если ты будешь меня щекотать, я описаюсь от смеха, и тебе придется стирать мои штаны!

— Ладно. — Я сделал вид, что пошел на попятный. — Вообще-то, кроты не щекочутся.

— Мне тоже так кажется.

---

[1] Дэвид Аттенборо (р. 1926) — знаменитый телеведущий, автор множества документальных фильмов о природе.

Она это сказала так по-взрослому, что мне стало страшно: ее детство, эту чудесную книгу, я мгновенно пролистываю, вместо того чтобы читать вдумчиво и неторопливо.

За крытой галереей дрались чайки, выхватывая друг у друга куски жареной картошки, вывалившиеся из разорванного пакета. Эти птицы — самые настоящие ублюдки, терпеть их не могу. По центру пирса до самого его конца тянулся ряд самых разнообразных ларьков и лавчонок, но возле них было пусто, и я невольно обратил внимание на идущую нам навстречу женщину, потому что все вокруг нее было как бы не в фокусе. Странно. Мне показалось, что она примерно моих лет, плюс-минус сколько-то, и довольно высокая, хотя и не чересчур. У нее были очень светлые волосы, слегка отливавшие на солнце золотом, темно-зеленый бархатный костюм цвета того мха, что обычно растет на могилах, и невероятно модные солнечные очки цвета бутылочного стекла, какие здесь будут носить, наверно, еще только лет через десять. Я тоже надел темные очки. Она привлекала внимание. Она вообще невероятно привлекала. Она явно не принадлежала к тому же классу, что и я; она вообще не принадлежала ни к какому классу; рядом с ней я чувствовал себя неряшливым, грязным, я чувствовал, что изменяю Холли, и думал: нет, вы только *посмотрите* на нее! Боже мой, какая она изящная, гибкая, все понимающая, словно излучающая свет...

— Эдмунд Брубек? — произнесла она темно-алыми, как вино, устами. — Клянусь жизнью, это ведь вы, не так ли?

Я замер. Такую красоту забыть невозможно, так откуда, скажите на милость, она меня знает? И почему я этого не помню? Я снял темные очки и поздоровался, надеясь, что голос мой звучит достаточно уверенно. Я нарочно тянул время, рассчитывая получить хоть какие-то подсказки. По-английски она говорила с каким-то легким акцентом. Она, скорее всего, европейка, француженка. Вряд ли немка, а впрочем, и на итальянку не похожа. Ни одна журналистка в мире просто не способна выглядеть столь божественно. Может быть, это какая-то актриса или знаменитая модель, у которой я брал интервью много лет назад? Или чья-то жена, в качестве трофея увезенная мной с давней вечеринки? А может, это просто подруга Шэрон, приехавшая в Брайтон на свадьбу? Господи, я совсем растерялся!

Она по-прежнему улыбалась.

— Я, кажется, застала вас врасплох?

Неужели я покраснел?

— Вы должны меня простить, но я... не...

— Меня зовут Иммакюле Константен, я подруга Холли.

266

— Ах, да, — заикаясь, поспешил подхватить я. — Иммакюле... да, конечно! — Я все-таки смутно помнил это имя, но с чем оно было связано? Я пожал ей руку и довольно неуклюже изобразил «европейский» поцелуй, коснувшись щекой ее щеки. Кожа у нее была гладкая, как мрамор, но отчего-то гораздо холоднее, чем должна быть кожа, согретая утренними лучами солнца. — Простите мне эту неловкость, но я... я только вчера вернулся из Ирака, и у меня в голове такая каша...

— И совершенно не нужно передо мной извиняться, — сказала Иммакюле Константен, кто бы она, черт возьми, ни была. — Это совершенно естественно — слишком много новых лиц. Человеку приходится забывать старые лица, чтобы освободить место для новых. Я знала Холли еще девочкой в Грейвзенде. Ей было всего восемь лет, когда я покинула этот город. Забавно, но мы обе всю жизнь продолжаем то и дело натыкаться друг на друга. Словно Вселенная некогда решила, что между нами существует связь. А *эта* юная леди, — красавица опустилась на одно колено и заглянула моей дочери прямо в глаза, — должно быть, Аоифе. Я права?

Аоифе, тараща от удивления глаза, нерешительно кивнула. Дора-исследовательница покачнулась и повернулась.

— И сколько же тебе лет, Аоифе Брубек? Семь? Восемь?

— Мне шесть, — сказала Аоифе. — Мой день рождения первого декабря.

— А выглядишь ты совсем взрослой! Значит, первого декабря? Ну-ну. — И она продекламировала негромко и на редкость музыкально: — «Какие холода нас встретили в пути — для странствий это время не годится, особенно для долгих странствий: в снегу дорога утопает, и жжет мороз. Зима набрала силу»[1].

Мимо нас тихо, как призраки, проследовали какие-то отдыхающие. А может, это мы были призраками?

— Сегодня в небе ни облачка, — сказала Аоифе.

Иммакюле Константен внимательно на нее посмотрела.

— Как ты права, Аоифе Брубек! Скажи, на кого ты, по-твоему, больше похожа: на маму или на папу?

Аоифе, закусив губу, вопросительно на меня посмотрела.

Волны с гулким эхом разбивались внизу о сваи пирса. Песня «Dire Straits» змейкой выползла из пассажа и долетела до нас. Эта песня, «Tunnel of Love», помнится, страшно нравилась мне в молодости.

— Ну, мне, например, больше всего нравится пурпурный цвет, — сказала Аоифе, — и маме тоже. Папа *все время* читает всякие газеты

---

[1] Стихотворение Томаса Элиота (1885—1965) «The Journey of the Magi» («Странствие волхвов») (1891).

и журналы, когда бывает дома, и я тоже много читаю. Особенно одну книжку — «Я люблю животных». А вот если бы вы могли превратиться в какое-нибудь животное, то кем вы хотели бы стать?

— Фениксом, — прошептала Иммакюле Константен. — Или, если честно, *той самой птицей Феникс*. Как насчет невидимого глаза, Аоифе Брубек? У тебя такого нет? Ты позволишь мне проверить?

— У мамочки голубые глаза, — сказала Аоифе, — а у папы темно-карие, и у меня тоже темно-карие.

— О, я не об *этих* глазах, — сказала она и сняла свои странные сине-зеленые солнечные очки. — Я имею в виду твой особый, невидимый глаз вот... тут.

Коснувшись правого виска Аоифе, она большим пальцем погладила ее по лбу чуть выше переносицы, и у меня где-то глубоко внутри, в печенке или где-то там, что-то екнуло, и я вдруг понял, что происходит нечто очень странное, нехорошее, неправильное. Впрочем, чувство неясной опасности тут же исчезло, стоило Иммакюле Константен мне улыбнуться и ударить своей красотой прямо в сердце. Она внимательно всмотрелась в то же место у меня на лбу, затем снова повернулась к Аоифе, нахмурилась и с явным сожалением поджала свои сочные яркие губы.

— Нет, — сказала она. — Какая жалость! А вот у твоего дяди невидимый глаз был просто великолепен, да и у мамы твоей он был очень хорош, пока его не запечатал один злой волшебник.

— А что такое невидимый глаз? — спросила Аоифе.

— Ну, в данном случае это вряд ли имеет значение. — Иммакюле Константен встала.

— Вы приехали на свадьбу Шэрон? — спросил я.

Она снова надела темные очки и вздохнула:

— Нет. Я уже покончила здесь со всеми делами и невыносимо устала.

— Но... Вы же друг Холли, верно? Неужели вы даже... — Но стоило мне взглянуть на нее, и я забыл, что именно собирался спросить.

— Желаю вам чудесного дня. — И она направилась к галерее.

Мы с Аоифе смотрели ей вслед.

— Пап, а кто эта леди?— спросила моя дочь.

* * *

Наверное, я довольно долго молчал, а потом спросил у Аоифе:

— Дорогая, ты не знаешь, кто эта леди?

Аоифе захлопала глазами.

— Какая леди, папа?

Мы удивленно посмотрели друг на друга, и я понял, что явно что-то забыл.

Бумажник, телефон? Аоифе? Свадьба Шэрон? Брайтонский пирс...

Нет, ничего я не забыл. И мы пошли дальше.

Какие-то мальчик с девочкой целовались и обнимались так самозабвенно, словно остального мира просто не существует.

— Это *неприлично!* — громко заявила Аоифе, и они услышали, на минуту стыдливо потупились, а потом снова принялись щекотать друг другу гланды.

Да, мысленно посоветовал я этому парню, *наслаждайся вишнями и сливками, ведь уже через двадцать лет все это не будет казаться тебе таким вкусным*. Мальчик даже головы не повернул в мою сторону.

Чуть дальше внимание Аоифе привлекла какая-то яркая картина, баллончиками прямо на металлических ставнях: там был изображен некто, весьма похожий на волшебника Мерлина, с белой бородой и острым, пронзительным взглядом; над головой у него висел нимб из карт Таро, магических кристаллов и звездной пыли. Аоифе прочла его имя:

— Д... уиг?

— Дуайт.

— Дуайт... Силвервинд. Прес... пред...предсказатель. А это кто?

— Человек, утверждающий, будто он способен заглянуть в будущее.

— *Класс!* Пап, давай зайдем внутрь и посмотрим на него.

— С чего это тебе вдруг захотелось пообщаться с предсказателем?

— Чтобы узнать, открою я свой центр спасения животных или нет.

— Ах вот в чем дело! Нет, дорогая. Общаться с мистером Силвервиндом мы не станем.

Раз, два, три — и вот вам классический мрачный взгляд Сайксов.

— А почему?

— Во-первых, у него закрыто. Во-вторых, извини, но скажу тебе честно: предсказатели будущего на самом деле будущее предсказывать не умеют. Они просто выдумывают всякие небылицы. Они...

Ставни с грохотом распахнулись, и появился тот, чье лицо и было на них изображено. Художник явно ему польстил: в реальной действительности «Мерлин» выглядел так, словно его пожевал и выплюнул гиппопотам, а уж одет он был и вовсе с этаким прогрок-шиком: лиловая рубашка, красные джинсы и жилет, расшитый самоцветами, такими же фальшивыми, как и их владелец.

Аоифе, однако, была потрясена.

— Мистер Силвервинд?

Он нахмурился, огляделся и лишь после этого посмотрел вниз.

— Да, я... это он. А вот кто вы, юная леди?

Типичный янки. Причем самого гнусного пошиба.

— Аоифе Брубек, — представилась Аоифе.

— Аоифе Брубек. Рановато вы сегодня встали, чтобы пойти на прогулку.

— Это потому, что сегодня свадьба моей тети Шэрон. А я подружка невесты.

— Пусть это празднество будет поистине великолепным. А этот джентльмен, я полагаю, ваш отец?

— Да, — сказала Аоифе. — Он репортер и приехал из Bad Dad'a.

— Я уверен, что ваш папа старается быть хорошим, Аоифе Брубек, и он вовсе не Bad Dad.

— Она имеет в виду Багдад, — объяснил я этому шутнику.

— В таком случае ваш папа наверняка очень... храбрый.

Он посмотрел на меня. Я тоже очень внимательно на него посмотрел. Не люблю я подобных разговоров! Да и вообще этот тип мне не нравился.

— А вы *действительно* можете заглянуть в будущее, мистер Силвервинд? — спросила Аоифе.

— Плохим я был бы предсказателем, если б не мог.

— А вы можете предсказать *мое* будущее? Пожалуйста, а?

Довольно, решил я и сказал:

— Мистер Силвервинд занят, Аоифе.

— Нет, он не занят, папочка. У него даже ни одного посетителя нет!

— Обычно я прошу за предсказание взнос в десять фунтов, — сказал старый мошенник, — но в данном случае для *такой необычной* юной леди мы снизим цену, так что вполне достаточно и пяти. *Или...* — Дуайт Силвервинд повернулся, протянул руку и вытащил с полки пару книг, — ваш папа мог бы купить одну из моих книг — либо «Бесконечный предел», либо «Сегодня случится лишь однажды» — по специальной цене пятнадцать фунтов за каждую или двадцать фунтов за обе и получить предсказание в качестве комплимента.

Папа Аоифе с удовольствием дал бы мистеру Силвервинду ногой по его магическим яйцам.

— Благодарю вас, но мы не воспользуемся вашей щедростью и продолжим прогулку, — сказал я.

— Я открыт до заката солнца, если передумаете.

Я потянул дочку за руку со словами, что нам пора, но Аоифе вдруг вспылила:

— Это *несправедливо*, папа! Я хочу знать свое *будущее*!

Ну, просто великолепно, черт побери! Если я приведу назад заревáнную Аоифе, от Холли просто житья не будет.

— Идем, Аоифе... иначе парикмахер тети Шэрон будет тебя ждать.

— О боже! — Силвервинд попятился и почти скрылся в своей будке. — Я предвижу большую беду. — И он поспешно закрыл за собой дверь с надписью «Sanctum».

— *Никто* не знает будущего, Аоифе. Эти *лжецы*... — я обращался к закрытой двери проклятого «святилища», — ...всегда скажут тебе именно то, что, по их мнению, тебе и хочется услышать.

Взгляд Аоифе стал еще мрачнее, она покраснела, затряслась и выкрикнула:

— Нет!

Теперь уже и я слегка завелся.

— Что — «нет»?

— Нет, нет, нет, нет, нет, нет, нет!

— Аоифе! *Никто* не знает своего будущего. Именно поэтому оно и есть *будущее*!

Моя дочь совсем побагровела и еще громче выкрикнула:

— *Курд!*

Я уже готов был испепелить ее за бранное слово — но почему, собственно, моя дочь обозвала меня курдом?

— *Что?*

— Агги так говорит, когда очень сердится, но Агги все равно в *миллион* раз лучше *тебя*, и она по крайней мере всегда здесь! А тебя даже дома никогда нет!

Она вырвалась и одна ринулась обратно по пирсу. Ну ладно, не особенно страшное польское ругательство и небольшая попытка эмоционального шантажа, пользоваться которым она, возможно, научилась у Холли. Я пошел следом.

— Аоифе! Вернись!

Аоифе обернулась и дернула за нитку свой воздушный шарик, словно собираясь его отпустить.

— Ну давай. — Я знал, как обращаться с Аоифе. — Но предупреждаю: если ты отпустишь шарик, я *никогда* больше ни одного тебе не куплю.

Аоифе скорчила совершенно «гоблинскую» рожу и — к моему удивлению и огорчению — тут же отвязала шарик. Он улетал все выше и выше, серебристый на фоне голубого неба, а сама Аоифе, поглядев ему вслед, разразилась бурными рыданиями, то нараставшими, то ненадолго затихавшими.

— Я тебя *ненавижу*... я *ненавижу* Дору-исследовательницу... лучше бы ты снова уехал туда... туда в свой Bad Dad... навсегда, *навсегда!* Я тебя *ненавижу, ненавижу* тебя! И *ненавижу, ненавижу твою храбрость!*

И Аоифе, крепко зажмурившись, набрала в легкие — легкие шестилетней здоровой девочки — побольше воздуха, и, думаю, ее горестный вопль слышало пол-Сассекса.

Господи, забери меня отсюда! Куда угодно.

Куда угодно — мне всюду будет хорошо.

* * *

Насер высадил меня у Ворот ассасинов, но не слишком близко: никогда ведь не знаешь, кто следит за теми, кто подвозит иностранцев; к тому же охранники у ворот в случае чего, не задумываясь, начинают стрелять, ублюдки несчастные.

— Я позвоню тебе после пресс-конференции, — сказал я Насеру. — А если не будет мобильной связи, то просто встреть меня здесь в одиннадцать тридцать.

— Отлично, Эд, — ответил мой верный помощник. — Азиза я привезу. А ты скажи Климту, что все иракцы его просто обожают. Серьезно. Мы построим ему большой памятник с очень большим членом, который будет указывать как раз на Вашингтон.

Я хлопнул рукой по крыше, и Насер уехал. А я прошел оставшиеся до ворот пятьдесят метров — мимо бетонных блоков, выложенных, как на слаломной трассе, мимо воронки от январской бомбы, которую так толком и не засыпали: полтонны пластида, смешанного с осколками от артиллерийских снарядов, — двадцать человек погибло на месте и еще шестьдесят было искалечено. Олив тогда использовала сразу пять из сделанных Азизом фотографий, да еще и «Washington Post» заплатила ему за перепечатку.

Очередь к Воротам ассасинов в ту субботу оказалась не такой уж страшной: передо мной стояло около пятидесяти иракских штатных сотрудников, кое-кто из вспомогательных служб и несколько резидентов, еще до вторжения проживавших здесь, в нынешней «Зеленой зоне». Все они выстроились по одну сторону от ослепительно-яркой арки, увенчанной огромной грудью из песчаника с торчащим соском. Передо мной стоял какой-то парень из Восточной Азии, и между нами, естественно, завязался разговор. Мистер Ли, тридцать восемь лет, держал в «Зоне» китайский ресторан — никому из иракцев здесь не разрешалось даже приближаться к кухне из боязни массового отравления. Ли сообщил, что встречался с оптовым торговцем рисом, но стоило ему выяснить, чем занимаюсь я, как его английский загадочным образом резко ухудшился, мои надежды на материал «Из Цзюлуна в Багдад» мгновенно испарились, и я стал думать, как мне спланировать предстоящий день. Наконец подошла моя очередь, и меня препроводили в туннель из пыльного брезента и колючей проволоки. Секьюрити во «Взрывной зоне» теперь вели себя весьма либерально и вежливо в отличие от бывших гуркских стрелков, которыми обычно укомплектовывали КПП номер один и которых теперь заменили бывшими полицейскими из Перу, вполне готовыми рисковать жизнью ради четырехсот долларов в месяц. Я предъявил журналистский пропуск и британский паспорт, меня всего ощупали, а оба мои диктофона тщательно обследовал капитан, явно страдавший каким-то кожным заболеванием — сухие чешуйки кожи так и сыпались с него на мою аппаратуру.

Затем все вышеописанное повторилось еще три раза на трех следующих КПП — от второго до четвертого, и я наконец оказался в нашем «Изумрудном городе» — как неизбежно стала называться «Зеленая зона», укрепленный район площадью десять квадратных километров под охраной армии США и ее наемников, за пределами которого после вторжения осталась вся иракская действительность; здесь старательно сохранялась иллюзия то ли Тампы, то ли Флориды с привкусом Среднего Востока. Если не считать странного заграждения из минометов, эта иллюзия поддерживалась вполне успешно, хотя и за счет безумных расходов, которые, впрочем, ложились на плечи американских налогоплательщиков. Поездки на черных «Дженерал Моторз Сабербиан» со скоростью тридцать пять миль в час и по довольно приличным дорогам; электричество и бензин, доступные всю неделю круглые сутки; ледяное пиво «Бад», которое подавали бармены из Бомбея, нынешнего Мумбаи, взявшие себе для удобства клиентов новые имена: Сэм, Скутер и Мо; супермаркет, где торговали филиппинцы и где можно было купить «Маунтин дью» и «Скиттлз».

Безупречно чистый автобус, курсирующий по кругу, ждал на остановке у Ворот. Я сел, наслаждаясь прохладным кондиционированным воздухом, и автобус секунда в секунду по расписанию тронулся с места. Мы вполне спокойно проехали по Хайфа-стрит мимо самых красивых домов этого города, мимо зиккурата, построенного в честь кровавого и закончившегося ничем противостояния Ирака и Ирана — на мой взгляд, это был один из самых безобразных монументов на земле, — и нескольких довольно больших площадок, занятых белыми трейлерами «Халлибертон», в которых жили по большей части служащие CPA[1]; они питались в общих столовых,

---

[1] C o a l i t i o n P r o v i s i o n a l A u t h o r i t y (CPA) — временная коалиционная администрация в Ираке во время Иракской войны после 2003 года.

испражнялись в переносных туалетах, никогда не ступали за пределы «Зеленой зоны» и старательно откладывали деньги на настоящий дом в какой-нибудь симпатичной местности по соседству.

Когда я сошел с автобуса на площади Республики, мимо меня по тротуару с топотом промчались человек двадцать любителей бега трусцой, все в темных очках, почти полностью скрывающих лицо, с кобурой на ремне и в промокших от пота майках. На некоторых майках горел саркастический вопрос «Who's Your Baghdaddy Now?»[1]; на остальных было написано «Буш — Чейни, 2004». Чтобы избежать столкновения, мне пришлось поспешно уступить им дорогу. Уж они-то, идиоты хреновы, мне дорогу уступать явно не собирались.

* * *

Отступив в сторону, я попал в поток девушек в оборчатых платьях, которые, хихикая, выбегали из бокового нефа храма Всех Святых в Кове, прелестного двойника брайтонской церкви.

— Половина флористов Брайтона слетали на самолете на Сейшелы из-за этого празднества, — заметил Брендан. — Прямо Кью-гарденз[2], черт бы их побрал!

— Да уж, работа проделана огромная, это точно. — Я смотрел на баррикаду из лилий, орхидей и еще каких-то пурпурных и розовых цветов и побегов.

— А сколько во все это денег вбухали, ты, дорогой мой, просто представить себе не можешь! Я спросил у отца, сколько ему все это стоило, а он ответил, что обо всем... — Брендан мотнул головой в сторону противоположного конца нефа и одними губами произнес: — ...позаботились Уэбберы. — У Брендана пикнул телефон, он проверил его и пробормотал: — Ну, этот может и подождать. Кстати, — он снова посмотрел на меня, — я все хотел спросить, пока ты снова не улетел в зону военных действий: каковы твои намерения в отношении старшей из двух моих сестер?

Я случайно не ослышался?

— А что ты, собственно, хочешь узнать?

Брендан усмехнулся.

— Не беспокойся, теперь уже несколько поздновато делать из нашей Хол честную женщину. В данном случае я имею в виду недвижимость. Квартирка Хол в Стоук-Ньюингтоне, конечно, очень мила и уютна, но в той же степени может показаться уютным и шкаф под лестницей. Надеюсь, у тебя есть какие-то планы насчет

---
[1] Буквально: «Кто сейчас твой багдадский папочка?» (англ.)

[2] Большой ботанический сад в западной части Лондона. Основан в 1759 году.

того, чтобы подняться на несколько ступней выше и приобрести нечто более пристойное?

И это как раз в момент, когда Холли вознамерилась дать мне пинка под зад?

— Да, разумеется. В самое ближайшее время.

— Ну, тогда сперва посоветуйся со мной. Лондонский рынок недвижимости в настоящий момент представляет собой настоящую схватку бойцовых собак, и два самых неприятных выражения в ближайшем будущем — это «негативный ответ» и «право справедливости».

— Договорились, Брендан, — сказал я. — Спасибо за желание помочь.

— Это не любезность, а приказ.

И Брендан заговорщицки мне подмигнул, что меня всегда раздражало. Затем мы неторопливо подошли к столу, где мать жениха, Полин Уэббер, вся в золоте и с прической как у Маргарет Тэтчер, раздавала гвоздики, требуя, чтобы мужчины вдели их в петлицы.

— Брендан! Глаза ясные, хвост торчком! Это после вчерашних развлечений, да?

— Ничего такого, с чем не могла бы справиться пинта кофе и переливание крови, — сказал Брендан. — Да и Пит, я надеюсь, тоже не в самом плохом состоянии?

Полин Уэббер усмехнулась, морща нос.

— По-моему, там потом была еще одна вечеринка, в «клубе».

— Да, до меня тоже дошли подобные слухи. По-моему, наши с Шэрон родственники из Корка решили познакомить Пита с достоинствами ирландского виски. Боже мой, что это на вас, миссис Уэббер? Это же настоящее произведение искусства!

На мой взгляд, шляпа миссис Уэббер скорее напоминала ворону-неудачницу, потерпевшую крушение при посадке и теперь выпачканную странной бирюзовой кровью. Но Полин Уэббер приняла комплимент Брендана как должное.

— Я постоянно заказываю шляпы у одного и того же мастера из Бата. Он завоевал массу наград. И, пожалуйста, Брендан, зовите меня Полин, иначе вы звучите как налоговый инспектор, пришедший с дурными новостями. Итак, цветок в петлицу — белый для гостей невесты, алый для гостей жениха.

— Ну, прямо война Алой и Белой Роз, — ввернул я.

— Нет, нет, — нахмурилась она, — это же гвоздики. Розы слишком колючие. А вы кто будете?

— Это наш Эд, — сказала Рут. — Эд Брубек. Муж Холли.

— Ах, тот самый неустрашимый репортер! *Очень приятно.* Полин Уэббер. — Пожатие ее затянутой в перчатку руки было поистине сокрушительным. — Я так много о вас слышала от Шэрон и Питера! Позвольте представить вас моему мужу. Остин просто... — Она повернулась, но мужа на месте не оказалось. — Ну, в общем, Остин просто умирает от желания с вами познакомиться. Мы очень рады, что вам удалось успеть на свадьбу. Вам ведь наверняка мешали и отложенные рейсы, и стрельба?

— Да. Из Ирака не так-то просто выбраться.

— Несомненно. Шэрон говорила, что вы были в этом ужасном месте... Фа...Фалуфа? Фалафель? Где они вешали людей на мосту?

— Фаллуджа.

— Я знала, что оно начинается на «Фа». Как все это отвратительно! И зачем *мы-то* вмешиваемся в подобные дела? — Она скорчила такую рожу, словно ей под нос сунули протухшую ветчину. — Вне стен родного дома все мы простые смертные. Но так или иначе... — она вручила мне белую гвоздику, — а вчера я познакомилась с Холли и вашей общей дочерью — Аоифе, не так ли? Такая *сладкая* детка! Так бы и съела ее прямо ложкой!

Я вспомнил разгневанного гоблина утром на пирсе и сказал:

— Ну, она не всегда бывает такой уж сладкой.

— Пиппа! Феликс! Там *живой младенец* в коляске!

Миссис Уэббер ринулась куда-то, а мы продолжили прогулку по нефу. Брендан без конца с кем-то здоровался, кому-то пожимал руки и изысканно целовался, чуть касаясь щекой — собрался весьма внушительный контингент разнообразных ирландских родственников, включая легендарную двоюродную бабушку Айлиш, которая в конце 60-х сумела на велосипеде проехать от Корка до Катманду. Я постепенно откочевал поближе к дверям. У входа в ризницу я заметил Холли в белом платье и рядом с ней — мужчину с красной гвоздикой в петлице; Холли весело смеялась какой-то его шутке, и я подумал, что когда-то и я мог заставить ее вот так смеяться. Этому парню она явно нравилась, и мне вдруг захотелось свернуть ему шею, но разве можно было его винить? Холли выглядела просто сногсшибательно. Я быстро прошел мимо. Жесткий воротник новой рубашки натер мне шею, а старый костюм стал несколько тесноват в талии, которая за эти дни временно располнела, но я знал, что вскоре опять похудею — вот только вернется прежний суровый режим, скудная диета и большие физические нагрузки.

— Привет, — сказал я. Холли принципиально не желала даже смотреть в мою сторону.

— Привет, — откликнулся этот парень. — Меня зовут Данкан. Данкан Прист. Моя тетя пометила вас белой гвоздикой, а значит, вы гость со стороны Шэрон, не так ли?

Мы пожали друг другу руки, и я спросил:

— Значит, вы племянник Полин?

— Да. И двоюродный брат Питера. А с Холли вы знакомы?

— Мы то и дело сталкиваемся друг с другом на свадьбах и похоронах, — невозмутимо сказала Холли. — В общем, на всяких утомительных семейных мероприятиях, которые страшно мешают стремительной карьере некоторых.

— Я — отец Аоифе, — сказал я Данкану Присту.

Вид у него был совершенно ошарашенный.

— *Тот самый* Эд? Эд Брубек? Ваша... — он посмотрел на Холли, — ...вторая половина? Как жаль, что вы вчера вечером пропустили мальчишник, который устраивал Пит!

— Увы! Но я постараюсь справиться с постигшим меня разочарованием.

Данкан Прист понял, что на мальчишник мне плевать, и с самым благодушным видом заметил:

— А в общем, вы правы. Ну, пойду проверю, как они там справляются.

— Вы должны простить Эда, Данкан, — сказала Холли. — Его жизнь до такой степени наполнена смыслом и приключениями, что ему позволено вести себя по-хамски со всеми нами, жалкими леммингами, рабами зарплаты, печальными офисными клонами. На самом деле мы должны быть благодарны, что он хотя бы иногда замечает, что мы все же существуем.

Данкан Прист улыбнулся ей — так улыбается хороший знакомый семьи в присутствии ребенка, который плохо себя ведет.

— Ну, приятно было с вами познакомиться, Холли. Желаю получить удовольствие от свадьбы и надеюсь, что мы еще увидимся на банкете.

Он повернулся и отошел от нас. Совершенно тошнотворный тип.

Мне не хотелось слушать эту предательницу на борту моего судна, которая, разумеется, тут же сказала, что это я «совершенно тошнотворный тип».

— Как это мило, — сказал я Холли. — Ты была образцом супружеской верности.

— Я тебя не слышу, Брубек, — с отвращением сказала она. — Тебя же здесь нет. Ты в Багдаде.

* * *

С одной стороны — американские «звезды и полосы», с другой — всеми проклинаемый новый флаг Ирака; генерал Майк Климт, стоявший между двумя флагами, стиснул в руке микрофон и обратился к представителям прессы, которые собрались в таком количестве и были настолько взвинчены, что я, пожалуй, видел нечто подобное только в декабре прошлого года, когда господин посланник Л. Пол Бремер-третий под громкие радостные крики объявил о поимке Саддама Хусейна. Мы надеялись, что посланник Бремер появится на публике и сегодня, но де-факто Великий Визирь Ирака уже успел создать пропасть между собой и СМИ, которые с каждым днем демонстрировали все более критическое к нему отношение и все реже вспоминали о событиях 11 сентября. Климт, глядя в шпаргалку, прочел: «Варварская жестокость, проявленная в Фаллудже 31 марта, идет вразрез с любыми нормами цивилизованных стран как в мирное, так и в военное время. Представители наших вооруженных сил не будут знать отдыха, пока те, кто совершил это ужасное преступление, не предстанут перед судом. Нашим врагам придется понять: решимость коалиции не только не была подорвана, но даже *укрепилась* после того, как было совершено это страшное злодеяние, ибо оно лишь доказывает, что злодеи в отчаянии, что они понимают: Ирак совершил решительный поворот, и будущее отныне принадлежит не автомату Калашникова, а урне для голосования. Именно поэтому президент Буш объявил о своей полной поддержке посланника Бремера и тех военных, которые командуют операцией «Бдительная решимость». Эта операция не позволит тем, кто хочет положить истории конец, терроризировать огромное большинство миролюбивых иракцев и поможет приблизить день, когда иракские матери смогут наконец разрешить своим детям играть на улице возле дома и будут столь же спокойны за них, как спокойны за своих детей американские матери. Спасибо за внимание».

— Я совершенно уверен, — пробормотал мне на ухо Биг Мак, — что генерал Климт никогда не был матерью в Детройте.

Когда Климт согласился ответить «на несколько вопросов», в зале сразу поднялся крик. Ларри Доулу из «Associated Press» удалось захватить инициативу, и он, преодолевая всеобщий гул, спросил:

— Генерал Климт, вы можете подтвердить или опровергнуть сведения, полученные в госпитале Фаллуджи и свидетельствующие о том, что за последнюю неделю были убиты шестьсот мирных жителей и более тысячи ранены?

Этот вопрос снова вызвал взрыв шума: США не ведут и, возможно, не могут вести список иракцев, убитых в перестрелках, так что подобный вопрос сам по себе уже означал критику их действий.

— Временные власти коалиции, — Климт, по-бычьи наклонив голову, посмотрел на Доула, — это не статистическое бюро. Мы должны осуществлять борьбу с повстанцами. Но я вот что скажу: чья бы невинная кровь ни была пролита в Фаллудже, она на руках инсургентов, а не на наших руках. И если мы порой и совершаем случайную ошибку, то всегда выплачиваем компенсацию.

По поводу этих компенсаций я готовил специальный материал для «Spyglass»: эти кровавые выплаты снизились с двух с половиной тысяч до пятисот долларов за каждого убитого — меньше, чем стоимость билета на самолет для большинства жителей западных стран, — а что касалось написанных по-английски и *не переведенных* на арабский правил получения этой жалкой компенсации и бесконечных бланков, которые нужно было заполнить, то для подавляющего большинства иракцев эти тексты были все равно что язык марсиан.

— Генерал Климт, — спросил немецкий репортер, — у вас достаточно войск, чтобы осуществить оккупацию, или же вы будете просить министра обороны Рамсфелда[1] направить сюда дополнительные батальоны для подавления обширных очагов сопротивления, которые возникают по всей территории Ирака?

Генерал отогнал от себя муху.

— Во-первых, мне не нравится слово «оккупация»: мы участвует в реконструкции. Во-вторых, где они, эти «обширные очаги сопротивления»? Вы их собственными глазами видели? Вы сами бывали в тех местах?

— Сейчас слишком опасно ездить по шоссе, генерал, — сказал немец. — Вот *вы* когда в последний раз ездили на машине по провинциям?

— Если бы *я* был журналистом, — Климт криво усмехнулся, — я бы не стал так неосторожно смешивать слухи с реальностью. *На самом деле* в Ираке стало значительно безопаснее. Все. Еще один последний вопрос, и я...

— Я хотел спросить, генерал, — ветеран «Washington Post» Дон Гросс успел вклиниться первым, — не считают ли CPA плодом собственного воображения оружие массового поражения, якобы имевшееся у Саддама Хусейна?

— Вы опять за свое! Пора забыть этот старый анекдот. — Климт побарабанил пальцами по краю кафедры. — Послушайте, Саддам Хусейн зверски убил десятки тысяч людей, в том числе женщин и детей. Если бы мы не уничтожили этого арабского Гитлера, погибли бы еще десятки тысяч. На мой взгляд, тут как раз виновны пацифисты, которые не хотели ничего предпринимать против этого архитектора геноцида. Он лишь должен был понести наказание за свои преступления. Мы, возможно, никогда так и не узнаем, на

---

[1] Дональд Рамсфелд — министр обороны США в 1975—1977 и 2001—2006 годах.

какой стадии находилась его программа создания оружия массового поражения. Но для простых мирных иракцев, которые хотят счастливого будущего для своих детей, этот вопрос значения не имеет. Ну, хорошо, на этом мы, пожалуй, и завершим нашу встречу... — Со всех сторон сыпались еще вопросы, но бригадный генерал Майк Климт под бурное щелканье фотовспышек направился к выходу.

— Мораль сей басни *такова*, — сообщил я Биг Маку, от которого просто разило шоколадным печеньем с каннабисом и виски, — если действительно хочешь получить информацию, избегай «Зеленой зоны». — Я выключил диктофон и закрыл ноутбук. — Ладно, и так сойдет.

Биг Мак фыркнул:

— Для говностатьи «С места событий: официальная версия»? А ты, значит, все-таки хочешь попробовать пробраться на запад?

— Ну да, и Насер уже приготовил корзину для пикника — имбирное пиво и все такое.

— Похоже, ваш пикник будет сопровождаться фейерверками.

— Насер знает несколько объездных дорог, по которым можно вернуться. А что мне еще остается? Перепечатать пастеризованную подачку нашего славного воина Климта, надеясь, что эту чушь примут за журналистское расследование? Или попытаться сделать так, чтобы «Spyglass» снова внесли в список одобренных изданий и официально разрешили мне часов шесть поездить вокруг да около на бронированном «Хамви» и сварганить Олив еще один материальчик типа «Ирак глазами морского пехотинца»? С такими, например, яркими пассажами: «Летит!» — заорал стрелок, снаряд из РПГ рикошетом отскочил от брони, и все вокруг разнесло вдребезги»?

— Эй, так это же *моя* строчка! — заорал Биг Мак. — Но ты прав, я сегодня еду вместе с нашими доблестными воинами. Когда в тебе шесть футов четыре дюйма роста, сто восемьдесят фунтов веса и глаза у тебя голубые, как у Иисуса Христа, то пробраться в Фаллуджу ты сможешь только на бронированном «Хамви».

— Ладно, тогда кто первым вернется в гостиницу, тот и платит за пиво.

Биг Мак от души хлопнул меня по плечу; ручища у него была размером с заступ.

— Ты бы все-таки поосторожней, Брубек. В этом аду сгорали люди и покрепче тебя.

— Бездарное замечание насчет ада скорей имеет отношение к контрактникам из «Блэкуотер».

Биг Мак сунул в рот пластинку жвачки, отвернулся и буркнул:

— Может, и так.

* * *

— Прежде чем Шэрон и Питер завяжут узел, я бы хотел, чтобы все мы немного подумали о той жизни, которую они собираются начать вместе... — Преподобная Одри Уиверз хитро улыбнулась. — О том, что это, в сущности, *такое* — брак? Можно ли объяснить его правила, скажем, иноземному антропологу? Это ведь значительно шире, чем просто набор правил совместного проживания. Это некое деяние, некое приложение усилий. А также некий обет, символ, подтверждение определенных устремлений. Это череда прожитых вместе лет и совокупный опыт. Это драгоценный сосуд интимной близости. Или, может быть, наилучшим образом брак определяет старая шутка: «Если любовь — это зачарованный сон, то брак — это будильник»? — Большинство прихожан-мужчин засмеялись, но на них тут же зашикали. — Возможно, браку так трудно дать конкретное определение, потому что существует множество его форм и размеров. Формы брака весьма различны в разных культурах, у разных племен и народов, в разные века и даже в разные десятилетия; одним поколением брак воспринимается иначе, чем другим, и — как мог бы добавить наш инопланетный исследователь — на разных планетах существует еще множество неведомых нам форм брака. Браки могут быть династическими или соответствовать обычному праву, быть тайными или вынужденными, по договоренности или по любви, как в случае наших Шэрон и Питера... — она лучезарно улыбнулась невесте в свадебном платье и жениху в строгом костюме, — когда вся дальнейшая жизнь супругов основана на взаимном уважении и нежной заботе. На пути любого брака могут — так, собственно, очень часто и бывает — встретиться и каменистые тропы, и пропасти, и мирные спокойные долины. Даже в течение одного лишь дня брак может с утра грозить штормом, а к вечеру вновь успокоиться, и небо над супругами вновь станет голубым и мирным...

Аоифе в чудесном розовом наряде подружки невесты сидела в первом ряду рядом с Холли. Ей предстояло поднести невесте и жениху поднос, где на бархате лежали два обручальных кольца, и она обеими ручонками сжимала края этого подноса. Ей-богу, стоило посмотреть на них обеих! Примерно через два месяца после нашего «нортумбрийского периода» я звонил Холли из телефонной будки в аэропорту Шарля де Голля, кидая в щель автомата еще ходившие тогда франки. Я возвращался из Конго, где делал большой материал о Господней армии сопротивления[1], о ее юных солдатах, почти детях, и ее сексуальных рабынях. Холли сразу взяла трубку. Я сказал:

---

[1] Господня армия сопротивления (ЛРА, или LRA, Lord's Resistance Army) — угандийская националистическая повстанческая группировка.

«Привет, это я», а Холли сказала: «Ага, привет, папочка». — «Я не твой папочка, я — Эд!» — «Я знаю, идиот, просто я беременна». И тогда я подумал: *Нет, к такому я еще не готов*, но вслух сказал: «Это просто фантастика!»

— По поводу брака, — продолжала между тем преподобная Одри Уиверз, — Иисус сделал только одно прямое замечание: «То, что соединил Господь, ни один человек разрушить не сможет». Теологи веками спорили о том, что это означает, но нам полезно учитывать и действия Иисуса, а не только его слова. Многие из нас знают историю брака в Кане; ее цитируют почти во всех христианских брачных клятвах, в том числе и в сегодняшних. Пир в Кане готов был завершиться, поскольку вино уже было выпито до капли, и Мария попросила Иисуса спасти праздник, и даже Он, Сын Божий, не смог отказать решительно настроенной матери и велел слугам наполнить винные кувшины водой. Когда же слуги наполнили кувшины, то из них стало изливаться вино, а не вода. И не какое-нибудь посредственное, а первосортное, выдержанное. И распорядитель пира сказал жениху: «Всякий человек подает сперва хорошее вино, а когда напьются, тогда худшее; а ты хорошее вино сберег доселе»[1]. Как по-человечески поступил Сын Божий, явив свое первое чудо — он не стал демонстрировать свое умение воскрешать мертвых, или исцелять от проказы, или ходить по воде; он проявил себя как добрый сын и верный друг. — Преподобная Одри смотрела поверх наших голов, словно перед ней был экран домашнего кинотеатра, и на нем показывали видеофильм прямиком из Каны Галилейской. — Я полагаю, что, *если бы* Богу было не все равно, какие размеры и формы следует иметь людским бракам, Он бы оставил нам на сей счет ясные наставления в Святом Писании. А потому, мне кажется, Господь пожелал доверить нам, людям, самим разбирать то, что напечатано мелким шрифтом.

Брендан сидел рядом со мной. Почувствовав, что его телефон с выключенным звуком вибрирует, он сунул руку в карман пиджака, но его остановил яростный взгляд Кэт, сидевшей напротив.

— Шэрон и Питер, — продолжала пасторша, — сами написали свои брачные клятвы. Признаюсь, я большая поклонница обетов, которые составлены самими дающими клятву верности. Для этого им пришлось сесть рядом, и каждый высказался сам и выслушал другого; оба они *услышали* и то, что *было* сказано вслух, и то, что *не было*, а ведь именно в молчании зачастую и кроется истина. Отчасти им, наверное, пришлось пойти на компромисс — а это умение не только святое, но и вполне практическое. Но викарий — это отнюдь

---

[1] Брак в Кане Галилейской и первое чудо; Иоанн 2:1—12.

не предсказатель судьбы, — я заметил, как при слове «предсказатель» Аоифе навострила уши, — я не могу предвидеть, что принесут Шэрон и Питеру те годы, что ждут их впереди, но любой брак может и должен развиваться, эволюционировать. Не тревожьтесь понапрасну и не отталкивайте сразу возможные перемены. Будьте неизменно терпеливы и добры друг с другом. Жизнь долгая, и порой принесенная вами бутылка с горячей водой студеным зимним вечером — хотя вас об этом, возможно, и не просили — будет иметь куда большее значение, чем некий яркий и экстравагантный поступок. Не забывайте вслух выразить свою благодарность — особенно за то, что обычно воспринимается как само собой разумеющееся. Определяйте суть проблемы сразу, как только она возникла, и помните, что гнев сжигает душу. И если когда-нибудь ты, Питер, почувствуешь, что вел себя как осел, — жених застенчиво улыбнулся и потупился, — вспомни о том, что искреннее извинение никогда не унизит того, кто просит его простить. Ошибки и неправильные повороты лишь учат нас в дальнейшем правильно выбирать свой путь.

Какую оценку, думал я, получили бы мы с Холли в оценочной таблице, созданной преподобной Одри Уиверз? Тройку с плюсом? Двойку с минусом?

— А когда начнется та часть свадьбы, во время которой дядя Питер *поцелует* свою невесту? — послышался чей-то детский голосок.

Все рассмеялись, а преподобная Одри Уиверз воскликнула:

— Прекрасная идея! — Она и впрямь выглядела как человек, которому очень нравится его работа. — Так, может, сразу и перейдем к этой, самой лучшей, части свадебной церемонии?

* * *

Насер вел свой невероятный автомобиль — полу-«Короллу» — полу-«Фиат-5». Азиз сидел на пассажирском сиденье рядом с водителем, сунув под ноги камеру, завернутую в одеяло, а я скорчился на заднем сиденье, прячась за рекламой химчистки, готовый в любой момент нырнуть на пол под груду коробок с памперсами и детским питанием. Западным, равнинным, пригородам Багдада, казалось, не будет конца; они непрерывно тянулись вдоль четырехполосного шоссе, ведущего в Фаллуджу. Через пару миль многоквартирные дома уступили место аккуратным и богатым домам среднего класса, построенным в 1970-х: белые оштукатуренные стены, плоские крыши, высокие глухие ограды и стальные ворота. Затем мы несколько миль ехали мимо довольно убогих двухэтажных шлакоблочных строений, в нижних этажах которых были расположены магазины или мастерские, а наверху — жилые помещения. Все это напоминало повторяющиеся кадры примитивного дешевого мультфильма. Мы миновали несколько бензоколонок, возле которых выстроились длиннющие очереди из сотен автомобилей. Похоже, водителям придется ждать там весь день. Был еще только апрель, но солнце жарило куда сильней, чем самым жарким днем в наших северных широтах. Безработные мужчины всех возрастов, одетые в местные балахоны, собирались вместе, стояли, курили и неторопливо беседовали. Женщины в хиджабах или в длинных, до полу, паранджах шли мимо маленькими группками, неся пластиковые пакеты с овощами, и я вдруг подумал о том, как удивительно быстро, буквально с каждой неделей, иракцы становятся все более похожими на иранцев. Ребятишки возраста Аоифе играли в войну: повстанцы против американцев. Насер вставил в плеер кассету, из крошечных динамиков полилась какая-то арабская мелодия, и женщина запела так, что я оказался совершенно не готов отнестись к этому без душевного трепета; песня, должно быть, была классическая, потому что и Насер, и Азиз тут же принялись подпевать. Во время инструментального проигрыша я спросил у Насера — мне пришлось практически орать, чтобы перекричать рев мотора и чересчур громкую музыку, — о чем поет эта женщина.

— Об одной девушке, — проорал мне в ответ мой помощник. — Мужчина, которого она любит, уходит в Иран, сражаться на войне. Но он так долго не возвращается — а девушка *очень* красивая, — что другой мужчина говорит ей: «Эй, милая, у меня есть деньги, у меня есть большой дом, у меня *все* есть, выйдешь за меня?» Но девушка отвечает ему: «Нет, я буду тысячу лет ждать моего солдата». Конечно, эта песня очень... Как вы говорите?.. Как если бы в нее положили слишком много сахара... Я забыл слово... санти-мантл?

— Сентиментальная.

— *О-очень* сентиментальная! Моя жена, например, говорит, что девушка из этой песни совсем сумасшедшая! Если она не выйдет замуж, что с ней будет? Мертвые солдаты не могут присылать деньги! Она же с голоду умрет! Только мужчина может писать такие глупые песни, говорит моя жена. А я ей отвечаю: «Ах, нет...» — Насер отмахнулся. — Эта песня трогает мою душу. — Он ткнул большим пальцем себе в грудь. — Понимаешь, любовь сильней, чем смерть! — Он повернулся ко мне: — Ты об этом знаешь?

* * *

Ивано дель Пио из «Sidney Morning Herald», уезжая из Багдада, посоветовал мне взять в помощники Насера и оказался прав: Насер был одним из лучших среди тех, с кем мне когда-либо приходилось

284

иметь дело. До вторжения он работал на радио и достиг довольно высокого руководящего поста, так что ему пришлось даже вступить в Баас[1]. У него был хороший дом, и он вполне мог содержать свою жену и троих детей даже в обществе, которое было истощено бесконечными санкциями США и ООН. Но после вторжения Насер с трудом зарабатывал на хлеб, помогая иностранным корреспондентам. При режиме Саддама официальные посредники были командой весьма ненадежной и изворотливой; им платили за то, что они скармливали иностранцам информацию, угодную Саддаму, и сообщали секретным службам о каждом иракце, имевшем глупость рассказать хоть что-то правдивое о жизни в стране. Насер, впрочем, обладал и журналистским нюхом, и острым глазом, и я, сдавая свои лучшие материалы в «Spyglass», почти всегда настаивал, чтобы ему выплатили и аванс, и гонорар как моему соавтору. Он, правда, никогда не пользовался своим настоящим именем, опасаясь, что кто-нибудь из его врагов сообщит о нем любой из нескольких десятков групп повстанцев, объявив его коллаборационистом. Фотограф Азиз раньше был коллегой Насера, но его английский, к сожалению, был столь же плох, как и мой арабский, так что мне не удалось узнать его так же хорошо, как своего верного помощника. Азиз, впрочем, отлично знал свое ремесло и был осторожен, ловок и храбр, охотясь за удачным кадром. Фотография в Ираке — опасное хобби: полиция запросто может решить, что ты — террорист-самоубийца.

Мы проезжали мимо осыпающихся стен, разбитых витрин, разграбленных магазинов.

«Если тебе удастся его сломить, — предупреждал Буша Колин Пауэлл[2] в той речи, которая стала известна как анекдот о посудной лавке, — ты станешь его хозяином...»

Целые семьи оборванных грязных людей рылись в огромных кучах мусора.

«...гордым хозяином двадцати пяти миллионов человек...»

Вдоль дороги тянулись уличные столбы с оборванными проводами; большая их часть опасно накренилась, некоторые и вовсе упали.

«...ты будешь владеть всеми их надеждами, помыслами, проблемами...»

Мы проехали мимо огороженной обломками довольно глубокой воронки — последствия атаки иракских инсургентов. И наткнулись на КПП иракской полиции. Это стоило нам сорока минут, хотя

---

[1] Партия арабского социалистического возрождения, создана в 1954 году, правившая при Саддаме Хусейне.

[2] Колин Пауэлл (р. 1937) — генерал Вооруженных сил США, государственный секретарь США (2001—2005).

официальные полицейские вроде бы не должны были особенно трясти иностранного журналиста. И все же мы трое испытали большое облегчение, потому что они, похоже, так и не поняли, что я иностранец. Машина Насера имела совершенно жуткий вид даже по иракским меркам, но это в известной степени служило отличным камуфляжем. Как может уважающий себя иностранец, агент секретной службы или джихадист ездить на таком дерьме?

Чем дальше на запад, тем опаснее становилось наше путешествие. Эту местность Насер знал гораздо хуже, и на обочинах обоих шоссе — и Абу-Грейб-хайвэй, и N-10 — наверняка было полно взрывных устройств. Основной целью, разумеется, служили американские конвои, но и нам приходилось постоянно быть настороже, поскольку любая мертвая собака, любая картонная коробка или жестянка могли скрывать достаточно взрывчатки, чтобы даже бронированный «Хамви» взлетел на воздух. Кроме того, существовала опасность, что нас похитят и сделают заложниками. Мои темные волосы, борода и карие глаза, а также местный прикид позволяли мне на первый взгляд сойти за светлокожего иракца, но уже после пары вопросов примитивный арабский выдавал во мне иностранца. У меня, правда, имелся фальшивый боснийский паспорт — только этим я, якобы мусульманин, мог объяснять свое плохое знание арабского; однако подобные уловки были весьма рискованны и далеко не всегда сходили с рук; вряд ли шайку убийц можно убедить с помощью поддельного паспорта и довольно нелепых оправданий. А если можно, то это не шайка убийц. Вообще-то, боснийцы не являлись таким уж перспективным объектом для похищения с целью выкупа, но таковым не являлись и сотрудники японской неправительственной организации, которых похитили буквально две недели назад. Зато если бы похитителям удалось обнаружить мое журналистское удостоверение, моя цена сразу значительно возросла бы, и меня продали бы сторонникам «Аль-Каиды» как шпиона, которых деньги интересовали куда меньше, чем снятое на видео «признание» вины и последующее обезглавливание. Примерно на середине пути от Багдада до Фаллуджи находился город Абу-Грейб, известный своими, ныне практически разрушенными, предприятиями, финиковыми пальмами и огромным тюремным комплексом, где враги Саддама или те, кого он считал своими потенциальными врагами, существовали в нечеловеческих, куда хуже средневековых, условиях и подвергались чудовищным пыткам. Правда, Биг Мак не раз слышал, что и при коалиции мало что изменилось. Мы проехали мимо тюремной стены — она высилась слева от нас, высокая, хорошо укрепленная, длиной, наверное, с километр. Насер перевел мне лозунг, висевший на стене здания, практически уничтоженного бомбой: *Мы будем стучаться в ворота рая черепами американцев.* Вот было бы убойное начало для статьи! Или, скажем, финальная фраза. Я записал лозунг в свой ноутбук.

Напротив мечети Насер съехал на обочину, давая дорогу американскому конвою, выехавшему на шоссе. Азиз сделал несколько снимков из машины, но вылезти наружу не осмелился: нервному стрелку телеобъектив легко может показаться слишком похожим на РПГ. Я насчитал двадцать пять машин, и все они направлялись в Фаллуджу; у меня даже мелькнула мысль: а что, если Биг Мак, потея обширной задницей, сейчас трясется в одном из этих «Хамви»? Вдруг Азиз что-то тихо сказал по-арабски, и Насер предупредил меня: «Эд, беда!» Со стороны низеньких строений, стоявших рядом с мечетью, к нам решительно направлялись с полдюжины мужчин.

— Поехали быстрей! — сказал я.

Насер повернул ключ в замке зажигания.

Ни звука.

Он снова повернул ключ.

И снова ни звука.

Три секунды, чтобы решить, то ли пытаться блефовать, то ли спрятаться, то ли...

Я скользнул под упаковки памперсов и молочной смеси буквально за несколько секунд до того, как к нам подошел какой-то человек и, наклонившись к водительскому окошку, обменялся приветствиями с Насером и спросил, куда мы направляемся. Насер сказал, что они с двоюродным братом везут в Фаллуджу кое-какие припасы. Следующим вопросом было:

— А вы приверженцы сунны или ши'а?[1]

Опасный вопрос: до вторжения я редко его слышал.

— Пока горит Фаллуджа, все мы просто иракцы, — ответил Насер.

Я всегда говорил, что Насер — молодец! Раздался еще чей-то голос — просили сигарету.

Последовало недолгое молчание, затем тот, первый, спросил, что за припасы мы везем.

— Детское молочное питание, — сказал Азиз. — Для больниц. — А Насер рассказал, что его имам говорил, будто американские свиньи швыряли детское питание в сточные канавы, чтобы не дать иракским детям вырасти и стать джихадистами.

— У нас здесь тоже дети голодают, — намекнул первый незнакомец.

Азиз и Насер явно не нашли, что ему ответить, и он повторил:

— Я говорю, что у нас здесь тоже дети голодают.

---

[1] То есть сунниты или шииты.

Если бы они сейчас стали все вытаскивать из машины, меня бы мигом обнаружили — иностранца, да еще и на расстоянии плевка от знаменитой иракской тюрьмы! А то, что прятался, уже не давало мне возможности пустить в ход легенду о боснийском журналисте-мусульманине. Но тут снова заговорил Насер; голос его звучал вполне доброжелательно. Он сказал, что готов пожертвовать упаковку детского питания младенцам Абу-Грейб, а потом самым невинным тоном попросил об ответной услуге. Дело в том, объяснил он, что его развалюха не желает заводиться, и ему нужно, чтобы его толкнули.

Я не понял, что ему ответил тот тип. Когда дверца нашей полу-«Короллы» открылась, я понятия не имел, то ли они прицелились Насеру в голову, велели выйти из машины и сейчас начнут вытаскивать упаковки с детским питанием, то ли произошло нечто совсем другое. Переднее сиденье слегка сдвинули вперед, коробку, прикрывавшую мое лицо, кто-то приподнял...

... я увидел волосатую руку с китайским «Ролексом» и уплывающее вверх дно коробки. Я ждал окрика. Но тут водительское сиденье сдвинулось обратно, больше упаковок из машины не вынимали, затем послышался смех, машина просела, когда Насер плюхнулся на свое место, и все стали прощаться. Я чувствовал, как машину подталкивают сзади, как скрипят по гравию колеса, потом машина словно подпрыгнула — это заработал движок, — и Азиз, задыхаясь, пробормотал: «Я уж думал, мы покойники».

А я по-прежнему, скорчившись, лежал под коробками с детским питанием и старался не дышать.

Когда я вернусь домой, я больше никогда оттуда не уеду, думал я.

И еще: *Когда я вернусь домой, мне уже никогда в жизни не почувствовать себя настолько живым.*

* * *

— Итак, фокус-покус — снимаем обе семьи, — сказал лопоухий, как бигль, фотограф в гавайской рубашке. Церковное крыльцо было залито солнцем, а деревья покрыты молодой желтовато-зеленой листвой. А там, в Месопотамии, эти листья уже после одного дня выглядели бы так, словно их сунули в микроволновку; там растительность вынуждена оснащать себя броней и колючками, иначе ей не выжить. — Уэбберы налево, — суетился фотограф, — Сайксы направо, пожалуйста.

Полин Уэббер моментально, с четкой военной организованностью расставила свое семейство, как требовалось, а вот Сайксы не особенно спешили и довольно вяло собирались на ступенях крыльца. Холли озиралась в поисках Аоифе, которая как раз запасалась конфетти для грядущих сражений.

— Аоифе, пора фотографироваться, — сказала она девочке, и та мигом оказалась возле нее.

На меня ни та ни другая даже не взглянули, и я решил остаться там, где стоял, то есть за пределами кадра. Все члены семейств Сайксов и Уэбберов, интуитивно чувствуя связь между собой, мгновенно сгруппировались и встали, как от них требовалось. Но мы, будучи всего лишь родственниками по браку, прекрасно знали свое место.

— *Сойдитесь поплотнее*, пожалуйста, — попросил фотограф.

— Проснись, Эд! — Кэт Сайкс поманила меня к себе. — Ты тоже должен в этом участвовать.

Черт меня подтолкнул ответить:

— Похоже, у Холли на этот счет иное мнение. — И все же я подошел и встал между Кэт и Рут.

Холли, стоявшая в нижнем ряду, даже не обернулась, зато Аоифе, волосы которой были украшены цветами, посмотрела на меня и спросила:

— Пап, ты видел, как я подавала поднос с кольцами?

— По-моему, я ни разу в жизни не видел, чтобы кто-то подал поднос с кольцами так ловко и умело, как ты.

— *Папочка*, лесть тебе все равно не поможет! — заявила Аоифе, и все, кто это слышал, засмеялись, а она, страшно довольная, еще раз повторила ту же фразу.

Когда-то я надеялся, что если мы с Холли не поженимся официально, то нам, возможно, удастся избежать тех отвратительных сцен, которые устраивали мои мать с отцом до того, как отец получил свои двенадцать лет. Правда, мы с Холли не кричали и не швырялись предметами, но, можно сказать, *почти* делали это, только неким невидимым образом.

— Фокус-покус, — сказал фотограф. — Все на борту?

— А где наша прабабушка Айлиш? — спросила Аманда, старшая дочка Брендана.

— Для тебя двоюродная *прапра*бабушка Айлиш — чисто технически, — заметил Брендан.

— Да какая разница, пап? — Аманде было шестнадцать.

— Поскорей, пожалуйста, у нас *довольно сжатый* график! — объявила Полин Уэббер.

— Я видела, она беседовала с Одри, нашей викарессой!.. — И Аманда куда-то полетела.

Фотограф выпрямился, улыбка сползла с его лица. Я сказал своей так называемой невестке:

— Свадебная церемония получилась очень красивая, Шэрон.

— Спасибо, Эд. — Шэрон улыбнулась. — И с погодой тоже повезло.

— Да, и небо голубое, и солнышко светит с самого утра. Пусть у тебя всегда так будет.

Затем я повернулся к Питеру, пожал ему руку и спросил:

— Ну что, Пит, как тебе нравится быть мистером Сайксом?

Питер Уэббер улыбнулся, сочтя мой намек случайной оговоркой.

— Э-э-э... ты хочешь сказать, мистером Уэббером, Эд? И Шэрон теперь миссис Уэббер.

Выражение моего лица должно было бы подсказать ему: *Ты же только что женился на одной из Сайксов, приятель,* но он был слишком влюблен, чтобы что-то там читать по моему лицу. Ничего, еще поймет. В точности как понял это и я.

Холли вела себя так, словно меня вообще не было. Практиковалась, так сказать.

— Расступитесь, расступитесь, идет самая древняя представительница рода! — провозгласила Айлиш, двоюродная бабушка Холли, со своим раскатистым коркским акцентом, приближаясь к нам в сопровождении Аманды. — Одри — наша любимая викаресса — улетает на будущей неделе в Танзанию и спрашивала у меня кое-каких советов. Дай-ка, Кэт, я сюда протиснусь...

В итоге мне пришлось выйти в первый ряд, и я невольно оказался рядом с Холли, мечтая о возможности просто взять ее за руку и не чувствовать себя при этом полным, черт побери, кретином. Но я все-таки был кретином. А потому за руку ее так и не взял.

— По-моему, теперь все на месте и стоят, как вы просили, — сказала фотографу Полин Уэббер. — Наконец-то!

Какой-то ловкий роллер проскользнул мимо церкви. Боже, каким он выглядел свободным!

— Фокус-покус, сейчас вылетит птичка, — сказал фотограф. — Считаю до трех, и на счет три прошу всех сделать большую-пребольшую улыбку. Итак, один, два и... «Cheeeeeese!»

* * *

Приблизившись к разрушенной стене из шлакобетона, Азиз через отверстие в ней щелкнул какое-то семейство, спешившее через пустырь на север к поселению местной группы «Врачи за мир». Я сказал ему, что это просто готовая иллюстрация к арабским «Гроздьям гнева», и снимок, если он хорошо получится, можно было бы поместить прямо на обложку.

— Я принесу тебе завтра утром в гостиницу, когда проявлю. А если на обложку, — и Азиз выразительным жестом потер пальцы, — то мисс Олив больше заплатит?

— *Если* снимок возьмут, то конечно, — сказал я. — Только ты обязательно...

И тут буквально у нас над головой зарокотал вертолет, с земли взметнулись тучи песка и пыли. Мы с Азизом дружно пригнулись. «Кобра»? Странно. Из соседнего дома вынырнули ребятишки; они что-то кричали, показывая на поднятые вертолетом тучи пыли, а потом один из них символически швырнул ему вслед камень. Затем из дома выглянула женщина в хиджабе, с тревогой окликнула детей, метнула в нашу сторону враждебный взгляд и тут же исчезла за закрытой дверью. Мы уже подобрались настолько близко к Фаллудже, насколько это вообще было возможно — мы были практически на расстоянии посланного игроком в гольф мяча от «клеверного листка» на пересечении шоссе Абу-Грейб с шоссе № 10. На юг в раскаленном, как в духовке, дрожащем мареве тянулась вереница автомобилей с весьма раздраженными водителями; автомобили то и дело скапливались озерами у КПП, подъезд к которым всегда был блокирован морпехами и парочкой «Брэдли», которые практически можно было счесть мини-танками. Причем КПП, тот, что находился сразу за «клеверным листком», был с обеих сторон окружен земляным валом, созданным явно с помощью бульдозеров, поверх которого тянулась настоящая стена из земли и камня с колючей проволокой. Сегодня в Фаллуджу никого не пропускали, а оттуда выпускали только женщин и детей.

Слухи о передвижной больнице для беженцев, организованной несколькими врачами-иракцами, оказались правдой. Насер моментально оказался внутри и уже записывал интервью благодаря имевшемуся у него удостоверению журналиста «Аль-Джазиры», которое было в той же степени подлинным, что и мой боснийский паспорт. Мы с Азизом на какое-то время присоединились к нему. На сотню пациентов приходилось всего два врача и две сестры; в распоряжении у них были лишь подаренные им коробки с предметами первой медицинской помощи; кроватей не было вовсе; больные лежали на одеялах, постеленных прямо на пол в просторном помещении, некогда, видимо, являвшим собой изысканную гостиную. Карточный стол отлично сгодился в качестве операционного, но анестетиков не было и в помине. Большинство пациентов страдали от боли разной интенсивности; некоторые находились в агонии, а кое-кого из умерших даже не успели вынести. Моргом служила одна из внутренних комнат, где лежали шесть невостребованных тел. Там жужжало такое количество мух и стоял такой жуткий смрад, что даже рядом находиться было невыносимо. Несколько парней рыли в саду могилы. Медсестры пообещали распределить детское питание, а врачам больше всего были нужны болеутоляющее и бинты.

Пока Насер брал интервью, Азиз сделал несколько снимков. Меня представили как боснийского кузена Насера, тоже сотрудника «Аль-Джазиры», но неприязненное отношение к любым иностранцам чувствовалось здесь настолько сильно, что мы с Азизом вскоре ушли, решив подождать Насера в машине и дать ему возможность спокойно заниматься своим делом. Но машина так накалилась, что мы сели возле нее на край разбитого тротуара и выпили по полной бутылке воды. Даже весной в этой чертовой Месопотамии стояла такая жара, что можно сколько угодно пить с утра и до вечера и ни разу не испытать ни малейшей потребности помочиться. Было слышно, как чуть западнее, в Фаллудже, примерно в километре отсюда, идет перестрелка; каждые несколько минут раздавались довольно сильные взрывы. В воздухе стояла вонь горящих покрышек.

Азиз отнес камеру в машину и вернулся с сигаретами. Он протянул пачку мне, но я еще не успел докурить свою сигарету, так что он прикурил у меня и сказал:

— Буша я понимаю. Буш-отец ненавидел Саддама. Потом еще эти башни-близнецы — естественно, ему хотелось отомстить. Америке нужно много нефти, у Ирака есть нефть, так что нефть Буш получил. А друзья Буша получили деньги. «Халлибертон», снабжение, оружие — много денег. Плохая цель, но я понимаю. А вот почему твоя страна, Эд? Что здесь нужно Британии? Британия тратит здесь много-много долларов, Британия теряет здесь сотни людей — во имя чего, Эд? Я не понимаю. Когда-то давно люди говорили: «Британия — это хорошо, Британия — это джентльмен». Теперь люди говорят: «Британия — американская шлюха». Почему? Я хочу понять.

Я судорожно пытался подобрать подходящий ответ. Неужели Тони Блэр действительно поверил, что у Саддама Хусейна есть ракеты, способные уничтожить Лондон в течение сорока пяти минут? Неужели он действительно поверил в фантастическую идею насаждения на Среднем Востоке либеральной демократии и в возможность спокойно наблюдать за тем, как эта демократия там будет распространяться? Я уныло пожал плечами:

— Кто его знает...

— Аллах знает! — твердо заявил Азиз. — Блэр знает. Жена Блэра знает.

Господи, да я бы отдал год жизни за то, чтобы заглянуть в мысли нашего премьер-министра! Даже, может, три года! Он ведь умный человек. Об этом свидетельствуют, например, его ловкие увертки во время интервью. Неужели он не думает, глядя на себя в зеркало: *Ох, Тони, а ведь этот проклятый Ирак совсем разгромлен, и все там теперь вверх тормашками — так зачем же, зачем ты слушал Джорджа Буша?*

Прямо над нами крутился беспилотник. Почти наверняка — с вооружением на борту. Я подумал о том, кто им управляет, и представил себе стриженного ежиком девятнадцатилетнего юношу-оператора по имени Райан где-нибудь на базе в Далласе, который, посасывая через соломинку ледяное фрапучино, вполне способен сейчас выпустить из этого беспилотника ракету и уничтожить всех, кто находится и в самой больнице, и рядом с ней, а сам даже запаха горелого мяса не почувствует. Для этого «рядового Райана» и больница, и мы — это всего лишь пиксельные точки на экране, которые под воздействием высокой температуры слегка дергаются, превращаясь из желтых в красные, а затем в голубые.

Потом беспилотник улетел, и я заметил, как белый грузовик-фургон на большой скорости взбирается сюда по грязной разбитой дороге от пропускного пункта. У дверей больницы грузовик резко затормозил, и водитель — голова его была обернута окровавленной *куфией* — выпрыгнул из кабины и бросился к дверце пассажирского сиденья. Мы с Азизом подошли поближе, чтобы ему помочь. Шофер, примерно моих лет, вытащил из машины что-то завернутое в простыню. Он попытался сделать несколько шагов, но споткнулся о шлакоблок и упал, прижимая сверток к груди. Мы помогли ему встать, и я увидел, что на руках у него — мальчик лет пяти или шести. Ребенок был без сознания, лицо его покрывала мертвенная бледность, а из уголка рта ручейком стекала кровь. Мужчина, лихорадочно сверкнув глазами, выпалил пулеметную очередь арабских слов, из которых я понял только слово «доктор», и Азиз повел его в больницу. Я последовал за ними в то просторное помещение, которое когда-то служило гостиной. Там медсестра пощупала мальчику пульс, но ничего не сказала и позвала одного из врачей, возившегося с пациентом в дальнем углу. Он что-то крикнул ей в ответ, но к нам не подошел. Когда мои глаза привыкли к полумраку, царившему в доме, я увидел Насера, который разговаривал с каким-то стариком со странным, ничего не выражавшим лицом; на нем была потрепанная куртка, и он все время обмахивался веером. Затем возле меня вдруг оказался какой-то человек с тихим, вкрадчивым голосом — от него даже здесь отчетливо пахло кремом после бритья — и принялся задавать мне какие-то сложные вопросы на диалекте; мне показалось, что в этих вопросах таится угроза, но я сумел разобрать только слова «Босния», «Америка» и «убить». Свою пылкую речь он завершил красноречивым жестом, проведя пальцем по горлу и как бы перерезая его. Я то ли кивнул, то ли покачал головой, надеясь внушить ему ту мысль, что вообще-то я его понял, но все эти вопросы слишком сложны, чтобы я мог немедленно на них ответить. Затем я повернулся и пошел прочь. Но тут же совершил глупость:

оглянулся — и зря, потому что этот тип пристально смотрел мне вслед. Азиз вышел следом, и когда мы снова присели на тротуар под прикрытием своей полу-«Короллы», он сказал:

— Он из милиции. Он тебя испытывал.

— И что, прошел я испытание?

Азиз не ответил. Немного помолчав, он сказал:

— Я — за Насером. Если тот человек придет, прячься. Если придут люди с оружием... тогда прощай, Эд.

И Азиз поспешил назад, в больницу. Местность вокруг была совершенно открытая, какой-то пустырь, на котором совершенно негде было укрыться. Но в отличие от предыдущей встречи возле мечети, когда меня чуть не взяли в плен, сейчас у меня было время подумать. И я стал думать об Аоифе, о том, как она сидит в классе у миссис Ваз, учительницы начальной школы Стоук-Ньюингтон, и поет «Somewhere over the Rainbow». Потом я подумал о Холли — как она в убежище для бездомных неподалеку от Трафальгарской площади помогает какому-нибудь сбежавшему из дома ребенку заполнить бланк социального обеспечения.

Но человек, вышедший из дверей больницы шагах в двадцати от меня, оказался не Азизом, не Насером и не каким-нибудь воинственным исламистом, размахивающим автоматом Калашникова образца 1947 года. Это был водитель того белого грузового фургона, отец раненого мальчика. Он смотрел куда-то вдаль, мимо своей машины, в сторону Фаллуджи, где вертолеты — так-так-так! — строчили из пулеметов по толпе в четверть миллиона людей.

А потом рухнул на землю и зарыдал.

* * *

— Вот я тебя где поймал! — Дэйв Сайкс вошел в мужской туалет гостиницы «Маритим», когда я уже мыл руки, думая о том, какой драгоценностью является вода в Ираке. Оркестр в банкетном зале наяривал джазовую версию «Lady in Red» Криса де Бурга. Дэйв огляделся в просторном гулком пространстве. — Да тут можно состязания по гольфу устраивать!

— И весьма элегантные, — сказал я. — Пол тут из настоящего мрамора.

— Классное местечко! В самый раз для мафиозных разборок. А в пяти кабинках можно поставить пятерых пулеметчиков.

— Хотя, пожалуй, в день свадьбы вашей родной дочери не стоит.

— Да, пожалуй, действительно не стоит. — Дэйв подошел к писсуару и расстегнул молнию на брюках. — Помнишь сортир в «Капитане Марло»?

294

— Вспоминаю с любовью, как ни странно это звучит. Там, помнится, было замечательное граффити. Не то чтобы я сам когда-нибудь вносил свой вклад в украшательство тамошних стен, но все же...

— У нас в «Капитане Марло» было самое замечательное граффити во всем Грейвзенде! Кэт постоянно заставляла меня замазывать стены краской, но через пару недель та же надпись или рисунок появлялись снова.

Сидевший у меня внутри журналюга, разумеется, не мог не спросить:

— А вы по той жизни не скучаете? Когда были хозяином заведения?

— Отчасти скучаю, конечно. Особенно по некоторым нашим завсегдатаям. Хотя и не могу сказать, что скучаю по той адской работе — ведь приходилось крутиться с утра до ночи — или по дракам. Или по налогам и бесконечной бумажной возне. Но тот старый паб служил нам домом целых сорок лет, и было бы странно, если б я о нем даже не вспоминал. Там и ребята наши выросли. А вот съездить туда и просто посмотреть на него я не могу. Я этого просто не вынесу. Его ведь переименовали: он теперь «Пурпурная черепаха». Боже мой! И в нем полно всяких яппи, которые из рук не выпускают свои пижонские мобильники. А наверху все наши комнаты превращены в «административные помещения». А ты когда-нибудь ездишь в Грейвзенд?

— Нет. С тех пор как мама умерла, ни разу не был.

Дэйв застегнул молнию на брюках и пошел к раковине, стараясь ставить ступни точно одна перед другой — так ходят старики, которым неплохо бы расстаться с несколькими лишними фунтами веса. Возле раковины он осторожно качнул сосуд с жидкостью для мытья рук: густой пузырь моментально шлепнулся ему на ладонь.

— Ты только посмотри! День ото дня жизнь все больше похожа на какой-то фантастический роман. И дело не только в том, что ты стареешь, а дети твои разлетелись из дома в разные стороны; дело в том, что мир стремится куда-то вперед, а сам ты страстно мечтаешь вернуться назад, в то десятилетие, которое было для тебя самым счастливым и комфортным. — Дэйв держал покрытые мыльной пеной руки под струей теплой воды, и вода все текла и текла. — Знаешь, Эд, радуйся Аоифе, пока можешь, пока она еще маленькая. Ведь как оно бывает: только что ты носил своего милого сорванца на плече, а уже в следующее мгновение его точно ветром сдуло, и только тут ты начинаешь понимать то, о чем все время лишь подозревал: как бы ты ни любил своих детей, они даны тебе лишь на время, как бы взаймы.

— Больше всего я боюсь того момента, когда у Аоифе появится первый бойфренд, — сказал я.

Дэйв стряхнул воду с рук.

— О, это как раз не страшно. Все у вас будет хорошо.

Мне и моему болтливому языку вдруг захотелось напомнить Дэйву о Винни Костелло и о том, что предшествовало исчезновению Жако, но я тут же опомнился и быстренько сменил тему:

— Пит, по-моему, вполне приличный парень, верно?

— Да вроде бы. Знаешь, Шэрон всегда была разборчивой.

Я обнаружил, что ищу в лице Дэйва, отражающемся в зеркале, хотя бы малейшее намерение сказать «не то что Холли», но он вдруг посмотрел мне прямо в глаза и сказал:

— Не тревожься, Эд, у тебя все получится. Ты один из очень немногих знакомых мне людей, которым так же идет борода, как мне, и которые так же хорошо умеют за ней ухаживать.

— Спасибо. — Я сунул руки под сушилку, удивляясь собственным мыслям: неужели у меня все-таки хватит сил это сделать? Бросить Холли и Аоифе ради работы?

Какого черта Холли вынуждает меня делать подобный выбор!

Мне ведь хочется от нее только одного: чтобы она научилась делить меня с моей работой.

Как я делю Холли с ее работой. По-моему, это было бы справедливо.

— Для тебя, наверно, это было бы чересчур — взять и навсегда вернуться в Англию. Так ведь? — спросил Дэйв, бывший владелец паба, обладающий чрезвычайно развитой интуицией.

— Хм... да, именно так. При всех прочих равных.

— Ага. Значит, не все прочие могут быть равны между собой?

— «Spyglass» предложил мне продлить контракт до декабря.

Дэйв сочувственно вздохнул, втянув воздух сквозь зубы.

— Вечный вопрос. Долг против семьи. Ничего не могу тебе посоветовать, Эд. Разве что попытайся понять истинную цену и того, и другого. Я за свою жизнь знал немало людей, которым доктора говорили: «Вам скоро конец». И вот тут им приходилось решать, что для них важней в последние дни жизни. И если мне какой-нибудь врач-шарлатан скажет: «Тебе жить осталось всего Х недель», знаешь, что мне понадобится? Бар, сочувственное ухо и добрая выпивка, да покрепче. И я думаю, что ты не удивишься, если я честно тебе признаюсь: ни один из тех парней, которым врач вынес приговор, не сказал: «Ах, Дэйв, если бы я больше времени проводил на работе!»

— Так, может, они всю жизнь занимались чем-то не тем? — сказал я и тут же пожалел об этом, уж больно высокомерно и дерзко это прозвучало.

К сожалению, возможности как-то пояснить столь неудачное высказывание у меня не осталось: дверь в туалет распахнулась, и туда ворвались трое ирландских родственников Холли, смеясь над какой-то пьяной шуткой.

— Эд, дядя Дэйв, вот вы где! — заорал Ойзин. Степень его родства с Холли я так и не смог толком уразуметь. — Тетя Кэт велела нам вас обоих выследить, найти и вернуть назад живыми.

— Господи, О'Рейли! Чем теперь-то я виноват?

— Остынь, дядя Дэйв. Просто пора резать свадебный торт, только и всего.

* * *

На обратном пути в Багдад за руль сел Азиз, так что Насер смог спокойно рассказать мне о тех пациентах, которых он успел расспросить в больнице. Теперь, если учесть снимки, сделанные Азизом, у нас уже имелась основа для хорошего газетного материала. Однако, еще не успев въехать в Абу-Грейб, мы угодили в длиннющую пробку. Насер выскочил на обочину возле какого-то лотка и вернулся с кебабом и двумя неприятными новостями: чуть раньше неподалеку был атакован конвой с горючим, и теперь на шоссе — воронка тридцать футов в диаметре, из-за чего главная дорога на Багдад отчасти заблокирована, отсюда и эта пробка; а вторая новость заключалась в том, что над территорией какой-то местной фермы к юго-востоку от тюремного комплекса был сбит американский вертолет. Посовещавшись, мы решили, что стоит свернуть и найти место, где он упал. Мы быстренько сжевали куски волокнистой баранины — а может, козлятины, — и возле той мечети, где мы раньше чуть не попали в беду, Азиз свернул на юг. Как только тюремный комплекс оказался у нас за спиной, мы увидели высокий столб черного дыма, поднимавшийся из-за тамарисков, высаженных в качестве ветрозащитной полосы. Какой-то мальчишка, ехавший мимо на велосипеде, подтвердил: да, хвала Аллаху, там действительно сбит американский вертолет «Kiowa». Мальчишки в оккупированном Ираке знали обо всех видах оружия и военной техники столько же, сколько я знал о рыболовных снастях, мотоциклах и «Топ-40» лучших песен 80-х. Юный велосипедист, рассказывая о крушении вертолета, говорил «бум!» и смеялся. Он также сообщил Насеру, что полчаса назад прибыли морские пехотинцы и вынули из сбитого вертолета двух мертвых американцев, так что теперь, как он считает, вполне можно туда поехать и посмотреть.

Дорога вела нас по мостику через ирригационный канал в тамарисковую рощицу, а затем — в поле, заросшее сорняками. Дымящийся, почерневший «Kiowa» лежал на боку; его хвостовая секция валялась почти на противоположном конце поля.

— Ракета «земля—воздух», — предположил Насер, — причем угодила точно в середину. Как мечом разрубила.

Человек двадцать — мужчины и мальчишки — уже стояли вокруг рухнувшего вертолета. На дальнем краю поля виднелись фермерские постройки и брошенная техника. Азиз припарковался на обочине дороги, мы вылезли из машины и подошли ближе. Время было послеполуденное, и воздух так и звенел от гула насекомых. Азиз снимал на ходу, по мере приближения к сбитому вертолету. А я думал о погибших пилотах: что пронеслось у них в голове, когда они стремительно падали на землю? Какой-то старик в красной куфие спросил у Насера, не из газеты ли мы, и Насер сказал, что мы действительно сотрудники одной иорданской газеты и приехали сюда, чтобы опровергнуть лживые вымыслы американцев и их союзников. Потом Насер спросил у старика, видел ли он крушение вертолета своими глазами. Старик сказал, что ничего не видел и ничего не знает; он слышал только взрыв. Он, правда, заметил, как отсюда отъезжали какие-то люди, возможно, из Армии Махди[1], но был слишком далеко и не смог хорошо разглядеть, и потом, видите — он указал на свои глаза, — какие катаракты, все застилают.

— Видеть слишком много в Ираке вообще нельзя — за это вполне могут и убить.

Внезапно мы услышал рев армейских автомобилей, и толпа местных жителей тут же попыталась рассыпаться по полю, но ей это не удалось, и все мы снова собрались у сбитого вертолета. Уйти было невозможно: все выходы с поля были заблокированы двумя конвоями по четыре «Хамви» в каждом. Из машин высыпались морские пехотинцы в полном боевом снаряжении, целясь в нас из М16. Невесть откуда донесся рев: «Руки вверх! Над головой, чтобы я мог их видеть! *Все*, кто там сейчас стоит, черт побери, или, клянусь, вы злорадные долбаные Али-Бабы, трахающие свиней, я вас *в землю* вмажу!» Перевода не дали, но мы все и так поняли смысл сказанного.

«ВЫШЕ РУКИ!» — заорал второй морпех, замахиваясь винтовкой на мужчину в комбинезоне, заляпанном машинным маслом, похоже, автослесаря. Тот пролепетал: «Mafi mushkila, mafi mushkila», что означало «никаких проблем, никаких проблем», но морпех почему-то озверел, крикнул: «Ты мне не перечь, скотина!» — и ударил слесаря ногой в живот с такой силой, что, по-моему, у всех внутри

---

[1] Шиитские полувоенные формирования, созданные иракским радикальным шиитским лидером Муктадой ас-Садром в июне 2003 года.

екнуло от сочувствия к бедолаге; тот сразу скорчился, кашляя и задыхаясь.

— Выясните, кто хозяин этой фермы, — велел морпех переводчику, который прятал лицо под маской, как ниндзя.

Затем морпех сказал в переговорное устройство, что у них все под контролем, а переводчик стал расспрашивать старика в красной куфие, кто хозяин этой фермы.

Я не слышал ответа, потому что в этот момент какой-то чернокожий навалился на Азиза, грозно приговаривая: «Сувениры, да? На память, да? Твоя работа, да?» Хвала судьбе, какой-то гром среди ясного неба заглушил мой голос, когда этот чернокожий верзила с такой силой сдернул камеру с шеи Азиза, что порвался ремень; Азиз упал ничком, ударившись лицом о землю, и уже в следующее мгновение морпех опустился возле него на колени и приставил к его виску пистолет.

Я закричал: «Нет... остановитесь! Это мой фотограф! Он на меня работает!», но все тот же гром среди ясного неба заглушил эти слова, и я внезапно оказался на земле, и мощное, защищенное наколенником колено сдавило мне горло и трахею, и я, вжимаясь в грязь, подумал: *Они не поймут, что совершили ошибку, пока меня не прикончат*. А потом я понял: *Нет, они никогда не обнаружат никакой ошибки и попросту бросят меня в неглубокий кювет где-нибудь на окраине Багдада*.

* * *

— Почему они *такие неблагодарные*, Эд?

Аккуратный кусочек свадебного торта так и застыл у меня на полпути ко рту. Полин Уэббер обладала невероятно звучным, проникновенным голосом, да к тому же на меня уставились четверо Уэбберов и шестеро Сайксов вместе с Аоифе. Казалось, на меня смотрит даже ваза с оранжевыми лилиями. Но самое главное, я понятия не имел, кого Полин имеет в виду, поскольку уже несколько минут составлял в уме будущее электронное письмо в бухгалтерию корпорации — владельца «Spyglass». Я посмотрел на Холли, надеясь, что она мне подскажет или хотя бы намекнет, но она уставилась на меня пустыми глазами, и на лице у нее по-прежнему была маска несправедливо обиженной женщины. Хотя я уже не был так уверен, что это просто маска.

К счастью, на помощь мне пришел Ли, младший брат Питера и самый лучший из всех присутствующих: его «профессией», правда, была «борьба с утаиванием налогов», но это не мешало ему считаться экспертом в международных делах.

— Ирак при Саддаме был просто огромным концлагерем, где под землей скрывались массовые захоронения. В итоге мы с янки объединились, пришли туда, свергли их диктатора, как говорится, gratis, то есть совершенно бесплатно — и чем же они нам отплатили? Выступили против нас, тех, кто их освободил! Неблагодарность — вот что глубоко, *очень глубоко*, сидит в душе всех арабов. Они ненавидят не только наших ребят в военной форме: они ненавидят *любого* уроженца Запада, верно, Эд? Вспомним, например, того беднягу-репортера, которого они прикончили в прошлом году только за то, что он был американцем. Ситуация — *гротеск*!

— У тебя шпинат в зубах застрял, Ли, — сказал Питер. — Помолчи лучше.

Разумеется, Аоифе тут же спросила:

— Что значит «прикончили», папочка?

— А может, мы с тобой, — тут же предложила ей Холли, — сходим и посмотрим, чем там занимаются Лола и Аманда за столом для старших детей? По-моему, там есть кока-кола.

— Ты же всегда говоришь, что у тебя от кока-колы бессонница, мамочка.

— Да, но ты сегодня так хорошо исполнила роль подружки невесты, что вполне можно сделать и исключение. — И Холли незаметно увела Аоифе.

Ли, все еще ничего не понимая, спросил:

— Ну что, шпината больше нет?

— Шпината нет, — сказал Питер, — а вот бестактность так и осталась.

— Хм? *Ой...* — Ли покаянно усмехнулся. — Не обижайся, Эд. Наверно, я слишком налегал на старое вино.

Мне бы следовало сказать: «Ничего страшного, я вовсе не обижаюсь», но я лишь плечами пожал.

— Дело в том, — продолжил Ли с таким видом, словно наконец-то решил открыть всем правду, — что вторжение в Ирак было совершено во имя одной-единственной вещи: нефти.

Если бы я получал по десять фунтов каждый раз, когда это слышал, я бы уже мог купить Внешние Гебриды. Я положил вилку.

— Если вам нужна нефть той или иной страны, то ее полагается просто покупать. Как мы ее покупали у Ирака раньше.

— Зато посадить марионеточное правительство гораздо дешевле! — Ли даже язык мне показал, желая сказать этим, что нарочно меня поддразнивает. — Только представьте себе: какие выгодные условия, какие прибыльные контракты! Пальчики оближешь!

— Может, иракцам как раз это и не нравится, — сказал Остин Уэббер, отец Пита и Ли, банковский служащий на пенсии с унылым взглядом и невероятно большим выпуклым лбом, как у клинго-нов[1]. — Может, они не хотят быть чьими-то марионетками. Мне бы, например, подобная перспектива тоже не слишком понравилась.

— *Пожалуйста*, помолчите! Дайте наконец Эду ответить на мой вопрос! — возмутилась Полин. — У меня, кстати, возник еще один: почему иракская интервенция пошла чуть ли не вразрез с первоначальным сценарием?

Голова у меня гудела. После нашей с Холли ночной беседы и предъявленного ею ультиматума я почти не спал, а теперь еще и слишком много шампанского выпил.

— Потому что этот сценарий был написан не для Ирака как такового, а для некой фантазии на тему Ирака — такого Ирака, каким Рамсфелд, Райс[2], Буш *и все прочие* хотели бы его видеть или уже видели в своих мечтах, — сказал я. — А также — каким он якобы должен был стать согласно уверениям прикормленных ими «иракцев в изгнании». Начиная интервенцию, они рассчитывали найти там некое единое государство, каким была, например, Япония в 45-м году. А вместо этого столкнулись с непрерывно ведущейся гражданской войной между арабами-шиитами, составляющими большинство, арабами-суннитами, которых в Ираке меньшинство, и, с третьей стороны, курдами. Саддам Хусейн, суннит, навязал стране жестокий мир, но после того, как с Саддамом разделались, гражданская война разгорелась с новой силой, и теперь она... напоминает скорее извержение вулкана, а временная власть в лице коалиции окончательно запуталась. Когда тебя жестко контролируют со всех сторон, нейтралитет невозможен.

Оркестр на дальнем конце зала заиграл «The Birdie Song».

— Значит,— спросила Рут, — сунниты сражаются в Фаллудже, потому что хотят вернуть во власть лидера-суннита?

— Это одна из причин; но шииты в других местах сражаются, потому что хотят изгнать из своей страны иностранцев.

— Оккупация — это очень неприятно, — сказал Остин. — Я их хорошо понимаю. Но разве иракцы не способны понять, что теперь жизнь у них лучше, чем прежде?

— Два года назад, — сказал я, — практически каждый мужчина в Ираке — имел работу; хоть какую-то, но *работу*. Теперь у большинства работы нет. В стране работал водопровод, из кранов текла вода, в домах было электричество. Теперь нет ни воды, ни электричества.

---

[1] Вымышленная инопланетная цивилизация гуманоидов-воинов из научно-фантастических фильмов и сериалов «Стартрек».

[2] К о н д о л и з а   Р а й с (1954) — государственный секретарь США (2005—2009).

Два года назад бензин был вполне доступен. Теперь заправить машину практически невозможно. Работала канализация, на улицах были общественные туалеты. Теперь канализация не работает, и туалеты закрыты. Два года назад можно было отправить детей в школу, не опасаясь, что по дороге их похитят с целью выкупа. Теперь это невозможно. Два года назад Ирак скрипел по всем швам, это была надломленная, истерзанная санкциями страна, но он *жил*, он, если можно так выразиться, более-менее нормально функционировал. Теперь нет.

Какой-то похожий на араба официант налил мне кофе из серебряного кофейника, я поблагодарил его и задумался: а ведь наверняка этот парень, слушая наш разговор, думает про себя: «Хорошо этому типу болтать языком, сидя в своей уютной норе!»

Между тем Шэрон — эта девица, по-моему, была просто счастлива, что во время собственной свадьбы, за тортом, может с кем-то обсудить политику Запада на Ближнем Востоке, — спросила:

— И кого следует за это винить?

— А это будет полностью зависеть от того, кому именно вы адресуете данный вопрос.

— Мы же тебя спрашиваем, — сказал жених Питер.

Я попробовал кофе. Он был действительно хорош.

— В настоящее время правителем Ирака де-факто является некий приспешник Киссинджера Л. Пол Бремер III. Приняв этот пост, он принял и два эдикта, которые, собственно, и сформировали оккупацию. Согласно Эдикту номер один, любой член партии Баас, если он достиг определенного чина, должен быть уволен. Одним росчерком пера Бремер отправил в помойное ведро самых образованных слуг гражданского общества: научных работников, учителей, полицейских, инженеров, врачей — и заявил, что коалиция нуждается в незамедлительной перестройке всей страны. В один день пятьдесят тысяч иракских белых воротничков потеряли зарплату, пенсию и будущее; естественно, им сразу захотелось, чтобы оккупация как можно скорее потерпела неудачу. Эдиктом номер два Бремер расформировал иракскую армию, не обеспечив военных ни денежным довольствием, ни пенсиями — ничем. Таким образом, он породил триста семьдесят пять тысяч потенциальных инсургентов — людей, лишенных работы, вооруженных и обученных убивать. Легко, конечно, судить задним числом, но если ты считаешь себя вице-королем страны, оккупированной твоими войсками, то твоя прямая обязанность — хоть как-то предвидеть ближайшее будущее или хотя бы прислушаться к советам тех, кто его предвидит.

У Брендана зазвонил телефон, и он, чуть отвернувшись, сказал тихонько:

— Да, Джерри. Какие новости с Собачьего острова?

— Но если этот Бремер творит такие возмутительные вещи, — спросил Питер, распуская узел белого шелкового галстука, — то почему его до сих пор не отозвали?

— Дни Бремера, безусловно, сочтены, — я бросил в кофе кусочек сахара, — но буквально *каждый* в «Зеленой зоне», от президента до последнего клерка, имеет имущественный интерес в поддержании ублюдочного мнения о повстанцах как о крошечной группе фанатиков и о том, что необходимый для развития Ирака поворот уже пройден. «Зеленая зона», черт бы ее побрал, вообще очень похожа на дворец из сказки Андерсена «Новое платье короля»: там точно так же говорить правду считается предательством. И с теми, кто мыслит реалистически, там происходят всякие очень неприятные вещи.

— Но ведь правда, разумеется, становится очевидной, — сказала Шэрон, — когда люди выезжают за пределы «Зеленой зоны».

— Большая часть тех, кто живет в «Зеленой зоне», этого никогда не делают. Никогда. Разве что когда едут в аэропорт.

Если бы Остин Уэббер носил монокль, он бы у него выпал, так сильно он был потрясен:

— Но как же можно управлять страной, сидя в бункере, скажи мне ради бога?!

Я пожал плечами.

— Номинально. Время от времени. В состоянии полной неосведомленности и невежества.

— Но, по крайней мере, военные должны же знать, что там происходит? Ведь, в конце концов, именно по ним стреляют повстанцы, именно их машины они взрывают.

— Да, военные знают, Остин. И внутренняя борьба между фракцией Бремера и генералами уже приобрела весьма безжалостный характер; однако и сами военные зачастую действуют так, словно им тоже *хочется* радикализировать население. У моего фотографа Азиза был в Кербеле дядя, имевший сад в несколько акров и выращивавший оливки. Да, он *всего лишь* возделывал свой сад. Но в октябре прошлого года было совершено нападение на какой-то военный конвой, причем именно на том участке дороги, который проходит по его земле; и, естественно, коалиционные силы допросили местных жителей — а я знаю, как из них выбивают «сведения о бандитах», — и поскольку таких сведений они не получили, то приказали взводу морских пехотинцев срубить у него в саду все оливы до единой. Это должно было в будущем «побудить местных жителей более активно сотрудничать с властями». Представьте только, какое «сотрудничество» способен вызвать подобный акт вопиющего вандализма.

— Примерно так же действовали англичане в Ирландии в 1916-м, — заметил Ойзин О'Дауд, — повторяя бессмертную мантру всех мачо: «Сила — вот единственное, что способны понять туземцы». И они так часто повторяли эту заповедь, что и сами в нее поверили. И с этого момента они были приговорены.

— Но я тридцать лет регулярно ездил в Штаты, — возразил Остин, — и те американцы, которых я хорошо знаю, — это мудрые, способные к состраданию, достойные люди, с которыми общаться одно удовольствие. Я просто не понимаю, как такое могло случиться!

— Подозреваю, Остин, — сказал я, — что те американцы, с которыми вы встречаетесь в банковском мире, — это не выпускники военной академии в Небраске, чей лучший друг был застрелен улыбающимся иракским подростком с пакетом яблок. Тем самым подростком, отца которого на прошлой неделе разнес в клочья стрелок из проезжавшего мимо «Хамви», хотя тот всего лишь прилаживал телевизионную антенну. А лучший друг этого стрелка за день до этого получил в шею разрывную пулю, выпущенную снайпером с крыши соседнего дома. А у этого снайпера накануне погибла сестра — машина, в которой она ехала, остановилась на перекрестке, пропуская конвой военного атташе, и охрана на всякий случай буквально изрешетила эту несчастную машину из автоматов; охрана понимала: если они не ошиблись, то тем самым спасут конвой от смертника-бомбиста, сидящего в этой странной машине, а если ошиблись, то к ним законы Ирака все равно применены не будут. В конечном счете все войны развиваются за счет того, что поедают собственное дерьмо, затем производят на свет еще больше дерьма и снова его поедают.

Было заметно, что моя расширенная метафора несколько переходит дозволенные границы.

Ли Уэббер за соседним столиком о чем-то оживленно болтал с приятелем.

А его мать спросила:

— Могу я соблазнить кого-нибудь последним кусочком торта?

* * *

Видел я только одним глазом, второй был прижат к земле, и этим видящим глазом я высмотрел чернокожего морпеха и, к своему удивлению, обнаружил, что наделен способностью читать по губам, ибо он в этот момент как раз говорил Азизу:

— А этот выстрел для тебя, ублюдок вонючий!

— Он работает на меня! — заорал я, выплюнув набившуюся в рот грязь.

Солдат, гневно сверкнув глазами, глянул в мою сторону:

— *Что* ты сказал?

В небе наконец стало тихо, так что он явно меня услышал.

— Я журналист, — пробормотал я, пытаясь повернуться как-то так, чтобы не утыкаться ртом в землю. — Британский журналист. — Во рту у меня совершенно пересохло, и речь звучала невнятно.

Рыкающий американский акцент уроженца Среднего Запада:

— Хрена лысого ты журналист!

— Но я действительно британский журналист, меня зовут Эд Брубек, и я... — я старательно выговаривал каждое слово, — ...сотрудничаю с журналом «Spyglass». Хороших фотографов трудно найти, так что, пожалуйста, попросите того человека не целиться ему в голову.

— Майор! Этот гребаный урод говорит, что он британский журналист.

— Говорит, что он *кто*? — Совсем рядом со мной захрустели камешки под армейскими ботинками, и владелец ботинок рявкнул мне в ухо: — Ты что, по-английски говоришь?

— Да, я британский журналист, и если...

— А чем ты можешь это *подтвердить*?

— Мое журналистское удостоверение и документы на аккредитацию — вон в той белой машине.

Он фыркнул:

— В какой еще белой машине?

— В той, что стоит на краю поля. Если ваш капитан уберет свое колено с моей шеи, я покажу.

— Представителям служб массовой информации полагается носить удостоверение *при себе*.

— Если бы кто-то из здешней милиции обнаружил при мне журналистское удостоверение, меня бы просто убили. Майор, распорядитесь, пожалуйста, насчет моей шеи, если не трудно?

Колено убрали.

— Встать. Медленно. Медленно, я сказал!

Ноги отказывались мне подчиняться, и еще ужасно хотелось растереть шею, но я не решался: вдруг они подумают, что я хочу достать оружие? Офицер снял авиационные очки. Возраст его определить было трудно: около тридцати, но лицо буквально скрывалось под слоем глубоко въевшейся сажи. Под его офицерским значком было вышито «Хакенсак»[1].

— Итак, черт побери, объясни, с какой стати британский журналист, одетый как последний оборванец, встречается в поле с *настоящими* оборванцами возле сбитого военного вертолета OH-58D?

---

[1] Город в штате Нью-Джерси (США).

— В этом поле я оказался потому, что здесь произошло некое событие, а значит, имелся источник новостей для любого журналиста. А одеваюсь я так специально, потому что если выглядеть чересчур по-европейски, то тебя вполне могут пристрелить.

— А если будешь одеваться как эти вонючие арабы, черт бы их всех побрал, так тебя и наши запросто пристрелить могут.

— Майор, отпустите, пожалуйста, этого человека! — Я мотнул головой в сторону Азиза. — Это мой лучший фотограф. А вон тот парень... — я указал глазами на Насера, — ...в синей рубашке... это мой помощник.

Майор «Хакенсак» еще несколько секунд нас помучил, потом сказал:

— О'кей. — Азизу и Насеру разрешили встать, и мы наконец смогли опустить руки. — Британия — это значит Англия, верно?

— Англия, плюс Шотландия, плюс Уэльс, плюс Северная Ир...

— Ноттингем — это Англия или Британия?

— И то, и другое, как Бостон — это Массачусетс и США.

Этот майор явно про себя обозвал меня «хитрожопым ловкачом», а вслух заявил:

— Мой брат женился на медсестре из Ноттингема. В жизни не видел более вонючей дыры! Заказал себе сэндвич с ветчиной, так мне принесли тонюсенький ломтик какой-то розовой слизи между двумя кусочками сушеного дерьма. И готовил эту гадость какой-то араб. И чуть ли не все водители такси там были арабами! Да твоя гребаная Британия — это все равно что оккупированная территория, друг мой.

Я пожал плечами.

— У нас было несколько волн иммиграции.

Майор чуть повернул голову вбок, собрал побольше слюны и плюнул.

— Значит, в «Зеленой зоне» живешь, британский журналист?

— Нет. Я живу в гостинице «Сафир», за рекой.

— Это чтобы проще было налаживать отношения с настоящими иракцами, да?

— «Зеленая зона» — это один город, а остальной Багдад — совсем другой.

— Ну так давай я тебе расскажу, что значит иметь дело с настоящими иракцами. Настоящие иракцы говорят: «С началом вторжения безопасной жизни пришел конец!», а я им отвечаю: «Так постарайтесь никого не убивать, не пырять ножом и не грабить». И тогда настоящие иракцы возражают мне: «А это американцы по ночам совершают налеты на наши дома, они не уважают нашу культуру». Но я говорю: «Так перестаньте стрелять в нас, американцев, *из ваших* домов, идиоты гребаные!» Но настоящие иракцы тут же начинают ныть: «Где наша канализация, где наши школы, где наши мосты?» А я им отвечаю: «А где *наши* гребаные миллиарды долларов, которые мы вам давали, чтобы вы могли *построить* школы и мосты, проложить канализацию?» Но они продолжают ныть: «Ах, почему нет электричества, почему нет воды?» И я отвечаю: «А кто взрывал подстанции? Кто распиливал гребаные трубы, которые мы проложили?» И тут вступают их священнослужители и заявляют: «Наши мечети срочно нуждаются в покраске!» А я отвечаю: «Раз так, поднимите свои задницы, полезайте на лестницу да и покрасьте их сами, черт вас побери!» Вот вам материал для вашей газеты. Как, кстати, *на самом деле* она называется?

— Это журнал. Он называется «Spyglass». Это американский журнал.

— А на что он похож? На «Time»?

— Да нет, это либеральное дерьмо, сэр, — подсказал стоявший рядом морпех.

— Либеральное? — В устах майора «Хакенсака» это звучало примерно как «педофилическое». — Так ты у нас, оказывается, либерал, британский журналист?

Я сглотнул. Иракцы тоже наблюдали за нами, явно пытаясь понять, каким образом может решиться их судьба в столь загадочном и явно недоброжелательном диалоге.

— Вы, майор, были посланы сюда благодаря *самому консервативному* Белому дому на памяти всех живущих, — сказал я. — Ей-богу, мне было бы очень важно и интересно узнать ваше мнение: скажите, вы считаете, что вашей страной действительно руководят люди умные и храбрые?

И я тут же понял, что сделал неверный ход. Никогда не следует намекать невыспавшемуся и недовольному офицеру, что, с вашей точки зрения, его главнокомандующий — безмозглый шарлатан, а его товарищи по оружию погибали зря.

— А я задам тебе встречный вопрос, — проворчал «Хакенсак». — Кому из этих арабских джентльменов известно, кто сбил наш вертолет?

И я вдруг почувствовал, что ноги мои больше не касаются дна в том озере дерьма, в которое мы трое, Азиз, Насер и я, угодили.

— Мы приехали сюда всего на несколько минут раньше вас. — Над головой неумолчно жужжали насекомые, где-то вдали ревели автомобили. — Эти люди ничего нам не сказали. Они живут в такие времена, когда чужакам доверять не следует, особенно иностранцам. — Господи, да этот тип просто читает мои мысли, так что лучше, наверное, сменить тему. — Скажите, майор Хакенсак: вы разрешите мне процитировать ваше мнение насчет настоящих иракцев в газете и назвать ваше имя?

Он чуть отклонился назад и вперил в меня недобрый взгляд:

— Ты что, вокруг пальца меня обвести хочешь?

— Но нашим читателям было бы весьма интересно узнать вашу точку зрения на происходящее.

— Нет! И не вздумай меня цитировать! А если... — Спутниковый телефон майора ожил и яростно заверещал. «Хакенсак» отвернулся и сказал: — Один-восемь-ноль? Это два-шестнадцать; конец связи. Отрицательно, отрицательно, один-восемь-ноль! Никого здесь нет, кроме Каспера, этого гребаного призрака, и горстки зевак. Хорошо, я проведу расследование хотя бы проформы ради, но эти ублюдки просто посмеются над нами, прикрывшись своими проклятыми полотенцами, которые они носят на головах. Конец свя... Да-да... я понял, один-восемь-ноль. И последнее: у вас там еще ничего не слышно? Уж не Балински ли это устроил? Конец связи. — Майор послушал еще, раздувая ноздри и щелкая от злости зубами. — Вот ведь черт, один-восемь-ноль! Черт, черт и еще раз черт! Один черт. Конец связи. — Он с силой поддел ногой камень, камень ударился о фюзеляж рухнувшего вертолета и рикошетом отскочил обратно. — Нет-нет, не беспокойся. Да администрация на базе даже дерьмо из собственной задницы выкопать не может! Сообщи непосредственно по месту его приписки. Ладно, два-шестнадцать, конец связи, отключайся. — Майор «Хакенсак» посмотрел на чернокожего морпеха и покачал головой; потом снова повернулся ко мне; глаза у него были злые. — Ну что, видишь перед собой тупого вояку-скверно-слова, да? Этакий персонаж из мультфильма, который только и делает, что ворчит и похабничает? Ты думаешь небось, что мы все это заслужили? — он мотнул головой в сторону сбитого вертолета. — Уже за то, что здесь находимся? Но у тех, кто погиб в этой вертушке, тоже были дети, были семьи, как и у всех вас. Им тоже, черт бы все это побрал, лгали насчет этой войны — в точности как и вам. Но в отличие от тебя, британский журналист, за ту лапшу, которую им вешали на уши, они заплатили собственной жизнью. Они были храбрее тебя, британский журналист. Они были лучше тебя. Они заслуживают большего, чем ты. Так что давайте, и ты, и твой Бэтмен, и твой Робин, убирайтесь с глаз моих. Быстро.

* * *

— *Ассалям алейкум.* — Эта пожилая ирландская женщина, обладательница целого облака пышных седых волос и украшенного зигзагами кашмирского пончо, держалась очень уверенно. С такой точно не поспоришь.

Я поставил ее рюмку с ликером «Драмбуи» на столик.

308

— *Валейкум ассалам.*

— Как все прошло? *Шлон хадартак?*

— *Ахмадулилла,* хвала Аллаху. Вы честно заслужили свой глоток спиртного, Айлиш.

— Как это мило с вашей стороны, Эд. Надеюсь, я не нарушила ваши планы? Не сбила вас с пути истинного?

— Вовсе нет. — В уголке банкетного зала не было никого, кроме меня и Айлиш. Я видел, как Аоифе играет с племянницей Питера, они хлопают в ладоши и что-то напевают. Холли болтала с ирландскими родственниками. — Мне даже искать не пришлось: в гостиной наверху была целая бутылка.

— Не встретились ли вы по дороге с кем-либо из инопланетян?

— Много раз. Гостиная наверху выглядит как сцена в баре из «Звездных войн». — Я подумал, что ирландская женщина восьмидесяти с лишним лет вряд ли знает, что я имею в виду, и пояснил: — «Звездные войны» — это такой старый фантастический фильм, немного похожий на...

— Да, я его смотрела в кинотеатре у нас в Бантри, как только он вышел, так что благодарю вас. Мы с сестрой собрали свои жалкие гроши и пошли его смотреть.

— Простите, я вовсе не хотел... э-э-э...

— Забудь. Чушь какая. — Она чокнулась со мной; она пила ликер, а я джин с тоником. — Ну, храни нас Господь. Ты мне лучше вот что скажи, Эд. Тебе в Иракс приходилось когда-нибудь добираться до Амары и тамошних болот?

— Нет, и очень жаль, что не доводилось. Когда я ездил в Басру, мне поручили взять интервью у британского губернатора в Амаре, но в то утро как раз разбомбили штаб ООН в Багдаде, и пришлось спешно возвращаться назад. А теперь посещать этот регион слишком опасно, так что я упустил шанс. А вы там бывали?

— Да, но пробыла всего две недели. Жена старосты деревни очень меня привечала... А знаешь, мне до сих пор снятся эти болота. Я слышала, теперь от них мало что осталось.

— Саддам велел их осушить, чтобы лишить врагов естественного прикрытия. А то, что осталось, после войны с Ираном буквально начинено противопехотными минами.

Айлиш, закусив губу, горестно покачала головой.

— Как это один-единственный мерзавец мог уничтожить уникальную местность и уникальный образ жизни тамошних обитателей....

— Неужели во время ваших поистине эпических странствий вы никогда не чувствовали опасности или угрозы?

— У меня всегда под седлом был спрятан браунинг.

— А вы им хоть когда-нибудь пользовались?

— О, только раз.

Я ждал связанной с этим увлекательной истории, но двоюродная бабушка Айлиш только улыбнулась и тут же превратилась в обыкновенную милую старушку.

— Мне так приятно наконец познакомиться с тобой, так сказать, во плоти, Эд. Ведь прошло уже *довольно много* времени...

— Простите, что я ни разу не приехал к вам с Холли и Аоифе. Все дело в том...

— В работе, я понимаю. Работа. Ты должен писать о разных войнах. Хотя я всегда читаю твои репортажи, если есть такая возможность. Холли присылает мне вырезки из «Spyglass». А скажи, твой отец тоже был журналистом? Это у тебя наследственное?

— Не совсем. Отец был... чем-то вроде бизнесмена.

— Это что, теперь считается непреложным фактом? Мне интересно знать, каковы были его склонности.

Я чувствовал, что ей вполне могу это сказать.

— Больше всего его интересовали кражи. Впрочем, он не брезговал и вариантами — от подлогов до грабежей с применением насилия. Он умер от инфаркта в тюремном спортивном зале.

— Ну, разве я не мерзкая старая карга, которая всюду сует свой нос? Прости меня, Эд.

— Нечего тут прощать. — Несколько ребятишек вихрем пронеслись мимо нашего стола. — Меня воспитывала мама, она же наставила меня на путь истинный еще там, в Грейвзенде. Денег, правда, все время не хватало, но нам помогал мой дядя Норм — пока мог... Да и сама моя мать была классная женщина. Ее, как и дяди, уже нет с нами. — Я почему-то смутился, что было довольно глупо, и сказал: — Господи, прямо похоже на «Оливера Твиста». По крайней мере, мама успела подержать Аоифе на руках. И я очень рад, что она это успела. У меня даже их фотография есть. — С конца зала, где играл оркестр, донеслись веселые крики и аплодисменты. — Ух ты, посмотрите, как здорово танцуют Дэйв и Кэт! — Родители Холли танцевали под «La Bamba», причем куда более ловко и стильно, чем умел я.

— Шэрон говорила мне, что они собирались брать уроки танцев.

Мне было стыдно признаться, что я об этом понятия не имею, и я сказал:

— Да, Холли тоже как-то об этом упоминала.

— Я знаю, что ты очень занят, Эд, но постарайтесь хотя бы на несколько дней приехать этим летом в Шипс-Хед. Все вместе. Мои курочки потеснятся, так что местечко в курятнике вам найдется. Аоифе в прошлые приезды ко мне целыми днями носилась как сумасшедшая. Вы могли бы вместе с ней поехать на пони в Даррус или устроить пикник у маяка на самом дальнем конце нашего полуострова.

Мне очень хотелось сказать Айлиш: «Да, конечно, мы непременно приедем», но если я дам согласие Олив, то все это лето мне придется провести в Ираке.

— Если я смогу вырваться, то мы непременно приедем все вместе. Я видел сделанный Холли рисунок вашего дома. Она им очень дорожит. Именно его она бы спасла в первую очередь, если бы у нее в доме случился пожар. У нас в домс.

Айлиш поджала старые, сморщенные, как чернослив, губы.

— А знаешь, я помню тот день, когда она его нарисовала. Кэт тогда поехала в Корк, послушать группу Донала, а Холли на несколько дней оставила у меня. Это было в 1985-м. У них тогда был ужасный период... ну, да ты и сам знаешь. Жако.

Я кивнул, с наслаждением глотая ледяной джин и чувствуя, как немеют десны.

— Трудно им всем приходится на семейных праздниках. Из Жако теперь получился бы такой чудесный веселый парень! Ты вообще-то был с ним хоть немного знаком в Грейвзенде?

— Нет. Я только очень много о нем слышал. О нем говорили разное: кто-то считал его фриком, а кто-то — гением... Но это понятно, дети. Мы с Холли учились в одном классе, но когда мы с ней наконец познакомились поближе, Жако уже... В общем, все это уже случилось. — Господи, столько дней! Столько гор, войн, бесконечных «крайних сроков», галлонов пива, десятков тысяч миль в воздухе, сотни книг, фильмов, пачек растворимой лапши и смертей... постоянных смертей с тех пор и до сегодняшнего дня... Но я по-прежнему *очень* живо помнил, как пробирался на велосипеде через весь остров Шеппи к ферме Гэбриела Харти. И как я тогда спросил у Холли: «А Жако тоже здесь?», и как по ее лицу понял, что его там нет. — А как хорошо вы знали Жако, Айлиш?

Старуха протяжно вздохнула.

— Кэт привозила его ко мне, когда ему было лет пять. Приятный маленький мальчик, но не из тех, что сразу поражают ваше воображение и запоминаются. Потом я его еще раз видела через полтора года. Это уже после того, как он болел менингитом. — Она отпила глоток и от наслаждения даже почмокала. — В былые времена его назвали бы «подменышем», сказали бы, что его эльфы принесли. Но современная психиатрия лучше в этом разбирается. Было совершенно очевидно, что Жако в свои шесть лет совершенно... не такой, как все.

— В каком смысле «не такой»?

— Он очень многое уже *понимал* — о нашем мире, о людях, обо всем... Много таких вещей, которые маленькие мальчики просто не знают... не могут знать... не должны знать. Не то чтобы он кому-то это показывал. Как раз наоборот. Жако прекрасно умел скрывать то, что он умница и настоящий денди, однако, — Айлиш отвела глаза, — если он вам доверял, то мог иной раз кое-что себе и позволить. Я тогда работала библиотекарем в Бантри и как-то взяла для него книжку Энид Блайтон[1], потому что Кэт говорила, что он невероятно много читает, как, впрочем, и Шэрон. Книгу Жако прочел за один присест, но не сказал, понравилось ему или нет. Так что мне пришлось самой у него спросить, и он сказал: «Тетя, ты хочешь знать мое честное мнение?» Я сказала: «Ну, конечно, зачем же мне *нечестное*?» А он и говорит: «Хорошо. Видишь ли, я нахожу эту книгу чуточку puerile»[2]. Шесть лет от роду, и он употребляет такие слова, как puerile! На следующий день я взяла Жако с собой на работу, и он — ей-богу, не вру! — вытащил из шкафа «В ожидании Годо» Беккета![3] Честно говоря, я считала, что Жако просто жаждет внимания, хочет удивить взрослых. Но потом во время обеденного перерыва, когда мы с ним устроились возле лодок на берегу, чтобы съесть принесенные с собой сандвичи, я спросила, понравился ли ему Сэмюэл Беккет, и тут... — Айлиш снова чуть отпила ликера, — к нашему пикнику вдруг присоединились Спиноза и Кант! Я попыталась его прищучить и прямо спросила: «Жако, как ты можешь все это знать?», и он так спокойно ответил: «Я, должно быть, слышал это где-нибудь в автобусе, тетя. Мне ведь всего шесть лет». — Айлиш провела пальцем по краю своего бокала. — Кэт и Дэйв водили его к врачам, но поскольку никакой *болезни* у Жако, в общем-то, не нашли, то они и волноваться перестали.

— Холли всегда говорила, что менингит как-то странно перевернул его мозги, словно каким-то образом значительно увеличив их возможности, что ли.

— Да, ведь не зря же говорят, что неврология — это последняя граница.

— Хотя сами вы не разделяете эту «менингитную теорию», не так ли?

Айлиш поколебалась, потом сказала:

— После болезни изменился не мозг Жако. Изменилась его душа.

---

[1] Э н и д   Б л а й т о н (1897—1968) — известная британская детская писательница.

[2] Детский, ребяческий (*фр.*).

[3] С э м ю э л   Б е к к е т (1906—1989) — ирландский драматург, один из основоположников драмы абсурда; писал на французском и английском языках.

Я, сохраняя самое серьезное выражение лица, спросил:

— Но если его душа стала другой, то был ли он по-прежнему...

— Нет. Он больше уже не был Жако. Во всяком случае, он был уже не тем Жако, который приезжал ко мне в гости в пятилетнем возрасте. В свои шесть лет Жако уже стал... как бы кем-то другим.

Трудно что-либо прочесть по лицам тех, кому за восемьдесят: кожа настолько покрыта морщинами, а глаза становятся непроницаемыми, как у птиц, так что весьма сложно отыскать подсказку. Оркестр пополнился представителями Корка, которые дружно заиграли «Ирландскую реку».

— Я полагаю, вы держали эту точку зрения при себе, Айлиш?

— О да. Им было бы больно услышать такое. Это почти то же самое, что и разговоры о безумии Жако. Я лишь однажды высказала свои соображения одному человеку. И этим человеком был сам Жако. Через несколько дней после истории с Беккетом случилась гроза, и когда на следующее утро мы с Жако собирали водоросли на берегу бухты чуть ниже моего сада, я напрямик спросила у него: «Жако, ты кто?» И он ответил: «Я гость, прибывший с добрыми намерениями, Айлиш». Ну что ж. Я так и не смогла заставить себя задать следующий вопрос: «А где же сам Жако?», но он, по-моему, каким-то образом услышал мою мысль и сказал, что Жако не мог остаться, но все воспоминания Жако — в целости и сохранности. Это был самый странный момент в моей жизни, а я пережила немало странных моментов.

Я встал, потом снова сел, разминая затекшую ногу.

— А что вы делали потом?

Айлиш пожала плечами — хотя казалось, что она пожала лицом.

— Да ничего. Расстелили собранные водоросли на грядке с морковью. Словно заключив между собой договор, если угодно. Кэт, Шэрон и Холли на следующий день уехали. И только когда... — Айлиш нахмурилась, — я узнала, что он исчез... — Она посмотрела на меня: — ...Понимаешь, мне всегда хотелось узнать, не связан ли тот путь, по которому он нас покинул, с тем, по которому он сюда явился...

Раздался громкий хлопок откупоренной бутылки, и за большим столом весело зашумели.

— Для меня большая честь, Айлиш, что вы все это мне рассказываете. Поверьте, я это говорю не для красного словца. Но *почему* вы мне все это рассказываете?

— Мне было велено это сделать.

— Кем это... *велено?*

— Так написано в Сценарии.

— В каком еще сценарии?

— У меня есть некий дар, Эд. — Я вдруг заметил, что у этой старой ирландки глаза зеленые в крапинку, как у дятла. — Он есть и у Холли. Ты знаешь, о чем я говорю, так что должен меня понять.

Болтовня за большим столом то становилась громче, то стихала, как морские волны, набегающие на гальку.

— Я догадываюсь, что вы имеете в виду: те голоса, которые Холли слышала в детстве и некую... в общем, то, что в некоторых кругах назвали бы «способностью предвидения».

— Да, для этого существуют разные названия, что вполне справедливо.

— Для этого существуют также вполне разумные медицинские объяснения, Айлиш.

— Я совершенно не сомневаюсь, что существуют, и можно даже начать их собирать. А по-ирландски мы называем эту способность Cluas faoi run — «тайное ухо».

У двоюродной бабушки Айлиш на руке был браслет из камней «тигровый глаз», и все время, пока она говорила со мной, теребила этот браслет, одновременно исподтишка наблюдая.

— Айлиш, должен сказать... то есть... я очень уважаю Холли, и, знаете... у нее, безусловно, чрезвычайно развита интуиция... иной раз просто оторопь берет. И я отнюдь не считаю глупостью ни одну из ваших традиций, однако...

— Однако ты скорее съешь собственную руку, чем купишься на все это мумбо-юмбо? На все эти рассказы насчет внутреннего зрения, «тайных ушей» и еще невесть чего, которые тут плетет старая полоумная ведьма из Западного Корка?

Именно так я на самом деле и думал, а потому лишь извиняюще улыбнулся.

— И тебе кажется, что все у вас хорошо и спокойно. Но это только для тебя, Эд...

Я почувствовал, как в висках застучала знакомая боль.

— ...но не для Холли. Ей ведь с этим приходится жить. А это ох как трудно — я-то знаю. И Холли в сверкающем современном Лондоне куда трудней, по-моему, чем мне в нашей туманной древней Ирландии. Ей понадобится твоя помощь. И, мне кажется, очень скоро.

Пожалуй, я никогда еще не вел *во время свадьбы* таких странных разговоров. Но, по крайней мере, этот разговор не был связан с Ираком.

— И что же мне делать?

— Верить *ей*, даже если ты в *это* не веришь.

К нам подошли Кэт и Рут; после румбы, имевшей оглушительный успех, они сияли.

— Вы что тут как воры затаились? Прямо *навек* нас покинули!

— Айлиш рассказывала мне о своих приключениях в арабских странах, — улыбнулся я, но из головы у меня не шла последняя фраза старой ирландки.

— А вы *видели*, как Кэт и Дэйв танцевали? — спросила Рут.

— Видели и восхищались обоими, — сказала двоюродная бабушка Айлиш. — А Дэйв-то как был хорош! Хвост перед тобой распускал, прямо как павлин, — и это в его не таком уж юном возрасте!

— Мы, когда с ним познакомились, часто ходили на танцы, — сказал Кэт, и я заметил, что у нее, поскольку она находилась *среди своих*, ирландский акцент стал куда заметней. — А потом у нас появился «Капитан Марло», и стало не до танцев. Мы больше тридцати лет никуда вдвоем по вечерам не выходили.

— Сейчас четверть третьего, Айлиш, — сказала Рут, — так что скоро прибудет твое такси. Может быть, ты хотела бы уже начать прощаться?

Нет! — в отчаянии думал я. — *Как же она может уехать, обрушив на меня эту груду фантастических историй и не ответив толком ни на один мой вопрос!*

— Я надеялся, вы, по крайней мере, побудете здесь до завтра, Айлиш, — сказал я.

— О, я свои возможности хорошо знаю. — Она встала, опираясь на палку. — Ойзин проводит меня в аэропорт, а мой сосед, мистер О'Дейли, встретит меня в аэропорте Корка. Ты, Эд, уже получил от меня приглашение в Шипс-Хед. Постарайся им воспользоваться, пока оно еще имеет смысл. Или пока я сама еще имею какой-то смысл.

— По-моему, вы абсолютно несокрушимы, — искренне сказал я.

— На самом деле у всех нас впереди гораздо меньше времени, чем кажется, дорогой.

* * *

Нежно-розовые облака курчавились на узкой полоске неба над заградительными барьерами, вытянувшимися вдоль юго-западного багдадского шоссе. Пробки были чудовищные; даже по боковым проселочным дорогам было практически невозможно проехать, а уж последние мили перед гостиницей наша полу-«Королла» двигалась со скоростью тучного любителя бега трусцой. Зато мимо лихо проносились перегруженные мотоциклы и мотороллеры. Машину вел Насер; Азиз, сидевший с ним рядом, дремал, а я совсем сполз с заднего сиденья, прячась за нашими рубашками, висящими на крючках. Багдад казался каким-то удивительно темным во всех смыслах слова, поскольку из-за отсутствия электричества уличное освещение не работало, и в царивших вокруг сумерках таилась некая поистине трансильванская опасность; хотелось поскорей добраться до дома и покрепче запереть за собой дверь. К тому же на улицах мы успели стать свидетелями нескольких безобразных сцен, и теперь Насер пребывал в куда более мрачном настроении, чем обычно.

— Вот у моей жены, Эд, и впрямь было хорошее детство. Ее отец работал в нефтяной компании, она училась в приличной школе, денег у них хватало на все. Она у меня умная, училась хорошо. И Багдад тогда был очень хорошим местом. Здесь даже в 1980-х, после начала иранской войны, американских компаний хватало. Рейган присылал деньги, оружие, а помощники Саддама из ЦРУ — химическое оружие. Саддам ведь был союзником Америки, как тебе известно. Хорошее было время. Я тогда совсем молодым был. «Судзуки-125», кожаная куртка. Очень крутой. Всю ночь мог в кафе с приятелями проболтать. Девушки, музыка, книги, все такое. Тогда у нас было будущее. Благодаря связям отца жены в армии я, к счастью, не служил. У меня была хорошая работа на радио, потом в Министерстве информации. Потом война закончилась, и мы обрадовались. Наконец-то, думали мы, Саддам начнет тратить деньги на развитие страны, на университет, и у нас станет как в Турции. Но тут случился Кувейт. И американцы сказали: «Ладно, вторгайтесь, у Кувейта спорные границы». Но потом вдруг — нет, нельзя, резолюция ООН. И все мы подумали: какого черта? Саддам вел себя как загнанный в угол зверь. Он ни в коем случае не мог отступить, ибо тогда потерял бы лицо. Во время Кувейта моя работа была ну *о-о-очень* творческой — приходилось расписывать наше поражение как победу Саддама. И тогда будущее уже виделось весьма мрачным. Дома мы с женой тайком слушали Би-би-си по-арабски, и мы оба очень завидовали журналистам Би-би-си, которые могли свободно освещать реальные события. *Я-то* ведь именно этим и хотел заниматься. Но нет, мы писали всякую ложь: о курдах, о Саддаме и его сыновьях, о партии Баас, о том, какое светлое будущее ждет Ирак. А попробуешь написать правду, и тебя сгноят в Абу-Грейб. Затем случилось 11 сентября, и Буш заявил: «Мы свергнем Саддама!» И мы так обрадовались! Конечно, мы боялись, но все равно были счастливы. А затем, *затем*, Саддама, этого сукиного сына, не стало, и я подумал: все-таки Аллах велик, Ирак начнет новую жизнь, Ирак поднимется, возродится, как... эта огненная птица — как она называется, Эд?

— Феникс.

— Да. Я думал, Ирак возродится, как феникс, и я буду ездить куда хочу, говорить с кем хочу, писать что хочу. Я думал, мои дочери сделают карьеру, как когда-то сделала карьеру моя жена, ведь теперь их ждет хорошее будущее. Иракцы и американцы вместе стащили с пьедестала на землю статую Саддама. Но уже в тот же день к вечеру начались грабежи. Первым делом ограбили музей. И американские солдаты ничего не делали, они просто наблюдали. А генерал Гарнер сказал: «Ну что ж, это вполне естественно — после правления Саддама». И я подумал: боже мой, значит, у Америки нет никакого плана. А потом подумал: теперь наступят Темные века. Так и случилось. Война. В школу, где учились мои дочери, попала ракета. Деньги, выделенные на строительство новой школы, украли. Так что теперь уже много месяцев девочки не ходят в школу. Да они вообще из дома не выходят. Это слишком опасно. Они целыми днями спорят друг с другом, читают, рисуют, мечтают, стирают, если есть вода, смотрят у соседей телевизор, если случайно включают электричество. В телевизоре они видят других девочек-подростков, которые живут в Америке, на Беверли-Хиллз, которые учатся в колледжах, водят автомобили, назначают свидания мальчикам. У этих девочек из телевизора спальни больше, чем вся наша квартира, *и есть еще отдельные комнаты для одежды и обуви*. Боже мой! Для моих девочек все эти мечты — как пытка. Когда Америка уйдет, у Ирака возможны только два будущих. Одно будущее — пушки, ружья, ножи и бесконечная война суннитов с шиитами. Как в Ливане в 80-е. А второе будущее — это власть исламистов, шариат, женщины в бурках. Как сейчас в Афганистане. Мой кузен Омар в прошлом году бежал в Бейрут, а оттуда отправился в Брюссель, чтобы найти себе девушку и жениться; любую девушку, старую, молодую — любую, у которой есть паспорт Европейского Союза. Я говорю: «Омар, опомнись, ты совсем, черт тебя побери, спятил! Ты же не на девушке женишься, а на паспорте!» А он мне отвечает: «Лет шесть я буду хорошо обращаться с девушкой, я буду хорошо обращаться с ее родителями, а затем аккуратно подготовлю развод; к этому времени я уже буду гражданином Евросоюза, я буду свободен, и я останусь там». Да, теперь он там. Ему все удалось. И сегодня я думаю: нет, Омар вовсе не спятил. Это мы, кто остался, спятили. Будущего нет.

Я не знал, что и сказать. Мы проехали мимо переполненного интернет-кафе; мальчишки с отсутствующими лицами сидели перед игровыми приставками, где на экране американские морпехи стреляли в партизан, более всего похожих на арабов, на фоне разрушенных домов и улиц, тоже очень похожих на улицы Багдада или Фаллуджи. Наверное, в этом игровом меню не было такой опции — чтобы быть партизаном и стрелять в морпехов.

Насер швырнул в окошко окурок и сказал:

— Ирак. Сломлен.

* * *

Я был, возможно, немного пьян. Холли маячила возле серебряной чаши для пунша в окружении целого пояса астероидов в виде трещавших без умолку женщин. Уэбберы, Сайксы, Коркораны из Корка и прочие, и прочие... Черт побери, *кто все эти люди?* Я прошел мимо столика, за которым Дэйв играл с Аоифе в «Четыре в ряд» и старательно, с театральным отчаянием, ей проигрывал. Я никогда так с Аоифе не играю. Она хихикала, когда ее дед в отчаянии сжимал виски и стонал: «*Не-е-ет*, это невозможно! *Не может быть*, чтобы ты *снова* выиграла! Я же мастерски играю в «Четыре в ряд»!» Я уже давно пожалел, что ответил на ледяное обращение Холли со мной столь же ледяным обращением, и теперь хотел попытаться восстановить мир и первым принести Холли оливковую ветвь. Если же ей захочется хлестнуть меня этой ветвью по лицу, тогда станет окончательно ясно, кто из нас унылая старая корова и кто в моральном отношении оказался выше. Мне оставалось преодолеть всего три небольших, но плотных толпы разодетых гостей, чтобы наконец добраться до женщины, которая официально считалась моей «гражданской женой», когда путь мне преградила Полин Уэббер, подталкивая перед собой какого-то долговязого и неуклюжего юнца, одетого как болельщик юношеской футбольной команды: пурпурная шелковая рубашка и того же оттенка жилет — все это чрезвычайно невыигрышно оттеняло его смертельно бледную физиономию.

— Эд, Эд, Эд! — закаркала Полин. — Наконец-то я вас нашла! Вот, это Сеймур, о котором я вам уже *все* рассказала. Сеймур, это Эд Брубек, *странствующий* корреспондент, который пишет о *реальной жизни*. — Сеймур сверкнул полным ртом брекетов. Пожимая его костлявую руку, я чувствовал себя ловцом НЛО. Полин улыбалась, точно сварганившая удачную помолвку сваха. — Ох, я готова была бы даже пырнуть кого-нибудь прямо в сердце открывалкой для пробок, лишь бы *прямо сейчас* заполучить камеру и сфотографировать вас обоих! — Однако она и пальцем не пошевелила, чтобы подозвать к себе фотографа.

Рукопожатие Сеймура настолько затянулось, что превзошло все возможные пределы. На лбу у него от усердия возникли какие-то сердитые морщины, походившие то ли на букву W, то ли на созвездие Кассиопеи, и мне спьяну показалось, что я когда-то уже был свидетелем или участником подобной сцены — возможно, мне это снилось, а может, просто казалось, что снится.

— Я большой поклонник вашего творчества, мистер Брубек.

— Ах, даже так? — Мальчик, мечтающий стать новостной ищейкой и соблазненный сказками об отчаянной храбрости репортеров

318

и о сексе с датскими фотожурналистками в восточных государствах, название которых кончается на «-стан».

— Вы мне обещали, что поделитесь с мальчиком некоторыми своими секретами, — сказала Полин Уэббер.

Правда? Неужели обещал?

— Какими секретами я обещал поделиться, Полин?

— Ах вы, *чертенок*! — Она слегка стукнула по гвоздике у меня в петлице. — Не старайтесь от меня отделаться — мы теперь с вами одна семья.

Мне нужно было во что бы то ни стало добраться до Холли, и я спросил:

— Итак, Сеймур, что вы хотели узнать?

Сеймур, не мигая, уставился на меня, точно змея или чревовещатель; на губах у него играла странная кривоватая улыбка, но спросить он ничего не успел: голос Полин Уэббер буквально оглушил меня, затмив даже царивший вокруг гул толпы:

— Что делает великого журналиста великим журналистом?

О господи! Мне были просто жизненно необходимы таблетка от головной боли, естественный свет и свежий воздух!

— Я процитирую моего давнишнего наставника, — сказал я, обращаясь к парнишке: — «Журналисту нужны крысиная хитрость, любезные манеры и некоторые литературные способности». Ну как, сойдет?

— Но что все-таки делает его *великим*? — снова обжег меня голос Полин Уэббер.

— Великим? Ну, каждый великий должен обладать тем качеством, которое Наполеон более всего ценил в своих генералах: удачливостью. Оказаться на Манхэттене 11 сентября. Находиться в Париже в ту ночь, когда водитель принцессы Дианы совершил свой фатальный маневр. — Я вздрогнул, когда за окнами что-то взорвалось, но нет, *это произошло десять дней назад, а не сейчас*. — Журналист *женится* на новостях, Сеймур. И эта *жена* капризна, жестока и ревнива. Она постоянно требует, чтобы ты следовал за ней туда, где на земле жизнь практически ничего не стоит; но и там эта особа задерживается всего на день-два, а потом садится на самолет и летит в другое место. Ты сам, твоя безопасность, твоя семья — все это для нее *ничто*... — И я сделал вид, будто выпускаю изо рта колечко дыма. — Ты ласково убеждаешь себя, что со временем привыкнешь и выработаешь некий modus operandi, который позволит тебе быть *и* хорошим журналистом, *и* хорошим человеком, но нет. Это несовместимо. Потому что тебя заставляют *привыкнуть* к таким вещам, к которым способны привыкнуть только врачи и солдаты, но если врачи в результате такого «привыкания» зарабатывают нимб святого, а солдатам ставят памятники, то *ты*, Сеймур, будучи журналистом, заработаешь только педикулез, обморожения, диарею, малярию и «отдых» в многочисленных тюремных камерах. На твои проблемы будут плевать, считая тебя паразитом, твои расходы и твои гонорары будут постоянно ставить под вопрос. Если ты хочешь счастливой жизни, Сеймур, то стань лучше кем-нибудь другим. А впрочем, всем нам в итоге придет конец.

Чувствуя себя выпотрошенным, я ринулся мимо Сеймура и Полин прямо к проклятой чаше с пуншем...

...но, увы, от Холли там уже не осталось и следа. В кармане завибрировал телефон — эсэмэс-сообщение от Олив Сан. Я быстро пробежал текст глазами:

Привет, эд, надеюсь, свадьба прошла хорошо, с Дюфресне все ОК, согласен на интервью 22-го в четверг. Ты сможешь вылететь к пирамидам в среду 21-го? Тетушка Доул Фрутс заедет за тобой прямо в отель. Ответь как можно скорей, всего наилучшего, о.с.

Моей первой мыслью было: *вот он, результат!* Имея полные основания полагать, что вся корреспонденция «Spyglass» находится «под присмотром» сразу нескольких государственных агентств, Олив Сан воспользовалась придуманной нами шифровкой: Дюфресне — это нечто вроде nom de texte или псевдонима, позаимствованного из фильма «Побег из Шоушенка»; мы обозначали им нашего главного палестинского «ходока по туннелям» на границе сектора Газа и Египта; «пирамиды» — это, естественно, Каир; Доул Фрутс — это ливанская «Хезболла», а «тетушка» — посредник. В общем, с первого взгляда это в точности та самая эскапада в духе Джеймса Бонда, какие мы, по мнению ребятишек вроде Сеймура, совершаем каждый день; вот только когда тебя задерживают агенты египетской службы безопасности и семьдесят два часа держат в бункере в центре Каира, пока туда наконец не явится раздраженный следователь и не начнет у тебя выяснять, как и зачем ты там оказался, «бондианой» и не пахнет. Идею с Дюфресне я подкинул Олив еще прошлой осенью, и ей пришлось потянуть бог знает за сколько нитей, чтобы все это организовать. Пресловутый Дюфресне — если, конечно, это один человек, а не десять — обладал поистине мифическим статусом и в Египте, и в секторе Газа, и в Иордании. Интервью с ним стало бы настоящей «бомбой» и повысило бы рейтинг нашего журнала в арабоговорящих странах примерно раз в десять. Блокады и санкции не приносят особых новостей: о них мало что можно сказать, а уж смотреть там и вовсе не на что. Кому какое дело, что Израиль запретил импорт порошкового молока в сектор Газа? А вот истории о туннелях под тюремными стенами — совсем другое дело. Это что-то вроде «Бегства из Колдица» или «Графа Монте-Кристо». Такую шнягу люди готовы лопать полной ложкой. Я был уже готов ответить Олив «да», но вдруг вспомнил об одной весьма важной вещи, и это меня остановило: в семь часов вечера в следующую среду мисс Аоифе Брубек выступит в роли Трусливого Льва в спектакле по книге Баума «Волшебник страны Оз»; причем этот спектакль, поставленный учениками начальных классов школы «Сент-Джудас», будет показан лишь однажды, и Аоифе, разумеется, ожидает, что ее любимый папочка будет на нем присутствовать.

Неужели я такой эгоцентричный ублюдок, что смогу пропустить звездный час в судьбе родной дочери? Почем я должен заботиться о чужих шестилетних детях, которые никогда не будут участвовать ни в каком спектакле, потому что погибли, когда израильские бульдозеры или ракеты «Хезболлы» уничтожили их дома? Это же не *наши* дети. Мы проявили достаточно ума, чтобы родиться там, где такие вещи не происходят.

Понимаешь, в чем тут проблема, Сеймур?

* * *

Охранники, дежурившие у входа в отель «Сафир», узнали машину Насера, подняли шлагбаум и помахали нам. С хрустом притормозив на гравиевой дорожке, Насер сказал мне:

— Значит так, Эд: завтра мы с Азизом приходим к десяти утра; мы с тобой расшифруем магнитофонные записи, а Азиз принесет фотографии. Удивительная будет история — на радость Олив.

— Ладно, увидимся завтра в десять.

Не вылезая из машины, я вручил Насеру конверт с полученными в «Spyglass» долларами в качестве гонорара за проделанную сегодня работу. Затем мы пожали друг другу руки, Азиз вылез и выпустил меня из полу-«Короллы» через свою дверцу. Они проехали всего несколько метров и остановились. Я решил, что опять что-то неладно с зажиганием, но Насер, высунувшись из окошка, чем-то помахал мне и крикнул:

— Эд, возьми!

Я подошел, и он сунул мне свой маленький диктофон.

— С чего это вдруг? Ты же завтра приедешь.

Насер скорчил рожу.

— Пусть лучше у тебя будет, оно надежней. Там много хороших записей.

И с этими словами он развернул машину и по площади с круговым движением снова двинулся к пропускному пункту. А я стал медленно подниматься на крыльцо отеля. Окна в нем были как черные прямоугольники. Даже если случайно давали электричество, то постояльцев все равно предупреждали, чтобы в ночное время они выключали свет и старались зря не подвергать себя риску снайперских выстрелов. У окованных металлом дверей меня встретил Тарик, дежурный сотрудник службы безопасности, вооруженный снайперской винтовкой «Драгунов».

— Как дела, мистер Эд? Нигде сегодня не зависли? — Тарик всегда с удовольствием употреблял сленг.

— Не могу пожаловаться, Тарик. А у вас сегодня тихо?

— Да, сегодня тихо. И слава богу.

— Биг Мак уже вернулся?

— Да, да. Этот ваш пижон уже в баре.

Я щедро платил Тарику и его коллегам за то, чтобы они сообщали мне, если кто-то из аутсайдеров начнет обо мне расспрашивать, а сами отвечали подобным типам весьма туманно. Не то чтобы я был полностью уверен, что Тарик не берет «гонорары» у обеих сторон, но до сих пор он вроде бы соблюдал принцип, что не стоит резать курицу, несущую золотые яйца. Миновав стеклянные двери, я оказался в круглом вестибюле, где у конторки консьержа слабо светилась энергосберегающая лампочка. Под потолком в лобби висела огромная люстра, но я ни разу не видел ее зажженной; люстра была вся опутана клочьями паутины, и я каждый раз, стоило мне ее увидеть, представлял себе, как она с грохотом падает на пол. Мистер Куфаджи, менеджер отеля, помогал какому-то парню грузить отслужившие свое автомобильные аккумуляторы в прицеп грузовика. Сдохшие аккумуляторы меняли на живые каждое утро, как у нас в Англии бутылки молока. Постояльцы использовали аккумуляторы для подзарядки своих лэптопов и мобильников.

— Добрый вечер, мистер Брубек, — сказал менеджер, промокая носовым платком взмокший лоб. — Вам, наверное, нужен ключ?

— Добрый вечер, мистер Куфаджи. — Я подождал, пока он достанет из шкафчика ключ. — Пожалуйста, выделите и мне один из аккумуляторов, если можно.

— Конечно! Я пошлю этого парня к вам наверх, как только он вернется.

— Буду очень вам благодарен. — Мы с ним придерживались старой школы, несмотря на то что весь Багдад уже разбомбили к чертям собачьим, а «Сафир» больше никак не мог считаться пятизвездочным и куда больше походил на военный лагерь, обслуживаемый сотрудниками умершего отеля.

— Мне показалось, я слышу твой нежный голосок. — В дверях полутемного бара возник Биг Мак с гондурасской сигарой в руке, бар служил и общей гостиной, и мельницей слухов, и местом обмена всевозможными услугами. — Как, по-твоему, который сейчас час?

— Я пришел позже тебя, а значит, за пиво сегодня платишь ты.

— Нет-нет-нет, мы договаривались, что за пиво платит тот, кто придет *последним*!

— Это бесстыдная ложь, мистер Маккензи, и вы это знаете.

— Между прочим, бесстыдная ложь ускоряет войны и дает работу голодным репортерам. Заснял какую-нибудь уличную акцию в Фаллудже?

— Кордоны слишком плотные. А как твои дневные прогулки?

— Пустая трата времени. — Биг Мак с наслаждением наполнил легкие сигарным дымом. — Ездил в лагерь наших победоносных сил Camp Victory, и там мне заявили, что в связи с активизацией военных действий полагается действовать более осмотрительно — то есть в настоящий момент корпус морской пехоты слишком занят, чтобы заботиться о таких жирных задницах, как мы. В общем, мы в очередной раз пожевали всякое дерьмо с военными пресс-атташе, а потом нас втиснули в конвой с припасами и отправили обратно в Багдад. Но, естественно, не в ту его часть, которая вдребезги разнесена минометным огнем. А у тебя что-нибудь вышло?

— У меня получше. Мы нашли передвижную больницу для беженцев из Фаллуджи, а потом наткнулись на сбитый вертолет «Kiowa». Азиз даже успел сделать несколько снимков, прежде чем один твой соотечественник в военной форме *очень вежливо* попросил нас убраться к чертовой матери.

— Неплохо, но... — Биг Мак подошел ближе и даже понизил голос, хотя мистер Куфаджи давно уже убрался восвояси, — один из «хорошо информированных источников» Винсента Агриппы двадцать минут назад прислал ему эсэмэс насчет приказа об «одностороннем прекращении огня»; приказ якобы вступает в силу с завтрашнего дня.

Я тут же в этом усомнился.

— Мак, милиция Фаллуджи не отдаст завоеванное просто так! Возможно, для осуществления перегруппировки это...

— Нет, речь не о повстанцах. Это морпехи отступают.

— Ничего себе! Откуда, черт возьми, такие сведения? Из офиса генерала Санчеса?

— Ни фига. Наша армия наверняка на говно изойдет от злости.

— Ты думаешь, это все Бремер состряпал?

— Друг мой: наш великий посланник не способен состряпать даже яичницу из собственных яиц в джакузи, полном кипящей лавы.

— Тогда сдаюсь; ну что, скажешь, в чем тут разгадка?

— Если ты платишь за пиво, то я, так и быть, предложу целых три разгадки. — Биг Мак секунд на пять перестал втягивать в себя сигарный дым и сообщил: — Си Ай Эй. Наше дорогое ЦРУ. Прямой приказ из конторы Дика Чейни[1].

— У Винсента Агриппы есть источник в ЦРУ? Но он же француз! Он же сторонник капитуляции, этот любитель сыра!

— У Винсента Агриппы есть свой источник даже в Чистилище, он все сведения имеет, так сказать, с пылу с жару. Чейни боится, что Фаллуджа расколет коалицию — хотя этот сброд и коалицией-то не назовешь. Но хватит. Слушай, давай пообедаем вместе, когда ты немного освежишься. Догадайся, что у нас сегодня в меню?

— Неужели курица с рисом? — В официальном меню отеля «Сафир» числилось полсотни блюд, но подавали всегда только курицу с рисом.

— Да ты, черт побери, настоящий телепат!

— Я скоро спущусь. Только накину что-нибудь более удобное.

— Обещаешь, обещаешь, ты, педрила-мученик!

Биг Мак вернулся в бар, а я поднялся на второй этаж — лифты не работали с 2001 года, — потом на третий и на четвертый. За окном моего номера был виден черный, как нефть, Тигр, протекавший по «Зеленой зоне» и освещенный точно в Диснейленде. Я вспомнил роман Джеймса Балларда «Небоскреб»[2], где великолепное лондонское строение, предназначенное для жизни в высшей степени комфортной, представляет собой как бы вертикальный срез развития цивилизации, которая в итоге настолько сбрасывает с себя всю шелуху своих роскошных «одежд», что становится видна ее основа — примитивное насилие. Я заметил, что какой-то вертолет приземлился за Дворцом Республики, где только сегодня утром Майк Климт рассказывал о позитивных сдвигах в Фаллудже и вообще *повсеместно*. Что думают сами иракцы, когда видят этот сияющий анклав изобилия в самом сердце своей столицы? Я-то знаю, потому что Насер, мистер Куфаджи и многие другие мне об этом рассказывали. Иракцы думают, что хорошо освещенная, имеющая значительный военный контингент и хорошо охраняемая «Зеленая зона» — это доказательство того, что американцы действительно владеют неким магическим веером, и стоит только взмахнуть этим веером, и порядок в иракских городах тут же будет восстановлен; однако анархия, царящая в

---

[1] Д и к Ч е й н и (Ричард Брюс (Дик) Чейни, р. 1941) — американский политик, республиканец. В 2001—2009 годах — вице-президент США.

[2] Д. Б а л л а р д (1930—2009) — английский писатель-фантаст; роман «Небоскреб» (High Rise) вышел в 1975 году.

стране, как бы создает плотную дымовую завесу, прячась за которой американцы могут сколько угодно качать и присваивать иракскую нефть. Иракцы, конечно, заблуждаются, но разве их представления более абсурдны, чем представления восьмидесяти одного процента американцев, которые верят в ангелов?

Я услышал рядом громкое «мяу», вылез на балкон и увидел светло-серого, прямо-таки лунного цвета, кота, который почти растворялся в голубых сумерках. Я наклонился, чтобы с ним поздороваться, и лишь по этой причине с меня не был снят скальп, как скорлупа с вареного яйца: возле гостиницы прогремел мощный взрыв, выбив все окна в западном крыле и наполнив грохотом и пылью темные коридоры. От взрывной волны тут же заложило уши — казалось, чудовищный грохот разрушил даже связи между атомами тела...

* * *

Я принял еще таблетку ибупрофена и вздохнул, глядя на экран лэптопа. Я написал отчет о взрыве еще во время вчерашнего рейса из Стамбула, хотя на душе у меня было на редкость паршиво, да и голова после бессонной ночи работала плохо. Я боялся, что это будет чувствоваться: рассказ о реальных фактах, который попахивает выдумкой, — это ни то ни се. Рамсфелд должен был сделать заявление по Ираку в одиннадцать утра по восточному времени, но до этого у меня оставалось еще минут пятьдесят. Я включил по телевизору Си-эн-эн, но убрал звук — там всего лишь какой-то репортер из Белого дома вещал о том, что думает «источник, близкий к министру обороны», насчет грядущего выступления Рамсфелда. Аоифе, валявшаяся на кровати, зевнула и отложила свой любимый журнал «Спасение диких животных» за 2004 год.

— Пап, можешь включить мне «Дору-исследовательницу»?

— Нет, малышка. Мне сейчас как раз нужно кое-что проверить для работы.

— А этот большой белый дом находится в Bad Dad'e?

— Нет, это настоящий Белый дом. В Вашингтоне.

— А почему он белый? В нем что, только белые люди живут?

— Э-э... Да. — Я выключил телевизор. — Пора спать, Аоифе.

— А прямо над нами номер дедушки Дэйва и бабушки Кэт?

Ей-богу, надо было мне все-таки ей почитать — Холли всегда ей читает, — но я должен был закончить статью.

— Да, они этажом выше, но не прямо над нами.

За окном слышались крики чаек. Сетчатая занавеска покачивалась на ветру. Аоифе притихла, потом вдруг спросила:

— Пап, а мы можем снова сходить к Дуайту Силвервинду, когда я посплю?

— Давай не будем начинать все сначала. А теперь закрывай глазки и засыпай.

— Ты сказал маме, что тоже собираешься спать.

— Да, я сейчас тоже лягу. Ты засыпай первая, а мне еще нужно закончить статью и сегодня же отправить ее по электронной почте в Нью-Йорк. — *А потом признаться Холли и Аоифе, что в четверг на спектакле «Волшебник из страны Оз» я быть не смогу. Скорее всего.*

— Зачем?

— Это моя работа. Как ты думаешь, откуда берутся денежки, чтобы мы могли покупать еду, одежду и книжки про спасение диких животных?

— Из твоего кармана. И из маминого.

— А как они туда попадают?

— От Денежной феи, — не сдавалась наша сообразительная дочь.

— Ну, хорошо, тогда я и есть Денежная фея.

— Но мама тоже зарабатывает на своей работе денежки!

— Верно, но Лондон — очень дорогой город, так что зарабатывать приходится нам обоим.

Я все думал, как бы получше заменить чересчур цветистое выражение «связь между атомами», но тут блямкнул сигнал электронной почты. Это было всего лишь сообщение из «Air France», но когда я снова вернулся к статье, все выдуманные мной варианты замены из памяти уже испарились.

— А почему Лондон — такой дорогой город, пап?

— Аоифе, *пожалуйста*! Мне надо еще немножко поработать. Закрой глазки.

— Ладно.

Она презрительно фыркнула, легла и даже сделала вид, что храпит, как телепузик. Мне это здорово действовало на нервы, но я не мог придумать никаких весомых аргументов, чтобы заставить Аоифе заткнуться и при этом не довести ее до слез. Лучше подождать.

Моя первая мысль была, напечатал я, *что я жив. Моя вторая...*

— Пап, а почему я не могу сама пойти повидаться с Дуайтом Силвервиндом?

Только не ори на нее! — скомандовал я себе.

— Потому что тебе всего шесть лет, Аоифе.

— Но я же знаю дорогу до Дуайта Силвервинда! Выйти из отеля, перейти по «зебре» улицу, потом пройти по пирсу — и все.

Вы только посмотрите на эту мини-Холли!

— Будущее ты создашь себе сама. И оно будет таким, каким ты сама захочешь, а не таким, какое выдумает для тебя какой-то незнакомец с фальшивым именем. А теперь, *пожалуйста*, дай мне поработать.

Она уютно устроилась, обняв игрушечного песца. Я вернулся к статье: *Моя первая мысль была: я жив! А вторая — только не вставай. Если это минометная атака, то взрывы могут повториться. Моя...*

— Пап, а ты разве не хочешь узнать, что у тебя случится в будущем?

Я заставил себя пару секунд помолчать, потом довольно сердито ответил:

— Нет.

— А почему нет?

— Потому что...

Я задумался о том мистическом Сценарии, который упоминала двоюродная бабушка Айлиш; я думал о семье Насера, и о майоре «Хакенсаке», и о том, как жарким летним днем в 1984 году я ехал на велосипеде по узкой тропке в устье Темзы и вдруг узнал девушку, что лежала на галечном пляже в майке с надписью «Qiadrophenia» и в черных джинсах, таких же черных, как ее коротко остриженные волосы; девушка спала, положив голову на рюкзак, и внутренний голос твердил мне: *проезжай мимо, проезжай мимо...*Но я не проехал, а свернул к ней.

Я закрыл лэптоп, подошел к кроватке Аоифе, сбросил с ног туфли, прилег рядом с дочкой и сказал:

— А если бы я узнал, что со мной или, еще хуже, с мамой или с тобой должно случиться что-то плохое, но был бы не в силах это изменить? Нет уж, я был бы счастливее, ничего этого заранее не зная, и просто... наслаждался бы каждым солнечным деньком как последним.

Глаза Аоифе стали очень большими и очень серьезными.

— А что, если бы ты *был в силах* это изменить?

Я собрал в пучок волосы у нее на макушке, так что она стала похожа на самурая.

— Ну, а если бы все-таки нет, маленькая мисс Ананас?

— *Эй*, я не... — она сладко зевнула, —...ананас! — Я тоже невольно зевнул, и она засмеялась: — Ага! Я и тебя заразила зевотой.

— Вот и прекрасно. Тогда я тоже немножко вздремну вместе с тобой. — Это, кстати, было бы совсем неплохо: Аоифе могла проспать по крайней мере час, а я минут через двадцать встал бы вполне освежившимся, поймал бы по телевизору последнее опровержение Рамсфелда, дописал бы статью и прикинул, как сказать Холли и Трусливому Льву, что уже в среду я должен оказаться в Каире. — Спи крепко, — сказал я Аоифе, как всегда говорила ей Холли, — и не позволяй клопам кусать тебя.

— Эд! Эд!

Мне снилось, что Холли будит меня в каком-то странном гостиничном номере, и глаза у нее ужасно испуганные и косят, как у лошади, понимающей, что ее ведут на убой. И почему-то Холли все повторяла «А где же Аоифе?», что было очень странно, потому что Аоифе совершенно точно спала рядом со мной. А еще что-то такое случилось с силой притяжения, потому что мои ноги казались пустыми и непослушными, и я все пытался спросить: «В чем дело?» у той, *ненастоящей*, Холли, которая была больше похожа на человека, крайне неудачно пытающегося изобразить настоящую Холли.

— Эд, где Аоифе?

— Здесь. — Я приподнял одеяло.

Но там оказался только игрушечный песец.

Меня словно ударило разрядом в двадцать тысяч вольт, и разом вернулась вся моя супербдительность.

Впрочем, паниковать пока не было необходимости.

— В ванной смотрела?

— Да, только что! Эд! Где она?

— Аоифе? Выходи! Аоифе, это уже не смешно!

Я встал и поскользнулся о книжку — ежегодник «Спасение диких животных» за 2004 год, валявшийся на полу. Я заглянул в шкафы; в узкую, дюйма два, щель под кроватью; в туалет; в ванную комнату. Мне стало жарко. *Она пропала.*

— Она все время была здесь, — сказал я Холли. — Мы с ней вместе уснули, и она была рядом буквально минуту назад.

Я посмотрел на электронные часы, встроенные в переднюю панель телевизора: 16:20! Черт, черт, черт! Я бросился к окну, словно... словно надеялся оттуда увидеть, как она стоит внизу, в густой воскресной толпе на променаде, и машет мне рукой. Я обо что-то ударился большим пальцем ноги и вспомнил: Аоифе спрашивала, где номер Дэйва и Кэт, а потом еще — почему она одна не может сходить к Дуайту Силвервинду. Я поискал сандалии Аиофе. Исчезли. Холли что-то говорила мне, но я, похоже, напрочь забыл родной язык: мне слышался только невразумительный набор каких-то слогов. Потом Холли умолкла, видимо, ждала ответа. И я сказал:

— Я думаю, она либо пошла искать тебя, либо номер дедушки с бабушкой, либо же... она все-таки направилась на пирс, к этому предсказателю будущего. Значит, так: ты сходи в номер к своим родителям, а также скажи дежурному у стойки регистрации, чтобы они ни в коем случае не выпускали из здания шестилетнюю девочку в... в... *(черт, во что же она была одета?..)* в майке с зеброй. А я пока сбегаю на пирс и поищу ее у этого предсказателя.

Я сунул ноги в туфли и уже выбегал из комнаты, когда Холли крикнула мне: «У тебя телефон с собой?» Проверив, я крикнул: «Да!», а потом опрометью бросился по коридору к лифтам. Там уже ждали две старые дамы в цветастых платьях, словно сошедшие со страниц Агаты Кристи. Они пристроились у огромного бронзового горшка с аспидистрой поистине доисторических размеров и ждали, похоже, уже давно, но ни один лифт не приходил; я лихорадочно нажимал и нажимал на кнопку, как-то не сразу замстив, что все время бормочу: «Черт черт черт черт черт!»; дамы гневно посматривали на меня, и тут наконец пришел лифт, дверцы открылись, и натуральный Дарт Вейдер из «Звездных войн», указывая вверх своим световым мечом, спросил с явным акцентом Белфаста: «Вам наверх?». И меня точно по башке ударили, когда я представил себе Аоифе там, на крыше, так что я кивнул и вошел. Одна из престарелых «мисс Марпл» сказала лифтеру: «Нет, нам нужно вниз, но я должна сказать, что костюм у вас *просто прелестный*!» Нет, подумал я, что за чушь мне лезет в голову? Ведь все выходы на крышу наверняка заперты, это просто глупо предполагать, что она может быть там, здесь заботятся о здоровье и безопасности постояльцев. Аоифе, конечно же, пошла на пирс. Я ринулся вон из кабины, хотя дверцы уже закрывались, и ободрал себе голень, пинком заставив дверцы снова открыться. Дарт Вейдер сказал мне в спину: «Вы бы сразу решили, что вам нужно, приятель». Мне нужно было к лестнице, и я пошел туда, куда указывала стрелка с надписью «Лестница», проследовал по этой стрелке до следующего такого же указателя, затем еще до следующего, затем еще... Ковер заглушал шаги. Наконец впереди я увидел, как те две престарелые дамы садятся в лифт, заорал: «ЗАДЕРЖИТЕ, ПОЖАЛУЙСТА, ЛИФТ! ПОДОЖДИТЕ МЕНЯ!» и прыгнул, как Майкл Джордан, но наступил на свои незавязанные шнурки и, поскользнувшись, пролетел метров десять и больно ударился кадыком о двери лифта, которые с грохотом захлопнулись у меня перед носом; возможно, те две «мисс Марпл» просто не успели удержать лифт, а может, и не захотели — вот суки! — и я все жал и жал на кнопку вызова большим пальцем, но этот ублюдочный лифт безвозвратно уехал, а моя маленькая доверчивая невинная девочка все ближе и ближе подходила к сомнительному типу, у которого на пирсе собственная *запирающаяся* будка и который небось не носит под своими одеждами Мерлина подштанников. Я завязал шнурки на туфлях, на шаг отступил от лифта и увидел, что кабина остановилась на седьмом этаже, потом минут — часов, лет? — через десять она переместилась на шестой этаж, где простояла еще минут — часов, лет? — десять; из горла моего уже рвался крик отчаяния, и тут прямо за аспидистрой я заметил стеклянную дверь, ведущую на лестницу. Черт побери! Я загремел вниз по лестнице, сопровождаемый гулким эхом, точно ловкий и изворотливый герой боевика, но вряд ли даже герой боевика способен думать о чем-то другом, когда речь идет о жизни его единственной дочери, его единственной, очаровательной, смешной, идеальной и такой хрупкой девочки! Я птицей слетел вниз, не замечая, как мелькает этаж за этажом, казалось, устремляясь прямо к центру Земли; запах краски становился все сильней, я чуть не налетел на маляра, стоявшего на стремянке и проворчавшего мне вслед: «Черт побери, полегче, приятель, не то поскользнешься и все мозги себе вышибешь!» Наконец я оказался перед какой-то дверью, на которой было написано: «Аварийный выход»; в двери было крошечное окошечко, и сквозь него я разглядел подземный погрузочный зал и понял: это зады гостиницы, тогда как мне нужен фасад; впрочем, дверь все равно была заперта. Господи, ну почему я просто не подождал этого проклятого лифта? Я вихрем пронесся по служебному коридору, заметив на бегу надпись «Проход на нулевой уровень», и у меня отчего-то возникла мучительная уверенность, что я попал в лабиринт, причем состоящий не только из коридоров, поворотов и дверей, но и из *решений* и *предпочтений*, и в этом лабиринте я нахожусь не одну или две минуты, а долгие годы, столетия, потому что однажды, много лет назад, несколько раз свернул куда-то не туда и теперь уже не могу вернуться в исходную точку; тогда я решил пройти в дверь с надписью «Проход на нулевой уровень» и повернул ручку, потом потянул за нее, но дверь не открывалась... и я решил, что нужно не тянуть, а толкнуть, и толкнул дверь...

Что это? Передо мной оказалась выставочная площадь просто невероятной глубины и ширины, и я, потрясенный, подумал, как это удивительно, что отель «Маритим» способен скрывать под собой такое неохватное пространство, простирающееся — наверняка! — и под фундаментами соседних домов, и под променадом, и, возможно, даже под Английским каналом. Тысячи людей бродили там, внимательно рассматривая ряды лавок и киосков, и надо всей этой толпой висел прямо-таки океанический гул. Некоторые были в нормальной одежде, но большинство напялили маскарадные костюмы: там было полно Суперменов и Бэтменов; там были Доктор Спок, Доктор Икс[1] и Доктор Зло; парочка клингонов и похожий на ящерицу силурианец; вереница китаянок из «Гарри Поттера», щетинистая Женщи-

---

[1] Д о к т о р И к с — герой знаменитого одноименного американского триллера (1932).

на-кошка, то и дело поправлявшая узенькую полоску лифчика, и пара обезьян из «Планеты обезьян»; целый выводок агентов Смитов из «Матрицы»; ходячая Тардис[1]; изрешеченный пулями Шварценеггер с остатками эндоскелета Т-800, просвечивающими сквозь дыры в его плоти и одежде; и надо всем этим витали болтовня, смех и задушевные разговоры. *А что, если Аоифе тоже угодила в этот резервуар с чудаками, гиками и сказочными персонажами? Разве она сможет отсюда выбраться? Да и как я сам выберусь отсюда?* Конечно, вон через те большие двери на дальнем конце зала, где висит плакат «Планета Брайтон 2004». Я поспешил туда сквозь неторопливый поток героев манга, триблов[2], фанатов «Стартрека», членов команды космолета «Enterprises» и любителей сборных моделей звездного крейсера «Галактика»; я миновал киборга Далека из «Доктора Кто», громко вещавшего: «И юность с прелестью в чертах, и трубочист — один все прах![3]»; я налетел на Человека-невидимку, проскользнул за спиной у Минга Беспощадного, протиснулся между несколькими урук-хаями и теперь окончательно потерял путь наружу, потерял Аоифе, забыл, где север, юг, запад и восток, и в отчаянии спросил дорогу у подвернувшегося мне магистра Йоды, и тот ответил: «Рядом с болотом, парень», и ткнул в ту сторону пальцем, и я наконец оказался в вестибюле гостиницы, прошел между каким-то неопытным мальчишкой-репортером и Судьей Дредом...

И вывалился наружу...

...в пахнущий тростниками и морской солью полдень. Лавируя между машинами на променаде, я ринулся к пирсу. Мне гудели, но на сегодня я освободил себя от правил движения. Теплая погода принесла сюда дьявольское количество семей, которые не теряли своих шестилетних девочек из-за собственной небрежности или нехватки любви, и я бы сейчас душу продал, лишь бы вернуться на час назад в наш номер. Тогда я бы обращался с Аоифе совсем не так; я бы сказал ей: «Извини, я что-то разворчался сегодня. Давай вместе сходим к твоему мистеру Силвервинду». Ах, если б только я мог вернуть Аоифе назад, я бы отдал этому таинственному старому ублюдку свою карточку ATM *и* вытирал бы ему задницу в течение целого года и еще одного дня. Или если бы можно было прыгнуть на час вперед, когда Аоифе уже нашлась бы живой и невредимой, то я бы первым делом позвонил бы Олив Сан и сказал: «Извини,

---

[1] Т а р д и с (*англ.* TARDIS — Time And Relative Dimensions In Space) — живая машина времени и космический корабль из британского телесериала «Доктор Кто».

[2] Т р и б л ы — вымышленные бесполые существа из научно-фантастических фильмов и сериалов «Стартрек».

[3] Перевод Ф. Миллера.

Олив, пошли на интервью с Дюфресне лучше Гэри. Или, скажем, Джен». Боже, Боже, Боже, великий Боже! Сделай так, чтобы Аоифе сейчас выбежала из этой толпы и прыгнула в мои объятья! Сделай так, чтобы ни один гнусный тип не затащил ее в свой вагончик — *Не ходи туда, девочка моя, просто не ходи туда!* Меня толкали со всех сторон; людская река текла и текла на пирс и обратно, и я рысью ринулся наперерез течению, но потом немного замедлил ход: я ни в коем случае не должен был ее пропустить. Вдруг она уже идет обратно и ищет в толпе своего папочку? Продолжай быстро идти, но внимательно вглядывайся в лица, смотри в оба, ищи Аоифе и не думай о газетных заголовках, вопящих «Пропала дочь военного корреспондента», или о слезных призывах найти ребенка с теле- визионных экранов, или о заявлениях адвокатов от лица Сайксов, «тех самых Сайксов», которые уже однажды пережили подобный кошмар, — «ТРАГЕДИЯ ВНОВЬ ОБРУШИЛАСЬ НА СЕМЬЮ МА- ЛЕНЬКОГО ЖАКО САЙКСА». Я хорошо помнил те долгие недели в 1984 году, когда «Капитан Марло» был закрыт «по семейным об- стоятельствам», как было написано на объявлении, прилепленном к запертой двери; а вскоре в газетах появились сообщения о двух най- денных мальчиках, каждый из которых мог бы оказаться Жако, но, увы, этого не случилось; и Кэт каждый раз говорила мне: «Извини, Эд, но Холли сегодня не в состоянии кого бы то ни было видеть»; и в итоге я так и не купил билет на «ИнтерРейл», а все лето прора- ботал в садовом центре на Кольцевой А-2. Я тоже чувствовал себя ответственным за случившееся: ведь если бы тем субботним вечером я уговорил Холли пойти домой, а не ломал вместе с ней замок на церковных дверях, Жако, возможно, никуда бы и не ушел; но Холли очень мне нравилась, и я надеялся, что, может быть, между нами что-нибудь произойдет... Вдруг в кармане у меня зазвонил телефон, и я взмолился, зная, что это Холли, жесткая, как кожа на солдатских сапогах: *Пожалуйста, Господи, прекрати это! Пожалуйста, пожа- луйста, сделай так, чтобы это были хорошие новости!*

— Новости есть? — спросил я, достав телефон.

— Нет. Мама и папа ее не видели. А ты?

— Я все еще иду по пирсу.

— Я сказала менеджеру. Они сделали объявление через пресс- агентство. Брендан сидит на ресепшн и следит за дверью. В полиции сказали, что пока никого посылать на поиски не будут, но Рут на них уже насела.

— Я позвоню, как только доберусь до этого предсказателя.

— Ладно. — И Холли отключилась.

Я был уже возле пассажа — смотри смотри смотри смотри *смотри!* Маленькая черноволосая девочка в майке с зеброй и в зеленых леггинсах проскользнула в открытую дверь. Господи, это же она! Это наверняка она! Мне показалось, что внутри у меня взорвалась ручная граната, с такой силой всплеснулась в душе надежда, и я заорал:

— АОИФЕ!

Люди оглядывались, озирались, пытаясь понять, кто это орет как сумасшедший, но Аоифе даже не обернулась.

Я бросился за ней, проталкиваясь между загорелыми плечами, мороженым и какими-то пьяными молокососами.

Что-то темное, страшное, царапало мою душу изнутри.

— Аоифе!

Визг циркулярной пилы — это мчались наперегонки несколько «Формул-А», трещали лазерные бластеры двадцать второго века, с грохотом рушились здания под падавшими с неба бомбами, и...

Вот же она! Аоифе! *Благодарю Тебя, Господи, благодарю, благодарю, благодарю, благодарю...* Она во все глаза смотрела на другую девочку, постарше, в коротеньком топе и браслетах на запястьях в стиле «Dance Dance Revolution»[1]. Я бросился к ним и упал возле нее на колени:

— *Аоифе, дорогая моя, ты не должна вот так уходить от нас!* Мы с мамой чуть инфаркт не получили! Идем. — Я положил руку ей на плечо. — Аоифе, давай поскорей пойдем домой.

Но когда Аоифе повернулась ко мне, у нее оказались совсем не те глаза, и не тот нос, и не то лицо, а потом чья-то могучая рука схватила меня за плечо и отшвырнула от нее — рука крепкого мужчины лет пятидесяти в жуткой рубашке акриловой расцветки.

— Какого *хрена* тебе нужно от моей дочери? Ты что это творишь, а?

Да, все стало только хуже. Действительно намного хуже.

— Я...я... я думал, что это моя дочь, я ее потерял, она была... Но она... она...

Этому типу явно хотелось четвертовать меня прямо тут же, на месте.

— Ну так это не она! Надо следить за собой, приятель, а то люди бог знает что подумают, а может, и *правильно* подумают, а? Ты понял, о чем я?

— Извините, но я... я...

Я выкатился из пассажа на солнце, точно Иона, исторгнутый из темного вонючего чрева кита.

Это тебе наказание за Азиза и Насера.

Итак, моей единственной надеждой оставался Дуайт Силвервинд. И до него было всего шестьдесят секунд ходу.

---

[1] Музыкальные видеоигры, популярные в Японии с конца 1990-х годов. Игра происходит на танцевальной платформе с четырьмя панелями.

Вряд ли он осмелился что-то с ней сделать. Здесь слишком много народа.

Может быть, он скажет ей, чтобы она подождала, пока придет папа?

И Аоифе будет сидеть там, словно все это просто забавная шутка.

А знает ли она номер мобильника Холли? Не уверен. Я бросился бежать.

Мимо киоска с бургерами; мимо затянутой сеткой площадки для баскетбола.

Мимо гигантского плюшевого медведя, внутри которого находился обливающийся потом человек.

Мимо маленькой девочки, которая смотрела вниз, на море, словно поющее ей колыбельную...

Домик Дуайта Силвервинда приближался ко мне какими-то скачками. Пирс сам собой раскачивался. Дышать было все тяжелей. Возле «Святилища» сидела и вязала какая-то женщина; вывеска над ней призывала: «Развивающее чтение». Я ворвался туда, в эту темную нору, и увидел стол, два мягких стула, три свечи, от которых тянуло какими-то благовониями, разложенные на столе карты Таро, удивленного Дуайта Силвервинда и какую-то чернокожую даму, упакованную в обтягивающее платье... Но никакой Аоифе там не было!

— Э-э-э... может быть, вы позволите нам закончить? — спросила клиентка Силвервинда.

— Моя дочь здесь была? — спросил я, не обращая на нее внимания.

Женщина встала.

— Вы не имеете права вот так сюда врываться!

Силвервинд нахмурился, внимательно посмотрел на меня и сказал:

— Я вас помню. Вы отец Аоифе.

— Она убежала. Из нашего номера. Мы остановились в отеле «Маритим». Я... я... мне казалось, что она... — Они оба смотрели на меня так, словно я спятил. Меня чуть не вырвало. — ...Она вполне могла прийти сюда.

— Мне очень жаль, мистер Брубек, — сказал Дуайт Силвервинд таким тоном, словно Аоифе скончалась у него на глазах, — но мы не видели ни ее саму, ни даже ее волоска.

Я обеими руками стиснул череп, чтобы он не взорвался. Пол подо мной качался, накреняясь в обе стороны под углом в сорок пять градусов, так что устоять на ногах оказалось ужасно трудно, и если бы та чернокожая женщина меня не подхватила и не усадила на стул, я бы, наверное, грохнулся в обморок и разбил себе об пол башку.

— Давайте разберемся в ситуации, — спокойно сказала она. У нее был типичный акцент жительницы Бирмингема. — Итак, у нас пропал ребенок. Девочка. Так?

— Да, — сказал я жалким голосом. — *Пропала.*

Она продолжала строгим, не допускающим никаких глупостей тоном:

— Имя и возраст?

Пропала.

— Эдмунд Брубек, мне... тридцать пять...

— Нет, Эдмунд. Имя и возраст *ребенка.*

— Ох, извините. Аоифе Брубек. Ей шесть. Всего шесть!

— Хорошо-хорошо. А что на Аоифе надето?

— Майка с зеброй. Сандалии.

— Хорошо, главное в этой игре — как можно быстрее ответить. Я сейчас вызову охрану пирса и попрошу дежурных организовать поиски вашей дочери, а вы напишите вот здесь номер вашего телефона. — Она подала мне ручку и свою визитную карточку, и я нацарапал на ней свой номер. — Дуайт, вы вместе с Эдом идите по пирсу в сторону набережной и вдвоем прочесывайте толпу. Я останусь здесь. Если на пирсе вы ее не обнаружите, возвращайтесь в отель «Маритим», и там мы снова все обсудим. Обещаю вам, Эд: если Аоифе здесь объявится, я сразу же вам позвоню. А теперь идите. Идите, идите, идите!

Стоило нам выйти, как зазвонил мой телефон. Холли спросила только:

— Она там?

Мне страшно не хотелось говорить «нет», и она это явно почувствовала.

— Нет.

— Ладно. Шэрон рассылает эсэмэски всем приехавшим на свадьбу гостям, чтобы осмотрели весь отель. Двигай обратно. Я буду в вестибюле с Бренданом.

— Ладно: я скоро вер...— Но она уже отключилась.

Из развлекательного комплекса доносилась ярмарочная музыка. Может быть, Аоифе там?

— Туда не пускают детей младше десяти лет, тем более без сопровождения взрослых. — Дуайт Силвервинд был по-прежнему в своем расшитом самоцветами жилете. — Идемте. Нам нужно прочесать весь пирс. Там осталась мисс Николс... — он мотнул головой в сторону своего святилища, — ...не беспокойтесь. Она будет держать оборону крепости. Она из дорожной полиции.

— А как же вы... — Я махнул рукой в сторону его будки. — Вы же работаете.

— Ваша дочь хотела видеть меня сегодня утром не без причины, и я полагаю, что дело именно в этом. — Мы с ним шли по пирсу в обратную сторону, вглядываясь в каждое лицо. Мы даже в галерею заглянули. Безрезультатно. Там, где пирс кончался, а может, начинался, я ухитрился поблагодарить Дуайта Силвервинда за помощь, но он сказал: — Нет, нет. Я чувствую, что в соответствии со Сценарием мне следует остаться с вами до конца.

— С каким Сценарием? — спросил я.

Но мы уже перешли через улицу и входили в прохладный вестибюль отеля «Маритим», где я смог предъявить Холли после своего безумного бега по пирсу только этого умудренного «друида» в веселеньком прикиде, который, впрочем, в фантастической толпе отдыхающих отнюдь не выглядел таким уж нелепым. На ресепшене был создан оперативный штаб. Встревоженный управляющий, локтем прижимавший к уху телефон, был со всех сторон окружен Сайксами и Уэбберами, и теперь все они дружно уставились на меня, никуда не годного папашу, который и являлся причиной этого кошмара: Шэрон и Питер, Рут и Брендан, Дэйв и Кэт, Полин и Остин.

— На пирсе ее нет, — сообщил я, хотя это и так было очевидно.

— Аманда осталась наверху, в вашем номере, — сказала мне Рут, — на случай, если Аоифе сама туда вернется.

— Теперь уже не надо так волноваться, — сказала Полин, — она наверняка объявится с минуты на минуту.

Остин согласно закивал и сообщил мне, что Ли со своими друзьями отправился на пляж, — вдруг Аоифе пришло в голову походить босиком по воде. Дэйв и Кэт выглядели так, словно их подвергли процедуре стремительного старения, а Холли вообще едва заметила, что я вернулся.

Управляющий, отнимая трубку от уха, сказал ей:

— Не поговорите ли вы с представителем полиции, миссис Брубек? Холли взяла телефон:

— Здравствуйте... Да. Моя дочь... Да-да, я *знаю*, что это случилось менее часа назад, но ей всего шесть, и я хочу, чтобы вы прямо сейчас объявили розыск... В таком случае *сделайте исключение*!.. Нет, это *вы* послушайте: мой муж — журналист, сотрудник государственной газеты, и если Аоифе *не будет* найдена живой и здоровой, вы очень и очень пожалеете, если прямо сейчас не поднимете всех на ноги... *Спасибо*. Да, шесть лет... Темные волосы до плеч... Майка с зеброй... Нет, не полосатая, просто майка с изображенной на ней зеброй... Розовые штанишки. Сандалии... Я не знаю, погодите минутку... — Холли посмотрела на меня, лицо у нее было покрыто пепельной бледностью. — Ее заколки в номере тоже не было?

Я тупо смотрел на нее. Ее — чего?

— Ну, такой серебристой блестящей штуки, которой она зажимает себе волосы в хвост?

Этого я не знал. Не знал. Не знал. Но прежде чем Холли смогла ответить полицейскому, голова ее вдруг резко отклонилась назад под каким-то странным углом, а на лице возникло такое выражение, словно она в полной отключке. Господи, что с ней такое? Однажды я видел, как у одного моего коллеги, страдающего диабетом, случился, как он сам это называл, «приступ гипо», или, скорее всего, диабетической комы, и вот сейчас то, что творилось с Холли, было очень и очень на это похоже. Шэрон крикнула мне: «Скорей! Подхвати ее!», и я бросился вперед, но меня опередили Брендан и Кэт. Они поддержали Холли и не дали ей упасть.

Управляющий отелем сказал: «Сюда, несите ее сюда», и Холли отволокли к нему в кабинет.

Она дышала с трудом и как-то чересчур интенсивно: вдох—выдох, вдох—выдох. Кэт, которая когда-то в давние времена окончила курсы медсестер в Корке, сказала: «Ей нужен воздух, пространство! Отойдите, отойдите!» И они с Бренданом уложили Холли на диван, наскоро расчищенный управляющим.

— Старайся дышать спокойней, дорогая, — уговаривала ее Кэт. — Вот так, хорошо, дыши медленней, я тебя очень прошу...

Мне бы следовало быть рядом с Холли, но там было слишком много Сайксов, которые не давали подойти к ней, да и кабинет был слишком мал. И потом, кого, в конце концов, все считали виноватым во всем этом? Но я все же стоял достаточно близко и видел глаза Холли, видел, как ее зрачки все сужаются и сужаются, превращаются в точки, почти исчезают... Полин Уэббер вдруг громко сказала: «Что это у нее с глазами?»... И передо мной тут же возникло плечо Питера... а по лицу Холли прошла судорога, и Дэйв спросил: «Слушай, Кэт, может быть, лучше вызвать врача?»... И лицо Холли совсем замкнулось, помертвело, словно она окончательно потеряла сознание... И я услышал голос Брендана: «Мам, по-моему, это какой-то приступ»... И Кэт сказала: «Во всяком случае, пульс у нее невероятно частит»... И управляющий заявил: «Я вызываю неотложку»... Но тут губы Холли и ее подбородок немного расслабились, помягчели, и она невнятно выговорила одно лишь слово: «*Десять...*» Она сказала это, как говорят люди, абсолютно глухие с рождения, хрипло и страшно медленно, словно магнитофонную запись поставили не на ту скорость, и как-то подчеркнуто растягивая гласные.

Кэт вопросительно посмотрела на Дэйва; тот пожал плечами и обратился к дочери:

— Десять *чего*, Холли?

— Она еще что-то говорит, Кэт, — сказала Рут.

Действительно: Холли удалось произнести и второе слово: «*П-пят-т-т...*»

Питер Уэббер прошептал:

— А это вообще английский язык?

— Холли, дорогая, — наклонился к ней Дэйв, — о чем ты? Что ты хочешь нам сказать?

Холли била легкая дрожь, и голос ее тоже дрожал: «*... на-д-цать...*»

Я почувствовал, что мне пора все взять в свои руки; то есть я, конечно, был ее мужем, но никогда не видел ее — да и никого другого — в таком состоянии.

Питер, сложив сказанное вместе, предположил:

— Десять-пятнадцать? Четверть одиннадцатого?

Дэйв спросил у дочери:

— Детка, что случится в десять часов пятнадцать минут?

— Это же ничего не значит, — сказал Брендан. — У нее просто какой-то приступ.

Подвеска с последним лабиринтом Жако соскользнула с края дивана и повисла в воздухе. А Холли, похоже, очнулась и, коснувшись головы, поморщилась от боли; глаза ее теперь выглядели почти нормально. Удивленно моргая, она смотрела на встревоженную толпу людей, сгрудившихся возле нее.

— О господи! Неужели я грохнулась в обморок?

Все молчали; никто не знал, что ей на это ответить.

— В общем, что-то в этом роде, — бодро сказала Шэрон. — Только не пытайся сесть.

— Ты помнишь, что ты сказала? — спросила Кэт.

— Нет, да и какая разница, если Аоифе... А впрочем, да-а, назвала какие-то числа, по-моему.

— Скорее уж какое-то время, Хол, — сказала Шэрон. — 10 : 15.

— Я сейчас встану, я уже гораздо лучше себя чувствую. А что случится в 10:15?

— Если ты этого не знаешь, — сказал Брендан, — то мы тем более.

— Все это ерунда. Аофе эти 10:15 не помогут. Кто-нибудь закончил мой разговор с полицейским?

— Нам всем показалось, что у тебя произошло что-то вроде кратковременной остановки сердца, — неуверенно заметила Кэт.

— Нет, мама, этого у меня точно не было, не волнуйся. А где наш управляющий?

— Я здесь, — откликнулся этот бедолага.

— Соедините меня с полицейским участком, пожалуйста, не то они так и будут тянуть время. — Холли встала и даже сумела сделать шаг по направлению к двери. Мы дружно расступились, давая ей пройти, а я даже отошел к стойке дежурного, чтобы у нее было больше простора — и тут вдруг послышался чей-то голос:

— Эдмунд.

Я отыскал глазами Дуайта Силвервинда, о котором совершенно позабыл.

— Просто Эд.

— Только что было получено сообщение. Оно связано со Сценарием.

— Получено что?

— Сообщение.

— И что там?

— 10 : 15. Это знак. Как бы... мимолетное видение. Это не связано с самой Холли.

— Вообще-то, по-моему, она сама это сказала.

— Эд, Холли всегда была... э-э-э... психически нормальной?

Я не сумел скрыть раздражения.

— Нет, она, разумеется... — начал я и вспомнил: «радиолюди»! — Видите ли, в раннем детстве у нее бывали... странные видения. И она... Да, пожалуй, тогда у нее и впрямь были маленькие нелады с психикой.

Казалось, на поникшем лице Дуайта Силвервинда стало еще больше морщин; теперь оно напоминало кору старого дуба.

— Не стану отрицать: я скорее не предсказываю будущее, а разговариваю с людьми об их возможном будущем. Людям необходимо порой озвучивать свои страхи и надежды, причем в конфиденциальной обстановке, вот я и даю им такую возможность. Но порой у меня *действительно* случается настоящее предвидение событий — и когда это происходит, я сразу понимаю, что именно мне хотели дать знать. Эти 10:15, о которых говорила Холли, очень важны.

Его лицо, похожее на лицо Гэндальфа, моя головная боль, бесконечный бег по пирсу, загадочные слова Айлиш... Любая машина могла бы взорваться в любой момент... Мысль об Аоифе, заблудившейся, перепуганной, с заклеенным ртом... *прекратите это, прекратите это, прекратите это*...

— *Думайте*, Эд. Названное число не случайно.

— Возможно. Но я... признаюсь, полный тупица в вопросах разгадывания загадок.

— Нет-нет... это не загадка. Сценарий написан очень просто — в нем нет каких-то сложных формулировок или загадок. И достаточно часто ответ буквально смотрит на вас, но находится так близко, что вы не можете его разглядеть.

Мне нужно искать Аоифе, а не вести дискуссии по проблемам метафизики! — подумал я и окончательно рассердился:

— Послушайте, я...

И я вдруг заметил, что Дуайт Силвервинд стоит возле стойки с ящичками для ключей от номеров. Ключи от номеров в наше время — это нечто старомодное, напоминающее о давних временах, поскольку в английских и американских отелях — не иракских, разумеется, — по большей части в качестве ключей используются электронные карточки. А здесь на каждом ящичке красовалась бронзовая табличка с выгравированным номером комнаты, и такая же табличка висела на ключах от данного номера. Буквально в шести дюймах от головы Дуайта Силвервинда и чуть левее находился ящичек с табличкой 1015. 1015! И ключ от этого номера был на месте.

Это просто совпадение, — уговаривал я себя, — *не начинай, пожалуйста, и сам «видеть знаки».*

Дуайт Силвервинд проследил за моим, явно несколько ошалелым, взглядом, поднял палец...

Насколько невероятным должно быть совпадение, чтобы его можно было счесть знаком?

...и пробормотал:

— Точно! Теперь-то, черт побери, ясно, что делать дальше!

Портье в этот момент отвернулся. Холли ждала у телефона. Остальные пребывали в жалком состоянии, то и дело удрученно всплескивая руками; многие были очень бледны. В холл вбежала одна из подруг Шэрон и сообщила: «Пока никаких следов, но наши продолжают искать», и я услышал, как Остин Уэббер спрашивал, прижимая к уху мобильник: «Ли? Ты хоть что-нибудь нашел?»

Я взял ключ от номера 1015, и ноги сами понесли меня к лифту.

Он уже ждал меня, и кабина была пуста. Я вошел и нажал на кнопку «10».

Дверцы закрылись. Дуайт Силвервинд по-прежнему оставался рядом со мной.

Лифт без остановок поднялся на десятый этаж.

И мы с Силвервиндом вышли из кабины навстречу абсолютной, прямо-таки могильной, тишине; такой тишины я никак не ожидал в оживленной, полной людей гостинице, да еще и в апреле. Пылинки беззвучно танцевали в солнечных лучах. На стене висело объявление: «Номера 1000—1030 временно закрыты в связи с заменой электропроводки. Вход строго запрещен». Я подошел к номеру 1015, вставил ключ в замок, повернул его и вошел внутрь. Силвервинд остался снаружи. Стараясь отогнать жалкую мысль о том, что если Аоифе там нет, то я никогда больше ее не увижу, я вошел в полутемную комнату и окликнул ее: «Аоифе?»

Ответа не последовало. *Знаки оказались ненастоящими.* Я ее потерял.

340

И вдруг тишину нарушил какой-то шорох. Зашевелилось покрывало на кровати. Аоифе лежала там, свернувшись клубочком, и крепко спала. Она явно так и заснула одетая.

— Аоифе!

Она проснулась, удивленно на меня посмотрела и улыбнулась.

Эти секунды навсегда запечатлелись в моей памяти, точно выжженные железом.

Облегчение такой силы — это уже не облегчение: это счастье!

— Аоифе, крошка, как же ты нас напугала!

Мы крепко обняли друг друга.

— Прости, папочка, но после того, как ты заснул, мне спать еще не хотелось, вот я и подумала, что, пожалуй, пойду и найду дедушку Дэйва, и мы с ним сыграем в «Четыре в ряд». Я сперва немного поднялась по лестнице, а потом я... немножко заблудилась, а когда услышала, что кто-то идет, или, может, мне это показалось, то испугалась, что мне попадет, и решила здесь спрятаться, а дверь захлопнулась и не хотела открываться, я даже немножко поплакала. Я пыталась позвонить, но телефон не работал, а потом я случайно заснула. Мне очень попадет, пап? Ты можешь перестать давать мне карманные деньги, только не сердись.

— Ничего, малышка, я не сержусь. Но давай поскорей отыщем маму и всех остальных.

Когда мы вышли из номера, то за дверью никакого Дуайта Силвервинда не оказалось. Ладно, вопросы, как Холли могла каким-то загадочным образом что-то узнать о местонахождении Аоифе, подождут. Теперь это уже не так важно. Да и вообще вряд ли это важно для нас троих.

* * *

Грохот взрыва замер вдали, но в полудюжине автомобилей включилась сигнализация разной громкости и теперь верещала на все лады. Я вспомнил, что мне не советовали сразу выбегать из здания наружу, потому что за выходом могут наблюдать стрелки, задача которых — уничтожить и выживших, и спасателей. Так что я некоторое время просто лежал на полу, и меня бил озноб; потом все же встал и спустился в вестибюль, хрустя осколками битого стекла. Мистер Куфаджи скорчился над телом нашего охранника Тарика, пытаясь проклятьями и ругательствами вернуть его к жизни. Возможно, я был последним, с кем Тарик сегодня разговаривал. Биг Мак и еще несколько журналистов выбрались из бара, но настроены были весьма нервно и ожидали следующего налета — чаще всего бомбардир номер один, так сказать, зачищал территорию, а бомбардир номер два приканчивал всех, кто в результате паники становился доступным.

Но повторного налета «Сафир» избежал, и время до полуночи пролетело как-то незаметно. Полувоенное подразделение, возглавляемое говорившим по-английски «детективом Зерьяви», прибыло раньше обычного, поскольку в данном случае пострадали иностранцы; ими был занят весь залитый светом карманных фоников внутренний двор отеля; мистер Куфаджи, потрясенный почти до потери рассудка, тоже был с ними. Я туда не пошел. А Биг Мак сказал мне, что несколько машин, стоявших перед входом в гостиницу, разнесло вдребезги; он сам видел куски человеческих тел. Детектив Зерьяви выдвинул теорию, что один из охранников убил другого — там было только одно тело — и пропустил к входу в отель террориста с бомбой, взрыв которой и уничтожил все эти машины. Террорист явно планировал прямо на машине въехать сквозь стеклянные двери в вестибюль и взорвать там свой заряд, чтобы обрушить разом все здание. Но этому плану, похоже, помешали как раз стоявшие у входа автомобили. «Хотя кто его знает?» — сказал детектив Зерьяви; скорее всего, именно эти автомобили и направили взрыв в сторону от здания. Господь был к нам милостив, объяснял в баре детектив Зерьяви, и сам он теперь тоже готов был проявить милосердие: «всего за восемьсот долларов» выделить трех своих лучших офицеров, которые стали бы охранять поврежденный взрывом вестибюль. А иначе, сказал он, до утра будет весьма трудно гарантировать вашу безопасность. Ведь теперь террористы наверняка знают, насколько вы уязвимы.

Наскоро обсудив все это, мы разошлись: кто-то бросился к своим лэптопам, чтобы быстренько написать и отослать материал; кто-то стал помогать мистеру Куфаджи с уборкой; а некоторые легли спать и уснули крепким сном людей, которым чудом удалось остаться в живых. Я чувствовал себя слишком измотанным для всех вышеперечисленных действий, так что поднялся на крышу и отправил сообщение Олив в Нью-Йорк. Сообщение принял ее пресс-агент: отель «Сафир» в Багдаде сильно пострадал от взрыва автомобиля, но никто из журналистов не погиб. Я также попросил передать Холли в Лондон, что со мной все в порядке. А потом просто сидел на крыше, слушая отдаленную, то вспыхивающую, то затухавшую перестрелку, гудение генераторов, рев автомобилей, крики людей, лай собак, визг тормозов, изредка доносившуюся откуда-то музыку и снова выстрелы — словом, типичную багдадскую симфонию. Звезды над затемненным городом светили тускло, а луна выглядела так, словно у нее неизлечимое заболевание печени. Биг Мак и Винсент Агриппа через некоторое время присоединились ко мне — им тоже нужно было сделать звонки в свои конторы. У Винсента телефон не работал, и я дал ему свой. Биг Мак одарил каждого из нас сигарой, чтобы отпраздновать спасение от смерти. Винсент притащил откуда-то бутылку вина. Под воздействием кубинских табачных листьев и винограда с берегов Луары я поведал им о том, что наверняка уже был бы трупом, если бы не серый кот. Винсент, истинный католик, тут же заявил, что этот кот был посланцем Божьим. «Не знаю, кем был этот кот, — заметил Биг Мак, — но *сам ты*, Брубек, и впрямь везучий сукин сын!»

Потом я послал эсэмэску Насеру, чтобы сказать, что я жив.

Сообщение не прошло.

Тогда я послал эсэмэску Азизу и попросил его передать Насеру, что со мной все в порядке.

Но телефон Азиза тоже посланий не принимал.

Я послал эсэмэску Биг Маку, чтобы проверить, работает ли сеть.

Сеть работала. И я весь похолодел от ужасной мысли.

* * *

Возможно, самый страшный для нас с Холли, родителей Аоифе, час был уже позади, смягченный временем и превратившийся чуть ли не в расхожий анекдот, украшенный расползающимися апокрифами и парочкой комических интерлюдий. В вестибюле я сообщил ликующей толпе, что мне случайно пришла в голову мысль, что Аоифе могла подняться по лестнице не на один, а *на два* пролета, когда искала номер бабушки с дедушкой, вот я и решил это проверить, а потом встретил горничную, которая и открыла мне все требуемые двери, и в третьей по счету темной комнате я обнаружил нашу пропажу. К счастью, все испытали такое огромное облегчение и радость, что никто не стал внимательно вслушиваться в мою «легенду», хотя Остин Уэббер все же сердито фыркал и что-то бурчал по поводу «здоровья и безопасности» постояльцев и того, как опасны двери, которые способны защелкнуться и запереть детей внутри. Полин Уэббер провозгласила: «Какое счастье, Эд, что тебе в голову пришла эта мысль! Ведь бедная Аоифе могла бы оставаться в этой ловушке много дней! Просто подумать страшно!», и я был с ней полностью согласен. Мне и впрямь жутко повезло. Я, правда, не назвал номера той комнаты, в которой нашел Аоифе: это выглядело бы как фрагмент из «Секретных материалов» и наверняка испортило бы праздничную атмосферу, а Шэрон и Питер этого не заслуживали. Лишь минут через двадцать, уже стоя на балконе своего номера и глядя на ночной пирс, я рассказал Холли полную версию случившегося. Как обычно, я понятия не имел, что при этом подумала она сама.

— Я быстренько приму душ, — сказала она, выслушав меня. Аоифе уже уложили в постель вместе с песцом Снежком.

Я смотрел, как внизу неторопливо проехала целая флотилия ухоженных мотоциклов.

* * *

Мы разговаривали уже, наверное, лет сто. И в этом была некая приятная новизна. Холли лежала рядом, положив голову мне на плечо и одной ногой обхватив мои бедра. Сексом мы не занимались, но все равно в ее позе была некая волнующая интимность, уже отчасти мной позабытая.

— Это было что-то совсем другое, непохожее на те «видения», которые у меня раньше случались, — объясняла Холли. — Понимаешь, тогда все это было как бы... отрывочные видения того, что еще не случилось. Некое предвидение, что ли.

— А может, это было что-то вроде тех «радиолюдей», которые тебя посещали в детстве?

Она долго молчала.

— Нет. Сегодня у меня было такое ощущение, словно *я сама из их числа*. Из этих «радиолюдей».

— То есть ты как бы транслировала чужие мысли? Работала «говорящей головой»?

— Не знаю... трудно объяснить. Но это вызывает тревогу. И потом, в душе возникает какая-то странная пустота... Ты вроде бы и существуешь в собственном теле, и одновременно тебя там как бы замещает кто-то другой. Это ужасно... *смущает*. Особенно когда *возвращаешься обратно*, а все стоят вокруг тебя, словно это... какая-то сцена из викторианского романа, и семья главного героя собралась у его смертного одра. Уэбберы, наверное, бог знает что обо всем этом подумали.

Я всегда ставил кавычки, когда речь заходила о «психических сдвигах» Холли, но сегодня эти самые «психические сдвиги», по сути дела, помогли нам отыскать дочь. По моему агностицизму был нанесен жестокий удар. Я поцеловал Холли в голову и сказал:

— Ты бы когда-нибудь написала обо всем этом, дорогая. Это был бы... невероятно увлекательный роман.

— Как будто кому-то могут быть интересны дурацкие скитания своевольного подростка!

— Ты ошибаешься. Людям *до смерти* хочется верить, что в этом мире существует нечто большее, чем...

Я не договорил. В приоткрытое окно с пирса доносились вопли отдыхающих, тревожившие темноту, повисшую над спокойным морем.

— Хол, — я вдруг понял, что сейчас расскажу ей все. — Там, в Багдаде, погибли мой помощник Насер и мой фотограф Азиз Аль-Карбалаи. Это случилось на прошлой неделе. Они были убиты прямо у входа в отель «Сафир» во время взрыва бомбы, заложенной в автомобиль самоубийцы. Они погибли из-за меня, Хол.

Холли скатилась с меня, выпрямилась и в ужасе спросила:

— Господи, что ты такое говоришь?

* * *

Холли свернулась клубком, подтянув коленки к груди, и прошептала:

— Тебе давно следовало все мне рассказать.

Я вытер глаза простыней.

— Пир по случаю свадьбы Шэрон — далеко не самое подходящее место и время, не так ли?

— Это же были твои коллеги. Твои друзья. Предположим, Гвин умерла, а я бы тебе даже не сказала и несколько дней отмалчивалась, это было бы хорошо? Их хоть похоронили?

— Да, похоронили... то, что осталось. Но я не мог туда пойти, это было слишком опасно. — В коридоре возле дверей нашего номера раздался пьяный смех. Я подождал, когда снова станет тихо. — Ночью было слишком темно, трудно было что-то разглядеть, а на рассвете мы увидели... только искореженные куски машины того бомбиста и «Короллы» Насера... Мистер Куфаджи посадил у входа в отель несколько... в общем, там у него в горшках растут такие кусты, которые особым образом подстригают, чтобы придать желаемую форму. И мистер Куфаджи их очень берег — это с его стороны что-то вроде жертвоприношения более цивилизованным временам. И я между этими горшками нашел... лодыжку со ступней и... матерчатую туфлю. Господь свидетель, в Руанде я видел вещи и похуже, да и любой средний работник в Ираке видит не менее страшные штуки по двадцать раз на дню. Но когда я *узнал* эту туфлю — туфлю Азиза, — меня вывернуло наизнанку. — Холли крепко сжала мою руку. — Всего за несколько часов до этого Насер записал на диктофон интервью, взятые у пациентов одной больницы недалеко от Фаллуджи, а наутро собирался приехать ко мне, чтобы мы их вместе расшифровали. Господи, это же было всего какую-то неделю назад! А когда они подвезли меня к гостинице, Насер отдал диктофон мне — как он сказал, для пущей сохранности. Мы пожелали друг другу спокойной ночи, и я пошел в гостиницу. А у Насера барахлило зажигание, так что, возможно, Азиз вылез, чтобы его толкнуть или, может, попросить у кого-нибудь «прикурить», что наиболее вероятно. Тот бомбист явно целил в вестибюль; должно быть, рассчитывал, что рухнет все здание; я не знаю, может, это и сработало бы, все-таки взрыв был весьма мощным, но все получилось совсем не так: его автомобиль врезался в машину Насера, и... — Я снова ощутил ее крепкое рукопожатие. — По-моему, я никогда в жизни так не плакал; слезы текли у меня отовсюду, даже из носа, хотя вряд ли это возможно чисто анатомически. — В общем... у дочерей Насера отца больше нет, потому что Насер позже обычного высадил меня у отеля, где живут западные журналисты, — как раз в то время, которое было намечено бомбистом.

В соседнем номере на полной громкости работал телевизор; там показывали какой-то голливудский фильм о сражениях в космосе.

Холли коснулась моего запястья.

— Ты же понимаешь, что все это не так просто? Как ты всегда говорил мне, когда я казнила себя из-за Жако.

Аоифе, которой явно что-то снилось, вдруг жалобно застонала, точно брошенная всеми губная гармошка.

— Да-да, это и одиннадцатое сентября, и Буш с Блэром, и воинствующий ислам, и оккупация, и то, что Насер выбрал себе именно такую профессию, и Олив Сан, и «Spyglass», и раздолбанная «Королла», которая не желала заводиться, и трагическое совпадение, и... ох, и еще миллион всевозможных зацепок — но это еще и я. Я, Эд Брубек, их обоих нанял! Насеру было необходимо кормить семью. Это *из-за меня* они с Азизом там оказались... — Я задохнулся, умолк и попытался взять себя в руки. — Я действительно подсел на свою работу, как наркоман, Холли. Когда я не работаю, жизнь *действительно* кажется мне плоской и скучной. То, в чем Брендан вчера обвинял меня, — чистая правда. Чистая правда и ничего, кроме правды. Я... помешан на войне, я псих, которого тянет в зону военных действий. И я не знаю, что с этим делать!

* * *

Холли чистила зубы, и полоска неяркого, ванильного света упала на спящую Аоифе. Только посмотрите на нее, думал я. Какая яркая, живая и не такая уж маленькая девочка получилась из того, о чем нам поведало таинственное ультразвуковое исследование почти семь лет назад. Я хорошо помнил, как мы сообщали эту великую новость друзьям и родственникам; я помнил удивление и радость клана Сайксов и то, как насмешливо они переглядывались, когда Холли прибавила: «Нет, мама, мы с Эдом *не будем* жениться. Сейчас 1997 год, а не 1897-й»; и я помню, как моя мать — у которой лейкемия уже вовсю взялась за костный мозг, — сказала: «*Ах, Эд!*», а потом разразилась слезами, и я стал спрашивать: «Почему ты плачешь, мама?» — и тогда она засмеялась: «Я и сама не знаю!» А потом — хлоп! — и живот Холли стал быстро расти, даже пупок вывернулся наружу, и там, внутри, все время кто-то брыкался, бил ножкой; и мы часами просиживали в кафе «Спенс» в Стоук-Ньюингтон и составляли список девчачьих имен — Холли, разумеется, *просто знала*, как назовет свою дочь. Я помнил свое необъяснимое беспокойство во время командировки в Иерусалим, потому что в Лондоне скользко, в Лондоне грязно. Помнил, как ночью 30 ноября Холли крикнула мне из ванной комнаты: «Брубек, скорей ищи свои ключи от машины!»; помнил, как мы на бешеной скорости гнали в роддом, где Холли заживо была разрублена на куски совершенно новой, непознанной еще болью, которая называется родовыми муками; помнил, как стрелки часов отчего-то двигались в шесть раз медленнее, чем обычно; а потом на руках у Холли оказался какой-то блестящий мутант, которому она ласково говорила: «Как же долго мы тебя ждали!»; и доктор Шамси, пакистанский доктор, настаивал: «Нет-нет-нет, мистер Брубек, это *вы* должны перерезать пуповину, это абсолютно *необходимо*. Нс тушуйтесь — во время своих командировок вы видели вещи и пострашнее»; а потом в маленькую палату в конце коридора нам принесли кружки чая с молоком и тарелку с питательным печеньем, и Аоифе впервые открыла для себя счастье пить материнское молоко, а мы с Холли вдруг обнаружили, что оба просто зверски проголодались.

Таким был наш самый первый семейный завтрак.

Одинокая планета
Криспина Херши

2015 год

1 мая 2015 года

В Хей-он-Уай уэльские боги дождя мочились прямо на крыши, на праздничные тенты, на зонты прохожих и, разумеется, на Криспина Херши, который широким стремительным шагом направлялся по шумной, бурлящей, как сточная канава, улице в книжный магазин «Старое кино». Там он пробрался в самое нутро магазина и с наслаждением превратил в конфетти последний выпуск журнала «Piccadilly Review». А все-таки, подумал Криспин Херши, то есть я, интересно, кем на этой измученной, покрытой язвами божьей земле считает себя этот жирный тип по имени Ричард Чизмен с обхватом талии шесть футов, с обтянутыми вельветовыми штанами задом и с отвратительной курчавой, как волосы на лобке, бородкой? Этот вонючий ректальный зонд?

Я закрыл глаза, но слова из рецензии Чизмена скользили передо мной, точно «бегущая строка» со сбивающим с ног новостным сообщением: «Я изо всех сил старался отыскать в долгожданном романе Криспина Херши хоть что-то, что было бы способно развеять ужасное ощущение, будто мне трепанируют череп». Да как он *смеет,* этот надутый заляпанный спермой урод, писать такое, да еще и после задушевной беседы со мной на вечеринке в Королевском литературном обществе?[1] «Еще в Кембридже, неопытным юнцом, я как-то ввязался в кулачную драку, защищая честь Херши и его ранний шедевр «Сушеные эмбрионы», и шрам, полученный в этой драке, по сей день красуется у меня на ухе, точно орден Почета». А между прочим, кто спонсировал вступление Ричарда Чизмена в Английский ПЕН-клуб? Я. Да, я! И чем он мне отплатил? «Короче говоря, роман «Эхо должно умереть» — произведение инфантильно-претенциозное и слюняво-бессмысленное; это настоящее оскорбление и для детей, и для напыщенных и претенциозных типов, и

---

[1] Основано в 1823 году. Его патроном был Георг IV. Общество издает литературоведческие труды и присуждает премии и почетные звания за произведения всех жанров.

для страдающих старческой деменцией инвалидов». Уфф! Я даже немного потоптался по останкам растерзанного журнала, тяжело сопя и задыхаясь...

Честно говоря, дорогой читатель, я бы с удовольствием просто заплакал. Кингсли Эмис хвастался, что если плохая рецензия и способна испортить ему завтрак, то уж ланч она, черт побери, ему уже не испортит. Кингсли Эмис жил в дотвиттерную эпоху[1], когда рецензенты еще читали произведения в гранках и действительно мыслили независимо, а в наше время они просто выискивают в Google уже сделанные кем-то оценки. Так что благодаря Ричарду Чизмену, буквально изувечившему мой роман циркулярной пилой, эти любители чужих мнений прочтут по поводу моей новой книги, отчасти являющейся как бы продолжением «Сушеных эмбрионов», следующее: «Итак, почему «Эхо должно умереть» воспринимается как разлагающаяся куча отбросов? Во-первых, Херши просто помешан на необходимости во что бы то ни стало избегать любых клише, и в итоге буквально каждое его предложение — это нечто вымученное, истерзанно и странное, как американский разоблачитель. Во-вторых, вспомогательный фантазийный сюжет так жестко противоречит основной теме — претендующей на изображение некой Структуры Мира, — что просто читать противно. В-третьих, разве можно найти более убедительное свидетельство оскудения творческого водоносного слоя, чем выбор в качестве главного героя именно писателя?» В общем, Ричард Чизмен уже повесил на шею моему роману «Эхо должно умереть» табличку с призывом «Пни меня!», причем именно в тот момент, когда мне так необходимо было некоторое коммерческое возрождение. Сейчас ведь не 90-е, когда мой агент Хол Гранди по кличке Гиена мог запросто выбить для меня договор на пятьсот тысяч фунтов; это ему удавалось так же легко, как прочистить свой гигантский нос, больше похожий на хобот. Теперь же, можно сказать, наступило официальное Десятилетие смерти книги, и я буквально потом и кровью добываю сорок тысяч в год, преподавая в школе для девочек, а приобретение крошечного pied-à-terre[2] в Утремонте, богатом пригороде Монреаля, возможно, и вернуло улыбку на лицо Зои, зато у меня вызвало ощущение близкого финансового краха — впервые с тех пор, как Гиена Хол запустил в продажу «Сушеные эмбрионы». Ага, ожил мой айфон. Ну, само собой, вспомни дьявола... Разумеется, это эсэмэска от Хола: «Бодяга кончается через сорок пять минут. Где же ты, брат мой?»

В общем, Гиены воют, а шоу должно продолжаться.

---

[1] Английский писатель Кингсли Эмис родился в 1922 году.

[2] Временное жилище (*фр.*).

* * *

Мейв Мунро, бывалый капитан флагмана нашего искусства, канала Би-би-си-2[1], изысканно кивнула директору театра, словно приглашая его танцевать. Я ждал в кулисах, томясь от безделья. Девушка, агент по рекламе, просматривала сообщения на мобильнике. Директор театра заранее попросил меня проверить, выключен ли мой телефон, и я решил так и поступить, но обнаружил два новых послания: одно — из аэрационного агентства «Кантас», а второе — насчет уборки мусора. В прежние, тихие и счастливые, времена нашей супружеской жизни миссис Зои Легранж-Херши то и дело присылала бы мне тексты типа «Порви их всех в клочки! Ты — гений», зная, что мне предстоит выступление, но теперь она даже не спрашивает, в какую страну я еду. От девочек тоже, разумеется, ничего не было. Джуно отправится куда-нибудь со своими школьными подружками — или извращенцами, которые только притворяются ее школьными подружками, — куда-нибудь в метро, в «Туннельный город», или туда, где открылся самый новый наркопритон; ну а Анаис уткнется в какую-нибудь книгу какого-нибудь Майкла Морпурго[2]. Почему, интересно, я не пишу детских книжек — например, о том, как одинокий ребенок завязывает тесную дружбу с каким-нибудь животным? Потому что меня — хрен его знает почему — уже два десятка лет считают «анфан террибль британской словесности»! А когда попадешь в издательскую обойму, то легче поменять тело, чем переключиться на другой литературный жанр.

Померкли огни в зале, прожектора ярко осветили сцену, и аудитория притихла. Телегеничное лицо Мейв Мунро так и сияло; зазвучал ее фирменный, веселый и певучий, говор Оркнейских островов:

— Добрый вечер! Я — Мейв Мунро, и мы ведем прямую передачу с Фестиваля Хей-он-Уай — 2015. С тех пор как Криспин Херши еще студентом написал свой самый первый, дебютный, роман «Портрет Ванды маслом», он успел завоевать немало наград и стал истинным мастером стиля и летописцем нашего времени, обладающим острым, как луч лазера, взглядом. Увы, самую желанную награду, Приз Бриттана, ему пока получить не удалось — и это, безусловно, огромное упущение, — но многие верят, что 2015 год может нако-

---

[1] Второй телевизионный канал Британской радиовещательной корпорации (British Broadcasting Corporation), созданный в 1964 году; отводит много места культурно-просветительным, учебным и политическим передачам.

[2] Майкл Морпурго (р. 1943) — английский писатель, поэт, либреттист, сценарист; более всего известен своими детскими книжками.

нец-то стать *его* годом. Однако я не хочу чрезмерно утомлять вас своими рассуждениями и предлагаю просто послушать отрывок из нового романа Криспина Херши «Эхо должно умереть», над которым он работал целых пять лет. Отрывок прочтет сам автор. Итак, Криспин Херши! Поприветствуем его, а также нашего замечательного спонсора — банк «Будущее сейчас»!

Раздались вполне приличные аплодисменты. Я вышел на сцену и поднялся на кафедру. Зал был полон. Черт возьми, очень и очень неплохо — наверняка меня уже передвинули с шестисотой строки в компании гениев на «более интимное» место. В переднем ряду вместе с Гиеной Холом и его свежим клиентом, очередным «горячим американцем», весьма популярным Ником Гриком, сидел издатель Оливер. Я подождал, пока зал не стих. Дождь так и молотил по полотняной крыше. Большинство писателей сейчас поблагодарили бы слушателей уже за то, что они вообще решились выйти из дома в такую отвратительную погоду, но такому автору, как Криспин Херши, полагалось еще немного их помучить, дополнительно заинтриговать и только после этого открыть «Эхо должно умереть» на самой первой странице.

Я откашлялся и сказал:

— Итак, начну с самого начала...

* * *

...когда, закрыв книгу, я вернулся на свое место, аплодисменты звучали достаточно громко: весьма неплохо для контингента из пенсионеров — жителей метрополии, набитых ремесленной стряпней и органическим сидром. Мне, во всяком случае, было приятно. Аудитория дружно гоготала, когда я описывал, как протагонист моего романа, Тревор Апворд, оказался привязанным к крыше «Евростар»; многие поеживались, когда Титус Хёрт нашел в корнуэльском пироге с мясом человеческий палец; а кое-кто барабанил в такт, когда я читал последнюю сцену в кембриджском пабе, ритмизованную практически в стиле Одена — эта сцена всегда очень хорошо воспринимается публикой, и я люблю читать этот отрывок на разных фестивалях. Мейв Мунро изобразила веселую гримасу «ура все прошло хорошо!», и я ответил ей тоже гримасой «неужели могло быть иначе?». Все-таки писатель Криспин Херши, то есть я, провел детство и юность среди драматических, даже трагических, актеров; да и привычка отца высмеивать нас с братом за нечеткую дикцию принесла неплохие плоды. Последние слова отца, помнится, были таковы: «Это слово whom, жалкие бабуины, а не who...»

— Итак, переходим к вопросам и ответам, — сказала Мейв Мунро. — Но, так сказать, для затравки я первая задам нашему автору несколько вопросов, а затем мы продолжим нашу дискуссию, и каждому желающему поднесут микрофон. Вы, должно быть, знаете, Криспин, что в прошлую пятницу журнал «Newsnight Review» опубликовал высказывание нашего выдающегося критика Афры Бут, которая назвала роман «Эхо должно умереть» «классическим мужским романом о кризисе среднего возраста». Вы можете как-нибудь это прокомментировать?

— О, я бы сказал, что Афра Бут попала в самую точку, — я неторопливо отпил воды, — *если*, конечно, ваше представление о «чтении», как и у самой Афры, сводится к тому, чтобы пробежать глазами заднюю страницу обложки в курилке туалета за минуту до выхода в эфир.

Мое саркастическое замечание вызвало фальшивую улыбку на устах Мейв Мунро, которую весьма часто можно было видеть то убеждающей, то умоляющей, то скулящей рядом с Афрой Бут в клубе «Омела».

— Хорошо... А что вы скажете насчет не слишком благосклонной рецензии Ричарда Чизмена?

— Какое крещение можно считать завершенным без проклятья ревнивой волшебницы?

Смех; охи, ахи; срочные переговоры в Твиттере. «Daily Telegraph» сообщит об этом инциденте на полосе, посвященной литературе и искусству; Ричард Чизмен соберет группу борцов за права геев, и они вручат мне премию «Изувер года»; Гиена Хол будет размышлять о возможных доходах с продажи моего нового романа, а юный Ник Грик, благослови его Господь, будет страшно всем этим озадачен. Американские писатели вообще до отвращения *любезно* друг к другу относятся; торчат в своих бруклинских мансардах и пишут друг другу положительные рекомендации, когда кому-то из них вдруг предложат должность университетского профессора.

— Давайте продолжим дискуссию, — с чуть меньшим энтузиазмом предложила Мейв Мунро своим звонким, как флейта, голоском, — раз уж мы сразу так сильно вырвались вперед.

— Что заставляет вас думать, что «вы так сильно вырвались вперед», Мейв?

Она слегка улыбнулась:

— Главный положительный герой вашего романа «Эхо должно умереть» — писатель, как и вы, однако же в ваших мемуарах «Продолжение следует» вы снимаете стружку с романов о писателях-романистах, называя подобные произведения «инцестуальными». Так как же расценивать вашего Тревора Апворда? Это резкий разворот, или же вы теперь находите инцест явлением более привлекательным?

Я откинулся на спинку стула, улыбаясь и чувствуя, что большинство сторонников моей интервьюерши уже переметнулось на мою сторону.

— Поскольку я никогда не читал лекций на тему инцеста уроженцам Оркнейских островов, *Мейв*, я бы, пожалуй, все же остался *на прежних* позициях относительно данного вопроса: писатель может писать один и тот же роман ad infinitum[1]. Или же он кончит тем, что станет преподавать писательское мастерство бездарным неумехам в привилегированном колледже на севере штата Нью-Йорк.

— И всё же... — Мейв Мунро выглядела именно так, как и должна была выглядеть: уязвленной. — ...Политик, который постоянно меняет свою позицию, считается колеблющимся, то есть не имеющим устойчивого мнения.

— Фредерик де Клерк переменил свое мнение о Нельсоне Манделе[2] как о террористе, — гнул свое я. — Джерри Адамс и Йен Пейсли[3] переменили свое мнение относительно насилия в Ольстере. А я в данном случае скажу так: «Давайте послушаем тех, кто способен колебаться и менять свое мнение».

— Тогда позвольте спросить вас вот о чем. До какой степени Тревор Апворд[4], мораль которого, скажем, весьма и весьма *эластична*, является копией своего создателя?

— Тревор Апворд — мудак и женоненавистник, и на последних страницах романа он получает *в точности* то, что заслужил. И как только вам могло прийти в голову, *дорогая* Мейв, что такая великолепная задница, как Тревор Апворд, — я изобразил самую невинную улыбку, — может хоть в малейшей степени быть списана с Криспина Херши?

---

[1] До бесконечности (*лат.*).

[2] Ф р е д е р и к   В и л л е м   д е   К л е р к, президент ЮАР в 1989—1994 годах, лауреат Нобелевской премии мира (1993); Н е л ь с о н   М а н д е л а (1918—2013) — президент ЮАР с 1994 года, президент Африканского Национального Конгресса с 1991-го, лауреат Нобелевской премии мира (1993).

[3] Д ж е р р и   А д а м с — североирландский политический и государственный деятель, председатель партии Шинн Фейн, сыгравший важную роль в мирном решении вооруженного конфликта в Северной Ирландии. Й е н   П е й с л и (1926—2014) — пастор, североирландский политик, один из лидеров протестантского движения в Ольстере. Основатель Демократической юнионистской партии и Свободной пресвитерианской церкви Ольстера.

[4] *Букв.*: «направленный, движущийся вверх» (*англ.*).

Из туманных сумерек то и дело выныривали грязный лес и холмы Херефордшира. Влажный воздух касался моего лица, словно гигиеническая салфетка в салоне бизнескласса. Мы — то есть я, приставленный ко мне «фестивальный эльф», девушка — рекламный агент и издатель Оливер — бродили по деревянным мосткам, проложенным над раскисшей землей, мимо будок, где продавали кексы без глютена, солнечные панели, натуральные губки, фарфоровых русалок, колокольчики, настроенные на «конкретно вашу» ши-ауру, зеленый карри, без БАД и ГМО, электронные читалки и гавайские саронги ручной работы. Я, то есть писатель Криспин Херши, напялил привычную презрительную маску, желая обезопасить себя от нежелательного общения, но в душе все-таки пел какой-то тоненький голосок: *Они тебя знают! Они тебя сразу узнают! Ты вернулся, ты никогда и не уезжал отсюда...* Когда мы наконец добрались до шатра, торгующего книгами, где стояло несколько столиков для раздачи автографов, то все четверо так и застыли в изумлении.

— Черт побери, Криспин! — сказал издатель Оливер, хлопнув меня по спине.

А «фестивальный эльф» весело заметил:

— Не только Тони Блэр собирает такую аудиторию!

— Ага! Сплошной восторг! — сказала рекламная девица.

В шатре просто кишели профессиональные игроки, которых сдерживали фестивальные охранники, собрав в нервно трясущуюся очередь верных поклонников Криспина Херши. *Посмотри на мои работы, Ричард Чизмен, и можешь впадать в отчаяние! Уже к выходным «Эхо должно умереть» будет переиздано, и деньги в Дом Херши потекут рекой!* Я с победоносным видом уселся за столик, хлопнул стаканчик белого, поданный веселым «фестивальным эльфом», развернул конфету «Шарпи»...

...и только тут понял: черт побери, а ведь все эти люди здесь не ради меня! Они собрались ради какой-то женщины, сидевшей шагах в десяти за соседним столиком. Лично ко мне очередь была совсем небольшая: человек пятнадцать, а может, и десять. И все больше тощие сушки, а не аппетитные пышки. Издатель Оливер посинел, как ощипанный цыпленок, а я сердито потребовал от рекламной девицы объяснений.

— *Но это же Холли Сайкс!* — воскликнула она.

Щеки Оливера опять порозовели, и он вскричал:

— *Это* Холли Сайкс? О господи!

Я прорычал:

— Да кто она такая, эта чертова Холли Сайкс?

— Холли Сайкс — это Холли Сайкс, — саркастически заметила рекламная девица. — Автор знаменитых спиритуалистических мемуаров под названием «Радиолюди». И на подходе у нее книжка «Я — знаменитость... Заберите меня отсюда!». Актрису Пруденс Хансон застигли за чтением ее книги, и продажи сразу взлетели до космических высот. Директору фестиваля в Хей-он-Уай в последнюю минуту удалось устроить ее выступление, и все билеты в зале, снятом банком «Будущее сейчас», были раскуплены за сорок минут.

— Да здравствует Властительница Дум!

Я подошел к этой особе по фамилии Сайкс — странная фамилия для женщины[1]. Очень серьезная, худенькая, на щеках уже видны морщинки, значит, ей за сорок; в черных волосах поблескивают серебристые нити. К поклонникам она была неизменно добра и для каждого находила дружеское слово — что, на мой взгляд, доказывало лишь, что ей в жизни не так уж часто доводилось подписывать собственные книги. Зависть? Нет. Если она верит в подобное мистическое мумбо-юмбо, то она полная идиотка. Если же она все это ловко состряпала, то в ее душе живет торговец, скользкий, как змея. Чему тут завидовать?

Рекламная девица спросила, готов ли я начать подписывать книги. Я кивнул. «Фестивальный эльф» спросил, не хочу ли я еще выпить.

— Нет, спасибо, — ответил я.

Я тут надолго задерживаться не собирался. Мой первый почитатель приблизился к столу. На нем был ветхий коричневый костюм, принадлежавший, должно быть, еще его покойному отцу, а зубы у него были цвета коричневой карамели.

— Я ваш самый-самый-самый большой поклонник, мистер Херши, и моя покойная мать...

О господи! Лучше убейте меня сразу!

— Джин с тоником, — сказал я «фестивальному эльфу». — Больше джина, меньше тоника.

* * *

Последняя почитательница, нская Волумния из Ковентри, посвятила меня в соображения, которые возникли у тамошнего «Общества книголюбов» относительно моей «Красной обезьяны»: она сказала, что им «в общем понравилось», но они считают несколько утомительным бесконечное повторение таких эпитетов, как «дерь-

---

[1] Намек на безжалостного, но обладавшего весьма мужественной внешностью злодея Билла Сайкса из романа Ч. Диккенса «Оливер Твист».

мовый» и «педерастический». Дорогой читатель, разве писатель Криспин Херши мог смолчать?

— Так зачем же ваше «Общество» выбрало для обсуждения такую дерьмовую книгу о педерастах, купленную в первой же вонючей лавчонке? — спросил я у нее.

Затем явились трое дилеров, которые хотели, чтобы я подписал целую кучу книг первого издания «Сушеных эмбрионов», зная, что тем самым стоимость каждой книжки увеличится фунтов на пять. Я спросил: «А почему я должен все это подписывать?», и один из дилеров тут же поведал душераздирающую историю, как они ехали «аж из самого Эксетера вроде как только ради этого, ну что тебе стоит, дружище, нацарапать тут свое имя?», так что я сразу ему предложил: если вы прямо сразу заплатите пятьдесят процентов от новой цены, то мы с вами договоримся. *Дружище.* Он, разумеется, тут же испарился. Ну и прекрасно. Значит, следующая остановка — вечеринка в честь премьеры в павильоне «BritFone», где мне предстояла короткая аудиенция у лорда Роджера и леди Сьюз Бриттан. Я встал... и вдруг почувствовал у себя на лбу прицельный огонек снайпера. Кто это так на меня уставился? Я огляделся и увидел, что за мной внимательно наблюдает Холли Сайкс. Ну что ж, возможно, и ей интересно посмотреть на настоящего писателя. Я щелкнул рекламной девице пальцами: «В конце концов, *я — знаменитость*, так что поскорей уведите меня отсюда».

На пути к павильону «BritFone» я заметил курительный шатер, спонсируемый компанией «Win2Win», первой европейской компанией, с этической точки зрения оправдывающей доставку из других стран органов для трансплантации. Я сообщил сопровождающим, что скоро их догоню, но издатель Оливер тут же заявил, что пойдет вместе со мной. Пришлось намекнуть, что там существует штраф в двести фунтов для тех, кто *не курит такие сигареты*, и он намек понял. Рекламная девица, смущаясь, проверила, висит ли у меня на шее гостевой пропуск, чтобы я мог благополучно пройти мимо тамошних вышибал.

Я продемонстрировал ей пластиковую карточку, которую вынул из кармана, поскольку мне совершенно не хотелось носить ее на шее.

— Если я потеряюсь, — сказал я ей, — я просто пойду на звук ножей, вонзающихся в позвоночник.

В павильоне «Win2Win» мои собратья, посвященные в Орден Святого Никотина, сидели на барных табуретках, болтали, читали или смотрели пустыми глазами на экраны смартфонов, деловито шевеля пальцами. Все мы были реликтами тех времен, когда курение в кинотеатрах, самолетах и поездах было делом самым обычным, а героя Голливуда определяли по марке его сигарет. В наши дни в фильмах не курят даже самые распоследние негодяи и злодеи. Теперь курение *действительно* стало выражением бунтарского духа — оно же фактически, черт бы все это побрал, находится под запретом! Однако что мы представляем собой без наших вредных привычек? Людей пресных, безвкусных, лишенных романтизма и желания сделать карьеру! Мой отец жить не мог без той кутерьмы, которая сопровождает создание фильма. У Зои тоже есть дурные привычки — это ее фантастические диеты, постоянные, весьма односторонние сравнения Лондона и Монреаля и бесконечное пичканье Джуно и Анаис витаминами.

Я закурил, с наслаждением наполнив альвеолы дымом, и опять предался мрачным мыслям о Ричарде Чизмене. Нужно как-то подорвать *его* репутацию; подвергнуть опасности *его* материальное благополучие; а потом посмотреть, пожмет ли *он* презрительно и равнодушно плечами в стиле «но я, черт побери, не позволю этому испортить мой ланч». Когда я тушил окурок, мне казалось, что я тушу его о пустой глаз проклятущего Чизмена!

— Мистер Херши?

Мои мстительные фантазии прервал какой-то юный толстячок-коротышка в очках и красновато-коричневом дорогом пиджаке, явно купленном в «Burberry». Голова у него была выбрита наголо, а сам он был бледным и тестообразным, как мальчик Пигги из «Повелителя мух».

— Я уже закончил подписывать книги. Теперь снова здесь появлюсь лет так через пять.

— Нет, я бы хотела подарить вам одну книгу.

Оказывается, это не мальчик, а девочка! Выговор мягкий, но американский. Я пригляделся: ну да, азиоамериканка! По крайней мере наполовину.

— А я бы хотел спокойно покурить. За последние годы я страшно устал.

Не обращая внимания на намек, девушка вытащила тоненький томик.

— Это мои стихи.

Явно издано на собственные средства. «Soul Carnivores»[1], автор Солей Мур.

— Я не читаю рукописи, заранее никем не рекомендованные.

— Человечество просит вас на сей раз сделать исключение.

— *Пожалуйста*, мисс Мур, не сочтите меня грубияном, но я скорее разрешу удалить себе зубной нерв без анестезии, или спьяну проснусь рядом с Афрой Бут в каком-нибудь иноземном курятнике

---

[1] «Пожиратели душ» (*англ.*).

для разведения новых пород, или получу шесть выстрелов в сердце с близкого расстояния, чем решусь *когда-либо* прочесть ваши стихи. Вы меня поняли?

Солей Мур гордо взмахнула своей книжонкой, точно безумный посол — верительной грамотой, но осталась совершенно спокойной, лишь заметила:

— Уильяма Блейка сперва тоже никто не хотел читать[1].

— Уильям Блейк имел одно неоспоримое достоинство: он был Уильямом Блейком.

— Мистер Херши, если вы не прочтете это и будете вести себя по-прежнему, вы будете виновны в анимациде[2]. — Она положила «Soul Carnivores» рядом с пепельницей, явно ожидая, что я спрошу, что означает это искусственно созданное слово. — Вы в Сценарии! — сказала она таким тоном, словно это решало все.

Казалось, она использовала некий последний, поистине убийственный, аргумент, прежде чем окончательно отвалить. Я сделал еще несколько затяжек, краем уха уловив обрывок разговора по соседству: «Она сказала «Херши», и я думаю, это действительно он»; «Да нет, вряд ли. Криспин Херши еще не такой старый»; «А ты спроси у него»; «Нет, ты спроси». Итак, покровы сорваны, я обнаружен. Я смял свою «смертоносную» сигарету и поскорей сбежал из рая для курильщиков.

Павильон «BritFone», говорят, был создан одним знаменитым архитектором, но я о нем никогда не слышал; это произведение архитектурного искусства «цитировало» и Адрианов вал, и лондонский Тауэр, и замок Тюдоров, и послевоенные пабы, и стадион Уэмбли, и один из доклендских небоскребов. Что за тошнотворная стряпня! На верхушке трепетал голографический флаг — логотип BritNet, — а внутрь нужно было входить через реплику знаменитой черной двери с Даунинг-стрит, 10, но увеличенной в два раза. Охранники были одеты как бифитеры, и один спросил, есть ли у меня VIP-пропуск. Я порылся в карманах пиджака, брюк и снова пиджака — пропуска не было.

— Вот дерьмо собачье! Куда же я его засунул... Послушайте, я — Криспин Херши.

— Извините, сэр, — сказал один из «бифитеров». — Без пропуска нельзя.

— Проверьте свой список. Криспин Херши. Писатель.

---

[1] Явный намек на десять «пророческих поэм» (1789—1820) Уильяма Блейка, являющих собой попытку создания грандиозного мифа истории человечества.

[2] *Букв.*: «убийство души» (по аналогии с самоубийством, суицидом — suicide).

«Бифитер» покачал головой:

— Я обязан подчиняться приказам.

— Но у меня, черт подери, тут мероприятие было всего час назад!

Подошел второй «бифитер»; глаза у него светились затаенным огнем истинного фаната:

— Вы никогда здесь... Неужели это действительно вы?.. Это же *он!* Господи, *вы* — это *он...*

— Да, я — это *он.* — Я гневно сверкнул глазами в сторону первого «бифитера». — *Благодарю вас.*

Второй «бифитер» с достоинством проводил меня через маленький вестибюль, где менее значимые смертные подвергались личному досмотру — их с ног до головы охлопывали руками, рылись у них в сумках.

— Извините насчет этого инцидента, сэр. Просто сегодня вечером здесь будет президент Афганистана, так что нам приказано быть в полной боевой готовности. Мой коллега там, у входа, не особенно знаком с современной художественной литературой. И потом, если честно, вы действительно выглядите несколько старше, чем на фотографиях.

Я решил перепроверить это приятное заявление:

— Правда?

— Если бы я не был вашим поклонником, сэр, я бы вас не узнал. — Мы вошли в сам павильон, где буквально кишели сотни приглашенных, но мой достойный провожатый, безусловно, имел полное право обратиться ко мне с просьбой: — Понимаете, сэр, мне, конечно, неловко вас просить, однако... — И он извлек откуда-то из глубин своей дурацкой формы книгу. — Ваше последнее произведение — самое лучшее из всего, что вы написали. Я вчера решил почитать перед сном, да так и читал, *пока за окном не рассвело.* Мать моей невесты — тоже большая ваша фанатка, и, в общем, это было бы самым лучшим предсвадебным подарком. Пожалуйста, а?

Я достал ручку, и «бифитер» подал мне книгу, уже раскрытую на титульном листе. Только когда мое перо коснулось бумаги, я заметил, что собираюсь подписать роман под названием «Best Kept Secret», написанный Джеффри Арчером. Я поднял на «бифитера» глаза, чтобы понять, уловил ли он суть этой неприятной ситуации, но он явно ничего не заподозрил.

— Вы не могли бы написать: «Брайди в день шестидесятилетия от лорда Арчера»? — попросил он.

Буквально в трех шагах от нас стоял знаменитый колумнист из «The Times», поэтому я ничего объяснять не стал, написал посвящение и сказал этому дуболому:

— Очень рад, что вам понравилось.

В павильоне собралось столько знаменитостей, что излучаемого ими сияния вполне хватило бы на маленькое солнце: я выследил двух человек из «Rolling Stones», одного — из «Monty Python», подростка лет пятидесяти — ведущего «Top Gear», морочившего голову какому-то американскому велосипедисту, явно не пользующемуся особым вниманием, а также заметил бывшего Госсекретаря США; бывшего директора футбольного клуба, который каждые пять лет пишет новую автобиографию; бывшего главу «MI-6», который каждый год создает по третьесортному триллеру; а также пухлогубого астронома с телевидения, который по крайней мере пишет о своей астрономии. Все мы собрались здесь по одной и той же причине: у нас были книги, которые нужно было продать.

— А я слежу своим глазком за каждым странным чудаком, — вдруг шепнул мне на ухо какой-то эксцентричный старикашка возле бара с шампанским. — Образованный писатель на литературном фестивале. Как жизнь, Криспин?

Криспин Херши, то есть я, неуверенно взглянул на незнакомца, и тот встретил его взгляд совершенно спокойно, явно чувствуя себя прекрасно и не испытывая ни малейшего страха ни перед чем, хотя Время, этот безжалостный вандал, и успело нанести его лицу невосполнимый ущерб. Морщины, словно процарапанные когтем, сливовый нос любителя виски, обвисшие щеки, набрякшие веки. И при этом из кармана пиджака у него торчал шелковый платочек, на нем была элегантная шляпа-федора, и вообще в его облике было что-то, черт побери, педерастическое. Как может столь неизлечимо древний старец все это выдерживать?

— А вы, простите, кто?

— Я — твое ближайшее будущее, мой мальчик. — Он подвигал мышцами своего, некогда красивого, лица. — Смотри, смотри хорошенько. Что ты об этом думаешь?

Но я думал только о том, что сегодня, наверное, Ночь Кексов[1].

— Я думаю, что не очень люблю разгадывать кроссворды.

— Нет? А я очень люблю! Меня зовут Левон Фрэнкленд.

Я взял высокий тонкий бокал с шампанским, изобразил на лице некоторое замешательство.

— Ни один колокольчик в моей душе не звякнул, должен признаться.

— Я когда-то давно здорово попортил кровь твоему отцу. Одно время мы с ним оба были членами клуба «Финистерр» в Сохо.

Увы, я по-прежнему ничего не понимал.

— Я слышал, что этот клуб в итоге закрылся.

---

[1] Сцена из «Алисы в стране чудес» Л. Кэрролла.

— Конец конца эпохи. Моей эпохи. Мы встречались, — Левон Фрэнкленд качнул своим бокалом в мою сторону, — на вечеринке в вашем доме в Пембридже году так в 68-м или 69-м, примерно во времена Gethsemane. Среди многочисленных пирогов, в которые я совал свои липкие пальцы, было и продюсерство, и твой отец надеялся, что направление, которое я представляю, — комбинирующее современные и фольклорные ритмы, — сможет удачно аранжировать и исполнить музыку к фильму «The Narrow Road to the Deep North»[1]. Наш план, правда, ни к чему не привел, но я помню тебя в костюме ковбоя. Ты тогда только что научился проситься на горшок и до настоящей светской беседы тебе было еще далеко, но я следил за твоей карьерой с интересом доброго дядюшки или ростовщика, а потом с удовольствием прочел твои воспоминания об отце. Знаешь, я ведь каждые несколько месяцев начинал твердить себе: нужно ему позвонить, нужно пригласить его на ланч, начисто забывая, что его больше нет! Я так скучаю по нему, старому упрямцу и полной моей противоположности! Между прочим, он прямо-таки греховно тобой гордился.

— Правда? В таком случае он, черт побери, удивительно хорошо это скрывал!

— Энтони Херши был типичный англичанин из «верхнего среднего класса», да еще родившийся до войны. Таким отцам обычно не свойственны внешние проявления чувств. Шестидесятые, правда, несколько ослабили поводок, и фильмы Тони отчасти были свидетельством этого послабления, но... перепрограммировать себя удалось далеко не всем из нас. Похорони неприятные воспоминания, Криспин, заключи мир с покойным отцом. Меч войны не действует на призраков. Они даже услышать тебя не могут. И ты в итоге всего лишь нанесешь раны самому себе. Поверь мне. Я знаю, о чем говорю.

Чья-то рука хлопнула меня по плечу. Я резко обернулся и увидел перед собой Гиену Хола, который улыбался, как гигантская хищная норка.

— Криспин! Как все прошло? Много книг подписал?

— Нормально, жив остался, как видишь. Однако позволь мне предста... — Но когда я снова повернулся к Левону Фрэнкленду, того уже унесло куда-то толпой. — Да, все прошло вполне удачно. Хотя рядом примерно полмиллиона женщин непременно хотели коснуться края одежды какой-то чудно́й особы, которая пишет об ангелах.

---

[1] «Узкий путь, ведущий далеко на Север» (*англ.*) — роман (2013) австралийского писателя Ричарда Фланагана, получивший в 2014 году Букеровскую премию; в фильме, поставленном по этому роману, звучит песня немецкого исполнителя Камаля (Kamal).

— Я прямо с ходу могу назвать тебе двадцать издателей, которые до самой смерти будут жалеть, что вовремя не сцапали Холли Сайкс. Так или иначе, сэр Роджер и леди Сьюз Бриттан ждут тебя, наш «анфан террибль британской словесности».

Я вдруг как-то сразу утратил присутствие духа и пролепетал:

— Я действительно должен, Хол?

Улыбка Гиены Хола померкла:

— Шорт-лист.

Лорд Роджер Бриттан: некогда, в давние времена, продавец автомобилей; в 70-е — бюджетный отельер; в 1983-м — основатель фирмы «Британские компьютеры», а вскоре и ведущий изготовитель дерьмовых британских Word-процессоров; затем обладатель лицензии на продажу мобильных телефонов (когда после кризиса 1997 года ему удалось обанкротить компанию «New Labour») и главный учредитель телекоммуникационной сети «BritFone», которая по тогдашней моде все еще носит его имя. С 2004 года Роджер Бриттан стал известен миллионам благодаря бизнес-реалити-шоу «Out on Your Arse!»[1], во время которого горстка каких-то ублюдков позволяла унижать себя за вполне конкретный приз — место с зарплатой в сто тысяч фунтов в бизнес-империи лорда Бриттана. В прошлом году сэр Роджер шокировал мир искусства, купив самую главную литературную премию Великобритании и дав ей другое название в честь себя самого, а также утроив ставку до ста пятидесяти тысяч фунтов. Блогеры предполагали, что эта покупка была ему подсказана, а может, и спровоцирована, его последней женой Сьюз Бриттан, чей послужной список включал деятельность в качестве звезды мыльных сериалов, а также «лица» телешоу о книгах «The Anputdownables»[2]; ныне же она председательствовала в неподкупной комиссии по вручению Премии Бриттана.

Итак, мы прошли в уютный уголок под балдахином, но, увы, обнаружили, что лорд Роджер и леди Сьюз беседуют с пресловутым Ником Гриком.

— Я слышал, как вы отзываетесь о «Бойне номер пять», лорд Бриттан. — Ник Грик обладал поистине американской самоуверенностью и привлекательной байронической внешностью, и уже одним этим был мне заранее неприятен. — Но если бы меня попросили навскидку назвать *самый лучший* роман XX века о войне, то я бы скорее назвал «Нагие и мертвые» Мейлера[3]. Это...

---

[1] *Зд.*: «Под зад коленом» (*англ.*).

[2] «Оторваться невозможно» (*англ.*).

[3] Роман (1948) американского писателя Нормана Кингсли Мейлера (1923—2007).

— Я *знала*, что вы так скажете! — Сьюз Бриттан изобразила маленькую радостную победу. — Я эту книгу просто *обожаю*. Это единственный роман о войне, который *действительно* показал окопную войну с точки зрения немцев.

— Мне думается, леди Сьюз, — осторожно начал Ник Грик, — что вы, наверное, имели в виду «На Западном фронте без...»[1]

— *Какая там еще* «точка зрения немцев»? — презрительно фыркнул лорд Роджер Бриттан. — Если не считать того, что она была «дважды, черт побери, неверной за тридцать проклятых лет»?

Сьюз намотала на мизинец нитку черного жемчуга.

— Именно поэтому роман «Нагие и мертвые» так важен, Родж, — ведь обычные люди на вражеской стороне тоже страдают. Верно, Ник?

— Да, леди Сьюз. Почувствовать себя в чужой шкуре — вот в чем главная сила этого романа, — сказал тактичный американец.

— Да этот вонючий продукт просто чертовски хорошо разрекламирован! — заявил лорд Роджер. — Тоже мне название: «Нагие и мертвые»! Похоже на учебник по некрофилии.

Гиена Хол сделал шаг вперед.

— Лорд Роджер, леди Сьюз, Ник. Вряд ли необходимо тут кого-то кому-то представлять, но прежде чем Криспин уйдет...

— Криспин Херши! — Леди Сьюз воздела руки к небесам, словно я был самим богом солнца Ра. — Говорят, вы написали просто потрясный роман!

Я старательно приподнял в улыбке уголки рта.

— Благодарю вас.

— Для меня большая честь познакомиться с вами, — мгновенно польстил мне Ник Грик. — В Бруклине ваших поклонников целая толпа, и все мы буквально преклоняемся перед «Сушеными эмбрионами».

«Буквально»? «Преклоняемся»? Мне пришлось пожать ему руку, размышляя при этом, не был ли подобный комплимент завуалированным оскорблением,— типа: «А все, что вами написано после «Эмбрионов» — это полное дерьмо»; или прелюдией к завуалированной просьбе о рекламе: «Дорогой Криспин, как это ужасно, что в прошлом году на фестивале в Хей-он-Уай вас с нами не было! Не могли бы вы сейчас сказать несколько слов,— так сказать, авансом, — о моей новой работе?»

— Мне не хотелось прерывать вашу интеллектуальную беседу, — сказал я, обращаясь к этой троице, — о творчестве Нормана Мей-

---

[1] Роман «На Западном фронте без перемен» (1929) немецкого писателя Эриха Мария Ремарка (1898—1970).

лера, — тут я метнул в молодого турка[1] очередной шар : — Хотя, клянусь своими деньгами, по-моему, дедушкой всех честных повествований о войне должен считаться роман Крейна «Алый знак доблести»[2].

— Я его не читал, — признался Ник Грик, — потому что...

— Потому что книг так много, а времени так мало. Я вас прекрасно понимаю, — я осушил пузатый бокал красного вина, который мне тут же подсунули фестивальные эльфы. — И все же Стивен Крейн остается непревзойденным.

— Но ведь он родился в 1871 году! — парировал Ник Грик. — Уже *после* окончания Гражданской войны. Так что его роман никак не может быть информацией из первых рук. Впрочем, раз сам Криспин Херши дает ему такую высокую оценку, то я, — и Ник взмахнул электронной читалкой, — прямо сейчас его сюда и загружу.

Я почувствовал отрыжку копченым окороком, который ел на ланч.

— Роман Ника, — сказала, обращаясь ко мне, Сьюз Бриттан, — посвящен Афганской войне. Ричард Чизмен о нем отзывался *прямо-таки восторженно*; кстати, на следующей неделе в моей программе он будет брать у Ника интервью.

— Вот как? Я просто прилипну к экрану. Я, вообще-то, уже слышал об этом романе. Как он называется? «Хайвэй-66»?

— «Шоссе-605». — Пальцы Ника Грика так и плясали по кнопкам гаджета. — Это шоссе в провинции Гильменд.

— А что, ваши источники были более достоверными, чем у Стивена Крейна? — спросил я. Я был уверен, что нет, и ближе всего этот «юноша бледный» находился к району боевых столкновений во время сеанса радиосвязи, когда писал свою магистерскую диссертацию. — Или, может быть, вы сам были раньше морпехом?

— Нет, не был. Я, честно говоря, писал образ главного героя с моего брата. «Шоссе-605» вообще вряд ли появилось бы без Кайла.

Я заметил, что вокруг нас уже собралась небольшая толпа, следившая за нашими подачами, как за состязанием теннисистов.

— Надеюсь, вы не чувствуете себя чрезмерно обязанным брату, как и он не чувствует, что вы просто эксплуатируете его столь тяжким трудом обретенный опыт?

---

[1] Н и к Г р и к — это, скорее всего, действительно псевдоним; Greek (*англ.*) — грек. По всей вероятности, Криспин знает, что говорит, называя американского писателя турком.

[2] С т и в е н К р е й н (1871—1900) — американский писатель, автор повести о Гражданской войне 1861—1865 годов в Америке «Алый знак доблести» (1895).

— Кайл погиб два года назад, — спокойно сказал Ник Грик. — Обезвреживая мину на «Шоссе-605». Свой роман я в какой-то степени написал в память о нем.

О господи! Ну *почему* эта чертова рекламная девица не предупредила меня, что Ник Грик — недоделанный святой? Леди Сьюз смотрела на меня так, словно меня только что переехал мотороллер «Корги», а лорд Роджер, отечески стиснув плечо Ника Грика, сказал:

— Ник, сынок, я с тобой пока не знаком, но Афганистан — это кровавая... в общем, кровавое черт знает что. Но твой брат гордился бы тобой! Я знаю, о чем говорю: я ведь тоже потерял брата, когда мне всего десять было. Он утонул в море. Сьюз не зря говорила — ты ведь так говорила, правда, Сьюз? — что «Шоссе 605» — *моя* книга. Так знаешь что? Я ее перечитаю за этот уик-энд... — он щелкнул пальцами одному из помощников, который тут же записал это на смартфон, — и учти: если Роджер Бриттан дает слово, он, черт побери, его держит.

Мне показалось, что между мной и этими «венценосными особами» встали тела погибших братьев, а меня самого отбуксировали и отправили на переплавку. Последнее, что я увидел, это знакомое лицо издателя Оливера, обрадованного тем, как взлетит теперь график продаж «Шоссе-605». Нет, мне надо было срочно выпить!

* * *

Не-ет, Херши блевать *не будет*. Но разве Херши уже не проходил в эту сломанную калитку? Какое-то дерево-горбун, ручеек, который никак не заткнется, лужа, в которой отражается светящийся логотип «BritFone», острая вонь коровьей лепешки... Не-ет, Херши *не пьян*. Просто здорово наклюкался. А интересно, с какой стати я здесь оказался? Этот павильон оказался каким-то бездонным колодцем. Десерт из маскарпоне мне зря посоветовали. «Вряд ли это был Криспин Херши. Или все-таки он?» Попытка срезать путь, пройдя через стоянку, и поскорей оказаться в комфортабельном номере гостиницы «Карета и лошади», в итоге привела меня на какую-то ленту Мёбиуса, по которой неслись «Лендроверы» и «Туареги», а из-под их копыт так и летела мерзкая липкая грязь. Мне показалось, что я вижу архиепископа Десмонда Туту[1], и я направился следом за ним, намереваясь спросить его о чем-то важном, но это оказался совсем не он. Так с какой же все-таки стати я здесь оказался, доро-

---

[1] Д е с м о н д Т у т у (р. 1931) — англиканский архиепископ Кейптаунский; первый чернокожий епископ в ЮАР, активный борец с апартеидом. Лауреат Нобелевской премии мира (1984).

гой читатель? Ведь мне полагается высоко держать марку известного писателя. Ведь аванс в пятьсот тысяч фунтов, полученный от Гиены Хола за «Эхо должно умереть», уже тю-тю: половина — в «Inland Revenue», четверть — за ипотеку, четверть — на вредные привычки. Ведь если я не настоящий писатель, то кто же я? «Что-нибудь новенькое на подходе, мистер Херши? Мы с женой просто обожаем «Сушеные эмбрионы»!» А все из-за этого проклятого Ника-грека и прочих «молодых писателей», которые только и смотрят, как бы занять мое место в тронном зале английской литературы. Ох, чертов ром, чертова содомия и чертовы критики! Вулкан блевотины уже готов был извергнуться, так что пришлось преклонить колена перед его светлостью лордом Гастроспазмом и принести свои соболезнования...

11 марта 2016 года

Пласа де ла Адуана ходила волнами, столько там собралось жителей Картахены, и почти каждый держал в вытянутой руке айфон. Над Пласа де ла Адуана, точно прозрачная крыша, висели тропические сумерки цвета маслянистого аместиста и фанты. Пласа де ла Адуана вибрировала от хора продавцов из «Exocets for Breakfast» Деймона Макниша в исполнении группы «The Sinking Ship». А писатель Криспин Херши, сидя высоко над площадью на балконе, стряхивал пепел в бокал с шампанским и вспоминал свое сексуальное приключение под музыку «She Blew out the Candle» из дебютного альбома все тех же «The Sinking Ship» — тогда он праздновал, по всей видимости, свой двадцать первый день рождения, и в комнате почти любого студента висели портреты Моррисси, Че Гевары и Деймона Макниша. Второй альбом этой группы был принят хуже — волынки и электрогитары обычно кончаются слезами, — а потом уж они и вовсе сошли на нет. Макниш, наверное, был бы вынужден вернуться к карьере развозчика пиццы, если бы ему не удалось возродиться в новом качестве — знаменитости, возглавляющей кампанию по защите больных СПИДом, по защите Сараево, по защите непальского меньшинства в королевстве Бутан и так далее, — и, по-моему, он был готов бороться за что угодно. Мировые лидеры охотно покорялись необходимости двухминутного прослушивания Макниша перед работающими телекамерами. Победитель в конкурсе «Самый сексуальный шотландец года» в течение трех лет подряд; предмет вечного любопытства таблоидов в связи с регулярной сменой девиц; довольно тонкий, но не пересыхающий источник неплохих, но отнюдь не опьяняющих музыкальных альбомов; автор линии этичной одежды для веганов и участник — в течение двух сезонов подряд! — передачи Би-би-си «Пять континентов Деймона Макниша». Все это вполне успешно поддерживало достаточно яркое свечение этой звезды из Глазго вплоть до последних десяти лет, но даже и сегодня «святой Ниш» оставался востребованным на всевозможных фестивалях и празднествах, где по вечерам пробегался перед публикой по своим старым хитам — всего за какие-то двадцать пять тысяч долларов плюс перелет в бизнес-классе и пятизвездочный отель, как я понимаю.

Я прихлопнул комара на щскс. Вон она, цена за благодатное тепло: приходится терпеть этих маленьких ублюдков. Зои и девочки должны были вскоре ко мне присоединиться — я даже купил им всем билеты (не подлежащие возврату), — но тут разразился этот проклятый скандал из-за очередного вступления в брак весьма практичной Зоиной матери. Двести пятьдесят фунтов плюс багаж плюс трансфер ради того, чтобы в течение какого-то часа обмениваться банальными заверениями во взаимном уважении? «Нет, — сказал я Зои, — нет, нет и нет. Это должно быть всем ясно».

И, разумеется, Зои открыла огонь из всех видов оружия, известных женщине.

Да, та фарфоровая русалка *действительно* была брошена моей рукой. Но если бы я *целил* в нее, то, уверяю вас, снаряд попал бы точно в цель. Значит, я вовсе не собирался наносить ей увечье. Но Зои теперь билась в такой истерике, что просто не воспринимала никаких простых логических доводов. Она упаковала свои сумки и чемоданы от «Луи Виттон» и уехала, прихватив с собой нашего лохматого Лори и намереваясь по дороге забрать прямо из школы и Анаис с Джуно, а потом махнуть прямиком в притон, который держала в Патни ее старая приятельница и который, как ни странно, всегда оказывался свободен, стоило возникнуть любой необходимости. Предполагалось, видимо, что Криспин постарается исправить совершенные им ошибки и вести себя по-другому, но он почему-то предпочитал смотреть «Старикам тут не место»[1], включив звук почти на полную мощность. На следующий день я написал рассказ о банде одичавших юнцов из ближайшего будущего, которые слоняются без дела, вытягивая средства у своих жирных мамаш. Это один из лучших моих рассказов. А вечером того же дня позвонила Зои и сказала, что ей «нужно некоторое время побыть одной — может быть, недели две»; подтекст, дорогой читатель, был совершенно ясен: *Если ты извинишься, хорошенько поползав у меня в ногах, то я, возможно,*

---

[1] «С т а р и к а м т у т н е м е с т о» (2007) — фильм братьев Коэнов, получивший премию «Оскар».

вернусь. Я предложил ей отдохнуть от меня целый месяц и повесил трубку. Лори заставил Джуно и Анаис посетить меня в прошлое воскресенье. Я ожидал слез и эмоционального шантажа, но Джуно всего лишь сказала, что, по словам матери, с таким человеком, как я, жить невозможно, а Анаис тут же спросила, купим ли мы ей пони, если разведемся, потому что Жермен Бигам, когда ее родители развелись, в качестве компенсации получила пони. Весь день шел дождь, так что я заказал пиццу на дом. Мы играли в «Марио». У Джона Чивера есть рассказ «The Season of Divorce»[1]. Это один из лучших его рассказов.

* * *

— Все еще очень неплохо выглядит на сцене, верно? В его-то годы? — Кенни Блоук предложил мне покурить, пока Деймон Макниш молол всякую чушь вроде того, что «вельветовые юбки — это преступление против человечества». — Я видел этих парней в Фримантле еще году так... в 86-м. Полная хренотень.

Кенни Блоуку было под шестьдесят, он носил в ухе какую-то железку и считался лучшим среди стариков согласно фестивальной табели о рангах. Я заметил, что и Деймон Макниш, и многие его современники превратились, по сути дела, в своих же фанатов — такая вот странная, постмодернистская судьба.

Стряхивая пепел в горшок с геранью, Кенни Блоук продолжил:

— Да, положение и у Макниша, как и у многих других, весьма незавидное. Угадай, кто не так давно играл в Басслтон-парке? Джоан Джетт и «Blackhearts». Помнишь их? Впрочем, тираж у них был небольшой, но все же у них имелась рента, и детишек учили в нормальных колледжах, как все. Мы-то, писатели, слава богу, хоть от подобной судьбы избавлены, верно? Так что это всего лишь прощальное турне по дорогам ностальгии.

Я подумал, что это, возможно, не совсем верно. Двадцать тысяч экземпляров «Эхо должно умереть» было распродано в Великобритании и примерно столько же в Штатах. Вполне прилично...

...но если учесть, что это новый роман Криспина Херши, то, пожалуй, маловато. Бывали времена, когда в обеих странах без вопросов продавалось и по сто тысяч экземпляров. Гиена Хол все время вел со мной разговоры насчет электронного варианта — он, видите ли, пересмотрел «старую парадигму продаж», — но я-то совершенно точно знал, почему «мой возврат к данной форме» потерпел неу-

---

[1] «Сезон развода» (*англ.*); Д ж о н   Ч и в е р (1912–1982) — американский писатель, умело сочетающий напряженное социально-психологическое повествование с сатирическими приемами вплоть до гротеска.

дачу и почему мой новый роман так плохо продается: дело в том, что Ричард Чизмен вцепился в меня, как ротвейлер. Одна-единственная дерьмовая рецензия — и сезон охоты на «анфан террибль британской словесности» открыт; так что когда объявили лонг-лист лауреатов премии Бриттана, роман «Эхо должно умереть» был куда лучше известен как «тот самый, от которого Ричард Чизмен не оставил камня на камне». Я оглядел изысканный бальный зал у нас за спиной. Чизмена по-прежнему не было видно, но вряд ли он сможет долго сопротивляться притягательной красоте смуглых латиноамериканских официантов.

— Ты сегодня заглядывал в старый квартал? — спросил Кенни Блоук.

— Да, вполне в духе ЮНЕСКО. Хотя и несколько нереально.

Австралиец проворчал:

— Таксист мне рассказывал, что РВСК[1] и секретным службам нужно место для подобных празднеств, потому что их Картахена — это, так сказать, де-факто демилитаризованная зона. — Кенни взял сигарету из протянутой мной пачки. — Только моей *миссус* не говори — она думает, я давно бросил.

— Так и быть, сохраню твою страшную тайну. Правда, сомневаюсь, что мне когда-нибудь удастся приехать к вам в?..

— Катаннинг. В Западной Австралии. В нижнем левом ее углу. По сравнению с этим, — Кенни Блоук широким жестом указал на великолепный зал в стиле латиноамериканского барокко, — мы живем просто у динго под хвостом. Но в той земле лежат все мои предки, да и расставаться с корнями мне что-то не хочется.

— В двадцать первом веке отсутствие корней — это, в общем-то, норма, — возразил я.

— Ты не так уж не прав, но именно поэтому, дружище, мы и остаемся жить в нашем родном и знакомом дерьме. Если ты родом из ниоткуда, то тебе и на другие места плевать с высокой колокольни.

Барабанщик Деймона Макниша выделывал такое соло, что я, глянув вниз, на целое море неистовствующих латиноамериканских юнцов, сразу почувствовал себя белокожим английским протестантом. И старым занудой. Сегодня пятница; сейчас в Лондоне десять вечера; завтра девочкам не нужно в школу... Вообще-то, Джуно и Анаис отнеслись к нашему с Зои пробному разводу с какой-то подозрительно зрелой рассудительностью. Мне казалось, что я, безусловно, заслуживаю нескольких слезливых сцен. Неужели Зои уже давно начала их готовить к возможному разрыву со мной? Мой

---

[1] Революционные вооруженные силы Колумбии — Армия народа (*исп.* FARC-EP) — леворадикальная повстанческая группировка Колумбии.

старый приятель Эван Райс рассказывал, что *его* жена обратилась за советом к юристу за полгода до того, как у них в семье вообще было впервые произнесено слово «развод», а потому и сумела хладнокровно отсудить у него миллион фунтов. Когда эта гниль завелась в наших отношениях? А может, она была там с самого начала? Пряталась, как раковая клетка, еще тогда, на яхте отца Зои, когда, отраженный водами Эгейского моря, свет играл на потолке каюты, а пустая винная бутылка, почти неслышно погромыхивая, каталась по полу туда-сюда? Мы тогда праздновали полученное по электронной почте сообщение от Гиены Хола о том, что на аукционе стоимость моей книги «Сушеные эмбрионы» уже достигла семисот пятидесяти тысяч фунтов, а ставки *все еще* растут. Зои сказала: «Не пугайся, Крисп, но я бы хотела прожить свою жизнь вместе с тобой». Так или иначе... Так или иначе...

«Ничего, скоро и ты доплывешь!» — хотелось мне крикнуть тому слабоумному Ромео, которым был я сам. Не успеешь опомниться, как она уже «изучит» в Интернете докторскую диссертацию, посвященную исцелению с помощью магического кристалла, и назовет тебя узколобым, если ты вздумаешь задать вслух вопрос: а где же здесь наука? Она перестанет выбегать тебе навстречу, когда ты возвращаешься домой. Мощь обвинений, которые она на тебя обрушит, будет способна лишить тебя дара речи. Так-то, юный Ромео. И если в постели дела у вас пойдут лениво, то виноват, разумеется, окажешься ты, поскольку наложил вето на игру в польских троглодитов. А если преподаватель игры на фортепиано окажется слишком строг, то виноват тоже будешь ты, потому что следовало подыскать более сговорчивого. Если Зои испытывает неудовольствие, то это потому, что ты лишил ее возможности зарабатывать на жизнь самостоятельно. Секс с Зои? Ха-ха-ха! «Перестань давить на меня, Криспин». — «Я вовсе на тебя не давлю, Зои, я просто спрашиваю: когда?» — «Ну, когда-нибудь». — «Когда «когда-нибудь»?» — «Перестань давить на меня, Криспин!» Мужчины женятся на женщинах, надеясь, что те никогда не изменятся. Но женщины выходят замуж, надеясь, что мужчины изменятся непременно. В итоге обе стороны разочарованы, а между тем тот юный Ромео на яхте уже целует свою будущую невесту и шепчет: «Давайте поженимся, мисс Легранж».

Соло на барабане было завершено, Деймон Макниш, склонившись к микрофону, выдал: «One-two-three-five», — и «Sinking Ship» начал знаменитую «Disco in a Minefield». А я представил себе, как роняю сигарету в целое озеро бензина и превращаю площадь в пылающее подобие Судного дня...

И вдруг рядом послышался чей-то очень знакомый голос.

— ...Так я ему и сказал, — говорил Ричард Чизмен. — Хм, нет, Хилари... у меня нет своего либретто, и я ничего не могу тебе показать, потому что *свое* дерьмо я спускаю в унитаз!

Ну точно, он! Лысеющий, сорокапятилетний, очень полный и бородатый. Я — то есть знаменитый писатель Криспин Херши — тут же пробился сквозь толпу и положил на плечо знаменитого критика тяжелую руку.

— Ей-богу, это сам Ричард Чизмен! Ах ты, старый волосатый содомит! Ну, *как* ты? Рассказывай!

Чизмен, разумеется, меня узнал и даже расплескал от волнения свой коктейль.

— О господи! — сочувственно воскликнул я. — Что ж ты прямо на свои пурпурные эспадрильи!

Чизмен улыбнулся так, словно у него выбита нижняя челюсть, — а ведь я так мечтал сам ее выбить!

— Крисп!

Не смей называть меня «Криспом», гребаный червяк!

— Тот стилет, который я прихватил с собой, чтобы воткнуть тебе в мозжечок, у меня украли еще в Хитроу, так что можешь пока гулять на свободе. — Те, что считали себя *близкими к литературным кругам*, уже начинали кружить возле нас, точно акулы возле тонущего круизного лайнера. — *Вот ведь черт*, чуть не забыл! — Я слегка ударил Чизмена по руке первой попавшейся салфеткой. — Ты, кажется, написал на редкость дерьмовую рецензию на мой последний роман? *Это правда?*

Чизмен с застывшей улыбкой прошипел сквозь зубы:

— Правда ли это? — И поднял руки вверх, словно в шутку прося пощады. — Хочешь как на духу? Я уже совершенно не помню, *что* я там написал и *кто* из новичков шлепнул в журнале этот материал, но если тебя это как-то задело, если нанесло тебе хотя бы самую малейшую обиду, то я прошу у тебя прощения.

Тут мне можно было и остановиться, но Судьба требовала от меня более эпического отмщения. А кто я, собственно, такой, чтобы противостоять требованиям Судьбы? И я повернулся лицом к собравшимся вокруг зевакам.

— Хорошо, давайте все вместе разберемся с этим начистоту. Когда появилась рецензия Ричарда на «Эхо должно умереть», у меня многие спрашивали: «Каково вам было читать такое?» Сперва я отвечал: «А каково было бы вам, если бы вам в лицо плеснули кислотой?» Затем, впрочем, я задумался, какими именно мотивами руководствовался Ричард. Для менее значительного писателя сгодился бы, например, мотив зависти, но Ричард и сам — романист достаточно крупного калибра, так что мотив мелкой зловредности тут попросту не катит. Нет, лично я считаю, что Ричард Чизмен просто всей душой любит литературу, а потому считает своим долгом говорить о ней правду — какой она ему самому представляется. И знаете, что я скажу? Браво, Ричард! Пусть ты и дал неправильную оценку моему последнему роману, но именно ты, — и я с силой хлопнул его по плечу, прикрытому мятой рубашкой, — являешь собой истинный бастион защиты от вздымающейся все выше волны лизоблюдства в среде литературной критики. И — заявляю это при свидетелях! — в моей душе нет ни грамма враждебности по отношению к моему другу Ричарду Чизмену. Особенно если он быстренько принесет нам обоим по *большому* мохито! Pronto, pronto[1], ах ты, грубиян, шелудивая литературная кляча!

Улыбки! Аплодисменты! Мы с Чизменом изобразили ублюдочную смесь цивильного рукопожатия и «дай пять».

— Тебе удалось возместить все мои убытки, Крисп, — его вспотевший лоб так и сверкал, — своим поведением ревнивой феи в Хейон-Уай, так что я сейчас действительно схожу и принесу нам мохито.

— Я буду на балконе, — сказал я, — там немного прохладней.

Меня мгновенно окружила толпа каких-то ничтожеств, всерьез полагавших, что я дам себе труд запомнить их имена и лица. Они хвалили мое благородство и справедливость. И я отвечал вполне благородно и справедливо. Великодушный поступок Криспина Херши мгновенно будет прокомментирован и разнесен по всему Твиттеру, а значит, станет правдой. С той стороны площади через балконную дверь до нас долетал рев Деймона Макниша: «Te amo, Cartagena!»[2]

* * *

Все выпили по последней, после чего VIP-персон и писателей повезли на президентскую виллу на двадцати пуленепробиваемых полноприводных лимузинах. Полицейские воем сирен буквально разметали на улицах машины и пешеходов, а на огни светофоров и вовсе не обращали внимания — мы просто летели по ночной Картахене. Моими попутчиками оказались драматург из Бутана, ни слова не говоривший по-английски, и парочка болгарских кинорежиссеров, которые, как мне показалось, все время обменивались какими-то непристойными, но смешными лимериками на своем языке. Сквозь затемненные стекла лимузина я видел ночной рынок, анархического вида автобусную станцию, многоквартирные дома, словно покрытые пятнами пота, уличные кафе, бродячих торговцев,

---

[1] Быстро (*исп.*).

[2] «Я люблю тебя, Картахена» (*исп.*).

продающих сигареты с подносов, прикрепленных прямо к их гладким обнаженным торсам. Мировой капитализм отнюдь не казался таким уж милосердным к этим людям с равнодушными лицами. Интересно, думал я, а что думают о нас представители рабочего класса Колумбии? Где они ночуют, что едят, о чем мечтают? Ведь каждый из этих бронированных лимузинов, созданных в Америке, наверняка стоит намного больше, чем такой уличный торговец заработает за всю свою жизнь. Не знаю. Если какой-то коротышка, никчемный британский романист под пятьдесят, оказался бы вдруг выброшен на обочину в одном из районов Картахены, я бы сказал, что шансов выжить у него немного.

* * *

Президентская вилла находилась рядом с военной школой, и служба безопасности вела себя строго. Прием был al fresco[1] в безвкусно оформленном и буквально залитом светом саду; напитки и vol-au-vents[2] разносили слуги в отглаженной до хруста форме; маленький джаз-ансамбль наяривал Стэна Гетца. Плавательный бассейн по всему периметру был утыкан горящими свечами, на которые я просто смотреть не мог — сразу представлялось, как в этом бассейне плавает лицом вниз труп какого-то политика. Несколько послов, так сказать, держали двор, собрав вокруг себя группки людей, и все это очень напоминало мне мальчишек на игровой площадке, когда участники тоже собираются отдельными кружками. Где-то должен был быть и британский посол, еще довольно молодой мужчина, моложе меня. Ныне в нашем Министерстве иностранных дел возобладала меритократия, и пребывание наших дипломатов на высоком посту уже не длится «дольше жизни», да и круг их обязанностей уже не столь широк, как у Грэма Грина, так что они теперь куда менее интересны и в качестве героев романа. Вид, открывавшийся на залив и противоположный берег, был поистине впечатляющим: южноамериканская ночная мгла окутывала то и дело менявшиеся очертания противоположного берега, а совершенно барочная луна, как по реке, плыла по плодородному — кто-то мог бы назвать его и «сперманосным» — Млечному Пути. Сам местный президент находился в Вашингтоне, вытягивая из американцев доллары на «войну с наркотиками» — достаточно будет всего одного толчка, господа! — но его жена, получившая образование в Гарварде, и сыновья с потрясающими зубами, выправленными искусством ортодонта, вовсю старались во имя семейного бизнеса, завоевывая

---

[1] На свежем воздухе (исп.).
[2] Закуски (фр.).

сердца и умы. И писатель Криспин Херши самым свинским образом — приходится в этом признаться — тут же поинтересовался у них, где здесь печально знаменитая береговая тюрьма, в которой томятся колумбийские женщины (увы, внешне довольно безобразные). Честно говоря, я пока толком не видел ни одной. Но если бы представилась такая возможность, стоило ли мне, дорогой читатель, ею воспользоваться? Мое обручальное кольцо находилось за шесть тысяч миль отсюда, в шкафу, и там же пылилась крайне редко открываемая коробка с «брачными» презервативами, у которых давно кончился срок хранения. Но если я и чувствовал себя куда менее женатым, чем в любой другой момент супружеской жизни, то это, безусловно, было делом рук Зои, и то, что я тут совершенно ни при чем, было ясно абсолютно любому сколько-нибудь разумному свидетелю. На самом деле, если бы Зои была моим работодателем, а я — ее работником, у меня были бы все основания подать на нее в суд за то, что она практически вынудила меня оставить занимаемую должность. А с какой жестокостью она и все ее семейство подвергли меня остракизму во время рождественских каникул? Вспоминая об этом, я содрогаюсь даже теперь, три месяца спустя, любуясь Южным Крестом и согретый тремя бокалами шампанского и благословенными двадцатью градусами Цельсия...

* * *

... Зои и девочки тогда сразу же, едва в школе закончились занятия, улетели в Монреаль, подарив мне целую неделю спокойной работы над новой книгой — это была черная комедия о мистике-шарлатане, утверждавшем, что во время литературного фестиваля в Хей-он-Уай он видел Деву Марию. Это было одно из трех-четырех лучших моих произведений. Но, к сожалению, за эту неделю Зои и ее семейка сумели должным образом обработать моих дочерей, внушив Джуно и Анаис *безусловное культурное превосходство* франкофонного мира. К тому времени, как 23 декабря *я сам* наконец ввалился в нашу маленькую квартирку в Утремонте, девочки *уже* соглашались разговаривать со мной по-английски, только если я недвусмысленно приказывал им это. Все это время Зои позволяла им тратить в три раза больше денег на покупку всяких компьютерных игр при условии, что они будут играть только en français[1]; а ее сестрица потащила своих дочерей и наших девчонок на какое-то рождественское модное шоу — тоже, естественно, на французском, — после которого был концерт какой-то франкофонной тинейджерской группы. Первоклассный культурный подкуп! Но когда я начал возражать, Зои

---

[1] По-французски (*фр.*).

не желала меня слушать и все твердила: «Я считаю, Криспин, что нашим девочкам необходимо расширять культурные горизонты, а для этого нужно обеспечить им доступ к семейным корням. Меня очень удивляет и огорчает, что ты так стремишься запереть их в рамках англо-американской монокультуры». Затем, 26 декабря, как раз в Boxing Day, мы все вместе отправились в боулинг. И эти Легранжи, считавшие себя «евгенически привилегированными», буквально потеряли дар речи, когда я выбил двадцать очков. И не одним шаром, а за всю треклятую игру. Ну, не создан я для боулинга! Я создан для того, чтобы писать книги. А Джуно, откинув волосы со лба, сказала мне: «Папа, мне так стыдно, что я по сторонам смотреть боюсь!»

* * *

— Кри-и-испин! — Это был Мигель Альварес, издатель моих книг на испанском языке. Он улыбался так, словно принес мне какой-то подарок. — Кри-и-испин, а у меня для тебя есть маленький подарочек. Давай немножко отойдем туда, где поменьше народу.

Чувствуя себя героем Ирвина Уэлша, я последовал на Мигелем подальше от гудящей толпы к скамье, стоявшей в тени высокой стены, которая, как оказалось, представляла собой сплетение мощных кактусов.

— Итак, я принес то, что ты просил, Кри-и-испин.

— Очень тебе обязан. — Я закурил.

А Мигель незаметно опустил мне в карман пиджака маленький конвертик размером с кредитную карточку.

— Наслаждайся! Стыдно было бы уехать из Колумбии, так и не попробовав. Это очень-очень чистый, гарантирую. Но клянусь, Кри-и-испин, это вещь! Здесь, в Картахене, в интимной обстановке пользоваться этим легко и неопасно. Но провезти это через границу, даже просто пронести в самолет... — и Мигель, поморщившись, сделал весьма красноречивый жест, якобы перерезая себе горло. — Ну, ты понимаешь?

— Мигель, только полный остолоп потащит с собой наркотики в самолет. Я даже близко к аэропорту с ними не подошел бы. Не беспокойся. Если я что-то не использую, то просто смою это в унитаз.

— Это хорошо. Играй, забавляйся, но соблюдай правила безопасности. Ну, иди, получай удовольствие — самое большое удовольствие в мире.

— А как насчет колумбийского мобильника?

— Да, да, конечно. — И мой издатель вручил мне еще один конверт, который тоже отправился в карман моего пиджака.

— Спасибо. Смартфоны — это, конечно, прекрасно, но только в том случае, если они работают, а когда связь плохая, то, по-моему, для эсэмэс нет ничего лучше старого доброго телефона.

Мигель как-то неопределенно качнул головой, явно не совсем со мной соглашаясь, но тридцать долларов — или сколько там эта штуковина ему стоила? — очень небольшая плата за то, чтобы «анфан террибль британской словесности» всегда был на его стороне.

— Значит, теперь у тебя есть все, что ты хотел? Ты доволен?

— Очень доволен! Правда, Мигель, я очень доволен. Спасибо тебе.

Как и все мои лучшие сюжеты, этот складывался как бы сам собой.

* * *

— Эй, Криспин! — окликнул меня австралийский поэт Кенни Блоук, когда мы проходили мимо очередной группы знаменитостей, столпившихся у дальних ворот сада, представленного почти исключительно кактусами. — Тут кое-кто хочет с тобой познакомиться.

Мы с Мигелем подошли ближе. Над нами раскинули густые ветви древовидные папоротники. Иностранные имена своих новых собеседников, очевидно писателей, я как-то не очень запомнил — во всяком случае, ни один из них явно не упоминался в «New Yorker». Но когда Кенни Блоук представил меня бледной, темноволосой и худощавой женщине, я сразу, еще до того, как он назвал ее имя, понял, что узнал ее.

— Это Холли Сайкс. Она тоже англичанка.

— Очень рада с вами познакомиться, мистер Херши, — сказала Холли Сайкс.

— Вы почему-то кажетесь мне смутно знакомой, — честно признался я. — Или, может, я ошибаюсь?

— Не ошибаетесь. Мы оба в прошлом году были на фестивале в Хей-он-Уай.

— Неужели на том ужасном сборище под треклятым тентом?

— Да, мы оба сидели именно там, мистер Херши, и подписывали свои книги.

— Погодите-ка... Я вспомнил! Вы — та самая Холли Сайкс, что пишет про ангелов.

— Только не про тех ангелов, у которых в руках арфа, а над головой нимб, — вмешался Кенни Блоук. — Холли пишет о внутренних голосах, и я как раз только что говорил о том, как это близко к вере в духов-хранителей, свойственной моим соотечественникам.

— Мисс Сайкс, — елейным тоном представился Мигель, — меня зовут Мигель Альварес, я глава издательства «Ottopusso», у меня издается Криспин. Знакомство с вами для меня — большая честь.

Холли Сайкс пожала ему руку и сказала:

— Мне тоже очень приятно с вами познакомиться, мистер Альварес.

— А правда, что в Испании было продано более полумиллиона ваших книг?

— Похоже, моя книга затронула некие особые струны в испанской душе, — улыбнулась она.

— Мистификатор Ури Геллер способен затронуть струны в душе кого угодно, — сказал я и почувствовал, что опьянел сильнее, чем мне казалось. — Помните Ури? Ближайший приятель Майкла Джексона? Особый успех он имел в Японии. Просто невероятный, грандиозный успех. — Странно: у моего коктейля был почему-то вкус манго и морской воды.

Мигель улыбнулся мне, но снова скосил глаза на женщину по фамилии Сайкс; он был похож на игрушечного Фокусника, который был у меня когда-то в детстве.

— И вы довольны своими испанскими издателями, мисс Сайкс?

— Но вы же сами сказали: они продали более полумиллиона экземпляров моей книги.

— Да, это просто фантастика! Но если у вас возникнут какие-то проблемы... то вот моя карточка...

Мигель так и остался поблизости, не решаясь отойти от Холли Сайкс, и тут из-за ствола папоротника материализовалась еще одна женщина, похожая на персонаж «Стартрека»: лет тридцати пяти, темноволосая, с золотистой кожей и невероятно привлекательная.

— Кармен! — воскликнул Мигель, бросаясь к ней, словно был прямо-таки счастлив ее видеть.

Кармен молча уставилась на визитную карточку в руке Мигеля и смотрела на нее до тех пор, пока карточка не исчезла у него в кармане пиджака. Затем женщина повернулась к Холли Сайкс. Я ожидал типичного романского акцента и множества раскатистых согласных, но она заговорила так же чисто и мягко, как домашний учитель из наших родных английских графств.

— Холли, я надеюсь, Мигель не слишком тебе досаждал? Этот человек — бесстыдный браконьер и захватчик чужих территорий. Да-да, Мигель, ты именно *такой* — уж я-то *знаю*! Полагаю, ты не забыл историю со Стивеном Хокингом? — Мигель попытался изобразить шутливое раскаяние невольного грешника, но ему это не удалось: ей-богу, он был похож на человека, одетого в белые джинсы, который явно недооценивает, насколько заметно на этих джинсах грязное пятно. — Мистер Херши, — теперь красавица повернулась ко мне, — мы с вами, пожалуй, никогда не встречались, так что позвольте представиться: меня зовут Кармен Салват, и я обладательница *одной-единственной*, но весьма существенной привилегии, — эта стрела была пущена точно в Мигеля. — Именно я издаю книги Холли на испанском языке. Добро пожаловать в Колумбию, мистер Херши.

Рукопожатие Кармен Салват оказалось достаточно крепким. А от нее самой словно исходил свет. Пожимая мне руку, она свободной рукой теребила красивое ожерелье из ляпис-лазури.

Тут вступил Кенни Блоук:

— Холли упоминала, что вы, Кармен, также опубликовали на испанском роман Ника Грика?

— Да, я купила права на «Шоссе-605» еще до того, как Ник закончил рукопись романа. У меня просто было хорошее предчувствие.

— Черт возьми, меня эта книга просто ошеломила! — сказал Кенни Блоук. — Я считаю, что премию Бриттана в прошлом году Ник получил совершенно заслуженно.

— У Ника чудесная душа, — сказала поэтесса с Ньюфаундленда, имя которой я уже успел позабыть. Но глаза у нее были как у тюлененка с плаката «Гринпис». — Действительно чудесная.

— Кармен знает, как выбрать победителя, — сказал Мигель. — Но, мне кажется, в плане продаж Холли всех опередила, не так ли, Кармен?

— Да, и это, кстати, напомнило мне вот о чем, — сказала Кармен Салват. — Холли, с тобой очень хотела бы познакомиться жена нашего министра культуры — надеюсь, моя просьба тебя не очень затруднит?

И она повела женщину с *мужской* фамилией Сайкс прочь. Я смотрел им вслед, любуясь аппетитными бедрами Кармен Салват и предаваясь разным фантазиям. Например: вдруг зазвонит мой телефон — как всегда, очень кстати! — и какой-то врач из Лондона сообщит мне страшную новость — «Сааб» Зои столкнулся «Хаммерсмитом», за рулем которого сидел пьяный водитель; она и девочки погибли на месте, а я должен завтра же вылететь домой, чтобы успеть на похороны; горе одновременно и возвысило меня, и сокрушило, и я на какое-то время совершенно выпал из реальной жизни; меня иногда видели в метро — на самых мрачных линиях лондонской Трубы и даже в пригородных зонах четыре и пять. Весна прибавляет, лето умножает, осень вычитает, зима разделяет. И вот однажды примерно через год я, писатель Криспин Херши, обнаружу, что оказался на конечной остановке линии метро «Пиккадилли», то есть совсем рядом с Хитроу, выйду из подземки, зайду в зал отправления, отыщу на табло рейсы на колумбийскую Картахену — именно в этом городе я в последний раз пребывал в статусе мужа и отца — и, поддавшись необъяснимому, внезапному порыву, куплю билет в один конец (у меня по какой-то причине и паспорт окажется при себе) и вечером того же дня окажусь на улицах старого колониального квартала. Влюбленные девушки, едущие со своими парнями на скутерах, щебечущие птицы, тропические цветы, извивающиеся лианы и одиночество, сто лет одиночества[1]; а потом, когда по углам площади Адулана сгустятся тропические сумерки, я, Криспин Херши, увижу женщину, пальцы которой будут перебирать ожерелье из ляпис-лазури, и мы остановимся как вкопанные, глядя друг на друга, а весь мир будет крутиться вокруг нас, точно водоворот, и, как ни странно, обы мы этой встрече не удивимся...

* * *

После этих фантазий я выпил еще немало коктейлей, и в итоге мне пришлось помочь царственно упившемуся Ричарду Чизмену сесть в лифт и добраться до номера.

— Я в полном порядке, Крисп, — уверял он меня, — я всегда кажусь пьянее, чем на самом деле, ей-богу. — Дверцы лифта открылись, и мы вошли внутрь. Он спотыкался и покачивался, как верблюд под напором штормового ветра. — Минут'чку, я п'забыл номер своей комнаты, счас...— Чизмен вытащил свой бумажник и уронил его. — Вот черт, так и прыгает сам по себе!

— Дай-ка я его поймаю. — Я поднял бумажник Чизмена, вынул оттуда электронную карточку-ключ № 405 и протянул ее Чизмену: — Прошу вас, сквайр.

Чизмен благодарно кивнул и пробормотал:

— Если к числу, обозначающему твой номер, прибавить девять, Херш, ты никогда не умрешь в этом номере.

Я нажал на кнопку «4».

— Первая остановка — твой номер.

— Да со мной все в порядке. Я могу найти... мой... свой... путь домой.

— Нет уж, мой долг — благополучно доставить тебя до самых дверей, Ричард. Не беспокойся, мои намерения абсолютно пристойны.

Чизмен буркнул:

— Ты не в моем вкусе! Ты слишком белый и рыхлый.

Я посмотрел на свое отражение в зеркальной стене лифта и вспомнил, как один мудрый человек говорил, что секрет счастья в том, чтобы после сорока не обращать внимания на собственное отражение в зеркалах. А мне в этом году стукнет уже пятьдесят. Над

---

[1] Намек на знаменитый роман колумбийского писателя Габриэля Гарсиа Маркеса «Сто лет одиночества» (1967).

дверью лифта нежно звякнул сигнал, и мы вышли, встретившись на площадке с какой-то седой супружеской парой, причем они оба были поджарые и загорелые.

— Здесь когда-то был женский монастырь, и в нем полным-полно девственниц, — сообщил им Чизмен и, негромко напевая один из ранних хитов Мадонны и шаркая ногами, потащился по коридору, в открытые окна которого вливалась карибская ночь. Номер 405 находился за каким-то весьма хитрым поворотом. Я провел карточкой Чизмена по замку, и ручка повернулась. — И н'чего особ', — заявил Чизмен, — почти как дома.

В номере горела прикроватная лампа, и он, этот губитель романа, возвращавшего меня в прошлое, шатаясь, добрел до кровати, но споткнулся о чемодан и ничком рухнул на скрипнувшее ложе, проворчав:

— Не каждую же ночь, — и наш monsieur le critique[1] разразился идиотским смехом, — меня сопровождает домой «анфан террибль британской словесности»!

Я подтвердил, что в результате у меня останутся просто незабываемые впечатления, затем пожелал ему спокойной ночи и пообещал, если он сам к одиннадцати не встанет, позвонить ему с ресепшн.

— Ябсолютн, в порядке, — сообщил он. — Уверяю тебя, я совершенно, полностью, честное слово, от всей души, ей-богу в порядке.

И критик Ричард Чизмен, перевернувшись на спину и широко раскинув руки, отключился.

14 марта 2016 года

Я заказал омлет из яичных белков со шпинатом, тосты из дрожжевого хлеба, настоящие печеные пирожки с индюшатиной, свежевыжатый апельсиновый сок, охлажденную минералку «Эвиан» и местный кофе, чтобы запить анальгетик и избавиться от похмелья. Было 7:30 утра, и воздух на крытом дворе был все еще прохладным. Жившая возле гостиницы майна сидела на заборе и издавала какие-то совершенно немыслимые звуки. Ее клюв блестел, как маленькая стальная коса, а черный глаз, казалось, видел и знал все на свете. Было ли то плодом фантазии, дорогой читатель, но главный герой моего романа тоже задумался бы о том, не подсказывает ли майне ее птичья интуиция, что именно он собирается сделать. Деймон Макниш, одетый в полотняный льняной костюм, как наш человек в Гаване[2], сидел в уголке, полускрытый номером «Wall Street Journal». Забавно, как

---

[1] Господин критик (*фр.*).

[2] Роман Грэма Грина «Наш человек в Гаване» (1958).

380

траектория жизни может измениться благодаря нескольким дням на шотландской студии звукозаписи, когда человеку всего двадцать лет. Девушка Макниша, которой *нет еще и двадцати*, участвовала в викторине «Face»[1]. Для нее секс с ним, должно быть, просто ужасен — какой-то грубый наждак. Разве ее могло что-то в нем действительно привлечь? Вряд ли, если, конечно, не считать полетов первым классом, пятизвездочных отелей и соответствующей среды, в которую он ее ввел: рок-аристократов, кинорежиссеров и крупных спонсоров, а также возможности мелькать в глянцевых журналах, что сулило возможные контракты в качестве модели.... Я очень надеялся, что когда Джуно и Анаис начнут взбираться по карьерной лестнице, то будут делать это за счет собственных талантов, а не за счет сидения на тощих ляжках у какого-нибудь посредственного поэта-песенника, куда более старого и морщинистого, чем их папочка. *И пусть Господь сделает нас поистине благодарными за то, что нам следует получить по заслугам.*

* * *

Тема доклада Чизмена была «*Может ли литература изменить мир?*». На этом выступлении должны были присутствовать лучшие представители культурной элиты, собранные в вытянутом зале с белеными стенами на верхнем этаже герцогского дворца, краеугольного камня Картахены 2016 года. Но когда на сцену под овации вставшего зала поднялись трое колумбийских писателей, все пошло не в ту сторону. Они приветствовали аудиторию, точно герои послевоенного сопротивления. Следом за ними на сцену поднялась и ведущая собрание дама, тоненькая, как прутик, в кроваво-красном платье и прямо-таки увешанная крупными золотыми побрякушками, которые легко было разглядеть даже с моего места в последнем ряду. Ричард Чизмен на этот раз выбрал внешность английского консула — кремовый костюм-тройку и пурпурно-сливовый галстук; однако он скорее напоминал мохнатого игрушечного медведя из «Возвращения в Брайдсхед»[2]. Трое «революционеров» заняли свои места, и мы, не говорящие по-испански, надели наушники, чтобы слушать синхронный перевод. Сперва переводчица выдала приветствие женщины-председателя, затем — консервированные биографии каждого из четырех гостей. Биография Ричарда Чизмена оказалась самой скудной: «Один из знаменитых и уважаемых английских

---

[1] «F a c e t h e M u s i c» (*англ.*) — «Повернись лицом к музыке»; музыкальная телевикторина по классической музыке, устраиваемая Би-би-си.

[2] Роман английского писателя Ивлина Во (1903—1966), написанный в 1945 году.

критиков и романистов». Не хотелось бы несправедливо обвинять ее в неосведомленности: страница в Википедии, посвященная Ричарду Чизмену, тоже была достаточно убогой, хотя его «знаменитый разнос» романа Криспина Херши «Эхо должно умереть» там упоминался, а также имелся линк на сайт журнала «Piccadilly Review». Гиена Хол говорил, что буквально из кожи вон лез, пытаясь удалить этот линк, но Википедия взяток не берет.

Чтения в Южной Америке — мероприятие интерактивное, как у нас стендап-шоу. В наушниках продолжала трещать болтушка-переводчица, вместо синхронного перевода излагая краткое содержание того или иного пассажа и время от времени честно признаваясь: «Извините, но я понятия не имею, что он имел в виду. И не уверена, что и сам автор сказанного это понимает». Ричард Чизмен зачитал сцену из своего нового романа «Человек в белом автомобиле»; сцена была посвящена последним мгновениям жизни главного героя, Сонни Пенхоллоу, кембриджского студента, который направляет свой винтажный «Астон Мартин» с корнуэльского утеса в пропасть. Прозе Чизмена не годилась даже такая яркая оценка, как «ужасно»: это была самая настоящая посредственность, и я видел, как слушатели один за другим снимают наушники и вытаскивают смартфоны. Когда Чизмен закончил чтение, прозвучали довольно жидкие аплодисменты, тогда как после моего вчерашнего выступления реакция была настолько бурной, что зал едва удалось успокоить.

Затем начался «круглый стол», и пошла совсем уже всякая ерунда.

— Литература должна убивать! — заявил первый «революционер». — Я пишу, держа в одной руке карандаш, а в другой — нож! — И взрослые люди вставали, радостно его приветствовали и аплодировали.

Второй революционный писатель не отставал от первого:

— Вуди Гатри[1], один из немногих действительно великих американских поэтов, написал на своей гитаре краской «Эта гитара убивает фашистов»; а я на *своем* лэптопе написал: «Эта машина убивает неокапитализм!» — Ну, тут уж толпа в зале совсем обезумела от восторга!

Вереница опоздавших, шаркая ногами, стала пробираться на свободные места в том ряду, что был передо мной. Это была прямо-таки идеальная возможность незаметно удрать; видимо, обо мне позаботилось само провидение. Скрытый этим живым щитом, я выскользнул из зала и быстро пошлепал вниз по лестнице с белеными стенами. В дальнем конце просторного двора Claustro de Santo

---

[1] Вуди Гатри (настоящее имя Вудро Уилсон) (1912–1967) — знаменитый американский композитор, поэт и певец-фолксингер.

Domingo я заметил Кенни Блоука; он что-то читал собравшимся вокруг него детям, и те слушали его как завороженные. Мой отец любил рассказывать историю о приеме, на который Роальд Даль[1] прибыл на вертолете и призывал каждого встречного: «Пишите книги для детей — эти маленькие говнюки поверят чему угодно». Я вышел через герцогские ворота на площадь, где Деймон Макниш давал свой последний вечерний концерт. Пять кварталов по не особенно прямой 36-й улице. Я закурил, но, не успев толком затянуться, швырнул сигарету в канаву. Чизмен давно бросил курить, так что запах табака может стать смертельно опасной подсказкой. Черт возьми, к подобным делам надо относиться серьезнее, хотя мне еще никогда не доводилось делать ничего подобного. С другой стороны, никогда еще ни один рецензент так бессмысленно не убивал чужую книгу, как это сделал Ричард Чизмен с моим романом «Эхо должно умереть». В уличном киоске шипели жареные бананы. Какой-то малыш смотрел на улицу с балкона второго этажа, прижавшись лицом к решетке, как заключенный. Солдаты бдительно охраняли банк; на шее у каждого висел автомат, но я все равно был рад, что мои деньги не зависят от их неусыпной бдительности: один увлеченно отправлял кому-то эсэмэску; второй флиртовал с проходившей мимо девчонкой не старше моей Джуно. Интересно, Кармен Салват замужем? Она ни разу об этом не упоминала.

Сосредоточься, Херши. Черт побери, ты идешь на серьезное дело! Сосредоточься!

* * *

Теперь войди с ярко освещенной раскаленной улицы в прохладный отделанный мрамором и тиковым деревом вестибюль гостиницы «Santa Clara» и спокойно пройди мимо двух швейцаров, один из которых явно обучен убивать. Они сразу оценят и твою одежду, и твою принадлежность к гринго, и твой уровень доходов. Сними темные очки и самым невинным образом подмигни им: *Как видите, ребята, я живу именно в этой гостинице,* — но на всякий случай постарайся на обратном пути мимо них не ходить. Теперь минуй внутренний дворик, проберись сквозь толпу любителей перекусить перед обедом, попивающих капучино и отправляющих мейлы в просторном зале, бывшей трапезной, где монахини-бенедиктинки когда-то вместе с пищей впитывали Святой Дух. И старайся не смотреть в глаза этой проклятой всезнающей майны. Затем за журчащим недремлющим фонтаном поднимись по лестнице на четвертый

---

[1] Р о а л ь д   Д а л ь (1916–1990) — английский писатель, автор романов, сказок и новелл, поэт и сценарист.

этаж. Пройди по тому же коридору, что и вчера в полночь, и сверни в тупичок, где находится нужный тебе номер. Не сворачивай туда, где залитый солнцем коридор ведет вокруг гулкого лестничного пролета в верхний внутренний дворик, а оттуда — в мою комнату, где я, Криспин Херши, обычно напиваюсь в стельку. Пусть злодейский путь приведет тебя прямиком к комнате Ричарда Чизмена под номером 405, и там ты, Криспин Херши, исполнишь задуманное. Промельк дежа-вю — и в голове звучат слова Джеффри Чосера[1]:

> Что ж, господа, коль будет вам угодно
> Смерть отыскать, так выступлю я сводней.
> Ей-богу, я ее вон в том леске оставил,
> Под деревом, противу всяких правил...

Но мне *угодно отыскать* не смерть, а справедливость. А нет ли свидетелей? Ни одного. В таком случае пойдем противу всяких правил. Возле двери в номер 403 стояла тележка горничной, но самой горничной видно не было. Номер 405 был за углом, предпоследний в тупиковом конце коридора. В голове у меня звучала песня Леонарда Коэна[2] «Dance Me to the End of Love», а за аркой окна виднелись крыши домов, голубая полоска Карибского моря, облака, похожие на грязные кочаны цветной капусты... и вдали, на том берегу бухты, небоскребы, уже законченные и еще не достроенные. Вот и номер 405. Тук-тук-тук. Кто там? Это, блин, твоя доза пришла, Дики Чизмен. Внизу на улице взревывал мотоцикл — с каждым разом на октаву выше. Вот она, украденная у Чизмена электронная карточка, которую я «оставил себе» после вчерашнего поступка «доброго самаритянина»; вот она, данная мне самой Судьбой возможность воплотить в жизнь отлично продуманный план. Если Чизмен сегодня утром заметил пропажу карточки и получил взамен новую с новым кодом, то на двери замигает красный огонек, а дверь не откроется, и тогда придется срочно завершать неудавшуюся миссию. Но если Судьбе захочется подтолкнуть меня к решительным действиям, то на двери зажжется зеленый огонек. Дверная рама была украшена резным изображением ящерицы, которая, казалось, то и дело высовывает свой дрожащий язычок.

Ну, довольно. Прикладывай карту. Давай же!

Зеленый. Давай-давай-давай-давай-*давай*!

---

[1] Строки из книги в стихах «Кентерберийские рассказы», начатой в 1380 году и неоконченной.

[2] Л е о н а р д К о э н (р. 1934) — канадский поэт, писатель, певец и автор песен.

Дверь за мной тихо закрылась. Хорошо, что в комнате уже успели прибрать и постель застелили. Ладно, если войдет горничная, просто сделаешь вид, что все в порядке. Рубашка свисала с дверцы буфета, и на прикроватном столике по-прежнему лежала книга Лакснесса «Самостоятельные люди»[1]. Как мусульманским женщинам во время менструаций запрещено прикасаться к Корану, так и этому говнюку Ричарду Чизмену следовало бы запретить прикасаться к Лакснессу, пока он не наденет пару латексных перчаток. Между прочим, прекрасная мысль. Извлеки перчатки из кармана пиджака и надень. Так, хорошо. Теперь отыщи в гардеробе чемодан Ричарда Чизмена. Хм, идеальный чемодан: новый, дорогой, вместительный. Открой его и расстегни молнию на внутреннем кармане. Идет довольно туго, похоже, этой молнией он никогда не пользуется. Теперь вытаскивай свой швейцарский нож, отличный армейский нож, и осторожно надрежь внешнюю сторону подкладки. Немного, на полдюйма. Отлично. Вынь из кармана заветный конвертик размером с кредитную карту и *осторожно, осторожно* оторви уголок, а потом рассыпь вокруг, как бы случайно, немного белого порошка — человек может сразу и не заметить, зато для носа какого-нибудь бигля вонять будет не хуже дерьма скунса. Теперь всунь конвертик в прорезанное отверстие в подкладке кейса и протолкни поглубже. Закрой молнию на внутреннем кармане. Засунь кейс обратно в гардероб и проверь, чтобы Санта-Клаус не оставил предательской дорожки из крошек. Нет, все чисто. Все хорошо. А теперь быстренько убирайся отсюда. Так сказать, со сцены преступления. Только *сперва* сними резиновые перчатки, идиот...

В коридоре я опять столкнулся с горничной; она, неожиданно разогнувшись, вынырнула из-за своей тележки и устало мне улыбнулась. Сердце так и замерло в груди, скрипнув тормозами. Даже произнося короткое «хэлло», я понимал, что совершил фатальную оплошность. Она тоже одними губами сказала «хэлло», и ее взгляд скользнул по моим темным очкам, но я, идиот, уже дал понять, что говорю только по-английски. Господи, как глупо! Я поспешил назад по тому же извилистому коридору. Да не беги ты, как муж, нарушивший супружескую верность и спасающийся бегством! Иди медленней! Вот черт: неужели горничная заметила, как я стягивал с рук резиновые перчатки?

Может, лучше вернуться и забрать этот проклятый кокаин?

Успокойся! Для неграмотной служанки ты просто еще один белый мужчина среднего возраста в темных очках. Для нее комната

---

[1] Х а л ь д о р   Л а к с н е с с (1902—1998) — исландский писатель; роман «Самостоятельные люди» (1934—1935) посвящен людям труда.

405 — это твоя комната. Она уже забыла, что тебя видела. Я благополучно миновал сонных охранников в вестибюле и другой дорогой вернулся в исходную точку. На этот раз я все-таки закурил. Резиновые перчатки я выбросил в мусорный бак за рестораном. Потом снова вошел в ворота Claustro de Santo Domingo, небрежно махнув своей VIP-карточкой, и увидел Кенни Блоука, который говорил какому-то мальчику: «Ну, это вообще отличный вопрос...» Теперь надо подняться наверх по альтернативному пути, но для этого придется пройти через просторный вестибюль, где сотни три людей внимательно слушают Холли Сайкс, которая с маленькой сцены в дальнем конце помещения читает какой-то отрывок из своей книги. Я остановился. Что, черт возьми, все эти люди в ней находят? Слушают ее, разинув рот, и, не отводя глаз, следят за текстом перевода, который ползет по большому экрану над сценой. Даже фестивальные эльфы пренебрегают своими придворными обязанностями ради женщины по фамилии Сайкс, пишущей об ангелах. «Мальчик издали был похож на Жако, — читала Холли Сайкс, — и ростом, и одеждой, и внешностью, но я знала, что мой брат сейчас в Грейвзенде, за двадцать миль отсюда. — В зале стояла тишина, как в заснеженном лесу. — Мальчик помахал мне рукой, словно давно поджидает меня здесь, и я невольно помахала ему в ответ, а он повернулся и исчез в проходе под шоссе. — В зале многие утирали слезы, слушая эту бездарную стряпню! — Как мог Жако преодолеть такое расстояние, да еще ранним утром в воскресенье? Ему ведь всего семь. И как он сумел меня разыскать? И почему он меня не подождал, а скрылся в этом темном туннеле под шоссе? Я бросилась следом за ним...»

Я торопливо поднялся по лестнице в верхний зал и плюхнулся на свое место в последнем ряду, невидимый со сцены. Люди разговаривали, вставали, посылали эмэмэски. «Нет, я, пожалуй, не совсем согласен с тем, что поэты — это непризнанные законодатели нашего мира, — жевал свою жвачку Ричард Чизмен. — Только такой третьесортный поэт, как Шелли, мог поверить столь самонадеянным мечтам...»

Вскоре симпозиум закончится, думал я, и я, подойдя к сцене, скажу ему: «Ричард, твоим голосом говорила сама истина — с начала и до конца».

* * *

Вечер. На узких улочках, проложенных голландцами и построенных их рабами четыре века назад, бабушки поливали герани. Я поднялся по крутой каменной лестнице на стену старого города. От камней тянуло жаром, накопленным за день; жар чувствовался даже сквозь тонкие подошвы туфель. Солнце цвета розоватых стеблей ревеня, толстея прямо на глазах, опускалось в Карибское море. Ну *почему* я должен жить в этой проклятой, дождливой, сучьей стране? Если мы с Зои все же действительно затеем развод и пройдем сквозь эту грязную процедуру, то почему бы мне не бросить все к чертовой матери и не поселиться в каком-нибудь теплом месте? Здесь, например. Внизу подо мной на грязной полоске земли между морем и четырехполосным шоссе, забитом машинами, мальчишки играли в футбол: игроки одной команды была в майках, а второй — по пояс голые. Я прошел еще немного вперед, нашел свободную скамью и уселся. Итак, еще минута, и приговор будет приведен в исполнение?

Да, и никакой отсрочки, черт побери! Я четыре года потратил на «Эхо должно умереть», а этот Чизмен со своей бородой, курчавой, как волосы на лобке, зарезал мой прекрасный роман, написав каких-то восемьсот слов! Зато, утопив меня, он сразу увеличил собственный вес в литературном мире. Это называется кражей. И справедливость требует, чтобы вор был наказан.

Я сунул в рот пять мятных пастилок, вытащил предоплаченный телефон, которым меня снабдил издатель Мигель, и цифра за цифрой набрал нужный мне номер, который скопировал с плаката в Хитроу. Шум дорожного движения, крики морских птиц и футболистов сразу словно затихли вдали. Я нажал на кнопку «call».

Какая-то женщина ответила почти мгновенно: «Таможенная служба аэропорта Хитроу, конфиденциальная линия». Я заговорил, пользуясь самым гадостным акцентом в стиле Майкла Кейна, который еще усугубляло бряканье о зубы конфет, сунутых в рот:

— Послушайте, тут один старый наркоман Ричард Чизмен завтра вечером вылетает из Колумбии в Лондон рейсом ВА713. Да, завтра, рейс ВА713. Вы меня поняли?

— Да, сэр, ВА713. Да, я все *записала*. — Я вздрогнул. Ну, конечно, они просто обязаны это делать! — Еще раз, сэр, повторите, пожалуйста, его имя?

— Ричард Чизмен. «Cheese» и «man». У него в чемодане кокаин. Пусть ваша служебная собачка понюхает. Увидите, что будет.

— Поняла вас, сэр, — сказала женщина. — Могу я спросить...

КОНЕЦ ВЫЗОВА, сообщили неуклюжие пиксели на крошечном экране, и ко мне сразу вернулись все звуки вечера. Я выплюнул мятные пастилки. Они загремели по камням вниз и остались лежать там, точно кусочки выбитых в драке зубов. Ричард Чизмен свое действие уже совершил, а это будет моя ответная реакция. Этика — понятие относительное, это еще Ньютон открыл. Возможно, сказанного мной по телефону будет достаточно, чтобы в аэропорт сбежалась целая толпа полицейских. А может, и нет. Может, Чизмена и отпустят после конфиденциальной беседы и строгого внушения, а может, сделают эту историю достоянием общественности. И тогда Чизмен, скорее всего, потеряет свою колонку в «Telegraph». А может, и не потеряет. В общем, я свое дело сделал, и теперь все в руках Судьбы. Я стал медленно спускаться по каменным ступеням, потом остановился и наклонился, притворившись, что завязываю шнурок. И тайком «обронил» мобильник в сточную канаву. Плюх! К тому времени, как оттуда извлекут останки телефона, если это вообще когда-нибудь произойдет, все те, кто жив сейчас, в этот чудесный вечер, уже сто лет как будут мертвы.

Да, дорогой читатель, и вы, и я, и Ричард Чизмен — все мы будем уже мертвы.

21 февраля 2017 года

Афра Бут начала читать следующую страницу своего «Меморандума» с длинным названием «Бледная, злоязычная, лишенная какой бы то ни было новизны де(КОН?)струкция постпостфеминистских соломенных чучелок в новой фаллической беллетристике». Я открыл бутылку с газированной водой — ш-ш-ш-хлоп-буль-буль-буль! Справа от меня председательствующий профессионально прикрыл глаза, делая вид, что внимательно слушает Афру, но я подозревал, что он попросту дремлет. Задняя стеклянная стена зала давала прекрасную возможность любоваться рекой Суон, серебристо-голубой, сверкающей под солнцем, пересекающей весь западно-австралийский город Перт. Сколько же времени Афра уже *нудит*? Это, пожалуй, даже хуже, чем в церкви. И непонятно, то ли наш ведущий действительно заснул, то ли не решается прервать мисс Бут на середине доклада? Что же я пропустил? «Если поднести их к зеркалу гендерности, то маскулинные метапарадигмы женской психики отразят весь подтекст некой асимметричной непрозрачности; иначе говоря, когда Венера рисует себе Марса, она начинает снизу — из прачечной, от пеленального столика. А вот когда Марс представляет себе Венеру, то видит ее только сверху — с трона имама, с кафедры архиепископа или сквозь увеличительное стекло порнографии...» Я не удержался и стал потягиваться. Афра Бут так и взвилась:

— Засыпаешь без презентации с картинками, Криспин?

— Ну что ты, Афра, это у меня просто легкий приступ глубинного тромбоза. — Я был вознагражден немногочисленными нервными смешками, и перспектива скорого сражения несколько оживила измученных солнцем жителей Перта. — Дорогая, по-моему, ты вещаешь уже *несколько часов подряд*. И потом, разве не предполагалось, что эта дискуссия будет посвящена душе?

— Этот фестиваль *пока* вроде бы не нуждался в цензорах. — Она гневно глянула на председательствующего. — Я права?

— О, вы совершенно, совершенно правы! — заморгал глазами тот. — В Австралии нет никакой цензуры. Решительно никакой!

— В таком случае, может быть, Криспин будет так любезен, — Афра Бут метнула в меня свой смертоносный луч, — и позволит мне закончить? Ведь каждому — кроме тех, разумеется, кто входит в круг его интеллектуальных подпевал, — *совершенно ясно*, что душа *представляет собой* прекартезианский аватар. А если для некоторых восприятие подобного концепта требует слишком большого напряжения, то продолжайте тихо сидеть в уголке и жевать свою жвачку.

— Лучше уж маленькую капсулу с цианидом, — пробормотал я, — знаете, какие их прячут в зубе.

— Криспин хочет, чтобы ему в зуб поместили капсулу с цианидом! Может быть, ему кто-нибудь окажет подобную услугу? *Очень вас прошу!*

О, эти мумии словно живой водой сбрызнули, так они сразу задергались и захихикали!

* * *

К тому времени, как Афра Бут закончила выступление, от положенных на все заседание девяноста минут осталось всего пятнадцать. Председательствующий попытался накинуть лассо на ускользающую тему и спросил у меня, верю ли я в существование души и, если верю, как представляю себе эту душу. Я, разумеется, стал рассуждать о душе как некоей кармической табели успеваемости, своего рода духовной регистрации, и назвал ее запоминающим устройством, фиксирующим любой отклик нашего тела на то или иное действие или ощущение, а также — неким плацебо, которое мы генерируем, дабы исцелить себя от страха перед собственной смертностью. Афра Бут тут же заявила, что я отвечаю на поставленный вопрос, по меньшей мере, недобросовестно, ибо «всем известно», что я — классический уклонист от исполнения каких бы то ни было обязательств. Это был явный намек на мой недавний развод с Зои, широко освещенный прессой, так что я предложил Афре оставить трусливые инсинуации и прямо высказать все, что она против меня имеет. Она незамедлительно обвинила меня в «хершицентризме» и паранойе. Я в долгу не остался и заявил, что все ее обвинения *безмозглые* и абсолютно ни на чем не основанные, поскольку на то, чтобы хоть как-то их обосновать, у нее попросту не хватает *мозгов*. Я всеми возможным способами подчеркнул слова «мозги» и «безмозглые». Ничего нее поделаешь: столкновение характеров.

— Трагический парадокс Криспина Херши, — парировала Афра Бут, обращаясь к участникам встречи, — заключается в том, что сам себя он позиционирует как борца со всеми и всяческими клише, эта фишка — такой Джонни Роттен от литературы — представляет собой осточертевший стереотип, характерный для мужского зверинца. Но даже и *такая, двойственная,* его позиция оказалась безнадежно подорвана его недавним выступлением в защиту наркоторговца, которому суд вынес справедливый приговор.

Я представил себе, как в ванну, где сидит Афра Бут, падает включенный в сеть фен: как судорожно подергиваются ее конечности, как дымятся ее волосы, как она в корчах умирает...

— Ричард Чизмен — жертва ужасной судебной ошибки, — сказал я, — и использовать случившуюся с ним беду как орудие наказания для *меня* — поступок невероятно вульгарный даже для вас, доктор Афра Бут.

— Ничего себе жертва ошибки! Да у него под подкладкой чемодана было найдено тридцать граммов кокаина!

— Мне кажется, — осторожно вмешался председательствующий, — нам следовало бы вернуться к...

Я не дал ему договорить:

— Тридцать граммов кокаина никого не способны превратить в наркобарона!

— Я сказала не так, Криспин. Проверь внимательно запись. Я сказала «наркоторговец».

— Но ведь нет же никаких свидетельств, что именно Ричард Чизмен спрятал этот кокаин!

— Тогда кто же это сделал?

— Я не знаю, но...

— Благодарю *вас.*

— ...но Ричард никогда не стал бы так сильно и так глупо рисковать!

— Если только он не законченный наркоман, который считает себя настолько знаменитым, что это позволяет ему плевать на колумбийские законы. Собственно, к такому выводу пришли также судьи и члены жюри.

— Если бы *Ричард* Чизмен оказался *Ребеккой* Чизмен, ты, Афра, была бы готова сжечь волосы у себя на лобке прямо перед колумбийским посольством, с воплями требуя справедливости. Самое большее, чего заслуживал Ричард, — это перевод в британскую тюрьму. Контрабанда — это преступление против той страны, *куда* ввозится запрещенный товар, а не той, *откуда* этот товар вывозят.

— Так, значит, ты подтверждаешь, что Чизмен *действительно* занимался контрабандой наркотиков?

— Ему следовало бы разрешить доказывать свою невиновность из британской тюрьмы, а не из вонючей ямы в Боготе, где невозможно получить даже простое мыло, не говоря уж о пристойном адвокате.

— Но Ричард Чизмен, будучи колумнистом правой «Piccadilly Review», весьма активно выступал против тюрем как средства устрашения. И уж если цитировать...

— Нет уж, довольно, Афра! Ты просто узколобый комок трансжиров.

Афра вскочила на ноги и наставила на меня палец, точно заряженный револьвер «Магнум»:

— *Немедленно* извинись, иначе получишь массу приятных впечатлений в австралийском суде, который сурово наказывает за клевету, диффамацию и гендерный фашизм!

— Я уверен, — начал председательствующий, — что Криспин всего лишь хотел сказать...

— Я *требую* извинения от этой чрезвычайно высоко себя мнящей шовинистической свиньи!

— Конечно же, я извинюсь перед тобой, Афра. *На самом деле* я собирался назвать тебя самодовольной сексисткой, совершенно неуместной особой и узколобым комком трансжиров, которая терроризирует аспирантов, заставляя их отправлять на Amazon хвалебные рецензии на ее книги, и которая, согласно показаниям вполне достойных свидетелей, 10 февраля в 16:00 по местному времени *покупала роман Дэна Брауна в книжном магазине «Relay» в международном аэропорте «Шанги» в Сингапуре*. И один такой свидетель-патриот уже загрузил ролик на YouTube, так что ты легко его там найдешь.

Аудитория дружно ахнула, по-моему, с явным удовлетворением.

— Только не говори, Афра, что ты просто купила эту книгу «для научной работы», потому что в *это никто не поверит*. Ну вот. Я очень надеюсь, что мое пространное извинение все окончательно прояснило?

— *Вы*, — заявила Афра Бут председательствующему, — не должны были давать слово этому отвратительному, циничному женоненавистнику! От него же просто исходит шовинистическое зловоние! А *тебе*, — она ткнула в меня пальцем, — понадобится адвокат, специализирующийся по вопросам диффамации, потому что я намерена *в судебном порядке* хлопотать о соответствующем наказании, чтобы наконец выбить *из твоей башки это вонючее дерьмо!*

Уход Афры Бут со сцены сопровождался раскатами грома, и я крикнул вслед:

— Ну, зачем же так, Афра! Ведь здесь ваши поклонники! Причем оба. *Афра...* Неужели я сказал что-то не то?

Я наконец миновал на велосипеде бесконечные сувенирные лавки и кафе, но уже через минуту оказался в тупике, на пыльном плацу, где обычно проходят парады. Площадь была окружена домами в стиле Второй мировой, и я припомнил, как мне рассказывали об итальянских военнопленных, интернированных на остров Роттнест. Эта цепочка мыслей снова привела меня к Ричарду Чизмену, как в последнее время меня приводили к нему и все прочие размышления. Мой судьбоносный акт мести, совершенный в прошлом году в Картахене, привел к совершенно обратному, неожиданному и трагическому результату: Чизмен вот уже триста сорок два дня из назначенного ему шестилетнего срока заключения пребывал в «Penitenciaria Central» в Боготе за распространение наркотиков. Распространение! И для подобного обвинения хватило одного проклятого крошечного конвертика! Группа поддержки «Друзья Ричарда Чизмена» сумела, правда, добиться, чтобы его перевели в одиночную камеру с более-менее нормальной койкой, но за эти «роскошества» нам пришлось заплатить две тысячи долларов гангстерам, которые заправляли в этом тюремном крыле. Бесчисленное — *бесчисленное!* — множество раз мне *мучительно* хотелось исправить то, что я сгоряча наделал, но, как гласит арабская пословица, «изменить прошлое не может даже Бог». Мы — то есть группа «Друзья Чизмена» — использовали любой канал, любую возможность, чтобы добиться сокращения срока или репатриации нашего великого критика в Соединенное Королевство, но это оказалось поистине непосильной борьбой. Доминик Фицсиммонс — да, тот самый, весьма умный и обходительный помощник министра юстиции, — как выяснилось, знал Чизмена еще по Кембриджу и был, разумеется, на нашей стороне, но ему приходилось действовать крайне осторожно, чтобы избежать обвинений в покровительстве закадычному другу. В других местах особого сочувствия к губастому колумнисту что-то не ощущалось. Люди замечали, что в Таиланде и Индонезии за это приговаривают к пожизненному заключению, и полагали, что Чизмен еще легко отделался, хотя жизнь в тюрьме Penitenciaria легкой никак не назовешь. Там каждый месяц случается по две-три смерти.

Я знаю, знаю. Только один человек мог бы вытащить Чизмена из этой проклятой дыры в Боготе, и этот человек — Криспин Херши. Но прикиньте, какова была бы для меня цена подобного подвига. Прикиньте, пожалуйста. Сделав исчерпывающее и чистосердечное признание, я бы и сам мгновенно оказался в тюрьме и, вполне возможно, в той же самой, где сейчас пребывал Чизмен. Гонорары адвокатам были бы просто убийственными, и в Интернете не появилось бы никакого сайта friendsofcrispinhershey.org, и никто не обеспечил бы *меня* отдельной камерой; скорее уж мне светил бы бассейн с пираньями. Джуно и Анаис навсегда отреклись бы от меня. Так что исчерпывающее и чистосердечное признание в моем случае было равносильно самоубийству, а, на мой взгляд, лучше быть виновным трусом, чем мертвым Иудой.

Я не мог так поступить с собой. Просто не мог.

За плацем вилась вдаль какая-то пыльная дорога.

Все мы на долгом жизненном пути совершаем немало неверных поворотов. И я, развернувшись, поехал на своем велосипеде в обратную сторону.

* * *

От полуденного солнца шел жар, как от микроволновой духовки с широко открытой дверцей, насквозь пропекая все незащищенные участки тела. Роттнест — островок довольно маленький, всего восемь квадратных миль, сплошные голые скалы и прожаренные солнцем овраги, а дорога состоит, похоже, из сплошных поворотов, подъемов и спусков, так что Индийский океан либо все время перед тобой, либо вот-вот снова появится из-за ближайшего поворота. На середине очередного подъема я не выдержал: слез с велосипеда и пошел пешком, ведя его рядом с собой. В ушах слышался бешеный стук сердца, рубашка напрочь прилипла к телу, отнюдь уже не такому уж мускулистому. Черт побери, когда это я успел так распуститься, стать таким рыхлым и толстым? Лет пятнадцать-двадцать назад я бы одним махом взлетел на этот холм, а теперь? Теперь я тащусь, как старая кляча, смотреть противно! Когда я в последний раз ездил на велосипеде? Лет восемь назад, не меньше; мы катались с Джуно и Анаис в саду за домом у нас в Пембридже. Однажды, когда у девочек были каникулы, я придумал для них особенно сложный маршрут с препятствиями в виде дощечек, с крутыми поворотами, отмеченными бамбуковыми шестами, с туннелями из простыней, развешанных на веревках для сушки белья; а еще там было злобное чудовище, сделанное из огородного пугала, которое нужно было на ходу, прямо с велосипеда, обезглавить мечом Эскалибуром. Я назвал эту игру «Кросс с препятствиями», и мы втроем гоняли по созданному мной лабиринту, засекая время. Девушка-француженка, бывшая у нас au pair[1], забыл, как ее звали, приготовила рубиновый лимонад из грейпфрутов, и, когда мы устроили пикник на волшебной полянке за огромной гортензией, покрытой пышной пе-

---

[1] *Зд.*: помощница по хозяйству, иностранка, работающая за квартиру и стол, одновременно обучаясь языку (*фр.*).

ной цветов, к нам даже присоединилась Зои. Джуно и Анаис часто просили меня снова проложить какой-нибудь такой маршрут, и я все время собирался это сделать, но то нужно было срочно написать рецензию, то отправить кому-то электронное письмо, то довести до ума очередной эпизод в романе, и «Кросс с препятствиями» так и остался в единственном числе. А куда делись велосипеды моих дочерей? Наверное, Зои успешно от них избавилась. Избавляться от ненужных вещей — это она отлично умеет.

Наконец — слава богу! — я все-таки преодолел подъем и на вершине холма снова сел на велосипед и поехал вниз. Корявые, точно сделанные из железа, деревья торчали из светло-бежевой почвы по берегам крайне неаппетитных водоемов. Я представил себе, как первые моряки-европейцы высаживаются на этот остров, пытаются найти в этом инфернальном Эдеме питьевую воду и тихонько шепчут проклятья. Отморозки — из Ливерпуля, Роттердама, Гавра, Корка — загорелые до черноты, мускулистые и покрытые татуировками, с мозолистыми руками, больные цингой, склонные к педерастии...

Я вдруг почувствовал, что за мной кто-то наблюдает.

Ощущение было сильным. И безошибочным. И очень тревожным.

Я осмотрел склон холма. Каждый камень, куст...

...нет. Никого. Это просто... Просто *что?*

Мне захотелось вернуться назад, к самому началу пути.

* * *

Я снова развернулся и поехал по дороге, ведущей к маяку. Здесь не было величественных скал в шапке из облаков: маяк Роттнеста походил на коренастый палец, торчавший из окрестных скал и ворчавший: «Попробуй-ка присядь здесь, приятель». Он то и дело появлялся передо мной — каждый раз под каким-то странным углом и словно в каком-то неправильном масштабе, — но приблизиться к себе не давал. Помнится, в «Алисе в Зазеркалье» тоже был такой холм, до которого Алиса никак не могла добраться, пока не оставила все эти попытки. Может, и мне так поступить? О чем бы таком подумать, чтобы отвлечься?

О Ричарде Чизмене, о чем же еще? *Ведь единственное, чего мне тогда хотелось, это привести Ричарда Чизмена в замешательство.* Я с удовольствием представлял себе, как его задержат на несколько часов в аэропорту Хитроу, пока адвокаты будут распутывать дело, а потом нашего знаменитого, но теперь очень тихого рецензента благополучно выпустят на поруки или под залог. И все. Разве мог я предвидеть, что британская и колумбийская полиция вздумают насладиться редкой возможностью сотрудничества, в результате чего бедняга Ричард будет арестован *еще до вылета*, прямо в международном аэропорту Боготы?

«Ну, допустим, ты легко мог себе это представить», — упрекала меня совесть. Да, дорогой читатель, я очень сожалел о своем поступке и был твердо намерен искупить вину. С помощью сестры Ричарда Мэгги я создал в Интернете «Союз друзей Ричарда Чизмена», чтобы его имя постоянно было на слуху — все-таки, сколь бы прискорбным и подлым ни был тот мой поступок, я вряд ли нахожусь в первых рядах дивизии подлецов. Я же не тот католический епископ, который переводил священников, любивших насиловать мальчиков, из одного прихода в другой и тем самым избегал неприятностей, которые могли бы опорочить Святую Церковь? И я не экс-президент Сирии Башар Асад, который потравил газами тысячи людей, в том числе женщин и детей, только за то, что они проживали в пригородах, захваченных мятежниками? Я всего лишь наказал человека, который испоганил мою репутацию. Наказание, правда, оказалось несколько чрезмерным. Да, я виноват. Я об этом сожалею. Но моя вина — это мое бремя. *Мое*. И я уже наказан тем, что мне теперь приходится жить с этим непреходящим чувством вины.

В кармане рубашки зазвонил айфон, и, поскольку мне все равно нужно было передохнуть, я отошел в тень, за довольно большой валун, но выронил телефон, и тот упал на выбеленную жаром землю. Я поднял его за ленточку, которую к нему привязала Анаис, и подумал, что это, скорее всего, эсэмэска от Зои или, возможно, фотография с празднования тринадцатилетия Джуно в *нашем* доме в Монреале. За этот дом заплатил я, но с момента развода им владела Зои. Да, это действительно оказалась фотография: Джуно стояла рядом с тортом в виде пони и показывала мне сапожки для верховой езды, на которые я прислал ей денег, а рядом Анаис, сделав глупую рожу, держала плакатик «Bonjour, Papa!». Даже Зои ухитрилась поместиться на заднем плане, заставив меня гадать, кто же их сфотографировал. Это вполне мог быть и кто-то из многочисленного семейства Легранжей, но Джуно упоминала о каком-то типе по имени Джером, разведенном банкире, у которого тоже есть дочка. Мне было, в общем-то, плевать, с кем там путается Зои и кого теперь разводит на деньги, но я, черт возьми, имел право знать, кто укладывает моих дочерей спать и подтыкает им одеяло на ночь после того, как их мать решила, что я этого больше делать не буду? Зои не приписала ни слова, но подтекст был вполне ясен: *У нас все прекрасно, спасибо тебе большое.*

Я заметил на ветке, всего в нескольких метрах от меня, какую-то хорошенькую птичку — черно-белую с красной шапочкой и красной грудкой. Вот я сейчас ее сфотографирую и пошлю Джуно вместе со смешным поздравлением. Я вышел из «контактов» и нажал на кнопку «фото», но когда поднял глаза, то оказалось, что на ветке уже никого нет.

* * *

Когда я наконец добрался до маяка, то оказалось, что к стене прислонены чьи-то два велосипеда, и меня, то есть писателя Криспина Херши, это весьма огорчило. Я соскочил с седла, весь липкий от пота, чувствуя, что здорово натер седлом промежность, и поспешил убраться в тень под стеной маяка с солнечного участка дороги, залитого белым, каким-то атомным, светом. Но там — о господи! — как раз заканчивали пикник две особы женского пола. На молодой была псевдогавайская рубашка и довольно длинные, почти по колено, шорты цвета хаки; на скулах, на щеках и на лбу у нее виднелись следы какого-то голубоватого крема от загара. Та, что постарше, была одета более благопристойно, и на ней была мягкая, трепещущая на ветру белая шляпа, закрывавшая лоб от солнца; впрочем, и остальное ее лицо было практически полностью скрыто прядями густых черных волос и большими темными очками. Увидев меня, молодая тут же вскочила — она, собственно, была еще подростком — и сказала:

— Ого! Здравствуйте! Вы ведь Криспин Херши? — Ее произношение выдавало в ней жительницу устья Темзы.

— Да, я Херши. — Давненько меня уже вот так не узнавали вне соответствующего контекста.

— Здравствуйте. Меня зовут Аоифе, а это... э-э... э... моя мама... но вы, по-моему, с ней уже знакомы.

Женщина постарше встала, сняла темные очки и сказала:

— Добрый день, мистер Херши. По-моему, у вас нет ни малейших причин меня помнить, но...

— Холли Сайкс! Я прекрасно вас помню! Мы с вами встречались в Картахене в прошлом году.

— Ого, мам! — воскликнула Аоифе. — Оказывается, *тот самый, великий* Криспин Херши действительно тебя знает! Тетя Шэрон просто завопила бы от восторга: «Ка-а-ак?»

Она до такой степени напоминала мне Джуно, что у меня даже сердце заболело.

— *Аоифе!* — В голосе Холли явственно звучал материнский упрек: эта авторша романов об ангелах, пользовавшихся сверхвысоким спросом, явно стеснялась собственной славы. — Мистер Херши, безусловно, заслужил возможность отдохнуть в тишине и покое после такого фестиваля. А нам с тобой, по-моему, пора возвращаться в город.

Юная Аоифе отогнала от себя назойливую муху и сказала:

— Но мам! Мы же *только что* сюда приехали! И потом, это будет невежливо по отношению к мистеру Херши. Вы ведь не возражаете, если мы с вами разделим этот маяк, да?

— Вам, безусловно, нет ни малейшей необходимости срываться с места и куда-то уезжать из-за меня, — услышал я собственный голос.

— Класс! — сказала Аоифе. — В таком случае не хотите ли присесть? Или хотя бы подойти к нам поближе? Вообще-то, мы вас заметили еще на пароме, когда переправлялись на Роттнест, но мама сказала, чтобы я вас не беспокоила, потому что у вас ужасно усталый вид.

Похоже, эта особа, пишущая о жизни ангелов, изо всех сил старается меня избегать. Неужели я вел себя так уж грубо по отношению к ней там, на президентской вилле?

— Пожалуй, «спасибо, не беспокойтесь» тут в качестве ответа не годится?

— Вот именно. — Аоифе принялась обмахиваться шапкой, как веером. — Австралия и Новая Зеландия практически защищены от вторжения извне, потому что любая иностранная армия сумеет дойти только до середины пляжа, а потом сработают разница во времени и жара, они воскликнут «Ах!» и дружно *повалятся* на песок. На этом все вторжение и закончится. Извините, что мы пропустили ваше выступление.

Я вспомнил Афру Бут и сказал:

— Не о чем жалеть. Значит, — я повернулся уже к матери Аоифе, — вы тоже участвуете в писательском фестивале?

Холли Сайкс кивнула, отпила воды из бутылки и сказала:

— У Аоифе в Сиднее что-то вроде академического отпуска, так что эта поездка была очень кстати.

— В Сиднее я живу в одной комнате с девушкой родом из Перта, — тут же вставила Аоифе, — и она все время мне говорила: «Если будешь в Перте, то обязательно съезди на Ротто».

Черт побери, но эти тинейджеры вечно заставляют меня чувствовать себя ужасно старым!

— На Ротто?

— То есть сюда. Ротто — это остров Роттнест. Фримантл — это «Фрео»; полдень — это «полд». Правда здорово австралийцы все слова переделывают?

Нет, обычно отвечаю я, *это просто отвратительно, это какой-то детский лепет!* Но, с другой стороны, человечество попросту засохнет *без* юности. Язык засохнет *без* неологизмов. Все мы превратимся в замшелых старцев, говорящих на языке Чосера.

— Хотите свеженький абрикос? — Аоифе протянула мне бумажный пакет.

* * *

Язык с наслаждением разминал о небо сочную благоухающую мякоть абрикосов. Я выбрасывал абрикосовые косточки, думая о том, как в сказке мать Джека бросала бобы, думая, что наутро они прорастут и превратятся в стебель до небес.

— У зрелых абрикосов вкус в точности совпадает с их цветом.

— Вы говорите, как *настоящий* писатель, Криспин, — сказала Аоифе. — Мой дядя Брендан все время поддразнивает маму; говорит, что раз уж теперь она такая знаменитая писательница, ей бы следовало выражаться более цветисто и не пользоваться всякими *такими* словами: «Черт возьми, следи, наконец, за своим проклятым языком, или я тутошнее произношение в тебя палкой вколочу!»

— И *совсем* я не так разговариваю! — запротестовала Холли Сайкс.

Как же я соскучился по таким вот поддразниваниям! Где мои Джуно и Анаис?

— А что это за «академический отпуск» у вас, Аоифе?

— С сентября я буду изучать археологию в Манчестере, но мамин австралийский издатель знаком с одним профессором археологии из Сиднея... В общем, весь этот семестр я буду слушать его лекции — это как бы в обмен на помощь в проекте «Parramatta». Там была фабрика для женщин-заключенных. По-моему, было бы просто удивительно собрать по кусочкам историю их жизней.

— Идея явно стоящая. Во всяком случае, звучит заманчиво, — сказал я. — А что, Аоифе, ваш отец — археолог?

— Нет, папа был журналистом. Военным корреспондентом.

— А чем он теперь занимается? — Я слишком поздно заметил слово «был».

— Случилось несчастье. В его отель попала ракета. В Хомсе. Это в Сирии.

Я с пониманием кивнул и сказал:

— Пожалуйста, простите мою бестактность. Вы обе. Пожалуйста, простите меня...

— Это случилось восемь лет назад, — тут же постаралась успокоить меня Холли Сайкс, — и...

— ...и я рада, — тоже принялась успокаивать меня Аоифе, — что в YouTube есть довольно много записанных папой интервью, и я всегда могу войти в Сеть — и вот он передо мной, онлайн, с кем-то там разговаривает, огромный, как жизнь. Кстати, очень даже неплохая причина зависнуть в Интернете.

Мой папа тоже есть в YouTube, подумал я, но, по-моему, смотреть на него там — значит, с каждым разом делать его еще более мертвым. И я спросил у Аоифе:

— А как его звали, вашего папу?

— Эд Брубек. У меня его фамилия: Аоифе Брубек.

— А это, случайно, *не тот самый* Эд Брубек? Который писал для журнала «Spyglass»?

— Да, это он, — сказала Холли Сайкс. — А вы читали его репортажи?

— Мы даже были знакомы! Когда это было? Году в 2002-м, в Вашингтоне. Зять моей бывшей жены состоял в списке кандидатов на премию Шихан-Дауэр. В тот год награда досталась Эду, а у меня там как раз была встреча с читателями, и вечером мы с ним случайно оказались за одним столом.

— А о чем вы с папой разговаривали? — спросила Аоифе.

— Да о сотне вещей! О его работе. Об 11 сентября. О страхе. О политике. О детской коляске в коридоре писательской квартиры. Он, помнится, сказал, что у него в Лондоне есть четырехлетняя дочка. — Аофе улыбнулась всем своим округлым лицом. — У меня один персонаж как раз был журналистом, и Эд разрешил мне задавать сколько угодно вопросов. Мы и после этого еще какое-то время изредка переписывались по электронной почте. Когда я услышал *эту* новость, о Сирии... — Я выдохнул. — Мои страшно запоздалые соболезнования вам обеим. Даже если они уже ничего не стоят. Он был чертовски хорошим журналистом.

— Спасибо вам, — сказала одна.

— Спасибо, — сказала другая.

Мы примолкли, глядя на одиннадцатимильную полосу моря, вспахиваемую паромом.

Вдали на фоне светлого неба высились темные небоскребы Перта.

В двадцати шагах от нас из зарослей лениво выползло какое-то средней величины млекопитающее, принадлежность которого я так и не смог определить, и двинулось вниз по склону. Оно было лохматым, как малый кенгуру валлаби, с красновато-коричневой шерстью, передние лапки были такие же, как у всех кенгуру, а морда острая, как у лисы или вомбата. Длинным языком зверек, точно пальцем, подобрал одну за другой все абрикосовые косточки.

— Боже мой! *А это еще кто такой?*

— Этот симпатичный чертенок называется квокка, — пояснила Аоифе.

— И что это значит — квокка? Если не считать того, что это чертовски удачная находка для игры в «Скраббл».

— Короткохвостый кенгуру. Сумчатое животное, которому угрожает уничтожение. Первые голландцы, которые здесь высадились, решили, что это такие гигантские крысы. Они потому и назвали этот остров Рэтс Нест[1]: Роттнест по-датски. На материке почти все квокки были уничтожены собаками и крысами, но здесь им удалось выжить.

— Значит, если археология вам разонравится, то всегда есть еще естественная история?

Аоифе улыбнулась:

— Да я пять минут назад прочитала об этом в Википедии!

— По-моему, ему очень нравятся абрикосы? — сказал я. — Там один остался, хотя и слегка подпорченный.

Холли посмотрела на нас с сомнением:

— А как насчет призыва «Не кормите диких животных»?

— Но мы ведь не закармливаем их фруктовыми батончиками, мам! — возмутилась Аоифе.

— А уж раз им грозит вымирание, — прибавил я, — они просто обязаны употребить в пищу весь витамин С, какой только смогут раздобыть.

Я бросил абрикос вниз, и тот упал совсем рядом с квоккой. Зверек не стал раздумывать — подошел, понюхал, слопал и, задрав голову, вопросительно посмотрел на нас.

— «Пожалуйста, сэр, — сказала Аоифе дрожащим голосом, подражая Оливеру Твисту в работном доме, — можно мне еще немножко?» Какой он *сообразительный*, правда? Я непременно должна его сфотографировать!

— Только не подходи слишком близко, милая, — сказала ей мать. — Это все-таки дикое животное.

— Да-да, я поняла. — И Аоифе стала спускаться вниз, держа в руке телефон.

— Какой замечательный воспитанный ребенок! — тихонько сказал я Холли.

Она только взглянула на меня, и я увидел в ее глазах и в морщинках вокруг них столько яркой, напряженной жизни, что сразу подумал: если бы эта женщина не писала книги о каких-то ангельских существах для своих легковерных, разочарованных в жизни читательниц, мы с ней могли бы стать друзьями. Я догадывался, и не без оснований, что Холли Сайкс знает, что у меня две дочери и о моем разводе: бывший «анфан террибль британской словесности»,

---

[1] Rat's Nest — «крысиное гнездо» (*англ.*).

может, и недостаточно знаменит, чтобы его книги пользовались повышенным спросом, но огромное интервью с Зои под названием «I Will Survive»[1], опубликованное в «Sunday Telegraph», подарило миру весьма однобокую версию наших семейных бед. Мы с Холли смотрели, как Аоифе кормит квокку, и выбеленные солнцем склоны Роттнеста звенели вокруг нас, жужжали, свистели от неумолчных звуков, издаваемых насекомыми. В пыли проползла какая-то ящерица и...

Ощущение, что за мной наблюдают, вернулось и стало еще сильнее. Мы явно были здесь не одни. Тут было множество каких-то других существ. И совсем близко. Я мог бы в этом поклясться.

Дерево акации, какие-то жесткие заросли то ли кустарника, то ли травы, больше похожей на проволоку, здоровенный валун размером с садовый сарай... Никого.

— Вы тоже их чувствуете? — Холли Сайкс наблюдала за мной. — Здесь дворец эхо, вот в этом самом месте...

Если я скажу «да», то мне придется сказать «да» и всему ее рассыпающемуся, как хлопья, непознаваемому, выдуманному миру. Сказав «да», я уже не смогу отказаться от исцеления с помощью магического кристалла, от регрессионной психотерапии, от существования Атлантиды, от рэйки и от гомеопатии? Проблема в том, что она права. Я действительно *их* чувствую. Это место является... Ну-с, каким словом вы сумеете заменить слово «обитель призраков», господин писатель? В горле у меня пересохло, но моя бутылка с водой была пуста.

Внизу о скалы бились голубые волны. Эти несильные глухие удары слышались примерно каждую секунду. Дальше в море играли волны повыше.

— Их привезли сюда в цепях, — вдруг сказала Холли Сайкс.

— Кого?

— Людей из племени Нунгар. «Водьемап» — так они называли этот остров. То есть «место по ту сторону воды». — Холли почему-то принюхалась. — С точки зрения нунгар, землей владеть нельзя. Как нельзя владеть, скажем, тем или иным временем года или самим годом. То, что дает земля, люди должны делить между собой.

Голос Холли Сайкс постепенно становился все более монотонным и каким-то тусклым, невыразительным, запинающимся — такое ощущение, словно она синхронно переводила некий заковыристый текст. Или, может, пыталась расслышать какой-то один голос в огромной ревущей толпе.

---

[1] «Я выживу» *(англ.)* — название известной песни в исполнении Уитни Хьюстон.

— Пришли *джанга*. Мы решили, что это вернувшиеся назад мертвецы. Они забыли, как разговаривать по-человечески, пока были мертвыми, и теперь разговаривали как птицы. Но сперва они пришли не все, а лишь немного. Их каноэ были огромными, как холмы, но внутри пустыми, и походили на большие плавучие дома, в которых много-много комнат. Потом приплыли и их суда, все больше и больше, и каждый корабль исторгал толпы *джанга*. Они ставили ограды, чертили карты, привезли сюда овец, выкопали шахты и стали добывать металлы. Они стреляли в наших животных, но если мы убивали их животных, они начинали охотиться на нас, как на хищников, как на преступников, и забирали наших женщин...

Это представление могло бы показаться занятным или даже смешным, но я находился рядом с ней и видел, как болезненно пульсирует жилка у нее на виске, и я совсем растерялся, не зная, что и думать.

— Это что, сюжет книги, над которой вы сейчас работаете, Холли?

— Слишком поздно мы поняли, что *джанга* — это не умершие нунгар, которые восстали из могилы; *джанга* были Белыми Людьми... — Теперь голос Холли звучал совсем невнятно. Некоторые слова вообще были не слышны и как бы выпадали из речи. — А Белый Человек превратил Водьемап в тюрьму для нунгар. За то, что мы жгли кустарник, как делали это всегда, Белый Человек на корабле привез нас на Водьемап. За то, что мы сражались с Белым Человеком, Белый Человек привез нас на Водьемап. Цепи. Тюремные камеры. Ледяной карцер. Раскаленный карцер. Годы. Удары кнута. Работа. Но хуже всего то, что наши души не могут пересечь море. Так что когда тюремная лодка увозила нас из Фримантла, наша душа отрывалась от тела. Такая гнусная шутка. И, попав на Водьемап, мы, нунгар, мерли, как мухи.

Теперь я уже угадывал только одно слово из четырех. Зрачки у Холли Сайкс съежились и превратились в крошечные точки. И это, безусловно, никак нельзя было назвать нормальным.

— Холли?

Что следует делать в таких случаях? Как оказать ей первую помощь? Она, похоже, ничего перед собой не видела. Потом она снова заговорила, но английских слов было мало: я уловил только слова «священник», «ружье», «виселица» и «плыть». Знание языков аборигенов у меня было нулевое, а то, что с таким трудом срывалось с уст Холли Сайкс, черт возьми, явно не имело никакого отношения ни к французскому, ни к немецкому, ни к испанскому, ни даже к латыни. Вдруг голова Холли Сайкс резко дернулась назад и ударилась о стену маяка, и в мозгу у меня вспыхнуло слово *эпилепсия*. Я крепко схватил ее за голову, чтобы, если она вновь попытается ее разбить о стену, пострадала только моя рука. Затем я выпрямился, прижимая ее голову к своей груди, и заорал: «Аоифе!»

Девушка появилась из-за дерева почти мгновенно, испуганный квокка бросился наутек, а я снова крикнул:

— Аоифе, у твоей мамы какой-то приступ!

В одну секунду — сердце мое так билось, что я почти ничего не слышал, — Аоифе Брубек оказалась рядом со мной и, взяв в ладони лицо матери, резким тоном приказала:

— Мам! Немедленно прекрати это! Вернись назад! Мам, ты меня слышишь?

Какое-то надтреснутое монотонное то ли пение, то ли жужжание доносилось откуда-то из глубины глотки Холли.

— Как долго у нее были такие глаза? — спросила Аоифе.

— Секунд шестьдесят... Может, меньше. У нее что, эпилепсия?

— Значит, самое плохое позади. Нет, это не эпилепсия. Раз она перестала говорить, значит, сейчас она уже ничего не слышит... ой, *вот черт*! А это еще что за кровь?

Моя рука была перепачкана подсыхающей кровью.

— Это ее. Она ударилась о стену.

Аоифе поморщилась и стала осматривать голову матери.

— Здорово ударилась: там уже приличная шишка. Вот проклятье! Но, кажется, глаза у нее приходят в норму, видите?

Да, зрачки Холли и впрямь увеличились уже почти до нормальных размеров.

— Вы ведете себя так, словно с ней это уже случалось и раньше, — заметил я.

— И не один раз! — сказала Аоифе с каким-то явным подтекстом. — Вы, наверное, не читали ее книжку «Радиолюди»?

Я не успел ответить: Холли Сайкс заморгала, отыскала нас взглядом и с тревогой спросила:

— Господи, это только что снова случилось, да?

Аоифе, встревоженная, но старающаяся это скрыть, весело ответила:

— Да, мам. Добро пожаловать назад!

Холли все еще была бледна, как полотно.

— А что у меня с головой?

— Криспин говорит, что ты пыталась пробить ею стену маяка.

Холли Сайкс вздрогнула и посмотрела на меня.

— Вы слышали, о чем я говорила?

— Да, мне было довольно-таки сложно этого не делать. Но только сперва. А потом... это был уже не английский язык. Во всяком случае, не совсем английский. Послушайте, Холли, я, вообще-то, не очень разбираюсь в медицине, даже первую помощь толком оказать не умею, но меня все же очень беспокоит ваше состояние. Возможно, у вас сотрясение мозга. Так что сейчас спускаться на велосипеде с холма по такой извилистой дороге вам явно не стоит. Это было бы просто неразумно. У меня есть номер телефона той конторы, что дает велосипеды в аренду. Я попрошу, чтобы они вызвали сюда «Скорую помощь», и медики вас осмотрят и заберут. Я очень и очень советую вам поступить именно так.

Холли посмотрела на Аоифе, и та сказала, крепко сжав руку матери:

— Пожалуйста, Криспин, сделайте, как вы говорите.

Холли вдруг резко села и воскликнула:

— Бог знает, что вы могли об этом подумать, Криспин!

По-моему, это не имело никакого значения. Я стал набирать номер, но меня то и дело отвлекала какая-то маленькая птичка, которая все повторяла: «*Крики-крики-крики...*»

* * *

Уже раз в пятнадцатый Холли простонала:

— Господи, как же неловко вышло!

Паром уже подходил к Фримантлу.

— *Пожалуйста*, Холли, перестаньте. Ничего страшного не случилось.

— Но мне ужасно, ужасно стыдно, Криспин! Ведь я испортила вашу прогулку на Роттнест.

— Мне все равно придется вернуться на этом же пароме обратно. Если какое-то место и обладает кармой проклятия, то это Роттнест. А то все эти расчудесные галереи, где продаются изделия умельцев-аборигенов, просто лишают меня желания жить. Это все равно как если бы немцы построили на территории Бухенвальда еврейский ресторан.

— Сразу видно писателя! — заметила Аоифе, приканчивая фруктовое мороженое на палочке.

— Писательство — это патология, — сказал я. — Но я непременно все это запишу, причем завтра же, если смогу.

Моторы парома взвыли и затихли. Пассажиры собрали свои пожитки, сняли наушники и стали собирать разбредшихся детей. У Холли зазвонил телефон, и она, глянув на экран, сказала:

— Это моя подруга. Она нас заберет. Я скажу ей буквально пару слов.

Пока она разговаривала по телефону, я проверил свои сообщения. Ничего нового; последними были присланные Джуно фотографии со дня рождения. Наш интернациональный брак с Зои некогда казался нам чем-то вроде проникновения в шкаф, полный неожиданных открытий и странных вещей[1], но интернациональный развод — это, скажу я вам, не для слабонервных. Сквозь покрытое каплями воды оконное стекло я видел, как молодой австралиец прыгнул на причал и стал крепить чалки к окрашенным стальным столбикам.

— Подруга подхватит нас у здания терминала. — Холли убрала телефон. — У нее хватит места и для вас, Криспин, если вы все же захотите вернуться в отель.

Пожалуй, сил на то, чтобы вернуться на остров, у меня уже не осталось; как, впрочем, и на осмотр Перта.

— Да, пожалуйста, если это удобно.

Мы двинулись по причалу к бетонному пирсу; я еле волочил ноги, которые почему-то с трудом привыкали к terra firma[2]. Аоифе помахала рукой какой-то женщине, та ей ответила, но до меня не доходило, *кто* эта подруга Холли, пока я не оказался от нее в двух шагах.

— Хэлло, Криспин, — сказала она, словно хорошо меня знает.

— Ну конечно! — напомнила мне Холли. — Вы же встречались в Колумбии!

— Возможно, — улыбнулась женщина, — в памяти Криспина я не удержалась.

— А вот и нет, Кармен Салват! — возразил я. — Здравствуйте. Как поживаете?

20 августа 2018 года

Выйдя из прохладного кондиционированного вестибюля шанхайской гостиницы «Мандарин», мы окунулись в плотную, густую жару, пронизанную волнами обожания от флешмоба — мне еще не доводилось видеть подобного поклонения фанатов прозаику. Но, увы, этим писателем был вовсе не я. Стоило им его узнать, как в небо взлетел могучий вопль: «*Ни-и-ик!*» Ник Грик, авангард нашего конвоя, состоявшего из двух писателей, проживал в Шанхае с марта — изучал кантонский диалект и собирал материал для нового романа об Опиумных войнах. Гиена Хол имел тесные связи с местным литературным агентом Грика, и теперь четверть миллиона китайских фанатов читали Ника в Weibo. За ланчем Грик упомянул, что ему пришлось отказываться от обычных, типовых, контрактов

---

[1] Намек на главный сюжетный ход сказочной трилогии К. С. Льюиса (1898—1963) «Хроники Нарнии».

[2] К твердой земле (*лат.*).

в пользу лиц нетрадиционной ориентации. «Это так странно, я был просто ошеломлен, — скромничал он. — Представляю себе, что из подобной ситуации сделал бы Стейнбек!» Я заставил себя улыбнуться, думая, что Скромность — это сводный брат Тщеславия, только чуть более ловкий. Нескольким организаторам книжной ярмарки внушительной комплекции пришлось расчищать для нас тропу в густой толпе половозрелых черноволосых китайских фанатов, коллекционирующих автографы: «*Ни-ик! Пожалуйста! Пожалуйста, подпишите!*» Некоторые размахивали большими, формата А4, цветными фотографиями молодого американского писателя, чтобы он прямо на них и расписался, педерасты несчастные. «*Это же американский империалист! — хотелось мне крикнуть. — Как насчет Далай-ламы на лужайке у Белого дома?*» Мисс Ли, мой маленький эльф из британского консульства, и я следовали за толпой, окружавшей Ника Грика, и нас, к счастью, никто не трогал. Если я случайно окажусь на одном из этих снимков, думал я, они решат, что я его отец. И знаете что, дорогой читатель? Мне это было совершенно безразлично. Пусть Ник наслаждается шумными приветствиями. А мы с Кармен уже через шесть недель будем жить в сотканных нашей мечтой апартаментах, окна которых выходят на Plaza de la Villa в Мадриде. Когда эта скотина, Эван Райс, увидит, как здорово мы устроились, он *просто взорвется* от зависти и превратится в облачко зеленых спор, хотя сам он *уже дважды* получил премию Бриттана. Как только мы с Кармен переедем, я смогу более или менее равномерно распределить свое время между Лондоном и Мадридом. Испанская кухня, дешевое вино, много надежного солнечного света и любовь. Любовь. За столько лет — лучших лет жизни! — зря потраченных на мой первый брак с Зои, я успел совершенно позабыть, как это прекрасно — любить и быть любимым. В конце концов, что значит мыльный пузырь репутации по сравнению с любовью хорошей и доброй женщины?

Ну? Я, кажется, задал вам вопрос?

* * *

Мисс Ли провела меня в глубину комплекса, где разместилась Шанхайская книжная ярмарка; собравшаяся там огромная аудитория уже ждала основных докладчиков — настоящих Великих Воротил международного издательского бизнеса. Я легко мог себе представить, как председатель Мао в 50-е годы прошлого века выступает со своим отменно продуманным и выверенным экономическим диктатом именно в этом помещении; и, насколько я знаю, он как раз здесь и выступал. Но сегодня на сцене царили настоящие тропические джунгли из орхидей и невероятно увеличенное, метров десять в высоту, изображение светловолосой американской головы Ника Грика и его торса. Мисс Ли провела меня через дверь в противоположном конце зала туда, где я должен был проводить встречу со своими читателями; для этого ей пришлось несколько раз спрашивать дорогу, и наконец нам удалось отыскать нужное помещение, находившееся, по-моему, в цокольном этаже. Там было несколько стенных шкафов — явно для хранения веников и швабр — и стояло штук тридцать стульев, из которых заняты были только семь. Не считая меня, в помещении находились: улыбающийся интервьюер, неулыбчивая переводчица, нервная мисс Ли, мой дружелюбный издатель Фан в майке с надписью «Black Sabbath», двое молодых людей с болтающимися на шее пропусками сотрудников Шанхайской книжной ярмарки и какая-то девушка, как говорится, «евразийского происхождения». Она была маленького роста и очень похожа на мальчишку; на носу у нее сидели чрезвычайно скучные очки, а голова была бритая — этакий «электротерапевтический» шик. Нудно поскрипывающий над головой вентилятор мешал густой горячий воздух; голая лампочка, свисавшая с потолка, слегка мигала; стены были все в пятнах и потеках, как в давно не чищенной духовке. Я боролся с искушением встать и уйти — ей-богу, мне этого хотелось больше всего на свете! — но такой поступок грозил окончательным выпадением из обоймы, что впоследствии исправить было бы куда трудней, чем мужественно пережить сегодняшний день. Я был уверен, что в британском консульстве имеется черный список авторов, которые плохо себя вели.

Мой интервьюер по-китайски поблагодарил всех за то, что они пришли, и произнес, как я догадывался, маленькую вступительную речь. Затем я прочел отрывок из «Эхо должно умереть»; перевод на китайский одновременно возникал на экране, висевшем у меня за спиной. Я читал тот же отрывок, что и на фестивале в Хей-он-Уай три года назад. Черт возьми, неужели с тех пор, как меня в последний раз издавали, прошло уже три года? Безумные эскапады Тревора Апворда на крыше «Евростар» ничуть, похоже, не позабавили мою изысканную аудиторию. А может, мои сатирические строки перевели как чистую трагедию? Или же остроумие Херши не сумело пробиться сквозь языковый барьер? Закончив чтение, я выслушал жидкие хлопки, старательно производимые четырнадцатью руками, и занял свое место, позволив себе угоститься стаканом минеральной воды. Мне жутко хотелось пить. Вода оказалась выдохшейся и попахивала дрожжами. Оставалось надеяться, что не налили в бутылку ее прямо из-под крана. Интервьюер улыбнулся, поблагодарил меня по-английски и задал мне те же самые вопросы, которые мне все время задавали с тех пор, как я несколько дней назад приземлился в Пекине: «Как деятельность вашего знаменитого отца повлияла на ваше творчество?»; «Почему «Сушеные эмбрионы» имеют столь симметричную структуру?»; «Какие истины следует китайскому читателю искать в ваших романах?». Я дал те же ответы, какие постоянно давал с тех пор, как несколько дней назад приземлился в Пекине. Неулыбчивая переводчица, чем-то похожая на паука, излагала мои ответы по-китайски без малейших затруднений, поскольку ей тоже далеко не в первый раз приходилось это делать. Девица с «электротерапевтической» стрижкой, как я с удивлением заметил, что-то записывала. Затем интервьюер спросил: «А вы читаете рецензии на ваши произведения?», и этот вопрос тут же направил мои мысли совсем не в ту сторону: на Ричарда Чизмена, а затем — на злосчастный визит в Боготу на прошлой неделе, и я совсем утратил нить разговора...

* * *

Мучительной была та чертова поездка, дорогой читатель. Доминик Фицсиммонс уже несколько месяцев тянул за все нужные нити, чтобы устроить мне и Мэгги, сестре Ричарда, встречу с сотрудником колумбийского министерства юстиции — точной копией самого Фицсиммонса, — чтобы обсудить с ним условия репатриации. Однако упомянутый высокопоставленный чиновник в самую последнюю минуту «стал недоступен», и вместо него на встречу явился некий юный сотрудник низшего звена — этот мальчик все еще виртуально цеплялся за собственную пуповину, а потому в течение всей нашей двадцатиминутной встречи постоянно кому-то звонил и дважды назвал *меня* «ми-и-истер Чи-и-измен», а Ричарда именовал «заключенный Йёрши». Пустая трата времени, черт побери! На следующий день мы навестили беднягу Чизмена в «Penitenciaria Central». Он очень похудел и страдал от опоясывающего лишая, геморроя, депрессии и выпадения волос, но в этой тюрьме имелся только один врач на две тысячи заключенных, а в случае, если заключенный был европейцем и представителем среднего класса, то любой более-менее приличный приглашенный врач требовал за консультацию пятьсот долларов. Ричард просил нас принести ему книги, бумагу и карандаши, однако отверг мое предложение купить лэптоп или айпад, сказав, что охрана все равно это отнимет. «Такая штука сразу делает тебя здесь богачом, — пояснил он каким-то надломленным голосом, — и если *эти* узнают, что у тебя водятся денежки, то сразу заставят тебя покупать *страховку*». Тюрьма, судя по всему, вообще находилась в полной власти разнообразных банд, в том числе контролировавших и торговлю наркотиками, которая там велась непрерывно. «Ты не волнуйся, Мэгги, — сказал Ричард сестре. — Я к наркотикам даже не прикасаюсь. Шприцы здесь используют по очереди, а охрану они буквально заваливают «порошком», и не дай бог этим сволочам задолжать — тогда сразу пиши пропало: они станут хозяевами и твоей души, и твоего тела, а значит, прощай надежда на досрочное освобождение» Мэгги вела себя мужественно, стараясь не огорчать брата, но, как только мы вышли за ворота тюрьмы, отчаянно разрыдалась и никак не могла успокоиться. Меня и самого невыносимо мучила совесть. И до сих пор мучает.

Но я никак не мог поменяться с Чизменом местами. Это бы меня попросту убило.

— Мистер Херши? — Мисс Ли смотрела на меня с тревогой. — С вами все в порядке?

Я захлопал глазами. Ах да, Шанхай. Книжная ярмарка.

— Да, все хорошо, я просто... Извините, хм, да... вы спросили, читаю ли я рецензии на свои романы? Нет. Больше не читаю. Они уводят меня туда, куда мне совсем не хочется.

Пока моя переводчица возилась с переводом этой фразы, я заметил, что количество слушателей сократилось до шести человек. Не хватало «электротерапевтической» девицы; видимо, она уже ускользнула.

* * *

Шанхайская набережная имеет как бы несколько лиц: это и выстроившиеся вдоль нее фасадом к морю строения в стиле 1930-х годов XX века с отдельными вкраплениями чего-то пестрого, игрушечного; это и символы надменной западной колониальной архитектуры; это и яркие проявления резкого подъема современного Китая. По четырехполосной набережной еле ползут машины или вообще стоят в пробках; по несколько приподнятому над проезжей частью променаду вдоль реки Хуанпу течет, как у Уолта Уитмена, толпа туристов, семейных пар, торговцев, карманников, одиноких, лишенных друзей писателей, пронырливых торговцев наркотиками и проституток. «Эй, мистер, хочешь наркотик, хочешь секс? Очень близко, красивые девушки». Но я, то есть писатель Криспин Херши, на все предложения неизменно отвечал: «Нет». И не только потому, что ваш герой, читатель, был связан брачными узами с некой прекрасной особой, а просто из опасений, что в газетах начнется поистине гомерическое веселье, если меня сцапают в каком-нибудь шанхайском борделе, а это мне уж и вовсе было ни к чему.

Ближе к вечеру солнце несколько сбавило свою невероятную активность, и небоскребы за рекой начали флуоресцировать: вон там — гигантская открывалка для бутылок; а там — огромный звездолет в раннефантастическом стиле; а чуть дальше — какой-то сверхъестественный обелиск, окруженный группой из сорокаэтажных, а может, и шестидесятиэтажных домов, вытянувших свои застывшие шеи к небу, словно в игре «замри-умри-воскресни». Ник Грик рассказывал мне, что во времена председателя Мао Пудун представлял собой засоленное болото, а теперь поднимешь глаза к небу и непременно увидишь след от реактивного самолета. Когда я был мальчишкой, синонимом современности были США; теперь Штаты потеснил Китай, и синонимом современности стал Шанхай. Так что я продолжал идти, воображая себе, как все здесь было в прошлом: джонки с фонарями, покачивающиеся на приливной волне; призрачное скрещенье мачт и парусов; стонущие корпуса судов, построенных в Глазго, Гамбурге и Марселе; грубые узловатые портовые грузчики, разгружающие опиум и погружающие чай; пунктирные линии летящих на минимальной высоте бомбардировщиков; бомбы, превращающие город в груду мусора; пули, миллионы пуль из Чикаго, из Фукуоки, из Сталинграда — *тра-та-та-та*... Если у городов есть аура — Зои всегда настаивала, что «у каждого человека есть аура», — а твои «чакры открыты», то аура Шанхая должна иметь цвет денег и власти. Этот город всего лишь с помощью электронной почты способен остановить работу заводов в Детройте, лишить Австралию железной руды, а Зимбабве — носорожьих рогов и накачать индекс Доу Джонса либо стероидами, либо финансовыми утечками...

У меня зазвонил телефон, и это было замечательно, ибо звонил мой самый любимый человек.

— Приветствую тебя, красавица, чей светлый лик способен пустить на дно пять тысяч кораблей!

— Привет, идиотик. Как там таинственный Восток?

— Шанхай действительно очень впечатляет. В нем не хватает одного: Кармен Салват.

— А как дела на Шанхайской международной книжной ярмарке?

— А, все то же самое. Ко мне, во всяком случае, пришло довольно много народу.

— Отлично! Значит, из-за тебя Нику пришлось-таки побегать, отрабатывая свои денежки?

— *Пожалуйста, называй его Ник Грик!* — взревело мое зеленоглазое чудовище. — И я не собираюсь соревноваться с ним в популярности, знаешь ли!

— Приятно слышать, когда ты говоришь с таким настроением. Холли еще не появлялась?

— Нет, она должна прилететь позже... а меня все равно сейчас не будет в отеле, я удрал, чтобы немного прогуляться по набережной. Я и сейчас здесь, небоскребами любуюсь.

410

— Удивительные, правда? На них уже зажгли освещение?

— Да. Сияют, как в сказке. Ну, вот я и рассказал тебе, как провел день, а ты чем занималась?

— Была встреча по продажам с одной очень заинтересованной командой, потом еще одна встреча — с художником, выпускающим репродукции, сейчас бизнес-ланч с весьма меланхолично настроенными книготорговцами, а потом до пяти часов — несколько встреч, посвященных кризису.

— Прелестно. Есть какие-нибудь новости от агента по съему жилья?

— Да-а, новости есть... Квартира наша, если мы...

— Ох, дорогая! Но это же просто фантастика! Я немедленно...

— Ты сперва послушай, Крисп. Я совсем не так уверена насчет этой квартиры, как раньше.

Я отошел в сторону, пропуская отряд веселых китайских панков в полном боевом облачении.

— Тебе больше не нравится квартира на Plaza de la Villa? Но это лучшее из того, что мы видели! Столько света! И место для моего кабинета найдется, и по цене вполне приемлемо. И потом, стоит утром поднять жалюзи, как покажется, что мы живем в романе Переса-Реверте. Я что-то не понимаю: что не так?

И моя подруга-издатель, очень осторожно выбирая слова, пояснила:

— Видишь ли, я как-то до сих пор не осознавала, как мне дорога моя собственная квартира. Мое собственное жилье, мой собственный маленький замок. И потом, мне нравится это место и мои соседи...

— Но, Кармен, твой собственный маленький замок *слишком* мал. Если мне предстоит делить время между Лондоном и Мадридом, нам нужно что-нибудь попросторней.

— Я *понимаю*... Просто у меня такое ощущение, словно мы несколько торопим события.

Меня внезапно охватило давно знакомое чувство внутренней пустоты.

— С нашей встречи в Перте прошло полтора года.

— Господи, Криспин, я же не говорю, что нам нужно расстаться! Честное слово, я просто...

Вечер в раскаленном Шанхае вдруг показался мне очень холодным.

— Я просто... хотела бы, чтобы у нас все было как сейчас. Хотя бы еще какое-то время. Только и всего.

Каждая женщина, с которой я знакомлюсь, всегда оказывалась лишь одной половинкой любящей пары. Я хорошо помнил все эти «я же не говорю, Криспин, что нам нужно расстаться» еще с до-Зоиных времен, когда было положено начало веренице расставаний. Ощущение близящегося разрыва возникало, стоило мне открыть электронную почту, и заставляло меня писать такие строки: «Кармен, решай же наконец что-нибудь, черт возьми!» Или: «Ты знаешь, сколько мы тратим на полеты туда-сюда?» Или даже: «Ты что, встретила кого-то другого? Какого-нибудь испанца? Кого-то, более близкого тебе по возрасту?»

Сейчас я сказал так:

— Ну что ж, прекрасно. — И умолк.

Пауза затягивалась; Кармен тоже молчала, потом спросила:

— Правда?

— Я, безусловно, огорчен и разочарован, но только потому, что у меня не хватает денег, чтобы купить себе квартиру рядом с твоей, чтобы мы могли создать нечто вроде официальной Лиги Маленьких Замков. Такое может случиться, только если с небес на меня вдруг упадет контракт на съемки фильма по книге «Эхо должно умереть». Слушай, Кармен, мы слишком долго разговариваем, это обойдется тебе в целую кучу денег, так что иди и поднимай настроение своим книготорговцам.

— А ты все еще рад будешь меня видеть, если на следующей неделе я приеду в Хемпстед?

— Тебя в Хемпстеде всегда будут рады видеть. Хоть на следующей неделе, хоть в любой другой день.

Я почувствовал, что она улыбнулась там, в своем мадридском офисе. Хорошо, что я не стал зацикливаться на нашей ворчливой электронной переписке.

— Спасибо, Криспин. Если увидишь Холли, скажи, что я ее люблю. Она, вообще-то, очень надеялась с тобой пересечься. Кстати, если кто-то предложит тебе поджаренный плод дуриана, то держись от такого угощения подальше. Ну ладно, пока... Я люблю тебя.

— Я тебя тоже люблю.

И мы оба отключились. Неужели мы произносим слово «люблю», потому что действительно испытываем это чувство? А не потому ли, что хотим сами себя обмануть, заставить себя думать, что по-прежнему пребываем в благословенном состоянии влюбленности?

* * *

Вернувшись в свой гостиничный номер на восемнадцатом этаже, писатель Криспин Херши смыл под душем липкий дневной пот, надел чистые трусы и майку с эмблемой-цитатой из пьесы Беккета «Конец игры», которую ему подарили в Санта-Фе, и прыгнул в белоснежную постель. Торжественный обед представлял собой жуткое сборище писателей, издателей, владельцев магазинов иностранной книги и представителей британского консульства и состоялся в ресторане с вращающимися столами. Ник Грик явно был в ударе: он произнес весьма проникновенную речь. Я же тем временем представлял себе эффектную сцену: Ник внезапно падает лицом в блюдо с глазированной уткой, маринованными луковицами лотоса и побегами бамбука и умирает, а через некоторое время из темного угла появляется Эркюль Пуаро и объясняет всем, кто и почему отравил восходящую литературную звезду. Разумеется, наиболее очевидным подозреваемым стал бы пожилой писатель Криспин Херши, а мотивом убийства — профессиональная ревность, но именно по причине отсутствия такой ревности все подозрения оказались бы необоснованными. Я смотрел на окошечко электронных часов в телевизоре и думал о Кармен. Часы показывали 22:17. Собственно, меня не должны были бы удивлять ни ее сдержанность, ни это внезапное отступление от наших планов. Признаки того, что наш «медовый месяц» закончился, были налицо. В прошлом месяце она, например, отказалась приехать в Лондон, когда меня навещали Джуно и Анаис. Да и сам визит моих дочерей оказался не столь приятным, как мне хотелось. Уже по дороге из аэропорта Джуно заявила, что лошадьми она больше не увлекается, ну и Анаис, разумеется, тоже решила, что стала слишком взрослой для пони, а поскольку сделанные в конноспортивные школы взносы — весьма, надо сказать, немалые — ни изъять, ни переместить куда-либо было нельзя, я, естественно, выразил неудовольствие. Возможно, я был чуть более резок, чем следовало, и высказался скорей в манере моего отца; во всяком случае, через пять минут Анаис уже ревела в три ручья, а Джуно, мрачно изучая собственные ногти, выговаривала мне: «Это нехорошо, папа! Нельзя использовать методы воспитания, принятые в XX веке, по отношению к детям XXI века!» Короче, выяснение отношений с дочерьми стоило мне пятисот фунтов и трех часов давки на Карнаби-стрит в магазинах модной молодежной одежды; только этим я смог их остановить, так как они собирались немедленно позвонить матери и попросить ее перезаказать обратные билеты в Монреаль на завтрашний день. Зои спускала Джуно любое нежелание следовать даже самым мягким увещеваниям и замечаниям, в ответ на которые девочка лишь сердито бросала: *«Да как угодно!»* Ну, а Анаис все больше напоминала мне морской анемон, актинию, которая легко склоняется в ту сторону, куда в данный момент подталкивает ее течение. Визит девочек, безусловно, удался бы куда лучше, если бы Кармен приехала и приняла в нем участие, но она сразу откровенно заявила, что не желает иметь дело ни с чем таким. «Зачем им какая-то мачеха со своими правилами и законами, когда они приехали на каникулы в Лондон к родному отцу?» Я попытался возразить, что в детстве испытывал к мачехе глубочайшую привязанность, но Кармен сказала, что читала мои воспоминания об отце и вполне понимает, почему у меня было именно так. А потом быстренько сменила тему разговора.

Вот вам пример классической стратегии Кармен Салват.

* * *

22:47. Я поиграл в шахматы с айфоном, позволив себе насладиться своей любимой фантазией, что противник — это не электронное устройство, а мой родной отец. Ведь это его атаки я отражал, это его оборону я пытался прорвать, это его король метался по шахматной доске, надеясь отсрочить неизбежный крах. Однако пережитый стресс все же сказался: обычно на этом уровне развития игры я одерживал безусловную победу, но сегодня делал одну ошибку за другой, и, что было хуже всего, проклятый старый гаджет начал *давать мне советы*: «Превосходная стратегия, Крисп! Теперь передвинь свою ладью вот сюда, и я тогда с помощью этого коня возьму твою сонную ладью в клещи и буду угрожать твоему ферзю, и черта с два ты теперь сможешь из этого выпутаться!» А когда я попытался воспользоваться отменой хода и вернуть свою ладью на прежнее место, айфон голосом моего отца прокаркал: «Вот это правильно! Пусть твоя говенная машинка поможет тебе выкрутиться. А то, может, еще и уколешься? И под кайфом накропаешь очередной романчик». — «Засохни», — сказал я телефону, выключил его и врубил телевизор. Я долго бродил по каналам, пока не узнал сцену из фильма Майка Ли «Еще один год». Это потрясающе хороший фильм. И там такие классные диалоги! Мои собственные диалоги просто дерьмо по сравнению с ними. Поспать тоже было бы очень неплохо, но я попал в плен скоростных перелетов и смены часовых поясов, которые точно проволокой меня опутали. К тому же мой желудок явно пребывал в сомнениях насчет жареного дуриана. Дело в том, что Ник Грик в разговоре с британским консулом признался, что так до сих пор и не прочувствовал вкус дуриана, и я, решив его прочувствовать, съел целых три ломтя. А еще мне очень хотелось курить, но Кармен, окончательно меня запугав, заставила это дело бросить, так что пришлось воспользоваться пластырем «Nicorette». А вот Ричард Чизмен теперь снова курит. Да и как ему, бедолаге, было не закурить в этой проклятой дыре! Зубы у него стали коричневыми, цвета чайной заварки. Я еще пощелкал пультом и отыскал на одном из каналов американский фильм с субтитрами, который назывался «Переводчик с собачьего» — о дрессировщике собак, который умело приводит в порядок психику не только неуравновешенных калифорнийских животных, но и их неуравновешенных хозяев. На часах было уже 23:10. Из чисто медицинских соображений я решил подрочить, стал было изучать свою коллекцию липких блю-реев, остановившись на девушке из коммуны Ривенделл, находящейся где-то в Западном Лондоне, но потом решил, что я не сексуально озабоченный, открыл новый молескин и решительно написал на первой странице: «Роман о Роттнесте»...

...и тут вдруг обнаружил, что снова забыл имя главного героя. Да и хрен с ним. Некоторое время он у меня был Данканом Фраем, но Кармен сказала, что это звучит как имя шотландского владельца закусочной «фиш-н-чипс», и я сменил его на Данкан Мактиг, но и это «Мак» явно было чересчур шотландским. Тогда я решил, что остановлюсь на Данкане Драммонде, сокращенно ДД. Итак, Данкан Драммонд; 1840-е годы; каменщик. Он уезжает в Австралию, селится на реке Суон и строит маяк на острове Роттнест. Гиена Хол не был уверен в этой книге — «Хотя, конечно, это свежий ход, Крисп...» — но я, проснувшись однажды утром, вдруг понял, что во всех моих романах фигурируют современные лондонцы, принадлежащие к верхнему среднему классу, и каждому из них жизнь выворачивает все внутренности наизнанку в связи с какой-нибудь катастрофой или скандалом. Повторы, замедляющие развитие сюжета, боюсь, вызывали недовольство критиков и до той злополучной рецензии Ричарда Чизмена. Да и теперь возникло несколько небольших проблем, связанных с новым романом о Роттнесте, которые кружили возле меня, точно коричневые морские звезды, а именно: пока мне удалось написать всего три тысячи слов, причем далеко не самых лучших за все годы моего творчества; кроме того, новый, «самый последний», срок сдачи рукописи — был назначен на 31 декабря этого года, а издатель Оливер уже был примерно наказан за то, что «преждевременно» представил мой новый роман, так что его поспешно назначенный последователь Курт сразу завел весьма неприятные разговоры о том, что выплаченный аванс мне придется вернуть.

Интересно, сможет ли сдобрить повествование парочка симпатичных квокк?

Да будь оно все проклято! Неужели здесь не найдется ни одного ночного бара?

* * *

Аллилуйя! Мне удалось отыскать бар «Sky High» на сорок третьем этаже, и он все еще был открыт. Я бросил свое усталое тело в кресло у окна и заказал порцию коньяка за двадцать пять долларов. Вид из окна был такой, что просто умереть. Ночной Шанхай — это живая душа, состоящая из миллиона огоньков: оранжевых, которыми отмечены скоростные пути; крошечных пикселей белого и красного цвета — фар и задних фонарей автомобилей; зеленых огоньков светофоров; мерцающих голубыми вспышками сигнальных огней самолетов; огней на крышах офисных зданий — ярких по ту сторону шоссе и размытых, кажущихся всего лишь световыми точками, за много миль; и каждый огонек — словно микрочастичка жизни, семьи, одиночества, мыльной оперы; жестким светом прожекторов были освещены крыши небоскребов в Пудуне; гораздо ближе мерцали анимированные рекламные щиты — часы «Омега», мужские плащи «Берберри», фильм «Железный человек-5»; в ночное небо били гигаватты света практически любого постижимого оттенка, кроме цвета луны и звезд. «В тюрьме нет расстояний, — писал Ричард Чизмен в одном из писем нашему «Союзу друзей», — нет окон, из которых было бы видно что-то за пределами тюремного двора; самое большее, что мне удается увидеть из окна, это верхняя часть стены, опоясывающей двор для прогулок. Ох, многое бы я отдал всего лишь за возможность видеть вдаль хотя бы на несколько миль. Вид необязательно должен быть красивым — мне было бы вполне достаточно и городских трущоб, — но пространство перед окном должно быть никак не меньше нескольких миль».

А ведь это Криспин Херши туда его засадил!

Это Криспин Херши его там держит!

— Здравствуйте, мистер Херши, — донесся до меня голос какой-то женщины. — Какая приятная и неожиданная встреча!

Я даже подскочил от неожиданности.

— Холли! Здравствуйте, дорогая! Я просто...

Я не знал, как лучше закончить приветствие, и мы поцеловались «по-европейски», касаясь щекой щеки, как добрые друзья. Холли выглядела усталой, как, собственно, и должен выглядеть человек, преодолевший разом столько часовых поясов, но бархатный костюм смотрелся на ней просто великолепно — Кармен частенько ездила с Холли по магазинам.

Я указал на несуществующего третьего в пустом кресле и пошутил:

— Не сомневаюсь, вы хорошо знакомы с капитаном Джетлагом, не так ли?

Она глянула на пустое кресло и тоже отшутилась:

— О да! В последние несколько лет мы с ним особенно сблизились.

— Откуда вы сюда прилетели? Из Сингапура?

— Хм... дайте подумать. Нет, из Джакарты. Сегодня ведь понедельник, верно?

— Добро пожаловать в «литературную жизнь»! Как там Аоифе?

— Официально влюблена. — Улыбка Холли по этому поводу была сложной, и в ней угадывалось по меньшей мере несколько уровней. — Ее молодого человека зовут Орвар.

— Орвар? Из какой же галактики прибывают к нам люди с именем Орвар?

— Из Исландии. Аоифе ездила туда неделю назад — знакомиться с его родственниками.

— Повезло Аоифе. И Орвару повезло. А вам этот молодой человек нравится?

— В общем да. Аоифе несколько раз привозила его в Рай. Он учится в Оксфорде и, несмотря на свою дислексию, изучает генетику. Только не спрашивайте, как это у него получается. К тому же у него золотые руки, и он постоянно все чинит — шкафы, двери в душевой, сломанные жалюзи. — Холли попросила официантку, поставившую на стол мой коньяк, принести ей стакан местного белого вина. — А как Джуно?

— Джуно? Да она, черт побери, еще ни разу в жизни ничего не починила!

— Да нет, глупый! Ваша Джуно уж встречается с мальчиками?

— А, вы об этом. Нет, по-моему. Во всяком случае, пока. Ей ведь всего четырнадцать. М-м-м... вот вы, например, в четырнадцать лет обсуждали своих поклонников с отцом?

У Холли звякнул телефон. Она посмотрела и сказала:

— Это для вас. От Кармен: «Напомни Криспину, что я велела ему ни в коем случае не есть дуриан». Вам это о чем-то говорит?

— Увы, да.

— Так вы персезжаете на новую квартиру в Мадриде?

— Нет. Но об этом потом. Это слишком долгая история.

* * *

— Роттнест? — Холли постучала ногтем по бокалу с вином, словно проверяя, как он звучит. — Ну, Кармен, возможно, уже упоминала, что я в разные периоды жизни слышала голоса, которые не слышали другие люди. Или же была совершенно уверена в чем-то таком, о чем никак не могла знать заранее. Или иногда как бы служила рупором для... неких существ, не имевших ко мне никакого отношения. Извините, я понимаю, что последнее утверждение звучит так, словно мы на спиритическом сеансе, но тут уж ничего не поделаешь. И в отличие от спиритического сеанса я отнюдь никого не *призываю*. Эти голоса просто... атакуют меня, что ли. Даже когда я совсем этого не хочу. Даже когда я *очень сильно* этого не хочу. Но они все равно делают со мной что хотят.

Все это было мне знакомо, и я спросил:

— У вас ведь степень по психологии, верно?

Холли сразу поняла подтекст вопроса; она взяла свой бокал, свободной рукой как бы слегка ущипнула себя за какую-то неопределенную отметину на переносице и сказала:

— Ладно, Херши, вы выиграли. Летом 1985 года мне было шестнадцать. Прошло уже двенадцать месяцев с тех пор, как пропал Жако. Мы с Шэрон жили у родственников в Бантри, это графство Корк. Однажды дождливым днем мы с ней, собрав малышню, играли в «Змеи и лестницы», и вдруг — даже теперь, три десятилетия спустя, Холли вздрогнула — я то ли поняла, то ли *услышала*, то ли почувствовала уверенность — называйте как хотите, — что совершенно точно *знаю*, какое сейчас выпадет число. Мой маленький кузен потряс подставку для яйца, и я подумала: на игральных костях выпадет «пять». И выпало «пять»! И потом, что бы я ни задумала, выпадало именно это: *один, пять, три*. И так далее. Случайное совпадение? Но так получалось все время! А ведь кубик бросали больше пятидесяти раз! Боже мой, как же мне хотелось, чтобы это прекратилось! И я все думала: ничего, сейчас я, конечно, ошибусь, и тогда можно все списать на совпадение... но «совпадения» все продолжались и продолжались, и тут Шэрон сказала, что ей нужно «шесть», и тогда она выиграет, и я сразу поняла: именно «шесть» у нее и выпадет. И выпало «шесть». К этому времени голова у меня просто раскалывалась от боли, так что я отказалась играть дальше, уползла к себе, сразу легла в постель и уснула. Когда я проснулась, Шэрон и наши многочисленные кузены играли в «Ключ». Я присоединилась к ним, и все пошло нормально. Разумеется, я сразу стала убеждать себя, что просто *вообразила себе* способность угадывать, какое выпадет число. И к тому времен, как мы с Шэрон вернулись в наш старый и скучный Грейвзенд, мне уже почти удалось себя убедить, что все случившееся было просто... случайным совпадением; к тому же из-за головной боли я не очень ясно помнила события того дня.

Думаю, я был гораздо пьянее, чем мне казалось, потому что сказал:

— Но на самом деле это было совсем не так.

Холли некоторое время молчала, теребя свое кольцо, потом снова заговорила:

— Той осенью мама заставила меня записаться на курсы секретарш при технологическом колледже Грейвзенда, чтобы я хоть немного пришла в себя. И я действительно стала понемногу оживать, но однажды в столовой... я, как всегда, сидела одна, и вдруг... В общем, я внезапно *поняла*, что одна девушка, Ребекка Джонс, которая сидела за столиком напротив и болтала с друзьями, сейчас уронит на пол чашку с кофе. Я просто *знала*, Криспин, что так и будет, как знаю, например... ваше имя или то, что посижу еще немножко и пойду спать. Я никогда по-настоящему не верила в Бога, но тогда я буквально взмолилась: *Пожалуйста, Господи, не надо! Пожалуйста, сделай, чтобы этого не было! Пожалуйста!* И через несколько секунд Ребекка Джонс взмахнула рукой, о чем-то оживленно рассказывая, ее чашка полетела на пол, и по полу разлилась целая лужа кофе...

— И что же вы сделали?

— А что я, черт возьми, могла сделать? Естественно, я и от этого отмахнулась, вот только... эти «уверенности» продолжали меня преследовать. Я, например, заранее была совершенно уверена, что, свернув за угол, увижу, как далматинец задрал лапу на фонарный столб. Я *заранее* видела это так же отчетливо, как если бы только что прошла мимо писающего далматинца! Но я же его *еще* не видела! И я сворачивала за угол, и, естественно, там стоял далматинец, задрав лапу на фонарный столб! За сотню метров от моста над железной дорогой я *знала*, что, как только окажусь на мосту, подо мной пройдет лондонский поезд. И оказывалась права. Ну и так далее. А однажды я шла через зал у нас в пабе, и один наш завсегдатай, Фрэнк Шарки, играл в дартс, и я вдруг... — Холли на минутку умолкла и посмотрела на свои обнаженные руки: они были покрыты гусиной кожей, словно от холода, — ...поняла, что больше никогда его не увижу. Я это *знала совершенно точно!* Конечно же, — она поморщилась, — я постаралась немедленно выбросить эту мысль из головы, уж больно она была неприятной и страшной. Старый мистер Шарки был скорее старым другом нашей семьи, чем завсегдатаем паба. Он всех нас, детей, знал с самого рождения, он видел, как мы росли. Я сказала папе, что ушла с занятий пораньше, потому что у меня жуткая мигрень. И у меня действительно разболелась голова, так что я легла в постель и уснула. Поспав немного, я почувствовала себя значительно лучше. Кошмарное предвидение почти забылось. Нет, я, конечно, помнила о нем, такие вещи трудно списать на простую фантазию, я и не стала списывать, но была рада уже тому, что мысли об этом меня больше не мучают, и старалась вообще не думать о мистере Шарки. Однако на следующий день он у нас не появился. Я сразу все поняла и упросила папу позвонить соседу, у которого был ключ от квартиры мистера Шарки. В общем, его нашли мертвым в садовом сарае. У него случился обширный инфаркт. Врач сказал, что он умер еще до того, как упал на пол.

Холли была очень убедительна, и я не сомневался, что себя-то она давно во всем этом убедила. Впрочем, паранормальные вещи всегда *весьма убедительны*, иначе вряд ли могла бы существовать религия.

— Многие люди испытывают необходимость верить в некие «психические силы», — сказала Холли, печально глядя в бокал. — И немалая часть таких людей буквально зациклилась на моей книге; меня даже обвиняли в том, что я эксплуатирую человеческую легковерность. Причем обвиняли и те, кого я искренне уважаю. Но если предположить, что все это со мной *действительно случилось*, Криспин? Вот представьте себе, что если бы и *у вас* возникли те же... «уверенности»? То есть вы бы твердо знали, что уже ничего нельзя ни изменить, ни переделать — скажем, в отношении Джуно или Анаис? Ведь и вы бы тогда подумали: ну, все, я спятил!

— Ну, это зависит... — Я немного подумал о подобной возможности. — Нет, пожалуй, все-таки нет. Простите, Холли, я понимаю, что мой вопрос прозвучит, словно я врач общей практики, но я все же спрошу: как долго у вас это продолжалось?

Она прикусила губу и потрясла головой.

— Да, в общем... это никогда и не прекращалось. Когда мне было лет шестнадцать-семнадцать, я больше всего страдала от того, что мне известно нечто такое, чего еще нет в действительности, и каждые несколько недель я в ужасе бежала домой, бросалась на постель, зарывалась в подушки и с головой накрывалась шерстяным одеялом. Я никогда и никому об этом не рассказывала, кроме моей двоюродной бабушки Айлиш. Да и что бы я сказала, например, родителям? Они бы просто решили, что мне хочется лишний раз обратить на себя внимание. Когда мне исполнилось восемнадцать, я стала уезжать из дома — летом собирала виноград в Бордо, а зимой работала на лыжном курорте в Альпах. По крайней мере, пока я находилась за границей, возникавшие у меня «уверенности» не были связаны с тем, что Брендан свалится с лестницы или Шэрон собьет автобус.

— Значит, ваш дар предвидения на большом расстоянии не работал?

— Обычно нет.

— А вы когда-нибудь предчувствовали собственное будущее?

— Нет, слава богу, нет!

Я колебался, но потом все же повторил свой первый вопрос:

— Так что все-таки случилось с вами тогда на острове Роттнест?

Холли потерла усталые глаза.

— Тогда это было нечто очень сильное. Иногда у меня возникают некие «уверенности», связанные с прошлым. И эти знания мною полностью завладевают, я вроде как становлюсь... О господи! Нет, я никак не могу избежать этой терминологии, сколь бы дурацкой она ни казалась! Я становлюсь как бы неким каналом для передачи информации, которая содержится в самой материи данного места.

420

Бармен сбивал коктейль в шейкере, и Холли как-то чересчур внимательно наблюдала за ним.

— Похоже, этот парень знает свое дело, — сказала она.

И снова я не сразу, но все же спросил:

— А вам что-нибудь известно о множественной личности?

— Да. На одном из последних курсов я даже написала об этом курсовую работу. Это явление в 1990-х годах получило другое название: диссоциативные расстройства личности. Но надо сказать, что даже по меркам клинической психиатрии это явление описано весьма туманно. — Холли коснулась пальцем своей сережки. — Это до некоторой степени может объяснить то, что случилось на Роттнесте, но как быть с моими «предвидениями»? С тем, что произошло со старым мистером Шарки? С тем, что случилось с Аоифе? Она тогда была совсем еще маленькая, а мы все вместе приехали к Шэрон на свадьбу и остановились в брайтонской гостинице; и вот Аоифе стало скучно, она удрала из номера и заблудилась. Мы просто с ног сбились, разыскивая ее, и тогда «предвидение», *заговорив моими устами,* заставило меня назвать номер той комнаты, в которую она забралась и случайно оказалась там заперта. Откуда я могла это узнать, Криспин? Как? Разве могла я все это придумать?

Группа азиатских бизнесменов, сидевшая неподалеку, вдруг разразилась громким смехом.

— А что, если ваша память меняет местами причину и следствие? — предположил я.

Холли озадаченно на меня посмотрела; потом задумчиво сделала несколько глотков вина, но вид у нее так и остался озадаченным.

— Возьмем кофейную чашку этой Ребекки как-ее-там. Обычно ваш мозг сперва видит, что чашка упала на пол, а потом сохраняет воспоминание об этом событии. Что, если некий, совершенно нейтральный, сдвиг вызывает в вашем мозгу обратное восприятие порядка этих действий? То есть воспоминание о разбившейся об пол чашке сохраняется первым, еще *до того*, как возникло воспоминание о чашке, стоявшей на краешке стола? Тогда вы будете абсолютно уверены в том, что «действие В» имело место *раньше* «действия А».

Холли смотрела на меня с таким выражением лица, словно я младенец, неспособный понять самые простые вещи.

— У вас не найдется монетки?

Я выудил монету в два фунта из той интернациональной груды мелочи, которая скопилась у меня в кошельке, и подал Холли. Она недолго подержала ее на левой ладони, затем средним пальцем правой руки коснулась какой-то точки у себя на лбу, и я тут же спросил:

— А это еще зачем?

— Сама не знаю, это просто помогает. В буддизме говорится о существовании третьего глаза в центре лба, но... помолчите-ка минутку. — Она закрыла глаза и наклонила голову набок — в точности как прислушивающаяся собака. На заднем плане слышались привычные звуки бара — негромкий разговор, звон кубиков льда в стаканах, Кейт Джаррет пела «My Wild Irish Rose». Все эти звуки становились громче, то тише.

Наконец Холли вернула мне монету и сказала:

— Переверните ее. Там должен быть «орел».

Я перевернул монету.

— Да, «орел». — Ну и что? Возможность пятьдесят на пятьдесят.

— Теперь снова будет «орел», — сказала Холли, сосредотачиваясь.

Я подбросил монету.

— Да, «орел». — Один к четырем.

— На этот раз будет «решка», — сказала Холли. Ее палец так и оставался прижатым ко лбу.

Я подбросил монету: выпала «решка».

— Три раза из трех возможных. Неплохо.

— Теперь снова будет «решка».

Я подбросил монету: выпала «решка».

— Теперь снова «орел», — сказала Холли.

Я подбросил: «орел».

— Как вы это делаете?

— Давайте рассмотрим последовательность «орел», «орел», «орел», «решка»... и снова «решка», — сказала Холли, — но... *вставать на колени*? Криспин, зачем вы встали на колени?

— Вы же видите, что я сижу, а вовсе *не стою на коленях*!

— Ладно, забудьте. Итак, три раза «орел», два раза «решка» — в таком порядке.

И я снова подбросил монету: «орел». И снова «орел». Как она это делает? Я потер монету о рубашку, точно поцарапанный диск, потом подбросил ее: «орел», как она и говорила!

— Здорово, — сказал я, но мне было не по себе.

Холли почему-то слегка рассердило мое замечание.

— Теперь два раза будет «решка».

Я подбросил монетку: «решка». Девять из девяти. На десятом подбрасывании я не сумел поймать монету, и она куда-то укатилась. Я стал ее искать и, когда наконец вытащил из-под стула, сразу увидел, что там снова «решка». И в эту самую секунду я понял, что сейчас действительно *стою на коленях*. У Холли был такой вид, словно кто-то сумел разгадать простейшую из имеющихся у нее загадок.

— Ну, это же очевидно. Просто монетка укатилась.

Когда я снова сел на место, то заговорил не сразу — я как-то не совсем доверял себе.

— Погрешность 1024 к 1 по десятибалльной шкале, если вас это интересует, — сказала Холли. — Мы можем увеличить ее до 4096 к 1, если сделаем еще два подбрасывания, хотите?

— Нет необходимости. — Голос мой звучал крайне напряженно. Я смотрел на Холли Сайкс: кто она *такая*? — А насчет этого стояния на коленях... Как вы...

— Возможно, ваш мозг тоже ошибочно принимает воспоминания за предсказания. — Холли Сайкс совсем не была похожа на волшебницу, у которой только что идеально получились сложные трюки; она скорее выглядела как усталая работница, которой надо подзаработать еще несколько фунтов. — Боже мой, зря я это затеяла. Вы так смотрите на меня, будто...

— Как я на вас смотрю?

— Послушайте, Криспин, давайте просто забудем все это, хорошо? Мне сейчас необходимо хоть немного поспать.

* * *

Больше мы почти не разговаривали и сразу прошли в вестибюль к лифтам. Двое стоявших там терракотовых воинов были обо мне явно не слишком высокого мнения, если судить по выражению их лиц.

— У вас миллионы истинно верующих последователей, которые отдать готовы год жизни, лишь бы увидеть то, что вы мне продемонстрировали, — сказал я Холли. — Но почему вы оказали такую честь именно мне — ведь вы прекрасно знаете, какой я циничный ублюдок?

Холли посмотрела на меня так, словно я сделал ей больно.

— Я надеялась, что вы сможете мне поверить.

— Поверить во что? В ваших «радиолюдей»? В то, что было на Роттнесте? В то...

— Помните тот вечер в Хей-он-Уай, когда мы с вами в шатре подписывали книги? Мы с вами сидели буквально в двух метрах друг от друга, и у меня вдруг возникла на ваш счет некая «уверенность». Очень странная и очень сильная.

Дверцы лифта закрылись. Лифт — это челюсти, пожирающие удачу, вспомнил я из тех времен, когда Зои флиртовала с фэн-шуй.

— На мой счет?

— Да, на ваш счет. Причем это видение было действительно весьма странным. И потом никогда не менялось.

— И что же вы увидели? Да говорите же, ради бога!

Она нервно сглотнула.

423

— Паука, спираль и какого-то одноглазого человека.

Я ждал разъяснений. Но их не последовало.

— И что это значит?

Холли выглядела загнанной в угол.

— Понятия не имею.

— Но ведь впоследствии вам становится понятным значение ваших видений, не так ли?

— Обычно да. И обычно довольно скоро. Но это нечто такое... что, видимо, готовится на медленном огне.

— «Паук, спираль и одноглазый человек»? Что же это? Список покупок? Трек с танцевальной музыкой? Строчка из какого-нибудь хайку, черт побери?

— Криспин, если б я знала, я бы вам сказала, клянусь.

— А вдруг это просто случайно привидевшийся набор вещей? Некая абракадабра?

Холли согласилась даже как-то слишком легко.

— Может быть. Да. Да! И забудьте об этом.

Из лифта вышел пожилой китаец в розовой рубашке фирмы «Lacoste», в брюках цвета шоколадной помадки и в туфлях для гольфа. С ним под руку шла модельной внешности блондинка в неглиже, сшитом, как мне показалось, из паутины и золотых монет; на лице у нее был совершенно инопланетный мейкап, а больше на ней, пожалуй, ничего не было. Пара свернула за угол, и Холли сказала:

— А может быть, она его дочь?

— Что вы имели в виду, когда сказали, что это видение «потом никогда не менялось»? — спросил я.

Я думал, что Холли скажет, что ей очень жаль, что она завела разговор на эту тему, но она сказала:

— В Картахене, во дворце президента, у меня возникло точно такое же ощущение. И я слышала те же самые слова. И на острове Роттнест тоже. Еще до того, как я стала... как моими устами заговорили другие, уже умершие... И теперь будет то же самое, если я настроюсь на вашу волну. Я проделала фокус с монеткой, чтобы вас подготовить, чтобы вы серьезно отнеслись к этому странному видению «спираль — паук — одноглазый»: вдруг когда-нибудь... — она пожала плечами, — ...все это окажется *соответствующим действительности*?

Лифты тихо гудели в своих турбошахтах.

— Но какой смысл в этих ваших «уверенностях», — спросил я, — если вы, черт возьми, настолько в них не уверены?

— А, этого я *не знаю*, Криспин. Я же не какой-то там оракул. Если бы я *могла* прекратить эти проклятые видения, я бы немедленно это сделала!

Я не успел подумать, как неосторожные, глупые слова сами сорвались у меня с языка:

— Ну что ж, по крайней мере, вы неплохо на них заработали.

За пять секунд на лице Холли сменилось несколько выражений: она была потрясена, оскорблена и разгневана.

— *Да*, я написала «Радиолюдей»! Это было глупо, *глупо,* но я думала, что если Жако жив и находится где-то *там...* — она сердито махнула рукой в сторону бескрайнего города за окном, — то, может быть, он это прочтет или кто-то, возможно, узнает его по описанию и свяжется со мной. Шансов, конечно, было чертовски мало, и Жако, скорее всего, был давно мертв, но я *должна* была попытаться. Но меня *действительно* посещают «уверенности», и я их терплю, и я живу *несмотря ни на что*. Не надо говорить о том, что я извлекаю из них выгоду. *Не смейте*, черт возьми, так говорить, Криспин!

— Да. Простите меня, — я даже глаза закрыл. — У меня просто нечаянно вырвалось... Я...

Господи, сколько же я совершил преступлений, сколько неверных поступков! Когда же, будь я проклят, все это началось?

Я услышал, как дверцы лифта закрылись, и открыл глаза. Молодец, добился своего! Она ушла.

* * *

Едва переставляя ноги, я дотащился до своего номера и тут же отправил Холли эсэмэс с извинениями. Я решил, что завтра утром, когда мы оба выспимся, я позвоню ей, извинюсь еще раз как следует, и мы с ней встретимся за завтраком. На ручке двери моего номера 2929 висела чья-то черная сумка с любовно вышитыми на ней золотой нитью рунами. Кто-то прямо-таки всю душу вложил в эту вышивку. В сумке лежала книга, которая называлась «Ваш последний шанс»; автор — некая Солей Мур. Никогда о ней не слышал. Или о нем. Я сразу понял, что это полное дерьмо. Ни один настоящий уважающий себя поэт не проявил бы такой тупости и не стал бы воображать, что я стану читать невесть кем подсунутые мне сонеты только потому, что их положили в расшитую золотом сумку. Интересно, как эта особа узнала номер моей комнаты? Мы же в Китае. Взятка, разумеется. Причем полученная отнюдь не в шанхайском «Мандарине». А впрочем, какая разница? Я чувствовал себя невыносимо — чертовски, чудовищно! — *усталым*. Вот сейчас войду к себе в номер, подумал я, швырну эту книжонку вместе с распрекрасной сумкой в мусорную корзину, где уже валяется немало скопившихся за день отходов, с наслаждением облегчу свой измученный мочевой пузырь, заползу в постель, и сон засосет меня, как отверстие в ванне воду...

17 сентября 2019 года

Видел ли кто-нибудь из вас, дорогие читатели, более одинокий дорожный указатель, чем тот, что немного севернее Фестапа на двадцать третьем километре восточного шоссе Калдидалур — Тингведлир? В Англии двадцать три километра, даже по проселочным дорогам, означали бы двадцать минут езды, но я выехал из туристического центра в Тингведлире полтора часа назад. Гудронированное шоссе постепенно превратилось в грязную извилистую дорогу, поднимавшуюся по откосу и выходившую на каменистое плато, окруженное горами цвета пушечного сплава и кипящими облаками. По какой-то неведомой прихоти я остановился, выключил двигатель арендованного «Мицубиси», взобрался на каменистую вершину и уселся там на валун. Ни телеграфных столбов, ни линии электропередач, ни деревьев, ни кустов, ни овец, ни ворон, ни мух; только несколько кочек жесткой травы и одинокий прозаик. Долина из «Падения дома Ашеров»[1]. Или эксперимент по созданию поселения землян на одной из малых лун Сатурна. Идеальная противоположность Мадриду в конце лета. Интересно, как там поживает Кармен? Чем она сейчас занимается? Впрочем, я тут же напомнил себе, что меня это больше не касается. Между прочим, это ее идея — неделю поездить на автомобиле по Исландии до начала фестиваля в Рейкьявике. «Страна саг, Криспин! Это же просто потрясающе!» И я, движимый скорее чувством долга, провел все необходимые изыскания, заказал жилье и машину и даже взялся читать «Сагу о Ньяле»[2], но восемь недель назад лондонским вечером вдруг раздался телефонный звонок. Я сразу понял: что-то случилось. Холли, наверное, назвала бы это Уверенностью с большой буквы. Мое расставание с Зои давно уже было в прошлом, но объявление независимости из уст Кармен прозвучало как гром среди ясного неба. В отчаянии, страдая от боли, насмерть перепуганный, я начал доказывать, что именно преодоление препятствий и повседневная

---

[1] Рассказ Эдгара Алана По (1809—1849), опубликован в 1839 году.

[2] Н ь я л (Н и а л л) Д е в я т и З а л о ж н и к о в — герой кельтской мифологии, Исторического, или Королевского, цикла. Считается вполне историческим персонажем, одним из Высоких Королей Исландии, основателем ее пятой провинции со столицей Тара.

рутина делают взаимоотношения истинными, но вскоре совершенно сбился, и речь моя стала бессвязной, ибо мне казалось, что мой дом рухнул, а сверху на него еще и обрушилось небо.

Ну и довольно с меня. У меня и так было целых два года любви, подаренной хорошей, доброй женщиной.

А Чизмен между тем уже третий год торчал в аду, считая дни.

* * *

Через некоторое время мимо меня со стороны Калдидалур-роуд проскрежетала вереница полноприводных джипов. А я все сидел на валуне, хоть мне, пожалуй, было уже холодновато. Туристы с удивлением смотрели на меня сквозь заляпанные грязью окошки; из-под шин джипов так и летели камни и пыль. Наверху было ветрено, у меня в ушах свистел ветер, желудок мой страстно жаждал горячего чая и... А больше, пожалуй, ничего. Вокруг расстилался какой-то сверхъестественно мрачный пейзаж, и я, так сказать винтажный писатель, решил оросить местную микрофлору содержимым своего мочевого пузыря. Возле дорожного указателя лежала целая груда камней, собранных, похоже, за долгие века. Почувствуй себя совершенно свободным, загадай желание и прибавь к этой груде камней еще один, наставлял меня Орвар, но не вздумай взять камень из кучи — оттуда может выскользнуть чужой дух, который проклянет и тебя, и весь твой род. И здесь эта угроза казалась отнюдь не такой странной, как тогда, в Рейкьявике. На востоке, за ближними холмами, виднелась кромка ледника, похожая на отбеленные водой и ветрами кости кита. Те немногочисленные ледники, которые мне доводилось видеть прежде, казались просто грязными пальцами ледяного чудовища, недостойными даже собственного имени, но этот ледник по имени Лангьокул был *поистине гигантским*... Казалось, к земле склонилась в поцелуе голова некой иной, ледяной, планеты. Еще в Хемстеде я прочитал, что героям исландских саг обычно выпадает участь изгоев, и представлял себе этаких довольно веселых Робин Гудов в мехах; однако in situ[1] я убедился, что жизнь изгоя в Исландии — это, по сути дела, смертный приговор. Лучше уж попробовать как-то пробиться в жизни. Я положил свой камень в общую кучу и, подойдя поближе, заметил, что кто-то оставил там также несколько монет. Внизу, на уровне моря, я бы, пожалуй, не вел себя так глупо, но тут я невольно вытащил портмоне, извлек оттуда пару монет...

...и заметил, что из кармашка пропала сделанная на паспорт фотография: я, Джуно и Анаис. Нет, это же просто невозможно! Однако пустое пластиковое окошечко настаивало: фотография исчезла.

---

[1] На месте (*лат.*).

Но как? Я носил ее с собой много лет, с тех пор, как Зои подарила мне это портмоне. Это было еще в те времена, когда мы, как все цивилизованные люди, вместе праздновали Рождество. Фотография была сделана за несколько дней до Рождества в фотобудке на станции метро «Ноттинг-Хилл». Мы с девочками просто решили убить время, поджидая Зои, а потом собирались все вместе пойти в итальянский ресторан на Москоу-роуд. Джуно, помнится, еще сказала, что вроде бы некоторые племена, живущие в джунглях Амазонии или где-то еще в этом роде, верят, что фотография способна украсть частицу твоей души, на что Анаис ответила: «Ну, значит, эта фотография украдет все три наши души». И с тех пор я всегда носил фотографию с собой. Она никак не могла выскользнуть из кармашка. Я, конечно, вытаскивал портмоне — например, в туристическом центре в Тингвеллире, чтобы купить открытки и воду, — но наверняка сразу заметил бы, если бы фотография исчезла. Не то чтобы это была страшная беда, но я, тем не менее, очень огорчился. Ведь тот снимок ничем нельзя было заменить. И он действительно вобрал в себя наши души. Возможно, впрочем, фотография еще найдется в машине... просто упала на пол возле ручки тормоза или...

Пока я сползал вниз по склону, зазвонил телефон и сообщил: НОМЕР НЕИЗВЕСТЕН. Я включил связь.

— Да?

— Добрый день... мистер Херши?

— Кто это?

— Это Ники Барроу из министерства юстиции, пресс-атташе Доминика Фицсиммонса. Мистер Херши, у министра есть кое-какие новости относительно Ричарда Чизмена... Вам удобно сейчас говорить?

— Э-э... да-да, конечно. Прошу вас.

Меня попросили подождать — в голове у меня так и крутились чертовы «Огненные колесницы» Вангелиса![1] — и я ждал, покрываясь то горячим, то холодным потом. «Друзья Ричарда Чизмена» давно уже пришли к выводу, что наш союзник из Уайтхолла о нас попросту позабыл. Сердце мое готово было выпрыгнуть из груди: это должны были быть либо самые лучшие новости — например, возможность репатриации, — либо самые худшие: какой-нибудь «несчастный случай» в тюрьме. Черт побери, мой телефон, оказывается, был почти разряжен, осталось всего восемь процентов. *Скорей!* Теперь уже семь процентов. Наконец послышался звучный голос

---

[1] В а н г е л и с (Эвангелос Одиссеас Папафанассиу) (р. 1943) — греческий композитор, один из первых исполнителей электронной музыки.

Фицсиммонса: «Передайте ему, что я буду там в пять и проголосую», затем он обратился уже ко мне:

— Привет, Криспин, ну *как* ты?

— Не могу пожаловаться, Доминик. У тебя, по-моему, есть какие-то новости?

— Действительно есть: в пятницу Ричард возвращается в Соединенное Королевство. Мне примерно час назад звонил колумбийский посол — он после ланча связывался с Боготой. И поскольку согласно нашей системе правосудия Ричард имеет право на условно-досрочное освобождение, его должны выпустить к Рождеству при условии, что у него все будет чисто и он не будет замышлять никаких неблаговидных поступков.

Я испытывал самые разнообразные чувства, но решил сосредоточиться на позитиве.

— Слава богу! Огромное тебе спасибо! Насколько это определенно — насчет его возвращения?

— Ну, если исключить возможность того, что до понедельника отношения между правительствами двух стран могу испортиться, то вполне определенно. Я постараюсь обеспечить Ричарду особый статус — его мать и сестра живут в Бредфорде, так что власти, возможно, вполне устроит Хетфилд, открытая тюрьма в Южном Йоркшире. По сравнению с нынешней дырой — рай. А уже месяца через три ему разрешат на уик-энды уезжать домой.

— Слов нет, так приятно это слышать! Я очень тебе благодарен.

— Да, это вполне приличный результат. Тот факт, что я знал Ричарда по Кембриджу, с одной стороны, означал, что я внимательно слежу за его делом, а с другой — что у меня связаны руки. По той же самой причине я попрошу тебя никому не сообщать мое имя в социальных сетях, хорошо? Просто скажи, что тебе позвонил кто-то из министерских секретарей. Пять минут назад я разговаривал с сестрой Ричарда и попросил ее о том же. Слушай, мне нужно спешить — меня ждут на Даунинг, десять. Мои наилучшие пожелания вашей группе. А тебе — удачи в твоих профессиональных занятиях. Знаешь, Криспин, Ричарду очень повезло, что именно ты защищал на поле его угол, когда всем остальным было наплевать.

* * *

На последние два процента зарядки я послал поздравления Мэгги, сестре Ричарда, и попросил ее позвонить Бенедикту Финчу в «Piccadilly Review». Собственно, всю кампанию в СМИ вел как раз Бен. Результат был именно тот, которого мы и добивались всеми возможными способами — строили заговоры, льстили, умоляли, —

однако радость моя тут же начала гаснуть. Все-таки именно я совершил то гнусное, непростительное злодеяние, из-за меня Ричард Чизмен оказался в тюрьме, но никто об этом даже не подозревает. «Ты мерзкий клятвопреступник и трус», — сказал я, обращаясь к исландскому безмолвию. Холодный ветер вздымал черную пыль; он делал так и прежде и будет делать это всегда. Я собирался попросить у груды камней исполнения одного своего заветного желания, но то мгновение уже миновало. Что ж, придется удовлетвориться тем, что есть. Большего я, видно, и не заслуживаю.

Но чем же я все-таки был занят, когда позвонил Фицсиммонс?

Ах да, фотография! Вот ее действительно жаль. И не просто жаль. Потерять эту фотографию для меня было все равно что снова потерять своих детей.

И я потащился вниз по склону к своему «Мицубиси».

Я знал, что фотографии там не окажется и нигде в другом месте ее тоже не будет.

19 сентября 2019 года

Сорок или пятьдесят двуногих в один голос вопили: «Смотрите, кит!»; «Где, где?»; «Вон там!» — и все это на пяти, шести, семи языках, пока лодка стремительно приближалась к дуге причалов. Люди старались поднять повыше всевозможные гаджеты, чтобы непременно запечатлеть шишковатый овал, вздымавшийся над кобальтовой поверхностью моря. Последовал мощный, как у паровоза, выдох, над дыхалом кита взлетел фонтан мелких водяных брызг, и ветер понес эту водяную пыль прямо на взвизгивающих и хохочущих пассажиров. Американский мальчик, примерно ровесник Анаис, поморщился: «Мам, с меня *просто текут* эти китовые сопли!» Но его родители, похоже, пребывали в полнейшем восторге. Через пару десятилетий они спросят у своего ставшего взрослым сына: «А ты помнишь, как мы в Исландии плавали на лодке и видели кита?»

С моей выгодной позиции — я стоял на капитанском мостике — мне был виден весь кит целиком; он был не намного короче нашей шестидесятифутовой посудины. «Как хорошо, что наше терпение все-таки в последнюю минуту было вознаграждено, — сказал седой гид, старательно подбирая английские слова. — Это горбатый кит — видите горбы у него на спине? Вчера во время утреннего рейса я видел здесь множество таких же китов и очень рад, что этот задержался и все еще вертится возле берега...» Мысли мои тут же уплыли куда-то не туда, и я задумался: а как киты выбирают друг для друга имена? И похоже ли ощущение стремительного плавания на ощущение полета? И страдают ли киты от безответной любви? И вскрикивают ли они, когда гарпун со взрывчаткой пронзает их тело? Конечно же, да! Такие существа должны кричать. Ласты кита были бледнее, чем верхняя часть его тела, и когда он ими шлепал по воде, я вспоминал, как Джуно и Анаис плавали на спине в бассейне. «Только не отпускай нас, папочка!» И я, стоя по пояс в воде в самой мелкой части бассейна, заверял их, что никогда их не отпущу, если они сами меня об этом не попросят, и они смотрели на меня, вытаращив глаза, полные самого искреннего доверия.

Телефон, — мысленно внушал я им, находящимся в Монреале. — *Позвоните папе. ПРЯМО СЕЙЧАС.*

Я ждал. Я считал до десяти. Потом до двадцати. Потом до пятидесяти...

...звонит, черт возьми! Мои дочери меня услышали!

Нет. Увы, это оказался Гиена Хол. *Не отвечай*, — быстро подумал я.

Но все же пришлось ответить: скорее всего, это насчет денег.

— Привет! Я тебя слушаю.

— Добрый день, Криспин. Связь что-то очень плохая. Ты что, в поезде?

— Вообще-то, я на лодке. В заливе Хусавик.

— Залив Хусавик... Это где же... дай догадаться. На Аляске?

— Это северное побережье Исландии. Я тут на фестивале в Рейкьявике.

— Ну да, ну да. Между прочим, отлично у вас вышло с Ричардом Чизменом. Я утром в понедельник об этом узнал.

— Правда? А в правительственных кругах это стало известно только во вторник.

Кличка Гиена совершенно ему не соответствует, и смех у Хола совсем не похож на хохот гиены: он скорее напоминает ту последовательность горловых звуков и пауз, которая возникает, когда человек, скажем, скатывается по деревянным ступеням лестницы в подвал.

— А Джуно и Анаис тоже с тобой? Мне говорили, что Исландия — просто рай для детей.

— Нет. Предполагалось, что ко мне присоединится Кармен, но...

— А, *да-да*. Ну что ж, лови рыбку в море, c'est la vie, и не забывай собирать полезную информацию — что возвращает нас прямиком к сегодняшнему совещанию с участием издательств «Эребус» и «Бликер-Ярд». Весьма откровенная была дискуссия, и завершилась она аукционным списком.

Норман Мейлер, Дж. Д. Сэлинджер или даже д-р Афра Бут в это мгновение от радости подбросили бы свои телефоны высоко в воздух, а потом растерянно смотрели бы, как гаджет *булькнется* в воду.

— Так... И каковы мои авансы в этом аукционном списке?

— Вопрос для обсуждения номер один. Авансы *были*, когда ты подписывал текущий договор еще в 2004 году. Пятнадцать лет назад. «Эребус» и «Бликер-Ярд» считают, что твоя новая книга *настолько* запоздала со сроками, что ты нарушил контракт, и теперь то, что раньше было авансом, превратилось в долг, который тебе придется выплатить.

— Ну, это же просто чушь собачья! Какого черта, Хол?

— В юридическом отношении, боюсь, они совершенно правы; у них есть все формальные основания поступить именно так.

— Но они владеют эксклюзивными правами только на новые произведения Криспина Херши!

— А это вопрос для обсуждения номер два — и эту пилюлю мне, боюсь, уже ничем не подсластить. «Сушеные эмбрионы» классно продавались, это да, тираж достиг полумиллиона экземпляров, но потом, начиная с «Красной обезьяны», продажа твоих книг стала напоминать «Сессну» с одним крылом. Твое имя все еще на слуху, но уровень продаж в лучшем случае где-то в середине списка. Когда-то королевство Середина Списка считалось очень недурным местечком и давало возможность отлично заработать себе на хлеб с маслом: средний уровень продаж, средний уровень аванса, работа спустя рукава. Но, увы, этого королевства больше не существует. Теперь «Эребусу» и «Бликер-Ярду» *куда сильней* хочется вернуть свои деньги, чем получить новый роман Криспина Херши.

— Но я не могу вернуть им деньги, Хол... — Вот он, нацеленный в меня гарпун, способный полностью лишить меня платежеспособности, самоуважения и, черт возьми, пенсии! — Я... я... их уже истратил. Несколько лет назад. Или Зои их истратила. Или адвокаты Зои.

— Да, но им известно, что у тебя есть собственность в Хемпстеде.

— А вот это уже не их собачье дело! Мой дом они у меня отнять не могут! — Я заметил, что туристы внизу, на палубе, задрав голову, неодобрительно на меня посматривают — неужели я закричал? — Ведь не могут, да, Хол?

— Их юристы ведут себя чертовски самоуверенно.

— А что, если они получат мой новый роман, скажем... недель через десять?

— Они не блефуют, Криспин. Они *действительно* не заинтересованы.

— В таком случае что же, черт побери, нам делать? Может, мне изобразить попытку самоубийства?

432

Я, вообще-то, хотел всего лишь пошутить, так сказать, прибегнуть к черному юмору, но Хол почему-то воспринял эту возможность серьезно. Во всяком случае, как один из реальных выходов.

— Тогда они, во-первых, через суд потребуют от нас твое имущество, — рассуждал он. — А во-вторых, страховщики так рьяно начнут тебя выслеживать, что если ты не попросишь политического убежища в Пхеньяне, то наверняка получишь три года за мошенничество. Нет, единственное, что тебе остается, это уступить рукопись твоего нового романа об австралийском маяке на Франкфуртской ярмарке за достаточно приличную сумму и тем самым немного успокоить «Эребус» и «Бликер-Ярд». Но прямо сейчас тебе, увы, никто не заплатит ни фунта. Ты можешь прислать мне три первые главы?

— Прямо сейчас? Ну... Дело в том, что этот роман... несколько эволюционировал...

Хол, я словно видел это собственными глазами, даже рот открыл от изумления.

— Эволюционировал? — потрясенно переспросил он.

— Ну, во-первых, теперь действие романа происходит в Шанхае.

— В Шанхае 1840-х? В эпоху Опиумных войн?

— Скорее в современном Шанхае, практически в наши дни.

— Так... Я и не знал, что ты у нас синолог!

— Китайская культура — древнейшая в мире! Китай — это мастерская мира. И сейчас у нас поистине век Китая. Китай — это очень... *современно*. — Господи, неужели писатель Криспин Херши пытается всучить агенту свою книгу, как мальчишка, только что закончивший литературный факультет?

— А куда ты там приспособишь австралийский маяк?

Я глубоко вздохнул. Раз, потом другой.

— Никуда.

Хол, я был абсолютно в этом уверен, сделал такой жест, словно стреляет себе в висок, так что я поспешил его успокоить:

— Но у этого романа, Хол, имеется твердый сюжет. У одного бизнесмена, который по делам вынужден без конца перелетать из одной страны в другую, есть мать, страдающая всеми мыслимыми недугами и живущая в гостинице, затерянной в лабиринте шанхайских улиц, и там герой знакомится со служанкой, простой уборщицей, не совсем нормальной в психическом отношении женщиной, которая слышит голоса. — *Болтай, болтай дальше*, — заставлял я себя. — Ну... ты только представь себе: «Солярис» как бы встречается с Ноамом Хомским через «Девушку с татуировкой дракона». И еще можно прибавить чуточку из «Твин Пикс»...

Хол явно налил себе виски с содовой — я даже слышал, как зашипела бутылка с водой. После глотка виски голос его зазвучал ровно и обвиняюще:

— Криспин, ты что, пытаешься рассказать мне сюжет своего нового фантастического романа?

— Никогда не пишу фантастику! В данном случае ее там максимум на треть. Ну, самое большее — процентов на пятьдесят.

— Книга не может быть наполовину фантастической точно так же, как женщина не может быть наполовину беременной. Сколько страниц ты уже накатал?

— О, дела у меня идут очень неплохо! Страниц сто, я думаю.

— Криспин. Я серьезно тебя спрашиваю: сколько у тебя написано страниц?

Откуда он *всегда все* знает?

— Тридцать. Зато я уже набросал все остальное! — поклялся я.

И Гиена Хол простонал сквозь сжатые зубы:

— Вот только этого дерьма мне и не хватало!

* * *

Кит поднял хвост. По полосатому хвостовому плавнику ручьями стекала вода. «У каждого кита уникальное строение и окраска хвостового плавника, — рассказывал наш гид,— именно по хвостам исследователи китов и отличают китов друг от друга. А сейчас мы увидим, как кит ныряет...» Хвостовой плавник вошел в воду, как нож в масло, и кит, этот гость из иного царства, исчез в морских глубинах. Пассажиры смотрели ему вслед так печально, словно их навсегда покинул дорогой друг. У меня же было такое ощущение, словно я из-за этого дерьмового, пусть и делового, звонка пропустил единственную возможность поближе познакомиться с настоящим представителем семейства китовых. Американская семья пустила по кругу коробку с печеньем, и от того, как искренне они старались непременно угостить каждого, я почувствовал укол здоровенного шприца, полного дистиллированной зависти. Ну *почему* я не пригласил Джуно и Анаис поехать со мной в Исландию? Пусть бы и у *моих* детей на всю жизнь остались воспоминания о том, как они с папой совершили это чудесное путешествие и видели кита. Моторы ожили, заворчали, и наше суденышко повернуло к причалам Хусавика. Сам город находился примерно в миле отсюда, прячась под нависающим утесом. Обычный портовый город — рыбоперерабатывающий завод, несколько ресторанов и гостиниц, церковь, похожая на свадебный торт, один большой универмаг, дома с островерхими крышами, выкрашенные во все оттенки цветной карты морей, вышки W-Fi и все остальное, что необходимо здешним 2376 жителям, чтобы прожить год от начала и до конца. Я в последний раз посмотрел на север, в сторону Ледовитого океана, где между мускулистыми стенами залива в своих темных подводных небесах кружил сейчас наш кит.

20 сентября 2019 года

Земную жизнь пройдя до половины, я очутился в сумрачном лесу. Эта развилка тропы, эти хрупкие березки, этот покрытый мхом валун, похожий на голову тролля... Впрочем, чтобы в Исландии очутиться в каком бы то ни было лесу, нужно очень постараться: там даже жидкие рощицы встречаются крайне редко. Зои в нашу доразводную эпоху никогда не позволяла мне пользоваться навигатором; она утверждала, что ехать, поглядывая в атлас, куда безопаснее, и у нее на коленях всегда лежал раскрытый дорожный атлас. Но от имевшейся у меня туристической карты помощи было мало: передо мной раскинулся подковообразный овраг шириной в милю, заросший хилым леском, а вокруг него — отвесные стометровые скалы; на дне оврага протекала речушка, нанизывая на себя цепочку маленьких озер... Как я вообще здесь оказался? Река что-то мне говорила, и деревья тоже что-то шептали, но язык был непонятный, хотя вроде бы и не совсем иностранный.

Минуты пролетали незаметно, а я, точно пребывая в трансе, упорно следил за движением муравьев по ветке дерева и думал, что Ричард Чизмен сидит сейчас в самолетном кресле между полицейским и сотрудником консульства где-то над Атлантикой. Я вдруг вспомнил, как злобно он скрипел в Картахене по поводу того, что организаторы фестиваля не обеспечили его билетом бизнес-класса. Теперь-то, после трех лет в «Penitenciaria Central», даже поездка на полицейском джипе из аэропорта Хитроу в Йоркшир будет казаться ему такой же приятной, как на «Роллс-Ройсе» «Silver Shadow».

Внезапный порыв ветра взметнул желтые листья...

* * *

...и один из них, дорогой читатель, залетел мне прямо в рот, застряв между языком и нёбом. Я вынул его. Посмотрел. Ну да, маленький березовый листок. Очень странно, черт возьми. Острые пальцы ветра тут же украли эту улику. Чуть поодаль за маленькой группой ив виднелась остроконечная скала... прямо-таки идеально подходившая, чтобы накинуть на нее чалку с небесного баркаса под облачными парусами, или для того, чтобы могла причалить плавучая база «Эпсилон Эридани». Или укрепить на ней факел, который будет светить, как солнечные лучи, сквозь завесу тумана... Хол явно почувствовал, что идея с «китайской» книгой — это полная чушь, и был совершенно прав. Одна шестидневная поездка в Шанхай и Пекин — и я решил, что могу соперничать с Ником Гриком, который столько знает об этой стране? Проклятье, и о чем только я думал, когда это сказал?! Лучше бы я придумал книгу о поездке в Исландию. Ее героем, скажем, мог бы стать человек, который хочет от чего-то убежать; и действие будет развиваться на фоне бесконечных воспоминаний о прошлом, пока не станет ясно, от чего именно он бежит. Я бы привел его в Асбирги; упомянул бы, что этот овраг появился, когда конь бога Одина топнул копытом, а заодно и о существовании государства Тайного Народа. Заставил бы своего героя смотреть на скалы до тех пор, пока он не почувствует, что это скалы на него смотрят. Пусть бы он глубоко вдохнул смолистый запах елей, пусть встретился бы с неким призраком из прошлого, и пусть какая-то птица заманивала бы его все глубже в неведомые края, и он все блуждал, блуждал бы по постепенно суживающимся кругам лабиринта... Эй, где же ты? Я здесь, на поросшем поганками пеньке.

— Это крапивник, — сказала мама и повернулась, чтобы уйти.

* * *

На празднике по случаю моего десятилетия игра в «Передай сверток» превратилась в королевскую битву с применением полунельсонов и различных приемов китайской борьбы. В итоге отец рассердился и ушел, предоставив маме и Нине, нашей домоправительнице, разбираться со всем этим безобразием, но тут вдруг появился мистер Чаймс, волшебник. Вообще-то мистер Чаймс был драматическим актером, уволенным из театра за алкоголизм, и по-настоящему его звали Артур Хоэр. Просто папа когда-то сжалился над ним. Изо рта у мистера Чаймса воняло так, что, по-моему, даже пластик расплавился бы, если его поднести поближе. Зато из своей волшебной шляпы на счет три он извлек волшебного хомяка Гермеса. Бедняга Гермес, правда, оказался изрядно сплющен, и от него прямо-таки пахло смертью; он без передышки исторгал кровь, фекалии и даже собственные внутренности, так что мои школьные приятели визжали от отвращения и восторга. В итоге мистер Чаймс положил трупик несчастного грызуна в пепельницу и торжественно провозгласил: «For those whom thou think'st thou dost overthrow. Die not, poor

Death; nor yet canst thou kill me»[1]. Вот так-то мальчики. — И мистер Чаймс упаковал свои наглядные пособия, заявив: — А ведь Джон Донн лгал, ублюдок!» И тут Келлз Тафтон объявил, что проглотил одного из моих оловянных солдатиков, так что маме пришлось везти его в больницу. Нину оставили ответственной — практически идеальный вариант, лучше не придумаешь: во-первых, она почти не говорила по-английски, а во-вторых, после того, как аргентинская хунта сбросила ее братьев и сестер с вертолета над Южной Атлантикой, страдала от приступов депрессии. Мои школьные приятели о хунтах ничего не знали и знать не хотели; они принялись играть в идиотскую игру «мы-повторим-то-что-ты-сказал» и играли до тех пор, пока Нина не заперлась в той комнате на третьем этаже, где папа обычно писал свои сценарии. Теперь волны прибоя и впрямь окрасились кровью, ибо мои приятели окончательно сорвались с цепи, и в конце концов один мальчик, Мервин, забрался на высоченный книжный шкаф — в нем было целых двенадцать полок — и опрокинул его на себя. Нина набрала 999. Приехавший фельдшер сказал, что Мервину требуется незамедлительное медицинское обследование, так что Нина уехала на «Скорой помощи» вместе с ним, оставив меня объяснять родителям моих одноклассников, почему у нас в доме на Пембридж-плейс совершенно отсутствуют взрослые, как в «Повелителе мух» (они там появляются только на двух последних страницах). Мама и Нина вернулись домой уже после восьми вечера. Папа пришел гораздо позже. В доме долго звучали громкие сердитые голоса. Сердито хлопали двери. На следующее утро меня разбудило рычание папиного «Ягуара XJ-S» — гараж был прямо под моей комнатой, — и он уехал в «Shepperton Stidios», поскольку как раз готовился к выходу на экран «Ганимеда-5». Я сидел на кухне и ел пшеничные хлопья с молоком, листая комикс «2000 год до нашей эры», когда услышал, как мама тащит вниз по лестнице чемодан. Она сказала, что по-прежнему любит меня и Фиби, но наш отец нарушил слишком много обещаний, так что она «решила взять паузу». И прибавила: «Но эта пауза может стать перманентной». Мои пшеничные хлопья давно раскисли и превратились в месиво, а мама все говорила и говорила: о том, как в 60-е ее молодость была потрачена на мутную пелену бесконечной утренней тошноты, смену пеленок и отстирывание соплей от папиных носовых платков, а также на бесконечное выполнение всевозможных поручений, причем

---

[1] «Тем, кто, по-твоему, тобою побежден. Не умирай, бедняжка Смерть; меня же ты пока убить не можешь» (*англ.*). Стихотворение английского поэта Джона Донна (1572–1631), «Death Be Not Proud» («Смерть, не гордись»).

совершенно бесплатно, для «Hershey Pictures»; при этом она еще делала вид, что не замечает папиных «увлечений» актрисами, гримершами, секретаршами и так далее. Потом она перешла к тому, как папа, когда она была беременна Фиби, пообещал написать сценарий исключительно для мамы и снять ее в главной роли, замечательно хитроумной и сложной, дабы она могла продемонстрировать всем свой незаурядный артистический талант. Наконец папа и его соавтор завершили работу над сценарием этого фильма — он назывался «Доменико и королева Испании», — и мама должна была играть принцессу Марию Барбару, которая в итоге становится законной королевой. И все мы об этом, разумеется, знали. Но, оказывается, как раз вчера, когда в Пембридж-плейс царила полнейшая анархия, глава компании «Transcontinental Pictures» позвонил папе, передал трубку Ракели Уэлш, и мисс Уэлш сказала, что прочла сценарий, находит его гениальным и с удовольствием сыграла бы Марию Барбару. Объяснил ли ей папа, что эту роль должна была играть его жена, пожертвовавшая ради семьи своей карьерой актрисы? Разумеется, нет. Он тут же сказал: «Ракель, эта роль — ваша». Тут мама прервала рассказ, потому что в дверь позвонили: это был дядя Боб, мамин брат, который за ней приехал. Мама сказала мне, что потом я непременно пойму, что предательства имеют различные формы и величину, но предать чью-то мечту — предательство поистине непростительное. Я заметил, что за окном на ветку пышно цветущей сирени села какая-то птичка. Горлышко ее трепетало, и звуки, поднимаясь по нему, вылетали на простор. «Пусть поет», — думал я; пока она будет петь, а я буду на нее смотреть, я смогу не заплакать.

— Это крапивник, — сказала мама и повернулась, чтобы уйти.

* * *

Солнце скрылось за вершинами Асбирги, и зеленые тона сразу померкли, пожухли и превратились в серо-коричневые. Листья и ветки словно начинали терять свою трехмерность. Интересно, подумал я, когда я вспоминаю мать, ее ли я вспоминаю или всего лишь перебираю воспоминания о ней? Скорее последнее. Стеклянные сумерки сгущались с каждой минутой, а я толком не помнил, где оставил свой «Мицубиси». Я чувствовал себя как тот путешественник во времени из романа Уэллса, когда его разлучили с машиной времени. Возможно, мне следовало встревожиться, запаниковать? Но что такого плохого могло со мной случиться? Допустим, я *не смогу* отыскать путь назад и умру от холода и голода. Что ж, Эван Райс напишет для «Гардиан» некролог. Впрочем, еще вопрос, станет ли он его писать? Когда я в прошлом году осенью устроил новосельс, желая заодно познакомить всех с Кармен, Эван практически из кожи вон лез, всячески подчеркивая свой литературно-мужской статус альфа-самца — обед со Стивеном Спилбергом во время его последней поездки в Латинскую Америку; гонорар в пятьдесят тысяч долларов за одну-единственную лекцию в Колумбии; приглашение в жюри Пулитцеровской премии («Я еще посмотрю, смогу ли я это куда-нибудь втиснуть, я чертовски занят!»). Моя сестра Фиби, пожалуй, будет по мне скучать, хотя мы с ней во время очередной встречи каждый раз уже минут через двадцать начинаем воевать несмотря на то, что вроде бы перед этим заключили прочный и долгий мир. Кармен, я думаю, тоже расстроится. И, возможно, станет обвинять в случившемся себя. Холли, благослови ее Господь, организует доставку тела с этого края земли. Они с Аоифе также испортят шоу, которое непременно попытаются устроить из моих похорон. Ну, а Гиена Хол узнает о моей смерти раньше меня. Но вот вопрос: будет ли он хоть немного по мне грустить? Как клиент я для него теперь персонаж второстепенный. Зои? Зои просто ничего не заметит, пока не иссякнет ручеек поступающих на ее счет алиментов. Хотя девочки, наверное, выплачут себе все глаза. Во всяком случае Анаис.

Нет, это просто смешно! Какая-то жалкая рощица, даже лесом ее не назовешь! И потом, я помню, что рядом с автостоянкой были припаркованы несколько кемперов, так, может, просто крикнуть погромче: «Помогите!» Нет, кричать я не могу. Потому что я мужчина. Потому что я Криспин Херши. Потому что я, в конце концов, «анфан террибль английской словесности»! Просто не могу и все. Вон там какой-то поросший мхом валун, похожий на голову тролля, выбирающегося из-под земли...

* * *

...и вдруг — видимо, это был какой-то фокус северного освещения, — довольно узкий сегмент видимой мною лесистой местности, включавшей и тот мшистый валун, и подобие буквы Х, образованное двумя склонившимися друг к другу стволами, вдруг начал мерцать и колебаться, как простыня на ветру, но ведь ветра-то не было и в помине...

А потом — о господи! — из-за этой «простыни» высунулась *рука* и отодвинула ее в сторону! А из щели в расколовшемся пространстве словно по мановению волшебной палочки появился хозяин руки — светловолосый молодой человек в куртке и джинсах, прямо из воздуха материализовавшийся посреди этого жалкого леска. Я бы дал ему лет двадцать пять, и он был очень хорош собой, прямо модель. Я в полном изумлении смотрел на него: неужели передо мной...

призрак? Нет. Хрустнула ветка под его мягкими замшевыми Desert Boots. Никакой это не призрак, и никакой «материализации» не было, а ты просто идиот, Криспин Херши! Этот «призрак» — такой же турист, как и ты. Скорее всего, он из кемпера со стоянки. Возможно, ему просто понадобилось «под кустик». Черт бы побрал эти сумерки! Черт бы побрал очередной день, который я провел в обществе самого себя!

— Добрый вечер, — поздоровался я.

— Добрый вечер, мистер Херши.

Произношение у него было почти идеальное, полученное, видимо, в очень дорогой английской школе; ничего общего со свистящим и пришепетывающим исландским английским.

Мне было приятно, что он меня узнал. Признаюсь, я был даже польщен.

— Весьма признателен, что вы меня узнали, да еще в таком странном месте.

Он сделал несколько шагов и с довольным видом остановился на расстоянии вытянутой руки от меня.

— Я один из ваших поклонников. Меня зовут Хьюго Лэм.

Он тепло и обаятельно улыбнулся мне. Он улыбался так, словно я много-много лет был его верным другом. Странно, но мне все время хотелось, чтобы он меня похвалил.

— Рад с вами познакомиться, Хьюго. Видите ли, это, наверное, звучит немного глупо, но я решил пройтись, а потом забыл, в какой стороне автостоянка...

Он кивнул, и лицо у него стало задумчивым.

— Асбирги устраивает такие фокусы почти со всеми, мистер Херши.

— Так, может быть, вы мне укажете, куда нужно идти?

— Да, конечно. Всенепременно укажу. Но сперва разрешите задать вам несколько вопросов.

Я чуть отступил назад.

— Вы хотите сказать... насчет моих книг?

— Нет, насчет Холли Сайкс. Нам известно, что вы с ней стали близки.

С некоторым страхом я понял: а ведь этот Хьюго — одно из загадочных «предвидений» Холли! Затем я сердито отверг эту мысль, сказав себе: ерунда, это просто жалкий репортеришка из какого-то жалкого таблоида! Ведь Холли говорила, что и в своем новом доме в Рае она уже имела неприятности с целой бандой телепапарацци.

— Я бы *с удовольствием* выложил вам все сведения о Холли и обо мне, — оскалился я, глядя на этого красавчика, — но дело в том, солнышко, что все это вас, черт побери, совершенно не касается.

440

— Ах, как вы ошибаетесь! — с абсолютно невозмутимым видом возразил Хьюго Лэм. — Все, что касается Холли Сайкс, касается и нас тоже. Причем очень сильно.

Я стал осторожно отступать от него, пятясь спиной, и сказал:

— Ну, как бы то ни было, а мне пора. Прощайте.

— Вам понадобится моя помощь, чтобы выбраться отсюда, — сказал он.

— Можете сами скушать свою помощь, она как раз уместится в вашем небольшом желудке. Холли — частное лицо точно так же, как и я. А дорогу я и сам найду...

Хьюго Лэм сделал какое-то странное движение, и я почувствовал, что мое тело словно приподнимает футов на десять над землей рука какого-то невидимого великана; причем эта великанья рука так крепко стиснула мне ребра, что они похрустывали, а от позвоночника по нервным окончаниям растекалась невыносимая боль; но просить о пощаде или хотя бы просто стонать я почему-то считал невозможным, хотя терпеть эту пытку даже несколько секунд было просто невыносимо. Но секунды бежали одна за другой — это я считал их секундами, а на самом деле они вполне могли быть и днями! — и наконец меня швырнули, нет, не уронили, а именно *швырнули* на землю. Вокруг был все тот же лесок.

Лицо мое было впечатано в плотный слой перегнивших листьев. Я что-то приговаривал, извиваясь и постанывая, но самая острая боль уже затихала. Скосив глаза, я заметил, что выражение лица у Хьюго Лэма как у мальчишки, отрывающего ножки пауку-сенокосцу: слабый интерес и насмешливая зловредность. Подобную невыносимую боль во всем теле можно было бы объяснить, например, применением какого-нибудь тазера, но как объяснить мое пребывание на высоте десяти футов над землей? Все мое любопытство погасил некий атавистический ужас; я понимал, что должен во что бы то ни стало отделаться от этого типа. От страха я даже штаны намочил, но в данный момент мне и это было безразлично. Ноги совершенно не желали меня слушаться, а в ушах звучал чей-то далекий-далекий голос, точнее, рев: «Ты никогда больше не будешь гулять один!», но я старался не слушать, не мог, не смел и самым жалким образом пополз куда-то задом наперед, но потом все же заставил себя встать и прислонился к большому пню. Хьюго Лэм сделал еще какой-то жест, и ноги подо мной тут же снова подогнулись. Но боли на этот раз не было. Хотя, пожалуй, стало еще хуже: ниже пояса у меня вообще пропала всякая чувствительность. Я коснулся своего бедра — бедро было на месте, но оно казалось совершенно чужим и совершенно бесчувственным. Хьюго Лэм подошел ближе — я просто похолодел от страха, — уселся на пень и сказал:

— Ноги порой бывают очень кстати. Вы хотите получить свои ноги обратно?

Я спросил дрожащим голосом:

— *Кто вы такой?*

— Некто весьма опасный, как видите. Вот посмотрите: узнаете этих двух милашек? — И он вынул из кармана ту самую маленькую паспортную фотографию, которую я потерял несколько дней назад: я, Анаис и Джуно. — Отвечайте на мои вопросы честно, и у девочек будет не меньше шансов прожить долгую счастливую жизнь, чем у любого другого ученика лицея «Утремонт».

Этот красивый молодой человек — просто видение, явившееся мне во сне или вызванное наркотическим трипом. А фотографию он, скорее всего, просто украл. Но как? Когда? Я молча кивнул, и он сказал:

— Хорошо. Тогда давайте начнем. Кто для Холли Сайкс дороже всего?

— Ее дочь, — хриплым голосом сказал я. — Аоифе. Это ни для кого не секрет.

— Хорошо. Вы с Холли любовники?

— Нет-нет, что вы. Мы просто друзья. Правда.

— Вы дружите с женщиной? По-моему, вам это не свойственно, мистер Херши.

— Думаю, вы правы. Но с Холли все обстоит именно так.

— Упоминала ли Холли когда-либо некую Эстер Литтл?

Я сглотнул и покачал головой:

— Нет.

— Подумайте хорошенько: Эстер Литтл.

Я сделал вид, что «думаю хорошенько».

— Нет, этого имени я не знаю. Клянусь. — Я и сам чувствовал, как скованно звучит мой голос.

— Что рассказывала вам Холли о своих когнитивных талантах?

— Только то, что описано в ее книге «Радиолюди».

— Да, на редкость «увлекательное» чтение. Вы когда-нибудь были свидетелем того, как ее устами говорит некий голос? — Хьюго Лэм, разумеется, сразу заметил мои колебания и сказал: — Не заставляйте меня отсчитывать от пяти до нуля, как во время сцены допроса из третьесортного фильма, прежде чем я вас поджарю. Всем вашим поклонникам хорошо известно, как вы ненавидите клише.

Казалось, овраг постепенно углубляется, а деревья склоняются, образуя над ним своего рода крышу.

— Два года назад на острове Роттнест, это недалеко от Перта, Холли упала в обморок, а потом из ее уст стал доноситься какой-то странный голос. Не ее голос. Я решил, что это припадок эпилепсии, но она... сперва рассказывала, как страдали на этом острове заключенные, а потом вдруг... заговорила на языке австралийских аборигенов и... и это, собственно, все. А потом она сильно пошатнулась, разбила себе голову и чуть не упала. А потом пришла в себя, и все кончилось.

Хьюго Лэм постучал ногтями по фотографии. Какой-то частью своего разума, все еще способной хоть как-то анализировать происходящее, я отметил странное несовпадение в его внешности: очень молодое лицо и какие-то *почти старые* глаза; во всяком случае, его пристальный взгляд свидетельствовал о том, что он гораздо старше, чем хочет казаться.

— А как насчет Часовни Мрака?

— Часовни чего?

— Что вы знаете об Анахоретах? О Слепом Катаре? О Черном Вине?

— Я никогда даже не слышал ни о чем таком. Клянусь.

Он все постукивал ногтями по фотографии.

— Что для вас значит слово «хорология»?

У меня было ощущение, словно я участвую в какой-то демонической игре в загадки.

— Хорология? Это искусство измерения времени. Или умение чинить разные старинные часы.

Он наклонился надо мной и так внимательно на меня посмотрел, что я почувствовал себя микробом на предметном стекле микроскопа.

— Расскажите, что вам известно о Маринусе, — велел он.

И я, чувствуя себя последним ябедой и надеясь, что это спасет моих дочерей, сказал своему таинственному мучителю, что Маринус был специалистом в области детской психиатрии и работал в «Грейт Ормонд-стрит хоспитал».

— Холли также упоминает о нем в своей книге, — прибавил я.

— За время вашего знакомства она встречалась с Маринусом?

Я покачал головой.

— Он ведь сейчас наверняка совсем древний старец. А может, уже и умер.

Что это? Неужели краем своего сознания я слышу смех какой-то женщины?

— Скажите, — Хьюго Лэм пристально посмотрел на меня, — вам известно, что такое «Звезда Риги»?

— Это столица Эстонии. Нет, Латвии. Или Литвы? Я точно не помню, извините. В общем, одного из балтийских государств.

Хьюго Лэм еще раз оценивающе на меня посмотрел и сказал:

— Мы закончили.

— Но я... я же сказал вам правду! Совершеннейшую правду. Не трогайте моих детей!

Он одной рукой отодвинул тот самый гигантский заросший мхом валун и двинулся прочь, бросив мне на ходу:

— Если папочка Джуно и Анаис — честный человек, то им нечего бояться.

— Вы... вы... вы меня отпускаете? — Я потрогал свои ноги. Они по-прежнему ничего не чувствовали. — Эй! Мои ноги! Пожалуйста, верните мои ноги!

— То-то мне казалось, будто я забыл какую-то мелочь. — Хьюго Лэм снова подошел ко мне. — Между прочим, мистер Херши, реакция критиков на ваш роман «Эхо должно умереть» была вопиюще грубой. Впрочем, вы *отлично*, прямо-таки по-королевски, отплатили Ричарду Чизмену! Не так ли? — Улыбка Лэма была сдержанной и заговорщицкой. — Он никогда ни о чем не догадается, если, конечно, кто-нибудь ему не подскажет. Кстати, извините за ваши штаны. К парковке нужно идти налево до последней развилки. Это вы запомните. А все остальное я *подредактирую*. Готовы?

Он впился в меня взглядом, затем как бы пропустил между пальцами некие невидимые нити, накрутил их на указательный и большой пальцы рук и сильно потянул...

* * *

...заросший мхом валун, огромный, точно голова тролля, прилегшего на землю отдохнуть и вспоминающего былые злодеяния, — вот первое, что я увидел. Я сидел возле него на земле и совершенно ничего не помнил из того, что со мной произошло, хотя что-то явно должно было произойти, потому что у меня болело все тело. Как, черт побери, я вообще оказался в этом овраге? У меня что, случился микроинсульт? Или меня заколдовали эльфы Асбирги? Я, должно быть... что? Присел передохнуть и не заметил, как отключился? Где-то поверху пролетел ветерок, деревца задрожали, и желтый листок, покружив в воздушном потоке, приземлился мне на ладонь. Подумайте только! Уже во второй раз за сегодняшний день мне вспомнился «волшебник» мистер Чаймс. Неподалеку действительно слышался женский смех, значит, кемпинг был совсем рядом. Я встал — и тут же заметил на ляжке большое холодное и влажное пятно. О господи... Только это не хватало! «Анфан террибль британской словесности» перенес приступ сомнамбулического сна и недержания мочи! Какое счастье, что поблизости нет хроникеров из «Piccadilly Review»! Мне всего пятьдесят три — как-то, пожалуй, рановато для недержания. Штаны были такими противными, холодными и липкими; похоже, это случилось всего пару минут назад. Слава богу, что я так близко от парковки! В машине найдутся и чистые трусы, и сухие штаны. Значит, до развилки и поворот налево. Ну что ж, поторопимся, дорогой читатель. Не то не успеешь оглянуться, и наступит ночь.

23 сентября 2019 года

Похоже, Хальдор Лакснесс золотым дождем обрушил всю свою Нобелевскую премию на Глюфрастейн — так назывался его дом, сложенный из белых каменных глыб еще в 1950-е годы и стоявший как бы на полпути к туманной горной долине неподалеку от Рейкьявика. Снаружи он напоминал какой-нибудь сквош-клаб 1970-х годов из моих родных английских графств. Мимо сквозь осень, почти лишенную деревьев, текла, спотыкаясь, какая-то река. На подъездной дорожке был припаркован кремовый «Ягуар»; точно такой же был когда-то и у моего отца. Я купил билет у дружелюбной кассирши, поглощенной вязанием, которое явно приносило ей неплохой доход, и прошел прямиком к дому, где согласно инструкции надел наушники радиогида, и сидевший в наушниках электронный дух тут же принялся рассказывать мне о картинах и светильниках, о часах в стиле модерн и о приземистой шведской мебели, о немецком фортепиано и об изысканных паркетных полах, о шикарных панелях вишневого дерева и кожаной отделке. Глюфрастейн — это просто некий пузырь, образовавшийся в потоке времени, что, на мой взгляд, совершенно правильно и справедливо для музея писателя. Поднимаясь по лестнице, я обдумывал возможность создания музея Криспина Херши. Очевидно, он должен будет находиться в нашем старинном фамильном доме в Пембридж-плейс, где я жил и будучи ребенком, и будучи отцом. Препятствием являлось то, что мой милый старый дом был совершенно изуродован строителями и уже через неделю после того, как я вручил им ключи, разделен на шесть отдельных квартир, проданных впоследствии русским, китайским и саудовским инвесторам. Обратный выкуп квартир, их объединение и реставрация дома превратились бы в многоязычную и весьма дорогостоящую проблему, так что моя нынешняя квартира на Ист-Хит-лейн в Хэмпстеде представлялась мне более вероятным вариантом; особенно если Гиена Хол сумеет убедить юристов «Бликер-Ярда» и «Эребуса» не отнимать ее за долги. Я представил себе почтительных посетителей, нежно оглаживающих потертые перила лестницы и восторженно шепчущих друг другу: «Боже мой, это ведь тот самый лэптоп, на котором он написал свой триумфальный роман об Исландии!» Сувенирную лавочку можно будет втиснуть в узкое пространство под лестницей: кармашек для ключей Криспина Херши, сушеные мышки — родичи героев моих «Сушеных эмбрионов», разные фигурки, поблескивающие в темноте. Люди всегда покупают в музеях всякую ерунду, не зная, что им еще делать, раз уж они там оказались.

Я поднялся наверх, и мой электронный гид упомянул мимоходом, что мистер и миссис Лакснесс занимали разные спальни. Ну что ж, ясно. В моей душе тут же отозвалась все та же проклятая болезненная струна. Пишущая машинка Лакснесса стояла на письменном столе — точнее, машинка его жены, поскольку именно она перепечатывала его рукописи. Свой первый роман я тоже печатал на машинке, а вот роман «Ванда, портрет маслом» был создан уже на купленном в комиссионке компьютере фирмы Бриттана, который папа подарил мне на день рождения. И с тех пор лэптопы сменяли друг друга один за другим и с каждым разом становились все легче и все надежней. Для большинства писателей электронной эры писательство — это, по сути дела, *переписывание*. Мы ищем нужное буквально ощупью; создаем отдельные блоки, потом склеиваем их и переклеиваем, промывая на экране компьютера груды всевозможного мусора в поисках крохотных крупиц золота, стирая и отправляя в корзину тонны всякой чуши. Наши предшественники-писатели были вынуждены полировать каждую строчку в уме, прежде чем механически перенести ее на бумагу. Перепечатка стоила им месяцы работы, метры ленты для машинки, пинты «мазилок» для исправлений. Бедолаги!

С другой стороны, если электронная технология считается поистине превосходной повивальной бабкой, облегчающей появление романов на свет, то где они, шедевры нашего века? Я вошел в маленькую библиотеку, где Лакснесс, похоже, хранил излишки собственной продукции, и наклонился, чтобы прочесть названия книг. Я был поражен: очень много книг, причем в твердой обложке, на исландском, датском, немецком, английском... и, будь я проклят, мои «Сушеные эмбрионы»!

Погодите-ка, это же издание 2001 года...

...а Лакснесс умер в 98-м, правильно?

Ну что ж, будем считать, что это добрый жест со стороны Тайного Народа.

* * *

Когда я спускался, навстречу мне вереницей пробирался целый отряд тинейджеров. Интересно, а на какие школьные экскурсии ходят в Монреале Джуно и Анаис? К сожалению, я ничего об этом не знал. Что я за отец — на таком расстоянии! И видимся мы лишь время от времени. А эти исландские дети XXI века с наушниками

в ушах словно выделяли сквозь поры нордическую уверенность в себе и ощущение полного благополучия; даже парочка афроисландцев и девочка в мусульманском платке, что были в той же группе. У всех этих детей первая цифра в дате рождения была «2»; всем им достаточно было слегка коснуться дисплея, чтобы тут же получить всю необходимую информацию. От них пахло современными кондиционерами для волос и тканей. На их совести не было ни царапинки, ни щербинки, как на новеньких автомобилях, выставленных в торговом салоне; и все они стремились оказаться на центральной сцене нашего мира и оттуда бросить вызов нам, старым пердунам, и нашим убогим партиям пенсионеров. Впрочем, я не сомневался, что они будут относиться к нам не только покровительственно, но и вполне доброжелательно, как поступали и мы по отношению к нашим «старикам», когда сами были юными и прекрасными. Последним по лестнице поднимался учитель, который благодарно мне улыбнулся, проходя мимо, и у него за спиной открылось высокое изящное зеркало, в котором целиком отражалась вся лестница. На меня, точно из глубокого прямоугольного колодца глянул некто страшно изможденный и осунувшийся, но весьма похожий на... Энтони Херши. Ничего себе! Значит, мое превращение в папу завершено? Неужели какой-то злой дух, порождение Асбирги, высосал из меня остатки молодости? Как же сильно поредели мои волосы! Кожа выглядела усталой, глаза были красные, точно налитые кровью; складки на шее отвисли, как у индюка... Я призвал себе в утешение цитату из Рабиндраната Тагора: «Юность — это конь, а зрелость — колесничий». Стареющие губы — в точности губы моего отца! — скривились в усмешке, и я сказал себе: «Вот только колесничего я что-то не вижу! Передо мной жалкий преподаватель социологии из третьесортного университета, которому только что сообщили: его кафедра расформирована, поскольку никто, кроме самих преподавателей социологии будущего, социологию больше не изучает. Ты просто шутка, мальчик. Слышишь меня? Шутка».
Лучшая пора моей жизни уходит, уходит, почти прошла...

* * *

Пока я тащился обратно к «Мицубиси», ожидавшему меня на маленькой парковке, я вытащил телефон, чтобы посмотреть, который час, и обнаружил послание от Кармен Салват. Хотя и совсем не такое, какое я, пожалуй, хотел бы получить.

Здравствуй, Криспин. Не могли бы мы поговорить? Пожалуйста! Твой друг К.

447

Я вздохнул. Моя душа все еще страдала после насилия, которое надо мной только что учинили, но я уже потихоньку стал приходить в себя. Мне не хотелось снова выпускать эмоции на свободу, а потом снова брать себя в руки. Мы стараемся переварить свои эмоции в себе, а печаль по поводу утраченных отношений была вовсе не той эмоцией, которую мне в данный момент хотелось бы снова в себе переваривать. Да еще и это выражение «твой друг»! Оно, по сути дела, означало: «мы никогда больше уже не будем вместе». А «здравствуй» вместо обычного «привет» — это просто текстуальный эквивалент холодного воздушного поцелуя, а не сердечных объятий.

Может быть, нам лучше какое-то время вообще ни о чем не говорить, если ты не против? Мне все еще больно, а я устал от боли. Извини и не обижайся. Будь здорова. К.

Я отправил свое послание и тут же пожалел об этом: мои слова звучали, пожалуй, слишком обиженно, даже с какой-то жалостью к самому себе. И шум реки вдруг показался мне раздражающе-громким: черт побери, как это Лакснесс ухитрялся тут работать? Собиравшиеся в небе облака были подбиты свинцового цвета опушкой, а не светло-серой, как обычно. Клонившийся к закату день с его пересекающимися значениями образовывал некий кроссворд, который мне было не разгадать, и это меня отнюдь не вдохновляло, как могло бы быть раньше. Я, конечно, не такой хороший писатель, как Хальдор Лакснесс. Я даже не такой хороший писатель, каким был Криспин Херши в молодые годы. Я просто такой же далекий от совершенства, а проще сказать дерьмовый, папаша, как и мой собственный отец, только его фильмы проживут гораздо дольше, чем мои чересчур многозначительные романы. Моя одежда была в полном беспорядке, хотя в половине восьмого была назначена лекция. Корочка на моих сердечных ранах еще похрустывала, и мне совсем не хотелось позволять Кармен, моей бывшей испанской возлюбленной, снова растравлять раны.

Нет. Мы не могли бы поговорить! Я выключил телефон.

* * *

— Итак, моя лекция называется «Как никогда не думать об Исландии».

В Доме литературы собралось довольно приличное число людей, но, по крайней мере, половина из этих двух сотен явилась из-за концерта «Bonny Prince Billy», а немногочисленные обладатели благородных седин пришли, потому что любят папины фильмы. В зале было всего три знакомых мне лица: Холли, Аоифе и Орвара, бойфренда Аоифе. Они сидели в первом ряду, дружески мне улыбались и вообще всячески меня поддерживали.

— Это катастрофическое с точки зрения английского языка название, содержащее сразу *два отрицания*, — продолжал я, — образовано из апокрифического замечания У. Х. Одена, высказанного здесь, в Рейкьявике, и, насколько я знаю, с этой же самой кафедры, только он тогда выступал перед вашими родителями или вашими бабушками и дедушками. Оден сказал, что, хоть он и прожил жизнь, отнюдь не думая об Исландии каждый час или хотя бы каждый день, но тем не менее «никогда не мог *не думать* о ней». Как это изящно, как загадочно сказано! Ну, почему было просто не сказать: «Я всегда думал об Исландии»? А потому, разумеется, что двойные отрицания, недопустимые в английском языке, — это контрабандисты истины и самые умные цензоры на свете. И сегодня вечером я бы хотел поддержать это двойное отрицание Одена, — я торжественно поднял левую руку ладонью вверх, — а также его дважды осмысленное утверждение, что для того, чтобы писать, — я поднял ладонью вверх правую руку, — вам нужны карандаш или ручка и какое-то место, стол или кабинет, пишущая машинка или лэптоп, «Starbucks» поблизости и так далее. Впрочем, все это не имеет значения, потому что ручка и рабочее место — это просто символы, символы средств производства и традиций. Поэт пользуется ручкой, чтобы писать, но, разумеется, поэт *не создает* эту ручку. Он покупает, берет взаймы, наследует, крадет или еще каким-то образом *добывает* себе эту ручку. Сходным образом поэт существует внутри некой поэтической традиции, он пишет в рамках этой традиции, но никому из поэтов не дано в одиночку создать новую традицию. Даже если поэт берется за создание новой поэтики, он способен действовать, только отталкиваясь от уже существующего. Джонни Роттена не было бы без «Bee Gees». — Удивительно, но я так и не сумел высечь ни одной искры из моей исландской аудитории: может быть, «Sex Pistols» никогда не забирались так далеко на север? Холли улыбалась мне, и я, посмотрев на нее, вдруг встревожился, такой худой и измученной она мне показалась. — Возвращаясь к Одену, — продолжил я, — и к его «никогда не». Вот что лично для себя я извлек из этого выражения: если вы пишете художественную прозу или стихотворения на одном из европейских языков, то ручка, которую вы держите в руках, некогда была тем гусиным пером, которое держал в руке исландец. И совершенно не важно, нравится ли вам это, понимаете ли вы, что именно так. Если вы стремитесь выразить в своем прозаическом произведении красоту, правду и боль этого мира, если хотите углубить характер через диалог и действие, если пытаетесь в художественной форме объединить личные переживания, прошлое страны и политические события, то вы преследуете те же цели, что и авторы древних исландских саг, жившие в этих местах семь, восемь или даже девять столетий назад. Я утверждаю, что автор «Саги о Ньяле» использует те же самые нарративные приемы, которые впоследствии были использованы Данте и Чосером, Шекспиром и Мольером, Виктором Гюго и Диккенсом, Хальдором Лакснессом и Вирджинией Вульф, Элис Манро и Эваном Райсом. Какие именно? Перечисляю: психологическая сложность и постоянное развитие характеров; линия убийцы, завершающая центральную сцену; злодеи, способные на добродетельные поступки, и положительные герои, запятнанные злодейством; предзнаменования и ретроспективы; искусное введение читателя в заблуждение и так далее. Я отнюдь не пытаюсь сказать, что писатели Античности не знали всех этих приемов, но, — здесь я поставил на кон и свои козыри, и козыри Одена, — в исландских сагах впервые в западной культуре отчетливо проявляется творчество безвестных протороманистов. За полтысячелетия до появления печатного слова эти саги были, по сути дела, первыми в мире романами.

Люди в зале либо слушали меня очень внимательно, либо просто спали с открытыми глазами, и я решил сменить тему:

— Итак, достаточно о пере как орудии производства. Теперь о месте. С выгодной позиции континентальных европейцев Исландия, конечно, представляется некой лишенной лесов округлой скалой, где большую часть года очень холодно и где треть миллиона душ с трудом пытается выжить. Однако только на протяжении моей жизни Исландия целых четыре раза занимала первые страницы печатных изданий: в связи с «тресковыми войнами» в 1970-е годы; в связи с переговорами Рейгана и Горбачева о контроле над вооружениями; в связи с крушением лайнера в 2008 году; и в связи с извержением вулкана в 2010-м, когда огромное облако вулканического пепла парализовало все воздушное сообщение в Европе. Впрочем, любые блоки, как геометрические, так и политические, определяются своими внешними границами. Как ориентализм вводит в соблазн воображение определенного типа западных европейцев, так и для определенного типа жителей южных широт Исландия является источником притяжения, и это притяжение значительно превосходит и ее земную массу, и ее культурный вклад в мировую сокровищницу. Греческий картограф Пифей, живший примерно в 300-м году до нашей эры, то есть во времена Александра Македонского, в насквозь пропеченной солнцем стране на краю Древнего мира, весьма далеком от Исландии, постоянно ощущал силу притяжения вашей страны и поместил ее на свою карту, назвав «Ультима Туле»[1]. Ирландские отшельники-христиане, которые выходили далеко в море на рыбачьих лодках из ивовых прутьев, обтянутых кожей, тоже чувствовали притяжение вашего острова. Его ощущали и те, кто в десятом веке бежали от гражданской войны в Норвегии. Это их внуки написали знаменитые саги. Сэр Джозеф Бэнкс[2], а также немало викторианских ученых, количества которых вполне хватило бы, чтобы потопить баркас, а также Жюль Верн и даже брат Германа Геринга, которого «высмотрели» здесь еще в 1937 году Оден и Макнис[3], — все они чувствовали притяжение Севера, вашего Севера, и все они, как мне представляется, подобно Одену «никогда не могли не думать об Исландии».

Сделанные в форме НЛО светильники Дома литературы мигнули и вспыхнули.

— Писатели создают свои произведения не в пустоте. Мы работаем в том или ином вполне определенном физическом пространстве — в кабинете или ином помещении; а в идеале — в таком доме, как Глюфрастейн, созданный Лакснессом. Однако мы также творим и внутри некоего воображаемого пространства, среди коробок, клетей, полок и шкафов, полных... и мусора, и сокровищ, хотя и то и другое, безусловно, культурного происхождения. Это и детские песенки, и колыбельные, и мифы, и легенды, и всевозможные истории, и анекдоты — все то, что Толкиен называл «компостной кучей»; к ним же относятся и разнообразные мелочи личного характера — телепередачи, которые ты видел в детстве; доморощенные космологические истории, которые рассказывали тебе родители, а несколько позже — собственные дети. К этому же пространству, разумеется, относятся и карты — как выдуманные, так сказать ментальные, так и настоящие, имеющие основу и края. Так вот для Одена, как и для многих из нас, самое интересное и увлекательное — это то, что находится за пределами настоящей карты...

* * *

Холли снимала здесь квартиру с июня, но уже через пару недель собиралась возвращаться к себе в Рай, так что в квартире был минимум мебели, и она производила впечатление очень просторной, очень чистой и очень аккуратной — сплошь ореховые полы и кремо-

---

[1] Т у л е — самый северный остров, который удалось посетить Пифею, и впоследствии это название толковали по-разному, в том числе и как Исландию; во всяком случае Ultima Thule — то есть еще более северная земля — вполне могла быть Исландией.

[2] Д ж о з е ф   Б э н к с (1734—1820) — английский натуралист.

[3] Л у и с   М а к н и с (1907—1963) — родившийся в Ирландии британский поэт и исследователь классической литературы.

вые стены; а из окон открывался чудесный вид на горбатые крыши Рейкьявика, спускавшиеся к чернильно-синему заливу. Уличные фонари точками светились в северных сумерках и становились все ярче по мере того, как меркли свет и краски дня; в гавани сверкали огнями три круизных лайнера, похожие на три плавучих Лас-Вегаса. На том берегу залива полнеба закрывала длинная гора, похожая на кита, но толком разглядеть ее не удавалось из-за низкой облачности. Орвар сказал, что эта гора называется Эсья, но признался, что сам никогда на нее не поднимался, потому что она «вроде как прямо тут, за порогом». Я же все время пытался подавить сразу же возникшее и постоянно усиливавшееся желание остаться здесь жить; думаю, это желание возникло у меня из-за полнейшего отсутствия на тот момент реалистического отношения к жизни: вряд ли я оказался бы способен прожить хотя бы одну зиму в условиях, когда световой день длится не более трех часов. Холли, Аоифе, Орвар и я поужинали вегетарианской мусакой, которую заполировали парой бутылок вина. Они расспрашивали меня о моем недельном путешествии по Исландии. Аоифе рассказывала, как летом работала на раскопках поселения X века недалеко от Эгильсстадира, и все время старалась втянуть в разговор очень милого, но тихого и предельно молчаливого Орвара и заставить его поведать о том, как он на основе генетической базы данных создал карту всего населения Исландии. «Более восьмидесяти женщин оказались носительницами ДНК коренных жителей Америки, — сообщил мне Орвар. — Это доказывает, причем вполне основательно, что саги Винланда основаны на исторической правде, что это не попытка выдать желаемое за действительное. По женской линии также очень много носителей ирландских ДНК».

Аоифе описала особое устройство, с помощью которого каждый ныне живущий исландец может узнать, не является ли он родственником — и если является, то насколько близким, — любому другому ныне живущему исландцу. «Им давно уже было необходимо, верно, Орвар? — Она ласково погладила руку Орвара, лежавшую на столе. — Чтобы избежать неловких утренних сомнений типа «Неужели, клянусь именем Тора, я только что трахал свою собственную кузину?».

Бедный парень покраснел и пробормотал что-то насчет выступления какой-то группы, которое скоро начнется. Каждый в Рейкьявике, кому еще нет тридцати, тут же пояснила Аоифе, состоит по крайней мере в одной музыкальной группе. После чего они оба встали и собрались уходить, пожелав мне bon voyage[1], поскольку я

---

[1] Счастливого пути (*фр.*).

рано утром уже должен был уезжать. Я получил нежный поцелуй от Аоифе, точно дядюшка от любимой племянницы, и крепкое рукопожатие от Орвара, который только в последний момент вспомнил, что принес мне на подпись «Сушеные эмбрионы». Пока Орвар шнуровал свои высокие ботинки, я пытался придумать что-нибудь умное, особенное, чтобы осталась память об этой встрече, но ничего путного так и не придумал.

Орвару от Криспина с наилучшими пожеланиями.

Я изо всех сил старался быть умным с тех пор, как написал «Ванда, портрет маслом».

Но как только перестаешь стараться, черт побери, сразу возникает ощущение такой свободы!

* * *

Я мешал, мешал, мешал ложечкой чай, пока листики мяты не превратились в ярко-зеленых рыбок-гольянов в водовороте чая.

— Последним гвоздем в гроб наших с Кармен отношений стала Венеция, — рассказывал я. — Если я никогда больше не увижу этого города, то умру счастливым.

Холли выглядела озадаченной:

— А мне Венеция показалась такой романтичной...

— В том-то и беда! Это же просто невыносимо — хрен знает сколько красоты! Эван Райс называет Венецию «столицей разводов» — и действие одной из лучших своих книг переносит именно туда. Это книга о разводе. Венеция — это человечество в своем перезрелом состоянии, а может, что гораздо хуже, в состоянии разлагающегося трупа...

Черт меня дернул сделать подобное «умное» замечание по поводу какого-то кошмарного, драного зонтика, который Кармен зачем-то купила, — ей-богу, я такие вещи говорю по двадцать раз на дню; но тут она вместо того, чтобы ловко посадить меня в лужу, почему-то с прискорбным видом поджала губы — вроде как «*Напомните мне, зачем я трачу последние дни своей молодости на этого противного колючего старикашку?*» — и пошла себе через площадь Святого Марка. Одна, естественно.

— Ну что ж, — нейтральным тоном заметила Холли, — у всех бывают плохие дни...

— Это было немного похоже на описанное Джойсом богоявление — во всяком случае, мне так кажется. Но я ее не виню. Ни за то, что порой явно вызывал у нее раздражение, ни за то, что она меня бросила. Когда ей будет столько лет, сколько мне сейчас, мне уже стукнет *шестьдесят восемь, просто кошмар!* Любовь, может, и слепа, но совместная жизнь высвечивает особенности каждого не хуже самых современных рентгеноскопических приборов. В общем, Холли, весь следующий день мы ходили по музеям, обходя их один за другим, но *не вместе*, а как бы порознь. И когда мы прощались в аэропорту Венеции, ее последними словами было: «Береги себя»; так что когда я приехал домой, у меня в электронной почте уже висел «Dear John»[1]. Не могу сказать, чтобы это стало для меня неожиданностью. Мы оба уже имели печальный и отвратительный опыт развода, и одного раза было вполне достаточно. Мы сошлись на том, что останемся друзьями, будем обмениваться поздравительными открытками на Рождество и общаться друг с другом без малейшей злобы. И, возможно, никогда больше не увидимся.

Холли кивнула и что-то невнятно пробормотала — должно быть, сказала: «Ну, ясно».

За окном, шипя тормозами, остановился запоздалый автобус.

А вот о полученном сегодня днем послании от Кармен я так и забыл Холли сказать.

Мой айфон по-прежнему был выключен. Но сейчас я его включать не собирался. Позже.

* * *

— Какой отличный снимок! — У Холли за спиной на полочке стояла фотография в рамке: она сама в роли молодой мамочки, а рядом — маленькая зубастая Аоифе в костюме Трусливого Льва, с веснушками на носу, и Эд Брубек, который выглядел значительно моложе, чем в ту пору, когда я его знал; и все трое улыбались, стоя на солнышке в маленьком садике за домом среди розовых и желтых тюльпанов. — Когда это было?

— В 2004-м. Театральный дебют Аоифе в «Волшебнике страны Оз». — Холли прихлебывала мятный чай. — И примерно тогда же мы с Эдом составили план «Радиолюдей». Знаешь, ведь это была полностью его идея. Мы тогда приезжали в Брайтон на свадьбу Шэрон, и у нас получился целый свободный уик-энд. Эд ведь всегда был мистером Тут-непременно-должно-быть-некое-логическое-объяснение.

— Еще бы, особенно после истории с номером комнаты! Тогда он наверняка всему поверил.

Выражение лица Холли можно было истолковать двояко.

— Точнее, он перестал не верить, — сказала она.

---

[1] Dear John letter (*англ.*) — письмо, которое женщина посылает своему бойфренду, чтобы сообщить, что больше его не любит.

— А Эд вообще-то понимал, в какого монстра превратилась твоя книга о «радиолюдях»?

Холли покачала головой.

— Я довольно быстро написала куски, посвященные Грейвзенду, а потом получила повышение по службе, и работы у меня в нашем центре для бездомных сразу прибавилось. Кроме того, нужно было растить Аоифе, а Эда постоянно не было дома... В общем, я так и не успела закончить книгу, когда... — она с привычной осторожностью подбирала слова, — ...когда в Сирии... Эду изменила удача.

И мне вдруг стало ужасно стыдно за то, что я так жалел себя из-за Зои и Кармен.

— Ты же просто герой, наша Холли. Точнее, героиня.

— Я просто продолжала исполнять свой долг. Аоифе было всего десять. Я не могла позволить себе развалиться на куски. Моя семья уже потеряла Жако, так что... — Короткий печальный смешок. —... Клан Сайксов, черт возьми, отлично умеет переносить и оплакивать потери! Потом я вновь взялась за книгу и на самом деле ее закончила, и это оказалось чем-то вроде терапии. Хотя я никогда, ни на минуту, даже мысли не допускала, что кто-то, кроме членов моей семьи, захочет ее прочесть. Интервьюеры никогда мне не верили, когда я так говорила, но это чистая правда. А вот ко всему прочему — телевизионному «Книжному клубу», премии Пруденс Хансон, выступлениям с лекциями на тему «Психическое состояние индивида после полученных в детстве шрамов» — я была совершенно не готова. А еще всевозможные сайты, какие-то психи, письма с мольбами о помощи, возникающие из небытия люди, связь с которыми была потеряна много лет назад и по весьма серьезным причинам... Например, мой первый бойфренд, о котором в моей душе *действительно не осталось* теплых воспоминаний, связался со мной, сообщил, что теперь он главный представитель компании «Порше» в Западном Лондоне, и спросил, как бы я отнеслась к пробной поездке с ним, поскольку, как он выразился, «мой корабль уже пришел в порт назначения»? Хм, *нет уж, спасибо*. Затем, когда после аукциона в США основной темой новостных передач стал невероятный успех книги «Радиолюди», отовсюду, как тараканы из-под пола, так и полезли всевозможные фальшивые Жако. Мой литературный агент прислал мне по скайпу изображение одного такого. Да, он был подходящего возраста и выглядел *вроде как* чуточку похожим на Жако. И он смотрел на меня с экрана во все глаза и шептал: «Боже, это ты...»

Мне очень хотелось закурить, но я подавил это желание, сунул в рот ломтик морковки и спросил:

— И как же он «отчитался» за свое тридцатилетнее отсутствие?

— Он сказал, что его похитили советские моряки, которым нужен был юнга, и увезли в Иркутск, чтобы избежать возобновления «холодной войны». Да-да, я знаю. У Брендана вовсю верещал детектор-определитель всякой чуши. В общем, Брендан попросту отодвинул меня в сторонку и спросил: «Узнаешь меня, Жако?» Этот тип немного поколебался, а потом радостно завопил: «Папа!» В общем, конец связи. Последний «Жако» связался с нами в Бангладеш и заявил, что «проклятые империалисты» из британского посольства в Дакке не поверили, что он действительно мой брат, а потому не смогу ли я помочь ему с получением визы? И хорошо бы еще прислать десять тысяч фунтов на билет. Короче: *если* Жако жив, *если* он когда-либо прочтет мою книгу, *если* он захочет нас найти, то он нас найдет.

— И все это время ты продолжала работать в центре для бездомных?

— Я ушла оттуда перед поездкой в Картахену. Хотя мне было очень стыдно — я ведь действительно любила эту работу и, по-моему, делала ее хорошо. Но когда в тот же день, когда ты устраиваешь собрание по сбору средств для бездомных, тебе присылают банковский счет на шестизначную сумму — роялти за проданные экземпляры, — становится довольно трудно притворяться, будто в твоей жизни ничего не изменилось. И потом, в наш офис являлось все больше и больше всевозможных «Жако», чтобы попытать счастья, да и дома у меня телефон буквально разрывался от звонков. Я по-прежнему занимаюсь благотворительностью и оказываю финансовую поддержку приютам для бездомных, но тогда я была просто вынуждена увезти Аоифе из Лондона и выбрала такую тихую заводь, как Рай. Мне казалось, что так будет правильно. Я тебе когда-нибудь рассказывала о Великом иллюминатском скандале?

— Ты рассказывала мне о своей жизни гораздо меньше, чем тебе кажется. Значит, иллюминаты?[1] Как в той истории об инопланетянах-ящерах, которые поработили человечество, заблокировав их разум с помощью таинственного излучения, источником которого была секретная база на Луне?[2]

— Именно так. Однажды чудесным апрельским утром две группы этих великих конспираторов спрятались у меня в кустах. Одному богу известно, с чего все это началось, — возможно, с какого-то

---

[1] Первоначально немецкое тайное общество XVIII века, ставившее целью совершенствование и облагораживание человечества. Существует множество «теорий заговоров», считающих, что иллюминаты стремятся добиться мирового господства.

[2] Здесь имеется в виду трилогия «Иллюминаты!» (1975) Роберта Ши и Роберта Антона Уилсона, в которой высмеиваются сторонники «теории заговоров».

случайно брошенного замечания в Твиттере. Итак, явились две группы, и каждая решила, что та, другая группа — это и есть агенты иллюминатов. Похоже, они и меня туда замели! Перестань ухмыляться: они же чуть мозги друг другу не повышибали! Я вызвала полицию, те мигом примчались, а мне... В общем, мне после этого пришлось поставить высоченную ограду и снабдить ее видеонаблюдением. *Это мне-то*, господи-ты-боже-мой! Да я зарылась в нору, точно владелец инвестиционного банка! Но разве у меня был выбор? В следующий раз эти проклятые психи вполне могут оказаться настроены не *защищать* меня, а на меня *нападать*. Так что, как только явился подрядчик, я сразу же уехала в Австралию; именно тогда мы с Аоифе и ездили на Роттнест, и там познакомились с тобой. — Холли, мягко ступая, подошла к окну и задернула шторы; огоньки в ночной гавани исчезли. — Бойтесь задавать людям вопрос о том, что реально, а что нет. Они могут прийти к выводам, которых вы совсем не ожидали.

На улице яростно залаяли две собаки, потом умолкли.

— Если ты не напишешь продолжение, твои психи пойдут на тебя войной.

— Это верно, — сказала Холли, но тон у нее был какой-то странный.

— Значит, ты все-таки *работаешь* над следующей книгой?

Теперь она выглядела загнанной в угол.

— Пока это всего несколько отдельных историй...

Я был одновременно и рад этому, и страшно ей завидовал.

— Но это же прекрасно! Твои издатели будут прыгать от восторга, исполняя сальто-мортале прямо в служебных коридорах.

— А где гарантия, что *такое* кто-то станет читать? Ведь это истории из жизни тех людей, которые мне встречались в нашем Центре помощи. И никаких психологических загадок и предвидения.

— Я уверен: «Полное собрание сочинений Холли Сайкс» мгновенно займет первое место в рейтинге продаж за счет одних только предварительных заказов.

— Ну, там видно будет. Хотя, в принципе, я именно этим и занималась тут все лето. В Рейкьявике отлично работается. И потом, в Исландии, как и в Ирландии, быть знаменитым — это еще ничего не значит.

Кончики наших пальцев случайно почти соприкоснулись. Холли заметила это одновременно со мной, и мы оба тут же смирно сложили руки на коленях. Мне хотелось превратить это микрозамешательство в шутку, но ничего подходящего в голову не приходило.

— Я вызову тебе такси, Крисп, — сказала Холли. — Уже полночь.

— Не может быть! *Неужели* так поздно? — Я проверил время по телефону: 00:10. — Черт побери! Ведь, собственно, уже завтра!

— Вот именно! В котором часу ты вылетаешь в Лондон?

— В девять тридцать. Но могу я задать тебе два последних вопроса?

— Можешь спрашивать о чем угодно, — сказала она. — Почти.

— Я по-прежнему «паук, спираль и одноглазый человек»?

— Ты хочешь, чтобы я проверила?

Точно атеист, который хочет, чтобы за него молились, я молча кивнул.

Точно так же, как когда-то в Шанхае, Холли коснулась какого-то места у себя на лбу и почти сомкнула веки. Какое потрясающее было у нее лицо в этот момент! Но отчего оно выглядит таким серым и увядшим? Мой взгляд невольно наткнулся на ее подвеску. Это был какой-то лабиринт. Возможно, нечто символическое, типа «разум — тело — душа». Подарок Эда?

— Да. — Холли открыла глаза. — Все как всегда.

У меня вырвался какой-то безумный смешок; возможно, я просто не сумел с собой справиться, все-таки выпили мы прилично.

— Узнаю ли я когда-нибудь, что это значит? Но это еще не второй мой вопрос.

— Когда-нибудь — да. Сообщи мне, когда узнаешь.

— Обещаю. — Мой второй вопрос было задать гораздо труднее, потому что один из ответов заранее меня страшил. — Холли, ты не больна?

Она, похоже, удивилась, но не стала отрицать, а просто отвела глаза.

— Ох, черт! — Как же я пожалел, что задал этот вопрос! — Ради бога прости, я вовсе не...

— У меня рак желчного пузыря. — Холли попыталась улыбнуться. — Не правда ли, я ухитрилась выбрать одну из самых редких разновидностей?

Мне же улыбнуться не удалось, как я ни старался.

— И каков прогноз?

Холли слегка поморщилась, как человек, которому страшно надоело обсуждать одну и ту же тему.

— Слишком поздно для хирургического вмешательства — метастазы уже в печени и... хм... да, в общем, повсюду. Мой лондонский онколог говорит, что... э-э... вероятность того, что я сумею пережить этот год, — максимум пять-десять процентов. — Она словно слегка охрипла. — Но не при тех условиях, которые я сама для себя предпочла. Если прибегнуть к «химии» и другим препаратам, шансы могут увеличиться аж до двадцати процентов, но... мне что-то совсем не хочется провести последние месяцы жизни в таком жалком состоянии, когда тебя выворачивает наизнанку у каждой урны. Это, кстати, одна из причин, почему я на все лето приехала в Исландию.

Таскаюсь за бедной Аоифе, как тень или как — помнишь? — этот персонаж из шекспировского «Макбета»...

— Банко. Значит, Аоифе знает?

Холли кивнула.

— Все знают: Брендан, Шэрон, их дети, моя мать и Орвар. И я очень надеюсь, что Орвар поможет Аоифе, когда... ну, ты понимаешь. Когда я не смогу. Но больше не знает никто. Кроме тебя. Люди сразу становятся такими плаксивыми, что мне приходится тратить последние крохи сил на то, чтобы поднять им настроение. Я, собственно, и тебе не хотела говорить, по... раз уж ты спросил... Извини. Я, кажется, испортила такой чудесный вечер.

Я смотрел на нее и словно видел Криспина Херши ее глазами; а она, возможно, видела Холли Сайкс моими глазами... А потом вдруг время словно куда-то провалилось. И мы с Холли снова стояли возле стола и целовали друг друга на прощанье. И в этом объятии не было ровным счетом ничего эротического. Это чистая правда, дорогой читатель. Я бы почувствовал, если бы было.

А почувствовал я вот что: пока я держу ее в своих объятьях, с ней ничего плохого случиться не может.

* * *

У водителя такси в наушниках гремел металл, так что он просто кивнул и сказал: «О'кей», когда я назвал ему свой отель. Я махал Холли рукой, даже когда уже перестал ее видеть, а про себя решил, что на Рождество непременно поеду в Рай и ни за что не буду обращать внимания на всякие неприятные предчувствия и мысли, вообще не буду думать о том, что, возможно, никогда больше ее не увижу. Радио в такси было настроено на канал классической музыки, и я узнал Марию Калласс, поющую «Casta Diva» из «Нормы» Беллини — папа использовал эту арию в сцене с моделью аэроплана в своем фильме «Battleship Hill». На мгновение я забыл, где нахожусь. Я включил айфон, чтобы послать эсэмэску Холли и поблагодарить ее за чудесный вечер, и обнаружил сохраненное послание от Кармен. Оно пришло, как раз когда я читал свою лекцию. Там, как ни странно, никакого текста не было, а было просто некое изображение... что-то вроде снежной бури...

Снежная буря ночью на экране мобильника?

Я склонил голову набок, повертел телефон так и сяк.

Столкнувшиеся астероиды? Нет.

Господи, это же УЗИ!

Чрева Кармен.

В котором находился маленький временный жилец.

«Ключ» Дзюнъитиро Танидзаки[1]: вот это действительно высший класс. Но, отыскав это название где-то на задворках памяти, в-том-шкафу-под-лестницей-где хранятся-некогда-прочитанные-книги, я, точнее Криспин Херши, всей душой отдалился от того произведения, о котором в данный момент рассказывала некая особа по имени Девон Ким-Ашкенази («Across the Wide Ocean»[2], три поколения изнасилованных женщин от Пусана до Бруклина). Я понимал, что совершенно ее не слышу, но чувствовал, что не в силах остановить полет собственной мысли; я поднимался все выше и выше — сквозь потолок, сквозь черепицу на крыше — и воспарил над тем бункером, где «временно» с 1978 года размещался факультет английской филологии. Вдали виднелась округлая крыша театра, созданного Фрэнком Гери[3]; я скользнул над группой блочных зданий, точно сделанных из деталей «Лего»; описал круг над готической часовней эпохи Линкольна; пробрался сквозь частокол научных лабораторий из стекла и стали и полетел к резиденции президента с остроконечной крышей и стенами из красного кирпича, увитыми плющом; затем через поросшую мхом каменную калитку я пробрался на кладбище, где приговоренные к пожизненному заключению в Блитвуд-колледже превращаются в деревья со скоростью, сообщаемой им червями и корнями, и метнулся вверх, на макушку самого высокого дерева, какое только мог себе вообразить рассеянный писатель Херши, и до сих пор посещаемого только белками и воронами; река Гудзон величаво извивалась между холмами Кэтскиллз; какой-то поезд то появлялся, то исчезал: «Люблю смотреть, как мили он глотает, как в пасти у него долины тают...»[4] Мне казалось, будто я смотрел на землю в Google; я словно парил высоко над нею, пролетая сквозь тучи, в которых кипят снежные бури; вот промелькнул штат Нью-Йорк, вот пролетели Массачусетс и Ньюфаундленд, погребенный под толщей льдов, вот и Роколл, сотрясаемый накатом волн, и во тьме не видно даже мгновенных проблесков молний...

---

[1] Дзюнъитиро Танидзаки (1886—1965) — японский писатель; в своих романах, написанных в классическом стиле, изображал жизнь и быт патриархальных японских семей и средневекового двора.

[2] «Через океанский простор» (*англ.*).

[3] Фрэнк Оуэн Гери (Эфраим Оуэн Гольдберг) (р. 1929) — один из крупнейших архитекторов современности, стоявший у истоков деконструктивизма. Лауреат Притцкеровской премии 1989 года.

[4] «I like to see it lap the miles and lick the valleys up...» — стихотворение (1891) американской поэтессы Эмили Дикинсон (1830—1886).

— Криспин? — с тревогой спросила Девон Ким-Ашкенази. — Вам нехорошо?

Судя по лицам моих аспирантов, я довольно-таки надолго выпал из реальности.

— Нет, все в порядке. Я просто вспоминал роман Танидзаки, который чудесным образом совпадает по форме с вашим, Девон, повествованием. Он тоже написан в виде дневника главного героя. Роман этот называется «Ключ», и он вполне может спасти вас от очередной попытки заново изобрести колесо. Но в целом, должен отметить, — я отдал ей рукопись, — прогресс все же заметный. Пожалуй, меня не удовлетворяет главным образом... э-э-э... сцена насилия. На мой взгляд, вы по-прежнему злоупотребляете наречиями.

— Я поняла, — улыбнулась Девон, желая показать, что совсем не обижена. — Но какая именно сцена насилия: в цветочном магазине или в мотеле?

— Нет, во время мойки автомобиля. Наречия — это холестерин в венах прозы. Уменьшите вдвое количество наречий — и ваша проза станет в два раза легче и воздушней. Поднимется, как тесто. — Перья заскрипели. — Да, и еще осторожней со словом «кажется»: это текстуальное бормотание. И непременно отмеряйте каждое сравнение, каждую метафору по пятизвездочной системе: то есть избавляйтесь ото всех, у которых три звезды или даже меньше. Это болезненная процедура, но потом вам же будет гораздо приятней. Да, Джейфет?

Джейфет Соломон (автор будущей книги «In God's Country»[1], этакого мормонского романа воспитания о мальчике из штата Юта, который пытается найти убежище в либеральном колледже на Восточном побережье, где секс, наркотики и программа креативного писательства провоцируют у него своего рода экзистенциальную тоску), спросил:

— А что, если мы не можем решить, на сколько звезд тянет та или иная метафора, — на три или на четыре?

— Если вы не можете решить, Джейфет, то это всегда только три.

Маза Колофски (она трудится над романом «Horsehead Nebula»[2]; утопией о жизни на Земле после того, как страшная эпидемия уничтожила там всех особей мужского пола) подняла руку:

— Будут какие-то задания на каникулы, Криспин?

---

[1] «В стране Бога» (*англ.*).

[2] «Туманность Конская Голова» (*англ.*). Конская Голова — темная туманность в созвездии Ориона.

— Да. Сочините пять писем, адресованных вам самим, от каждого из пяти ваших главных персонажей. Все знают, что такое письмо?

— Мейл на бумаге, — быстро сказал Луис Баранкилла (роман «The Creepy Guy in the Yoga Class»[1] об отвратительном ползающем парне, который посещает класс по занятиям йогой). Мои доинтернетовские рекомендации постоянно служили предметом шуток. — И что мы должны в этих письмах *написать*?

— Вы должны описать жизненные истории придуманных вами персонажей. Кого ваши герои любят, что они презирают, каковы их образование и профессия; в каком состоянии их финансы; каковы их политические взгляды и социально-классовая принадлежность? Чего они боятся и какие скелеты спрятаны у них в шкафу? Есть ли у них патологические склонности? О чем они больше всего в жизни сожалеют? Кто они — верующие, агностики или атеисты? Насколько их страшит смерть? — Я вспомнил о Холли, подавил вздох и решительно продолжил: — Случалось ли им когда-нибудь видеть труп? Или привидение? Насколько они сексуальны и какова их сексуальная направленность? Стакан для них наполовину полон, наполовину пуст или же просто слишком мал? Как они одеваются — это щеголи, или просто следят за собой, или же плечи у них постоянно в перхоти? Это личные письма, так что вам следует учесть, как именно *разговаривают* ваши герои. Можно ли назвать их речь «сладкозвучной», или же они формулируют свои мысли «кратко и четко»? Любят ли сквернословить или не склонны к богохульству? Записывайте те фразы, которыми они (по вашей вине) невольно злоупотребляют. Когда они в последний раз плакали? Способны ли они спокойно рассмотреть чужую точку зрения? В лучшем случае одна десятая того, что вы напишете, войдет в основную рукопись книги, но эта одна десятая должна быть написана так, чтобы вы слышали, — и я для наглядности постучал по столу костяшками пальцев, — звонкую плотность дубовой древесины, а не тухлый звук клееных опилок. Да, Эрсилия?

— Мне кажется, — презрительно поморщилась Эрсилия Хольт (триллер под названием «The Icepick Man»[2] о борьбе «Триад» с группировками талибов в Ванкувере), — это... не совсем нормально — писать *письма самому себе*?

— Согласен, Эрсилия. Писатель всегда, можно сказать, флиртует с шизофренией, подкармливает синестезию и охотно привлекает на помощь обсессивно-компульсивный синдром. Ваше искусство

---

[1] «Жуткий парень в классе йоги» (*англ.*).

[2] «Человек с ледорубом» (*англ.*).

питается вами, вашей душой; да, вы в определенной степени тратите на свои произведения собственное душевное здоровье. Если вы будете писать такие романы, которые *стоит* читать, ваш разум *наверняка* окажется слегка сбитым с толку, а ваши отношения с другими людьми вполне могут полететь в тартарары, зато ваша жизнь станет значительно объемней, и ее границы невероятно расширятся. В общем, я вас предупредил.

Мои десять аспирантов окончательно помрачнели. Ничего, пусть приобщаются.

— Искусство пирует на трупе своего создателя, — провозгласил я напоследок, решив окончательно их добить.

* * *

В помещении нашей кафедры не было никого, кроме Клод Мо (медиевистки, работающей по договору и не имеющей постоянной ставки) и Хилари Закревски (лингвистки, тоже не имеющей постоянной ставки); обе сидели у камина и внимательно слушали умствования Кристины Пим-Лавит (завкафедрой политологии и одновременно председателя должностной комиссии). Обе соискательницы понимали, что если их попытки получить ставку в Блитвуде закончатся крахом, то ни один другой колледж из «Лиги плюща» им места не предложит. Кристина Пим-Лавит помахала мне рукой, подзывая к себе.

— Присаживайтесь, Криспин, я рассказывала Хилари и Клод, как я проколола шину, когда везла Джона Апдайка и Афру Бут в свою мастерскую в Айове — вы ведь с ними обоими знакомы, насколько я знаю?

— Весьма поверхностно, — сказал я.

— Не скромничайте, — сказала эта высокооплачиваемая властительница преподавательских ставок.

Но я вовсе не скромничал. Я действительно как-то брал интервью у Апдайка по просьбе «New Yorker», но тогда я был еще «анфан террибль британской словесности» и имел какой-то вес в писательском мире США. А что касается Афры Бут, то мы с ней не виделись с тех пор, как она в Перте пригрозила мне судебным иском, — бог знает сколько лет тому назад. Мне совершенно не хотелось разговаривать на эту тему; даже необходимость проверять студенческие работы — меня поджидала на письменном столе целая стопка — больше не казалась мне такой уж неприятной, так что я поспешно извинился и сказал, что у меня еще много работы.

— Неужели вы будете проверять студенческие работы в последний день семестра? — с притворным ужасом воскликнула Кристина

Пим-Лавит. — Ах, если бы все наши преподаватели были столь же добросовестны, как вы, Криспин!

Мы условились, что непременно встретимся позже на рождественской вечеринке, и я устремился по коридору к своему кабинету. Как приглашенный профессор я мог бы и не участвовать в общественно-политической жизни кампуса, будь она проклята, но если на будущий год мне предложат полную ставку, то придется нырнуть в это дерьмо так глубоко, что будут видны только подошвы моих ботинок. Однако мне была очень нужна эта ставка. Тут сомнений быть не могло. Еще хорошо, что удалось реструктурировать мой долг издателям — это путем сложных переговоров устроил мой бывший агент Хол; но теперь семьдесят пять процентов моих, все еще порой поступающих, роялти от продажи книг приходилось отдавать бывшим издателям, и мне, естественно, была очень нужна работа «с прилагающимся жильем». Мне все-таки удалось сохранить дом в Хемпстеде, но, к сожалению, в настоящее время он находился в руках риелтора, сдающего его внаем, а деньги, которые я за это получал, уходили на выплату алиментов Зои. Зои начисто отказалась обсуждать заново тему алиментов: «С какой стати, Криспин? Неужели дети должны страдать, потому что твоя испанская подружка забеременела? Серьезно, Криспин, ну с какой стати?» Кармен, разумеется, не стала вешать на меня никаких обязательств, но уход за ребенком стоит очень и очень немало даже в Испании.

— Кто это, Криспин? — Иниго Уайлдерхофф с грохотом спускался по лестнице с увесистым чемоданом; его роскошные, как у телеведущего, белоснежные зубы так и сверкали. — Я направил вашего старого друга к вам в кабинет буквально минуту назад.

Я остановился.

— Моего старого друга?

— Вашего друга из Англии.

— Он назвался?

Иниго задумчиво погладил свою профессорскую бородку и сказал:

— А знаете, *по-моему*, нет. На вид ему лет пятьдесят. Высокий. На глазу повязка. Извините, Криспин, но меня внизу ждет такси, так что я должен бежать. Повеселитесь сегодня на вечеринке и за меня. Au revoir[1], до января.

Я еще успел сказать «Берегите себя», но чемодан Иниго Уайлдерхоффа уже грохотал где-то у подножия лестницы.

Повязка на глазу? Одноглазый человек?

Успокойся. Успокойся.

_____
[1] До свидания (*фр.*).

Дверь в мой кабинет была распахнута настежь. Нашей секретарши нигде не было видно — охрана в Блитвуд-колледже весьма расхлябанная, а до ближайшего города — две мили. Я осторожно заглянул внутрь... Никого. Возможно, это был просто студент со старшего курса в корректирующих очках, которые Уайлдерхофф принял за повязку; возможно также, он говорил с относительно британским акцентом; возможно, он просто хотел, чтобы я подписал ему книгу, а потом заглянул в кабинет, увидел, что меня нет, и тактично удалился, решив подождать до 15:00, когда «хирург» начнет свой официальный прием. Ну и слава богу! Испытывая огромное облегчение, я подошел к письменному столу, собираясь спокойно поработать.

— Дверь была открыта, Криспин.

Я вскрикнул от неожиданности и резко обернулся, смахнув со стола на пол ворох бумаг. У книжного шкафа стоял какой-то мужчина. И на глазу у него действительно была повязка.

Ричард Чизмен. Продолжая стоять совершенно неподвижно, он заметил:

— Похоже, я тебя напугал своим появлением.

— Ричард! *Черт побери*, ты действительно здорово меня напугал!

— Ну, извини, я, *черт побери*, не хотел.

Нам бы следовало обниматься и хлопать друг друга по спине, но я просто смотрел на него, открыв от изумления рот. Вся былая полнота Ричарда Чизмена исчезла — на это хватило и месяца той «диеты», которой ему пришлось придерживаться в латиноамериканской тюрьме; зато теперь, когда он был одет вполне нормально, сразу было видно, каким он стал крепким, мускулистым, жилистым и толстокожим. Повязка на глазу — а *это-то* когда с ним случилось? — делала его похожим на израильского генерала.

— А я... собирался увидеться с тобой в Брэдфорде после Рождества. Я и с Мэгги об этом договорился.

— Ну, значит, я избавил тебя от необходимости совершать столь далекую поездку.

— Если бы я заранее знал, что ты приедешь, я бы...

— Выставил шампанское? Заказал духовой оркестр? Не в моем стиле.

— Тогда рассказывай, — я попытался улыбнуться, — чему я *обязан* удовольствием видеть тебя здесь?

Ричард Чизмен вздохнул, откусил заусеницу и сказал:

— Видишь ли, там, в «Penitenciaria», одним из способов как-то убить время для меня было планирование моей первой поездки в

Нью-Йорк, когда меня выпустят на свободу. И чем подробней я разрабатывал этот план, тем больше времени это занимало. Так что я почти каждую ночь этот свой план переделывал и совершенствовал. В общем, когда я понял, что не смогу встретить Рождество в семейном кругу Мэгги, где этот праздник всегда полон веселья, не смогу выслушивать сожаления по поводу своей злосчастной судьбы, не смогу смотреть по телевизору праздничные передачи, то попросту сбежал. И, естественно, в Нью-Йорк. Ну, а когда я здесь оказался, то еще более естественным было сесть в поезд метро и поехать по ветке «Гудзон» на встречу с Криспином Херши, самым большим моим другом и вдохновителем организации «Друзья Ричарда Чизмена».

— Создать эту организацию — самое меньшее, что я мог для тебя сделать.

Его взгляд говорил: *Ну да, так твою мать, самое меньшее!*

Я попытался отсрочить то, чего с таким ужасом ожидал.

— Ты повредил себе глаз в драке, Ричард?

— Нет-нет, никакой драки с поножовщиной в духе «Побега из Шоушенка» не было. Просто искра от сварочного аппарата угодила в глаз, причем в самый последний день моего пребывания в йоркширской тюрьме. Врач сказал, что уже через неделю повязку можно будет снять.

— Это хорошо.

Фотография маленького Габриеля валялась на полу вместе с бумагами. Я наклонился, поднял ее, и мой гость заметил с каким-то зловещим оживлением:

— Твой сын?

— Да. Габриель Джозеф. В честь Гарсиа Маркеса и Конрада.

— Ну что ж, пусть Господь даст и твоему сыну таких же верных, истинных друзей, какие есть у меня.

Он знает. Он все выяснил. Он здесь для того, чтобы отплатить.

— Тебе, должно быть, тяжело с ним разлучаться, — заметил Чизмен. — Ты здесь, а он в Испании.

— Да, ситуация далеко не идеальная, — согласился я, стараясь говорить обычным тоном, — но у Кармен в Мадриде семья, так что она там не одна. Понимаешь, ей всегда говорили, что у нее не может быть детей, и рождение Габриеля стало для нас просто маленьким чудом. Нет, даже большим чудом, огромным. Когда она об этом узнала, мы уже перестали быть, если можно так выразиться, «ячейкой общества», но она решила непременно выносить и родить этого ребенка... — я прислонил фотографию Габриеля к коробке со скотчем, — ...он целиком плод ее трудов. Не хочешь ли присесть? У меня найдется по глотку бренди, чтобы отметить...

— Что именно? То, что я четыре с половиной года ни за что просидел в тюрьме?

Я и смотреть на него не мог, и глаз от него не мог отвести.

— Ты, похоже, нервничаешь, Криспин. Это я тебе так действую на нервы?

«Похоже»! Умножим это «похоже» на два, и получится полнейшая текстуальная невнятица в квадрате, подумал я и вдруг заметил, что карман куртки Ричарда Чизмена оттягивает нечто довольное большое и тяжелое. Вполне можно было догадаться, какой именно тяжелый и смертоносный предмет там находится. Он, похоже, прочел мои мысли:

— Вычислить, кто именно, когда и почему подложил кокаин в мой чемодан, Криспин, мне труда не составило. Я очень быстро все понял.

Горячо. Странно. Такое ощущение, словно из тебя понемногу вытягивают внутренности.

— Я твердо решил не вступать в конфронтацию с тем, кто меня предал, пока не выйду из тюрьмы. В конце концов, он ведь просто из кожи вон лез, добиваясь, чтобы меня репатриировали и поскорее освободили. Не правда ли?

Я не доверял собственному голосу, поэтому просто кивнул.

— *Нет,* Криспин! Он, чтоб его черти съели, и *не думал* лезть вон из кожи, чтобы меня оттуда вызволить! Если бы он признался, меня бы выпустили уже через несколько дней. Но он позволил мне *гнить* там!

Я заметил, что за окном снова идет снег. Секундная стрелка стенных часов двигалась крошечными скачками. А больше в комнате не двигалось ничто. Ничто.

— Там, в Боготе, валяясь в камере на вонючем тюфяке, я мечтал не только о Нью-Йорке. Я мечтал и о том, что именно я сделаю с этим человеком. С этим гребаным слизняком, который приходил на свидания со мной, чтобы тайно злорадствовать; который старательно делал вид, что ему не все равно, но отнюдь не рвался поменяться со мной местами. У него, собственно, даже мыслей таких не возникало. Согласно одному из моих планов я собирался подмешать ему в пищу наркотик, потом связать и медленно убивать отверткой дней так сорок. Ни один свой сюжет я никогда так любовно не шлифовал. Затем до меня наконец дошло, что все это просто глупо. По-мальчишески. Да и зачем так рисковать? Почему бы просто не встретиться с ним в Америке, заранее купив пистолет, а потом попросту вышибить этому гнусному типу мозги в каком-нибудь укромном уголку?

Впервые в жизни я жалел о том, что ко мне в любую минуту не может заглянуть ни наша секретарша Бетти, ни бородатый Иниго Уайлдерхофф.

— Твой мучитель, — я старался говорить как можно спокойней, — сам измучился от угрызений совести.

Чизмен так и взвился; теперь его голос напоминал колючую проволоку:

— Измучился?! Выступая по всему белому свету с лекциями? Рожая детей? Тогда как я — *я!* — был заперт в Колумбии в одной клетке с убийцами и наркоманами, вооруженными ножами и ржавыми бритвами. Так кто из нас подвергался большим *мучениям?*

Он сунул руку в карман. По коридору, насвистывая, прошел уборщик — я заметил, как он промелькнул в дверном проеме секретарской. *Громче зови на помощь!* — требовал от меня писатель Криспин Херши, перепуганный до потери сознания. *Или сам беги за помощью. Или умоляй его:* «Пожалуйста, не делай моих детей сиротами!» *Или попытайся вступить с ним в переговоры. Или скажи, что напишешь полное признание...*

...Или... или... позволь ему отомстить.

— Твой мучитель, — начал я, — вовсе не злорадствовал втайне, навещая тебя. Он презирал себя за трусость и до сих пор презирает. Однако эти признания уже ничего не изменят. Он хочет заплатить, Ричард. Но если ты хочешь денег, то тут он тебе ничем помочь не сможет: он сам буквально в шаге от банкротства. Впрочем, вряд ли ты хотел именно денег?

— Странное дело, — он покрутил головой, словно чему-то удивляясь, — вот я пришел сюда и не знаю, что предпринять.

Я покрывался то холодным, то горячим потом, чувствуя, что рубашка уже прилипла к телу.

— В таком случае я сяду за стол, — сказал я, — и буду ждать твоего решения. Только учти: твоему мучителю и в голову не приходило, что тебя могут на несколько лет засадить за решетку; он хотел просто подшутить, проучить тебя. Согласен, шутка вышла довольно глупая, но кто мог предположить, что все обернется таким кошмаром? Как ты решишь его наказать, так тому и быть. Он готов расплатиться с тобой сполна. Хорошо?

Нет, дорогой читатель, это было вовсе не хорошо. И я, окаменев в кресле, себя не помнил от страха. Лучше закрой глаза, уговаривал я себя, закрой, и не будешь видеть ни Ричарда Чизмена, ни твоих книг, ни заснеженного леса за окном. Всего один выстрел в голову. Существуют куда более мучительные способы мести. В ушах у меня что-то дребезжало, точно крышка на закипевшем чайнике, но я закрыл глаза и никак не мог знать, что в данную минуту делает Ричард

Чизмен. Я, правда, слышал, как щелкнул спускаемый предохранитель, как Ричард подошел ко мне. Странно, но мой висок чувствовал дуло пистолета еще на расстоянии. *БЕГИ! УМОЛЯЙ! СРАЖАЙСЯ!* Но я, подобно страдающей от боли собаке, которая прекрасно понимает, для чего появился шприц в руках у ветеринара, оставался совершенно инертным и даже не пошевелился. И, кстати сказать, вполне контролировал и мочевой пузырь, и прямую кишку. Хоть какая-то милость. Итак, последние секунды... Последние мысли? Анаис, совсем еще маленькая, гордо дарит мне собственноручно сделанную книжку «Семейство кроликов отправляется на пикник». Джуно рассказывает, как самый классный мальчик у них в школе сказал, что она лучше его поймет, если прочтет книгу «Сушеные эмбрионы». Габриель, который так быстро растет там, в Мадриде, но еще пахнет молоком, памперсами и тальком. Жаль, что мы с ним так и не узнаем друг друга, хотя, может быть, кое-что от меня он найдет в моих книгах. Холли, мой единственный друг... Правда, единственный. И мне очень жаль ее огорчать, но моя смерть, безусловно, ее огорчит. Моя любимая строчка из «The Human Stain» Рота: «Ничто не длится вечно, и все же ничто не проходит бесследно, и ничто не проходит бесследно просто потому, что ничто не длится вечно»[1]. И точно так же, иносказательно, это не Ричард Чизмен собирался сейчас в меня выстрелить, нет, это палец Криспина Херши оказался на спусковом крючке еще тогда, когда он сунул крошечный пакетик с кокаином под подкладку чужого чемодана в чужом гостиничном номере. И вот *теперь* я дрожал от страха, *теперь* я сжимался в комок, *теперь* у меня из глаз ручьем текли слезы, *теперь* я *сожалел* о содеянном, ах, как я *сожалел*, и *теперь* он стал мной, *теперь* я стал им, *теперь теперь теперь*...

* * *

...и вдруг я почувствовал, что остался один. И я был жив, черт побери! По крайней мере, до определенной степени жив.

Ну же, открой глаза! Давай, не бойся, открой!

Та же самая старая комната. Все то же самое, но не совсем: Чизмен исчез.

Я прямо-таки видел, как он спускается по лестнице нашего факультета следом за Иниго Уайлдерхоффом. Проходит вестибюль и высокие стеклянные двери, спускается с крыльца и идет по дорож-

---

[1] Ф и л и п   Р о т (р. 1933) — американский писатель, лауреат Пулитцеровской премии. Роман «The Human Stain» (2000) выходил в русском переводе под названием «Людское клеймо»; по нему был поставлен фильм «Запятнанная репутация» с Дж. Николсоном в главной роли.

ке, покидая пределы моей истории... Кутается в куртку, поскольку снежный вечер уже крадется меж деревьями, точно партизан-вьетконговец. Я зачем-то стал внимательно рассматривать собственную ладонь, восхищаясь механической работой ее мускулов... Возьми кружку. Крепко ее сожми. Пусть она до боли обожжет тебе руку. Теперь подними ее, поднеси к губам и сделай глоток чая. Чай с горных долин Даржилинга... Травянистый, солнечный вкус чайных листьев. Танин так и расцветал у меня на языке. Я восхищался крошечной копией Розеттского камня[1] у себя на столе; серо-розовой красотой собственного ногтя на большом пальце; тем, как легкие с наслаждением пьют кислород... Теперь встряхни эту коробочку, и оттуда вывалится несколько фруктовых «тик-таков»; кинь их в рот. Я прекрасно понимал, что это синтетика, сплошная химия, но в данный момент вкус это дряни воспринимался мной почти как звучание оды Китса «К осени»[2]. Ничто не делает повседневную жизнь столь прекрасной, как ощущение того, что тебя в конце концов решили не убивать. Хорошо. Теперь собери барахло, которое ты случайно сбросил на пол: стаканчик для ручек, пластмассовую ложку, закладку, коллекцию фигурок, собранных из «Лего». Мы с Джуно и Анаис время от времени посылали друг другу такие шутливые подарки. У меня собралось уже пять фигурок: космонавт, хирург, Санта-Клаус, Минотавр... черт, кого же я забыл? Я стоял на коленях, пытаясь отыскать пятую фигурку в путанице электропроводов, когда раздался сигнал моей электронной почты.

Черт побери... я же должен был связаться с Холли по скайпу...

* * *

Из динамиков донесся сильный чистый голос Аоифе:

— Криспин?

— Привет, Аоифе. Я хорошо тебя слышу, но почему-то не вижу.

— Ты должен нажать на маленькую зеленую иконку с надписью «Cyberauthor».

Ну, никак я не научусь правильно обращаться с современной техникой! Наконец Аоифе появилась на экране; она была у них на кухне в Рае.

— Привет. Рада тебя видеть. Как дела в Блитвуде?

---

[1] Базальтовая плита 196 г. до н.э., найденная близ г. Розетта (ныне Рашид) в Египте, с параллельным текстом на греческом и древнеегипетском. Дешифровка этого иероглифического текста Ф. Шампольоном положила начало чтению древних письменных памятников.

[2] Джон Китс (1795—1821) — английский поэт-романтик; в оде «К осени» воспел культ красоты и гармонии в природе.

470

— Я тоже страшно рад тебя видеть. Здесь все понемногу затихает на рождественские каникулы. — Мне было немного страшно задавать главный вопрос, но я все же задал его: — А как там сегодня наша больная?

— Не очень, если честно. Ей становится все трудней удержать в себе пищу, и спит она неважно. И голова у нее очень болит. Сейчас, правда, доктор ее усыпил... — Аоифе поморщилась. — Извини, я как-то не сумела подобрать нужное слово. В общем, примерно час назад она уснула. Она просила перед тобой извиниться, но сегодня она была не в состоянии... — Кто-то за пределами экрана что-то сказал ей, и она нахмурилась, кивнула и что-то пробормотала в ответ, но я не разобрал, что именно. — Послушай, Криспин, доктор Фенби хочет сказать мне пару слов, так что я передаю тебя тете Шэрон, если не возражаешь.

— Конечно, Аоифе, конечно, ступай! До скорого.

— Тогда чао.

Аоифе встала и исчезла с экрана, оставив после себя пляшущие пиксели; затем с другой стороны подошла сестра Холли, Шэрон. Она была более крепкой и, пожалуй, более земной, чем Холли, — в общем, по сравнению с Холли она была все равно что Джейн Остин по сравнению с Эмили Бронте, хотя вслух я сестрам никогда об этом сравнении не говорил. Но сегодня даже Шэрон выглядела совершенно пришибленной, но тем не менее бодро спросила:

— Привет, путешествующий по свету, как дела?

Ведь это Холли тяжело больна, Холли в критическом состоянии, а они всё продолжают спрашивать, как дела *у меня*!

— Хм... привет, Шэрон. У меня все отлично. Снег идет, и... — И Ричард Чизмен только что заходил и хотел меня прикончить за то, что я засадил его сперва в колумбийскую, а потом и в британскую тюрьму, и он там гнил четыре с половиной года, но, к счастью, почему-то передумал меня убивать. — Кто этот новый доктор Фенби, о котором только что упомянула Аоифе? Еще один консультант?

— Это не он, а она. Она из Канады. Училась вместе с Томом, нашим врачом общей практики. Она психиатр.

— Вот как? А почему твоей сестре понадобился психиатр?

— Видишь ли... доктор Фенби много лет занималась паллиативной медицинской помощью онкобольным, и Том решил, что Хол, возможно, станет немного лучше от того нового средства, с которым доктор Фенби — ее, кстати, зовут Айрис — уже давно и успешно экспериментирует в Торонто. Я все прекрасно понимала, когда она час назад объясняла мне принцип действия этого лекарства, но, боюсь, сама я толком повторить это не сумею, так что лучше и не пытаться. Том о ней очень высокого мнения, вот мы и подумали... — Шэрон во весь рот зевнула. — Извини, не очень-то вежливо с моей стороны, но все мы тут немного устали. О чем это я говорила? Да, об Айрис Фенби. О ней и ее средстве.

— Спасибо, что сообщила мне все это. Выглядишь ты совершенно измученной.

Шэрон улыбнулась.

— А ты выглядишь больным и бледным, как задница землекопа.

— В таком случае прибавь цвета изображению в твоем лэптопе. Например, придай моей коже приятный бронзовый оттенок загара. Послушай, Шэрон, Холли не... В понедельник не будет слишком...

Глава дома Сайксов выразительно посмотрела на меня поверх очков, довольно-таки сильных, надо сказать.

— Оставьте ваш траурный костюм в Нью-Йорке, мистер Херши.

— Может, мне что-нибудь привезти?

— Только себя самого. Оставь весь разрешенный по билету вес для Кармен и Габриеля. В данный момент Холли явно не требуются ни спиртное, ни шмотки.

— А она знает, что ее книга «Дикие цветы» снова заняла первое место по продажам?

— Да. Она сегодня утром получила мейл от своего агента. И даже сказала, что надо бы ей почаще умирать, раз это вызвало такой ажиотажный спрос на ее книги.

— Скажи ей, чтоб она, черт побери, не говорила таких мерзких вещей. Ладно, пока. Увидимся в понедельник.

— Благополучно тебе долететь, Криспин. И благослови тебя Господь.

— Когда она проснется, скажи ей, что я... Нет, просто скажи ей, что она самая лучшая!

Шэрон смотрела на меня под каким-то странным углом — таковы уж особенности скайпа — потом сказала: «Непременно», словно успокаивая перепуганного ребенка, и экран померк.

Теперь на писателя Херши смотрел только его собственный призрак.

* * *

Мой рабочий день обычно продолжается до половины пятого, и я почти все это время занят, поскольку поток студентов не иссякает с самого утра, но сегодня, словно благодаря некоему тихому апокалипсису, долина реки Гудзон совершенно обезлюдела, вот только никто не потрудился заранее предупредить меня об этом. Я проверил электронную почту, но там было всего два новых сообщения: какое-то рекламное объявление из антивирусной компании, предлагающей «еще более надежный» фильтр для спама, и куда более приятное сообщение от Кармен о том, что маленький Габба пытается ползать, а сестра подарила Кармен огромный раскладывающийся диван-кровать, и теперь мне больше не придется, «измываясь над своей спиной», спать на диванных подушках. Я быстро послал пустяковый ответ: «Вперед, Габба!», затем отправил второе письмо, отменив дорогой номер в гостинице Брэдфорда — мне полагалось полное возмещение уплаченной суммы, — и наконец сообщил Мэгги, что ко мне в Блитвуд заезжал Ричард, что он здоров и выглядит хорошо. Встреча с Чизменом, которая, казалось, могла сдвинуть даже тектонические пласты, состоялась всего каких-то полчаса назад, но уже — *уже!* — успела превратиться в воспоминание, а воспоминание — это некое вполне поддающееся перезаписи CD-RW, а не записанное раз и навсегда CD-R. Самый последний мейл я отправил Зои, чтобы поблагодарить за приглашение и сказать, что никак не смогу на Новый год приехать в загородный дом родителей Марка, чтобы «вместе со всеми покататься на лыжах». Зои прекрасно знала, что я *не катаюсь* на лыжах — и не признаю принуждения ни в чем! — так с какой стати мне туда ехать и чувствовать себя униженным рядом с тренированным, загоревшим на Каймановых островах мужем моей бывшей жены? Лучше я проведу лишний денек с девочками. Итак, с почтой было покончено. Но часы показывали только без четверти четыре, а мне совершенно некуда было пойти, кроме моей полупустой комнаты в преподавательском доме, где, кроме меня, жили еще трое. Эван Райс имел в своем постоянном распоряжении три дома. Криспин Херши имеет одну комнату, а кухня у него общая с другими жильцами. Вечером в ресторане «Red Hook» должна была состояться вечеринка кафедры английской филологии, но паста с чернильными кальмарами и красный луциан после только что пережитой почти смертельной встречи... нет, все это казалось мне каким-то чересчур... я так и не сумел подобрать нужного слова.

И тут я заметил у двери какую-то девочку.

— Здравствуйте, — сказал я. — Я могу вам чем-нибудь помочь?

— Здравствуйте. Да, можете.

Девица была андрогинного типа, упакованная в какой-то жуткий, черный, как крылья жука, термический жакет до колен; на плечах у нее еще виднелись не успевшие растаять снежинки; голова была гладко выбрита; глаза раскосые, как у азиаток; веки чуть припухшие; кожа цвета шалфея. А уж взгляд... Интересно, может ли взгляд быть одновременно и внимательным, и отсутствующим? Такие глаза бывают у средневековых икон — да, вот именно. У нее был в точности такой взгляд! И она, замерев, так и стояла у двери.

— Входите, — подбодрил я ее. — Присаживайтесь.

— Сейчас. — Она двигалась так, словно не доверяет доскам пола, да и садилась настолько с опаской, словно у нее и со стульями хватало неприятностей. — Я — Солей Мур.

Она назвала свое имя таким тоном, словно я должен был его знать. А впрочем, вполне возможно.

— Мы с вами раньше встречались, мисс Мур?

— Это наша третья встреча, мистер Херши.

— Ясно... Вы не напомните мне, на каком вы факультете?

— Я не признаю никаких факультетов. Я — поэт и наблюдаю за жизнью.

— Но... вы ведь *являетесь* студенткой Блитвуда, не так ли?

— Я подавала на стипендию, когда узнала, что вы будете здесь преподавать, но профессор Уайлдерхофф описал мою работу как «полную заблуждений и, увы, невысокого полета».

— Это, безусловно, искренняя оценка. Вы меня извините, но, боюсь, мои приемные часы предназначены исключительно для студентов Блитвуда.

— Мы встречались в Хей-он-Уай, мистер Херши. Еще в 2015 году.

— Извините, но в Хей-он-Уай я встречался со многими людьми.

— Я вам подарила свой первый сборник: «Soul Carnivores»...

Колокола зазвонили, хотя и довольно слабо, словно где-то под водой и словно не в той тональности.

— ...и я присутствовала на вашем выступлении на Книжной ярмарке в Шанхае.

Я не верил, что в течение всего лишь одного часа жизнь дважды может подставить мне подножку, но, похоже, я ошибался.

— Мисс Мур, я...

— Мисс *Солей* Мур. — Она как-то особо это подчеркнула. — Я оставила свою вторую книгу в вышитой сумке, которую повесила на дверную ручку вашего гостиничного номера. Я хорошо помню: комната №2929, отель «Мандарин», Шанхай. Моя книга называлась «Ваш последний шанс», и это большое exposé.

— Публичное разоблачение? — Я почувствовал, как лед у меня под ногами вдруг стал невероятно тонок. — Но чего, собственно?

— Тайной Войны. Той тайной Войны, что ведется вокруг нас. Даже *внутри* нас. Я видела, как вы тогда вынули книгу «Ваш последний шанс» из вышитой сумки. А потом вы целый час провели в баре с Холли Сайкс, бросая монетки. Вы помните, мистер Херши? Я знаю, что помните. Холли Сайкс тому доказательство.

Факты-близнецы: сталкер явно крадется за мной по пятам, а эта девица просто спятила к чертовой матери.

— Чему «тому»?

— Тому, что вы вписаны в Сценарий.

— О каком сценарии вы говорите?

— О *том самом*. — Она, похоже, была потрясена. — Помните самое первое стихотворение в моей книге «Ваш последний шанс»? Вы *ведь прочли* его, мистер Херши, правда?

— Нет, я ваших стихов не читал, потому что меня это, черт побери, совершенно не...

— *Довольно!* — Она с трудом сдержала рыдание и так впилась кончиками пальцев в подлокотники кресла, что даже ногти побелели. Потом гордо откинула голову назад и заявила, словно обращаясь к кому-то невидимому на потолке: — Он даже этого *не прочел*! Проклятье. Проклятье. Проклятье. *Проклятье!*

— Юная леди, вы должны смотреть на это и с моей...

— *Вы* не смеете называть *меня* «юная леди»! И уж точно, — пальцы Солей Мур как-то странно, сами по себе, извивались, — не *после* всего, что было! Деньги! Кровь!

— Почему вы считаете, что я непременно обязан сделать так, чтобы ваши стихи были опубликованы?

— Потому что «Soul Carnivores» разъясняют все о *высших* хищниках; потому в «Вашем последнем шансе» говорится о методах Анахоретов, которые способны войти *куда угодно*, похитить или соблазнить *любого*; и, самое главное, потому что вы, мистер Херши, *есть в Сценарии.*

— Послушайте, мисс Мур... в *каком еще*, к черту, *сценарии?*

Ее глаза распахнулись еще шире — даже, по-моему, с каким-то щелчком, как у спятившей куклы.

— Вы *там есть*, мистер Херши! И я там есть. И Холли Сайкс — Анахореты забрали ее брата, и вы это прекрасно знаете. Вы сами вписали себя в Сценарий. Вы же описали все это в рассказе «Проблема Вурмена» — именно так действуют Анахореты. Вы же не можете отрицать, что написали этот рассказ!

— «Проблема Вурмена»? Да, я действительно написал этот рассказ, но это было много лет назад, и я едва его помню. Там, кажется, функционировал какой-то тюремный доктор? И говорилось об исчезновении Бельгии?

— Теперь это уже не имеет значения. — Солей Мур немного успокоилась или сделала вид. — «План А» заключался в том, чтобы посредством поэзии сделать человечество более бдительным. Это не удалось. Так что придется перейти к «Плану Б».

— Ну, — мне очень хотелось, чтобы она поскорей ушла, — желаю вам удачи с воплощением этого плана в жизнь. Извините, но мне действительно пора вернуться к работе, так что...

— Вы сами дали мне «План Б». В Хей-он-Уай.

— Мисс Мур, пожалуйста, не вынуждайте меня вызывать охрану.

— Ваша роль заключалась в том, чтобы привлечь к моей работе внимание мировой общественности. Я столько молилась, чтобы вы сами догадались оказать мне поддержку! Увы, я далеко не сразу учла, сколь важно и необходимо принести жертву. Мне очень жаль, мистер Херши.

— Ничего страшного, юная леди. Но прошу вас, уходите.

Солей Мур встала... Боже мой, да она, похоже, плачет?

— Мне очень жаль, — повторила она и исчезла.

* * *

И тут некая сверхъестественная сила швырнула Херши назад, сбросив с рабочего кресла на пол. Над ним возвышалась Солей Мур. Затем последовало еще пять выстрелов, таких ошеломительных, сделанных с такого близкого расстояния, что они даже не причинили ему боли. Щека Херши касалась грубого ворса ковра. Его грудная клетка была не просто пробита насквозь, но и практически разворочена. «С ума сойти! — мелькнула у меня мысль. — Неужели она меня застрелила? По-настоящему? Неужели она действительно, черт побери, меня застрелила прямо здесь и сейчас?» Ковер мгновенно пропитывался кровью Херши. Моей кровью. Крови было *чудовищное количество. ЧУДОВИЩНОЕ.* Десять букв — для «Скраббла» не подойдет, в него играют всего семью фишками. Может ли писатель Херши пошевелить хоть какой-то частью своего тела, дорогой читатель? Нет, не может. Зимняя обувь? В нескольких дюймах от меня? Зимние сапо... Нет, у меня не хватает букв. Послушайте, что это за голос? Любящий, слабеющий, плывущий. Мама? Господи, да это какой-то персонаж из диснеевского мультфильма! Нет, это Солей Мур. Мисс С. Мур. Ах да, конечно! Эсмисс Эсмур. Лучшая книга Э. М. Форстера[1]. Самый лучший его персонаж. «Вы знамениты, мистер Херши, так что теперь они прочитают мои стихотворения. Новостные агентства, Интернет, ФБР, ЦРУ, ООН, Ватикан — даже Анахореты не смогут их скрыть... В этой Войне мы с вами оба — вы и я — жертвы. Жертвой была и моя сестра. Они ее соблазнили и похитили, понимаете? Она рассказывала мне о них, но я считала, что это в ней лишь говорит ее болезнь. Никогда себе этого не прощу! Но я могу пробудить этот мир, дать ему знание, избавить от смертоносного невежества. Как только человечество поймет, что мы являемся для Анахоретов источником пищи — этакой лососевой фермой, — тогда мы сможем оказать им сопротивление. Восстаньте!

---

[1] Эдуард Морган Форстер (1879—1970) — английский писатель, автор психологических романов на семейно-бытовые и моральные темы.

Устройте на них загонную охоту!» Губы Солей Мур продолжали шевелиться, но звук исчез. Реальность словно сжималась вокруг меня.
Сперва пределы реального мира достигли канадской границы; затем
Олбани; а теперь реальность стала меньше территории кампуса в
Блитвуде. Заснеженный лес, библиотека, бункер филологическо-
го отделения, отвратительный кафетерий — все исчезло, все было
уничтожено. Смерть от руки сумасшедшей? Кто бы мог подумать!
На ковре — странный орнамент, состоящий из точек. Нет, это не
точки. Это *спирали*. Все эти дни, недели и месяцы вытянулись в
длинные спирали. Смотрите: спирали уходят вон в ту трещину. Они
опутывают весь кабинет, мой рабочий стол... Да это же *паутина*! А в
ней — *паук* и его высохшие жертвы. *Сушеные*. Там, в щели, куда не
достает шланг пылесоса. *Паук, спираль и*... А что еще? Вот и нашелся
тот пятый человечек, собранный из конструктора «Лего». Лежит в
нескольких дюймах от меня. На боку. Как и я. Смотрите-ка...

Да это же Пират. Как забавно.

И у него на глазу повязка.

Одноглазый.

«Лего»-человечек...

Проклятый

пират.

Холли...

Скажите

ей...

...

...

Хорологический лабиринт
2025 год

1 апреля

Сегодня вечером мой старый дом, подсвеченный размытыми огнями Торонто, выглядел так, словно населен призраками, а звезды походили на светлячки, пойманные в клетки пересекающихся веток. Я велела машине: «Выключи фары, выключи радио», и Тору Такемицу умолк на середине фразы, не допев свою «From Me Flows What You Call Time»[1]. 23:11 — сообщили часы на передней панели. Я то ли слишком отяжелела, то ли была слишком отягощена заботами, но у меня не было сил даже на то, чтобы встряхнуться и вылези из машины. Мы что, мутанты? Неужели мы — последствие эволюции? Или мы так были задуманы? Но *кем*? И почему этот, задумавший нас создатель проделал столь долгий и сложный путь, а потом просто ушел со сцены, оставив нас удивляться: зачем мы существуем? Для чего он нас создал? Для развлечения? Для извращений? Шутки ради? Чтобы судить нас? «И каков будет предел всему этому?» — спросила я у своей машины, у этой ночи, у Канады. Мои кости, плоть и даже душа казались совершенно истощенными, иссушенными. Сегодня утром я поднялась, когда не пробило еще и пяти, чтобы успеть на самолет в Ванкувер, вылетавший в шесть пятьдесят пять. Но когда прибыла в психиатрическую лечебницу «Купланд Хейтс», то там не оказалось ни одного пациента с явным «синдромом Мессии» и даром предвидения, зато у главного входа устроила ловушку целая стая репортеров. В лечебнице меня сопровождал мой бывший студент и нынешний друг доктор Аднан Байойя, терпеливо пережидавший самый плохой день в его профессиональной жизни. Мне пришлось участвовать в переговорах жены Оскара Гомеса, ее брата и их семейного адвоката с тремя старшими менеджерами. Глава частной компании, занимавшийся охраной лечебницы, как всегда, «увы, отсутствовал», хотя их юрист явился и даже что-то записывал. Лицо миссис Гомес, залитое слезами, выражало то глубочайшее страдание, то свирепую ярость.

---

[1] «Из меня проистекает то, что вы называете временем» (*англ.*).

— Там же, на всех внешних стенах, — видеокамеры! Наши дети видели папу на YouTube, но не поняли, то ли это просто какой-то фокусник, то ли преступник, то ли сумасшедший, то ли... то ли... Мы теперь боимся и телевизор включать, и в Интернет выходить, и все равно выходим и включаем, как же без этого? Но где же Оскар? Вот вы представляете охрану лечебницы — так написано на ваших бейджиках, — скажите, ведь не мог же он просто раствориться в воздухе?

Аднан Байойя, одаренный молодой психиатр, был не в силах ответить ей на этот вопрос, как не в силах был понять, каким образом мистер Гомес сумел сбежать из запертой комнаты и выбраться из лечебницы, оставшись не замеченным ни персоналом, ни видеокамерами, которые наверняка были просто сломанными. Санитар, дежуривший прошлой ночью, рассказал Аднану, будто мистер Гомес утверждал, что святой Марк собрался принести ему ночью Лестницу Иакова и забрать его на Небеса, чтобы обсудить строительство Царства Божьего на земле. Разумеется, сам санитар всерьез предупреждение не воспринял.

Старший менеджер заверил миссис Гомес, что для него в данный момент первая и главная задача — это определить местонахождение ее мужа, и пообещал строжайшее расследование данного упущения охраны лечебницы. Аднан заметил, что после семисот пятидесяти тысяч просмотров на YouTube — а теперь, возможно, уже и миллиона — обнаружение «провидца с Вашингтон-стрит» — лишь вопрос времени. Я молчала, пока меня не попросили предсказать, каковы, на мой взгляд, могут быть дальнейшие шаги мистера Гомеса. Я сказала, что большинство тех, кто страдает «синдромом Мессии», живут обычно очень недолго, но поскольку у меня недостаточно данных об истории болезни мистера Гомеса, мне не на чем основывать свои предположения о его дальнейших действиях. «Полная чушь! — пробормотал брат миссис Гомес. — А еще считается экспертом! На самом деле все они, черт бы их побрал, ничего толком сказать не могут!»

На самом деле я могла бы сказать этому типу, черт бы его побрал, абсолютно все, но иной раз разумным людям лучше оставить истину при себе. И потом миссис Гомес все равно не поверила бы, что она уже стала вдовой, а ее дети до конца жизни не смогут понять, что же случилось с их отцом 1 апреля 2025 года. Единственное, что я могла сделать, — это остановить Аднана, который без конца извинялся, что заставил меня пересечь три канадских временных пояса, чтобы встретиться с пациентом, который ухитрился сбежать за несколько часов до моего приезда. Я пожелала своему бывшему студенту и нынешнему коллеге удачи и покинула лечебницу с черного хода, через кухню. Мне потребовалось некоторое время, чтобы отыскать взятый напрокат автомобиль на огромной, залитой дождем стоянке, и когда я его наконец отыскала, этот день моей жизни приобрел еще более странный и отнюдь не самый приятный поворот.

Послышался крик совы-сипухи. Надо было все-таки встать и вылезти из машины. Не могла же я сидеть там всю ночь.

* * *

Посылка размером с обувную коробку, которую переслал мне Садакат, уже ждала на кухонном столе, но я весь день ничего не ела, так что, отложив посылку в сторону, для начала сунула в микроволновку блюдо с фаршированными баклажанами, приготовленными моей домоправительницей, миссис Тависток, которая приходила раз в неделю. Затем я включила в доме отопление. Снег уже растаял, но весна пока не очень-то ощущалась. Я запила ужин стаканом риохи и принялась за статью в «Korean Psychiatric Journal», но лишь дочитав до конца, вспомнила наконец о посылке. Ее отправителем был некто Аге Нэсс-Одегард из школы для глухих в Тронхейме, Норвегия. Я не посещала эту страну с тех пор, как была Кларой Косковой. Я отнесла посылку в кабинет и проверила ее с помощью ручного детектора взрывчатых веществ. Огонек остался зеленым, и, содрав два верхних слоя коричневой упаковочной бумаги, я обнаружила внутри неуклюжую картонную коробку и в ней — кокон из пузырчатой пленки, внутри которого оказалась изящная шкатулка красного дерева с крышечкой на петлях. Приподняв крышечку, я увидела застегнутый на молнию пластиковый контейнер с портативным магнитофоном «Sony» весьма грубого дизайна в стиле 1980-х. К нему были подключены наушники из металла, пластмассы и пенопласта. В магнитофоне стояла кассета C30 BASF — я уж и забыла, что существовала такая фирма, некогда весьма знаменитая. Проверив магнитофон с помощью детектора, я стала читать длинное, написанное на трех листах, письмо, также вложенное в шкатулку.

Школа для глухих Овре Фьельберга
Грансвен 13.
7032 ТРОНХЕЙМ
Норвегия
15 марта 2025 г.

Дорогой Маринус!
Сразу же прошу у Вас прощения, ибо не знаю, «Маринус» — это мистер или миссис. А может быть, к вам следует обращаться «доктор Маринус»? И вообще, это ваша фамилия или имя? Прошу Вас

также извинить мое плохое знание английского языка. Меня зовут Аге Нэсс-Одегард. Возможно, это имя упоминала Вам миссис Эстер Литтл, но я в данном случае буду основываться на том, что она его Вам никогда не упоминала. Я — норвежец, мужчина семидесяти четырех лет; я живу в Тронхейме, это один из городов моей родной страны. На случай, если вы не знаете, зачем какой-то незнакомец прислал вам старую аудиомашинку, пересказываю всю историю целиком.

Мой отец создал школу Овре Фьельберга в 1932 году, потому что его брат Мартин родился глухим, а в те времена отношение к людям с таким недостатком было весьма примитивным. Я родился в 1950 году и научился весьма бойко читать и писать (на норвежском, естественно) еще до того, как мне исполнилось десять. Моя мать управляла школой, а мой дядя Мартин следил за домом и участком и поддерживал порядок на школьной спортивной площадке, так что, как Вы легко можете себе представить, в этой школе и ее учениках заключалась вся жизнь нашей семьи. В 1975 году я получил в университете Осло диплом преподавателя и вернулся в Тронхейм, чтобы тоже работать в нашей школе. Я создал там музыкально-драматический кружок, потому что и сам очень люблю скрипку. Многие люди, не страдающие глухотой, даже не подозревают, что и глухие способны наслаждаться музыкой, причем самыми разнообразными способами, и вскоре традицией нашей школы стало сотрудничество с местным любительским оркестром: каждую весну мы устраивали большой концерт для смешанной аудитории, состоявшей как из глухих, так и из слышащих людей. Пение, танцы, специальные усилители звука, зрительные образы и многое другое — мы, короче говоря, использовали все. В 1984 году, когда, собственно, и случилась эта история, я выбрал для нашего ежегодного представления «Туонельского лебедя» Яна Сибелиуса[1]. Это очень красивая вещь. Возможно, вы ее знаете?

Однако в 1984 году над нашим мирным пейзажем повисло одно темное облако (можно ли так сказать по-английски?), а именно: финансовое положение нашей школы стало поистине критическим. Школа Овре Фьельберга жила в основном на пожертвования, но мы постоянно нуждались в субсидиях со стороны Осло, чтобы платить зарплату сотрудникам и так далее. Не стану утомлять вас проблемами тогдашней политики, но в тот момент наше правительство как раз отказало нам в субсидии, вынудив наших учеников посещать

---

[1] Я н   С и б е л и у с (1865—1957) — финский композитор, крупнейший симфонист; «Туонельский лебедь» (1893), написан им на сюжет «Калевалы».

другую школу, до которой было два часа езды на автомобиле. Мы протестовали против подобного решения, но, увы, были лишены как финансовой независимости, так и крепких политических мускулов, и нашей драгоценной школе грозило закрытие. И это после полувека блестящей работы! Для нашей семьи это стало бы настоящей трагедией.

Но однажды теплым июньским днем 1984 года ко мне в кабинет вошла посетительница. Ей было, пожалуй, за пятьдесят. Короткая стрижка, волосы с заметной проседью, почти мужская одежда, а на лице — следы множества пережитых событий. Она извинилась за беспокойство — она говорила по-норвежски, но с неким иностранным акцентом, — и спросила, не можем ли мы далее вести беседу по-английски. Я согласился, и она рассказала, что ее зовут Эстер Литтл, что она недавно побывала на концерте наших учеников и получила большое удовольствие. Далее она сказала, что слышала о чрезвычайно сложном финансовом положении нашей школы и хотела бы нам помочь, если это возможно. Я сказал: «Ну, если у вас есть волшебный веер, то, пожалуйста, я вас слушаю». И Эстер Литтл поставила на мой стол какую-то деревянную шкатулку. Именно эту шкатулку из красного дерева я Вам и посылаю. Внутри находился портативный кассетный плеер и одна магнитофонная кассета. А затем Эстер Литтл объяснила мне условия сделки: если я обязуюсь хранить эти вещи в течение, скажем, нескольких лет, а потом отправить их по почте ее другу по имени Маринус по указанному адресу в город Нью-Йорк, то она отдаст распоряжение своим юристам из Осло, чтобы они сделали большой взнос на счет нашей школы.

Следовало ли мне согласиться? Эстер Литтл прочла мои мысли. Она сказала: «Нет, я не имею отношения ни к наркоторговцам, ни к террористам, ни к шпионам. Я просто эксцентричная филантропка из Западной Австралии. Эта кассета — послание моему другу Маринусу, которому в нужный момент будет очень важно его услышать». Я и сегодня, когда пишу Вам это письмо, не могу понять, почему я сразу ей поверил, но иногда встречаются такие люди, которым веришь сразу, просто повинуясь инстинкту. И я поверил Эстер Литтл. А ее юристы из Осло оказались представителями весьма респектабельной консервативной фирмы, и это, возможно, тоже повлияло на мое решение. Я спросил, почему она просто не заплатила юристам из Осло, чтобы те отправили ее шкатулку в Нью-Йорк в некий определенный день, и Эстер Литтл ответила: «Юристы приходят и уходят. Даже самые осторожные и сдержанные из них всегда на виду и всегда работают за деньги. А вы — просто честный человек, живущий в одном из самых тихих уголков нашего мира; и потом, вы будете жить достаточно долго». И она написала на листке бумаги ту сумму, которую собиралась пожертвовать нашей школе. Когда я увидел эту цифру, то, не сомневаюсь, лицо мое стало бледным, как у привидения! Этого нашей школе полностью хватило бы, по крайней мере, лет на пять. А Эстер Литтл попросила: «Скажите вашему совету директоров, что эти деньги пожертвованы богатым анонимным спонсором, который верит в успех школы Овре Фьельберга. И учтите: я говорю чистую правду». И я понял, что эта шкатулка, как и сама сделка, должны остаться нашей с ней маленькой тайной.

Мы пожали друг другу руки. Естественно, моим последним вопросом было: «Когда мне послать эту шкатулку Маринусу в Манхэттен?» В ответ на это Эстер Литтл вынула из шкатулки маленькую фарфоровую статуэтку Сибелиуса, поставила ее на верхнюю полку книжного шкафа и сказала, что я должен буду отправить шкатулку в Америку в тот день, когда эта статуэтка Сибелиуса упадет с полки и разобьется вдребезги. Я решил, что плохо понял данную английскую фразу, и задумался. Если эта статуэтка разобьется на следующей неделе, значит, я должен буду послать шкатулку на следующей неделе? Если же она разобьется в 2000 году, я должен буду послать ее в 2000 году? А что, если я умру до того, как статуэтка разобьется? Тогда, значит, я вообще не смогу отослать эту шкатулку? Да, именно так, сказала Эстер Литтл, таковы условия нашей сделки. И прибавила: «Я же вам говорила, что я особа весьма эксцентричная». Затем мы с ней распрощались, и, если честно, когда она ушла, я подумал: уж не привиделась ли она мне? Но уже на следующий день мне позвонил ее юрист из Осло и спросил номер нашего банковского счета; и очень скоро вся обещанная Эстер Литтл сумма, до последней кроны, была переведена на наш счет. Школа была спасена. А через три или четыре года мнение правительства о нашей школе коренным образом переменилось, и в ее развитие была инвестирована крупная сумма, но у меня нет ни малейших сомнений, что именно миссис Эстер Литтл спасла нас в самый трудный для нас период. В 2004 году я стал директором школы, а несколько лет назад вышел на пенсию, но все еще вхожу в совет директоров и по-прежнему пользуюсь своим личным кабинетом. И все эти годы Ян Сибелиус, стоя на полке книжного шкафа, стерег покой моего кабинета, точно человек, хранящий вместе со мной тайну.

Вы, возможно, уже догадываетесь, каков был конец этой истории. Вчера был первый теплый день за всю весну. И я, разумеется, как и большинство норвежцев, настежь распахнул окна, чтобы впустить в кабинет побольше свежего воздуха. Прямо у меня под окнами на теннисной площадке играли наши ученики. Затем я на несколько минут вышел из кабинета, чтобы сварить себе кофе, и вдруг услышал какой-то шум. Когда я вернулся, статуэтка Сибелиуса валялась на полу. Голова и грудь композитора разлетелись вдребезги. Рядом лежал теннисный мяч. Шансы были 10 000 к 1, но, видно, это время все-таки наступило. Так что я посылаю Вам шкатулку, как и обещал Эстер Литтл, вместе со всей этой странной историей. Надеюсь, что запись на кассете все еще можно разобрать, хотя прошло уже более сорока лет. Признаюсь, я никогда даже не пытался ее прослушать. Если ноги миссис Литтл все еще ступают по нашей земле (если это действительно так, то ей, должно быть, уже более ста лет), то передайте ей самую искреннюю благодарность и наилучшие пожелания от «честного человека, живущего в одном из самых тихих уголков нашего мира», которому действительно удалось прожить очень долго.

Искренне ваш, Аге Нэсс-Одегард.

Мое сердце неслось вскачь, не видя финишной черты. Обман? Мистификация? Я включила компьютер и набрала: «Школа для глухих Овре Фьельберга». Ага, вот и она, и у нее имеется свой сайт. Может, фальшивый? Нет, не похоже. Да и затея со статуэткой Сибелиуса и тихой заводью в Норвегии — все это очень и очень похоже на Эстер Литтл. Если она поставила этот маркер в июне 1984 года, то это наверняка было ее реакцией на нечто мельком прочитанное в Сценарии. Если Первая Миссия действительно была предусмотрена Сценарием, то, возможно — только возможно! — и наше поражение не было таким уж непоправимым, каким мы его считали в течение сорок одного года. И все же, разве могла смерть Кси Ло, Холокаи и Эстер Литтл оказаться всего лишь частью некоей, более значительной, схемы? К счастью, в ящике моего письменного стола нашлось несколько допотопных батареек — они уже практически вышли из употребления, — и я, надеясь, что они еще не совсем сдохли, вставила их в магнитофон, надела наушники и, немного поколебавшись, нажала на «Play». Магнитофон вроде бы заработал. Правда, несколько секунд шипел «пустой хвост», но затем послышался треск и щелчок, означавший, что включена запись. Я услышала рев далекого мотоцикла и знакомый хрипловатый голос, от одного лишь звучания которого у меня сразу перехватило дыхание, а сердце пронзила боль: ах, мой любимый, давно утраченный друг!..

— Маринус, это Эстер. Сегодня... 7 июня 1984 года. Я решила, прежде чем мы соберемся в Грейвзенде, предпринять небольшую поездку в Тронхейм. Чудесный город! Здесь мало что происходит. И он «очень белый». Только что таксист спросил у меня, из какой части Африки я родом. — Было слышно, как Эстер, чуть покашливая, раскуривает сигарету. — Но послушай: мне удалось мельком заглянуть в Сценарий. Там речь шла еще о нашей Первой Миссии. Я видела все урывками, неясно, чтобы быть окончательно уверенной, но там были огонь... бегство... и смерть. Смерть во Мраке и смерть в каком-то помещении, залитом солнечным светом. Если Сценарий точен, я выживу, если можно так выразиться, но мне понадобится найти себе подходящую нору, приют, убежище, причем убежище тайное и с крепко запертыми дверями, чтобы Анахореты, когда они вздумают меня разыскивать — а Константен наверняка предпримет такие шаги! — ничего не заметили и меня не обнаружили. А это значит, что в итоге мне снова понадобишься ты, чтобы вызволить меня оттуда. И, соответственно, мне нужно как-то заранее передать тебе ключ от этого убежища. — Я услышала, как загрохотало что-то тяжелое, стеклянное, и догадалась, что Эстер придвинула к себе через стол пепельницу. — В Сценарии я успела увидеть еще какие-то могилы среди деревьев и название: «Блитвуд». Отыщи это место и отправляйся туда, как только сможешь. Там ты встретишь уже известного тебе человека. Этот человек и стал моим убежищем. Убежище заперто на много замков, но я отправляю тебе указатель, к какому именно замку подойдет данный ключ. Найди этот замок, Маринус. Открой его. Верни меня из мертвых. — Я услышала приглушенный звон тележки мороженщика — наверняка из того норвежского лета Эстер. — То, что ты слушаешь эту кассету, уже является своего рода спусковым крючком. Один из наших врагов кое-что предложит тебе, и очень скоро. Спрячь все это. Спрячь эту шкатулку. Он уже совсем близко, а в Сценарии не сказано, можешь ты ему доверять или нет. Его предложение послужит как бы семенем, зародышем нашей Второй Миссии. И события начнут развиваться очень быстро. Всего через семь дней Война будет закончена — тем или иным путем. Если все пойдет хорошо, мы успеем встретиться еще до ее окончания. Итак, до скорой встречи.

Раздался щелчок. Запись закончилась, снова зашипел «пустой хвост», и я нажала на «Stop».

В голове у меня буквально роились догадки, полудогадки и множество вопросов. Мои друзья и я всегда считали, что душа Эстер погибла, не выдержав повреждений, полученных во время схватки с Джозефом Раймсом и его убийства, а остатки сил она истратила на «редактирование» воспоминаний Холли Сайкс. А иначе никак нельзя было объяснить причину того, что с 1984 года Эстер ни разу не выходила с нами на связь. Впрочем, полученная кассета выдвигала совершенно иную, весьма драматическую, альтернативу случившегося. Видимо, после завершения Первой Миссии душа Эстер была разрушена до критического, но все же не *фатального* уровня. Она сумела обрести убежище глубоко внутри некоего неизвестного и ничего не подозревающего «носителя» и так хорошо замаскировалась, что ни один из охотников Пути Мрака, направляемый Обратным Сценарием, не сумел ее отыскать и уничтожить. И теперь, получив от нее необходимые ключи и указания, я вроде бы могла определить ее местонахождение и наконец освободить ее душу из этого убежища, где она провела сорок один год. Впрочем, моя надежда на это была настолько худосочной, что казалась близкой к анорексии. Ведь уже через несколько *часов* пребывания в параллаксе чужих воспоминаний чувствительность практически растворяется. А Эстер столько лет существовала во внутренней реальности чужого тела, что я не была уверена, вспомнит ли она хотя бы собственное имя.

Я смотрела на отражавшееся в оконном стекле лицо Айрис Фенби в обрамлении деревьев Клейнбургского леса. Мясистые губы, приплюснутый нос, короткие вьющиеся черные волосы, чуть подернутые серебром. Лес за окном представлял собой остатки старых лесов, покрывавших берега озера Онтарио в течение всей предшествующей эпохи голоцена. Война, в которой лес сопротивлялся наступлению сельскохозяйственных угодий, шестиполосных хайвеев и полей для гольфа, была им практически проиграна. Могла ли уцелеть Эстер Литтл? Жива ли она? Этого я не знала. Просто не знала. Эстер имела власть над Входом, так почему же она не стала искать убежища у кого-то из Хорологов? Возможно, именно потому, что это было бы слишком очевидно. А как быть с последней частью послания Эстер: «Один из наших врагов кое-что предложит тебе, и очень скоро»? Или: «Он уже совсем близко»? Что все это значит? Сейчас глубокая ночь, но у меня хорошо защищенный дом с пуленепробиваемыми стеклами в окнах, расположенный в одном из самых благополучных северо-западных пригородов Торонто. И потом, со времени предостережения Эстер, записанного на магнитофон, прошел сорок один год. Трудно поверить, чтобы за столько лет можно было в точности предвидеть конкретные события, даже если предсказателем являлся такой одаренный Хоролог, как Эстер...

* * *

Зазвенел звонок переговорного устройства, установленного на столбе у ворот, и я, прежде чем нажать на кнопку и ответить, инстинктивно спрятала посылку из Норвегии за стопку книг, высившуюся на письменном столе. Мое переговорное устройство не способно идентифицировать явившегося с визитом. И потом, сейчас уже ночь. Может, вообще не стоит откликаться?

— Да?

— Маринус, — услышала я мужской голос, — это Элайджа Д'Арнок.

Я была потрясена: интересный способ выйти на контакт! А впрочем, после звонка Хьюго Лэма в Ванкувере мне вообще ничему не следовало удивляться.

— Какая... «приятная» неожиданность!

Мертвая тишина. Затем:

— Да, мне так и представлялось, что для вас это наверняка будет неожиданностью. На вашем месте я бы испытывал те же чувства.

— «Мне представлялось»? «Чувства»? Вы себе льстите.

— Да-а. — Голос Д'Арнока звучал задумчиво. — Может, и льщу.

Я быстро пригнулась и выключила лампу, чтобы он снаружи не смог меня увидеть.

— Не хочу показаться грубой, Д'Арнок, но не могли бы вы сразу перейти к вашему тайному злорадству относительно Оскара Гомеса, чтобы я в конце концов могла спокойно повесить трубку? Сейчас уже очень поздно, а у меня, как вы знаете, день выдался чрезвычайно долгий и насыщенный.

Последовало унылое молчание, исполненное тревоги, потом он заявил:

— Я хочу, чтобы все это прекратилось!

— Что именно? Этот наш разговор? Что ж, буду только рада. Прощайте...

— *Нет*, Маринус! Я... хочу выйти из игры.

Я попросила повторить последнее предложение: уж не ослышалась ли я.

И Д'Арнок повторил тоном обиженного ребенка:

— Я хочу выйти из игры.

— А дальше я говорю: «Правда?», а вы отвечаете: «Только в ваших мечтах!» Во всяком случае, когда я в последний раз училось в университете, эта игра выглядела примерно так.

— Я не в силах... не в силах выносить эти процедуры *сцеживания*. Я хочу выйти из игры.

Куда более странным, чем свойственные Анахоретам выражения в речи Д'Арнока, было то, что в его интонациях не сквозило ни капли чванства, столь характерного для его собратьев. Но я все еще была чрезвычайно далека от того, чтобы купиться на его «искренность».

— Ну что ж, Д'Арнок, — сказала я, — теперь, когда вы au fait[1] овладели искусством чувств и воображения, попробуйте представить себя на моем конце провода: как бы вы ответили на столь внезапную демонстрацию угрызений совести со стороны высокопоставленного Анахорета?

— Весьма скептически, черт побери! И для начала я бы спросил: «А почему именно сейчас?»

---

[1] Действительно (*фр.*).

— Действительно прекрасный вопрос для начала разговора. Так почему сейчас, Д'Арнок?

— Это возникло не сейчас. И это не сиюминутное чувство. Это... как тошнота, которая у меня все усиливалась в течение последних... уже, наверное, лет двадцати. Но я больше не могу закрывать на это глаза. Я... Послушайте, в прошлом году Ривас-Годой, Десятый Анахорет, сделал своим *источником*... пятилетнего малыша из Параисополиса, это одна из пригородных трущоб Сан-Пауло. У Энцо — так звали малыша — не было ни отца, ни друзей; это был несчастный запуганный ребенок, но с очень живым и активным чакра-глазом; и Ривас-Годой стал для него, так сказать, старшим братом... Прямо как в учебнике. Я осуществил внутреннюю проверку Энцо, совершив акт ингрессии, и мальчик оказался совершенно чист, никаких признаков Хорологии. Так что я вполне одобрил его кандидатуру. Я присутствовал в Часовне на процедуре Возрождения, когда Ривас-Годой подвел Энцо к...

Я прикусила язык, потому что с него уже готовы были сорваться не меньше пяти ядовитых замечаний.

— ...к «Санта-Клаусу» и предложил с ним познакомиться. — Даже по голосу Д'Арнока угадывалась гримаса отвращения.

— И это был мужчина европейской внешности, лет шестидесяти с виду, которого на самом деле не существует.

— Да. Энцо, собственно, и выбрали, потому что он говорил, будто Санта вполне может оказаться и настоящим. Так что Ривас-Годой пообещал мальчику, что возьмет его в Лапландию и познакомит с Сантой. Так что на этот раз Путь Камней оказался самой короткой дорогой к Северному Полюсу, а Часовня превратилась в столовую Санты, ну и Тьма вокруг... она, в общем, заменила полярную ночь... и все это было названо Лапландией. Энцо никогда не покидал своей фавелы, так что... — Д'Арнок протяжно выдохнул сквозь зубы, — ...ничего лучше он и не видел. Ривас-Годой сказал, что я ветеринар, который лечит оленей Санты, если они вдруг заболеют, и Энцо пришел в дикий восторг, а Ривас-Годой предложил ему: «Хочешь посмотреть на отца Санты? Он изображен вон на той картине. Это волшебная картина, она умеет разговаривать, так что подойди и поздоровайся». Я думаю, эта последняя минута в жизни Энцо и стала самой счастливой. А потом, когда в день Солнцестояния состоялась процедура Возрождения, и мы пили Черное Вино, Ривас-Годой стал со смехом рассказывать, какой «тупой задницей» оказался этот бразильский мальчонка... и я лишь с огромным трудом сумел опустошить свой бокал.

— Но ведь все-таки сумели, не так ли? Ну, разумеется, сумели.

— Я же Анахорет высшего ранга! Да и потом, разве у меня был выбор?

— Достаточно было сделать шаг в сторону от Входа и рухнуть в глубины Марианской впадины. Вы бы не только избавились от чувства вины, но стали бы полезным вкладом в пищевые запасы местной аквафауны, а меня избавили бы от ваших — о, таких сверкающих! — крокодиловых слез.

Д'Арнок прошептал срывающимся голосом:

— Процедура *сцеживания* и изготовления Черного Вина должна быть прекращена!

— Энцо, мальчик из Сан-Пауло, должно быть, оказался и впрямь невероятно привлекательным и милым, что вас так разобрало, Д'Арнок. Вам, кстати, следует знать, что я совсем не уверена, что наш разговор через данное устройство нельзя про...

— Я же главный хакер Анахоретов, так что никто нас подслушать не сможет. Дело не только в Энцо. И не только в Оскаре Гомесе, который попался сегодня. Главный вопрос — это существование Анахоретов. С того самого дня, когда Пфеннингер впервые рассказал мне о Слепом Катаре, о том, что он создал, и о том, как это действует, я всегда был их соучастником... Послушайте, Маринус, если вы так уж хотите, чтобы я употребил слово «злодеяние», то я им воспользуюсь: *я был соучастником их злодеяний*. Я, разумеется, прибегал к определенной анестезии, чтобы не испытывать особой душевной боли. Я глотал их ложь. Я запросто переваривал все их дерьмовые утверждения: «Что значат какие-то четыре *штуки* в год по сравнению с восемью миллиардами?»... Но всему есть предел. И теперь меня просто тошнит от всего этого. От выискивания *источников*, от постоянного ухода за собственной внешностью, от убийств, от уничтожения душ. Меня тошнит от зла. Хорологи правы. Вы всегда были правы.

— А что вы скажете, Д'Арнок, когда ваша юношеская привлекательность станет убывать и совсем исчезнет?

— Но тогда я снова стану по-настоящему живым, а не... таким, как сейчас.

Снаружи на крыльце что-то потрескивало. Неужели вся эта сцена подстроена? Я осторожно выглянула наружу — енот.

— Вы поделились своими новыми взглядами с мистером Пфеннингером?

— Если вы и дальше намерены сидеть там и смешивать меня с дерьмом, Маринус, то я лучше первым повешу трубку. Отступничество, измена — это самые тяжкие преступления согласно кодексу Пути Мрака. И, между прочим, вам следовало бы использовать этот факт. Вы ведь понимаете, что для меня единственная возможность выжить — это помочь вам уничтожить ваших вечных врагов прежде, чем они уничтожат меня.

Да будь ты трижды проклят, Элайджа Д'Арнок! Но мне все же пришлось спросить:

— И как именно вы предлагаете нам уничтожить наших вечных врагов?

— С помощью взрыва психической энергии, который разрушит Часовню Мрака.

— Этим мы уже пробовали воспользоваться. И вы прекрасно знаете, чем закончилась наша попытка.

Хотя я и сама теперь, получив посылку из Норвегии, не была так уж уверена, что знаю, чем именно все это закончилось.

— Да, Хорология тогда потерпела поражение, *но* ведь вы впервые нарушили границу и еще толком не знали, с чем имеете дело. Ведь так?

— Так вы намерены нас просветить? Так сказать, излечить нас от невежества?

На этот раз молчание Д'Арнока длилось долго, очень долго.

— Да, намерен, — наконец сказал он.

Я бы, пожалуй, сказала, что акт отступничества Элайджи Д'Арнока был искренним процентов на пять, не больше, но Эстер Литтл, видимо, успела увидеть в Сценарии именно эту сцену и, если я правильно ее поняла, хотела, чтобы я обращалась с Д'Арноком как с возможным союзником или, по крайней мере, сделала вид, будто почти поверила ему.

— Я вас внимательно слушаю, Д'Арнок.

— Нет. Для подобного разговора, Маринус, нам нужно встретиться лично.

Так. Теперь уровень его искренности снизился максимум до одного процента. Он, разумеется, предложит мне встретиться с ним в очередной ловушке для людей, и ее челюсти захлопнутся намертво.

— Где же вы предлагаете встретиться?

Енот на крыльце повернулся ко мне своей мордочкой, очень похожей на маску Зорро.

— Не старайтесь поймать меня с помощью ваших «глубоководных» приемов, Маринус. Если честно, то я сейчас разговариваю с вами из вашей машины, которая стоит на подъездной дорожке. И тут так холодно, что у меня даже яйца отмерзли. Подбросьте, пожалуйста, дров в камин, если вам не трудно?

3 апреля

Воздух на станции метро «Покипси» был, пожалуй, чуть более резким и холодным, чем на станции «Гранд-Централ», но солнце уже взошло, и под его лучами на платформе уже таял последний зимний снег. Вместе с толпой студентов, обсуждавших катание на лыжах в Европе, стажировки в «Гугенхейме» и вирусные заболевания, передающиеся от животных человеку, я прошла по пешеходному мосту, миновала всевозможные турникеты и зал ожидания, похожий на церковь 1920-х годов, и наконец оказалась на тротуаре, где меня уже поджидала какая-то женщина в теплой черной жилетке, державшая в руках табличку «д-р А. Фенби». Она была, пожалуй, на несколько лет старше меня и стояла возле очередного гибрида «Шевроле» с чем-то еще. Ее пышные волосы были выкрашены в рыжевато-каштановый цвет, но у корней отчетливо просвечивала седина, а нездоровый цвет лица только усугубляли очки в дурацкой бирюзовой оправе. Недобрый человек, описывая ее внешность, мог бы сказать: «такая уж точно никому бы не приглянулась».

— Доброе утро, — сказала я ей. — Я доктор Фенби.

Женщина-шофер напряглась.

— *Вы* доктор Фенби? Вы?

С чего это она вдруг так удивилась? Только потому, что я чернокожая? И это в студенческом городке 2020-х годов?

— Да, а что? Надеюсь, это не вызывает никаких проблем?

— *Нет*. Нет. Нет, что вы! Садитесь. Это и весь ваш багаж?

— Я приехала всего на один день.

Все еще озадаченная, я села в «Шевроле». Она устроилась за рулем и пристегнула ремень безопасности.

— Значит, сегодня прямо в кампус Блитвуда, доктор Фенби? — Голос у нее был хриплый — видимо, больные бронхи.

— Совершенно верно. — Неужели я неправильно оценила се недавнюю реакцию? — Можете провезти меня мимо президентского дома? Знаете туда дорогу?

— Запросто провезу. Я, должно быть, раз сто возила мистера Стайна туда-сюда мимо этого дома. Так вы сегодня с президентом встречаетесь?

— Нет. Я встречаюсь... с другим человеком.

— Ну и хорошо. — Ее водительское удостоверение, прикрепленное над передней панелью, свидетельствовало, что ее зовут Венди Хангер. — Ну что, поехали? Эй, «Шевроле», зажигание!

Автомобиль завелся сам собой, замигали огоньки на приборной доске, и мы поехали. Венди Хангер и на фотографии водительского удостоверения выглядела несколько нервной. Возможно, жизнь никогда не позволяла ей терять бдительность. А может, она только что отработала четырнадцатичасовую смену. Или просто пьет слишком много кофе.

Мимо мелькали автостоянки, авторемонтные станции, супермаркет, школа; промелькнуло какое-то строение, украшенное пышным лепниной. Эта женщина-шофер явно не отличалась разговорчивостью, что меня совершенно устраивало. В мыслях я то и дело возвращалась к состоявшейся прошлым вечером встрече на галерее дома 119А. Уналак, будучи местной, приехала туда раньше меня; Ошима прилетел из Аргентины; Аркадий, который теперь мог путешествовать более свободно, поскольку ему уже исполнилось восемнадцать, прибыл из Берлина; Рохо — из Афин и Л'Охкна — с Бермуд. Мы уже несколько лет не собирались все вместе. Садаката подвергли Акту Хиатуса, и обсуждение началось. Мои пятеро коллег внимательно слушали рассказ о визите Элайджи Д'Арнока, который два дня назад заявился среди ночи к дверям моего дома в Клейнбурге. Естественно, я подробно перечислила все его аргументы в защиту своего желания дезертировать и помочь осуществлению нашей Второй Миссии. Мои друзья отреагировали весьма скептически.

— Так скоро? — спросил Рохо, разглядывая свои переплетенные пальцы; пальцы у него были такие же гибкие, смуглые и хрупкие, как и он сам. Гладко выбритый, своим поджарым телом напоминавший древнего египтянина, Рохо, казалось, был создан для того, чтобы проскальзывать в любую самую узкую щель, даже если никому другому даже в голову не пришло бы попытаться туда проникнуть. Он был относительно молод для Хоролога и пережил всего лишь свое пятое возрождение, но под чутким руководством Ошимы постепенно становился записным дуэлянтом. — Первую Миссию мы готовили пять лет, и она окончилась провалом. Подготовить Вторую Миссию буквально за несколько дней было бы чрезвычайно... — Рохо наморщил нос и покачал головой.

— По словам этого Д'Арнока, все выглядит как-то чересчур легко, — поддержала Рохо Уналак. Ее первая жизнь в качестве индейской женщины из племени инуитов Северной Аляски окрасила ее душу в несмываемые краски Крайнего Севера, но нынешнее тело принадлежало тридцатипятилетней чистокровной ирландке из Бостона, рыжеволосой, белокожей и покрытой таким количеством веснушек, что определить ее этническую принадлежность было весьма затруднительно. — Как-то чересчур просто.

— Но мы, похоже, должны согласиться, — сказал Ошима. Ошима был одним из самых старых Хорологов — как душой, ибо сам он родился в Японии еще в XIII веке, так и нынешним телом, прежний хозяин которого появился на свет в 1940-х годах в Кении. Его стиль одежды Рохо называл «безработный джазовый ударник»; чаще всего на нем был старый плащ и поношенный берет. Однако в психодуэлях Ошима был опасней любого из нас. — На предложении Д'Арнока буквально написано слово «ловушка»; оно прямо-таки сияет ярким неоновым светом.

— Но Маринус сканировала его мысли. И Д'Арнок ей это *позволил*, — заметил Аркадий. Душа Аркадия ранее занимала тело с типичной восточноазиатской внешностью, что составляло резкий контраст с его нынешним внешним «я» — телом молодого светловолосого и светлокожего венгра, крупного, костистого, еще по-детски неуклюжего и прыщавого; к тому же крупному, вполне развитому телу Аркадия совершенно не подходил его совсем еще мальчишеский голос. — И потом, это его искреннее отвращение к себе из-за гибели бразильского мальчика... — Аркадий на всякий случай посмотрел на меня, словно ища подтверждения. — Ты же все это действительно в нем обнаружила, в его, так сказать, кратковременной оперативной памяти, да? Ты же была уверена, что это искренние чувства?

— Да, — согласилась я, — хотя недавние воспоминания вполне могли быть ему имплантированы. Анахореты наверняка прекрасно понимали, что мы не примем в свои ряды перебежчика просто за красивые глаза и определенно подвергнем его тщательнейшему сканированию. Вполне возможно, что Д'Арнок сам вызвался сыграть роль отступника, решившего сопротивляться Пути Мрака, и теперь действует под руководством такого опытного режиссера, как Пфеннингер; а уж тот наверняка приложил все силы, чтобы внушить Д'Арноку, что он искренне верит в совершаемое им предательство...

— И будет верить вплоть до следующей вооруженной стычки в Часовне, — поддержал меня Ошима. — А потом Пфеннингер удалит у Д'Арнока искусственно созданные угрызения совести и психически уничтожит тех Хорологов, которых Д'Арнок туда заманит. Следует признать, что задумано неплохо. Больше всего похоже на очередную затею Константен.

— А я сразу проголосую против. — Л'Охна в настоящее время занимал тело бледного, лысеющего и несколько полноватого жителя Ольстера, мужчины лет тридцати пяти. Л'Охна был самым молодым из Хорологов; Кси Ло отыскал его в какой-то коммуне в Нью-Мехико в 1960-е годы во время его первого возрождения. Если психовольтаж Л'Охны и был пока довольно ограниченным, то он уже успел стать главным архитектором Глубокого Интернета, или Нетернета, имел десятки различных ников, и за ним гонялись — правда, абсолютно безуспешно — все главные службы безопасности Земли. — Один неверный шаг, и Хорология погибнет. Это же просто, как дважды два.

— Но разве наши враги не рискуют? — спросила Уналак. — Ведь они заставили — пусть искусственно — одного из самых сильных своих психозотериков пойти против Анахоретов и Слепого Катара?

— Да, они, безусловно, рискуют, — согласился Ошима, — но отлично понимают, ради чего идут на такой риск. Они же должны предложить нам не абы что, а замечательный блестящий приз, вкусную сочную наживку. Но скажи, Маринус: каковы твои собственные соображения по поводу столь неожиданного хода Анахоретов?

— Я считаю, что это западня, но нам тем не менее в любом случае следует принять предложение Д'Арнока и постараться в тот короткий промежуток времени, что остается до начала Второй Миссии, придумать способ, с помощью которого мы могли бы заманить в западню самих Анахоретов. Силой нам эту Войну никогда не выиграть. Нам, конечно, удается каждый год спасти несколько человек, но вспомните, что случилось с Оскаром Гомесом, — ведь этого человека они сумели выманить из тщательно охраняемого лечебного заведения, которое к тому же возглавляет один из моих учеников. Социальные средства информации буквально мостят Анахоретам путь в такие места, где есть люди с активными чакрами, прежде чем мы успеваем сделать этим людям предохранительную прививку. Хорология постепенно изживает себя. Нас попросту недостаточно. Наши сети изношены.

Воцарилось мрачное молчание, которое первым прервал Аркадий:

— Если так думаешь ты, то и наши враги наверняка думают примерно так же. Иначе с какой стати Пфеннингер вдруг решился рисковать, давая нам доступ к Слепому Катару? Ведь он и сам способен поставить нас в безвыходное положение и даже довести до гибели?

— Им руководит его главный порок: тщеславие. Пфеннингер хочет уничтожить Хорологов одним победоносным и беспощадным ударом, а потому и делает нам, своим заклятым врагам, столь заманчивое предложение, рассчитывая загнать нас в ловушку. Но, с другой стороны, это могло бы обеспечить нам краткий период времени внутри Часовни. Вряд ли нам когда-либо вновь представится подобная возможность.

— И что мы будем делать с этим «кратким периодом времени»? — парировал Л'Окхна. — Ведь нас так или иначе прикончат, и мы погибнем — и телом, и душой.

— На этот вопрос, — призналась я, — у меня пока нет ответа. Но я получила весточку от той, кто, возможно, знает этот ответ. Я не решалась говорить об этом вне стен нашего дома, но теперь, когда мы все собрались в 119А, откройте свой слух и услышьте голос нашего старого друга...

Я вытащила древний магнитофон и вставила в него кассету BASF.

* * *

Пока мы стояли на перекрестке, пережидая поток машин на перпендикулярной нам четырехполосной улице, пальцы Венди Хангер барабанили по рулю. Обручального кольца на руке не было. Включился зеленый свет, но Венди не сразу это заметила и тронулась, только когда посигналил стоявший за нами грузовик. Машина нервно дернулась, Венди побормотала: «Ох, черт побери! «Шевроле», зажигание!» — и мы наконец двинулись дальше, миновали большой железнодорожный вокзал и выехали за пределы Покипси.

— Далеко отсюда до Блитвуда? — спросила я.

— Минут тридцать-сорок.

Венди Хангер сунула в рот пластинку никотиновой жвачки; при каждом движении челюстей на губах у нее вздувались пузырьки довольно противного цвета. Извилистая дорога с обеих сторон была обсажена деревьями, на которых вот-вот должны были раскрыться почки. Дорожный знак гласил: «РЕД ХУК — 7 МИЛЬ». Мы обогнали пару мотоциклистов, и Венди Хангер наконец набралась мужества:

— Доктор Фенби, могу я... хм... задать вам один вопрос?

— Спрашивайте.

— Вам, может, покажется, словно у меня крыша поехала...

— Ничего, мисс Хангер, тут вам повезло: я — психиатр.

— Вам ни о чем не говорит имя Маринус?

Вот этого я уж никак предвидеть не могла. Мы не скрываем наших истинных имен, но и не объявляем их во всеуслышание.

— А почему вы спрашиваете?

Дыхание Венди Хангер стало прерывистым.

— Не знаю, откуда я это имя узнала, но я его узнала. Послушайте, мне... мне... извините, но мне нужно на воздух.

За следующим поворотом оказалась небольшая стоянка с деревянной скамейкой и видом на лесистый прибрежный склон реки Гудзон. Венди Хангер свернула на эту стоянку. По ее исказившемуся лицу градом катился пот, глаза были вытаращены. Дельфинчик с освежителем воздуха раскачивался все слабее.

— Вы знаете некого Маринуса... или Маринус... или это *вы* и есть?

Мотоциклисты, которых мы недавно обогнали, пронеслись мимо.

— Да, в некоторых кругах я действительно известна под этим именем, — сказала я.

Ее лицо задрожало. Я обратила внимание, что щеки у нее все в рытвинах и шрамах — последствия могучего подросткового акне.

495

— Будь я проклята! — Она потрясла головой. — *Но ведь вы же, черт возьми, вряд ли могли тогда уже родиться!* Господи, нет, мне *действительно* необходимо покурить.

— Не отягощайте стрессом работу ваших бронхов, мисс Хангер. Лучше воспользуйтесь жвачкой. Итак, я жду ваших объяснений.

— Это не какое-то... — Она нахмурилась. — ...Это не подстроено? Вы не выдаете себя за...

— Я бы хотела, чтобы вы мне все разъяснили, а то я никак не пойму, что происходит.

На лице Венди Хангер промелькнули подозрения, гнев и недоверие, но ни одно из этих чувств явно так и не одержало верх.

— Ладно, доктор. Вот вам моя история. В молодости, это еще в Милуоки было, я совсем сошла с рельсов. Семейные разборки, развод... насилие. Моя сводная сестра вышвырнула меня из дома, и под конец мамаши кидались через дорогу разбирать своих детишек, лишь бы они ко мне не подошли. Я была... — Она вздрогнула. Старые воспоминания все еще больно жалили ее душу.

— Наркоманкой, — спокойно сказала я. — Но это всего лишь значит, что вы сумели из этого выбраться и остаться в живых.

Венди Хангер уныло пожевала свою жвачку, потом сказала:

— Думаю, вы правы. Однако в 1983 году на Новый год огоньки светились так красиво — господи, тогда-то я выжить и не надеялась! Я, можно сказать, уже ударилась о самое дно. Короче, я вломилась в дом к моей сводной сестре, отыскала ее снотворное и проглотила все таблетки, что были в этом гребаном пузырьке, да еще и пинтой пива запила. Когда я отключилась, по телевизору шел этот фильм «The Towering Inferno»[1]...Вы его видели? — Прежде чем я успела ответить, мимо нас на бешеной скорости промчался спортивный автомобиль, и Венди Хангер сильно вздрогнула. — А очнулась уже в больнице, с трубками, торчавшими у меня из живота и из горла. Оказывается, сосед моей сводной сестры услышал включенный телевизор, зашел, чтобы его выключить, нашел на полу меня и сразу же вызвал «Скорую помощь». Люди думают, что снотворное действует безболезненно, но это неправда. Я и понятия не имела, что живот может *так* болеть. Я засыпала, просыпалась и снова засыпала. Затем я проснулась уже в приюте для престарелых и от этого чуть окончательно не спятила, потому что мне показалось, что я пробыла в коме лет сорок и успела стать древней старухой, — Венди Хангер горько усмехнулась. — Но там была одна женщина, и она часто приходила ко мне и сидела у моей постели. Я даже не знала, кто она — медсестра, или тоже пациентка, или волонтер. Она бра-

___

[1] В русском прокате — «Многоэтажный ад».

496

ла меня за руку и спрашивала: «Почему вы здесь оказались, мисс Хангер?» Я и сейчас слышу ее голос. «Почему вы здесь оказались, Венди?» Она говорила вроде как немного смешно, с каким-то *таким* акцентом... в общем, не знаю, из какой она была страны: вроде бы и не черная, но и не совсем белая. Она была похожа... вроде как... на такого грубоватого ангела, который, впрочем, никогда не станет ни обвинять тебя, ни судить за то, что ты сделала, или за то, что жизнь сделала с тобой. И я... сама себе удивляясь, вдруг стала рассказывать ей о себе такое... — Венди Хангер умолкла, изучая тыльную сторону своих ладоней, — ...чего никогда и никому не рассказывала. Мы и не заметили, как проговорили до полуночи. И вдруг эта женщина улыбнулась и говорит: «Ну, теперь у тебя все худшее позади, Венди. С Новым годом!» И... я просто, черт побери, разревелась, как корова, сама не знаю почему.

— Она сказала вам, как ее зовут?

В глазах Венди блеснул вызов, но она не ответила.

— Может быть, ее звали Эстер Литтл, а, Венди?

Венди Хангер с силой вдохнула и затаила дыхание.

— Она сказала, что вы это поймете. Да, так она и сказала. Но ведь вам в 1984 году... вы тогда были совсем девочкой. Что же это происходит? Как... *о господи!*

— А Эстер Литтл не просила вас что-нибудь мне передать?

— Да, да, доктор! Она попросила *меня* — бездомную наркоманку, совершившую попытку самоубийства, с которой она была знакома всего несколько часов! — передать некое послание своему коллеге по имени Маринус. Я... я... я... я спросила: «А Маринус — это христианское имя, или прозвище, или ни то ни другое?» Но Эстер Литтл сказала: «Маринус — это Маринус» и велела мне передать вам... велела передать вам...

— Я слушаю, Венди. Продолжайте.

— «Три в День Звезды Риги».

Весь мир притих.

— «Три в День Звезды Риги»?

— Да. И больше ни слова. Вот так, слово в слово. Ни больше ни меньше.

Венди всматривалась в мое лицо.

Звезда Риги. Я знала, что когда-то слышала это словосочетание, и стала копаться в памяти, но смысл слов ускользал от меня. Нет, надо быть терпеливой...

— Слово «Рига» ничего для меня не значило. — Венди Хангер продолжала жевать ставший уже совершенно безвкусным комок жвачки. — Во всяком случае, там, на больничной койке в Милуоки. И я попросила ее сказать мне это по буквам: Р-И-Г-А. Затем я спросила, где мне искать этого Маринуса, чтобы передать ее послание, но Эстер сказала: нет, сейчас еще рано, время для передачи послания еще не пришло. И я, естественно, спросила, когда же это время придет. А она ответила... — Венди Хангер судорожно сглотнула и умолкла; я видела, как на шее у нее бешено бьется пульс. — Она ответила: в тот день, когда ты станешь бабушкой!

Типичная Эстер Литтл.

— От всей души поздравляю, — сказала я Венди Хангер. — У вас внучка или внук?

Похоже, мое поздравление ее еще больше встревожило, но Венди все же ответила:

— Девчонка. Моя невестка родила ее сегодня утром в Санта-Фе. Срок-то у нее еще не пришел, ей бы еще пару недель подождать, но тут уж ничего не поделаешь. Так что едва рассвело, на свет появилась Рейнбоу Хангер. Невестка-то у меня из хиппи. Но, послушайте, вы должны... Ну, то есть я тогда подумала, что, может, у этой Эстер бывают приступы слабоумия или она теряет память... *Господи!* Да разве человек в здравом уме станет просить кого-то о такой безумной услуге? И уж точно в последнюю очередь обратится с этим к наркоманке, проглотившей сотню таблеток снотворного! Я так у нее и спросила. И Эстер сказала, что та наркоманка во мне давно умерла, а *настоящая я* выжила, и теперь у меня все будет хорошо, начиная прямо с этого вот дня. Вот как она сказала. А еще она сказала, что это послание насчет Риги и точная дата его вручения написаны *вечным маркером* и в нужный день через много-много лет Маринус меня найдет, но имя у него тогда будет другим, и еще... — Венди Хангер захлюпала носом, из глаз у нее ручьем потекли слезы. — Господи, *ну почему* же я плачу?

Я сунула ей пачку бумажных носовых платков.

— Она все еще жива? Она ведь, наверное... совсем древняя?

— Та женщина, с которой вы были знакомы, давно скончалась.

Новоиспеченная бабушка кивнула, ничуть этим сообщением не удивленная.

— Жаль. А мне так хотелось ее поблагодарить. Я столь многим ей обязана.

— Это чем же «многим»?

Венди Хангер, казалось, была удивлена этим вопросом, но все же решила пояснить:

— После нашего разговора я уснула и проснулась только утром, когда Эстер давно уже ушла. Сиделка принесла мне завтрак и сказала, что позже меня переведут в отдельную палату. Я сказала, что это, должно быть, ошибка, у меня ведь даже страховки нет, но сиделка сказала: «Твоя бабушка уладила все вопросы и полностью оплатила твое лечение, детка», и я спросила: «Какая бабушка?», а сиделка улыбнулась, словно у меня не все дома, и сказала: «Миссис Литтл, конечно. Она ведь твоя бабушка?» А потом, когда меня уже перевели в отдельную палату, другая нянечка принесла мне... такую черную папку для бумаг, застегнутую на молнию. Внутри была карточка «Bank of America» на мое имя, ключ от какой-то квартиры и еще всякие документы. Как оказалось, — Венди Хангер судорожно вздохнула от избытка чувств, — это документы на владение домом в Покипси. И все документы были на мое имя. Через две недели меня выписали из больницы, я поехала к своей сводной сестре, извинилась за то, что пыталась покончить с собой прямо у нее на диване, и сказала, что уезжаю на Восток и попробую начать все сначала там, где меня никто не знает. По-моему, после моих слов сестра испытала большое облегчение. В общем, дальше было две поездки на автобусах «Greyhound», и я вошла в свой дом в Покипси... который мне подарила самая настоящая *живая* фея, как в «Золушке». Ну а потом как-то незаметно пролетело сорок лет, я по-прежнему живу там же, и мой муж до сих пор уверен, что дом подарила мне одна моя эксцентричная тетушка. Правды я никогда и никому не рассказывала. Но каждый-каждый раз, когда я поворачивала ключ в замке, я вспоминала *ее* слова: «Три в День Звезды Риги»; но особенно часто я стала вспоминать это с тех пор, как узнала, что моя невестка беременна; я все думала: а что, если я и впрямь встречусь с этим Маринусом... А сегодня утром я, черт побери, была совсем уж не в себе! Она же сказала: «В тот день, когда ты станешь бабушкой!» Мой муж уговаривал меня остаться дома, я так и поступила. Но тут мне позвонила Карлотта, она у нас теперь управляет нашей компанией такси, и сказала, что Джоди вывихнула локоть, а у ребенка Зейнаб высокая температура, и не могу ли я — пожалуйста, пожалуйста, пожалуйста, Венди! — всего лишь съездить на вокзал и встретить доктора А. Фенби? И, знаете, ведь не было никаких причин думать, что именно вы окажетесь этим Маринусом, но стоило мне вас увидеть, и я... — Венди решительно тряхнула головой, — все сразу поняла. Вот потому-то я сперва и вела себя как ненормальная. Вы уж меня извините.

Пятнышки солнечного света на земле вздрогнули от порыва ветра.

— Ничего страшного. Забудьте об этом. И спасибо за переданное послание.

— А эти слова о Риге... они вообще-то имеют смысл?

Мне следовало быть осторожной, и я сказала:

— Отчасти. Вполне возможно, что это окажется важным.

В голове Венди Хангер явно бродили мысли о криминальных сетях, о ФБР, о «Коде да Винчи», но она все же застенчиво улыбнулась и сказала:

— Ну, это, конечно же, *не мое* дело! А знаете, мне стало... гораздо легче! — Она потерла глаза кулаками, заметила на руках следы туши для ресниц и посмотрелась в зеркальце. — Господи, ну и вид! Прямо какое-то существо из Черной Лагуны! Можно мне немножко привести себя в порядок?

— Конечно! Не спешите, я пока с удовольствием подышу воздухом.

Я вылезла из машины, подошла к скамье, села и стала смотреть на важную реку Гудзон и на горы Кэтскил; а потом покинула свое тело, вернулась в автомобиль, проникла в мысли Венди Хангер и для начала «отредактировала» все то, что с ней случилось с тех пор, как она вышла из больницы. Затем проследила ее воспоминания в обратном порядке до того момента — сорок один год тому назад — когда она оказалась в больнице города Милуоки. Удалять воспоминания об Эстер было больно, но я решила, что так будет лучше. Посланница забудет о переданном ею послании, которое так долго носила в себе, и обо всем, что сейчас мне рассказала. У нее, конечно, возникнут в дальнейшем странные мгновения, когда она наткнется на необъяснимые провалы в памяти, но вскоре к ней явятся новые мысли и новые заботы, и они, точно сказочный Дудочник из Гамельна в пестрых одеждах, уведут ее нетренированный мозг в дальнейшую жизнь...

* * *

Венди Хангер высадила меня у ворот кампуса, где раскинулись клумбы с цветущими нарциссами; чуть дальше виднелся увитый плющом дом ректора.

— Спасибо, Айрис, мне *действительно* было очень приятно с вами познакомиться.

— И вам большое спасибо, Венди, — и за поездку, и за рассказ об этих местах.

— Да я и сама люблю все здесь людям показывать, особенно тем, кто способен ценить красоту. А сегодня еще день такой замечательный, первый по-настоящему весенний денек.

— Послушайте, я знаю, что мой ассистент уже расплатился с вашим агентством картой, но я бы хотела... — и я вручила ей двадцатидолларовую банкноту, — чтобы вы купили бутылку хорошего вина и отпраздновали начало вашей новой жизни в роли бабушки. — Она колебалась, но я все же сунула ей деньги.

— Это очень щедро, Айрис. Ладно, я непременно это сделаю, и мы с мужем выпьем за ваше здоровье. Вы уверены, что нормально доберетесь обратно?

— Отлично доберусь. Мой друг отвезет меня прямо в Нью-Йорк.

— Тогда желаю отлично провести вашу деловую встречу и немножко отдохнуть в такой чудесный денек. Наслаждайтесь солнышком, потому что потом несколько дней погода будет довольно пасмурной.

Она развернулась и, помахав мне рукой, поехала прочь. А я услышала, как Ошима мысленно спрашивает меня со своими характерными протяжными интонациями: *Ищешь университетский женский клуб?*

Я попыталась определить его местонахождение, но заметила только студентов с папками для бумаг и сумками для книг, пересекавших хорошо ухоженные лужайки. Четыре человека тащили пианино. *Ошима, я только что получила знак от Эстер Литтл, —* сказала я.

Парадная дверь ректорского дома открылась, и Ошима — хрупкая фигура с засунутыми глубоко в карманы руками и в какой-то длинной, чуть ли не до колен, бандитского вида куртке с капюшоном, — появился на крыльце ректорского дома. *Что за знак?*

Ключ. Особым образом зашифрованный в памяти посланца, ответила я, направляясь к дому. Ветви ивы были все покрыты чуть влажными «пушками». *Я пока еще не разгадала эту загадку, но непременно разгадаю. На кладбище есть еще кто-нибудь?* Я расстегнула пальто.

Только белки. Прыгают и стрекочут, — Ошима скинул с головы капюшон и повернул седоусое лицо семидесятилетнего кенийца навстречу щедрым лучам солнца. — *Во всяком случае, так было всего четверть часа назад. Ступай по тропе, ведущей налево от того места, где я стою.*

Я подошла на расстояние в несколько метров. *Там... кто-то, кого мы знаем?*

Иди, иди. Сама увидишь. У нее на голове ямайская шаль.

Я пошла по указанной им тропе. *Что еще за ямайская шаль?*

Но Ошима, закрыв за собой входную дверь, уже двинулся в противоположную сторону. *Вызовешь меня, если понадоблюсь.*

* * *

Под ногами шуршала старая листва, потрескивали сухие ветки, а над головой уже вылезали из лопнувших почек новые листочки; лес от птичьего гомона так и звенел, точно полный людских голосов Bluetooth. У основания дерева толщиной с ногу динозавра я увидела

могильную плиту. Затем еще одну, и еще, и еще. Плиты поросли плющом. Значит, кладбище в Блитвуде — это не регламентированное некими рамками поселение мертвых, а просто лес, где могилы, устроенные между живыми деревьями, питают корни этих сосен, кедров, тисов и кленов. Видение Эстер было точным: *«Могилы среди деревьев»*. Обогнув плотно заросшее падубом дерево, я наткнулась на Холли Сайкс и подумала: *Ну, кто же еще мог тут оказаться?* [1]
Я не видела ее с тех пор, как меня четыре года назад вызвали в Рай к тяжело больной Холли. Ее рак по-прежнему пребывал в стадии ремиссии, но выглядела она почему-то еще более изможденной, чем обычно, сплошные кости и нервы. Голова Холли действительно была обмотана шарфом цветов ямайского флага — красного, зеленого и золотого. Я нарочно стала шаркать ногами и хрустеть ветками, чтобы предупредить о своем приближении. Холли Сайкс услышала и мгновенно надела темные очки, скрывавшие большую часть лица.

— Доброе утро, — первой осмелилась поздороваться я.

— Доброе утро, — нейтральным тоном откликнулась она.

— Извините, что потревожила вас, но я ищу могилу Криспина Херши.

— Это здесь. — И Холли указала на белую мраморную плиту.

КРИСПИН ХЕРШИ
ПИСАТЕЛЬ
1966—2020

— Коротко и хорошо, — заметила я. — И никаких клише.

— Да, он отнюдь не был поклонником цветистой прозы.

— Я просто не могу себе представить более мирного, более эмерсоновского[2] места упокоения, — сказала я. — А ведь его работы были типично урбанистскими, и ум у него тоже был урбанистским, а вот душа — пасторальной. Сразу вспоминается Тревор Апворд из его «Эхо должно умереть», обретающий покой только в лесбийской коммуне на острове Мак[3].

Холли изучала меня сквозь темные стекла очков: в последний раз она видела меня через дымку медикаментозного тумана, так что

---

[1] Holly — падуб (*англ.*).

[2] Ралф Уолдс Эмерсон (1803—1882) — американский философ, эссеист, поэт. Крупнейший американский романтик, родоначальник трансцендентализма, основные идеи которого — равенство «равных перед богом» людей, самоусовершенствование и очищающая близость к природе.

[3] Muck — грязь, навоз (*англ.*).

вряд ли была способна сейчас вспомнить, но я все же оставалась в боевой готовности.

— А вы были коллегой Криспина здесь, в колледже? — спросила Холли.

— Нет, нет, я работаю совсем в другой области. Хотя я его поклонница. Я много раз читала и перечитывала его «Сушеные эмбрионы».

— Он всегда подозревал, что эта книга его переживет.

— Достигнуть бессмертия легче, чем соблюдать все предъявляемые им условия.

Голубая сойка камнем упала на пенек, скрывающийся в густом папоротнике, совсем рядом с могилой Херши. Сойка сперва несколько раз что-то пронзительно выкрикнула, а потом издала длинную трель, такую красивую, что перехватывало дыхание.

— В тех местах, откуда я родом, таких птиц не бывает, — сказала Холли.

— Это голубая сойка, — сказала я, — или Cyanocitta cristata. Индейцы-алгонкины называют ее sideso; а якама — xwashhxway, но ареал их распространения кончается где-то над Тихим океаном. Это я сейчас бахвалюсь своими «великими» познаниями.

Холли сняла свои темные очки.

— Вы что, лингвист?

— Заочный. Просто любитель. Я — врач-психиатр, а сюда приехала ради встречи с одним человеком. А вы?

— Просто хотела отдать дань уважения. — Холли наклонилась, подняла с могильной плиты дубовый листок и сунула его в сумочку. — Ну что ж, приятно было с вами побеседовать. Надеюсь, ваша встреча пройдет успешно.

Голубая сойка полетела куда-то сквозь полосы света и зеленоватого, как мох, лесного полумрака. Холли тоже собралась уходить.

— Пока с этим все хорошо, но вскоре, боюсь, станет гораздо сложней, — сказала я.

Холли остановилась, явно пораженная столь странным ответом.

Я откашлялась и сказала:

— Мисс Сайкс, нам нужно серьезно поговорить.

Лицо ее, казалось, снова целиком скрылось за темными очками, как за шторами. Откуда-то вдруг появился ее неописуемый грейвзендский выговор.

— Я не даю интервью представителям СМИ и не участвую ни в каких общественных сборищах и фестивалях. — Она слегка отступила от меня. — Я давно ото всего этого отошла. — Ветка сосны коснулась ее волос, и она испуганно вздрогнула и присела. — Так что никаких разговоров. Кто бы вы ни были, вы не можете...

— В данный момент я Айрис Фенби, но вы также знаете меня как доктора Маринуса.

Она так и застыла. Задумалась, потом нахмурилась. Потом на лице у нее появилось какое-то брезгливое выражение, и она воскликнула:

— Ой, ради бога, не надо! Ю Леон Маринус умер в 1984 году, и он был китайцем! А если вы скажете, что у вас в роду тоже кто-то был китайцем, то я в таком случае скажу... что я — Владимир Путин! Ради бога не вынуждайте меня быть с вами грубой! Ведь все *это* весьма грубое вранье, не так ли?

— Нет, не так. Доктор Ю Леон Маринус действительно был бездетным, Холли, и то его тело действительно умерло в 1984 году. Но его *душа*, вот это мое «я», которое и обращается к вам сейчас, это тоже Маринус. И это чистая правда.

Прилетела и улетела стрекоза, быстрая, как смена мысли. Холли медленно повернулась и пошла прочь. Кто знает, сколько фальшивых Маринусов встретилось ей на жизненном пути — от душевнобольных до простых обманщиков, — и все они жаждали урвать хотя бы часть тех денег, которые она заработала, написав свою книгу.

— Помните, 1 июля 1984 года у вас как бы выпали из памяти целых два часа? — крикнула я ей вслед. — Это случилось на дороге, ведущей от Рочестера на остров Шеппи. Я знаю, что с вами тогда случилось.

Она остановилась.

— Я и *сама* знаю, что со мной тогда случилось! — Она невольно снова повернулась ко мне лицом, но теперь была уже по-настоящему рассержена. — Я подняла на шоссе руку. Какая-то женщина подобрала меня и подбросила к мосту, по которому можно было добраться до Шеппи. *Пожалуйста,* оставьте меня в покое!

— Вас тогда подобрали на шоссе Йен Фейруэзер и Хейди Кросс. Я знаю, что вам известны эти имена, однако вам неизвестно, что вы находились в одном доме с ними и тем утром, когда они оба были убиты.

— Да говорите что угодно! Отправьте пост с вашей историей на bullshitparanoia.com. Эти психи с удовольствием уделят вам столько внимания, сколько захотите. — Где-то шумно заработала ожившая газонокосилка. — Вы переварили моих «Радиолюдей», выблевали их, замесили эту мерзкую массу на собственном психозе и создали этакое оккультное реалити-шоу, сделав себя его главной звездой. В точности как та спятившая девица, которая застрелила Криспина, будь она проклята. Все, я ухожу. *И не ходите за мной*, иначе я позову полицию.

504

Птицы неумолчно щебетали, порхая с дерева на дерево в полосах солнечного света и тени.

Ну что ж, в целом неплохо, мысленно сказал мне Ошима, Невидимый и Ироничный.

Я села на тот же пенек, где только что сидела голубая сойка, и мысленно ответила ему: *Ничего. Это еще только начало.*

4 апреля

— Это мое самое любимое блюдо во всем меню, дорогая, богом клянусь! — Нестор поставил передо мной тарелку. — Люди приходят, садятся за стол, видят в меню название «вегетарианская мусака» и думают: если в мусаке нет мяса, то это не мусака; и они заказывают стейк, свиную грудинку, бараньи ребрышки, не понимая, *чего* они себя лишают. Давайте. Пробуйте. Этот рецепт создала моя родная мать, да упокоится с миром ее душа. Дьявольская была женщина! «Морские котики», ниндзя, мафиози по сравнению с греческой женщиной-матерью — просто выводок дрожащих котят. Вот! Это она в рамке над кассой. — Он указал мне на портрет седовласой женщины-матриарха. — Она создала это кафе. И она же изобрела мусаку без мяса. Это было, когда Муссолини вторгся в Грецию и перестрелял здесь всех овец, кроликов и даже собак. Маме пришлось — как это? — импровизировать. Мариновать папоротники в красном вине. Отваривать чечевицу на медленном огне. Тушить грибы в соевом соусе — правда, соевым соусом она стала пользоваться после того, как переехала в Нью-Йорк. Грибы куда питательней, чем мясо. И обязательно белый соус со сливочным маслом, пшеничной мукой и взбитыми сливками. И много-много сладкого перца. Это просто шедевр! Bon appetit[1], моя дорогая. — Он подал мне стакан с водопроводной водой, где позвякивали кусочки льда. — Но только непременно оставьте место для десерта. Вы слишком худенькая.

— Худенькая? — Я похлопала себя по животу. — Вот уж *худоба* у меня беспокойства точно не вызывает.

Но Нестор уже отбыл восвояси, ловко огибая стремительных молодых официантов. Я поддела вилкой папоротник, обмакнула его в белый соус, подцепила заодно и гриб и сунула в рот. Вкус был таким, что мгновенно вызвал самые яркие воспоминания: 1969 год, когда Ю Леон Маринус еще преподавал всего в нескольких кварталах отсюда, а Старый Нестор был еще совсем Молодым Нестором, и седовласая дама-матриарх, портрет которой теперь висел в рамке

---

[1] Приятного аппетита (*фр.*).

на стене, узнав, что «этот китаец, говорящий по-гречески», является «настоящим доктором», представила меня, то есть тогдашнего доктора Маринуса, своим сыновьям как воплощенную американскую мечту. Она каждый раз угощала меня квадратиком пахлавы, бесплатно прилагая десерт к кофе, хотя приходила я сюда очень часто. Мне хотелось спросить у Нестора, когда она умерла, но подобное любопытство могло вызвать ненужные подозрения. Я просмотрела сегодняшний номер «New York Times» и переключилась на кроссворд. Но это не помогло.

Я не могла перестать думать об Эстер Литтл...

* * *

В 1871 году Пабло Антею Маринусу исполнилось сорок. Он унаследовал достаточно латинской крови от своего отца-каталонца, чтобы сойти за испанца, так что нанялся судовым хирургом на борт одного американского клипера, уже почти вышедшего в тираж. Клипер носил имя «Пророчица» и отправлялся из Рио-де-Жанейро в Батавию, столицу голландской Ост-Индии, через Кейптаун.

Пережив бурю, подобную тем, что описаны в Ветхом Завете, эпидемию корабельной лихорадки, которая убила более десяти матросов, и схватку с корсарами с острова Панай, мы дотащились до Батавии как раз к Рождеству. Собственно, *Лукас* Маринус некогда, лет восемьдесят назад, уже посещал эти места, и я хорошо помнила тот зараженный малярией военный гарнизон, который теперь превратился в большой зараженный малярией город. Нельзя дважды войти в одну и ту же реку. Я совершала вылазки в глубь страны, чтобы собрать образцы растений вокруг Буйтензорга, но жестокость, с которой европейцы на Яве обращались с местными жителями, лишала меня всякого удовольствия от общения с яванской флорой, и когда в январе «Пророчица» подняла якорь и направилась в молодую английскую колонию на реке Суон, что в Западной Австралии, мне было совсем не жаль покидать эти места. Я никогда прежде не бывала на этом южном континенте, хотя моя метажизнь была уже достаточно долгой, так что, когда наш капитан сообщил, что нам придется недели на три задержаться во Фримантле для кренгования, решила, что две из них непременно проведу в Бичер-Пойнт в Ветландии, и наняла услужливого местного проводника по имени Калеб Уоррен, которого сопровождал его долготерпеливый мул. До начала золотой лихорадки 1890-х город Перт представлял собой всего несколько сотен деревянных домишек, так что выйти за его пределы не составляло туда, и уже через час мы с Уорреном оказались практически в диком краю, с трудом пробираясь по глубоким колеям совершенно раздолбанной дороги. Вокруг расстилался пейзаж, видимо не менявшийся многие тысячелетия. Когда раздолбанная дорога стала практически воображаемой, Калеб Уоррен вдруг помрачнел и стал чрезвычайно молчаливым. В наши дни я бы определила этого человека как типичного «биполярника». Мы шли по холмам, поросшим жесткой растительностью, мимо болотистых оврагов, мимо ручьев с соленой водой, мимо жалких рощиц худосочных деревьев, точно сделанных из картона. Я была очень довольна этим путешествием. В моем альбоме за 7 февраля 1872 года — немало интереснейших зарисовок: шесть разновидностей лягушек, набросок и точное описание бандикута, набросок королевской колпицы и вполне сносная акварель бухты Джервис. Спустилась ночь; мы разбили лагерь среди скал на вершине невысокого утеса. Я спросила у своего проводника, не могут ли аборигены, увидев свет нашего костра, подойти к нам. Калеб Уоррен похлопал по прикладу своей винтовки и грозно заявил: «Пусть они только попробуют, эти ублюдки! Мы будем наготове». Я, в тогдашнем обличье Пабло Антея Маринуса, сидела у костра и записывала свои впечатления, вызванные огромными океанскими волнами, которые, обрушиваясь на берег, поднимали тучи водяных брызг; гудением и царапанием бесчисленных насекомых; странным гавканьем местных млекопитающих; незнакомыми голосами птиц. Мы поужинали местным хлебом «буш-дафф», кровяной колбасой и бобами. Проводник мой пил ром, как воду, и на все вопросы отвечал одинаково: «Да кому, черт побери, какое до этого дело?» Короче, Уоррен являл собой проблему, которую мне пришлось решать уже на следующий день. Я смотрела на звезды и думала о других жизнях. Я не знаю, сколько времени прошло, прежде чем я заметила, как маленькая мышка преспокойно бежит по руке Уоррена, по его ладони, а потом и по той палочке, на которой мы жарили на огне жирные куски колбасы. Я *точно* не вводила этого человека в хиатус. Глаза Уоррена были открыты, но он даже не пошевелился...

* * *

...когда четыре высоких аборигена с охотничьими копьями выскользнули из-за скал в круг света, отбрасываемого костром. Тощая собака с обрубленным хвостом крутилась рядом, настороженно принюхиваясь. Я встала, не зная, то ли убежать, то ли заговорить с ними, то ли пригрозить им ножом, то ли прибегнуть к *эгрессии*. «Гости» не обратили на Калеба Уоррена никакого внимания, а он по-прежнему пребывал в полном оцепенении, словно начисто выпал из времени. Аборигены были босы, а их одежда являла собой странную смесь местных набедренных повязок, плащей из шкур и европейских штанов и рубашек, явно позаимствованных у поселенцев. У одного сквозь носовую перегородку была продета кость, и у всех лица и тела были покрыты ритуальными шрамами. Подобная скарификация свидетельствовала о том, что они воины. Да это, собственно, сразу становилось понятно и по их повадкам — вне зависимости от внешнего вида и временного контекста. Я подняла руки вверх, показывая, что у меня нет оружия, но пока совершенно не понимала, каковы истинные намерения этих людей, и мне было страшно. Эгрессия, то есть выход души из тела, в те времена занимала у меня от десяти до пятнадцати секунд — гораздо больше, чем потребовалось бы этим четверым копьеносцам, чтобы покончить с перипатетической жизнью Пабло Антея, а смерть от пронзившего тебя копья достаточно быстрая, но очень неприятная. Затем в круге света возникла бледная женщина, состоявшая, казалось, из одних костей, обтянутых кожей. Волосы у нее были собраны на затылке в пучок, а одета она была в некое подобие бесформенной рясы; примерно такие рясы раздавали туземцам миссионеры, столкнувшиеся с необходимостью прикрыть слишком большое количество обнаженного тела. Возраст женщины определить было трудно. Шла она как-то странно, то ли была кривобока, то ли ее кренило. Она приблизилась ко мне, остановилась и стала весьма критически меня изучать, словно я была лошадью, а она сомневалась, стоит ли ей эту лошадь покупать.

— Не дергайся, — вдруг сказала она мне. — Если бы мы хотели вас убить, вы оба уже несколько часов были бы мертвы.

— Вы говорите по-английски! — вырвалось у меня.

— Мой отец меня научил.

Она повернулась к воинам и заговорила с ними на языке, который, как я потом узнала, назывался нунгарским. Затем она села на камень у огня, а один из воинов извлек из пальцев Калеба палочку с надетым на нее куском колбасы, понюхал и осторожно куснул раз, потом другой.

— Твой провожатый — плохой человек. — Женщина, казалось, разговаривала с костром, но обращалась явно ко мне. — Он собирался напоить тебя спиртным, стукнуть по голове, забрать твои деньги, а тебя сбросить вот с того утеса. Учти: у тебя будет еще больше денег, и он снова встретится с тобой через два года. Ясно тебе? Для него это большое... — она поискала нужное слово, — *искусание?* Так, да?

— Может, искушение?

Женщина кивнула и прищелкнула языком.

508

— У него был план: рассказать белым людям с реки Суон, что из буша ты больше никогда не вернешься. А он украдет все твое добро.

— Откуда тебе все это известно? — спросила я.

— Летала. — Одной рукой она коснулась лба, а второй изобразила трепетание крыльев. — Ты знаешь, как. Да? — Она следила за моей реакцией.

Я испытывала целую бурю чувств.

— Значит, ты... психозотерик?

Она наклонилась ближе к огню. Я видела европейский абрис ее носа и подбородка.

— Большое слово, *мистер*! — Ну да, я ведь тогда была в мужском теле Пабло Антея Маринуса. — Я мало говорю по-английски. Забываю слова. Но пятно моей души светится ярко. — Она слегка похлопала себя по лбу. — У тебя тоже так. Boylyada maaman. И с духом юрра ты говоришь.

Я старалась сохранить в памяти каждую мельчайшую подробность. Четверо воинов рылись в заплечном мешке Уоррена. Пес с обрубленным хвостом продолжал все обнюхивать. Кусок плавника, горящего в костре, плевался искрами. Значит, я в обличье Пабло Антея Маринуса совершенно случайно наткнулась на западном краю малоизученного Австралийского континента на женщину-аборигена, которая, безусловно, является одаренным психозотериком! Ничего себе! А эта загадочная полукровка сунула в рот кусок колбасы, прожевала, рыгнула и спросила:

— Как называется эта... палка из свиного мяса?

— Колбаса.

— *Колбаса.* — Она словно пробовала это слово на вкус. — Мик Литтл делал колбасу.

Подобное заявление тут же вызвало у меня вопрос:

— Кто такой Мик Литтл?

— Отец этого тела. Отец Эстер Литтл. Мик Литтл убивал свиней и делал колбасу, но он умер. — Она изобразила сильный кашель и вытянула вперед руку. — Кровь. Много крови.

— Значит, отец твоего тела умер от туберкулеза? От чахотки?

— Да, так это называли. Потом люди продали ферму, и мать Эстер, женщина из племени нунгар, вернулась обратно в буш. И взяла с собой Эстер. Эстер умерла, и я вошла в ее тело. — Она нахмурилась, покачиваясь взад-вперед на пятках.

Некоторое время я молчала, потом сказала:

— Имя этого тела — Пабло Антей Маринус. Но мое настоящее имя — Маринус. Зови меня просто Маринус. А у тебя есть настоящее, истинное, имя?

Она грела руки над костром.

— Мое нунгарское имя — Мумбаки, но у меня есть и более длинное имя, которое я никому не скажу.

Теперь я понимала, как Кси Ло и Холокаи чувствовали себя, когда — за пятьдесят лет до этих событий — вошли в гостиную семейства Косковых в Санкт-Петербурге. Вполне возможно, что эта *Вневременная* личность, приспособившая данное тело для своего временного пребывания, не захочет иметь с Хорологами ничего общего и ей будет совершенно безразлично, что существуют и другие, такие же, как она, тонким слоем разбросанные по всему миру; но меня согревала мысль, что мы с ней принадлежим к одной разновидности живых существ и теперь мне грозит, пожалуй, уже меньшая опасность, чем пятнадцать минут назад. Я задала своей гостье следующий вопрос, на этот раз мысленно: *Так как мне называть тебя: Эстер или Мумбаки?* Прошло какое-то время, ответа так и не последовало. Огонь перебирал догорающие кости плавника, и время от времени вверх спиралью взмывали искры; воины, устроившись неподалеку, разговаривали друг с другом тихими голосами. И как раз в тот момент, когда я окончательно решила, что даром телепатии эта женщина не наделена, она мысленно ответила мне: *Ты — wadjela, белый человек, так что для тебя я — Эстер. Будь ты из народа нунгар, я для тебя была бы Мумбаки.*

— У меня это тридцать шестое тело, — сказала я Эстер уже вслух. — А у тебя?

Те вопросы, которые Эстер считала, так сказать, несущественными, она попросту игнорировала, и на этот вопрос я ответа не получила. После чего мысленно спросила: *Когда ты впервые прибыла в эту страну? В Австралию?*

Она погладила собаку и сказала: *Я всегда здесь.*

Даже Вневременным, тем, кто является на Земле, так сказать, постоянным резидентом, иногда выпадает подобная роскошь. *Значит, ты никогда не покидала Австралию?*

— Да. Я всегда оставалась на земле Нунгар, — сказала она вслух.

Я ей позавидовала. Для таких, как я, разведчиков, каждое новое возрождение — это лотерея и в выборе точки на земном шаре, и демографии, и пола. Мы умираем и пробуждаемся, невинные как младенцы, через сорок девять дней и чаще всего — в совершенно ином месте и окружении. Я попыталась представить себе, что всю свою метажизнь проведу на одном месте, мигрируя из одного тела, старого или умирающего, в новое, молодое и здоровое, но никогда не нарушая связь с неким кланом, с определенной территорией.

— Как ты меня нашла? — спросила я.

Эстер отдала последний кусок колбасы собаке.

— Буш говорит, разве ты не знаешь? А мы слушаем.

Я заметила, что четверо воинов снимают с мула седельные сумки.

— Вы что, крадете мой багаж?

Женщина-полукровка встала. *Мы понесем твои сумки. В наш лагерь. Ты идешь?*

Я посмотрела на Калеба Уоррена и с тревогой сказала ей мысленно: *Кто-нибудь его съест, если мы оставим его здесь.*

— Или, — сказала я уже вслух, — на нем может от костра вспыхнуть одежда; или он просто растает на солнце.

Эстер изучала свою руку. *Вскоре он проснется, и голова у него будет как улей с пчелами. Он подумает, что уже убил тебя.*

* * *

Мы шли большую часть ночи, пока не достигли скалистого выступа, название которого на языке народа нунгар означало «пять пальцев»; неподалеку находился нынешний Армадейл. Сопровождавшие нас воины были уроженцами этих мест, ну а Эстер прибыла туда только на лето. Уже со следующего утра я очень старалась принести хоть какую-то пользу своим хозяевам, но хотя в своих прошлых жизнях мне довелось быть членом племен ицекири, кавескар и гуредж, я все же успела привыкнуть к более обеспеченной жизни, будучи Лукасом Маринусом, Кларой Косковой и Пабло Антеем; прошло уже как минимум два века с тех пор, как я со своими соплеменниками добывала себе пропитание охотой и грабежами. От меня было больше толку, когда я помогала женщинам скоблить шкуры кенгуру, или лечить кому-то сломанную руку, или собирать в буше мед. Я также развлекалась тем, что с наслаждением удовлетворяла свое любопытство протоантрополога: мои дневники сохранили записи о том, как очищали землю, выжигая кустарник; как тем же способом выкуривали из чащи дичь; как нунгары почитали тотемных животных; как с юга явились пятеро мужчин, чтобы выменять красную охру на ценное дерево burdun; как происходил торжественный обряд родительства, учрежденный Эстер, которая, покинув свое тело, проникала в зародыш и осуществляла психозотерический тест ДНК. Группа племенных сородичей Эстер продемонстрировала мне пример сострадательного отношения к слабоумному дядюшке; они, правда, с большим недоверием относились к моему европейскому происхождению, но все же оказывали должное уважение как «коллеге» Мумбаки, Boylyada maaman. За детьми практически никакого присмотра не было. Один мальчик по имени Кинта любил, позаимствовав у меня куртку и шляпу, важно во всем этом разгуливать; а еще дети очень любили демонстрировать мне — точнее, тогдашнему Пабло Антею, неуклюжему бледнолицему европейцу, — свои многочисленные умения коренных жителей буша. Мои попытки разговаривать с ними на их языке вызывали бесконечное веселье, но с помощью соплеменников Эстер мне все же удалось составить словарь языка нунгар, безусловно, далекий от совершенства, но лучший из существующих в настоящее время.

Нунгары не считали Мумбаки божеством; ее воспринимали как хранительницу племени и его коллективной памяти, как целительницу, как самое надежное оружие и как главного судью. Она постоянно перемещалась с места на место и жила то в одном поселении сородичей, то в другом, отводя на пребывание в каждом несколько месяцев из шести нунгарских времен года и помогая каждой из этих больших семей всем, чем только могла; одновременно она старалась внушить соплеменникам мысль, что чересчур яростное сопротивление европейцам может привести лишь к еще большему количеству жертв среди аборигенов. Она сама призналась мне, что из-за этого некоторые называют ее предательницей, однако в последнее время, к началу 1870-х, ее доводы оказались вполне доказаны конкретными примерами. Европейцев было слишком много, они обладали поистине ненасытным аппетитом, чрезвычайно неустойчивой моралью и очень метко стреляющими ружьями. Хрупкая надежда племени нунгар на выживание могла быть связана только с тем, что они сумеют как-то приспособиться к новым условиям, и любые негативные перемены во взаимоотношениях с европейцами означали бы, что у аборигенов этой надежды больше не осталось. Впрочем, нунгары и теперь толком не знали, что на уме у этих «людей-с-кораблей», именно поэтому Мумбаки когда-то и выбрала для своего нынешнего пребывания десятилетнюю девочку-полукровку. С той же целью она пригласила и меня, то есть Пабло Антея, в стойбище Пять Пальцев — ей хотелось, чтобы нунгары получили возможность узнать о широком мире и населяющих его людях что-то еще.

Ближе к ночи мы с Эстер уселись напротив друг друга у костра, горевшего перед входом в ее маленькую пещеру, и стали мысленно беседовать о возникновении империй, об их возвышении и крахе, о больших городах, о том, какие теперь строят суда и какое развитие получила промышленность. Говорили мы и о работорговле, о вывозе людей из Африки, о геноциде автохтонного населения на Земле Ван Демена[1], о возделывании земли, о брачных союзах, о фабриках, о телеграфе, о газетах и журналах, о математике и философии, о юриспруденции и деньгах, а также о сотне других вещей. Я чувствовала себя примерно так же, как Лукас Маринус со своими просветительскими выступлениями в домах ученых Нагасаки.

---

[1] Прежнее название острова Тасмания.

Я рассказывала Эстер о том, кто такие поселенцы, высадившиеся во Фримантле, почему они совершили столь далекое путешествие, во что они верили, чего желали и чего боялись. Я попыталась также объяснить, что такое религия, но в племени нунгар не доверяли священникам, особенно после того, как те роздали одеяла, «присланные Иисусом», людям из нескольких кланов, живущих выше по реке Суон; не прошло и нескольких дней, как люди там начали умирать от страшной болезни — судя по описаниям Эстер, это более всего было похоже на черную оспу.

Впрочем, почти на всех «подопечных» территориях Эстер в первую очередь считали Учителем. Ее поразительный метавозраст стал мне очевиден, когда во время нашей очередной ночной безмолвной беседы она стала перечислять имена всех своих предыдущих реципиентов, а я выкладывала в ряд по камешку на каждое названное имя. Камешков набралось 207. Мумбаки обычно вселялась в тело своего очередного «хозяина», когда тому было лет десять, и оставалась до его смерти, что наводило на мысль о том, что ее метажизнь продолжается уже не менее семи тысячелетий. Это было в два раза дольше, чем у Кси Ло, старейшего из всех Вневременных, до сих пор известных Хорологам; но даже Кси Ло при своем «весьма почтенном» возрасте в двадцать пять веков казался просто юношей по сравнению с Эстер, душа которой существовала до возникновения Рима, Трои, Древнего Египта, Пекина, Ниневии и Ура. Она учила меня кое-каким своим молитвам, которые я пыталась идентифицировать с различными формами почитания Глубинного Течения задолго до Раскола. В некоторые вечера мы с ней совершали Акт Трансверсии, и Эстер как бы развертывала мою душу внутри своей, чтобы я могла получить необходимые мне знания гораздо быстрее и в гораздо большем объеме, чем просто задавая вопросы в привычном обличье. Когда же она проникала в мою душу и сканировала мои мысли, я чувствовала себя третьесортным поэтом, который принес показать свои жалкие стишата самому Шекспиру. А уж когда Эстер позволяла мне сканировать ее мысли, я и вовсе казалась себе жалким мальком, которого выплеснули из привычного аквариума в глубокое море.

* * *

Через двадцать дней я распрощалась с гостеприимными хозяевами и отправилась вместе с Эстер в долину реки Суон; нас сопровождали все те же четверо воинов, вместе с которыми мы и пришли на стойбище от бухты Жервезы. От Пяти Пальцев мы двинулись на север, в сторону Пертских холмов. Мои провожатые безошибочно ориентировались среди лесистых склонов — примерно столь же хорошо мой нынешний «хозяин» Пабло Антей ориентировался на улицах и переулках своего родного Буэнос-Айреса. Ночевку мы устроили в русле высохшего ручья рядом с бившим из-под земли родником. Поужинав вареным ямсом, дикими ягодами и мясом утки, я уснула, но каким-то прерывистым, скользким сном и спала до тех пор, пока меня мысленно не разбудила Эстер, а такие вещи всегда бывают связаны с некоторой потерей ориентации во времени и пространстве. Было еще темно, но предрассветный ветерок уже шевелил ветви деревьев, словно беседуя с ними. Передо мной на фоне куста банксии виднелся силуэт Эстер. Еще не успев толком очнуться, я мысленно спросила у нее: *Все ли в порядке?*

Эстер ответила: *Следуй за мной.* И мы прошли через полоску ночного леса, где шуршали листьями женские особи дубов, затем поднялись по известняковому гребню холма, как бы отмечавшему границу леса и разделявшемуся на три зубца. Каждый зубец был всего в несколько футов шириной, но длиной в несколько сотен метров, и края этих странных «пальцев» были такими отвесными, что спотыкаться и терять равновесие что-то совсем не хотелось. Эстер сказала, что это место и называется соответственно: Коготь Эму, и повела меня куда-то вдоль центрального «пальца». В итоге мы вышли к точке, с которой открывался вид почти на всю долину реки Суон. Извилистое русло реки посверкивало серебром в свете звезд, а земля по берегам выглядела как лоскутное одеяло из неровных кусков более светлого и более темного серого цвета. Примерно в дне ходьбы оттуда, на западе, обозначала границу земли и океана белая полоса прибоя, и я догадалась, что темное, резко очерченное пятно на северном берегу реки — это Перт.

Эстер села; и я тоже села с нею рядом. Личинка пилильщика пела свою хриплую песенку внутри ствола эвкалипта. *Я собираюсь научить тебя моему истинному имени,* сказала Эстер.

Ты же говорила, мысленно ответила я, *что для этого понадобится целый день.*

Да, это верно, но я произнесу его прямо внутри твоей головы, Маринус.

Я колебалась. *Это такой дар, за который мне вряд ли удастся отплатить. Мое истинное имя — это всего лишь одно слово, хотя и довольно длинное, и ты его уже знаешь.*

— Разве ты виновата, что такая дикая? — сказала она. — А теперь помолчи-ка. И открой свою душу.

И душа Эстер вошла в меня, и она вписала в мою память свое длинное-предлинное имя. Имя Мумбаки прирастало другими именами десятки, сотни, тысячи лет с тех пор, как в селении Пять Пальцев появилась на свет мать Мумбаки — тогда, правда, это место называлось Две Руки. Хотя большая часть слов, составлявших истинное имя Эстер, и находилась за пределами моих познаний в языке нунгар, постепенно я все же начинала понимать, что ее имя — это еще и история ее народа, нечто вроде знаменитых гобеленов Байо, которые сплетают миф с любовью, рождениями, смертями, охотой, битвами, путешествиями, засухой, пожарами, бурями; в это имя были вплетены также и имена всех тех, в чьих телах Мумбаки временно проживала. Слово «Эстер» было в ее имени завершающим. Когда она совершила эгрессию, я открыла глаза и увидела на горизонте узкую полоску восходящего солнца, уже успевшую воспламенить пышный ковер растительности, расстилавшийся под нами и теперь вспыхнувший ослепительно-зеленым цветом; скалистый обрыв сразу засверкал золотом, и заалели легкие узкие облака на горизонте, похожие на ребра кита, и сразу вокруг запели, закричали, заворковали тысячи птиц.

— Ничего себе, неплохое у тебя имя! — восхитилась я, уже испытывая боль расставания и утраты.

Криволистный эвкалипт кровоточил смолой, а на его ветвях звездами сияли цветы Corimbia calophylla.

— Возвращайся когда захочешь, — сказала мне Эстер. — Или пусть приходят другие, те, о которых ты говорила.

— Я непременно вернусь, — пообещала я. — Но лицо мое, наверное, будет уже другим.

— Мир меняется, — сказала она. — Даже здесь. Невозможно это остановить.

— Как же мы найдем тебя, Эстер? Я, или Кси Ло, или Холокаи?

Разбейте лагерь здесь. Вот в этом месте. На Когте Эму. Я буду знать. Мне моя земля скажет.

Меня ничуть не удивило то, что она вернулась назад. А сама я направилась в Перт, зная, что бесчестный человек по имени Калеб Уоррен вскоре испытает там самый сильный испуг в своей жизни.

* * *

На двадцать седьмом слове из тех, что составляли ее имя, я остановилась и перестала перебирать воспоминания — закружилась голова; потом я подняла глаза и обнаружила прямо перед собой собственное отражение: на меня смотрела Айрис Маринус-Фенби, отражаясь в темных очках Холли Сайкс. Сегодня голова Холли была замотана сиреневым шарфом. Видимо, догадалась я, волосы у нее все же не вполне восстановились после той тяжелой «химии», которую она прошла пять лет назад. Платье цвета индиго с глухой застежкой под горло и юбкой до лодыжек полностью скрывало ее тело.

— Учтите, я лучше всех в мире умею игнорировать тех, кто пытается заставить меня обратить на них внимание! — Холли хлопнула по столу каким-то конвертом. — Но вы действуете так грубо, так навязчиво и *так странно*, что это просто ни в какие ворота не лезет! Итак, считайте, что победили. Я здесь. Я шла по Бродвею и на каждом перекрестке думала: зачем тратить даже минуту размышлений на такую чушь, да к тому же сбивающую с толку? И бесчисленное множество раз я была почти готова повернуть назад.

— Ну, и почему же вы не повернули? — спросила я.

— Потому что я хочу знать: если Хьюго Лэм так мечтает выйти со мной на связь, то почему не сделал это, как все остальные: не послал электронный адрес через моего агента? Зачем было посылать *вас* и эту... — она постучала по конверту, — эту подделку? Неужели он думал, что подобная фотография может произвести на меня какое-то впечатление? Или заставит вспыхнуть былое пламя? Ну, если он действительно так думает, то его ожидает жестокое разочарование.

— Может быть, мы все же сядем и закажем ланч, а я все вам объясню?

— Не думаю, что это возможно. Я ем только с друзьями.

— Тогда кофе? Кофе можно пить с кем угодно.

С едва скрываемой неохотой Холли приняла мое предложение. Повернувшись к Нестору, я изобразила руками чашку и одними губами прошептала «кофе», и он тут же закивал: сейчас-сейчас.

— Во-первых, — сказала я Холли, — мы надеемся, что Хьюго Лэм ничего об этом не знает. Он, кстати, уже много лет существует под именем Маркуса Анидера.

— Значит, если Хьюго Лэм вас не посылал, то откуда вам вообще известно, что мы с ним встречались много лет назад на богом забытом швейцарском лыжном курорте?

— Один из нас принадлежит к Темному Интернету. Подслушивать самые разнообразные вещи — это его хлеб насущный.

— А вы чем занимаетесь? Вы по-прежнему врач-китаец, умерший в 1984 году? Или в настоящее время вас следует считать вполне живой особой женского пола?

— Я и то, и другое, и третье, и четвертое. — Я положила на стол свою визитку. — Доктор Айрис Маринус-Фенби. Психиатр-клиницист, постоянное место жительства — Торонто, хотя консультирую во всех странах мира. И я действительно до 1984 года я была Ю Леоном Маринусом.

Холли сняла темные очки, изучила мою карточку, потом перевела взгляд на меня; на ее лице читалось отвращение.

— Мне, я вижу, придется все проговорить очень четко раз и навсегда. Итак, слушайте: я не видела Хьюго Лэма с утра 1 января 1992 года; ему тогда было лет двадцать пять. Значит, теперь ему пятьдесят пять. Почти как мне. Однако с помощью фотошопа или еще каких-то уловок на этой фотографии Хьюго Лэму *по-прежнему* двадцать пять плюс-минус год-другой, хотя снят он на фоне башен-спиралей, построенных в 2018 году, на груди у него висят электронные темные очки и он в майке с надписью «Qatar 2022 World Cup». Да, и еще эта его машина! Таких машин в 1990-е годы просто не было. Я это очень хорошо помню. Так что эта фотография — вульгарная подделка. Фотошоп. В итоге у меня к вам два вопроса: «К чему было столько хлопот?» и «Кто именно так хлопотал?».

Ребенок за соседним столиком играл на 3D-приставке: заставлял кенгуру прыгать с одной движущейся по спирали платформы на другую; за ловкий прыжок начислялись очки.

— Эта фотография сделана в июле прошлого года, — сказала я Холли. — И с тех пор к ней никто не прикасался.

— Значит... Хьюго Лэм отыскал источник вечной молодости?

Молодой официант с таким же, как у Нестора, внушительным носом прошел мимо с мини-жаровней и тарелкой, на которой шипели две отбивных на косточке.

— Нет, не источник. Он нашел некое *место* и был подвергнут некой *процедуре*. В 1992 году Хьюго Лэм стал Анахоретом Часовни Мрака. С тех пор, как он вступил в ряды последователей Слепого Катара, он ничуть не постарел.

Холли выслушала меня, презрительно фыркнула и сказала:

— Ну что ж, я очень за него рада. Теперь мне наконец стало ясно, что мой случайный партнер на одну ночь стал... скажем так, «бессмертным»!

— Да, бессмертным, но лишь *при* определенных условиях и соблюдении определенных правил, — уклончиво заметила я. — Он бессмертен только в том смысле, что внешне не стареет.

Холли так разозлилась, что у нее даже дыхание перехватило.

— И, разумеется, никто этого не замечал! Или его родители и братья считали, что это просто чудодейственное влияние увлажняющего крема и салата из киноа?

— Его родственники считают, что он погиб в результате несчастного случая: утонул во время погружения с аквалангом в порту Рабаул о Новой Гвинее в 1996 году. Если хотите, можно им позвонить. — Я протянула Холли карточку с лондонским номером телефона Лэмов. — Или просто мысленно свяжитесь с одним из его братьев, Алексом или Найджелом, и спросите у них.

Холли, широко раскрыв глаза, с недоумением уставилась на меня.

— Хьюго Лэм сфабриковал собственную гибель?

Я сделала глоток воды — она была явно из водопровода и успела уже не раз пройти через почки других людей.

— Это устроили его новые друзья Анахореты. Получить свидетельство о смерти, не представив трупа, довольно-таки затруднительно, но у них за плечами многолетний опыт.

— Перестаньте говорить так, словно я вам верю! И потом, кто такие Анахореты? Это же что-то... средневековое, не так ли?

Я кивнула.

— Анахореткой, то есть отшельницей, была одна девушка, которая вела аскетический образ жизни, но жила не в пустыне, а в келье, в стенах церкви. Это было в своем роде жертвоприношение. Она при жизни сама принесла себя в жертву.

К нам осторожно приблизился Нестор.

— Вот один кофе, как вы просили. Скажите, а ваша подруга не голодна?

— Нет, благодарю вас, — сказала Холли. — Я... у меня совершенно нет аппетита.

— Да ладно, — подначила я ее, — вы же только что прошлись пешком от Коламбус-сёркл!

— Я принесу меню, — сказал Нестор. — Вы, должно быть, вегетарианка, как и ваша подруга?

— Она мне не подруга! — сердито возразила Холли. — То есть мы с ней только что познакомились.

— Ну, подруга или нет, — разумно заметил ресторатор, — а любое тело нужно питать!

— Я скоро ухожу, — заявила Холли. — Я очень спешу.

— Спешат, спешат, спешат! — Волоски в носу у Нестора шевелились при вдохе-выдохе, точно морские водоросли. — Все слишком заняты, чтобы поесть, слишком заняты, чтобы дышать! — Он с негодованием отвернулся, потом снова повернулся к нам. — Что дальше? Будете слишком заняты, чтобы жить? — И Нестор с достоинством удалился.

Холли прошипела:

— Теперь вы заставили меня нахамить этому пожилому греку!

— Тогда закажите мусаку. С моей чисто медицинской точки зрения, вы едите недостаточно...

— Раз уж вы подняли тему медицины, «доктор Фенби», то это имя мне знакомо. Я специально проверила это у Тома Баллантайна, нашего старого семейного доктора. Вы приезжали в мой дом в Рае, когда я умирала от рака. Я могла бы сделать так, что у вас отзовут вашу медицинскую лицензию...

518

— Если бы я была виновна в каких-либо злоупотреблениях, я бы сама сс отозвала.

Она выглядела одновременно разъяренной и поставленной в тупик.

— Зачем вы приезжали ко мне домой?

— Давала советы Тому Баллантайну. Я вместе с группой исследователей ставила в Торонто серию опытов с лекарственными средствами, которые способны оказывать организму вспомогательную поддержку при особо тяжелых заболеваниях, и мы с Томом подумали, что ваш пораженный раком желчный пузырь может положительно отреагировать на эти средства. Что, собственно, и произошло.

— Вы же говорили, что психиатр, а не онколог.

— Я — психиатр, а всякий психиатр — это фокусник, у которого в запасе великое множество разнообразных волшебных шляп.

— Значит, теперь вы утверждаете, что я вроде как обязана вам жизнью?

— Отнюдь нет. Или, может быть, только отчасти. Исцеление от рака — это процесс холистический[1], и, хотя вспомогательные средства вам, безусловно, помогли, ваша длительная ремиссия, подозреваю, стала не только результатом их применения.

— Значит... вы наверняка были знакомы с Томом Баллантайном *еще до того*, как мне поставили диагноз? Или... или... Да просто скажите: как давно вы следите за моей жизнью?

— С перерывами с того самого дня, когда ваша мать в 1976 году привела вас ко мне на консультацию в «Грейвзенд дженерал хоспитал».

— Вы сама-то себя слышите? И вы еще утверждаете, что в настоящее время занимаетесь тем, что *излечиваете* людей от психозов и разочарований? Ну что ж, я в последний раз спрашиваю вас: зачем вы послали мне эту фальшивую фотографию моего *очень* мимолетного и *очень* давнего бойфренда?

— Я хочу, чтобы вы подумали над тем, что один из пунктов в нашем договоре с жизнью, который звучит как: «То, что живет, однажды непременно должно умереть», может — в отдельных, редких случаях — быть видоизменен.

Все голоса, звучавшие в этот момент в кафе «Санторини», — сплетни, шутки, смех, болтовня, флирт, жалобы — слились для меня в единый шум водопада.

— Доктор Фенби, — спросила Холли, — вы не сайентолог?

И я, стараясь не улыбаться, ответила:

---

[1] Х о л и з м, или «ф и л о с о ф и я ц е л о с т н о с т и», — учение, рассматривающее мир как результат творческой эволюции, которая направляется нематериальным «фактором целостности».

— Те, кто верит в Л. Рона Хаббарда и галактического императора Ксену, считают, что психиатрам самое место в сортире.

— Бессмертие... — она понизила голос, —...ведь бессмертие... Черт побери! Но ведь бессмертия на самом деле не существует!

— Но атемпоральное, то есть вневременное, состояние при определенных условиях и соблюдении определенных правил вполне может быть достигнуто. Так что «бессмертные» существуют на самом деле.

Холли огляделась; она даже назад обернулась.

— Но это же просто безумие!

— Между прочим, и вас после выхода «Радиолюдей» многие называли безумной.

— Если бы я могла отменить сам акт написания этой проклятой книги, я бы непременно это сделала! Во всяком случае, никаких голосов я больше уже не слышу. С тех пор как умер Криспин. Хотя уж это-то вас, черт побери, совершенно точно не касается!

— Предвидения появляются и исчезают, — я мизинцем собрала рассыпавшиеся по столу кристаллики сахарного песка, — причем совершенно загадочным образом, как аллергия или бородавки.

— Самая большая загадка для меня — это почему я до сих пор сижу здесь и вас слушаю!

— Догадайтесь, как имя наставника Хьюго Лэма в темных искусствах?

— Саурон. Лорд Волдеморт. Джон Ди. Луи Сайфер. Кто там еще есть?

— Это одна ваша старинная приятельница. Иммакюле Константен.

Холли стерла размазавшуюся по краю кофейной чашки помаду.

— Имени ее я никогда не знала. Только фамилию. Она и мне представилась как «мисс Константен», и в моей книге появляется под этой фамилией. И в моих воспоминаниях тоже. Не понимаю, зачем вы изобрели ей какое-то имя?

— Я его не изобретала. Это ее настоящее имя. А Хьюго Лэм — один из ее лучших учеников. Он прекрасно умеет подготовить человека к совершению нужного шага. Он стал поистине потрясающим психозотериком, хотя следует Путем Мрака всего каких-то три десятка лет.

— Черт побери! Послушайте, доктор Айрис Маринус-Фенби, вы *на какой* планете находитесь?

— На той же, что и вы. Хьюго Лэм в настоящее время занимается тем, что выслеживает очередную жертву; точно так же, как некогда мисс Константен выследила вас. И если бы она не напугала вас до такой степени, что вам пришлось рассказать о ней маме — а потом и доктор Ю Леон Маринус оказался об этом осведомлен и успел сделать вам своего рода предохранительную прививку, — она бы сумела соблазнить и похитить именно вас, а не Жако.

Болтовня и звон посуды вокруг нас казались какими-то невероятно громкими.

У меня за спиной какая-то девушка громко разговаривала со своим бойфрендом на египетском диалекте арабского языка.

— А сейчас... — Холли стиснула пальцами переносицу, — ...мне больше всего хочется вас ударить. *По-настоящему* сильно. *Кто* вы *такая? Что* вы такое? Какая-то чудовищная разновидность существа, копающегося в чужих головах и утверждающего, что можно переходить из одной жизни в другую... торгующего фантазиями вразнос... Я... у меня... просто нет слов! Не знаю, как вас правильно называть, но вы...

— Мы искренне сожалеем, что были вынуждены вмешаться в вашу личную жизнь, мисс Сайкс. Если бы у нас была хоть какая-то альтернатива, мы бы сейчас с вами здесь не сидели.

— «Мы» — это кто? Поточнее, пожалуйста.

Я слегка выпрямила спину.

— Мы — это Хорологи.

Холли испустила тяжкий и страшно долгий вздох, явственно говоривший: *«Ну вот опять?»*

— Прошу вас, — я положила возле ее блюдца зеленый ключ, — возьмите это.

Она долго смотрела на ключ, потом перевела взгляд на меня.

— Это еще что такое? И зачем мне какой-то ключ?

Парочка младших врачей с совершенно отсутствующим видом проследовала мимо нас, разговаривая, естественно, на медицинские темы.

— Этот ключ открывает дверь ко многим ответам и доказательствам, которых вы, безусловно, заслуживаете и в которых вы очень нуждаетесь. Как только войдете, сразу поднимайтесь по лестнице в сад на крыше. Там вы найдете меня и еще нескольких моих друзей.

Она допила кофе.

— Я завтра в три часа вылетаю домой. И учтите: я полечу именно этим рейсом. Так что лучше оставьте свой ключ при себе.

— Холли, — мягко сказала я, — я *понимаю*, что после выхода «Радиолюдей» вам пришлось встретиться с бесчисленным множеством разнообразных психов и притворщиков. Но я *твердо знаю*: та наживка, на которую попался Жако, была предназначена вам. *Прошу вас*. Возьмите этот ключ. Просто на случай, если я вдруг окажусь существом вполне реальным. Я понимаю, что, с вашей точки зрения, такая возможность одна на тысячу. Но уверяю вас: я *вполне* могу оказаться реальной. В конце концов, вы всегда сможете просто выбросить ключ в аэропорту. Но сейчас, пожалуйста, возьмите его. Разве это вам чем-то грозит?

Она некоторое время молча смотрела мне прямо в глаза, потом оттолкнула от себя пустую чашку, резко встала, смела рукой ключ со стола в сумочку и положила поверх фотографии Хьюго Лэма два доллара.

— Это чтобы я ничего не была вам должна, — пробормотала она. — И не называйте меня Холли. Прощайте.

5 апреля

Я барахталась в густом иле снов; какие-то злоумышленники перекрыли мне все пути на волю, и, проснувшись, я не могла даже толком припомнить, в каком теле я сейчас обитаю, пока не включила ночник и не увидела на электронном дисплее цифры 5:09, отчетливо видимые в плотной перегретой темноте комнаты. Я находилась в доме 119А. А более чем в миле отсюда по ту сторону Центрального парка на девятом этаже «Empire Hotel» Аркадий готовился навеять Холли Сайкс сон об Ошиме, стоящем на страже. Господи, хорошо бы это не понадобилось! Оставаться в убежище и ждать было мучительно, но если бы я сама отправилась в «Empire», то могла бы невольно вызвать в душе Холли то сопротивление, которого так опасалась. Минуты текли, как часы, а я все пыталась отыскать какой-то смысл во сне, вызванном ночной нью-йоркской духотой, и в странном звоне в ушах...

Бессмысленно было пытаться снова уснуть, и я, включив настольную лампу, оглядела комнату. Вьетнамская ваза, рисунок обезьяны, рассматривающей собственное отражение в зеркале, клавикорды Лукаса Маринуса, привезенные им из Нагасаки и полученные Кси Ло в подарок после напряженной и совершенно невероятной охоты... Я взяла и вновь открыла «De Rerum Natura»[1] Лукреция на том месте, где остановилась, но мыслями, а может, и душой я по-прежнему находилась в миле или двух к западу от этого дома, в «Empire Hotel». Ох уж эта бесконечная проклятая Война! В те дни, когда я чувствовала себя особенно слабой, меня одолевали мысли о том, почему мы, истинные Вневременные, Хорологи, обладающие врожденной способностью к возрождению, к «бессмертию», ради которого Анахореты убивают людей, обретая в результате лишь некое искаженное подобие «вечной жизни», просто не уйдем, не

---

[1] «О природе вещей» — главная и единственная полностью сохранившаяся работа Тита Лукреция Кара, римского поэта и философа-материалиста, жившего в I веке до н. э.

отстранимся? Почему мы, рискуя всем на свете, пытаемся спасти каких-то незнакомцев, которые даже никогда не узнают, *что* мы для них сделали? Как и человечество не узнает, выиграли мы или проиграли? И я вслух спросила, обращаясь к обезьянке, встревоженной собственным отражением в зеркале: «Почему?»

* * *

Святой Дух вошел в Оскара Гомеса в прошлое воскресенье во время службы в церкви Пятидесятницы в Ванкувере, когда прихожане исполняли сто тридцать девятый псалом[1]. Несколькими часами позже он рассказывал моему другу Аднану Байойе, что «теперь знает, что на сердце у его братьев и сестер во Христе, знает, в каких грехах им предстоит раскаяться и что искупить». Убежденность Гомеса, что Господь наградил его этим даром, была неколебима, и он был намерен безотлагательно «вершить дела Господни». Он сел на монорельс SkyTrain, доехал до «Метрополиса», огромного пригородного торгового центра, и, остановившись у главного входа, начал читать проповедь. Христианских уличных проповедников в больших городах куда чаще игнорируют или высмеивают, чем прислушиваются к ним, но вокруг этого низенького, невероятно серьезного мексиканоканадца собралась довольно плотная толпа. Этот проповедник казался совершенно особенным, и очень многие, совершенно незнакомые ему посетители «Метрополиса», сами себе удивляясь, легко угодили к нему на крючок. Одного человека Гомес, например, довольно быстро заставил признаться, что он является отцом того ребенка, которого родила его невестка Бетани. А некую парикмахершу из салона «Curl Up & Dye» Гомесу удалось убедить в необходимости вернуть те четыре тысячи долларов, которые она украла у работодателя. Гомес объяснил какому-то исключенному из колледжа парню по имени Джед, что конопля, которую тот выращивает в саду у своей старенькой и немощной бабушки, способна только испортить ему жизнь и в итоге даже привести в тюрьму. Некоторые после его «откровений» бледнели от страха, у кого-то от изумления отвисала челюсть, а кто-то попросту сбегал. Были и те, кто начинал сердито кричать на Гомеса, обвиняя его в том, что он вторгается в их частную жизнь или работает на ФБР, на что он неизменно отвечал: «Господь видит все наши жизни!» И тогда кое-кто начинал плакать и просить прощения. К тому времени, как прибыла охрана торгового центра, чтобы препроводить Гомеса в кутузку, несколько десятков человек уже снимали происходящее на планшеты и телефоны и вокруг «провидца с Вашингтон-стрит» сте-

---

[1] Псалтирь, Молитва верующей души.

ной стояли его защитники. Вызвали полицию. На YouTube потом появилось множество разнообразных роликов об этом событии. Например, о том, как Гомес буквально умолял одного их тех, кто пытался его арестовать, признаться, что всего три дня назад он избивал какого-то иммигранта из Эритреи (имя также сообщалось), нанося тому удары по голове ногой в тяжелом ботинке, а второго полицейского просил незамедлительно обратиться к специалистам из-за его пристрастия к детской порнографии (был приведен и логин этого полицейского, и адрес русского сайта). Можно только догадываться, какой разговор происходил в патрульной машине, но в полицейский участок машина так и не поехала, а направилась прямиком в психиатрическую лечебницу «Купленд Хейтс».

Богом клянусь, Айрис, писал мне по электронной почте Аднан тем же вечером, *когда я пришел в кабинет для беседы с пациентом и его осмотра, моей первой мыслью было: «Провидец? Ерунда! Этот парень куда больше похож на моего строгого, но весьма ограниченного бухгалтера!»* И тут вдруг Оскар Гомес, словно я сказал это вслух, мне отвечает: *«Между прочим, доктор Байойя, у меня отец был именно бухгалтером, так что, возможно, я унаследовал такой строгий вид от него».* И как после этого было ставить ему какой-то диагноз? Я, правда, надеялся, что случайно высказал эту мысль о бухгалтере вслух, но вскоре Гомес несколько раз в разговоре упомянул такие события из моей жизни в Руанде, где, как вы знаете, я вырос, о которых я никогда и никому не рассказывал, разве что вам и моему психоаналитику во время учебы. А уже через два часа Аднан прислал мне еще одно электронное письмо, в котором сообщал, что пациенты «Купленд Хейтс» уже поклоняются своему новому собрату как божеству. *Это как в «Проблеме Вурмана»,* писал Аднан, имея в виду новеллу Криспина Херши, которой мы с ним оба восхищались. *Я знаю, как мои дедушка и бабушка назвали бы Гомеса на языке йоруба, но разве у меня есть возможность всерьез говорить о колдовстве по-английски, если я хочу сохранить свое место в данном лечебном учреждении? Пожалуйста, Айрис, помогите! Вы ведь сможете мне помочь?*

* * *

Veni, vidi, non vici[1]. К тому времени, как я отыскала свою машину на залитой дождем стоянке, я промокла насквозь, а потом, забираясь внутрь, еще и порвала колготки. Я была совершенно измучена

---

[1] Перефразированная знаменитая фраза Юлия Цезаря «Пришел, увидел, победил»; в данном случае — «Пришел, увидел, не победил».

гневом, отчаянием и ощущением собственного бессилия, поскольку потерпела полную неудачу. Не успела я сесть, как задребезжал сигнал сообщения.

Слишком поздно, Маринус, слишком поздно. Да и поверила ли тебе миссис Гомес?

Ответ и подтекст самого вопроса сразу встали на свое место, точно сам собой сложился упрямый кубик Рубика. Самое главное было и самым очевидным: в мой компьютер проникли хакеры, и некий Хищник, некий завистливый Анахорет, возможно, оказался недостаточно осторожен или недостаточно опытен и случайно обнаружил себя. Я отправила ответ, отчасти блефуя:

Хьюго Лэм похоронил свою совесть, но она так до конца и не умерла.

Вполне возможно, что «святой Марк», пообещавший сопровождать Оскара Гомеса, когда тот станет подниматься по Лестнице Иакова, — это и есть Хьюго Лэм, который, став Анахоретом, принял имя Маркус Анидер. Я выждала минуты две-три и уже практически сдалась, когда он все же ответил:

Совесть — это для простых смертных, Маринус. Ты проиграла, женщина!

Итак, мой блеф сработал, если, конечно, он тоже не блефует в ответ. Но нет, этот хищник, этот психовампир, действуя в одиночку, никогда бы не упустил возможность утереть мне нос, если бы моя догадка оказалась неверной; тем более что выражение «ты проиграла, женщина!» полностью соответствует данному Л'Окхной описанию Хьюго Лэма как типичного женоненавистника. Пока я размышляла, как бы мне получше воспользоваться этим контактом, явно не санкционированным ни Константен, ни Пфеннингером, пришло третье послание:

Посмотри на свое будущее, Маринус. Взгляни в зеркало заднего вида.

Я инстинктивно пригнулась и поправила зеркало так, чтобы как следует разглядеть, что у меня позади. Но заднее стекло автомобиля было залито дождем, и я включила печку, направив струю теплого воздуха назад, чтобы удалить...

Окно возле переднего пассажирского сиденья разлетелось на тысячу крошечных осколков, так же как и зеркало заднего вида у меня над головой. Зеркало было из хрупкого новомодного стекло-пластикового сплава, и один осколок этой пластиковой шрапнели, размером и формой напоминавший отстриженный кусочек ногтя, вонзился мне в щеку.

Я скорчилась на сиденье; мне было страшно. Рассуждая логически, я понимала, что если бы этот меткий стрелок действительно хотел меня убить, то я бы уже была по ту сторону Тьмы. Но на всякий случай я еще несколько минут оставалась в той же скрюченной позе. Мы, Вневременные, способны до некоторой степени нейтрализовать яд Смерти, но вырвать ее смертоносные клыки мы не можем, да и старая привычка во что бы то ни стало бороться за жизнь всегда продолжает действовать — даже у нас.

* * *

Именно поэтому мы и ведем Войну, напомнила я себе через четыре дня после этих событий, уже находясь в безопасности, в доме 119А. Ночь подходила к концу; за окном посерело — казалось, я нахожусь под толстым слоем льда. Всех нас беспокоила судьба Оскара Гомеса, его жены и его троих детей. Ведь никто попросту не поверит в то, что совершается настоящее убийство душ, а совершает его синдикат похитителей душ, то есть Анахореты, или, может быть, кто-то из хищников-«фрилансеров», охотящихся в одиночку. Но если бы мы стали тратить свои метажизни лишь на преумножение богатства империй, становясь все более бесчувственными, ибо и нас отравил бы наркотик богатства, благополучия и власти, и при этом знали бы все то, что знаем сейчас, но ровным счетом ничего не предпринимали, то и мы, безусловно, были бы виновны в психозотерическом убийстве невинных.

Звякнул сигнал. Это от Ошимы. По звуку я догадалась, что это Ошима. Я поспешно схватила планшет, но от волнения его уронила, подняла и наконец прочла:

Дело сделано. Никаких неприятных инцидентов. Аркадий уже возвращается. Последую за нашей Хрупкой Надеждой.

Я глубоко вздохнула, с облегчением набрав полные легкие воздуха. Итак, начало Второй Миссии приблизилось еще на один шаг. За окном совсем посветлело; дневной свет просачивался внутрь сквозь щели в оконных рамах. В доме 119А водопровод и канализация были такими старыми, что каждый раз, когда кто-то принимал душ или спускал в туалете воду, содрогался весь дом. Уже слышались чьи-то шаги, уже хлопали дверцы шкафов. И было совершенно ясно, что Садакат, чья комната была через две или три двери от моей, давно уже встал.

* * *

— Шалфей, розмарин, тимьян... — Садакат, наш заботливый служитель и будущий возможный предатель, полол грядки, заодно объясняя мне, что у него растет. — А тут я еще посеял петрушку, но недавний, слишком запоздалый, заморозок ее погубил. Некоторые травы всегда бывают менее выносливыми. Ничего, я попробую еще раз ее посеять. В петрушке много железа. А вот здесь у меня репчатый лук и лук-порей, эти всегда хорошо растут. А также у меня большие надежды на ревень. Вы помните, доктор, какой ревень мы выращивали в госпитале Докинза?

— Помню. С ним получались очень вкусные пирожки, — сказала я.

Мы разговаривали очень тихо. Несмотря на мелкий сеющийся дождь и весьма хлопотливую ночь, Аркадий, наш молодой собрат Хоролог, укрывшись в кустах миртов и ведьминой лещины на противоположном конце садика, делал гимнастику тайцзы.

— А здесь у меня будет грядка земляники, — показывал Садакат, — и эти три вишневых деревца тоже непременно будут плодоносить, потому что я как следует их удобрю и обсеменю с помощью кисти, ведь пчел здесь, в Ист-Сайде, как-то маловато. Вы только посмотрите! Красный кардинал на клен прилетел! Я купил себе специальную книжку про птиц, так что я теперь их всех знаю. А вон те птицы на крыше монастыря называются траурные, или плачущие, голуби. А еще у нас скворцы вьют гнезда вон там, под застрехой. Правда, приходится все время за ними подметать, но их помет очень хорош как удобрение, так что я не жалуюсь. А здесь у нас пахучие травы — вероника, восковница. А вот эти шипастые прутики станут душистыми розами. Я приготовил шпалеру для жимолости и жасмина...

Я заметила, что певучий, чуть скачущий то верх, то вниз англо-пакистанский говор Садаката начинает постепенно выравниваться.

— Ей-богу, вы тут сотворили настоящее волшебство!

Садакат даже замурлыкал от удовольствия.

— Растения всегда хотят расти. Нужно только позволить им это.

— Нам бы следовало подумать о садике на крыше еще несколько десятилетий назад.

— Вы слишком заняты, спасая чужие души, доктор, чтобы думать о таких вещах. А вот крышу надо бы усилить или заново перекрыть, хотя это, конечно, сложновато...

Осторожней, мысленно предупредил меня Аркадий, *иначе он тебя совсем заговорит — станет рассказывать о несущих стенах и балках до тех пор, пока тебе просто жить не захочется.*

— ...но я договорился с одним польским инженером, который предложил сменить несущие балки...

— Ваш садик, Садакат, — просто оазис покоя, — прервала я его. — Отныне мы все будем его лелеять, и он будет радовать нас долгие годы.

— Даже столетия, — сказал Садакат, стряхивая капельки тумана со своих буйных, но уже седеющих волос. — Вы ведь Хорологи.

— Будем надеяться, что так и будет.

Сквозь узорную кованую решетку в стене монастыря мы смотрели на улицу, проходившую четырьмя этажами ниже. По ней медленно ползли автомобили, тщетно сигналя. Их обгоняли зонты, под которыми прятались невидимые сверху пешеходы; зонты шарахались в разные стороны, уступая дорогу любителям бега трусцой, движущимся, как всегда, наперерез движению. Примерно на одном уровне с нами на той стороне улицы старуха в каком-то странном ошейнике поливала бархатцы, растущие в ящике за окном. Нью-йоркские небоскребы выше тридцатого этажа скрывались в густой облачности. Если бы Кинг-Конг сегодня взобрался на башню «Empire State», здесь, внизу, в это никто бы попросту не поверил.

— Гимнастика мистера Аркадия, — прошептал Садакат, — напоминает мне о ваших волшебных деяниях. О том, как вы умеете рисовать рукой в воздухе, например...

Мы уже давно наблюдали за Аркадием. В новом обличье молодого венгра с волосами, стянутыми на затылке в «хвост», он пока чувствовал себя несколько неловко, но вьетнамский мастер боевых искусств, в теле которого он до этого обитал, все-таки в значительной степени сказывался в его повадках.

Я повернулась к Садакату, некогда — моему пациенту, и спросила:

— Ну что, вы по-прежнему довольны своей жизнью здесь?

Садакат почему-то встревожился.

— Да! Доволен, конечно, но если я сделал что-то не так...

— Нет, что вы. Я *совсем* не об этом хотела спросить. Меня иногда беспокоит, что мы лишаем вас друзей, жены, любовницы, семьи — всего того, что обычно так украшает нормальную жизнь.

Садакат снял очки, протер их полой джинсовой рубахи и сказал:

— Хорологи — вот моя семья. А женщины... Мне сорок пять, и я предпочитаю ложиться в постель с планшетом и смотреть «The Daily Show» или с детективом Ли Чайлда, поставив рядом чашку душистого чая из ромашки. Нормальная жизнь? — Он фыркнул. — У меня есть ваше Дело, библиотека, в которой можно рыться и которую я еще не до конца исследовал, сад, за которым надо ухаживать, и мои стихи, которые постепенно становятся не такими ужасными, как вначале. Клянусь, доктор: каждый день, бреясь, я смотрю на себя в зеркало и говорю: «Садакат Дастани, ты самый везучий из шизофреников англо-пакистанского происхождения на Манхэттене, хотя ты не так уж и молод и даже начинаешь лысеть».

— Но если вам когда-нибудь покажется, — я очень старалась говорить самым обычным тоном, — что вашу жизнь стоило бы переменить...

— Нет, доктор Маринус. Мой вагон прицеплен к поезду Хорологии.

Осторожней, мысленно предупредил меня Аркадий, *иначе от него начнет разить нашкодившей крысой.*

Но я никак не могла расстаться с темой, которая волновала меня больше всего.

— Во время Второй Миссии, Садакат, мы никому не сможем гарантировать безопасность. Ни вам, ни себе.

— Если вы хотите, чтобы я убрался из 119А, воспользуйтесь каким-нибудь вашим магическим фокусом-покусом, доктор, потому что по собственной воле я с этого корабля не спрыгну. Анахореты охотятся на психически уязвимых людей, да? И если бы мои слабые мозги им подходили... — Садакат постучал себя по лбу, — то они вполне могли бы и меня захватить, верно? А значит, война Хорологов — это и моя война! Да, я всего лишь жалкая пешка, но исход шахматной игры иной раз зависит и от одной-единственной пешки.

Маринус, прибыла наша гостья, сообщил мне Аркадий.

И я, терзаемая угрызениями совести, сказала Садакату:

— Сдаюсь. Вы выиграли.

Он улыбнулся:

— Я рад, доктор.

Наша гостья действительно прибыла. Мы снова вернулись к кованой решетке и увидели внизу Холли в ее ямайском шарфе, накрученном на голову, как тюрбан. На той стороне улицы в окне комнаты, которую мы снимали над мастерской скрипичного мастера, показался силуэт Ошимы, и он мысленно сказал мне: *Я буду следить за улицей на тот случай, если мимо проследует кто-то из интересующих нас людей.* Холли уже подходила к нашим дверям, держа в руках тот самый зеленый ключ, который я вчера дала ей в кафе «Санторини». У этой англичанки сегодня выдалось очень странное утро. На тонкой ветке ивы совсем рядом с моим плечом сидел краснокрылый черный дрозд и, взъерошив перья, выводил одно сложное арпеджио за другим.

— А это еще что за хорошенький чертенок, а? — прошептал Садакат, любуясь птичкой.

* * *

Я заговорила первой:

— Мы ждали вас, мисс Сайкс. Как говорится.

— Добро пожаловать в 119А. — Голос Аркадия звучал неровно, как у подростка.

— Вы здесь в полной безопасности, мисс Сайкс, — сказал Садакат. — Не бойтесь.

Холли раскраснелась, поднимаясь по лестнице, но, увидев Аркадия, пролепетала, расширив от удивления глаза:

— Это *же*... вы... вы... *не так ли?*

— Да, и мне нужно кое-что вам объяснить, — признался Аркадий.

Внизу в переулке залаяла собака. Холли вздрогнула и снова заговорила:

— Вы же мне *снились*. Сегодня утром! Вы... вы точно такой же. Как вы это *делаете?*

— Да уж, мои прыщи невозможно забыть, верно? — Аркадий провел по щеке. — Незабываемое зрелище!

— Нет, я имею в виду свой сон! Вы сидели за моим письменным столом, в моем номере, в гостинице...

— И писал вам в записной книжке этот адрес, — старательно напоминал ей Аркадий. — А потом я попросил вас прийти сюда с тем зеленым ключом, который вам дала Маринус, и войти в дом. И на прощанье я сказал вам: «Увидимся через два часа». Вот мы с вами и увиделись.

Холли смотрела то на меня, то на Аркадия, то на Садаката, потом снова на меня.

— Вызывать сны, — пояснила я, — это одно из métiers[1] Аркадия.

— Это было совсем нетрудно, — сказал мой коллега, демонстрируя предельную скромность. — Мой номер находился в том же коридоре прямо напротив вашей двери, мисс Сайкс, так что особых пространств мне пересекать не пришлось. А когда моя душа вновь вернулась на место, я сразу поспешил сюда. На такси. Навязывание сновидений гражданским лицам противоречит нашему Кодексу, но мы просто обязаны были обеспечить вам хоть какие-то доказательства справедливости тех довольно диких, с вашей точки зрения, заявлений, которые вчера сделала Маринус. И потом, мы ведь в дан-

---

[1] Умений (*фр.*).

ный момент находимся в состоянии войны, так что, боюсь, в любом случае навеяли бы вам некие сны. Вы уж простите нас. Пожалуйста.

Холли пребывала в состоянии нервного замешательства.

— *Кто* же вы?

— Я? Я — Аркадий Тхали. Во всяком случае, в данный момент. И в данном теле. И я очень рад нашему знакомству.

В небе проплыл самолет, таща за собой облачный хвост газов.

— А это наш верный слуга и хранитель, — я повернулась к Садакату, — мистер Дастани.

— О, я просто пёс, которому невероятно повезло, правда-правда, — заметил Садакат. — Между прочим, я нормальный человек, как и вы, — ну, теперь-то я уже «нормальный», да, доктор? Называйте меня просто Садакат. Точнее, меня зовут «Са-*дар*-катт», ударение на «дар». Считайте меня афропакистанцем по имени Альфред. — Холли явно ничего не понимала. — Почему Альфред, спросите вы? Так звали дворецкого Бэтмена. Я поддерживаю порядок в доме 119А, когда мои хозяева отсутствуют. И еще я готовлю для них еду. Вы ведь вегетарианка, так мне сказали? Ну и все Хорологи тоже. Это... — он начертал нечто сложное в воздухе, — ...годится и для души, и для тела. Кто голоден? Я приготовил роскошную яичницу по-холостяцки с копченым тофу — чудесный завтрак для такого утра, как это, полного всяких неожиданностей. Могу ли я этим вас соблазнить?

* * *

В центре веранды на первом этаже стоял большой овальный стол из ореха, который впервые появился там еще в 1890-е годы, когда Кси Ло купил дом 119А. Стулья, правда, все были разные и даже из разных эпох. Из трех арочных оконных проемов лился жемчужный свет. Стены украшали картины, подаренные Кси Ло и Холокаи самими авторами: пылающая румянцем заря в пустыне Джорджии О'Кифф, вид на порт Радиум А.У. Джексона, «Закат на мосту в Сан-Луи» Диего Квиспе Тито и картина Фейт Нуландер «Проститутка и солдат на Мраморном кладбище». В торце висела картина Анджело Бронзино[1] «Венера, Купидон, Безумие и Время», стоившая больше, чем этот дом и все соседние дома, вместе взятые.

— Я знаю эту картину, — сказала Холли, глядя на полотно Бронзино. — Оригинал находится в лондонской Национальной галерее. Я часто ходила туда и смотрела на нее во время обеденного переры-

---

[1] Анджело Бронзино (1503—1572) — итальянский живописец, представитель маньеризма; портреты Бронзино отличаются холодным изяществом и бесстрастностью.

ва, когда работала на Трафальгарской площади в центре для бездомных при церкви святого Мартина-на-Полях.

— Да, — сказала я.

Холли сейчас была совершенно ни к чему история о том, как в 1860 году в Вене *копия*, висящая ныне в Национальной галерее, и оригинал поменялись местами. К тому же Холли уже перешла к следующей картине, явно недостойной соседства с шедевром Бронзино: «Ю Леон Маринус. Автопортрет. 1969». Холли, конечно, узнала его лицо и повернулась ко мне, готовая к обвинениям. Я с покорным видом кивнула.

— С вашей точки зрения, это, конечно, полный абсурд. Да к тому же было просто наглостью вешать этот автопортрет в таком окружении, но на этом настоял Кси Ло, наш основатель. И ради него мы всё так и оставили.

Садакат вошел в дверь, возле которой находилась астролябия, и остановился, держа в руках поднос с напитками. Но яичницы по-холостяцки по-прежнему никому не хотелось.

— Ну, кто где будет сидеть? — спросил Садакат. Холли уселась в кресло-гондолу в торце стола, поближе к выходу, и Садакат поинтересовался у нее: — Вам, разумеется, классический ирландский завтрак, мисс Сайкс? Ваша мать ведь ирландка, не так ли?

— Да, она была ирландкой, — сказала Холли. — Ирландский завтрак — это прекрасно, спасибо.

Садакат поставил на стол чайник с рисунком в виде ивовых ветвей, чашку с таким же рисунком, молочник и сахарницу. Мой зеленый чай исходил паром в черном металлическом чайнике, принадлежавшем Чоудари Маринусу два моих возрождения назад. Аркадий, как всегда, пил кофе из огромной кружки. Садакат поставил в центр стола зажженную свечу в плошке из цветного стекла и сказал:

— Чтоб вам тут было повеселее. А то веранда в пасмурный день похожа на гробницу.

В параллельном мире этот человек был бы дизайнером-фашистом, — мысленно сказал мне Аркадий.

— Спасибо, это как раз то, что нам нужно, Садакат, — сказала я, и он, страшно довольный, удалился.

Холли сложила на груди руки.

— Вам бы лучше сразу начать, — сказала она. — У меня слишком мало...

— Мы пригласили вас сюда сегодня, — сказала я, — чтобы вы кое-что узнали о нас и нашей космологии. О Вневременных и о психозотерике.

Звучит как на бизнес-семинаре, Маринус, — тут же заметил Аркадий.

— Погодите, — сказала Холли. — Я что-то перестала понимать. «Вневременные»?

— Уколите нас иглой, и у нас выступит кровь, — сказал Аркадий, обеими руками держа кружку с кофе, — пощекочите нас, и мы засмеемся, отравите нас, и мы умрем, но потом, после смерти, мы обычно возвращаемся обратно. Вот Маринус, например, проходила через это... тридцать девять раз, верно?

— Сорок, если включить в этот список бедную Хейди Кросс, погибшую в своем домике на острове Шеппи.

Я заметила, что Холли смотрит на меня, то ли рассчитывая услышать, что это просто шутка, то ли ожидая услышать мой безумный смех.

— Я-то, можно сказать, новичок, — сказал Аркадий, — и существую только в своем пятом теле, и процесс умирания каждый раз выбивает меня из колеи. Страшно оказаться там, во Мраке, и смотреть на бесконечную гряду Дюн, уходящую вдаль...

— Какой мрак? — спросила Холли. — Какие дюны?

— *Тот самый* Мрак, — пояснил Аркадий, — *та самая* сумеречная страна, что существует между жизнью и смертью. Мы видим ее как бы с вершин Высоких Холмов. Это прекрасный и поистине пугающий ландшафт. И эту страну пересекают все души. Подобные бледным огонькам, они бредут, влекомые Южным Ветром, к Последнему Морю, которое, разумеется, вовсе не море, а...

— Погодите, погодите, погодите... — Холли даже вперед наклонилась. — Вы говорите, что были мертвы? Что вы все это видели собственными глазами?

Аркадий сделал несколько глотков из своей гигантской кружки, утер губы и сказал:

— Да, мисс Сайкс. На оба ваши вопроса я отвечу «да». Но каждый раз порывом ветра, дующего с моря, наши души относит назад и через Высокие Холмы возвращает нас, хотим мы этого или нет, к Свету Дня. И тогда мы слышим такой шум, словно... целый город уронили и разбили вдребезги! — Аркадий, повернувшись ко мне, спросил: — Правильно я все это описываю?

— Вполне. Затем мы как бы просыпаемся, но уже в новом теле. Обычно это тело ребенка, которому требуется срочное и серьезное лечение и которое только что покинул его предыдущий «хозяин».

— Там, в кафе, — повернулась ко мне Холли, — вы сказали, что такие, как Хьюго Лэм, Анахореты, бессмертны «при соблюдении определенных условий и правил». Так вы и они — это одно и то же?

— Нет. Мы непреднамеренно движемся по спирали смертей и возрождений. Мы не знаем, как и почему нам выпала такая судьба. Мы никогда к этому не стремились. Наши первые «я» умерли тем или иным обычным образом, мы видели Страну Мрака именно такой, какой вам ее только что описал Аркадий, — а через сорок девять дней вернулись обратно в мир живых.

— И с момента нашего первого возрождения, — Аркадий, волнуясь, то заплетал, то расплетал свой «конский хвост», — мы были обречены на бесконечное повторение этого. Наше новое тело вырастало, созревало, умирало — бам! — и мы снова во Тьме. Затем — у-ух! — через сорок девять дней мы снова пробуждаемся на земле, причем зачастую в теле противоположного пола. От такого запросто может крыша поехать!

— Но важно то, — сказала я Холли, — что никто ничем не платит за нашу вечную жизнь — ни мы, ни те, в чьем теле мы возрождаемся. Хотя нет, расплачиваться за вневременное существование все же иной раз приходится. Но только нам одним. По биологическому типу мы, если угодно, травоядные.

Снизу, с улицы донесся яростный скрежет тормозов.

— Значит, — спросила Холли, — Анахореты плотоядные?

— Все до единого. — Аркадий задумчиво провел пальцем по краю кружки.

Холли потерла виски.

— Так речь идет... о вампирах?

Аркадий застонал:

— О великий боже! Вот опять начинается!

— Да, они вампиры, но лишь метафорически, — пояснила я. — Они выглядят вполне нормальными или вполне ненормальными представителями человеческого рода — так могут выглядеть слесари и банкиры, диабетики и шизофреники. К сожалению, они далеко не всегда выглядят как те мерзавцы, которых изображает в своих фильмах Дэвид Линч. Если бы это было так, нам было бы куда легче работать. — Я с наслаждением вдохнула горьковатый аромат зеленого чая, уже зная, каков будет следующий вопрос Холли. — Да, мисс Сайкс, они *питаются душами*. Это настоящие Пожиратели Душ; они выпивают, высасывают чужие души, заманивая, соблазняя людей — в идеальном случае — детей... — я выдержала ее взгляд, в котором вновь вспыхнула тревога, поскольку она, разумеется, тут же вспомнила Жако, — что, увы, означает, гибель последних.

— А мы считаем, что это отвратительно, — снова встрял Аркадий, — потому Маринус, я и еще несколько человек, не получающие за это ни малейшей благодарности — в основном так называемые Вневременные или Вечные, которым помогает небольшое количество сотрудников из числа простых смертных, — воспринимаем как главное дело своей жизни... уничтожение подобных Хищников. По отдельности Плотоядные досаждают нам крайне мало — дело в том, что все они считают себя поистине уникальными и действуют столь же беспечно, как магазинные воры, которые никак не хотят поверить, что во всех магазинах имеется служба слежения. Основная проблема возникает — и именно из-за этого и началась наша Война, — когда Хищники охотятся стаей.

— И именно деятельность одной такой стаи заставила нас всех здесь собраться, мисс Сайкс, — сказала я, сделав глоток чая. — Я имею в виду Анахоретов Часовни Мрака, созданной Слепым Катаром из монастыря Святого Фомы, что на Сайдельхорнском перевале.

— Название, разумеется, слишком длинное для визитки. — Аркадий сплел пальцы рук и приподнял плечи. — Для друзей — просто Анахореты.

— Но Сайдельхорн — это гора, — сказала Холли. — В Швейцарии.

— Да, и довольно высокая, — заметила я. — Она также дала имя перевалу в Северной Италии — этим, кстати, весьма старинным путем пользовались еще римские легионеры. Монастырь Святого Фомы служил на этом перевале чем-то вроде гостиницы при спуске в Швейцарскую долину, начиная с IX века и по конец XVIII. Именно там где-то году в 1210-м возникла некая фигура, известная как Слепой Катар и онтологически превратившаяся в проводника в царство Мрака.

Холли задумалась, потрясенная этим броском в историю.

— Царство Мрака — это то, что лежит между...

— Жизнью и смертью, — подсказал Аркадий. — Хорошо, что вы так внимательно нас слушали.

— А что такое катар? — спросила Холли.

— Катары — это еретики, существовавшие в Лангедоке в XII—XIII веках, — сказала я. — Они проповедовали, что мир создан не Богом, а дьяволом, что материя — это порождение зла, что Иисус — это человек, а вовсе не Сын Божий. Папство, разумеется, возмущали подобные проповеди, и в 1198 году папа Иннокентий III предложил захватить земли, где проживали катары, — теперь эта война известна как Альбигойский крестовый поход. Французский король был в это время занят другими делами, однако и он благословил своих баронов с севера Франции на это благое дело. Бароны оседлали коней и помчались на юг убивать катаров и отнимать у них земли; в итоге им удалось подчинить весь этот ненадежный регион французской короне, но ересь, как известно, распространяется путем расщепления атомов. То, что, казалось, было разбито вдребезги, продолжало распространяться. Тот, кого называют Слепым Катаром, поселился в монастыре Святого Фомы в удаленной от мира горной долине предположительно году в 1205-м или 1206-м. Почему он выбрал именно Сайдельхорн, нам неизвестно. Его имя впервые появляется только в одном историческом источнике — «Истории епископальной Инквизиции» Мектхильда из Магдебурга, датированной 1270-ми годами, где говорится, что в 1215 году Святая инквизиция приговорила некого Слепого Катара с Сайдельхорнского перевала к смертной казни за колдовство. Вечером накануне казни его, как всегда, заперли в келье монастыря, а к рассвету, — я вдруг вспомнила Оскара Гомеса, — он оттуда исчез. Мектхильд пришел к выводу, что о нем решил позаботиться сам Сатана, покровительствовавший еретику.

— Не тревожьтесь, — быстро сказал Аркадий, глядя на Холли, — мы Сатане не поклоняемся.

— Я, собственно, почти закончила свою небольшую историческую лекцию, — пообещала я. — Земля вращается и вокруг своей оси, и вокруг Солнца, хотя до 1799 года Инквизиция настаивала на противоположном порядке вещей. — Я коснулась пальцами горячего стального чайника. — Одним росчерком пера Наполеон объединил гордые швейцарские кантоны, создав Гельветическую республику. Далеко не все швейцарцы, однако, одобрили пребывание под патронатом Франции, и, когда обещания религиозной свободы были предательским образом пересмотрены, многие начали жечь церкви и восставать против хозяев, навязанных им Парижем. Противники Наполеона раздували пламя, и в начале апреля рота австрийских артиллеристов прошла со стороны Пьемонта по Сайдельхорнскому перевалу и достигла монастыря Святого Фомы. В монастырском коровнике были сложены двести бочонков с порохом, и то ли по беспечности, то ли по злому умыслу они взорвались, уничтожив большую часть монастыря и вызвав сильнейший камнепад, который напрочь смел мост, переброшенный через пропасть. Это, собственно, всего лишь подстрочное примечание к рассказу о тех революционных войнах, однако для *нашей* Войны этот взрыв был равносилен убийству эрцгерцога Франца Фердинанда в Сараево. Взрывная волна рикошетом достигла Часовни Мрака, и затяжному сну Слепого Катара пришел конец.

Часы на камине осторожно пробили восемь раз.

— Орден святого Фомы стал к этому времени как бы призраком самого себя, если сравнивать с дореформенной порой, и ему катастрофически не хватало денег, средств и желания, чтобы восстановить этот альпийский редут. Правительство Гельветической республики в Цюрихе, однако, проголосовало за восстановление Сайдельхорнского моста; рядом были построены военные казармы, обитателям которых предписывалось охранять столь стратегически важный объект. Один француз, которого звали Батист Пфеннингер, инженер из Мартиньи, был назначен туда для наблюдения за строительными работами. Однажды ночью под конец лета, когда Пфеннингер лежал у себя в казарме, пытаясь уснуть, он услышал голос, окликавший его по имени. Этот голос звучал одновременно и как бы издали, с расстояния в несколько миль, и совсем рядом, буквально в нескольких дюймах. Дверь комнаты была крепко заперта изнутри, но в изножии постели Пфеннингер заметил легкое колебание воздуха и коснулся этой колеблющейся струи. И воздух перед ним вдруг как бы расступился, раздвинулся, как занавес, открывая вход в некое округлое помещение, в котором горела огромная свеча высотой в человеческий рост — такие свечи до сих пор встречаются иногда перед алтарем в католических или православных церквях. Дальше ему видны были только каменные плиты пола, уходившие куда-то во тьму. Батист Пфеннингер был по натуре прагматиком, человеком здравомыслящим, и он, безусловно, не был пьян. К тому же его комната находилась на втором этаже. Но он тем не менее все же решился пройти за этот невообразимый «занавес» из воздуха — теперь мы его называем просто Вход — и стал подниматься по какой-то древней каменной лестнице... Вы пока нормально все это воспринимаете, мисс Сайкс?

Холли сидела, прижав руку к груди и буквально вдавив большой палец в ключицу.

— Не знаю...

Аркадий с наслаждением поскреб свои прыщи; он был очень доволен, что я сама обо всем рассказываю.

— Батист Пфеннингер стал первым посетителем Часовни Мрака. Там он обнаружил портрет или икону, изображение Слепого Катара. Лицо на этом портрете было лишено глаз, но пока Пфеннингер стоял там, неотрывно глядя на изображение — а может, это оно смотрело на Пфеннингера, — ему стало казаться, что во лбу старинного лика появилась какая-то точка, которая все росла и росла, а потом превратилась сперва в черный зрачок, а затем в лишенный век глаз, и...

— Я тоже это *видела*! — воскликнула Холли. — Что это такое? Откуда?

Я посмотрела на Аркадия; он коротко пожал плечами и сказал:

— Именно так ведет себя икона с изображением Слепого Катара за несколько мгновений до того, как высосет чью-то душу.

Холли повернулась ко мне, явно горя желанием немедленно все выяснить:

— Послушайте. В тот уик-энд, когда пропал Жако... Эта точка на лбу, превращающаяся в глаз... я... я... я... у меня было... это был какой-то кошмарный сон наяву. В подземном переходе близ Рочестера. Я решила даже не упоминать об этом в книге «Радиолюди», потому что читатели восприняли бы подобные откровения как весьма посредственное описание наркотрипа. Но со мной это было *на самом деле!*

Аркадий мысленно спросил у меня: *А что, если сам Кси Ло показал ей Часовню во время Первой Миссии?*

Но зачем ему было скрывать это от нас? И я попыталась найти объяснение получше. *Может быть, между Жако и Холли уже существовала психозотерическая связь? Такое случается между братом и сестрой.*

Аркадий задумчиво покусал костяшку большого пальца; эта привычка осталась у него от его прошлой жизни. *Возможно. И, возможно, отголоски этой связи как раз и привели Эстер к Холли, когда ты бежала из Часовни. Как крошки хлеба в сказке про Ганзеля и Гретель.*

— Извините, — прервала наш безмолвный диалог Холли, — но я *все еще* здесь. Какое отношение мог иметь Жако к средневековому монаху и к инженеру наполеоновских времен?

Пламя свечи, горевшей в плошке из цветного стекла, было высоким и ровным.

— Слепой Катар и инженер Батист Пфеннингер заключили друг с другом своего рода пакт о взаимопомощи, — сказала я. — Мы, правда, не можем с уверенностью утверждать...

— Ой-ой-ой! Сколько лет этот монах пробыл в своей Часовне Мрака? Шестьсот? И по-прежнему мог приглашать туда гостей и заключать с ними сделки? А что он там ел с тех пор, как закончились Средние века?

— Естественно, Слепой Катар транссубстанцировался, — сказала я.

Холли откинулась на спинку стула.

— А это еще что такое — транс-какая-то-там-чертовщина?

— Тело Слепого Катара действительно умерло, — сказал Аркадий, — но его разум и душа — что для простоты нашей с вами беседы есть одно и то же — проникли в материю, из которой создана сама Часовня. Слепой Катар «предстал» перед Пфеннингером в виде собственной, *отчасти ожившей*, иконы.

Холли немного подумала над его словами и спросила:

— Значит, строитель как бы слился с тем, что построил?

— До некоторой степени это именно так, — ответил Аркадий.

— За зиму, — продолжила я повествование, — были построены и мост, и гарнизон на Сайдельхорнском перевале, и Батист Пфеннингер вернулся к своей семье в Мартиньи. Но следующей весной он отправился ловить рыбу на озеро Д'Эмоссон; там он однажды вечером взял лодку, выплыл на середину озера и... не вернулся. Собственно, лодку потом нашли, но тело так и не обнаружили.

— Я поняла, — сказала Холли. — В точности как с Хьюго Лэмом.

538

Дождь тихонько стучал по окнам дома 119А.

— Перенесемся теперь на шесть лет вперед, в 1805 год. В Париже, в квартале Марэ был открыт новый сиротский приют. Его директором и основателем стал коренастый француз по имени Мартен Леклерк; его отец сколотил себе в Африке очень неплохое состояние и пожелал оказать поддержку живущим в столице детям, чьи отцы погибли во время наполеоновских войн, дав им убежище и духовное образование. В 1805 году в Париже быть иностранцем было не слишком выгодно, да и по-французски Леклерк говорил с каким-то сомнительным немецким акцентом; но друзья Леклерка старательно уверяли всех, что это связано с тем, что его мать была пруссачкой, да и учился он в Гамбурге. Впрочем, его друзья — а многие из них, кстати сказать, принадлежали к сливкам имперского общества — понятия не имели, что настоящее имя Мартена Леклерка было Батист Пфеннингер. Легко можно себе представить, какие обвинения в душевном нездоровье обрушились бы на тех, кто счел бы подозрительным создание Леклерком сиротского приюта для бедных, но *одаренных* детей. А одаренными Леклерк считал таких, которые демонстрировали явно высокий уровень психозотерики или же чрезвычайную активность «третьего глаза».

Холли недоуменно и вопросительно посмотрела на Аркадия, и тот прищурился, как переводчик, старающийся доходчиво перевести особенно сложную фразу.

— Ну, то есть дети с чрезвычайно развитой психикой. Как вы в свои восемь лет.

— Но почему... какому-то швейцарскому инженеру, который зачем-то притворился погибшим, сменил имя и стал во Франции директором приюта для сирот — все верно? — какие-то дети с явными... психическими отклонениями?

— Анахореты, — сказал Аркадий, — питают себя, поддерживая свою «вечную жизнь», тем, что как бы выпивают — или «высасывают», как сказала Маринус, — чужие души. Но для этой процедуры»подходит далеко не всякий человек: выпиты могут быть только души особо одаренных. Как при пересадке органов — когда более-менее подходит только один из тысячи. В дни равноденствия и солнцестояния «хозяина» такой души Анахореты заманивают на ту каменную лестницу — она называется Путь Камней и ведет в Часовню Мрака. Попав туда, несчастный смотрит на икону Слепого Катара, тот «оживает» и высасывает его душу, переплавляя ее в некое Черное Вино. А тело гостя попросту выбрасывают из окна Часовни. Затем Двнадцать Анахоретов собираются для отправления своего главного ритуала, известного как День Возрождения, пьют это Черное Вино, и в течение примерно одного сезона — то есть месяцев трех — никаких клеточных изменений в их телах не происходит. Именно поэтому тело Хьюго Лэма и по-прежнему остается двадцатипятилетним, тогда как его разум и душа вполне соответствуют нормальному пятидесятилетнему мужчине.

Холли, видимо, решила пока повременить с оценкой всех этих необычных сведений и осторожно спросила:

— А почему в таком случае Пфеннингер живет в Париже, если в эту Часовню можно проникнуть только через разрушенный швейцарский монастырь?

— Любой Анахорет может войти в Часовню из любого места. — Аркадий осторожно подержал ладонь над огнем свечи. — Вход открывается ему там, где он этого захочет. Это как раз и является причиной того, почему наша Война продолжается уже сто шестьдесят лет. Анахореты также способны в различных целях телепортировать себя из одного места в другое, и этой способностью они, в частности, пользуются как наилучшим способом бегства и как наилучшим способом внезапного нападения.

Голос Холли дрогнул, когда она, словно вдруг что-то осознав, прошептала:

— Значит, мисс Константен?..

— Иммакюле Константен — заместитель и главная помощница Пфеннингера, — сказала я. — Мы не знаем, как и почему Первый Анахорет рекрутировал ее и сделал Вторым Анахоретом, но нам известно, что она была гувернанткой в девичьем крыле сиротского приюта в Марэ. И даже такой знаменитый исторический персонаж, как Талейран, называл мадам Константен «Серафимом в женском обличье, мастерски владеющим мечом». И вот через сто восемьдесят лет мы обнаружили ее в Грейвзенде, где она обхаживала Холли Сайкс. В вашем случае, Холли, она, правда, совершила ошибку, что с ней случается крайне редко: она вас испугала. В результате один из моих бывших студентов направил вас с вашей матерью ко мне на консультацию. Я сделала вам предохранительную прививку, существенно снизив ваш психологический вольтаж и тем самым сделав вас непригодной для изготовления Черного Вина. Мисс Константен была, разумеется, крайне раздражена и — хотя она никогда не забывала ни о Холли Сайкс, ни о ее многообещающем братишке Жако, — была вынуждена все начать сначала.

— Простая арифметика заставляет Анахоретов постоянно трудиться, — пояснил Аркадий. — Они придерживаются своего прежнего количества, то есть двенадцати человек, а это значит, что каждый из них обязан привести «гостя», годного для создания Черного

540

Вина, хотя бы один раз в три года. Причем такую «добычу» нельзя притащить силой, засунув в мешок, или доставить в Часовню под воздействием наркотиков. Анахореты непременно должны убедить жертву прийти туда добровольно, для чего с ней нужно *подружиться*, как мисс Константен подружилась с вами. Если во время поглощения души жертва потеряет сознание или проявит беспокойство, то Черное Вино будет испорчено. А это «напиток» весьма деликатный.

Люди, изображенные на картинах, словно следили за нами. Сколько историй они могли бы рассказать Холли!

— То есть я должна, видимо, понимать это так, — собралась с силами Холли, — что мисс Константен и Анахореты заманили Жако в эту Часовню и... выпили его душу? Вы ведь именно об этом на самом деле мне рассказываете?

Тиканье часов казалось мне то слишком громким, то слишком тихим — в зависимости от продолжительности паузы.

— В том, что касается Жако, главной была...— я закрыла глаза и мысленно попросила Аркадия: *Пожелай мне удачи!* — ...его принадлежность к Вневременным.

Мне показалось, что где-то прогремел гром, а может, просто просхала мусорная машина.

— Жако был моим братом, — очень медленно сказала Холли, — и ему было всего семь лет.

— Это его *телу* было семь лет, — поправил ее Аркадий. — Но в его теле жила душа Кси Ло. Хоролога Кси Ло, который был намного, *намного* старше Жако.

Холли яростно тряхнула головой, пытаясь подавить охвативший ее гнев, и я спросила:

— Вы помните, как Жако заболел менингитом? Ему тогда было пять лет?

— Конечно, помню, черт побери! Он ведь тогда чуть не умер!

Да, она нам все еще не верила, так что оставалось только продолжать этот мучительный разговор.

— Мисс Сайкс, Жако тогда *действительно* умер.

Это был оскорбление памяти умершего, попрание святынь, и Холли закричала на грани срыва:

— Ну нет! Извините! Он вовсе не умер, будьте все вы прокляты! Я же все время была с ним рядом!

Увы, у меня не было ни малейшей возможности как-то облегчить ей понимание произошедшего.

— Душа Джека Мартина Сайкса покинула его тело в два часа двадцать три минуты, в ночь на шестнадцатое октября 1982 года. В два часа двадцать четыре минуты душа Кси Ло, самого старшего и самого лучшего из Хорологов, вступила во владение телом вашего брата. Когда ваш отец отчаянно звал врача, тело Жако было вне опасности, однако его душа уже пересекала страну Мрака.

Зловещее молчание.

— Значит... — У Холли трепетали ноздри, — ...значит, мой маленький брат был зомби? Вы это хотите мне сказать?

— У Жако осталось *тело* Жако, — пояснил Аркадий, — и некоторые привычки Жако, однако в ту роковую минуту он обрел душу и память Кси Ло.

Холли вся дрожала и выглядела совершенно потерянной.

— Зачем вы *так говорите*?

— Хороший вопрос, — сказал Аркадий. — А зачем бы мы стали это делать, если бы это было неправдой?

Холли так резко встала, что даже стул опрокинула.

— Обычно это сводится к попытке получить денег.

— Хорология была основана в 1598 году, — холодно заметил Аркадий. — За эти *годы* мы успели сделать немало удачных инвестиций. Так что яйца в вашем гнезде в полной безопасности.

Возьми себя в руки, — строго заметила я Аркадию и спросила у Холли:

— Вспомните многочисленные странности в поведении Жако. Почему, например, британский мальчик так любил радиопередачи на китайском языке?

— Потому что... Жако говорил, что это его успокаивает.

— Естественно. Ведь мандаринский диалект был для Кси Ло родным, — пояснила я.

— Для Жако родным был *английский язык*! И моя мать была и его мамой! А наш «Капитан Марло» был его родным домом. Мы были его семьей. Мы все очень его любили. И до сих пор любим... — Холли стряхнула повисшие на ресницах слезы. — До сих пор.

— Но Кси Ло, живший в теле Жако, тоже очень любил вас, — мягко сказала я. — Очень. Он даже Ньюки, самого вонючего пса в Кенте, очень любил. И в этой его любви не было ни капли лжи. Но и в том, о чем мы только что вам рассказали, тоже нет ни капли лжи. Душа Кси Ло была куда старше вашего паба. Старше самой Англии. Старше христианства.

Но Холли решила, что с нее достаточно. Она подняла опрокинутый стул, выпрямилась и заявила:

— Сегодня днем я улетаю обратно в Дублин. Непременно. Кое-чему из ваших рассказов я, пожалуй, почти поверила, но кое-чему совсем не верю. И очень многого совершенно не понимаю. В способность вызывать у кого-то нужные тебе сны поверить просто невозможно. Я... мне понадобилось так много времени, чтобы перестать обвинять себя... из-за Жако, а вы взяли и снова содрали корку с почти зажившей раны. — Она надела пальто. — На западе Ирландии я теперь веду тихую жизнь в окружении книг и кошек. Это такая маленькая жизнь, полная обычных местных пустяковых забот. Та Холли Сайкс, которая написала «Радиолюдей»... вот она *могла бы* поверить в этих ваших «вечных людей», в этих Вневременных, и в ваших волшебных монахов, но я — больше уже не та Холли Сайкс. И если вы действительно *тот* Маринус, то желаю вам удачи в... да в чем угодно! — Холли взяла сумку, положила на стол зеленый ключ и пошла к двери. — Прощайте. Я ухожу.

Может, мне уговорить ее остаться? — мысленно спросил у меня Аркадий.

Если ее сотрудничество с нами будет вынужденным, то оно нам ни к чему.

— Мы вас понимаем, — сказала я Холли. — Спасибо, что пришли.

Аркадий тут же напомнил мне: *А как насчет Эстер?*

Слишком много, слишком быстро, слишком рано. Скажи ей что-нибудь приятное.

— Простите, если я был груб, — тут же обратился он к Холли. — Возможно, это проблемы моего нового возраста.

— Передайте привет дворецкому Бэтмена, — сказала Холли.

— Непременно передам, — пообещала я, — и au revoir, мисс Сайкс.

Холли закрыла за собой дверь. *Ну, теперь Анахореты точно узнают, что она здесь была,* — констатировал Аркадий. — *Может, попросить Ошиму ее прикрыть?*

Я отнюдь не была убеждена, что это необходимо. *Пфеннингер не станет преждевременно нарушать свои тщательно разработанные планы и наносить несвоевременный удар.*

Но если они подозревают, что Эстер Литтл прячется в Холли, — Аркадий жестом изобразил, будто стреляет из пистолета себе в висок, — *то они этот удар наверняка нанесут.*

Я пила давно остывший чай, пытаясь рассуждать с точки зрения Анахоретов. *А откуда они могут знать, что Эстер находится внутри Холли?*

Наверняка они этого, конечно, знать никак не могут. Аркадий протер очки рукавом пенджабской рубахи в стиле Джавахарлала Неру. *Но могут догадываться. А значит, могут и убрать ее — просто на всякий случай.*

— «Убрать»? Ты смотришь слишком много фильмов о гангстерах, Аркадий, — сказала я вслух.

Но тут зазвонил мой телефон, и на экране возникла надпись: ЧАСТНЫЙ ЗВОНОК. Я интуитивно почувствовала, что это будет дурная весть, еще до того, как услышала голос Элайджи Д'Арнока:

— Слава богу, Маринус! Это я, Д'Арнок. Послушайте, я только что узнал: Константен уже приготовила клетку, в которую намерена непременно заманить Холли Сайкс. И дожидаться ее согласия они не станут. Они попросту ее обманут. Остановите их, Маринус!

Его слова попали прямо в точку.

— Когда?

— Да прямо сейчас, — сказал Д'Арнок.

— Где?

— Возможно, прямо в ее гостиничном номере. Торопитесь.

* * *

Когда я вышла из дома, Ошима уже ждал на противоположной стороне улицы; воротник у него был поднят, а шляпу, потемневшую от дождя и ставшую похожей на пирог со свининой, он низко надвинул на лоб. Он резко мотнул головой в сторону Парк-авеню и мысленно заметил: *По-моему, нам не удалось это интервью.*

Я издали узнала Холли по длинному черному пальто и тюрбану на голове и пошла за ней. *Это я совершила ошибку,* — ответила я Ошиме.— *Я сказала, что Жако был старше Иисуса.* — Я отступила в сторону, пропуская скейтбордиста. — *Но сейчас куда важнее то, что со мной на связь вышел Д'Арнок. По его словам, Анахореты уже приготовили для Холли западню, и Константен попытается ее туда заманить.* Выставив перед собой зонт, как щит, я старалась не отставать от Холли, а Ошима старался не отставать от меня, но по-прежнему шел по другой стороне улицы.

Напомни мне, — снова услышала я его голос, — *почему мы все-таки решили сами ее не уговаривать? Почему просто не погрузили ее в приятный глубокий сон, чтобы мысленно установить связь с Эстер?*

Во-первых, это противоречит Кодексу. Во-вторых, она чакра-латентна, так что может плохо отреагировать на сканирование и попросту уничтожить все свои воспоминания, вместе с тем уничтожив и своего «резидента». В-третьих... Ну, довольно и этого. Короче, нам нужно, чтобы она действовала добровольно. А к «увещеванию» нам следует прибегнуть только в самом крайнем случае.

На указателе перехода вспыхнул зеленый человечек. Холли уже достигла Парк-авеню, так что нам с Ошимой пришлось почти бежать, огибая сердито сигналившие автомобили, чтобы не застрять на островке между двумя транспортными потоками. В итоге мы все же нагнали Холли, и теперь я шла шагах в двадцати от нее. Ошима спросил: *Слушай, Маринус, у нас вообще-то есть какой-нибудь конкретный план? Или мы просто следим за ней, как пара сталкеров?*

Прежде всего нам нужно обеспечить ей безопасность, пока она добирается до гостиницы; пусть спокойно обдумает то, о чем только что узнала. С молодой листвы, уже покрывшей ветви старых деревьев, капала вода; сточные канавы были переполнены; сливные люки отчаянно булькали и захлебывались. *Если повезет, то спокойствие парка окажет на нее свое магическое воздействие. Если нет, нам, возможно, придется все же воспользоваться собственной «магией».* Какой-то швейцар, стоя в дверях, испуганно смотрел вверх, на струи дождя, льющиеся с навеса над входом. Мы добрались до Мэдисон, где Холли ждала под дождем среди брызг, а я остановилась у входа в какой-то бутик, наблюдая за людьми, выгуливавшими собак, за евреями-хасидами, за каким-то арабом-бизнесменом. Какое-то такси приостановилось рядом с Холли, явно рассчитывая подцепить пассажира, но она этого даже не заметила: казалось, она видела только зеленый прямоугольник Центрального парка в дальнем конце улицы. Ее душа, должно быть, пребывала в полном смятении. Написать мемуары о том, как с тобой время от времени происходили некие странные с точки зрения психологии события — это одно; но когда тебе кто-то внушает определенные сны, подает, ни о чем не спросив, чай по-ирландски, а потом раскручивает перед тобой целую фантастическую космологию — это нечто совершенно другое. Возможно, Ошима был прав; возможно, мне следовало еще там, в 119А, прибегнуть к «увещеванию» и сканировать ее мозг. Даже метажизнь длиной в тысячу четыреста лет — это отнюдь не гарантия того, что ты всегда знаешь, как правильно поступить.

Надпись «Стойте» сменилась надписью «Идите», и я, задумавшись, упустила шанс. Пересекая Мэдисон-авеню, я буквально чувствовала во рту привкус паранойи и упорно искала глазами Пфеннингера или Константен среди тех, кто сидел в автомобилях на перекрестке. Последний квартал до парка оказался особенно забит пешеходами, и мне пришлось бежать чуть ли не вприпрыжку, лавируя между ними и думая, а действительно ли молодая любительница бега трусцой в наушниках, толкающая перед собой легкую детскую коляску, та, за кого себя выдает? Что, если, как только Холли с ней поравняется, воздух задрожит и откроется Вход? И с какой стати вон тот юный чиновник так пялит глаза на нее, худую изможденную пятидесятилетнюю женщину? Впрочем, он и на меня тоже уставился, так что, возможно, ему просто нечем заняться, вот он и рассматривает прохожих. Ошима не отставал от меня, двигаясь по противоположному тротуару и куда лучше вписываясь в утреннюю суету. Мы миновали собор Святого Иакова, красные кирпичные стены которого в давние времена возвышались над всеми сельскими домишками тогдашнего Манхэттена. Ю Леон Маринус однажды присутствовал здесь на свадьбе году так в 1968-м; жених с невестой теперь уже стали восьмидесятилетними стариками, если вообще еще живы.

На Пятой авеню движение стало чрезмерно плотным и нервным. Холли стояла возле группы китайских туристов, которые очень громко на кантонском диалекте говорили о том, до чего Нью-Йорк оказался тесным, грязным и вонючим, совсем не таким, как они ожидали. На той стороне улицы Ошима как ни в чем не бывало прислонился к углу какого-то здания; лицо его почти полностью скрывал капюшон. Мимо проехал автобус с электронной рекламой только что вышедшего фильма по роману Криспина Херши «Эхо должно умереть», но Холли даже головы не повернула и смотрела только в сторону парка. Я успокоилась. Мои инстинкты молчали, значит, враги нам пока не угрожали. А вот когда мы доберемся до гостиницы на Бродвее, где она остановилась, возможно — если, конечно, Холли не развернется и не пойдет назад, — мне придется плюнуть на собственные угрызения совести и осуществить Акт Убеждения ради ее же безопасности. Анахореты вряд ли станут действовать поспешно и необдуманно. Опровергнуть обвинения в убийстве, да еще и совершенном среди бела дня в публичном месте, при свидетелях, — дело слишком сложное и хлопотное. Реальность на Пятой авеню этим дождливым утром представлялась мне именно такой, какой и была на самом деле.

* * *

Неторопливый и тяжеловесный джип взобрался на тротуар; из него выпрыгнула молодая женщина в полицейской форме и протянула Холли свое удостоверение.

— Мэ-эм? Вы Холли Сайкс?

Холли словно выдернули из другой реальности и вернули в ту, что ее окружала.

— Да, я... а что?..

— И вы *действительно* мать Аоифе Брубек?

Я поискала глазами Ошиму, который уже переходил через улицу. Из джипа вылез огромный мужчина-полицейский и присоединился к своей коллеге.

— Холли Сайкс?

— Да. — Холли невольно поднесла руку к губам. — С Аоифе ничего не случилось?

— Мисс Сайкс, — затараторила женщина-полицейский, — к нам в участок рано утром позвонили из британского консульства, попросили объявить всеобщую тревогу и непременно разыскать вас — мы с вами разминулись буквально на несколько минут, когда вы ушли из гостиницы. К сожалению, вчера вечером в Афинах ваша дочь попала в автомобильную аварию. Ее уже прооперировали, и сейчас ее состояние стабильное, но вас просят вылететь домой ближайшим рейсом. Мисс Сайкс, вы меня слышите?

— В Афинах? — Холли оперлась о капот патрульной машины. — Но Аоифе находится на каком-то острове... Что... Насколько серьезно...

— Мэм, мы *на самом деле* не знаем никаких подробностей, но можем отвезти вас в «Empire», помочь вам собраться, а затем доставить вас в аэропорт.

Я шагнула вперед, чтобы сделать... сама не знаю что, но Ошима меня оттолкнул: *Я чувствую, что психовольтаж в этом автомобиле просто зашкаливает; там явно кто-то из высших Анахоретов, и если мы ввяжемся в полномасштабное сражение с ними здесь, на Пятой авеню, то почти у каждого в радиусе пятидесяти метров, в том числе и у Холли, гипоталамус будет буквально расщеплен. Федералы, или местная служба безопасности, или бог знает кто еще, будут следить за каждым нашим шагом и в итоге поймут, что Холли недавно вышла из дома 119А.*

Ошима был прав, но... *Мы же не можем позволить им просто ее схватить!*

Между тем Холли под воздействием уговоров и мягких, но решительных подталкиваний уже садилась в полицейскую машину. Она еще пыталась задавать какие-то вопросы, но у нее и без того выдалось слишком тяжелое утро, а сейчас ее еще и напугали до потери пульса. К тому же ее, возможно, подвергли «увещеванию». Мучительно страдая от собственной нерешительности, я смотрела, как джип, хлопнув дверцами, тронулся с места и мгновенно вписался в поток, успев миновать перекресток за секунду до того, как зажегся красный свет. Стекла в джипе были слегка тонированы, и я не сумела как следует разглядеть, с кем именно мы имеем дело и сколько их там. Зажглась надпись «Идите», и пешеходы устремились по переходу. Итак, противнику понадобилось всего шестьдесят секунд, чтобы полностью провалить начало нашей Второй Миссии!

* * *

Ошима перевел меня через перекресток и сказал:

— Сейчас я осуществлю трансверсию.

— Нет, Ошима, это я вынесла неправильное решение, так что смену тела...

547

— Ладно, власяницу потом на себя наденешь. Трансверсия у меня получается лучше всех, и потом, я самый *настырный* из вас, ты же сама прекрасно это знаешь.

На споры действительно не было времени. Мы перешагнули через низкую ограду парка и плюхнулись на ближайшую мокрую скамью. Ошима одной рукой стиснул подлокотник, а второй — мою руку. *Настройся на мою волну*, — мысленно посоветовал он мне. — *Мне, по всей вероятности, понадобится твой совет.*

— Что угодно, лишь бы получилось. Конечно, я буду с тобой!

Он стиснул мою руку, зажмурился, и его тело слегка обмякло — это душа, покинув его, устремилась наружу через «третий глаз», то есть чакру во лбу. Даже психозотерики лишь с трудом способны *увидеть* душу — это все равно что пытаться разглядеть абсолютно прозрачный стеклянный шарик в кувшине с чистой водой. Душа Ошимы исчезла в одну секунду, унеслась куда-то вверх, сквозь мокрые от дождя ветви деревьев, свисавшие над покрытым пятнами сырости старым памятником, возле которого мы сидели. Я натянула шляпу ему на лоб, чтобы поля скрывали его помертвевшее лицо, да еще и укрыла нас обоих большим зонтом. Тело, покинутое душой, выглядит так, что случайный прохожий немедленно вызовет «Скорую помощь»; в разные моменты моей долгой метажизни я, вернувшись в тело, обнаруживала, что мне в нос суют нюхательные соли, или нашатырь, или даже пытаются пустить кровь, а однажды какой-то тип с отвратительным запахом изо рта стал требовать, чтобы полиция немедленно связалась с совершенно мне не нужным посольством КНР. Но вскоре, когда я синхронизировала наши с Ошимой чакры на руках, мы стали похожи на парочку немолодых влюбленных. Даже по вольным нью-йоркским стандартам laissez-faire[1] мы, на мой взгляд, выглядели так, что, пожалуй, заслуживали, чтобы на нас пялили глаза.

Я мысленно связалась с Ошимой...

...и образы потекли напрямую из его души в мою. Он скользил сквозь кубистический калейдоскоп тормозных огней, горбатых крыш и автомобилей, сквозь ветви деревьев, покрытые лопнувшими или готовыми лопнуть почками. Потом мы ринулись куда-то вниз, проникли сквозь заднюю дверцу внутрь фургона, проскользнули между свиными тушами, качавшимися на крюках, сквозь просмоленное куревом легкое водителя и вновь выскользнули наружу через лобовое стекло, описав арку над фургоном с надписью «United Parcels», а потом взмыли еще выше, испугав голубя с пышным «воротником», сидевшего на уличном столбе. Ошима на мгнове-

---

[1] Зд.: пусть поступают, как хотят (*фр.*).

ние завис в воздухе, выискивая полицейский джип, и спросил: *Ты тут, Маринус?*

Я с тобой, — мысленно ответила я.

Ты видишь машину?

Нет. Огромный мусоровоз чуть сдвинулся, и перед ним я увидела желтый хвост школьного автобуса. *Попробуй поискать возле того автобуса,* — посоветовала я Ошиме.

Он ринулся вниз, влетел в салон автобуса через его заднее стекло, пролетел его насквозь мимо четырех десятков школьников, о чем-то споривших и сгрудившихся вокруг 3D-планшета, на экране которого было видно что-то космическое, мимо водителя автобуса, затем вылетел наружу, а там...

...вовсю сигналила, мигая огнями, знакомая полицейская машина, медленно ползущая по забитой проезжей части. Ошима проник внутрь и некоторое время парил, совершая круги и показывая мне, с кем мы имеем дело. Слева от Холли сидела женщина-полицейский; за рулем был здоровенный коп, который помогал запихнуть Холли в машину; а справа сидел мужчина в костюме, который так закутался в плед, прилагавшийся к «Самсунгу», что его лицо было почти невозможно разглядеть, но мы все равно его узнали. *Ага, Драммонд Бржички,* — тут же сказал Ошима.

Странный выбор. Бржички был новичком и самым слабым из Анахоретов.

Возможно, они не ожидают никаких неприятностей, — предположил Ошима.

А может, они его сунули в машину просто для отвода глаз?

Я, пожалуй, войду в тело женщины, — решил Ошима. — *Вдруг мне удастся выяснить, что именно ей внушили.* Он довольно легко проник в душу женщины-полицейского через чакру на лбу, и я, естественно, тоже получила доступ к ее сенсорике.

— Все, что нам было известно, моя дорогая, — говорила она Холли, — я вам уже сообщила. Если б я знала больше, то непременно бы вам рассказала. Я ведь тоже за вас переживаю, правда. Я тоже мать, у меня двое малышей.

— Но в порядке ли у Аоифе позвоночник? И насколько вообще... были серьезны эти травмы?

— Не надо так волноваться, мисс Сайкс, — сказал Драммонд Бржички, подтягивая повыше свой плед. Вид у Бржички был весьма живописный — этакий вратарь средиземноморской футбольной команды с пышными черными волосами; но голос был довольно противный, гнусавый, и жужжал, как оса, попавшая в стакан с вином. — У британского консула в десять важная встреча, а как только он освободится, мы ему сразу же позвоним, и вы все узнаете непосредственно от него, если, конечно, он располагает какими-то дополнительными фактами. Договорились?

Патрульный автомобиль остановился на красный свет, и пешеходы устремились через улицу.

— Может быть, я сама сумею найти телефон этой больницы, — сказала Холли, доставая из сумочки мобильник. — В конце концов, Афины — не такой уж большой...

— Если вы говорите по-гречески, то вперед, — прервал ее Бржички, — желаю удачи. Но я бы на вашем месте не занимал телефон, поскольку вам могут позвонить, сообщить некие новые сведения. Не стоит делать чересчур поспешных выводов. Мы воспользуемся экстренной связью, чтобы посадить вас на рейс в одиннадцать сорок пять, вылетающий в Афины, так что скоро вы будете рядом с Аоифе.

Холли послушно сунула телефон обратно в сумку и сказала:

— А у нас полицейские никогда не стали бы обременять себя такими хлопотами. — Мимо пронесся на мотоцикле какой-то курьер, и машины двинулись с места. — Но как, скажите на милость, вы сумели меня найти?

— Детектив Марр, — представился Бржички. — Все-таки порой и иглу в стоге сена найти удается. У нас на участке включили код-15, и хотя описание «женщина европейского типа, хрупкого телосложения, примерно пятидесяти лет, одетая в длинный черный плащ» вряд ли представляло собой нечто бросающееся в глаза в такой дождливый день в центре Манхэттена, но ваши ангелы-хранители, видимо, работали сверхурочно. На самом деле — хотя, может, и не годится говорить об этом в такой момент — сержант Льюис, который сейчас за рулем, всегда был *очень большим* вашим поклонником. Он как-то подвозил меня от 98-й улицы до Коламбус-сёркл и, случайно увидев вас, сразу сказал: «Боже мой, это она!» Я правду говорю, Тони?

— Точно. Я слышал ваше выступление в Симфоническом дворце, мисс Сайкс, по поводу выхода «Радиолюдей», — сказал водитель. — После смерти жены ваша книга стала для меня просто лучом света в кромешной тьме. Она меня, можно сказать, спасла.

— О, я так... — Холли была в таком состоянии, что даже эту сопливую брехню приняла за чистую монету, — ...так рада, что моя книга вам помогла! — Мусоровоз ехал рядом с нами. — И мне очень жаль, что вы потеряли жену, я искренне вам сочувствую.

— Спасибо за ваши слова, мисс Сайкс. Ей-богу, спасибо.

Через несколько минут Холли снова вытащила мобильник.

— Я только позвоню Шэрон, моей сестре. Она сейчас в Англии, и ей, возможно, удастся оттуда связаться с Афинами и узнать, как там Аоифе.

Сигнал, поступавший мне от Ошимы, то и дело прерывался; я мысленно предупредила его об этом и спросила: *Что ты выяснил насчет нашей «хозяйки»?*

Ее зовут Нэнси; она ненавидит мышей; а людей уже восемь раз убивала, — с некоторым опозданием донесся до меня его ответ. — *Совсем юной отправилась воевать на юг Судана. Это первое задание, порученное ей Бржички... Маринус, что такое «курарехинолин»?*

Плохая новость. *Яд. Один миллиграмм может вызвать полный паралич дыхательной системы в течение всего десяти секунд. И коронеры никогда не определят, был ли яд вообще применен. А что?*

У этой Нэнси и Бржички имеются бесшумные пистолеты, заряженные шприцами с этим ядом. И вряд ли они запаслись подобным оружием для самозащиты.

— Хорошо, я еще раз позвоню в участок, — сказал Бржички, словно ему очень хотелось помочь Холли. — Может, они уже знают, в какой именно афинской больнице находится ваша дочь. Тогда, по крайней мере, вы сможете связаться с этой больницей напрямую.

— О, я буду так вам благодарна! — Холли очень побледнела, и вид у нее был совершенно больной.

Бржички немного размотал свой плед и вытащил телефон.

— Соедините со Вторым. Это Второй? Я Двадцать Восьмой, вы записываете, Второй?

И тут неожиданно ожил наушник за ухом у Нэнси, и я отчетливо услышала голос Иммакюле Константен:

— Слышу вас прекрасно. Учитывая сложившиеся обстоятельства, постарайтесь все же соблюдать правила безопасности. А вашу гостью устраните.

Я была потрясена до глубины души. С трудом сдерживая себя, я мысленно крикнула: *Ошима, вытащи ее оттуда!* Но в ответ я услышала лишь некий невнятный шум: Ошима либо меня не слышал, либо не мог ответить; а может, и то и другое.

Ко мне вернулась ясность мысли.

— Запишите, Второй, — говорил между тем Бржички. — Сейчас мы между Пятой авеню и 68-й Восточной; движение практически стоит намертво. Можно дать вам совет? По-моему, стоит отложить ваш последний приказ, поскольку...

— Сделайте этой Сайкс укол «успокоительного». В обе руки, — приказала Константен своим нежным голоском. — И никаких отлагательств. Выполняйте, Двадцать Восьмой.

Я изо всех сил мысленно возопила: *Ошима, вытащи ее оттуда, вытащи ее оттуда немедленно!*

Но ответа не было. Ни его душа, ни его безжизненное тело, находившееся рядом со мной на мокрой скамейке всего в квартале от той полицейской машины, на мои призывы не реагировали. Мне оставалось только бессильно смотреть, как убивают невинную женщину, которую я же и втянула в нашу Войну. Я не могла сейчас *физически* оказаться рядом с Холли, но даже если б я и смогла преодолеть это расстояние, то все равно прибыла бы туда слишком поздно.

— Понял, Второй. Буду действовать, как вы советуете.

Бржички кивнул Льюису, который смотрел на него в зеркальце заднего вида, потом Нэнси.

А Холли спросила:

— Ну что, удалось вам узнать телефон больницы, детектив Марр?

— Наш секретарь как раз этим сейчас занимается. — Бржички под пледом вынул из кобуры свой транк-пистолет и осторожно спустил предохранитель; я наблюдала за ним глазами Нэнси, оказавшейся левшой: она сделала то же самое, но левой рукой.

— В чем дело? — Теперь голос Холли звучал иначе. — Зачем вам пистолеты?

Совершенно рефлекторно я тщетно пыталась убедить Нэнси не стрелять, прекрасно понимая, что мои попытки бессмысленны и невозможны, поскольку я находилась всего лишь в состоянии мысленного контакта с активно действующей душой своего партнера. Так что я в ужасе смотрела, как Нэнси подняла руку и... шприц с ядом вонзился прямо в горло Бржички; на кадыке у него тут же выступило крошечное красное пятнышко. Он прикоснулся к пятнышку, с удивлением посмотрел на каплю крови у себя на пальце, потом — на Нэнси, пробормотал: «Какого черта...» и замертво сполз на пол.

Льюис что-то кричал — глухо, словно находился под водой. Я разобрала только: *«Нэнси, да включи же ты свои гребаные МОЗГИ!»*, но тут Нэнси, похоже, сама того не ожидая, вынула из рук Бржички его заряженный пистолет и выстрелила Льюису прямо в щеку. Он что-то заверещал изумленным фальцетом, а Нэнси, которую сейчас безжалостно «обрабатывал» Ошима, вдруг перелезла через Холли на переднее пассажирское сиденье рядом с только что испустившим последний вздох Льюисом, приковала себя наручниками к рулевому колесу, а затем открыла замки на задних дверцах автомобиля. В качестве прощального дара Ошима начисто стер из памяти Нэнси все произошедшее и ввел в бессознательное состояние. Затем его душа покинула тело Нэнси и проникла в тело Холли, страшно всем этим травмированной. Ошима тут же умело подавил психику своей новой «хозяйки», и Холли, надев темные очки и поправив шарф, искусно обмотанный вокруг головы, преспокойно вылезла из полицейской машины и неторопливо пошла по Парк-авеню обратно к тому месту, где ее в эту машину усадили. Прерванная связь между мной и

Ошимой наконец возобновилась, и я вновь услышала его голос: *Маринус, ты как там?*

Только теперь я позволила себе вздохнуть с облегчением. *Просто дух захватило, Ошима!*

Война, — ответил старый воин, — *а теперь вот еще и логистикой придется заняться. Итак, у нас имеется немолодая, ушедшая на покой писательница, у которой сейчас явно не все в порядке с головой, поскольку она только что вылезла из патрульной машины, в которой остались двое мертвых полицейских, фальшивых естественно, и один живой, но тоже фальшивый. Есть какие-нибудь идеи?*

Приведи Холли снова сюда и соединись с собственным телом, — посоветовала я Ошиме. — *А я пока позвоню Л'Окхне и попрошу организовать внезапное отключение всех уличных видеокамер в Верхнем Ист-Сайде.*

Ошима в теле Холли, уже снова направлявшейся в сторону парка, спросил: *А он сумеет, наркоман этот?*

Если такая возможность есть, он ее отыщет. Если ее нет, он ее создаст.

А затем что? 119А — уже не та неприступная крепость, как когда-то.

Согласна. Мы отправимся к Уналак. Я попрошу ее за нами приехать и спасти нас всех. А теперь я отсоединяюсь, скоро и так увидимся.

Я открыла глаза. Мой зонт по-прежнему наполовину скрывал нас с Ошимой, но какая-то серая белка, заинтересованная моей неподвижностью, уже с любопытством обнюхивала мою ступню. Я чуть шевельнула ногой, и белка тут же исчезла.

* * *

— Ну, вот мы и дома! — провозгласила Уналак.

Она остановила машину ровно напротив своей входной двери, рядом с книжным магазином «Три жизни» на углу Уэверли-плейс и 10-й улицы Вест-сайда. Затем Уналак, на всякий случай оставив аварийную сигнализацию включенной, помогла мне быстро переправить Холли из машины до входа в дом; Ошима с видом монаха-ассасина все это время стоял на страже. Холли все еще находилась под воздействием той психоседативной обработки, которой ее подверг Ошима, и наша живописная группа привлекла внимание какого-то высокого бородатого мужчины в очках с проволочной оправой.

— Эй, Уналак, привет. У тебя все в порядке?

— Все хорошо, Тоби, — сказала Уналак. — Просто моя приятельница только что прилетела из Дублина, но поскольку она смертельно боится летать, приняла таблетку снотворного, чтобы вырубиться на все время полета, и вот до сих пор никак толком не проснется.

— Еще бы, ей небось все еще кажется, что она летит на высоте двадцать тысяч футов.

— В следующий раз, думаю, она предпочтет выпить стакан белого вина.

— Ты потом загляни ко мне в магазин. Там твои книги на санскрите пришли.

— Непременно загляну, Тоби, спасибо тебе.

Уналак наконец отыскала свои ключи, но ее подруга Инес уже открыла нам дверь. От волнения ее лицо стало каким-то ужасно строгим, напряженным, словно это Уналак была простой смертной, хрупкой и уязвимой, а вовсе не она сама. Инес кивнула мне и Ошиме и с состраданием вгляделась в лицо Холли.

— Ничего, она полностью придет в норму, если ей дать поспать хотя бы пару часов, — сказала я.

Инес с сомнением посмотрела на меня, явно желая сказать: «Надеюсь, вы правы», и отправилась ставить машину на ближайшую подземную парковку. Уналак потащила нас вверх по лестнице, затем по коридору в крошечный лифт, но для Ошимы места не хватило, и ему пришлось подниматься по лестнице. Я нажала на кнопку.

Доллар за твои мысли, — сказала мне Уналак.

В те времена, когда я была Ю Леоном, такие мысли стоили не больше пенни.

Инфляция, — пожала плечами Уналак, тряхнув пышными волосами. — *Неужели Эстер действительно сумела остаться в живых, спрятавшись где-то внутри этой чужой головы?*

Я посмотрела на морщинистое, строгое, эргономичное лицо Холли. Она все еще время от времени постанывала, как измученный страшными снами человек, который никак не может проснуться и прогнать эти сны. *Надеюсь, что это так. Знаешь, Уналак, если Эстер правильно интерпретировала Сценарий, то такое вполне возможно. Но я и сама не знаю, верю ли я в существование этого Сценария. Или в существование некого Контрсценария. И я не понимаю, почему Константен так хочется, чтобы Холли умерла. И я совсем не уверена, что Элайджа Д'Арнок действительно решил перейти на нашу сторону, как не уверена и в том, что мы правильно трактуем ситуацию с Садакатом.*

— Если честно, то я вообще ничего толком не понимаю, — призналась я уже вслух своей старинной подруге, с которой мы были знакомы уже лет пятьсот.

554

— По крайней мере, — Уналак досадливо отбросила назад прядь медных волос, щекотавшую ей нос, — эти Анахореты не могут использовать твою чрезмерную самоуверенность в своих интересах.

* * *

Холли спала, Ошима смотрел фильм «Крестный отец-2», Уналак готовила салат, а Инес пригласила меня протестировать ее «Стейнвей», поскольку только вчера приходил настройщик. С мансарды, где стояло пианино, открывался чудесный вид на Уэверли-плейс, а сама комнатка пропахла апельсинами и лаймами, которые мать Инес ящиками присылала из Флориды. Фотография Инес и Уналак, как всегда, стояла на крышке «Стейнвея»: они позировали фотографу в лыжных костюмах на какой-то заснеженной вершине и выглядели бесстрашными исследовательницами. Уналак никогда не стала бы обсуждать Вторую Миссию со своей подругой, но Инес была далеко не глупа и, должно быть, почуяла, что происходит нечто очень важное. Мучительно быть простой смертной и любить «вечного» человека — как, впрочем, и наоборот, — так что мое решение, принятое на этой неделе, касалось не только будущего Хорологов, но и всех, с кем мы были связаны: наших любимых, наших коллег, наших пациентов; всем этим людям будет очень плохо, если мы никогда больше не вернемся назад; так, например, вся жизнь Холли прошла под знаком испытанного ею горя и ужаса, когда во время Первой Миссии исчез (и, возможно, погиб) Кси Ло, обитавший в теле Жако. Если тебя связывает с кем-то любовь, то все, что случается с тобой, случается и с тем, другим.

Я перелистала ноты, лежавшие на крышке пианино, и выбрала шутливые «Прелюдии и фуги» Шостаковича. Это дьявольски трудная вещь, но в итоге получаешь огромное удовольствие. Затем я сыграла «На тему Хью Эштона» Уильяма Бёрда — так сказать, в качестве освежителя вкуса — и несколько шведских народных песен Йена Йохансона. Оказалось также, что я еще помню сонаты Скарлатти[1] — К32, К212 и К9. Эти старинные итальянские сонаты — просто нить Ариадны, которая соединяет Айрис Маринус-Фенби, Ю Леона Маринуса, Джамини Маринуса Чоудари, Пабло Антея Маринуса, Клару Маринус Москову и Лукаса Маринуса, самого первого среди моих «Я», открывшего для себя Скарлатти еще во время

---

[1] Доменико Скарлатти (1685–1757) — итальянский композитор и клавесинист-виртуоз, один из создателей сонатной формы, сын Алессандро Скарлатти (1660–1725), родоначальника и крупнейшего представителя неаполитанской оперной школы.

своей жизни в Японии. Я, помнится, играла сонату К9 буквально за несколько часов до моей смерти в июле 1811 года. Тогда я уже в течение нескольких недель чувствовала приближение смерти и заранее, как говорится, привела свои дела в порядок. Мой друг Элатту помог мне отправиться «в свободное плавание», снабдив пузырьком морфина, который я заранее приберегла для подобной оказии. Я чувствовала, как моя душа уходит от света дня туда, за сумеречные Высокие Холмы, и все хотела знать, где и в ком я буду возрождена снова: в вигваме или во дворце, в ледяном иглу или в джунглях, в тундре или на обыкновенной кровати с четырьмя ножками и балдахином; в теле принцессы, дочери палача или судомойки, когда Земля совершит сорок девять оборотов вокруг своей оси...

* * *

...но возродилась я в жутком гнезде из тряпья и гнилой соломы в теле девочки, сгоравшей от лихорадки. Ее кровь пили комары и вши, она была страшно ослаблена и заражена всевозможными желудочно-кишечными паразитами. Корь расправилась с душой маленькой Клары, предоставив мне новое тело, но прошло еще три дня, прежде чем я сумела психологически оправиться и правильно оценить свое нынешнее окружение. Восьмилетняя Клара была *собственностью* помещика Кирилла Андреевича Береновского, который, впрочем, в своем имении вовсе не жил. Его поместье Оборино было расположено в живописной петле, образованной излучиной реки Камы — в Пермской губернии России. Береновский приезжал на землю своих предков примерно раз в год, каждый раз пугая местных чиновников; он охотился, насиловал девушек и требовал от управляющего все более жесткого обращения с крепостными, поскольку деньги помещику нужны были немалые. Управляющий старался вовсю, высасывая из крестьян последние соки, так что жилось крепостным и их детям несладко. Но жизнь маленькой Клары была особенно несчастливой даже по меркам того времени. Ее отца убил бык, а мать, еще молодая женщина, превратилась в развалину в результате бесконечной череды беременностей и родов, тяжелой крестьянской работы и пристрастия к самогону, который в деревне называли «тошниловкой». Клара стала ее последним ребенком; она была самой жалкой и самой слабенькой из девяти детей, родившихся в этой семье. Три ее сестренки еще в раннем детстве умерли от болезней, двух других, когда они чуть подросли, отправили на фабрику в Екатеринбург отрабатывать долги Береновского, а троих братьев Клары забрили в солдаты и отправили в императорскую армию как раз вовремя, чтобы они успели пасть под Эйлау[1]. Внезапное выздоровление Клары, находившейся при смерти, было воспринято семьей с безрадостным фатализмом. Для Лукаса Маринуса, хирурга и ученого, возрождение в этой вонючей крысиной норе, где люди от голода иной раз готовы были съесть друг друга, было поистине падением на самое дно, и теперь его жизнь должна была стать новым долгим, полным судорожных, почти истерических, усилий карабканьем вверх по социальной лестнице, причем в женском теле, что в России начала XIX века было почти невозможно. Я тогда еще не владела особыми психозотерическими навыками, которые могли бы ускорить это восхождение. Так что Кларе оставалась только Русская православная церковь.

Тамошний батюшка Дмитрий Николаевич Косков был уроженцем Санкт-Петербурга; именно он крестил, женил и хоронил всех четырехсот крепостных Береновского и три десятка «вольных», проживавших в Оборино. Он же, разумеется, читал прихожанам проповеди. Дмитрий и его жена Василиса проживали в покосившемся домишке, окна которого смотрели на реку. Косковы приехали в Оборино за десять лет до моего возрождения в теле Клары; тогда они были молоды и полны филантропического рвения; им страшно хотелось хоть чем-то помочь крестьянам, хоть как-то облегчить их невыносимую жизнь, наполненную бесконечной тяжелой работой и скотством, столь свойственным Дикому Востоку[2]. Василиса Коскова безмерно страдала из-за невозможности иметь детей и была убеждена в том, что из-за этого весь свет над ней смеется. Ее единственными друзьями в Оборино были книги; книги умели с ней говорить, но, увы, не умели слушать. Ennui[3] Дмитрия Коскова имела примерно тот же корень; кроме того, он каждый день и час проклинал себя за то, что потерял возможность служить церкви в Санкт-Петербурге, где и его жена, и его карьера, как ему казалось, процветали бы. Он ежегодно просил церковные власти предоставить ему приход, несколько более близкий к цивилизации, но все его просьбы оставались без ответа. Он, как мы бы сказали сегодня, попросту «выпал из обоймы». Дмитрий понимал, что у него есть Бог, но никак не мог понять, почему Бог приговорил его и Васи-

---

[1] Сражение во время Русско-прусско-французской войны 1806–1807 годов при Прейсиш-Эйлау в 1807 году, во время которого русские войска отразили атаки наполеоновских войск и переломили ход войны. С 1946 года — город Багратионовск Калининградской области.

[2] Выражение Д. Митчелла, которое, по мнению переводчика, как и имена героев, мягко говоря, не соответствует Пермскому краю начала XIX века.

[3] Тоска (*фр.*).

лису жить на самом дне того болота предрассудков, злобы и греха, которое буквально затопило Оборино при Береновском. Впрочем, самого Береновского это ничуть не заботило; он вообще больше интересовался здоровьем своих гончих, чем благополучием своих крепостных.

А вот маленькой Кларе, то есть мне в ее теле, Косковы представлялись поистине идеалом.

* * *

Одной из обязанностей Клары — а она, едва поправившись, снова вернулась к своим обязанностям — было относить свежие яйца в дома наиболее уважаемых людей поместья: управляющего, кузнеца и священника. Тем временем уже наступил 1812 год. Однажды утром, подав Василисе Косковой корзинку с яйцами на пороге кухни, я, страшно смущаясь, спросила у нее: правда ли, что я встречусь в раю со своими умершими сестренками? Жену священника мой вопрос застал врасплох — во-первых, она, видимо, считала меня немой, а тут я вдруг заговорила, а во-вторых, вопрос, с ее точки зрения, был настолько элементарным, что она растерялась и стала спрашивать, разве я не посещаю церковь хотя бы по воскресеньям и не слушаю проповеди отца Дмитрия? Я объяснила, что мне мешают туда ходить мальчишки, которые щиплют меня за руки и дергают за волосы; они хотят, чтобы я перестала слушать Слово Божье, а мне самой очень хотелось бы послушать про жизнь Иисуса. Да, разумеется, я самым подлым образом воспользовалась собственным богатым опытом и знаниями и стала манипулировать несчастной одинокой женщиной, стараясь вызвать ее жалость и доверие; но у меня попросту не было выхода: иначе мне и в дальнейшем светила жизнь, полная тяжкого тупого труда, рабства и леденящего зимнего холода, который, как говорили в деревне, «пробирает до печенок». Василиса попалась на мою удочку; она провела меня на кухню, усадила и стала рассказывать, как Иисус Христос явился на землю в образе человеческом, дабы дать нам, грешникам, возможность отправиться после смерти в Рай, если мы будем молиться и вести себя, как подобает добрым христианам.

Я с серьезным видом кивала, слушая ее, а потом поблагодарила и спросила, действительно ли Косковы приехали из самого Петербурга. Тут Василиса окончательно разговорилась и вскоре уже вспоминала оперный театр, Аничков дворец, балы в день именин архиепископа, фейерверки на балу у какой-то графини и так далее. Я несколько раз говорила, что мне пора идти, что мать побьет меня за то, что я так задержалась, но Василиса все не умолкала. А в следующий раз, когда я принесла яйца, она напоила меня настоящим чаем из самовара и угостила абрикосовым вареньем. Ничего подобного я никогда не пробовала и решила, что это и есть нектар. А уже через несколько дней она, меланхоличная жена еще более меланхоличного священника, уже обсуждала со мной, крепостной девчонкой, свои личные проблемы и разочарования. Маленькая Клара слушала ее с мудростью, значительно превосходившей возраст любого восьмилетнего ребенка. И в один прекрасный день я решила рискнуть: рассказала Василисе о волшебном сне, который мне якобы приснился. Я с воодушевлением описала ей даму с молочно-белой кожей и доброй улыбкой, скрывающей лицо под синей вуалью. Эта дама неожиданно появилась в нашей жалкой избушке, где жили мы с матерью, и велела мне непременно учиться читать и писать, чтобы впоследствии иметь возможность передать послание ее сына другим крепостным. Но самое странное, продолжала выдумывать я, эта добрая женщина говорила на каком-то странном языке, которого я не знала, но почему-то все поняла, и каждое ее слово навсегда запало мне в душу.

Ну, госпожа Василиса Коскова, о чем это вам рассказывала маленькая крепостная девочка?

* * *

Хотя муж Василисы, священник Дмитрий Николаевич, был очень доволен тем, что нервы его жены значительно успокоились в результате душеспасительных бесед со мной, его все же беспокоило, что к ней в очередной раз «присосался» кто-то из «этих хитрых крестьян». В итоге он отвел меня в церковь, когда там никого не было, и решил хорошенько расспросить. Я старательно изображала смущение и растерянность — еще бы, ведь на меня обратил внимание такой значительный человек! — и всячески подталкивала Дмитрия Николаевича к тому, чтобы он поверил: перед ним дитя, которому судьбой уготовано особое, куда более высокое, место в жизни, и именно он обязан об этом позаботиться. Он задал мне множество вопросов о моем «сне». Могу ли я подробно описать ту «даму»? Я описала: темные волосы, прелестная улыбка, голубая вуаль — не белая, не красная, а ярко-голубая, как летнее небо. Отец Дмитрий попросил меня повторить те «странные слова», которые она мне «говорила». Маленькая Клара нахмурилась и, страшно стесняясь, призналась, что эти слова звучали не по-русски. Да-да, сказал отец Дмитрий, жена уже говорила об этом, но все же не могу ли я припомнить хоть что-то из слов «дамы»? Клара закрыла глаза и процитировала на греческом из Евангелия от Матфея 19:14: *Но Иисус сказал: пустите детей и не препятствуйте им приходить ко мне; ибо таковых есть Царство Небесное.*

Священник от изумления разинул рот и вытаращил глаза.

А я, перепугавшись и дрожа как осиновый лист, спросила: уж не значат ли эти слова что-либо дурное?

Моя совесть была чиста. Я чувствовала себя отнюдь не паразитом, а эпифитом[1].

Через несколько дней отец Дмитрий подошел к управляющему имением Сигорскому и попросил, чтобы тот разрешил маленькой Кларе жить у них в доме; он пообещал, что его жена научит девочку читать и писать, а также обучит всему, что должна уметь хорошая горничная, и та впоследствии сможет прислуживать в доме Береновского. Сигорский согласился на эту необычную просьбу, рассчитывая, что в ответ отец Дмитрий закроет свои честные глаза священника на бесконечный обман и насилие, которые он, управляющий, творит в имении. Мне нечего было взять с собой из родного дома, кроме платья из мешковины, деревянных башмаков и грязного овечьего полушубка. Вечером Василиса как следует выкупала меня в горячей воде — это случилось впервые с тех пор, как я умерла в Японии, хотя там-то я частенько наслаждалась горячей ванной, — и выдала мне чистое платье и настоящее шерстяное одеяло. Итак, прогресс был налицо! Пока я сидела в корыте с горячей водой, явилась моя «мать», требуя в качестве компенсации за девочку рубль. Дмитрий заплатил, понимая, что второй рубль она никогда попросить не осмелится. Я потом не раз встречала ее, но она всегда делала вид, что меня не знает, а на следующую зиму она, пьяная, свалилась ночью в канаву, заснула, да так больше и не проснулась.

Даже таким благословенным «вечным людям», как я, не дано спасти всех своих близких.

* * *

Пусть это и нескромно с моей стороны, но я, став де-факто, если и не де-юро, дочерью Косковых, вернула в эту семью смысл жизни и любовь. Василиса устроила при церкви школу и стала учить деревенских детей азбуке, арифметике и письму, а по вечерам находила время, чтобы учить меня французскому. Лукас Маринус из моей прошлой жизни неплохо знал этот язык, так что я стала весьма успешной ученицей, чем невероятно радовала Василису; она ис-

---

[1] Растения, не имеющие связи с почвой и селящиеся на стволах и ветвях других растений, но питающиеся, в отличие от растений-паразитов, не за их счет, а за счет содержащейся в воздухе влаги и остатков минеральных веществ; таковы, например, орхидеи, мхи и лишайники.

кренне считала, что мои успехи — это награда ей за все труды. Так прошло пять лет, я стала уже почти взрослой девушкой, высокой и сильной, и каждое лето, ожидая очередного приезда Береновского, начинала трепетать, опасаясь, что он заметит меня в церкви и спросит, почему его крепостная держится так вольно? Уж не забыла ли она, что является его рабыней? Мне необходимо было не только защитить свои завоевания, но и продолжить подниматься по социальной лестнице, а для этого я должна была поскорее подыскать своим благодетелям могущественного покровителя.

Дядя отца Дмитрия, Петр Иванович Черненко, был вполне очевидным и, пожалуй, единственным кандидатом на эту роль. В наши дни он бы давно прославился как человек, который не только создал сам себя, но и способствовал продвижению других; а уж сплетнями о его частной жизни были полны все «желтые» журналы. Он, будучи еще совсем молодым, вызвал в Санкт-Петербурге настоящий скандал, ибо не только тайно сбежал из дому с актрисой на пять лет себя старше, но и женился на ней. Многие злорадно предрекали ему распутную жизнь и в итоге позор и бесчестье, но Петр Иванович позора не нажил, а нажил сперва одно состояние — торгуя с британцами вопреки континентальной блокаде, — а потом и второе, пригласив немецких сталеваров чуть ли не во все плавильные цеха Урала. Его брак по любви оказался прочным, и двое его сыновей уже стали студентами и учились в Гётеборге. Я стала уговаривать Василису, когда он в следующий раз приедет в Пермь по делам, пригласить дядю Петра к нам и непременно показать ему, какую замечательную школу она устроила.

И однажды осенним утром он действительно к нам приехал. И тут уж я постаралась не ударить в грязь лицом. Целый час мы с ним говорили только о металлургии. Петр Иванович Черненко был человеком строптивым, умным и опытным, он немало повидал за свои пятьдесят лет, но даже ему показалось забавным то, что его развлекает какая-то крепостная девчонка, которая умеет на редкость хорошо поддержать разговор даже на такие сугубо мужские темы, как коммерция и выплавка стали. Василиса сказала, что это, должно быть, ангелы нашептывают мне на ухо всякие умные вещи, пока я сплю, а как иначе я смогла так быстро овладеть немецким и французским, научиться вправлять сломанные кости и усвоить основные алгебраические принципы? Я краснела и бормотала что-то насчет книг и «своих благодетелей, которые старше, лучше и умнее меня».

А вечером, уже лежа в постели, я услышала, как Петр Иванович говорит Дмитрию: «Если этому злобному ослу Береновскому вожжа под хвост попадет, то он бедную девочку на всю жизнь в свекольные поля отправит; заставит и в дождь, и в мороз возиться в земле, а потом делить жалкое ложе с каким-нибудь клыкастым кабаном. Надо что-то с этим делать, племянничек! Надо непременно что-то делать!» А уже на следующий день дядя Петр уехал под непрерывным дождем — весна и осень в России одинаково богаты дождями, превращающими дороги в непролазную грязь, — но на прощанье сказал Дмитрию, что они с Василисой что-то чересчур долго гниют в этой тихой заводи...

* * *

Зима 1816 года выдалась не просто суровой, а поистине безжалостной. В деревне умерло около пятнадцати крестьян, отец Дмитрий отпел их, а потом мужики копали могилы в насквозь промерзшей, твердой, как железо, земле. Кама покрылась толстым слоем льда; волки совершенно обнаглели и забегали в деревню; голодали даже священники со своими семьями. Весна не желала наступать до середины апреля, а почтовая карета из Перми не приезжала в Оборино аж до третьего мая. В дневнике Клары Маринус особо отмечен тот день, когда в домик Косковых принесли два толстых официального вида конверта. Однако вскрывать их никто не решился, пока не вернулся отец Дмитрий, ездивший в лесную сторожку, чтобы причастить сына дровосека, умиравшего от плеврита. Вскрыв первый конверт ножом для разрезания страниц, Дмитрий, важно надувая щеки, сообщил: «А это, дорогая Клара, в первую очередь касается тебя!»; и он прочел вслух: «Кирилл Андреевич Береновский, владелец имения Оборино в Пермской губернии, навечно дарует крепостной Кларе, дочери крепостной Готы, ныне покойной, полную и безусловную свободу в качестве подданной Его императорского величества Александра I». Моя память почему-то сохранила, как громко кричали в тот день кукушки за рекой и каким потоком лились солнечные лучи в окна маленькой гостиной Косковых. Я спросила Дмитрия и Василису, не хотят ли они теперь подумать о том, чтобы я стала их дочерью, и Василиса лишь крепко меня обняла, всю измочив счастливыми слезами, а Дмитрий, смущенно покашляв, сказал, глядя на собственные пальцы: «Я думаю, теперь это можно устроить, Клара». Мы понимали: один лишь Петр Иванович был способен уладить вопрос с моим чудесным освобождением, однако прошло несколько месяцев, прежде чем нам удалось в точности узнать, как он это сделал. Оказалось, что дядя Петр попросту уплатил немалые долги моего хозяина известному виноторговцу, и Береновский согласился даровать мне вольную.

Мы были так взволнованы, что совсем позабыли о втором конверте, хотя в нем содержались не менее важные известия: отца Дмитрия вызывали в епископальное управление Санкт-Петербурга, где были намерены предложить ему новый пост, настоятеля церкви Благовещения на Невском проспекте, не позднее 1 июля сего года. Василиса спросила, причем вполне серьезно, уж не снится ли нам все это. Дмитрий молча подал ей письмо. Читая его, Василиса прямо на глазах помолодела лет на десять. Муж сказал ей, что ему просто не по себе, когда он думает, сколько же дяде Петру пришлось заплатить за столь лакомый пост. Но ответ на этот вопрос мы опять же узнали далеко не сразу и, разумеется, не от самого Петра Ивановича. Оказалось, что платой за это назначение был коносамент на отправку сиенского мрамора для любимого монастыря патриарха. Как известно, человеческая жестокость не знает пределов. Но столь же беспредельной, оказывается, может быть и человеческая щедрость.

* * *

С конца 1780-х годов мне не доводилось жить в условиях просвещенной европейской столицы, а потому, едва мы успели устроиться в новом доме при той петербургской церкви, где отныне стал настоятелем отец Дмитрий, я с головой погрузилась в мир искусства и науки, в мир музыки и театра. Я не пропускала ни одной встречи моих приемных родителей с умными людьми, впитывая во время этих бесед каждое слово, стремясь к знаниям, как всякая неглупая девушка тринадцати лет, только что обретшая свободу. И если сама я была почти уверена в том, что мое низкое происхождение станет серьезным препятствием для проникновения в высшее общество, то, как ни странно, все вышло наоборот: это чудесным образом только повысило мне цену в салонах Петербурга и даже стало неким событием сезона в изголодавшихся по новинкам столичных светских кругах. Не успела я опомниться, как «юную госпожу Коскову из Перми, имеющую столь глубокие и разносторонние познания», постарались «проэкзаменовать» — и в умении говорить на иностранных языках, и по математике, и по литературе. Я, естественно, отдавая должное своей приемной матери, всегда всех уверяла, что именно она «вложила в меня все эти знания», широкий спектр которых объясняется тем, что я, едва научившись читать, сразу стала пользоваться великолепной родительской библиотекой и читала все подряд — Библию, словари, научные альманахи, памфлеты, поэтические сборники и всевозможную научно-популярную литературу. Сторонники женской эмансипации выставляли Клару Коскову как пример того, что крепостные и их хозяева различаются только тем, кто в какой семье родился, тогда как скептики называли меня гусыней, которую «откармливают, чтобы впоследствии сделать fois gras», то есть закармливают меня знаниями, которые я попросту заглатываю, толком не понимая.

Однажды в октябре карета, запряженная четверкой белых породистых лошадей, проехала по Невскому проспекту, и конюший царицы Елизаветы[1] вручил моей семье приглашение в Зимний дворец. Ни Дмитрий, ни Василиса в ту ночь так и не смогли уснуть. Все мы были потрясены и восхищены анфиладой великолепных палат, по которым мы проходили, направляясь в покои самой царицы. Впрочем, моя долгая метажизнь еще несколько веков назад успела сделать мне прививку от преклонения перед роскошью. А что касается царицы Елизаветы, то лучше всего я запомнила ее печальный голос, похожий на голос бас-кларнета. Моих приемных родителей и меня усадили на длинную скамью у огня, тогда как сама Елизавета предпочла кресло с высокой спинкой. Она тут же стала по-русски задавать мне вопросы о моей жизни крепостной, затем перешла на французский, словно проверяя, сколь быстро я способна переходить с родного языка на иностранный и менять тему разговора. В итоге царица перешла на свой родной язык, немецкий, и высказала предположение, что мой круг занятий и обязанностей, должно быть, довольно узок и скучен. Я ответила, что, во-первых, аудиенцию у самой царицы никак нельзя назвать скучной, а во-вторых, я бы, честно говоря, была не слишком опечалена, если бы в светских кругах обо мне стали забывать, и Елизавета сказала, что раз так, то я наверняка прекрасно понимаю, что чувствует она, императрица, в своем дворцовом окружении. Затем она показала мне новенькое фортепьяно, только что привезенное из Гамбурга, и спросила, не хочу ли испробовать, как оно звучит. Я, не ломаясь, сыграла японскую колыбельную, которую выучила еще в Нагасаки, и эта музыка невероятно тронула царицу. Однако я совершенно смешалась, когда Елизавета спросила, о каком муже я мечтаю. «Наша дочь — еще совсем девочка, ваше величество, — обрел наконец дар речи Дмитрий, — и в голове у нее полно всякой чепухи».

«Меня в пятнадцать лет уже выдали замуж», — сказала царица, повернувшись к нему, и он снова сконфуженно умолк. А я заметила, что матримониальные отношения — это отнюдь не то царство, в которое я стремлюсь войти.

«Стрела Купидона промаха не дает, — усмехнулась Елизавета. — И вскоре ты сама в этом убедишься».

---

[1] Имеется в виду Елизавета Алексеевна (1779—1826), принцесса Баденская, супруга Александра I.

Вот уже тысячу лет, дорогая царица, его стрелы постоянно от меня отскакивают, подумала я, но вслух этого не сказала и, естественно, согласилась с ее величеством. Однако она, как ни странно, тут же почувствовала неискренность моего ответа и предположила, что я, должно быть, предпочитаю замужеству общение с книгами. С этим я охотно согласилась и прибавила, что книги, в отличие от мужей, не имеют привычки сегодня рассказывать одно, а завтра другое. Дмитрий и Василиса, слушая мои дерзкие речи, только ерзали на своей скамье, чувствуя себя неловко в роскошных, взятых взаймы одеждах. Царица, уставшая от нравов двора, где адюльтер считался чем-то вроде развлечения, смотрела как бы сквозь меня, и золотые отблески огня играли в ее золотистых волосах. «Как странно слышать столь мудрые, достойные стариков, слова из таких юных уст», — только и сказала она.

* * *

Наш визит во дворец дал толчок новой волне сплетен; теперь все решали, кто же истинные родители Клары Косковой, и это страшно расстраивало моего приемного отца; потому мы решили, что лучше свести на нет мою краткую «карьеру» салонной диковинки и временно прекратить всякую светскую жизнь. Принятое нами решение как раз совпало с возвращением дяди Петра после полугодового пребывания в Стокгольме, и его особняк на Гороховой улице стал для нас вторым домом. Жена Петра Ивановича, бывшая актриса Юлия Григорьевна, стала нам верным другом, а на устраиваемых ею обедах я имела возможность встречаться с самыми различными представителями петербургского общества, причем общества куда более высокого интеллектуального уровня и куда более интересного, чем те люди, с которым я имела дело в великосветских гостиных. В доме дяди Петра бывали банкиры и химики, поэты и театральные режиссеры, чиновники и морские офицеры. Я по-прежнему читала запоем и многим авторам посылала письма, подписываясь «К. Косков», желая скрыть свой возраст и гендерную принадлежность. В архивах Хорологов до сих пор хранятся письма, адресованные некоему *К. Коскову* — например, от французского терапевта Рене Ланнека, изобретателя стетоскопа, от физика Хамфри Дэви[1] и от астронома Джузеппе Пиацци[2].

---

[1] Х а м ф р и   Д э в и (1778—1829) — изобретатель, один из основателей электрохимии, впервые описал электрическую дугу, открыл обезболивающее действие гемиоксида азота и т. д.

[2] Д ж у з е п п е   П и а ц ц и (1746—1826) — итальянский астроном, открывший малую планету Цереру и составивший два звездных каталога.

Возможности поступить в университет у женщин все еще не было, но шли годы, и многие либерально настроенные петербуржцы специально приходили в дом к Черненко, чтобы побеседовать на научные темы с «этой юной, но весьма рассудительной особой», которую про себя считали синим чулком. Со временем я, впрочем, получила несколько предложений руки и сердца, но ни Дмитрий, ни Василиса не выразили особого желания со мной расставаться, да и мне не хотелось снова становиться чьей-то «законной собственностью».

* * *

Кларе исполнилось двадцать лет; она готовилась в двенадцатый раз праздновать Рождество вместе с Косковыми. К празднику она получила чудесные подарки: сапожки на меху от Дмитрия, кипу нот для фортепиано от Василисы и соболью шубу от супругов Черненко. В моем дневнике есть запись о том, что 6 января 1823 года отец Дмитрий принес обет Иову и тайным Промыслам Божиим. Хор церкви Благовещения Богородицы пел, правда, в этот день весьма посредственно — у многих из-за холодов оказалось застужено горло и был насморк. Снега в ту зиму выпало особенно много, засыпало даже сточные канавы; морозная дымка окутывала улицы Петербурга, и солнца почти не было видно; с крыш свисали толстенные сосульки; из лошадиных ноздрей вырывались клубы белого пара, свинцово-серые воды Невы были скованы льдом.

Как-то после обеда мы с Василисой сидели в гостиной. Я писала письмо по-немецки по поводу осморегуляции гигантских деревьев одному ученому из Лейденского университета. Моя приемная мать проверяла сочинения своих учеников по французскому языку. В печи жарко горели дрова. Галина, наша домоправительница, зажгла светильники и, как всегда, принялась ворчать, что я своими занятиями окончательно испорчу себе зрение; вдруг мы услышали стук в дверь. Джаспер, наш маленький пес неизвестной породы, с лаем понесся в прихожую, царапая когтями пол, а мы с Василисой удивленно переглянулись: в тот день никто из нас гостей не ждал. Я выглянула в окно: за кружевной занавеской виднелась чья-то незнакомая карета, окна которой были закрыты шторками. Галина принесла нам визитную карточку, которую в дверях подал ей кучер, и Василиса с некоторым сомнением прочла вслух: «Господин Шайлоу Давыдов». «Шайлоу? Звучит по-иностранному, — сказала она. — Тебе не кажется, Клара?» Адрес Давыдова, однако, вызывал уважение: Сенная площадь. «Может быть, это друзья дяди Петра?» — предположила я.

«Мне сказали, что и *госпожа* Давыдова тоже ждет в карете», — сообщила Галина.

Неожиданно утратив все сомнения — позднее мне стало ясно, что это был Акт Убеждения, — Василиса сказала: «Ну так скорей пригласи их в дом! Господи, что они могли о нас подумать? Бедная дама наверняка замерзла!»

* * *

— Извините, что мы явились без приглашения и без предупреждения, — сказал, входя, подвижный мужчина с роскошными усами и звучным голосом, одетый в темный костюм явно иностранного покроя. — Госпожа Коскова и ее дочь, как я понимаю? Во всем виноват я. Я еще утром, до похода в церковь, написал вам письмо, в котором представился и подробно рассказал о себе, но тут одного из наших конюхов лошадь ударила копытом, да так, что пришлось врача вызывать. Из-за всей это суматохи я совершенно забыл проверить, было ли мое письмо вам доставлено. Итак, Шайлоу Давыдов, как говорится, к вашим услугам. — Он поклонился и с улыбкой вручил Галине свою шляпу. — По отцу у меня русские корни, но живу я в Марселе, впрочем, живу я где придется. Однако позвольте мне... — и я вдруг заметила в его русской речи некую особую, «китайскую», певучесть, — представить вам мою жену. Клодетт Давыдова, которая *вам*, мадемуазель Коскова, известна также под своей девичьей фамилией, ставшей также ее писательским псевдонимом: К. Холокаи.

Вот это неожиданность! Я действительно переписывалась с «К. Холокаи», автором философского трактата о трансмиграции душ, но мне и в голову не приходило, что это не «он», а «она». Смуглое лицо госпожи Давыдовой и ее пытливый взгляд выдавали ее левантийское или персидское происхождение. На ней было шелковое платье цвета голубиного крыла, а на шее — ожерелье из белых и черных жемчужин.

— Госпожа Коскова, — обратилась она к Василисе, — благодарю вас за проявленное гостеприимство по отношению к двум незнакомцам в такой холодный зимний день. — Она говорила по-русски немного медленней, чем ее муж, с величайшей осторожностью подбирая слова, чем невольно заставляла тех, к кому она обращалась, слушать ее с особым вниманием. — Нам бы, конечно, следовало подождать до утра и пригласить вас к себе, но имя «К. Косков», произнесенное всего час назад в доме профессора Обеля Андропова, я сочла неким... особым знаком...

— Профессор Андропов — наш друг, — сказала моя приемная мать.

— И великолепный ученый-лингвист, знаток классических языков, — прибавила я.

— И это действительно так. Так вот, профессор Андропов сказал мне, что «К» означает «Клара»; а потом на пути домой я случайно выглянула из кареты и увидела ту церковь, где служит ваш отец. Какой-то человек, похожий на домового, сказал, что вы, возможно, дома... Извините, но я... — Клодетт Давыдова спросила у мужа по-арабски, как по-русски сказать «поддалась искушению», и Шайлоу Давыдов подсказал ей.

— Но это же очень хорошо! — воскликнула Василиса, хотя все еще хлопала от удивления глазами, глядя на этих экзотического вида незнакомцев, которых, как я подозревала, сама же и пригласила, но потом совершенно об этом позабыла. — Мы вам, конечно же, рады. Мой муж скоро придет, а вы пока устраивайтесь поудобней, прошу вас. У нас, конечно, не дворец, но...

— Ни в одном дворце меня не встречали столь же гостеприимно. — Шайлоу Давыдов оглядел нашу гостиную. — Моя жена так мечтала познакомиться с «К. Косковым» — с самого первого дня, когда я решил посетить Петербург.

— Да, это правда. — Клодетт Давыдова отдала Галине свою муфту из белого меха и тихонько ее поблагодарила. — И, насколько я могу судить по тому удивлению, которое выказала юная госпожа Коскова, мы обе писали друг другу, будучи абсолютно уверенными, что наш адресат — мужчина. Я правильно предположила, госпожа Коскова?

— Да, это именно так, госпожа Давыдова, не смею этого отрицать, — сказала я, и мы наконец уселись.

— Не правда ли, это похоже на некий абсурдный фарс, достойный сцены? — улыбнулась Клодетт.

— В этом мире все поставлено с ног на голову, — вздохнул Шайлоу Давыдов. — У нас женщины вынуждены скрывать свою половую принадлежность из боязни, что их идеи будут осмеяны или отвергнуты.

Мы дружно признали справедливость этих слов и снова умолкли. Наконец Василиса, вспомнив о своих обязанностях хозяйки, сказала:

— Клара, дорогая, не подбросишь ли ты в печь дровишек? Что-то у нас прохладно. И пусть Галина принесет гостям чаю.

* * *

— Мой бизнес связан с морем, господин Косков, — сказал Шайлоу Давыдов. Мой приемный отец воспринял неожиданный визит Давыдовых скорее с удовольствием, и для мужчин чай с печеньем и пирожками сменился коньяком и сигарами, которые Шайлоу подарил Дмитрию. — Я занимаюсь морскими перевозками, фрахтом, верфями, причалами, морской страховкой... — Он неопределенно махнул рукой. — Я прибыл в Петербург по приглашению вашего Адмиралтейства, но в детали я, естественно, вдаваться не могу. Я буду здесь работать по крайней мере год, и мне был предоставлен дом на Невском проспекте. Скажите, госпожа Коскова, сложно ли найти таких слуг, которые были бы одновременно и расторопны, и честны? В Марселе, стыдно сказать, подобное сочетание встречается столь же редко, как зубы у курицы.

— Черненко помогут, — успокоила Василиса. — Дядя Дмитрия, Петр Иванович, и его жена всегда как-то находят нужное количество «зубастых несушек». Верно, Дмитрий?

— Зная своего дядю, могу вас заверить: он и Золотое Руно вам добыть сумеет. — Дмитрий с наслаждением затянулся сигарой. — А как вы, госпожа Давыдова, собираетесь проводить время в те долгие месяцы, что вам придется провести в нашем холодном пустынном краю?

— О, у меня душа исследователя. Как и у моего мужа, — сказала Клодетт Давыдова и умолкла, словно дала исчерпывающий ответ. В печи, рассыпая искры, потрескивали поленья. Выдержав паузу, Клодетт пояснила: — Впрочем, сперва я намереваюсь закончить комментарий к «Метаморфозам» Овидия[1]. Я даже лелеяла надежду, что «уважаемый К. Косков» окажет мне честь и взглянет на мою писанину, если, конечно...

Я тут же сказала, что почту это за честь и что мы, «подпольные» женщины-ученые, должны всегда поддерживать друг друга. Затем я спросила, получил ли «господин К. Холокаи» мое последнее письмо, посланное в минувшем августе на адрес российского консула в Марселе.

— Конечно, я его получила, и ваши идеи показались мне очень интересными, — живо откликнулась Клодетт Давыдова. — Мой муж, который не меньше меня увлекается философией, был просто в восторге, узнав вашу точку зрения по поводу царства Тьмы.

Теперь уже заинтересовалась Василиса:

— О каком это темном царстве шла речь, дорогая?

Я терпеть не могла лгать приемным родителям, даже случайно, даже путем простого умолчания, но тема вечного, точнее, Вневременного, существования в этом безбожном, безбожном мире была явно не самой удачной для обсуждения в нашей богобоязненной се-

---

[1] П у б л и й   О в и д и й   Н а з о н (43 г. до н. э. — 18 г. н. э.) — римский поэт. «М е т а м о р ф о з ы» — мифологический эпос о «превращениях» людей и богов в животных, созвездия и пр.

мье. Пока я изобретала какое-нибудь простенькое объяснение, мой взгляд случайно упал на Шайлоу Давыдова, и я вздрогнула: глаза у него были полузакрыты, а на лбу сияло пятно — в том самом месте, где, как я знала по своим предыдущим возрождениям на Востоке, находится чакра, «третий глаз». Я посмотрела на Клодетт Давыдову. У нее на лбу светилось точно такое же пятно. У нас в гостиной явно что-то происходило. Я посмотрела на Василису и Дмитрия и увидела, что они застыли, как восковые фигуры. Василиса выглядела по-прежнему сосредоточенной, но, похоже, разум ее был полностью закрыт для восприятия. И, скорее всего, кто-то «помог» ей его закрыть. В пальцах Дмитрия все еще дымилась сигара, но лицо и тело его были совершенно неподвижны.

После прожитых тысячи двухсот лет я постепенно убедила себя, что стала неуязвимой для потрясений, но я ошибалась. Время не остановилось. Огонь все еще горел. Я все еще слышала, как Галина крошит овощи на кухне. Инстинктивно я пощупала пульс на руке Василисы и обнаружила, что он бьется сильно и спокойно. Ее дыхание было замедленным и поверхностным, но тоже спокойным. То же творилось и с Дмитрием. Я окликнула их, но они меня не услышали. Их здесь не было. Этому могла быть только одна причина. Точнее, несколько взаимосвязанных причин.

Гости между тем вновь обрели нормальный вид и явно ждали, что я скажу. Я встала, чувствуя себя одновременно и потерявшей почву под ногами, и страшно разгневанной, схватила кочергу и с яростью, какая никак не могла быть свойственна двадцатилетней дочери русского священника, заявила этим псевдо-Давыдовым:

— Если вы что-то сделали с моими родителями, то, клянусь...

— Зачем нам причинять зло таким чудесным людям? — Шайлоу Давыдов был, казалось, искренне удивлен. — Мы просто применили к ним Акт Хиатуса, только и всего.

Клодетт Давыдова тут же его перебила:

— Нам хотелось поговорить с вами наедине, Клара. Мы легко можем вывести ваших родителей из состояния хиатуса, достаточно щелкнуть пальцами, — она легонько взмахнула рукой, — и они даже не вспомнят о том, что с ними произошло.

Но мне все еще чудилось, что от этих лже-Давыдовых исходит угроза, и я спросила, не является ли хиатус чем-то родственным месмеризму[1].

---

[1] Идеалистическая система в медицине, предложенная австрийским врачом Ф. Месмером во второй половине XVIII века. В ее основе — понятие о «животном магнетизме», посредством которого можно якобы изменять состояние организма и излечивать болезни.

— Франц Месмер — просто чертов болтун! — сердито сказала Клодетт. — Мы — психозотерики. Психозотерики Глубинного Течения.

Видя, что ее заявление меня попросту ошарашило, Шайлоу Давыдов спросил:

— Неужели вы никогда прежде не являлись свидетельницей чего-либо подобного, госпожа Коскова?

— Нет, — ответила я.

Давыдовы переглянулись, явно удивленные. Шайлоу вынул сигару из пальцев Дмитрия, пока та не успела их обжечь, и положил в пепельницу.

— Может быть, вы все же поставите кочергу на место? — сказал он мне. — Она никак не сможет помочь вам в этом разобраться.

Чувствуя себя полной дурой, я убрала кочергу и вдруг поняла, что слышу стук копыт по мостовой, звяканье уздечек и крики возниц на Невском проспекте. Здесь, в стенах нашей гостиной, моя метажизнь явно вступала в новую фазу, и я наконец решилась прямо спросить:

— Но кто же вы такие? Кто вы *на самом деле*?

Шайлоу Давыдов сказал:

— Мое имя — Кси Ло. «Шайлоу» или «Шило» — самое близкое из европейских имен, какое я сумел себе подобрать. Мою коллегу, которой приходится на публике играть роль моей жены, зовут Холокаи. Это наши истинные имена, мы носим их с момента нашего появления на свет. Эти имена носят наши души, если угодно. Итак, мой первый вопрос к *тебе*, госпожа Клара Коскова: как *твое* истинное имя?

Совершенно не подобающим для приличной девицы образом я взяла бокал Дмитрия и разом отпила добрую половину налитого туда коньяка. Я так давно похоронила мечту, что мне когда-нибудь доведется встретиться с такими же, как я, «вечными людьми»! И теперь, когда это произошло на самом деле, я, увы, оказалась совершенно не подготовленной к такой встрече.

— Маринус, — хрипло пискнула я, поскольку коньяк обжег мне горло. — Я — Маринус.

— Приятно познакомиться, Маринус, — сказала Холокаи, то есть Клодетт Давыдова.

— Я знаю это имя, — нахмурился Кси Ло, то есть Шайлоу. — Но откуда?

— Вы не ошибетесь, если заглянете в мои мысли, — решительно предложила ему я.

— *Маринус,* — Кси Ло погладил свои пышные баки. — Маринус Тирский, картограф? Так? Нет. У императора Филиппа Араба[1] отца, кажется, звали Юлиус Маринус. Нет? Ну, дальше я, пожалуй, эту царапину расчесывать не стану. Из твоего письма мы поняли, что ты не из Постоянных Резидентов, а из Вернувшихся?

Я призналась, что не поняла вопроса.

Их, похоже, уже начинало раздражать мое невежество. Холокаи-Клодетт сказала:

— Вернувшиеся — это те, кто умирает, отправляется в сумеречную страну и через сорок девять дней возрождается. А Постоянные Резиденты — например, Кси Ло — не умирают, а просто перекочевывают в новое тело, как только старое оказывается изношенным.

— Тогда, — я снова села, — я, скорее всего, действительно из Вернувшихся.

— Маринус, — Кси Ло — Шайлоу внимательно наблюдал за мной. — Неужели мы первые Вневременные, которых ты когда-либо встречала?

В горле у меня стоял даже не комок, а камень, так что говорить я была не в состоянии и лишь кивнула.

Холокаи-Клодетт стащила у своего напарника сигару, от души затянулась и сказала:

— В таком случае ты отлично справляешься. Я, например, несколько часов не могла прийти в себя и абсолютно ничего не соображала, когда Кси Ло ворвался в мою уединенную жизнь. Ведь некоторые начинают утверждать, что никогда и ниоткуда *не возвращались.* Ну что ж, спешу тебя обрадовать. А может, и не очень. Так или иначе, но на свете есть и еще такие же, как мы.

Я налила себе еще коньяку из графина Дмитрия. Это помогло растворить застрявший в горле камень, и я наконец смогла вымолвить:

— И много вас — нас — таких на свете?

— Не очень, — сказал Кси Ло. — Мы всемером объединились и создали Хорологическое Сообщество, разместившееся в частном особняке в Гринвиче в Лондоне. Впрочем, девять «вечных» отвергли все наши предложения и предпочли полную изоляцию, но дверь в наше Сообщество для них всегда будет открыта, если они когда-либо захотят общения с нами. За долгие века мы насчитали не менее одиннадцати-двенадцати Вневременных, или Хорологов, если включить сюда и этого шваба. Основной нашей задачей на данный момент является борьба с хищными замашками неких *Плотоядных.*

---

[1] Ф и л и п п А р а б (Philippus Arabs), умер в 249 году, римский император с 244 года. В 248 году отразил нападение персов и готов; отметил тысячелетие Рима великолепными празднествами.

Позже я, конечно, узнала, что таилось за этим загадочным термином.

— Прости мне столь неделикатный вопрос, Маринус, — Холокаи-Клодетт коснулась нитки жемчуга, обвивавшей ее шею, — но когда ты родилась?

— В 640 году до Рождества Христова, — призналась я, чувствуя легкое головокружение от совершенно невообразимой ранее возможности говорить кому-то правду о своем происхождении. — В своей первой жизни я была самаритянином, сыном сокольничего.

Холокаи стиснула подлокотники кресла, словно ей хотелось подпрыгнуть и она изо всех сил пыталась сдержать себя.

— Так ты же в два раза старше меня, Маринус! Я, например, даже толком не знаю ни точного года своего рождения, ни точного места. Возможно, Таити. А возможно, и Маркизские острова. Я бы, конечно, сразу это поняла, если б туда вернулась, но мне как-то не очень хочется туда возвращаться, ибо там я пережила поистине ужасную смерть. Мое второе «я» было мальчиком-мусульманином, слугой в доме еврея, серебряных дел мастера, жившего в Португалии. В то время как раз умер Король Жуан[1], так что мое пребывание отмечено вполне точной вехой: 1433 год. А вот Кси Ло...

Облака ароматного сигарного дыма висели уже на разных уровнях, окутывая нас густым облаком.

— А я, — заговорил тот, кого я все еще называла «господин Давыдов», — впервые появился на свет в конце правления династии Чжоу[2]. Я родился прямо на лодке, в дельте Желтой реки примерно году в 300-м до Рождества Христова. Жизней пятьдесят назад. Мой отец был воином-наемником. Я замечаю, что вы вроде бы без особых затруднений понимаете этот язык, госпожа Коскова. Так?

Только когда я кивнула, до меня дошло, что он говорил по-китайски.

— Да, я прожила в Китае четыре жизни. — Я поспешно восстанавливала свои несколько заржавевшие навыки мандаринского диалекта. — Моя последняя жизнь пришлась на время правления династии Мин[3], примерно на 1500-е годы. Я тогда была уроженкой города Куньмин на юго-западе Китая. Травницей.

---

[1] Жуан I (1357–1433) — португальский король (с 1385 года), отстоял независимость Португалии от Кастилии.

[2] Китайская династия (1027–256 до н. э.), давшая название эпохе в истории Древнего Китая и ознаменовавшаяся подъемом китайской культуры — появлением конфуцианства, даосизма и других философских школ.

[3] Китайская императорская династия (1368–1644), основанная в результате свержения монгольской династии Юань и свергнутая крестьянскими повстанцами.

— Но твой китайский звучит, пожалуй, более современно, — заметил Кси Ло.

— Во время предыдущей перед этой жизни я жила на голландской фабрике в Нагасаки и разговаривала по-китайски только с китайскими купцами.

Кси Ло кивнул и принялся мерить комнату шагами, постепенно их ускоряя, а потом провозгласил по-русски:

— Клянусь кровью Господней! Я вспомнил! Маринус — это тот самый врач! Такой крупный мужчина огромного роста с красным лицом и седыми волосами. То ли немец, то ли голландец, раздражительный, вспыльчивый, этакий всезнайка. Значит, ты была там, когда взорвался «Феб» Ее Королевского Величества?

Я испытала чувство, близкое к головокружению.

— Значит, и *ты* там был?

— Я видел, как это произошло. Из дома судьи.

— Но... *кем* же ты был? Или, точнее, «в ком» ты тогда существовал?

— У меня было несколько «хозяев», но ни одного голландца, иначе я уже тогда смог бы догадаться, что ты из «вечных», и избавил бы Клару Коскову от многих неприятностей. Из-за того что вы, голландцы, были чрезвычайно огорчены утратой Батавии — теперь-то она называется Джакарта, — мне приходилось добираться в Японию и из Японии на китайских торговых джонках. Судья Широяма был моим «хозяином» в течение нескольких недель.

— Я несколько раз посещала судью Широяму. Когда он погиб, разразился большой скандал, но его довольно быстро замяли. Но что привело тебя в Нагасаки?

— Это весьма сложная история, — сказал Кси Ло, — которая связана прежде всего с моим коллегой Ошимой, который в своей первой жизни был японцем, нечестивым священником по имени Эномото, обнаружившим в Киришиме некий досинтоистский *психодекантер*.

— Эномото приезжал к нам. У меня в его присутствии просто мурашки по всему телу бегали.

— Мудрость кожи вообще недооценена. Я использовал Акт Убеждения, внушая Широяме, что ему необходимо покончить с властью Эномото. Отравить его. К сожалению, это стоило судье жизни, но такова арифметика самопожертвования. Моя очередь тоже однажды придет.

Джаспер, наш пес, воспользовался неподвижностью Василисы и вскочил к ней на колени; это была вольность, которой моя приемная мать никогда ему не позволяла.

— А что такое акт убеждения? — спросила я. — Это что-то похожее на хиатус?

— И то и другое — психозотерические акты, — сказала Холо-каи-Клодетт. — Если Акт Хиатуса как бы замораживает, то Акт Убеждения подталкивает к действиям. Я полагаю, что твое нынешнее положение, которое, безусловно, существенно лучше всех твоих предыдущих жизней в низших сословиях, — она обвела рукой теплую, но весьма скромную гостиную Косковых, — было связано с тем, что ты *сумела* приобрести покровителей, покровительниц и всевозможных полезных друзей?

— Да, это так. Но мне помогли также и знания, накопленные за мои предыдущие жизни. Меня тянуло к медицине. Для моих женских «я» это был один из немногих путей наверх.

Галина все еще рубила на кухне овощи.

— Давай, мы научим тебя кое-каким мелочам, Маринус. — Кси Ло слегка наклонился вперед, барабаня пальцами по набалдашнику трости. — А заодно и приоткроем тебе нашу тайную историю и некий новый для тебя мир.

* * *

— Кое-кто сейчас очень далеко отсюда. — Уналак прислонилась к дверному косяку, держа в руках кружку с логотипом «Metallica», хеви-метал-группы, словно бросающей вызов смерти. — Ты хочешь спросить, откуда эта кружка? Ее мне подарил брат Инес. Итак, две последних новости: Л'Окхна заплатил за семь дней проживания Холли в гостинице; и Холли начала приходить в себя, так что я на всякий случай погрузила ее в хиатус, пока ты не будешь готова ею заняться.

— Семь дней. — Я опустила подбитую мягким фетром крышку на клавиши пианино. — Интересно, где мы будем через семь дней? Итак, за работу! Пока Холли снова не украли прямо у меня из-под носа.

— Ошима так и говорил, что ты будешь заниматься самобичеванием.

— Сам он, я надеюсь, еще не встал? И его нет поблизости? А то вчера он всю ночь вообще не ложился, а потом ему все утро приходилось изображать из себя героя боевика.

— Он ровно шестьдесят минут полежал с закрытыми глазами, потом снова вскочил и куда-то удалился, точно не знающий покоя наркоман. А «Нутеллу» он ест ложкой прямо из банки! Смотреть тошно.

— А где Инес? Ей не следует выходить из квартиры.

— Она помогает Тоби, владельцу нашего книжного магазина. Вообще-то, защита поставлена и в магазине, но я предупредила ее, чтобы она никуда не выходила из поля. Она не выйдет.

— Господи, что она, должно быть, думает по поводу всего этого безумия, всех этих опасностей?

— Инес выросла в Окленде, в Калифорнии. Это дало ей неплохую закалку. Ладно, вставай. Пойдем охотиться на Эстер.

Я встала и последовала за Уналак вниз, в гостевую комнату, где на диване лежала погруженная в хиатус Холли. Мне было безумно жаль ее будить.

Из библиотеки появился Ошима.

— Чудесно побренчала, Маринус. — Он изобразил бегающие по клавишам пальцы.

— Рада, что доставила тебе удовольствие. Я потом пущу шапку по кругу.

Я присела возле Холли, взяла ее за руку и, нажав средним пальцем на чакру у нее на ладони, спросила коллег:

— Ну что, все готовы?

* * *

Холли резко села, словно в верхнюю половину ее туловища была вделана пружина; судя по лицу, она мучительно пыталась понять, что с ней было после общения с убийцами в полицейской форме и после моего Акта Хиатуса и почему вокруг нее в незнакомой комнате собрались Ошима, Уналак и я. Она не сразу заметила, как глубоко ее ногти впились в мое запястье, а заметив, смутилась и сказала:

— Ох, простите меня!

— Ничего страшного, мисс Сайкс. Как ваша голова?

— Как яйцо всмятку. Какая часть случившегося была реальна?

— К сожалению, реальным было все. Врагам удалось вас перехватить. Мы были недостаточно осторожны. Извините.

Холли явно не знала, что на это сказать.

— Где я?

— Сто пятьдесят четыре, Вест-Сайд, Десятая улица, — сказала Уналак. — Вы у меня дома. Это моя квартира, мы здесь живем вместе с моей подругой. Меня зовут Уналак Суинтон. Сейчас всего два часа пополудни, так что день еще далеко не кончился. Просто утром нам показалось, что вам стоит немного поспать.

— О! — Холли посмотрела на этого очередного, неизвестного ей персонажа. — Приятно познакомиться.

Уналак, спокойно продолжая пить кофе, сказала:

— Знакомство с вами для меня большая честь, мисс Сайкс. Не хотите ли кофе? Порция кофеина вам сейчас не помешает. Или, может быть, чего-нибудь еще, столь же бодрящего?

— А вы тоже... такая, как Маринус? И как тот, другой, который?..

— Аркадий? Да, хотя я гораздо моложе. Это всего лишь моя пятая жизнь.

Эти слова Уналак сразу напомнили Холли, в какой мир она столь неожиданно для себя попала.

— Маринус, скажите, те копы... они ведь.... По-моему, они хотели меня убить, да?

— Да, это были просто наемные убийцы, — как всегда, расставил точки над «i» Ошима. — Просто люди из плоти и крови, чья работа заключается не в починке зубов, не в торговле земельными участками, не в преподавании математики, а в убийстве. Я заставил их перестрелять друг друга, прежде чем они успели застрелить вас.

Холли судорожно сглотнула.

— Кто вы? Если это не слишком бестактно...

Ошима даже слегка развеселился:

— Меня зовут Ошима. Да, я тоже Хоролог и наслаждаюсь своей одиннадцатой жизнью, раз уж мы начали считать.

— Но... *вас* ведь не было в той полицейской машине!.. Правда же?

— Да, тела моего там не было, зато там был мой дух. Для вас я играл там роль Ошимы Дружелюбного Призрака. А для тех, кто вас похитил, я был Ошима Сукин Сын Черт-Бы-Его-Побрал. Не стану отрицать, мне это доставило удовольствие. — Шум города, шелест шин по асфальту, отдаленные глухие удары — все это заглушал ровный шум несильного дождя. — Хотя в результате наша затяжная холодная война стала гораздо горячее.

— Все равно благодарю вас, мистер Ошима, — сказала Холли, — если в данном случае это подходящие сло... — И она вдруг вздрогнула, словно ее пронзила колючая мысль: — Боже мой, *Аоифе!* Маринус... эти полицейские, они... они... они сказали, что Аоифе попала в аварию, что она в больнице...

Я покачала головой.

— Это была ложь. Они просто старались заманить вас в машину.

— Но они же *знали*, что у меня есть дочь! Что, если они как-то ей навредили?

— Так-так-так, посмотрите-ка сюда, — Уналак протянула ей планшет. — Вот страничка вашей Аоифе. Она сообщает, что сегодня нашла три осколка финикийской амфоры и несколько кошачьих косточек. Пост выложен сорок пять минут назад в четыре семнадцать по греческому времени. С ней все хорошо, Холли. Если хотите, можете послать ей весточку, только не надо, *не надо* упоминать о событиях сегодняшнего дня. Иначе вы рискуете *и ее* впутать во все это.

Холли прочитала сообщение дочери, и ее паника чуть улеглась.

— Но то, что эти люди до сих пор не нанесли ей никакого вреда, вовсе не означает...

— На этой неделе все внимание Анахоретов сосредоточено на Манхэттене, — сказал Ошима. — Но на всякий случай мы приставили к вашей дочери... хм... телохранителя. Его зовут Рохо, и он тоже один из нас. — *И тот, без кого Вторая Миссия вряд ли сможет обойтись*, — заметил Ошима уже мысленно.

Но Холли опять выглядела совершенно растерянной и машинально принялась поправлять шарф, засовывая под него выбившиеся пряди волос.

— Но Аоифе занимается археологическими раскопками на далеком греческом островке. Как... то есть я хочу сказать, почему... Нет... — Холли поискала глазами свои туфли. — Послушайте, я просто хочу поскорее попасть домой.

И мне все-таки пришлось сообщить ей жестокую правду, хоть я и постаралась сделать это предельно мягко:

— Сейчас вы доберетесь не дальше «Empire Hotel», но живой из номера уже не выйдете. Мне очень жаль, но это действительно так.

— Даже если вам удастся проскользнуть сквозь сплетенную ими паутину, — Ошима, как всегда, действовал более решительно, старательно расширяя представления Холли о том, с какими чудовищами она столкнулась. — Стоит вам воспользоваться электронной картой, мобильником или планшетом — и Анахореты уже через минуту найдут вас. Даже если вы не будете пользоваться ничем из перечисленного, они все равно очень быстро до вас доберутся, если, конечно, вы не укроетесь под плащом Глубинного Течения.

— Но я живу на западе Ирландии! У нас там нет гангстеров!

— Вы не будете в безопасности даже на треклятой МКС, мисс Сайкс! — сказал ей Ошима. — Анахореты Часовни Мрака — это куда более высокий орден и куда более опасная угроза, чем любая гангстерская организация.

Она посмотрела на меня.

— Так что же мне делать? Как обеспечить свою безопасность? Остаться тут навсегда?

— На мой взгляд, — честно призналась я, — вы будете в безопасности только в том случае, если нам удастся выиграть эту Войну.

— А если мы ее не выиграем, — подхватила Уналак, — то всем нам конец.

Холли Сайкс даже глаза закрыла, словно давая нам еще одну, последнюю, возможность исчезнуть и больше не появляться в ее жизни; я думаю, ей больше всего хотелось сейчас вернуться на Блитвудское кладбище за несколько мгновений до того, как в ее поле зрения появилась неуклюжая и странноватая женщина-психиатр афроканадского происхождения.

Прошло десять секунд, она открыла глаза, но мы по-прежнему оставались рядом с ней.

Она вздохнула и спросила Уналак:

— Можно мне чаю? Пожалуйста, с капелькой молока и без сахара.

* * *

— Хорология? — повторила Холли, сидя у Уналак на кухне. — Разве это не имеет отношения к часам? Ко времени?

— Когда Кси Ло основал наше Хорологическое Сообщество, — сказала я, — слово «хорология» действительно означало «изучение способов измерения времени». А наше Сообщество представляло собой что-то вроде группы самопомощи. Наш основатель в 1660-е годы был лондонским хирургом — о нем, кстати, упоминается в дневниках Пепса[1], — и приобрел себе дом в Гринвиче, используя его в качестве нашего штаба, хранилища и «доски объявлений», чтобы нам было легче поддерживать связь друг с другом, когда приходилось менять одно свое «я» на другое.

— А в 1939-м, — продолжила мой рассказ Уналак, — мы перебрались в дом 119А, где вы побывали сегодня утром, — в связи с угрозой, исходившей из Германии.

— Значит, Хорология — это что-то вроде клуба для вас... вечных людей?

— Да, примерно так, — сказала Уналак, — но у Хорологии есть и некая целительская функция.

— Мы уничтожаем Хищников, — твердо заявил Ошима. — Таких Вневременных людей, как Анахореты, ибо они пожирают души невинных людей, обладающих высоким психическим потенциалом, дабы питать собственное бессмертие. Но мне казалось, что Маринус уже рассказывала вам об этом?

— И все же мы даем им возможность исправиться, — заметила Уналак.

— Только они никогда не пользуются этой возможностью, — тут же отрезал Ошима, — вот нам и приходится самим исправлять их поведение. Причем перманентно.

— Все они, если можно так выразиться, серийные убийцы, — сказала я, внимательно глядя на Холли. — Они безжалостно убивают и таких малышей, как Жако, и таких подростков, каким были вы. Снова, снова и снова. И они никогда не остановятся. Эти хищни-

---

[1] Сэмюэль Пепс (Пепис) (1633–1703) — английский морской офицер, автор многочисленных дневниковых записей.

ки ведут себя как наркоманы, только их наркотик — искусственно создаваемое долгожительство.

— Значит, Хьюго Лэм, — спросила Холли, — тоже из этих... серийных убийц?

— Да. Со времени вашей встречи в Швейцарии он уже одиннадцать раз убивал своих жертв и поглощал их души.

Холли крутила на пальце свое кольцо с символом бесконечности.

— А Жако был одним из вас?

— Кси Ло основал Хорологию, — сказал Ошима. — Кси Ло привел меня к Глубинному Течению, к психозотерике. Для нас он был поистине незаменим.

Но Холли думала о том маленьком мальчике, с которым успела встретить вместе всего лишь восемь рождественских праздников.

— И сколько же вас? — спросила она.

— Семь — это наверняка. Но, возможно, и восемь. И даже девять, как очень хотелось бы надеяться.

Холли нахмурилась.

— Значит, это... не слишком масштабная Война?

Я подумала о жене Оскара Гомеса.

— Разве исчезновение Жако для семьи Сайксов было «не слишком масштабным» событием? Восемь Хорологов — это действительно очень немного, но когда мы сделали вам предохранительную прививку, нас было десять. И потом, мы тоже умеем плести весьма сложные сети. У нас есть союзники и друзья.

— А сколько всего этих Хищников?

— Их численность нам неизвестна, — честно призналась Уналак. — Сотни, если иметь в виду весь земной шар.

— Но как только мы обнаруживаем хотя бы одного... — Ошима сделал выразительную паузу, — то одним сразу становится меньше.

— Однако Анахореты не исчезают, — сказала я. — Они во все времена были нашими врагами. В силах ли мы помешать им? Разумеется, нет. Ведь они убивают человеческие души во всех уголках земли. Но если мы успеваем прийти кому-то на помощь, то этого человека действительно удается спасти. И каждый такой человек — наша маленькая победа.

На цветочных ящиках за окном ворковали и топтались голуби.

— Ну, допустим, я вам верю, — сказала Холли. — Но почему они выбрали именно меня? Чего, собственно, эти Анахореты хотят? Господи, я просто поверить не могу, что говорю такое! Неужели они хотят меня убить? И почему вы меня спасаете? *Что* я для вас? — Она пытливо вгляделась в лицо каждого из сидевших за столом. — Какое *я-то* имею значение для вашей Войны?

Ошима и Уналак дружно посмотрели на меня, и я сказала:

— Все это мы делаем потому, что сорок один год назад вы сказали «да» некой женщине по имени Эстер Литтл, которая ловила рыбу на шатком деревянном причале у берега Темзы.

Холли так и вылупилась на меня.

— Разве это возможно? *Откуда вы об этом узнали?*

— Эстер рассказала мне об этой вашей встрече. И о той ночи 1984 года.

— *Вы* в ту ночь были в Грейвзенде? В ту субботу, когда пропал Жако?

— Да, точнее, там была моя душа; и, если можно так выразиться, все мы «собрались» в голове у Жако, когда он спокойно лежал в своей кроватке в «Капитане Марло». Кроме меня, там были и Эстер Литтл, и Холокаи, еще кое-кто из наших. Там же, естественно, находилась и душа Кси Ло. Мы спрятались там, точно четыре грека в брюхе троянского коня. А потом в комнате Жако открылся Вход, там появилась мисс Константен и увела мальчика по Пути Камней в Часовню Мрака.

— В то место, которое построил Слепой Катар? — Голос Холли звучал сухо и безжизненно.

— Да, в то самое место, которое построил Слепой Катар. — Хорошо, что она это усвоила. — Жако был нашей наживкой. Мы сбили Константен с толку, сделав тебе предохранительную прививку, а потом сыграли с ней в рискованную игру, и она не смогла противиться искушению и принялась вместо старшей сестры обхаживать и соблазнять младшего брата. Эта часть нашего плана сработала, и Хорологи впервые получили доступ к самому старому, самому ненасытному и лучше всего охраняемому психодекантеру — сосуду, в котором хранится Черное Вино, созданное из *высосанных* человеческих душ. Но мы не успели решить, как нам все это уничтожить, ибо Слепой Катар пробудился к жизни и мгновенно призвал на помощь всех Анахоретов, а потом... В общем, мне очень трудно описать словами психозотерическую битву, происходившую в столь тесном пространстве...

— Ну, например, представьте себе машинки, используемые для тренировки теннисистов. Те, что выбрасывают мячи. А теперь представь, что кто-то зарядил эти машинки не мячами, а ручными гранатами, — предложил свой вариант Ошима. — И все это происходит внутри контейнера, находящегося на борту корабля, попавшего в десятибалльный шторм.

— Это был самый черный день в истории Хорологии, — сказала я.

— Мы убили пять Анахоретов, — заметил Ошима, — но они убили Кси Ло и Холокаи. *Совсем* убили.

— Но разве они не... возродились?— спросила Холли.

— Если мы умираем во Тьме, — объяснила я, — то умираем навсегда. Таковы правила и условия. Отчего-то страна Мрака препятствует возрождению. Я выжила только потому, что Эстер Литтл удалось пробиться вниз по Пути Камней, вобрав в себя и мою душу. В одиночку я бы погибла, но даже в таком безопасном убежище, как Эстер, я получила несколько тяжких повреждений, как и сама Эстер. Она открыла Вход очень близко от того места, где вы, Холли, тогда находились: в одном деревенском саду близ острова Шеппи.

— И это, похоже, отнюдь не было случайностью? — спросила Холли.

— Верно. Пока мы с Эстер приходили в себя, на сцене появился Третий Анахорет, некто Джозеф Раймс. Он, оказывается, шел по нашим следам. Он убил Хейди Кросс и Йена Фэйруэвера, просто потому что был очень зол. Он уже собирался и вас прикончить, когда я наконец собралась с силами и «оживила» Йена. Но Раймсу удалось с помощью психокинетического удара размозжить Йену голову, и я умерла. А через сорок девять дней возродилась в своем нынешнем теле в разбитой машине «Скорой помощи» в одном из самых диких бандитских районов Детройта. Долгое время я считала, что Раймсу тогда все же удалось вас убить, а душа Эстер оказалась при этом столь сильно повреждена, что тоже не смогла выправиться. Но когда я наконец смогла установить связь с домом 119А, Аркадий — он тогда был в своем предыдущем обличье, а не в том, какое вы видите теперь, — сообщил мне, что вы живы, а на месте преступления было найдено и тело Джозефа Раймса...

— Убить которого был способен только психозотерик, — закончил за меня Ошима. — Все-таки Раймс следовал по Пути Мрака сто семьдесят лет.

Холли догадалась сразу:

— Значит, его убила Эстер Литтл?

— Только это и остается предположить, — сказала Уналак, — хотя в ее состоянии такое было почти невозможно.

— Но Эстер Литтл была... очень милой старой пьянчужкой, которая напоила меня чаем.

— Да, — фыркнул Ошима, — а я очень милый старикашка, который целыми днями катается на автобусах по чужому проездному.

— Но почему же все-таки я сама ничего не помню? — сказала Холли. — И куда делась Эстер Литтл *после того*, как убила этого отвратительного Раймса?

— Первый вопрос проще, — сказала Уналак. — Любой психозотерик способен «редактировать» и «стирать» чужие воспоминания. Разумеется, для этого требуется определенное мастерство, но Эстер владела этим мастерством безупречно. Она могла сделать это уже на пути внутрь.

Холли невольно вцепилась в край столешницы.

— На пути *внутрь*?.. Внутрь чего?

— Внутрь вашего параллакса воспоминаний, — пояснила я. — Внутрь того убежища, которое вы ей предложили. Тогда, в Часовне Мрака, душа Эстер оказалась почти разрушена и сильно опалена огнем, ибо ей пришлось с боем пробиваться по Пути Камней, спасая нас обеих; да и потом, еще не успев толком восстановиться, она была вынуждена практически полностью израсходовать запас своей психической энергии, когда ей пришлось убить Джозефа Раймса.

— После этого ее душе на восстановление потребовались бы долгие годы, — заметила Уналак, — и все это время она была бы столь же уязвима для любого врага, как человек, пребывающий в коме.

— Я... вроде бы немного поняла. — Холли скрипнула стулом. — Значит, Эстер Литтл «вошла» в меня, увела от места преступления, стерла мои воспоминания о том, что случилось... Ну, хорошо, это более-менее ясно, но куда она сама-то делась *после того*, как... пришла в себя?

Ошима, Уналак и я дружно посмотрели на голову Холли.

Холли нахмурилась:

— Да вы что? Черт побери, вы шутите?

* * *

К семи часам сумерки окрасили мансарду в ржаво-красные, серые и черные тона, и лишь от маленькой лампы на пианино исходил желтый, как букет нарциссов, свет. Выглянув в окно, я с высоты четвертого этажа увидела, как управляющий книжным магазином прощается с продавцом. Они пожелали друг другу спокойной ночи, и управляющий под руку с какой-то крошечной изящной дамой отправился домой. Выглядела эта пара на редкость старомодно — особенно в окружении неоновых огней Десятой улицы, тускло светившихся в вечернем тумане. Я закрыла окно с пуленепробиваемыми стеклами, покрытыми капельками мелкого дождя, и задернула шторы. Весь день Ошима, Уналак и я тащили Холли сквозь дебри хорологических представлений и рассказывали ей о причинах нашей вражды с Анахоретами, попутно поедая оладьи, испеченные Инес. Выходить наружу было пока рискованно, и это был бы совершенно *неоправданный* риск после того, что случилось сегодня утром; мы решили вообще не появляться в доме 119А до пятницы, на которую была назначена наша встреча с Д'Арноком. Аркадий с помощью поля Глубинного Течения, точно плащом укрывшего 119А, вполне способен был обеспечить безопасность нашего постоянного убежища. В вечерних новостях главной темой стало «убийство на Пятой авеню группы преступников, выдававших себя за полицейских»; репортеры дружно высказали предположение, что убитые были грабителями банков, между которыми произошла некая фатальная ссора. В социальных сетях к этому событию отнеслись равнодушнее; там гораздо больше внимания было уделено вчерашней стрельбе с множеством жертв в техасском Бек-Крик, очередному обострению борьбы Японии и Китая за острова Сенкаку-Дяоюйдао, а также пятому разводу Джастина Бибера. Анахореты, конечно, должны были сразу догадаться, что Бржички убили психозотерики, но как это могло повлиять на их планы относительно нашей Второй Миссии, я понятия не имела. И наш «перебежчик» Элайджа Д'Арнок со мной на связь больше не выходил.

Я услышала, как Уналак и Холли поднимаются ко мне по скрипучим ступеням лестницы, и вскоре они обе действительно появились в дверях.

— У вас тут кушетка, как в кабинете психиатра, — сказала Холли.

— Сейчас доктор Маринус еще разок вас осмотрит, — сказала я. — Вы готовы?

Холли скинула с ног шлепанцы и легла на спину.

— Во мне за полсотни лет наверняка скопилось немало отложенных воспоминаний, не так ли?

Я закатала рукава своей блузки.

— Да, некая конечная бесконечность.

— В таком случае, откуда вы знаете, где именно искать Эстер Литтл?

— В Покипси водитель такси передал мне нужный ключ, — сказала я.

Уналак подложила под голову Холли подушку и попросила:

— А теперь расслабьтесь, пожалуйста.

— Маринус, — вдруг встрепенулась Холли, — а вы, значит, сможете увидеть *абсолютно все*, что я делала в жизни?

— Да, именно так и осуществляется полное сканирование. Но вы должны помнить, что я врач-психиатр и занимаюсь этим с седьмого века, а потому на свете осталось не так уж много вещей, которых я про людей не знаю.

Холли занервничала; она явно не знала, куда деть руки. Потом вдруг спросила:

— А я останусь в сознании?

— Если хотите, я могу на время сканирования погрузить вас в состояние хиатуса.

— Хм... Нет, не нужно... Хотя, пожалуй, да. Ну, я не знаю! Решайте вы.

— Вот и прекрасно. Расскажите мне о вашем сельском доме неподалеку от Бантри.

— Ну... *хорошо*. Дунен-коттедж принадлежал моей двоюродной бабушке Айлиш. Он находится на полуострове Шипсхед, который похож на корявый, скалистый палец, вытянутый в сторону Атлантики. Прямо в конце нашего сада — довольно крутая тропинка, ведущая к пирсу, и...

* * *

Как только я проникла в мозг Холли, то сразу погрузила ее в состояние хиатуса. Мне показалось, что это будет более гуманно по отношению к ней. Память о недавнем прошлом Холли была как бы подавлена обрушившимся на нее сегодня сведениями и событиями, но старые воспоминания вскоре ожили и зашевелились, точно вывешенные на просушку простыни в ветреную погоду. Вот Холли сегодня рано утром ловит такси возле «Empire Hotel». Вот она встречается со мной в кафе «Santorini» и в Блитвуде. Вот неделю назад ее самолет приземляется в Бостоне. Я двинулась дальше, дальше, к более давним воспоминаниям. Вот Холли рисует у себя в студии, вот она укрывает морскими водорослями грядку с картофелем, вот смотрит телевизор вместе с Аоифе и бойфрендом Аоифе. Кошки. Буревестники. Антилопы. Вот она смешивает миндаль, изюм и сахар, готовя начинку для рождественского пирога. Вот похороны Кэйт Сайкс в Броудстеарз. Еще глубже, еще быстрее... Это напоминало перемотку на старомодном DVD, когда на экране мелькает по одному кадру каждую восьмую, шестнадцатую, тридцать вторую, шестьдесят четвертую долю секунды... Нет, слишком быстро. Надо замедлить. А теперь слишком медленно. В целом это было похоже на поиски сережки, упавшей в Вайоминг. Так, здесь следует быть более осторожной. Вот совсем еще живые воспоминания о докторе Томе Баллантайне: «Я послал три образца в три разные лаборатории. Ремиссии непостоянны, это правда, но пока у вас все чисто. Честно говоря, я не понимаю, как это получилось, но тем не менее я вас поздравляю». Попробуем копнуть глубже. Вот воспоминания Холли о встречах с Криспином Херши в Рейкьявике, в Шанхае, на острове Роттнест. Они же любили друг друга, поняла я, но оба только-только начинали об этом догадываться. Вот первая поездка Холли по США в связи с выходом ее книги «Радиолюди». Вот кабинет Холли в ее центре для бездомных. А это ее уэльская коллега и подруга Гвин. Лицо Аоифе в момент, когда Холли сказала ей, что Эд погиб из-за прямого попадания ракеты в его отель. Голос Олив Сан в телефоне за час до этого. А вот более счастливые дни. Холли и Эд смотрят школьный спектакль «Волшебник из страны Оз» с участием Аоифе и в темноте держатся за руки. Лекции по психологии в Открытом университете. Ого, а вот мельком проскользнул Хьюго Лэм....*Стоп.* Их ночь в квартирке Холли в маленьком курортном городке Швейцарии. Это, конечно, не мое дело, но в глазах молодого человека так и светится радость, которую он тщетно пытается приглушить! Он тоже ее любил. Но Анахореты сбили его с пути. Интересно, это было предопределено или явилось роковой неожиданностью? Это было в Сценарии? Или, может, в Контрсценарии? Нет времени выяснять. Надо торопиться. Быстрей. Глубже. Вот виноградники во Франции. Серое, как слюда, море — может, убежище здесь? Нет, никаких следов ингрессии. Я зашла слишком далеко или, наоборот, недостаточно далеко? Надо быть внимательней. Пусть попутный ветер станет почти шквалистым, пусть двигатели работают вовсю... Не хватает времени, тише, тише. Пассажиры — стоп! Станьте собственными фотографиями. Чайки, неустойчивость, сбивающий с ног ветер. Шкипер отшвыривает недокуренную сигарету, и она повисает в воздухе, опутанная нитями дыма и облачком пара от его дыхания... Ага, это первое плавание Холли через Канал — в те времена еще и туннель не построили... Так, еще чуть дальше, на год, на два или на три... День рождения, покрытый глазурью торт с надписью «17»... Дальше абортарий поблизости от стадиона «Уэмбли»; молодой человек на мотоцикле ждет у входа. Так-так-так, теперь медленней... Вереница однообразных серых месяцев после исчезновения Жако. Сбор клубники...

И вот... вот! Пустые, явно «отредактированные» куски воспоминаний! Общей продолжительностью часа два. Аккуратная работа. Это, должно быть, связано с теми убийствами неподалеку от острова Шеппи. Перед этими «исключенными из памяти» сценами — встреча на автозаправке и на мосту. Это, видимо, Рочестер? Внизу корабли, но мы все еще где-то *после* упоминания о «Звезде Риги», а нам нужен именно тот день, когда эти слова были произнесены. Церковные колокола. Еще немного назад, сквозь ночь, которую подростки Холли и Эд Брубек провели в церкви. Сценарий обожает предвещать. Назад, в тот день перед Первой Миссией. Холли сидит на багажнике велосипеда, Эд едет по берегу моря, фиш-н-чипс, снова поездка на велосипеде, насквозь пропотевшая майка Эда, прилипшая к спине. Вот пара каких-то рыболовов, но оба они мужского пола и ни на одном нет знаменитой шляпы Эстер. Эстер всегда любила ловить рыбу в одиночестве. «Рыболовство — это как молитва, — говорила она. — Даже если вы вместе, вы все равно одиноки». Вот тут притормозим. Холли смотрит на часы — сперва в 4:20, затем в 3:49 и еще раз в 3:17; вскоре ее нагоняет Эд. Заплечный мешок натер ей кожу на плечах; в 1984 году это называлось «рюкзак». Холли измучена жаждой, рассержена и расстроена. Она смотрит на часы: 2:58. Нет, я слишком далеко забралась. «Три часа пополудни», — напоминает маркер. Я поворачиваю обратно, *медленно-медленно*. Вот берег Темзы слева от меня, и... О господи!

Наконец-то я тебя нашла!

* * *

Далеко, почти на самой середине Темзы, виднеется грузовое судно; это примерно на полпути от Кента до Эсссксa; и называется эта длинная, в четверть мили длиной, посудина «Звезда Риги». Эстер Литтл увидела это судно «сейчас», ровно в 3:00, 30 июня 1984 года. Мне и раньше доводилось видеть это судно в доках Тилбери, когда я ждала в арендованной квартире — я тогда еще была Ю Леоном Маринусом — возможности перебраться через Темзу в бар «Капитан Марло» и войти в тело Жако. Эстер мысленно упоминала об этой «Звезде Риги», когда мы все ждали Константен, а Холокаи еще сказала, тоже мысленно, что несколько месяцев жила в Риге, будучи Клодетт Давыдовой.

Вот она, Эстер! Сидит на самом краю причала — именно такой ее увидела Холли тем жарким, полным мучительной жажды днем. Я иду по причалу к ней. Мне, точно призраку из восточной сказки, недостает ног, зато мое продвижение, подобно музыке, сопровождают воспоминаниями Холли о том, как она сама шла по этому причалу. Ну да, это Эстер: коротко подстриженные седые волосы, грубая рубашка-сафари и знаменитая кожаная шляпа с отвисшими полями...

Я мысленно обратилась к ней: *Эстер, это я, Маринус.*

Но Эстер не реагировала.

Я «облетела» вокруг нее, заглянула ей в лицо.

От моего старого друга исходило какое-то странное мерцание, как от затухающей голограммы.

Неужели я ошиблась? Неужели это всего лишь воспоминание Холли об Эстер?

Нет, чакра-глаз Эстер слабо-слабо, но все же светился! Хотя Холли, конечно, тогда этого заметить не могла. И я предприняла вторую попытку: *Мумбаки из племени нунгар, это я, Маринус.*

Ответа не последовало. Образ Эстер меркнул, исчезал, как тень в лучах заходящего солнца.

Ее чакра-глаз то приоткрывался, то снова закрывался. Я попыталась в нее проникнуть, но вместо сильных, связанных между собой воспоминаний — таких, как в параллаксе Холли — обнаружила лишь туманные и очень расплывчатые обрывки мыслей: капли росы, повисшие на паутине в сердцевине золотистого цветка акации; мертвый младенец и мухи, облепившие его глаза; эвкалипты, с треском пожираемые пламенем; попугаи, отчаянно и пронзительно кричащие в дыму; русло реки, берега которой шевелятся от сотен обнаженных мужских спин — это золотоискатели моют золото; дрожащее горло птицы-сорокопута; вереница людей из племени нунгар, закованных в цепи и грузящих каменные блоки. Потом меня выбросило из души Эстер. Ее мозга больше нет. Он разбит вдребезги. Остались только эти жалкие клочки.

Однако «голограмма» вдруг стала более зримой и произнесла голосом Эстер:

— Холодный чай будешь?

Обманчивая надежда причиняет такую боль, словно у меня сломано ребро: *Эстер, это я, Маринус!*

— Пять окуней. Одна форель. В полдень плохо ловится.

Это призрачные воспоминания Холли о тех словах, которые тогда произнесла Эстер; Эстер не сейчас и не здесь произносит это.

Эстер, ты угодила в ловушку, ты застряла в мозгу Холли Сайкс.

Пчела садится на поля ее шляпы.

— Ну, раз тебе некуда спешить, то пей на здоровье.

Эстер, ты искала здесь убежище, но ты забыла, кто ты есть.

— Видишь ли, мне, возможно, понадобится приют. — Эстер явно следила за мной, точно снайпер. — Нора. И желательно, чтобы там были крепкие замки и засовы.

Эстер, ты нужна Хорологам, ты нужна Второй Миссии. Ты вместе с нами должна атаковать Часовню Мрака. Ты оставила мне знаки.

— Магазина тебе по дороге ни одного не попадется, пока вы с мальчиком не доберетесь до Олхаллоус-он-Си...

Эстер, что же мне делать? Как мне вернуть тебя назад?

Мерцание блекло, оно было уже едва заметно. Я слишком опоздала, опоздала на много лет. Душа Эстер остыла, превратилась в подобие янтаря, и теперь в эту застывшую душу смогли бы вновь вдохнуть жизнь только сама Эстер или, может, Кси Ло. Я не могла. Отчаяние, охватившее меня, когда я отыскала ее и тут же вновь почти потеряла, было нестерпимым. Я посмотрела на дальний берег Темзы, вызванной воспоминаниями Холли. Что теперь? Свернуть Вторую Миссию? Уйти от дел, следя за медленным уничтожением Хорологии? Круги от поплавка Эстер медленно расходились по воде. И я увидела, как Эстер, вызванная памятью Холли, вытащила из кармана кусок мела и написала на деревянной дощечке слово *МОЕ*...

Потом еще одно слово на другой дощечке: *ДЛИННОЕ*...

И еще одно: *ИМЯ*...

* * *

Когда Эстер дописала последнюю букву, петля времени замкнулась, и время вернулось к 3:00. И снова оказалось, что Эстер неподвижно сидит на краю причала, глядя на «Звезду Риги», которая никуда не плывет, а выбеленные ветрами и дождями доски причала у нее под ногами чисты, и на них еще ничего не написано.

И все же эти три слова были невероятно важны. Важны — для меня сейчас.

Холли, должно быть, думала, что Эстер Литтл — просто безумная старуха, ведьма, но что, если Эстер именно таким образом передавала мне нужную инструкцию? И я стала мысленно произносить вслух имя Эстер Литтл, ее истинное, живое имя, которое она велела мне запомнить три мои жизни назад, когда я была еще Пабло Аптеем Маринусом, в тот краткий миг в самом конце ночи, когда над скалой Коготь Эму в долине реки Суон уже начинал брезжить розово-голубой австралийский рассвет. Эстер намертво закрепила это имя в моей памяти. Могла ли она действительно все это предвидеть в те давние времена? Я старательно произносила один слог за другим — сперва неуверенно, опасаясь сделать ошибку и испортить всю секвенцию нужных звуков, но постепенно набирая скорость, пока это имя не превратилось в музыканта, а я — в инструмент в его руках. Я очень боялась выдать желаемое за действительное. А может, я и на самом деле начинала чувствовать необходимое соединение слогов, вызванное чужими воспоминаниями? Слово за словом, фраза за фразой, строчка за строчкой — архаический язык племени нунгар уступал место тому языку, на котором нунгары говорили в девятнадцатом столетии. Пространство вокруг нас светлело по мере того, как отдельные нити в душе Эстер воссоединялись, проникали друг в друга, образовывали целое...

...я и не заметила, как закончила произносить полное имя Эстер.

Эстер Литтл по-прежнему смотрела вдаль, на «Звезду Риги». Судно дало гудок. Далеко за полосой воды, в Эссексе, в лучах июньского солнца вспыхнул какой-то механизм. Эстер подняла фляжку и заглянула в нее. У меня было ощущение, словно петля начинает закручиваться снова.

Почему не получилось? Что не сработало?

И тут в моих ушах прозвучал знакомый голос: *Ты говоришь на языке племени нунгар, как циркулярная пила.*

У меня отчаянно забилось сердце. *Тот, кто учил меня этому языку, исчез сорок один год назад.*

А она, самая старая из Хорологов, заглянула в свое ведерко и заявила: *Маловато рыбы я за сорок один год наловила. Надеюсь, мои знаки тебя нашли?*

Один я получила из Тронхейма и один из Покипси.

Эстер позволила себе что-то довольно проворчать и сказала мне мысленно: *Сценарий содержал приглашение в Часовню. Значит, Вторая Миссия близка к завершению?*

Да, осталось дня два или даже один.

В таком случае нам самое время вернуться. И душа Эстер вышла из «глаза» у нее на лбу, который я всегда так хорошо помнила, и воспарила, сделав полный круг и словно прощаясь с этим, навсегда исчезающим, днем.

6 апреля

Когда душа Эстер покинула тело Холли, я последовала вместе с нею навстречу новому утру. Холли по-прежнему неподвижно лежала на кушетке, и рядом с ней, тоже совершенно неподвижно, лежало мое тело. Никто этих перемещений не заметил. Уналак рядом читала какую-то книгу, а Аркадий, прибывший из дома 119А, что-то писал в своем планшете. Я вошла в тело Айрис Маринус-Фенби, и мой мозг снова ожил, нос почуял запах подгоревшего хлеба, доносившийся с кухни, а уши услышали шум уличного движения; я чувствовала, как затекли мои ноги и руки, как пусто у меня в желудке, а во рту был такой противный вкус, словно там сдохла крыса. Установить полный контроль над зрительными нервами мне всегда было сложнее всего. И вдруг я услышала, как Уналак радостно и удивленно засмеялась и воскликнула: «Добро пожаловать ко мне в гости!» И мне стало ясно, где обрела пристанище душа Эстер. Наконец-то я справилась со своими глазами, мне удалось поднять веки, и я увидела Аркадия, который пристально вглядывался мне в лицо:

— Маринус, ты вернулась?

— Ты, по-моему, должен был заниматься Садакатом?

— Вчера вечером прилетел Л'Окхна. Ты нашла Эстер?

— Почему бы тебе не спросить Уналак, не видела ли она ее?

Акрадий обернулся как раз вовремя, чтобы увидеть, как Эстер-внутри-Уналак роняет книгу и начинает рассматривать собственную руку с таким видом, словно впервые ее видит.

— Пальцы, — сказала она, и голос ее прозвучал так, словно она немного пьяна. — Как-то забываешь... Черт, послушайте-ка меня! —

Она потрогала пальцами мышцы вокруг своего рта, словно разминая их. — Аркадий, по всей видимости?

Аркадий вскочил на ноги, точно злодей в мелодраме, застигнутый на месте преступления.

— Стоило мне на какие-то жалкие несколько десятилетий отвернуться, — прорычала Эстер-Уналак, — а ты уже успел превратиться из достойного вьетнамского невролога в здоровенного... как это говорится?...Наглого нью-йоркского хлыща!

Аркадий вопросительно посмотрел на меня. Я кивнула.

— Боже мой, боже мой, боже мой!

— Знаешь, дорогой мой, ты бы все-таки расстался с этим «конским хвостом». А что это у тебя в руках? Только не говори, что именно в *это* превратились обычные телевизоры!

— Это планшет. Для Интернета. Как лэптоп, только без клавиатуры.

Эстер посмотрела на меня глазами Уналак и недовольно заметила:

— И это английский язык? Неужели *все* так сильно изменилось с 1984 года?

— Запасы нефти подходят к концу, — сказала я, считая у Холли пульс и не отрывая глаз от секундной стрелки часов. — Население Земли достигло восьми миллиардов, массовое истребление флоры и фауны стало заурядным явлением, изменения климата свидетельствуют об окончательном завершении эпохи голоцена. С апартеидом покончено, как и с властью семейства Кастро на Кубе. Возможность обрести уединение сведена к нулю. СССР окончательно обанкротился и развалился; Восточный блок рухнул; Германия снова объединилась; Европейский Союз распался на федерации; Китай развивается чрезвычайно энергично — хотя воздух у них теперь состоит в основном из индустриальных «эманаций»; а Северная Корея — это по-прежнему «ГУЛАГ», управляемый тщательно причесанным и надушенным каннибалом. Курды де-факто обрели собственное государство; сунниты воюют с шиитами по всему Среднему Востоку; тамилы Шри-Ланки уничтожены; палестинцы все еще кое-как перебиваются на израильских помойках. Люди препоручают свои воспоминания центрам хранения информации, а основные навыки — компьютерам. 11 сентября 2001 года террористы из Саудовской Аравии на двух самолетах врезались в нью-йоркские башни-близнецы. В результате Афганистан и Ирак оказались на долгие годы оккупированы многочисленными американскими и немногочисленными британскими войсками. Неравенство в обществе достигло поистине фараоновских масштабов. Самые богатые люди мира — их всего 27 человек — владеют куда большим богатством, чем пять миллиардов бедняков, но все воспринимают это как нечто совершенно нормальное. Что же касается более светлой стороны жизни, то маленький планшет Аркадия вмещает куда больше информации, чем все компьютеры мира в ту пору, когда ты ходила по этому миру в последний раз; в Белом доме целых два срока правил президент афроамериканского происхождения; а клубнику теперь можно покупать даже на Рождество. — Я еще раз посчитала у Холли пульс и сказала: — Ну, все нормально. Ее пора выводить из хиатуса, иначе она будет совершенно обезвожена. Где Ошима?

— Я тут случайно услышал, — сказал Ошима, появляясь в дверном проеме, — что Рип ван Винкль[1] почтил нас своим появлением?

Эстер-Уналак внимательно посмотрела на своего давнишнего партнера.

— Я бы, пожалуй, сказала: «Ты ничуточки не переменился, Ошима», но это было бы не совсем правдой.

— Если бы ты заранее дала нам знать, что собираешься мимоходом к нам заскочить, я бы, может, подыскал себе более привлекательное тело. Но мы все считали тебя умершей.

— Да я, черт побери, действительно *почти что умерла*, когда пришлось прикончить этого Джозефа Раймса.

— Тот учитель из Норвегии все-таки сделал свое дело! Как и та наркоманка из Милуоки! А кто-то, помнится, твердил мне, что «надо подчиняться Сценарию», да или нет?

— Нет, черт возьми! Эти поступки были вызваны обычным здравомыслием.

Аркадий мысленно спросил у меня: *Ты можешь поверить тому, что говорят эти двое?*

— Если Анахореты хотя бы подозревают, что мне удалось выжить после Первой Миссии, — сказала Эстер-Уналак, — то станут по-прежнему преследовать каждого моего «потенциального укрывателя». Тогда, в 1984 году, Кси Ло признавал, что если наш налет на Часовню окончится неудачей, то Пфеннингер и Константен, возможно, постараются уничтожить всех оставшихся Хорологов, чтобы расчистить себе поле деятельности лет на десять вперед. А значит, их главной целью являлся ты, Ошима. Ты бы, впрочем, все равно вскоре возродился, поскольку ты из Временно Пребывающих, а вот я, будучи Постоянным Резидентом, умерла бы *насовсем*. Самым безопасным выходом для меня тогда было найти себе временное убежище в надежном и достаточно молодом человеке, простом смертном, который проживет еще несколько десятилетий и никому не сможет

---

[1] Очнувшийся через много лет после затяжного сна герой одноименного рассказа Вашингтона Ирвинга (1783—1859).

сообщить о том, что с ним произошло, пока мне не придет время пробудиться.

— Холли вела себя очень мужественно и была тебе надежной «хозяйкой», — сказала я. — А теперь нам, пожалуй, стоит ее отпустить.

Эстер рубиновым ногтем Уналак провела по стеблю тюльпана и задумчиво промолвила:

— Как же сильно уже через несколько лет начинаешь скучать по пурпурным тонам...

Меня всегда охватывало беспокойство, когда Эстер начинала уходить от прямого ответа на поставленный вопрос.

— Послушай, Эстер, Холли уже заплатила более чем достаточно. Пожалуйста, давай оставим ее в покое. Она это заслужила.

— Она действительно это заслужила, — сказала Эстер. — Но все не так просто.

— Согласно Сценарию? — спросил Ошима.

Эстер-Уналак глубоко вдохнула, медленно выдохнула и тихо промолвила:

— Там есть трещина.

Никто из нас не понял, о чем она. Аркадий спросил:

— Трещина в чем?

— Трещина в той материи, из которой создана Часовня Мрака.

* * *

Библиотека в квартире Уналак и Инес представляла собой некий довольно глубокий колодец квадратного сечения, все стены которого от пола до потолка были заняты книжными полками. На паркетном полу, правда, хватило места еще и для большого круглого стола; винтообразная лесенка давала возможность подняться на два узких балкончика, откуда ты получал доступ к книгам, стоявшим на самых верхних полках. Крыша в «колодце» была стеклянная, и солнечное утро очередного понедельника уже заглядывало сквозь нее внутрь, высвечивая бесконечные ряды книжных корешков. Ошима, Аркадий, Эстер-Уналак и я сидели вокруг круглого стола, рассуждая о проблемах Хорологии, когда в дверь осторожно постучали, и на пороге появилась Холли, несколько отдохнувшая, принявшая душ и досыта накормленная. Одежда, которую ей пришлось позаимствовать у Инес, висела на ней мешком, зато голову украшал очередной шарф, очень красивый: белые звезды, разбросанные по густо-синему фону.

— Привет, — сказала она. Вид у нее был все-таки еще очень усталый. — Надеюсь, я не слишком заставила вас ждать?

— Вы были моей «хозяйкой» сорок один год, мисс Сайкс, — сказала Эстер-Уналак. — Я пряталась в вас так долго, что уж несколько-то минут ожидания я вам точно должна!

— Называйте меня Холли. Все. Ого, сколько книг! Это такая редкость в наши дни. Просто великолепная библиотека!

— Ничего, люди еще вернутся к книгам, — предсказала Эстер устами Уналак. — Подождите, скоро энергосистемы начнут терять свою мощность — думаю, это случится примерно в конце 2030-х годов — и автоматическое хранение данных придется отменить. До этого, кстати, не так уж далеко. Наше будущее, в общем, очень похоже на наше прошлое.

— Это что... официальное пророчество? — спросила Холли.

— Это неизбежный результат,— сказала я, — роста населения и всеобщей лжи насчет «неисчерпаемости» запасов нефти. Прошу вас, Холли, садитесь. Вот ваше место.

— Какой красивый стол, — заметила Холли, усаживаясь.

— Этот стол куда старше того государства, в котором мы в данный момент находимся, — сказал Аркадий.

Холли осторожно коснулась кончиками пальцев полированной тисовой столешницы с отчетливо видимыми древесными волокнами и следами сучков.

— Но вы-то моложе всех остальных в вашей компании, верно? — сказала она Аркадию.

— Возраст — понятие относительное, — сказала я, тихонько постукивая костяшками пальцев по древней столешнице. — И прежде всего оно имеет отношение к порядку.

Эстер-Уналак, отбросив свои бронзовые волосы с лица, сказала:

— Холли. Много лет назад ты дала одно весьма опрометчивое обещание сумасшедшей старухе, удившей с причала рыбу. Ты никак не могла знать истинных последствий этого обещания, но слово свое ты, тем не менее, сдержала, и это, увы, послужило причиной того, что и ты оказалась вовлечена в Войну Хорологов с Анахоретами. Когда несколько часов назад Маринус и я...э-э-э... тебя покинули, твоя первая роль в нашей Войне наконец завершилась. Спасибо. Я благодарю тебя не только от своего имени, но и от имени всех Хорологов. Ну, а я лично обязана тебе жизнью. — Мы дружно поддержали Эстер, и она продолжила: — А теперь я сообщу вам одну хорошую новость: завтра к шести вечера по всемирному времени наша Война будет закончена.

— Мирный договор? — спросила Холли. — Или сражение не на жизнь, а на смерть?

— Скорее второе, — сказал Аркадий, запустив пальцы в свои густые волосы. — Браконьеры и егеря мирных договоров не заключают.

— Если мы победим, — сказала Эстер-Уналак, — ты будешь совершенно свободна, Холли. Если же нет, то нам будет уже не под силу устраивать всякие драматические спасения. Скорее всего, мы тогда будем *совсем мертвы*. И лгать тебе мы не собираемся. Нам неизвестно, как наши враги способны прореагировать на победу, нашу или свою. Особенно Константен — она на редкость злопамятна.

Холли, естественно, встревожилась:

— Разве вы не можете более точно предсказать будущее?

— Уж *тебе-то* известно, что значит предсказание, Холли, — сказала Эстер. — Это всего лишь мимолетный промельк будущего. Это как бы некие разрозненные точки на карте, но никогда вся карта целиком.

Холли задумалась.

— Вы только что сказали, что я сыграла свою *первую* роль в вашей Войне. Значит, подразумевается, мне предназначена и какая-то *вторая*?

— Завтра, — вступила я, — Анахорет весьма высокого ранга по имени Элайджа Д'Арнок должен появиться на галерее дома 119А. Этот Д'Арнок предлагает провести нас в Часовню Мрака и помочь нам ее разрушить. Он называет себя перебежчиком, которому больше не под силу выносить те бесконечные злодеяния, которые связаны с высасыванием душ из невинных доноров.

— Но вы, судя по всему, не очень-то ему верите?

Ошима, побарабанив пальцами по столу, твердо заметил:

— Я не верю!

— А разве не может кто-то из вас проникнуть в мысли этого перебежчика и проверить, правду ли он говорит? — спросила Холли.

— Я уже совершала подобную ингрессию, — сказала я, — и обнаружила, что рассказанная им история вроде бы вполне соответствует действительности. Но любые свидетельства, даже самые очевидные, можно подделать, а на свидетелей оказать тайное давление. У всех перебежчиков весьма сложные взаимоотношения с правдой.

Следующий вопрос Холли был очевиден:

— В таком случае зачем рисковать?

— Потому что теперь у нас есть секретное оружие, — ответила я, — и свежий ум.

Все дружно посмотрели на Эстер-Уналак.

— Тогда, в 1984-м, — сказала она, обращаясь к Холли, — когда мы совершили то, что теперь называем нашей Первой Миссией, в стене твердыни нашего противника я заметила тонкую, как волос, трещину. Эта трещинка тянулась от потолка к иконе. И я надеюсь, что мне... возможно, удастся эту трещину расширить.

— И тогда, — пояснила я, — Мрак хлынет в Часовню и разрушит ее. Слепой Катар, и без того существующий в лучшем случае наполовину и *только* внутри Часовни, исчезнет совсем. Любой Анахорет, которого Мрак коснется своими щупальцами, погибнет. Те же Анахореты, которые будут в этот момент в другом месте, за пределами Часовни, утратят свой вечный источник психической энергии и начнут стареть, как и все простые смертные.

И тут Холли задала совершенно неожиданный вопрос:

— Вы сказали, что Слепой Катар — это некий гений, некий мистический Эйнштейн, который оказался способен с помощью «мысли» создать нечто материальное. Как же он мог не заметить, что его творение ущербно, что в нем имеется брешь?

— Эта Часовня была построена на вере, — ответила Эстер, — но любой вере требуются сомнения — как и материи требуется антиматерия. Та трещина — это сомнения Слепого Катара. Она возникла еще до того, как он стал тем, кем является теперь. В ней проявилась его неуверенность в том, что он действительно исполняет волю Господа, что он действительно имеет право отнимать у других душу и жизнь, дабы самому обрести возможность бесконечно обманывать смерть.

— Значит, вы собираетесь... сунуть в эту трещину... динамит?

— Нитроглицерин не оставил бы на этой дивной картине ни малейшей царапины, — сказал Ошима. — Это место веками выдерживало натиск Мрака. Ядерный взрыв, возможно, справился бы лучше, но боеголовки как-то не очень транспортабельны. Нет, нам нужен особый, психозотерический, «динамит».

Эстер-Уналак откашлялась и тихо сказала:

— И этим «динамитом» стану я.

Холли посмотрела на меня и на всякий случай переспросила:

— Это миссия-самоубийство?

— Если наш перебежчик лжет, если его обещание помочь нам относительно безопасным способом разрушить Часовню — это просто ловушка, то подобный исход вполне возможен.

— Маринус хочет сказать, — пояснил Ошима, — что это действительно миссия-самоубийство.

— Боже мой, — сказала Холли. — Значит, вы собираетесь подняться туда одна, Эстер?

Эстер-Уналак покачала головой.

— Если Д'Арнок всего лишь пытается заманить последних Хорологов на Путь Камней, то ему наверняка захочется, чтобы туда пришли *все*, а не я одна. И если Вторая Миссия действительно окажется западней, то мне понадобится выиграть время, а для этого будут нужны и все остальные. Заставить свою душу в нужный момент сдетонировать — это фокус не для новичков.

До меня доносились еле слышные звуки фортепиано. Инес играла старинную ирландскую мелодию «My Wild Irish Rose».

— Значит, — спросила Холли, — *если* Эстер, скажем, вынуждена будет взорвать вражеский штаб вместе с собой и ей, предположим, это удастся... — Она вопросительно посмотрела на каждого из нас по очереди.

— Мрак растворяет живую материю, — сказал Ошима. — Так что тогда Конец.

— Если только, — вставила я, — там нет иного пути, чтобы вернуться к Свету Дня. Это вполне возможно, но нам об этом пути пока что ничего неизвестно. Мы лишь предполагаем, что такой путь *мог* быть построен неким нашим союзником. Причем *изнутри* Часовни.

Сквозь стеклянную крышу виднелось проплывавшее примерно в миле над нами облако, освещенное длинными лучами гаснущего солнца.

Холли, словно прочитав мои мысли, спросила:

— А о чем еще вы пока что решили мне не рассказывать?

Я посмотрела на Эстер-Уналак. Та пожала плечами: *Ты знаешь ее дольше всех.* И мне пришлось сказать то, от чего я уже никогда не смогла бы отказаться:

— Дело в том, что во время Первой Миссии ни я, ни Эстер на самом деле так и не видели, умер ли Кси Ло.

В некоторые редкие моменты библиотека становится чем-то вполне одушевленным. Холли тоже явно это почувствовала; она нервно поерзала на стуле и спросила:

— Что же вы в таком случае видели?

— Я, например, вообще мало что видела, — призналась я, — потому что всю свою психическую энергию в тот момент влила в наше защитное поле. Но Эстер была рядом с Жако; она видела, как душа Кси Ло его покинула и... — Я посмотрела на Эстер.

— ...и вошла в чакру на лбу Слепого Катара. Нет, его никто не заставил это сделать. И его не отдали проклятой иконе в качестве жертвы. Кси Ло мгновенно совершил трансверсию и вошел в «третий глаз» Катара, как пуля. И я... буквально за мгновение до того, как Кси Ло исчез, услышала, как он мысленно сказал мне: *Я буду здесь.*

— Мы не знаем, — призналась я, — то ли он действовал экспромтом, то ли согласно некоему плану, которым с нами не поделился по личным причинам. Но если Кси Ло надеялся совершить в Часовне некий диверсионный акт, то это ему не удалось. С 1984 года в Часовне Мрака расстались с жизнью и душой сто шестьдесят четыре человека. Только на прошлой неделе Анахореты соблазнили одного бедолагу и увели из полностью, казалось бы, безопасной психиатрической лечебницы в Ванкувере. Однако... Эстер, например, считает, что Кси Ло таким образом подготавливал нашу Вторую Миссию. Холли, вам плохо?

Холли вытерла глаза рукавом одолженной у Инес рубахи.

— Простите, но я... я тоже слышала эти слова: «Я буду здесь». Во время того кошмарного сна наяву. В переходе под шоссе возле Рочестера. Когда *видела* Жако.

Эстер явно пришла от ее заявления в восторг.

— Я знаю, Холли, что твои «голоса», твои «уверенности» в последнее время себя не проявляют, но ведь ты наверняка помнишь те моменты, когда эти голоса на чем-то настаивали? Может быть, их смысл и был для тебя неясен, но Сценарий всегда оставался неизменным. Ты помнишь, какие ощущения ты тогда испытывала?

Холли судорожно сглотнула и сосредоточилась.

— Да, помню.

— Сценарий настаивает: Кси Ло неким неведомым нам образом до сих пор жив! До сих пор!

— Я не знаю, — сказала я, — как вы, Холли, воспринимаете Кси Ло; возможно, вы считаете его просто вором, укравшим тело вашего брата, или... — я прямо-таки чувствовала, какая волна гнева поднялась в душе Холли, грозя выплеснуться наружу, — ...скажем, чем-то вроде книжного шкафа, полного книг, самая последняя из который называется «Жако Сайкс». Никто из нас не пытается убедить вас в том, что «если вы присоединитесь к нашей Второй Миссии, то получите своего брата обратно», так как мы и сами блуждаем в сумерках незнания, однако...

— Ваш Кси Ло, — прервала меня Холли, — это мой Жако! Вы любили основателя вашего сообщества, вашего друга, а я любила — и *люблю!* — своего брата. Не знаю, может быть, с моей стороны это и глупо, но я хочу сказать вот что: вы — этакий клуб бессмертных *профессоров*, вы, возможно, *прочли все эти книги...* — она указала на четыре стены сплошных книжных полок, поднимавшихся до самого стеклянного потолка, — ...а я бросила школу, даже не получив аттестата... Впрочем, возможно, все гораздо печальней; возможно, я просто цепляюсь за соломинку, точнее, за *магические* соломинки, надеясь, *надеясь от всей души*, как может надеяться мать, готовая отдать все, что скопила за свою жизнь, какому-нибудь ловкому «знатоку психики», лишь бы он «помог ей связаться» с ее умершим сыном... Но знаете что? Жако — по-прежнему мой брат, даже если он *действительно* более известен как Кси Ло и старше самого Иисуса Христа, и я знаю: если бы позволили обстоятельства, он бы непременно пришел и отыскал меня. Так что, Маринус, если есть хотя бы один шанс из тысячи, что Кси Ло, или мой Жако, находится в Часовне Мрака, или даже на планете Дюна[1], или где бы то ни было еще, и эта ваша Вторая Миссия приведет меня к нему, то я в ней *участвую*. И вы меня не остановите. Только попробуйте, черт побери, меня остановить!

Длинный вечерний луч вновь проник в библиотеку, косо падая на стену из книг; в луче кружились золотистые пылинки.

— Наша Война, должно быть, покажется тебе чем-то совершенно фантастическим, чем-то инопланетным, — сказала Эстер, — но смерть в Часовне столь же конечна, как смерть здесь, в этом мире. Например, в автокатастрофе. Подумай об Аоифе...

— Раньше вы говорили, что не можете гарантировать ни безопасности Аоифе, ни моей безопасности, пока Анахореты не будут низвергнуты. Ведь так?

Моя измученная совесть требовала отступить, сдаться, но я была вынуждена признать, что Холли права.

— Да. И я продолжаю утверждать, что наш враг очень опасен.

— Послушайте, я выжила, хотя уже совсем умирала от рака. Теперь мне за пятьдесят, я никогда в жизни ни из чего не стреляла, даже из пневматического пистолета. И у меня нет никаких особых «психических сил». — Руки у Холли так и плясали. — Во всяком случае, таких сил, какие есть у вас. Но я мать Аоифе и сестра Жако, и эти... эти существа... нанесли мне ущерб, они угрожали тем, *кого я люблю*. В этом-то все и дело: в таких случаях я тоже *становлюсь опасной*.

Как бы то ни было, — мысленно заявил Ошима, — *а я ей верю!*

— Ладно, ложитесь спать, — сказала я Холли. — Решать будем утром.

7 апреля

Инес вела машину. Она надела темные очки, чтобы скрыть последствия бессонной ночи. «Дворники» вжикали каждые несколько секунд. Мы почти не разговаривали; да и о чем, собственно, было говорить? Уналак сидела впереди, Ошима, Холли, Аркадий и я с некоторым трудом устроились сзади. Сегодня «хозяином» для Эстер стал Ошима. Промокший от дождей Нью-Йорк был охвачен спешкой, и ему было совершенно безразлично, что нам, Хорологам, и Холли предстоит рискнуть жизнями ради совершенно чужих нам людей, ради их детей, которые обладают высоким уровнем психи-

---

[1] Имеется в виду фантастический роман Фрэнка Херберта «Дюна» (1968).

ческой энергии, и ради тех еще не рожденных малышей, родители которых даже пока не знакомы. В глаза мне почему-то бросались такие вещи, которых я обычно просто не замечала: лица в толпе, текстура тканей и строительных материалов, дорожные знаки, течение толпы. Бывают такие дни, когда Нью-Йорк способен просто поразить воображение, словно волшебник, фокусник. Собственно, все крупные города на это способны, и все они, если ждать достаточно долго, должно быть, вновь превратятся в джунгли, в бескрайнюю тундру или в пустые прибрежные отмели, и об этом мне следовало бы помнить. Но сегодня нью-йоркская реальность была поистине неопровержима; казалось, этому городу подчиняется даже время, а не он — времени. Разве способны были даже бессмертный глаз, даже бессмертная рука заключить в определенные рамки эти бессчетные мили дорог, эти мощные сваи мостов, эти кишащие людьми тротуары, эти стены, в которых кирпичей больше, чем на небе звезд? Разве во времена Клары Косковой мог кто-либо предсказать, как высоко в небеса взметнутся эти здания, как глубоки будут каньоны улиц между ними? А ведь я видела Нью-Йорк совсем иным, когда приезжала сюда с Кси Ло и Холокаи, точнее, с моими друзьями Давыдовыми. Однако уже тогда будущее этого города таилось в его душе, точно могучий дуб в желуде; гигантские здания фирмы «Крайслер» были тогда свернуты до такой малости, что целиком помещались в голове одного Уильяма Ван Алена. Если сознание существует и за пределами Последнего Моря, куда я сегодня, возможно, отправлюсь, то я буду скучать по Нью-Йорку не меньше, чем везде по нему скучаю.

Инес свернула с Третьей авеню на нашу улицу. В последний раз? Нет, не надо так думать! Это все равно не поможет. Но неужели я умру, так и не дочитав до конца «Улисса»? А как же все мои научные записи, оставленные в Торонто, вся моя электронная переписка? И что подумают и почувствуют мои коллеги, друзья, соседи и пациенты, когда я превращусь из «исчезнувшую без объяснения причин» доктора Айрис Фенби, в «пропавшую без вести Айрис Фенби, предположительно считающуюся мертвой»? Нет, не думай об этом! Мы поднялись к себе. Если у Хорологов и есть дом, то он именно здесь, в 119А, среди красных кирпичных стен цвета супа из бычьего хвоста и темных оконных рам разной конфигурации. Инес приказала автомобилю: «Паркуйся», и машина послушно мигнула сигнальными огнями.

— Будь осторожна, — сказала Инес подруге. Уналак молча кивнула. Инес повернулась ко мне: — Пожалуйста, приведи ее назад.

— Я непременно постараюсь сделать все, что будет в моих силах, — сказала я и почувствовала, как слабо и неубедительно звучит мой голос.

* * *

Дом 119А сразу узнал Хорологов и позволил всем нам войти. Садакат приветствовал нас, все еще отделенный от входа внутренним защитным полем. Наш верный слуга был одет как пародия на специалиста по выживанию: в армейской форме с дюжиной карманов и с компасом на шее.

— Добро пожаловать, доктор. — Он принял мое пальто. — Мистер Л'Окхна — у себя в кабинете. Доброе утро, мистер Аркадий, мисс Уналак, мистер Ошима. И мисс Сайкс. — Увидев Холли, Садакат несколько приуныл. — Надеюсь, вы уже пришли в себя после того трусливого и подлого нападения? Мистер Аркадий рассказал мне, что с вами случилось.

— Да, я уже в полном порядке, спасибо. Обо мне очень хорошо позаботились, — ответила Холли.

— Эти Анахореты просто отвратительны! Сущие паразиты!

— Зато их нападение убедило меня в том, что помочь Хорологам абсолютно необходимо, — сказала Холли.

— Это очень хорошо, — сказал Садакат. — Абсолютно! Это как черное и белое.

— Холли присоединяется к нашей Второй Миссии, — пояснила я.

Садакат изобразил легкое удивление, хотя мои слова его явно смутили.

— Ах, даже так? Я и не знал, что мисс Сайкс изучала методологию Глубинного Течения.

— Ничего она не изучала, — сказал Аркадий, вешая свою куртку, — но у каждого из нас есть определенная роль, которую ему и предстоит сыграть в самое ближайшее время. Верно, Садакат?

— Истинная правда, друг мой. — Садакат упорно пытался убрать все остальные пальто и куртки в шкаф. — Уж так это верно, что и слов нет! А что, будут и еще какие-то изменения... сделанные в последнюю минуту? Или, может быть, Миссия будет вообще осуществляться по иному плану?

Садакат был хорошо подготовлен, но он не сумел до конца скрыть жадный интерес, который отчетливо слышался в его голосе.

— Никаких, — сказала я. — И ничего менять мы не будем. Но действовать станем с предельной осторожностью. И Элайджу Д'Арнока будем воспринимать, так сказать, по номинальной стоимости. Если, конечно, он не предатель.

— Между прочим, у вас есть и свое секретное оружие, — просиял Садакат. — Это я. Но сейчас еще нет и десяти, а мистер Д'Арнок появится не раньше одиннадцати, так что я испек несколько вкусных сдобных булочек... Надеюсь, вы уже почувствовали их запах? — Садакат улыбался, как веселый кондитер, искушающий посетителей, которые тщетно пытаются придерживаться строгой диеты. — С бананами и спелыми вишнями! Армия не должна выходить в поход голодной, друзья мои.

— Извините, Садакат, — вступила я, — но есть нам не следует, иначе нас может стошнить, когда мы будем подниматься по Пути Камней. Туда лучше идти на пустой желудок.

— Но, конечно же, доктор, *крошечный* кусочек вкусной булочки вам не повредит? Они же еще теплые! Свежее просто не бывает! Я их еще и стружкой из белого шоколада посыпал.

— Уверен, что эти булочки будут ничуть не хуже, когда мы вернемся, — сказал Аркадий.

Садакат не стал настаивать.

— Ну, тогда потом. Чтобы отпраздновать.

Он улыбнулся, демонстрируя усилия американского дантиста, стоившие Хорологам двадцать тысяч долларов. Собственно, все, что имел Садакат, было либо заработано им на службе у Хорологов, либо ими подарено. Что вполне естественно, ибо большую часть своей жизни он провел в психиатрической лечебнице в пригородах английского города Ридинга. Туда же устроилась секретарем некая Хищница-одиночка, которая сразу взялась обхаживать пациентку с высоким уровнем психической энергетики, и та успела поделиться своими конфиденциальными переживаниями с Садакатом до того, как из несчастной понемногу выцедили всю душу. Я избавилась от этой Хищницы в ходе весьма напряженной дуэли в ее заросшем саду, но «редактировать» то, что Садакат узнал о мире Вневременных, не стала, а просто постаралась изолировать тот сектор его мозга, в котором таилась шизофрения, лишив его связи с соседними секторами. Благодаря этому он почувствовал себя практически исцеленным и заявил, что отныне будет мне благодарен по гроб жизни, а я привезла его в Нью-Йорк и сделала стражем дома 119A. Это было пять лет назад. А примерно год назад наш верный слуга и приверженец был обращен в иную веру в результате нескольких встреч с Анахоретами в Центральном парке, где Садакат каждый день занимался физкультурой вне зависимости от погоды. Ошима, первым заметивший в его душе следы воздействия Анахоретов, требовал немедленно «отредактировать» воспоминания Садаката за последние шесть лет, а затем убедить его сесть на корабль, занимающийся контейнерными перевозками в Россию, и отправить на Дальний Восток. Смесь сентиментальности и желания — вопреки собственной интуиции — переубедить «крота» Анахоретов и заставить его действовать против них заставила меня остановить грозную руку Ошимы, уже занесенную для мести. Последовавшие за этим двенадцать месяцев оказались исполнены опасности и бесконечных догадок относительно возможных намерений наших врагов. Л'Окхне даже пришлось перестроить сенсорные устройства в доме 119A, чтобы незамедлительно определять наличие токсинов в пище, если Садакат получит приказ попросту нас отравить. Впрочем, все так или иначе сегодня должно было прийти к логическому завершению, хорош будет этот конец или плох.

Как же я ненавидела эту Войну!

— Идем, — сказал Ошима Садакату. — Давай в последний раз проверим надежность цепи в наших «волшебных» коробках...

Они пошли наверх проверять оборудование, чтобы заранее подготовленная система в последнюю минуту не подвела. Аркадий поднялся в садик на крыше, чтобы под неохотно брызжущим дождиком заняться своей любимой гимнастикой. Уналак удалилась в гостиную, чтобы отправить инструкции своим кенийским сотрудникам. Я же прошла в кабинет, чтобы передать Л'Окхне протоколы хорологических совещаний и прочие документы. С этой задачей я справилась быстро, и Л'Окхна, самый молодой из нас, крепко пожал мне руку на прощанье и выразил горячую надежду вскоре вновь с нами встретиться, а я ответила, что и сама очень на это надеюсь. Затем он незаметно покинул 119A через тайный ход. До появления Д'Арнока оставалось еще минут тридцать, и я просто не знала, чем себя занять. Поэзия? Музыка? Бильярд?

Я спустилась вниз и обнаружила у бильярдного стола Холли, которая как раз собирала шары.

— Надеюсь, — спросила она, — ничего страшного, если я немного погоняю шары? Просто для развлечения? Все куда-то разбрелись, и я просто...

— А можно и мне к вам присоединиться? — спросила я.

Она была удивлена:

— Вы играете?

— Когда не сражаешься с дьяволом за шахматной доской, ничто так хорошо не успокаивает нервы, как стук кия по шарам.

Холли выровняла шары треугольником и спросила:

— Можно мне задать вам один вопрос личного свойства? — Я кивнула: мол, начинай. — У вас есть семьи?

— Мы часто возрождаемся внутри какой-то семьи. Иногда у нашего временного «хозяина» полно родственников, как, например, у Жако. У нас бывают и любовные связи, как у Уналак и Инес. Кстати, до начала XX века незамужней женщине даже путешествовать одной считалось не совсем приличным; во всяком случае, это вызывало определенные проблемы.

— Значит, вы тоже были замужем?

— Пятнадцать раз. Но после 1870 года больше ни разу. В целом больше, чем Лиз Тейлор и король Генрих Восьмой вместе взятые. Вам, впрочем, хочется знать, способны ли мы зачать ребенка, так? — Я махнула рукой, как бы отметая ее смущенную попытку возразить. — Нет. Не можем. Таковы правила и условия нашего существования.

— И это правильно. — Холли задумчиво натирала мелом кончик кия. — Наверное, было бы очень трудно жить...

— ...Зная, что твои дети умерли от старости несколько десятилетий назад. Или что они *вовсе не умерли*, а просто не желают пускать в дом какого-то психа, который упорно называет себя их «возрожденным» папочкой или мамочкой. А каково было бы случайно узнать, что от тебя забеременела твоя праправнучка? Но мы иногда берем детей на воспитание, и у нас зачастую это получается неплохо. На свете всегда много детей, которым нужен дом. Но у меня самой детей не было никогда — ни в моей женской ипостаси, ни в мужской; однако ваши чувства по отношению к Аоифе я отлично понимаю, ибо и сама их испытывала; мне тоже знакома эта готовность, не колеблясь, ринуться в горящий дом, дабы спасти своего ребенка. Да я, собственно, и бросалась. Единственное, но весьма существенное преимущество нашей неспособности зачать ребенка — это то, что мы в своих женских воплощениях избавлены от участи самки-производительницы, а ведь именно такова была судьба большинства женщин от каменного века до века суфражисток. — Я мотнула головой в сторону бильярдного стола: — Ну что, сыграем?

— Конечно. Эд всегда говорил, что мне свойственно чрезмерное любопытство, желание во все сунуть свой нос; это мое качество то страшно сердило, то умиляло его, моего мистера журналиста... Вы не возражаете? — Холли вытащила из сумочки монетку. — Орел или решка?

— Путь будет орел.

Она подбросила монету.

— Решка. Когда-то я это здорово умела.

Холли прицелилась и нанесла первый удар — очень удачно: сразу несколько шаров упали в лузы.

— Я полагаю, это не просто везение новичка? — с восхищением спросила я.

— Брендан, Жако и я всегда играли по воскресеньям, когда «Капитан Марло» был закрыт. Догадайтесь, кто обычно выигрывал?

Я скопировала удар Холли, но у меня вышло гораздо хуже.

— Учтите, — сказала я, — Кси Ло играл на бильярде с 1750-х годов. Да еще и относительно недавно он играл — например, со мной. Мы с ним весь 1969 год практически каждый день сражались вот за этим самым столом.

— Серьезно? За этим самым столом?

— Да, именно за этим самым. Его, правда, с тех пор два раза обивали заново.

Холи провела большим пальцем по обивке.

— А как выглядел Кси Ло?

— Невысокого роста. В 1969 году ему было чуть за пятьдесят. Бородатый и, как ни странно, похож на еврея. Он, кстати, первым стал преподавать сравнительную антропологию в Нью-йоркском университете, так что там в архивах сохранились его фотографии. Если хотите, можете на него посмотреть.

Она обдумала мое предложение.

— В другой раз. Когда нам не нужно будет выполнять некую самоубийственную миссию. Кси Ло, значит, в 1969 году тоже был мужчиной?

— Да. У Постоянных Резидентов обычно сохраняется та гендерная принадлежность, которая для них наиболее естественна. Эстер, например, предпочитает быть женщиной. Мы же, Временно Пребывающие, меняем пол в зависимости от того, в чьем теле возрождаемся, нравится нам это или нет.

— И у вас от этого крыша не едет?

— Пожалуй, в течение первых нескольких жизней чувствуешь себя несколько странно, но потом привыкаешь.

Холли выбила шар от краев в середину и ловко загнала его в лузу.

— Вы так говорите, словно это... совершенно нормально! — сказала она.

— Нормальным кажется все то, что вы в итоге начинаете воспринимать как само собой разумеющееся. Для вашего предка из 1024 года жизнь в 2024 году тоже показалась бы абсолютно невозможной; или, по крайней мере, загадочной, полной чудес, как в сказке.

— Да, но... это не совсем одно и то же. И тот мой предок, и я сама — простые смертные, и если мы умираем, то умираем навсегда. А вот вы... На что это *похоже*, Маринус?

— Вневременное состояние? Вечная жизнь? — Я помолчала, втирая голубоватый порошок мела в основание большого пальца. — Самое неприятное, что мы чувствуем себя старыми, даже когда мы молодые. И потом, всегда кого-то оставляешь позади. Или же кто-то оставляет позади тебя. Мы устаем от этих бесчисленных и порой мучительных связей и разрывов. Я, например, до 1823 года, когда меня отыскали Кси Ло и Холокаи, чувствовала себя безмерно одинокой. Но мне приходилось терпеть свое одиночество. Причем в совершенно чужой среде. Я называю это «*еппиі Вечных Людей*», и подобная тоска способна порой буквально свести с ума. Но то, что я с давних времен являюсь врачом и Хорологом, придает моей метажизни некие дополнительные смысл и цель.

Холли поправила накрученный на голову шарф — сегодня он был зеленый, как мох, — и, нечаянно его сдвинув, обнажила часть черепа, поросшего пучками коротких волос. Раньше она всегда стеснялась показывать волосы в моем присутствии, и я была тронута.

— Последний вопрос: откуда вообще взялись Вневременные люди? — сказала она. — И те, кого вы называете «Постоянными Резидентами», и те, кто постоянно возрождается? Они что, эволюционировали, подобно человекообразным обезьянам или китам? Или вы так были... «созданы»? Может быть, с каждым из вас в первой жизни случилось что-то необычное?

— Даже у Кси Ло не было ответа на этот вопрос. Даже у Эстер. — Я забила оранжевый шар в левую нижнюю лузу. — Просто я такая, а вы другая, но обе мы — люди.

* * *

В десять пятьдесят Холли забила черный шар, победив меня одним ударом.

— Потом я, так и быть, позволю вам отыграться, — пообещала она, и мы поднялись на галерею, где уже собрались все остальные.

Ошима опустил жалюзи. Холли сходила на кухню за стаканом воды из-под крана. *Только вода из-под крана, к воде в бутылках даже не прикасайтесь. Ее могли отравить*, мысленно оповестила я всех остальных. Холли снова куда-то ушла и вернулась через минуту, прихватив с собой маленький рюкзачок, словно мы собирались ненадолго съездить в лес автостопом. У меня не хватило сил спросить у нее, что она туда положила — фляжку с чаем, теплую кофту, кусок мятного кекса для поддержания сил? — и в очередной раз объяснять ей, что это будет совсем другая «прогулка». Все сидели и тупо рассматривали картины на стенах. Говорить было больше не о чем. Мы еще в библиотеке Уналак в мельчайших подробностях обсудили свою дальнейшую стратегию, и сейчас вряд ли стоило делиться своими страхами, да никому и не хотелось заполнять последние мгновения пустой болтовней. Картина Бронзино «Венера, Купидон, Безумие и Время» звала меня в путь. Кси Ло когда-то очень жалел, что не заказал ее копию в Лондоне, но был уверен, что без оригинала не смог бы совершить все бесчисленные Акты Убеждения, копания в чужих душах и все те сложные действия, которые необходимы, чтобы исправить неправильное. И вот через пятьдесят лет после тех его откровений я стояла возле этой картины, полная тех же сожалений. Для Вневременных все наши завтра воспринимались, как некая бесконечная череда, как неисчерпаемый источник. И вот теперь вдруг у меня этих завтра совсем не осталось.

— *Вход*, — сказала Уналак. — Я чувствую, что он открывается.

Мы, все шестеро, стали озираться, ища глазами расширяющуюся линию Входа...

— Вон там, — сказал Аркадий, — возле Джорджии О'Кифф[1].

На стене, точно напротив картины О'Кифф с горизонтальными желтыми и розовыми полосами заката в Нью-Мексико, появилась черная вертикальная трещина. Затем трещина расширилась, оттуда высунулась чья-то рука, а потом вылез и сам Элайджа Д'Арнок. Холли едва слышно выругалась и прошептала: «Господи, он что, из стены вылез?», и Аркадий шепотом ей ответил: «Нет, оттуда, куда и мы собираемся».

Физиономия Элайджи Д'Арнока явно нуждалась в бритве, а его курчавые, давно не чесанные, волосы — в расческе. Должно же было как-то проявиться напряжение, которое испытывает предатель?

— Вы весьма пунктуальны, — сказал он вместо приветствия.

— У Хорологов не может быть извинений по поводу опозданий, — ответил ему Аркадий.

Д'Арнок сразу узнал Холли.

— Мисс Сайкс! Очень рад, что вас тогда удалось спасти. Но Константен полагает, что ваше дело еще не доведено до конца.

Холли ему не ответила; она все еще была не в силах разговаривать с человеком, который возник перед ней буквально из воздуха.

— Мисс Сайкс присоединится к нашему боевому отряду, — сообщила я Д'Арноку. — Уналак станет проводником для ее психозотерической энергии для создания защитного поля.

На лице Элайджи Д'Арнока отразилось сомнение, и я вдруг подумала: «А что, если эта затея погубит всю Вторую Миссию?»

— Я не могу гарантировать ее безопасность, — сказал Д'Арнок.

— А я думал, вы уже обеспечили нам прикрытие со всех сторон! — поддел его Аркадий.

— На войне не бывает гарантий. И вы это прекрасно знаете, мистер Аркадий.

— Кстати, мистер Дастани, — я указала на Садаката, — также будет участвовать в нашей операции. Вы, я полагаю, знакомы с нашим верным стражем?

---

[1] Джорджия О'Кифф (1887—1986) — американский живописец; на своих картинах изображала звериные черепа, скелеты и фантастические цветы на фоне горных и пустынных пейзажей штата Нью-Мексико.

— Всем свойственно шпионить за противником, — сказал Д'Арнок. — И какова же роль мистера Дастани?

— Пристроить свою задницу где-нибудь на середине Пути Камней, — сказал Ошима, — и спустить с поводка удесятеренную силу *психоинферно*, если кто-то вздумает обойти нас с тыла. Будет это простой смертный или кто-то из Вневременных — любой, кто за нами потащится, будет мгновенно превращен в пепел.

Д'Арнок нахмурился.

— А что, это «психоинферно» тоже связано с Глубинным Течением?

— Нет, — сказал Ошима. — Этим словом я просто обозначаю то, что случится, если бомба, созданная из N9D — знаменитой взрывчатки, созданной в Израиле, — и в настоящее время находящаяся в рюкзаке мистера Дастани, взорвется, когда мы будем подниматься по Пути Камней.

— Это просто наша страховка, — сказала я, — чтобы нам не помешали с тыла, пока мы будем брать Часовню.

— Разумная мера предосторожности, — сказал Элайджа Д'Арнок, явно впечатленный пояснениями Ошимы. — Хотя я молю Бога, чтобы вам не пришлось воспользоваться этой штукой.

— А как вы вообще себя чувствуете? — спросил Ошима. — Предательство — шаг очень серьезный.

И этот Хищник, проживший на свете сто тридцать два года, посмотрел на Ошиму, которому стукнуло уже больше восьми веков, даже с некоторым вызовом:

— Я многие десятилетия участвовал в огульных злодеяниях, мистер Ошима. Но сегодня я попытаюсь принять участие в том, что эти злодеяния прекратит.

— Но ведь без вашего Черного Вина, — напомнил ему Ошима, — вы очень быстро начнете стариться и в итоге умрете в приюте для престарелых.

— Не начну, если Пфеннингеру или Константен удастся остановить нас до того, как мы разнесем вдребезги Часовню Мрака. Ну что, будем продолжать препираться?

* * *

Один за другим мы скользнули в темную щель и оказались на округлой каменной площадке шириной в десять шагов. Там высилась немигающая, белая как бумага, Свеча — стержень циферблата солнечных часов — высотой с ребенка. Я уже успела позабыть и то сложное, одновременно возникающее, чувство клаустрофобии и агорафобии, которое охватывало меня здесь, и этот запах замкнутого пространства, и этот спертый воздух. Сквозь щель приоткрытого Входа, как сквозь слегка раздвинутую портьеру, которую Д'Арнок заботливо придержал сперва для Холли, потом для Садаката, нагруженного смертоносной взрывчаткой, еще просачивались лучи света с нашей галереи. На лице Садаката прочитывался ужас, смешанный с восторгом. Лицо Ошимы, вошедшего последним, было воплощением мрачного безразличия.

— Это ведь еще не Часовня, нет? — спросила Холли. — И почему мой голос звучит еле слышно?

— Это Циферблат, с него начинается Путь Камней, — сказала я, — то есть лестница, состоящая из множества каменных ступеней и ведущая к Часовне. Края Циферблата способны поглощать свет и звук, так что постарайтесь говорить чуть громче, чтобы это компенсировать.

— По-моему, тут и все цвета куда-то исчезли, — сказала Холли. — Или дело во мне?

— Эта Свеча монохромна, — пояснила я. — Она горит уже восемь веков.

Я оглянулась и увидела, что Элайджа Д'Арнок уже запечатывает Вход. В последний раз я успела на мгновение увидеть «Венеру» Бронзино, легко держащую свое золотое яблоко, — и путь назад для нас закрылся. Ни один из донжонов больше не был надежен. Теперь только Эстер или кто-то из последователей Пути Мрака могли распечатать Вход и позволить нам вернуться домой. Меня вдруг охватило пронзительное воспоминание, как я в последний раз стояла на этом Циферблате, бестелесная, и мы с Эстер расплетали, разъединяли свои слившиеся воедино души, зная, что Джозеф Раймс, преследовавший Эстер по пятам, явно ее нагоняет. «Наверняка Эстер, обретшая сейчас убежище внутри Ошимы, тоже об этом вспоминает», — подумала я.

— Тут какие-то буквы на камнях вырезаны, — сказала Холли.

— Это алфавит катаров, — объяснила я, — только теперь его уже никто толком не знает, даже те, кто занимается еретическими учениями. В основе этого алфавита — древний язык жителей Лангедока, еще более древний, чем баскский.

— Пфеннингер говорил мне, — сказал Д'Арнок, — что это на самом деле молитва, обращенная к Богу: просьба помочь восстановить Лестницу Иакова. Очевидно, Слепой Катар, когда строил эту каменную лестницу, думал, что строит именно Лестницу В Небо. Старайтесь не прикасаться к стенам. Из чего бы они ни были сделаны, это вещество и материя, состоящая из обычных атомов, плохо сочетаются. — Он вытащил из кармана монету и бросил за край

Циферблата. Монета тут же исчезла, оставив лишь мимолетный фосфоресцирующий след. — На Пути Камней не стоит оступаться.

— И где же сам Путь? — спросил Ошима.

— Он скрыт и постоянно движется, чтобы сбить с толку любого, кто захочет проникнуть в Часовню. — Д'Арнок закрыл глаза и открыл свою чакру на лбу. — Подождите минутку. — Мелкими шажками, стараясь все время держаться спиной к Свече, он подошел к краю Циферблата и двинулся по его периметру; в тишине слышался только звук его шагов и отрывистое бормотание — должно быть, он совершал Акт Открытия. — Нашел, — сказал он наконец. За краем Циферблата примерно на фут выше его нашим взглядам открылась каменная плита длиной и шириной примерно с большую столешницу. Затем стала видна и вторая плита, чуть выше первой, затем третья, четвертая и так далее — эти ступени вели куда-то вверх, в непроглядную тьму.

— Маринус, — наклонившись к моему уху, спросила Холли, — это что, ухищрения технологии или?..

Я поняла, какое слово она не произнесла.

— Если бы вам в начале XIV века удалось вылечить Генриха Седьмого от туберкулеза с помощью этамбутола, если бы вы предоставили Исааку Ньютону возможность в течение часа наблюдать Вселенную в телескоп Хаббла, если бы в 1980 году вы продемонстрировали хотя бы самый допотопный 3D-принтер завсегдатаям «Капитана Марло», вы бы тоже наверняка услышали это слово на букву «м». Немного магии — это вполне нормальная вещь на любом отрезке нашей жизни; просто вы пока еще к этому не привыкли.

— *Если* профессор семантики не возражает, — сказал Ошима, — то нам, может быть, стоило бы завершить этот семинар?

* * *

Элайджа Д'Арнок шел первым; за ним следовала я; затем Холли, Аркадий, Уналак и Садакат с десятью килограммами N9D в рюкзаке. Последним шел Ошима, охранявший наши тылы. На пятой или шестой каменной плите я оглянулась, пытаясь поверх голов товарищей разглядеть Циферблат, но его уже не было видно. Даже само нерегулярное расположение плит на Пути Камней было каким-то неестественным. На отдельных участках ступени шли вверх по крутой спирали, точно винтовая лестница в башне, потом спираль внезапно сменялась спокойным и мягким подъемом, и плиты на этом участке становились гораздо шире и длиннее. Встречались и совсем ровные участки пути, но там приходилось перепрыгивать с одной плиты на другую — как когда переходишь реку по камням. О том, что ничего не стоит поскользнуться и упасть, лучше было даже не думать. Вскоре я почувствовала, что вся взмокла от напряжения и физических усилий. Видимость была никудышная — мы словно поднимались по узкой горной тропе ночью, да еще и в густом тумане. Камни, правда, слегка поблескивали под ногами бледным светом, похожим на свет Свечи, создавая иллюзию, что Путь как бы каждый раз сам себя создает заново по мере того, как по нему поднимаются все выше и выше. Тьма, окружавшая нас со всех сторон, невероятно подавляла и странным образом вызывала в памяти голоса из прошлых жизней. Я, например, слышала голос своего родного отца, который на одном из диалектов средневековой латыни объяснял, как скормить неясыти мышь-соню. А потом вдруг Шолитса, травник из племени Дювамиш, принялся ругать меня за то, что я слишком долго варила какой-то корень. Его сменило воронье карканье Ари Грота, владельца склада из Дижона. Их тела давно стали прахом, а души улетели к Последнему Морю. Мы заранее договорились, что не будем переговариваться мысленно из опасений, что нас могут подслушать, но мне очень хотелось знать: неужели и остальные тоже слышат голоса из прошлого? Разумеется, никого я спрашивать об этом не стала — боялась отвлечь. Нужно было *очень* внимательно следить за тем, куда ставишь ноги. Тот, кто падает с Пути Камней, падает в никуда.

* * *

Наконец мы добрались до единственной за весь подъем довольно просторной треугольной плиты с небольшой впадиной посредине. Здесь мы могли стоять даже вшестером.

— Добро пожаловать! Это Остановка в середине Пути, — сказал Д'Арнок, и я вспомнила, что Иммакюле Константен точно так же называла ее, обращаясь к Жако во время Первой Миссии.

— Мне кажется, Садакат, это будет отличное местечко для тебя, — сказал Ошима. — Вниз отсюда видно настолько далеко, насколько это здесь вообще возможно. Устраивайся в этой ложбинке в центре плиты и увидишь любого гостя раньше, чем он увидит тебя.

Садакат кивнул и посмотрел на меня; я тоже кивнула.

— Хорошо, мистер Ошима.

Садакат долго и старательно усаживался, потом вытащил из рюкзака тяжелый кубик адаптера и тонкий металлический цилиндр. Адаптер он направил в сторону «низа».

— Это что, зажигательная бомба? — с профессиональным любопытством спросил Д'Арнок.

— Это генератор поля Глубинного Течения. — Садакат открыл шторку на боковой поверхности кубика и стал возиться с настройками. — Он также подает душе сигнал тревоги. Такой сигнал, — Садакат продемонстрировал довольно сложный звук, похожий на крики диких гусей, — звучит, когда прибор обнаруживает некую не идентифицированную им душу, например, вашу, мистер Д'Арнок... — Пальцы Садаката забегали по клавиатуре, и поле над кубиком задрожало. Вписав в реестр Д'Арнока, Садакат удовлетворенно сказал: — Ну вот, теперь он будет и вас воспринимать как друга.

— Умное устройство, — сказал Д'Арнок. — И хитро придуманное.

— Этот генератор не позволяет психозотерикам использовать Акт Убеждения, так что никто не сможет заставить меня дезактвировать N9D. — Садакат открутил крышечку на металлическом цилиндре. — А детектор сразу предупредит меня о подобной попытке — как раз это и может явиться причиной для взрыва зажигательной бомбы, которая, разумеется, помещена вот здесь. — Садакат на что-то нажал, и из днища цилиндра вылезли три ножки, на которые он его и поставил. — Между прочим, в эту трубочку в сжатом виде вбиты десять кило N9D — вполне достаточно, чтобы Путь Камней превратился в сплошной поток огня с температурой 500 градусов Цельсия. Если этот гусь «загогочет», — Садакат выразительно посмотрел на Д'Арнока, — тогда и случится *психоинферно*.

— Смотри, будь наготове! — предупредил своего ученика Ошима. — Мы на тебя рассчитываем.

— Я же дал вам клятву, мистер Ошима! Именно для этого я и был предназначен.

— У вас верный помощник, — заметил Д'Арнок. — Готовый даже на... абсолютное самопожертвование.

— Да уж, нам просто повезло, — сказала я и посмотрела на Садаката.

— Не надо так мрачно на меня смотреть, доктор! — Садакат встал и пожал всем нам руки. — Мы скоро увидимся, друзья мои. Я уверен, что это деяние записано в Сценарии. — А когда он дошел до меня, то хлопнул себя ладонью по левой стороне груди и сказал: — И вот здесь!

* * *

Мы продолжали подъем, перебираясь с одной каменной ступени на другую, но понять, как далеко или как высоко мы находимся по отношению к Циферблату, то есть к исходной точке Пути Камней, было невозможно; невозможно было и понять, давно ли мы оставили Садаката стоять на страже посредине Пути. Телефоны и часы мы оставили в 119A. Время здесь, разумеется, тоже существовало, но измерить его было не так-то легко даже Хорологу. Сперва я хотела считать ступеньки, но это решение было поколеблено вновь зазвучавшими голосами давно умерших людей. Так что я тупо следовала за Д'Арноком, глядя ему в спину и стараясь по возможности бодриться, пока мы наконец не достигли второй округлой каменной плиты, очень похожей на Циферблат в самом начале подъема.

— Мы называем это Вершиной, — сказал Д'Арнок, заметно нервничая. — Мы почти у цели.

— Но разве мы не в этом самом месте начали подъем? — спросила Холли. — Такая же свеча, такой же каменный круг, такие же надписи на стенах...

— Это другие надписи, — сказала я, — верно, мистер Д'Арнок?

— Никогда их не изучал, — признался перебежчик. — Пфеннингер у нас силен в филологии, и Джозеф Раймс тоже был не хуже, но для большинства Часовня — это... что-то вроде машины, способной чувствовать, с которой нам приходится иметь дело.

— То есть «не вините меня, я человек маленький», так? — сказал Аркадий.

Д'Арнок вдруг как-то сразу осунулся и устало на него поглядел.

— Может, и так. Может, про себя мы именно так и считаем. — Он потер глаз, словно туда попала пыль, и сказал: — Ну, хорошо. Теперь я распечатаю Янтарную Арку — это путь внутрь. Но я должен предупредить вас: Слепой Катар должен постоянно пребывать в безопасном состоянии покоя. В своей иконе. В северном углу Часовни. Вы его сразу почувствуете. Но он нас чувствовать вообще-то не должен был бы. Итак...

— «Не должен был бы?» — переспросил Ошима. — Что это еще за выражение? «Не должен был бы»?

— Убийство божества всегда связано с определенным риском, — совсем помрачнел Д'Арнок. — Иначе это не было бы убийством божества. Если вы боитесь, Ошима, ступайте вниз и присоединитесь к Садакату. Здесь есть только три способа немного уменьшить риск: стараться не смотреть в лицо Слепому Катару, точнее, лику, изображенному на иконе, не производить особого шума, не делать резких движений, не осуществлять никаких актов Глубинного Течения, никаких психозотерических действий, не обмениваться мысленно даже самыми невинными репликами. Я могу действовать с помощью Пути Мрака, не тревожа Часовню и Катара, однако сам он сразу почувствует присутствие психозотериков, явившихся сюда с противоположного края Схизмы. Ваш дом 119А оснащен всевозможными «тревожными кнопками», охранным полем и тому подобными защитными средствами, но и наше святилище защищено не хуже, и если Слепой Катар почувствует присутствие в своем доме

Хорологов еще до того, как начнут рушиться стены Часовни, для всех нас этот день может плохо закончиться. Это всем ясно?

— Да уж куда ясней, — сказал Аркадий. — Дракулу можно будить без опаски, только когда осиновый кол уже воткнут ему в сердце.

Но Д'Арнок вряд ли его расслышал: он в эту минуту как раз осуществлял Акт Открытия. Скромная, украшенная орнаментом в виде трилистника дверца высотой чуть больше человеческого роста возникла, мерцая, на краю той округлой плиты, которую Д'Арнок именовал Вершиной. Это и была Янтарная Арка. За ней виднелась сама Часовня; внутри меня все сжалось от ужасных предчувствий. Но я тем не менее последовала за Элайджей Д'Арноком, услышав, как кто-то сказал:

— Ну что ж, заходим.

* * *

Часовня Мрака, созданная Слепым Катаром, безусловно, была живым существом. Это чувствовалось сразу. Если взять за точку отсчета Янтарную Арку, находившуюся на южной стороне Часовни, то странный, ромбической формы неф был примерно шагов шестьдесят в длину по оси юг—север и шагов тридцать в ширину по оси восток—запад; высота Часовни была гораздо больше, чем ее длина. И каждая ее поверхность тем или иным образом указывала или отражала икону Слепого Катара, находившуюся в узком северном углу, или каким-то иным образом соотносилась с ней; приходилось хорошенько сосредоточиться, чтобы не смотреть на эту икону, потому что она так или иначе все время попадала в поле зрения. Стены, пол и пирамидальной формы купол — все было сложено из одного и того же молочно-серого, как кремень, камня. Единственной мебелью служили длинный дубовый стол, стоявший посреди Часовни по оси север—юг, две скамьи по обе стороны от стола и четыре больших картины — по одной на каждой из стен. Я слышала, как Иммакюле Константен в прошлый раз объясняла Жако смысл этих гностических картин: Голубые Яблоки Рая в полдень на восьмой день Творения; Демон Асмодей, которого Соломон обманом заставил построить королевский дворец; «истинная» Богоматерь, кормящая пару младенцев Христов; и святой Фома, который стоял посреди какого-то помещения ромбической формы, удивительно напоминавшего Часовню Мрака. Чуть ниже верхней точки купола в воздухе словно плыла извивающаяся змея, созданная из переливчатого камня и в круговом, сакральном движении прикусившая свой хвост, — символ Вечности. Блоки, образовывавшие стены Часовни, были безупречно пригнаны друг к другу; создавалось ощущение, что

Часовню как бы вырубили внутри скалы или же создали с помощью процесса кристаллизации. Воздух в ней был странный: ни свежий, ни спертый; ни теплый, ни холодный; и в нем словно чувствовался некий запах дурных воспоминаний. Здесь погибла Холокаи. Здесь, возможно, погиб и Кси Ло. И хотя мы позволили Холли надеяться, что он остался жив, у меня не было никаких доказательств этого.

— Дайте мне минуту, — прошептал Д'Арнок. — Мне нужно инициировать Акт Иммунности, чтобы мы смогли соединить нашу психическую энергию.

Он закрыл глаза. Я отошла в западный угол Часовни, откуда виднелась то ли одна миля, то ли сто унылой, как на планете Дюна, пустыни, которая, казалось, простиралась до *тех холмов* Сумеречной Страны, что за пределами Света Дня. Холли последовала за мной, и я показала ей в ту сторону, откуда мы пришли.

— Видите, — сказала я, — эти бледные огоньки?

— Значит, все это души, которые бредут по этим бескрайним пескам? — в ужасе прошептала Холли.

— Да. Их тысячи и тысячи. Они движутся вечно. — Мы отошли к восточному окну, откуда в сгущавшихся сумерках был виден берег Последнего Моря. — Это место, с которым они отныне связаны навсегда.

Мы смотрели, как маленькие огоньки словно ныряют в беззвездное сумеречное пространство, а потом выныривают из него один за другим.

— А Последнее Море — это действительно *море*? — спросила Холли.

— Сомневаюсь. По-моему, это просто название, которым у нас принято пользоваться.

— Что случается с душами, когда они туда добираются?

— Вы это узнаете, Холли. Может быть, и я узнаю когда-нибудь. А может, *даже сегодня?*

Мы вернулись к центральной части Часовни. Д'Арнок все еще пребывал в забытьи. Ошима глазами указал нам на купол Часовни, а затем как бы провел взглядом невидимую линию по направлению к северному углу. Икона, висевшая там, похоже, наблюдала за нами. Я закрыла глаза, открыла свой чакра-глаз и принялась сканировать потолок в поисках трещины, о которой упоминала Эстер...

Не сразу, правда, но я ее нашла. Она действительно начиналась в центре купола и по кривой спускалась вниз, в полумрак, окутывавший северный угол.

Да, трещина была, но только очень тонкая, и на эту еле заметную трещину сейчас рассчитывали, поставив на кон свои жизни, пять Вневременных и одна простая смертная.

— Это у меня с головой не в порядке, — услышала я голос Холли и тут же открыла глаза и закрыла чакру, — или же эта картина... эта икона... как-то странно покачивается и словно притягивает меня к себе?

— Нет, с головой у вас все в порядке, мисс Сайкс, — ответил ей Элайджа Д'Арнок, уже успевший прийти в себя. Мы дружно посмотрели на икону. Слепой Катар был изображен в белом плаще, капюшон которого красивыми складками лежал у него на плечах; голова Катара была обнажена. Непроницаемое лицо, пустые глазницы... — Не смотрите на него слишком пристально, — напомнил нам Д'Арнок. На Пути Камней звук отчего-то казался приглушенным и говорить приходилось в два раза громче обычного. Но здесь, в Часовне, даже шепот, даже шелест шагов и одежды звучали так, словно были усилены спрятанными динамиками. — *Отведите взгляд*, мисс Сайкс. *Не надо все время на него смотреть.* Он сейчас, может, и дремлет, но сон у него чуткий.

Холли с явным усилием заставила себя отвести глаза от иконы.

— Это все его пустые глазницы! Они прямо-таки приковывают к себе взгляд!

— У этого места злая, извращенная душа, — заметил Аркадий.

— В таком случае пора уничтожить этот источник зла и несчастий! — воскликнул Д'Арнок. — Акт Иммунности завершен. А что касается плана дальнейших действий, то он таков: Маринус и Уналак осуществляют Акт Хиатуса по отношению к иконе, чтобы Катар не проснулся, тем временем Аркадий, Ошима и я приготовимся и начинаем жечь икону, используя каждую каплю имеющегося у нас психовольтажа.

Мы подошли к северной стене, где бледным, как чешуя на брюхе акулы, светом мерцал безглазый лик.

— Значит, для того чтобы разрушить Часовню, — спросила Холли, — вам нужно только уничтожить это изображение?

— Но это возможно только в определенный момент, — ответил ей Д'Арнок, — пока душа Слепого Катара находится внутри самой иконы, потому что в иное время она как бы растворена в той материи, из которой все здесь создано. И в таком случае он бы мгновенно нас почуял, догадался о наших намерениях и попросту расплавил бы наши тела, как плавятся восковые фигурки в пламени паяльной лампы. Маринус, начинайте.

«Если Элайджа Д'Арнок все-таки предатель, — подумала я, — то он явно намерен продолжать свою рискованную игру вплоть до самой последней минуты, и действует он, надо сказать, весьма убедительно».

— Ты займись его левым полушарием, — скомандовала я Уналак, — а я займусь правым.

Мы встали напротив Слепого Катара и закрыли глаза. Наши души и руки действовали совершенно синхронно. Кси Ло обучил Клару Косков-Маринус Акту Хиатуса еще в Санкт-Петербурге, а я во время своей «индийской» жизни в качестве некоего Чоудари научила этому Уналак. Чтобы усилить и углубить хиатус, мы одними губами произносили по памяти список и очередность всех необходимых действий — так глаза пианиста скользят по сложным, но хорошо знакомым ему символам на раскрытых страницах нотного сборника. Я чувствовала, как пробуждается сознание Слепого Катара, поднимаясь к поверхности иконы, точно рой пчел. Мы с Уналак старались его удержать, оттолкнуть обратно. Отчасти нам это удавалось. Но только отчасти.

— Быстрее, — сказала я Элайдже Д'Арноку. — Это выглядит скорее как местная анестезия, чем как глубокая кома.

Сделав все, что могли, мы с Уналак отошли в сторону, а Д'Арнок встал перед своим бывшим — а может, и настоящим? — хозяином, вытянул перед собой руки и повернул их ладонями вверх. Аркадий и Ошима, стоявшие слева и справа от него, приложили к его ладоням свои ладони с открытыми чакрами.

— Даже не *думай* сейчас выйти из игры, — пробормотал Ошима, грозно глянув на перебежчика.

Мертвенно-бледный, Д'Арнок закрыл глаза; по лицу его катились крупные капли пота. Затем он открыл чакру у себя на лбу, и оттуда прямо в горло Слепого Катара ударил янтарно-красный луч служителей Пути Мрака.

И тут Слепой Катар окончательно проснулся. Нам больше не удавалось погрузить его хотя бы в дремоту, ибо он почувствовал, что на него ведут атаку. Вся Часовня напряженно сопротивлялась нашему общему натиску, словно связанный и поваленный на землю великан. Примерно так же сопротивлялся арктическим бурям мой дом в Клейнбурге. Я невольно пошатнулась и, по-моему, моргнула; рот Слепого Катара тут же исказился в злобной гримасе. Чакра у него на лбу стала постепенно раскрываться: сперва там появилось черное пятнышко, потом оно стало разрастаться, расплываясь, как чернильная клякса. Если его «третий глаз» откроется полностью, нам грозит страшная беда, поскольку в стены этой Часовни поймано чудовищное землетрясение. Элайджа Д'Арнок испускал какие-то нечеловеческие, предельно высокие звуки: его, похоже, убивала необходимость служить проводником столь мощного потока психической энергии. Должно быть, его стремление перейти на нашу сторону, все же было вполне искренним, подумала я, и теперь он готов даже погибнуть. Наверное, я снова нечаянно моргнула, и икона вспыхнула пламенем, задымилась, а нарисованный монах взревел, словно в агонии: пламя, охватившее его одновременно из двух измерений, начало пожирать икону. «Третий глаз» у него во лбу опасно мерцал, словно говоря: «Я и здесь, и не здесь... здесь и не здесь...»

* * *

А потом он погас. Воцарилась тишина. Икона превратилась в обугленный прямоугольник. Элайджа Д'Арнок, согнувшись пополам и задыхаясь, с трудом вымолвил:

— Все! У нас получилось! Наконец-то, черт побери!

Но мы, Хорологи, лишь молча переглядывались...

...и Уналак, не выдержав, подтвердила общие опасения:

— Но он по-прежнему здесь!

Эти ее слова, собственно, прозвучали как наш смертный приговор. Слепой Катар попросту покинул икону, сбежал, растворившись в созданной им материи — в стенах, полу, потолке Часовни. А мы, не подозревая об этом, стали участниками шарады, которая должна была дать армии Анахоретов возможность выиграть время и подняться сюда по Пути Камней. Теперь их приход стал неизбежен, а все действия Д'Арнока были направлены на то, чтобы заманить нас в ловушку. Наша Вторая Миссия оказалась просто бессмысленной атакой камикадзе. Мне очень хотелось послать мысленные извинения Инес и Аоифе, но я, увы, не могла этого сделать: их реальный мир был для нас сейчас недосягаем.

— Холли, встань, пожалуйста, позади нас.

— Неужели все получилось? И значит... Жако... вот-вот появится?

Вот кого я сейчас с удовольствием погрузила бы в хиатус! Мне так не хотелось, чтобы Холли перед смертью окончательно меня возненавидела. Значит, Сценарий все-таки нас подвел. И тогда, на Блитвудском кладбище, надо было вернуться на улицу, окликнуть Венди Хангер, сказать, что произошла ошибка, и попросить ее отвезти меня обратно на вокзал в Покипси.

— Не знаю, — сказала я Холли, матери, сестре, дочери, вдове, писательнице, другу, — но на всякий случай все-таки встань позади нас.

Послание от Эстер, — мысленно оповестил всех Ошима. — *Она приступает к осуществлению Последнего Акта. Ей понадобится четверть часа.*

— Мы должны попытаться, — сказала мне Уналак. — Пока еще есть надежда.

А Элайджа Д'Арнок, по-прежнему притворяясь перебежчиком, с улыбкой спросил:

— О чем это вы? Мы уже победили! Слепой Катар мертв, а без него поддерживать крепость материи, из которой создана Часовня, невозможно. Мрак полностью заполнит это пространство уже через шесть часов.

Я посмотрела на него. В шпионских романах таких обычно называют двойными агентами. Мне даже не нужно было сканировать его мысли — и так все было ясно. Элайджа Д'Арнок вовсе не был таким искусным лжецом, как это представлялось ему самому. Для выполнения первого пункта своего плана он у меня в доме, в пригороде Торонто, сумел превратиться в искреннего penitento[1], но в какой-то момент в последние несколько дней Пфеннингер или Константен сумели должным образом вернуть его на Путь Мрака.

— Можно мне, Маринус? — спросил Ошима. — Пожалуйста!

— Как будто *мое* разрешение когда-то имело для тебя значение! Давай! И посильней!

Ошима сделал вид, будто чихает, и кинетическая энергия его «чиха» отшвырнула Д'Арнока к дальнему концу стола, стоявшего посреди Часовни. Он сумел затормозить лишь у самой Янтарной Арки.

Кси Ло сделал то же самое с Константен, — мысленно сказала я Ошиме, — *но ему удалось прокатить ее только до середины стола.*

— Д'Арнок легковеснее, — сказал Ошима вслух. — К тому же тут все очень просто: стол очень гладкий, а этот тип страшно меня раздражает. Весьма трудно в таком случае противиться искушению.

— Я... кажется, догадываюсь... — прошептала Холли. — Значит, он — предатель? Он против нас?

— Ты и вы все, — крикнул с дальнего конца Часовни Элайджа Д'Арнок, поднимаясь на ноги и собираясь с силами, — будете *гореть на медленном огне! Вы будете корчиться от невыносимого жара, постепенно обугливаясь!*

Вокруг него вдруг прямо из воздуха возникли девять мужчин и одна женщина.

* * *

— Гости, гости, гости! — Батист Пфеннингер, улыбаясь, захлопал в ладоши. Первый Анахорет был высок ростом, хорош собой и элегантно одет; он прекрасно себя чувствовал и пребывал в отличном настроении. Теперь он носил искусно подстриженную, чуть тронутую сединой бородку. — Наша старая уютная обитель так любит гостей! Особенно когда их много! — Я уж и забыла, какой у него низкий, хорошо поставленный баритон. — Обычно такая возмож-

---

[1] Раскаявшегося грешника (*лат.*).

ность равна одному к четырем, а сегодня, значит, особый день. Уже *второй*, совершенно особенный для нас день. — Все мужчины-Анахореты были в смокингах различного покроя и моды. Пфеннингер, например, выглядел как типичный эдвардианец. — О, Маринус! *Добро пожаловать!* Вы единственный в истории Часовни Мрака гость, которые посещает ее уже не впервые. Хотя, конечно, в прошлый раз вы оставили свое тело на Земле. А вы, Ошима, выглядите постаревшим, опаленным временем и усталым; вы явно нуждаетесь в возрождении. Но с вами этого, увы, более не случится. Благодарю вас за убийство Бржички; он, между прочим, в последнее время стал проявлять склонность к вегетарианству. Кто тут еще у нас? Ах да! Уналак — я правильно произношу ваше имя? Оно до ужаса похоже на марку какого-то суперклея, особенно когда его произносишь вслух. Аркадий, Аркадий, вы стали выше ростом с тех пор, как я отпилил вам ступни. Помните тех крыс? Во времена Салазара[1] диктаторы в Лиссабоне действительно были диктаторами. Чтобы умереть, вам тогда понадобилось семьдесят два часа. Я посмотрю, нельзя ли мне побить этот рекорд с Инес, а? — Пфеннингер прищелкнул языком. — Какая жалость, что Л'Окхна и Рохо не могут быть здесь, но мистеру Д'Арноку, — Первый Анахорет повернулся к своему агенту, — удалось завлечь в наши сети самую крупную рыбу. Молодец! Хороший мальчик. О, вот и самая последняя и, возможно, самая главная наша гостья! Холли Сайкс, автор мистических произведений, превратившаяся в хозяйку ирландской куриной фермы, в торговку яйцами. Мы с вами никогда прежде не встречались, так что позвольте представиться: Батист Пфеннингер, тот, кто заставляет крутиться это чудесное, — он жестом указал на стены и купол Часовни, — устройство. Ах да, титулы, титулы! Они тянутся за тобой, точно цепи Марли, Джейкоба, разумеется, а не Боба[2]. Однако это неважно. Дело в том, Холли, что два члена нашей группы с куда большим нетерпением ждали встречи с вами, чем даже я...

И вперед вышла Иммакюле Константен, одетая в черное бархатное платье, щедро украшенное паутиной бриллиантов.

— Моя замечательная юная леди стала взрослой... и уже пребывает в состоянии менопаузы, к тому же у нее рак, но она сделала неправильный выбор, присоединившись не к той компании... Ну что, Холли? Мой голос звучит по-прежнему, не так ли?

---

[1] Антониу ди Оливейра Салазар (1889—1970) — глава правительства Португалии в 1932—1968 годах, основатель фашистской партии, диктатор, установивший в стране фашистский режим. В застенках Салазара применялись чудовищные пытки.

[2] Джейкоб Марли — персонаж «Рождественских повестей» Ч. Диккенса; бывший партнер Скруджа, ставший привидением.

Холли, словно утратив дар речи, смотрела на ее безупречную девичью фигуру.

Улыбка Константен несколько поблекла; впрочем, эта улыбка никогда не была искренней.

— Жако мог бы поддержать нашу беседу. Хотя он ведь тогда уже не был настоящим Жако, не так ли? Скажите мне, Холли, вы поверили, когда Маринус стала утверждать, что ваш брат умер от естественных причин как раз в момент, когда Кси Ло, болтаясь где-то поблизости, ждал его смерти?

Текли секунды. Голос Холли прозвучал сухо:

— О чем это вы?

— О господи! — Улыбка Константен сменилась жалостливой гримаской. — Значит, вы *действительно* им поверили? Забудьте все, что я сказала, умоляю вас. Сплетни — это радио дьявола, и я вовсе не желаю быть на этом радио диктором, однако... попытайтесь хотя бы перед смертью все же сложить два и два. Я ведь «позабочусь» и об Аоифе — чтобы она недолго о вас тосковала. А, собственно, почему бы мне и в *самом деле* со всем этим не покончить? Может, убить заодно и Шэрон с Бренданом, чтобы уж собрать полный комплект семейки Сайксов? Пусть они и после смерти будут все вместе, как это было при жизни.

У Эстер было около трех минут. Обезвреживание Садаката должно было занять минут пять, особенно если Пфеннингеру захочется еще порассуждать. Я подсчитала наши шансы на тот момент, когда начнется неизбежная психодуэль. Анахореты-новички не должны причинить нам особого беспокойства, но в Часовне практически нет предметов, которые можно перемещать с помощью кинетической энергии, а одиннадцать против четверых — это существенный перевес сил, что по-прежнему создает определенные сложности. Нужно каким-то образом предоставить Эстер еще минут семь. Но сможем ли мы сдерживать их так долго?

— Клянусь, вы *непременно* пожалеете, что посмели угрожать моей семье, — услышала я голос Холли. — Богом клянусь!

— Ах, вы *клянетесь*? Да еще и Богом, *никак не меньше*? — Иммакюле Константен выглядела озабоченной. — Но ваш Бог мертв. Почему бы нам не проверить, вдруг я сожалею об обещаниях, которые дала с помощью наших друзей, которых вы называли «радио-люди»? — Она приложила сложенную лодочкой ладонь к своему украшенному бриллиантовой сережкой ушку, делая вид, что прислушивается. — Нет, Холли, нет. Вас дезинформировали. Я не стану сожалеть ни о чем; а вот *вы* вскоре будете *корчиться* от невыносимых угрызений совести по поводу того, что так нехорошо расстались с вашим тайным другом мисс Константен в те времена, когда были такой милой, такой одаренной девочкой всего семи лет от роду. Подумайте об этом. Ведь тогда умрет только один из Сайксов, а не пятеро. Ну, если не считать Брубека, конечно. Нет, вы действительно будете *кричать от душевной боли*, терзаемая напрасными сожалениями! Ну что, мистер Анидер? Была ли эта хрупкая костлявая вдова склонна к истерическим воплям и рыданиям, когда обладала более привлекательной внешностью и отменным запасом феромонов?

И перед Холли возник Хьюго Лэм. Ямочка на подбородке, отлично сохранившееся тело красивого двадцатипятилетнего мужчины, презрительный взгляд.

— Нет, она всегда была молчаливой. Привет, Холли. А забавно все повернулось, правда?

Холли даже слегка отшатнулась от него. Получить предупреждение, что ты, возможно, встретишься с призраком, и увидеть призрак прямо перед собой — это совсем не одно и то же.

— Что это они с тобой *сделали*?

Кто-то из Анахоретов рассмеялся. Хьюго посмотрел на свою давнишнюю любовницу.

— *Они*, — он обвел глазами Часовню, — меня исцелили. Исцелили от ужасной и бессмысленной болезни, которая называется смертностью. Смертные вообще слишком много болтают о жизни. Молодость, правда, какое-то время сохраняется, но даже самые стойкие неизбежно начинают стареть, усыхать, покрываться морщинами и в итоге превращаются в *сушеные эмбрионы*, в... покрытые варикозными венами жалкие, тощие, страдающие старческим маразмом, пускающее слюни существа... Лицо *простого смертного* всегда его выдаст, всегда расскажет, долго ли ему еще осталось.

— Вот именно, «выдаст»! — Пфеннингер шагнул вперед. — Минутку, Маринус. Вы знали, что у нас внутри вашего тесного кружка есть лазутчик, так сказать, «прикормленный наркоман»?

Я промолчала, с трудом подавив искушение сообщить, что мы уже год как об этом знаем.

— Это не мистер Д'Арнок, — продолжал Пфеннингер. — Он обманывал вас всего семь дней. Это кое-кто другой. И этот «кое-кто» превратил вас в чертовски удобную, полную сладкого молока грудь и целый год ее сосал.

Я с ужасом ждала завершения этой сцены.

— Не надо, Пфеннингер.

— Да, это больно, но veritas vos liberabit[1]. И потом, только развлекая меня, вы сможете протянуть еще несколько дополнительных минут...

---

[1] Истина вас освободит (*лат.*).

Да, это было так. Я подумала об Эстер, прячущейся в теле Ошимы и готовящей настоящий психозотерический ад. Нам действительно была важна каждая секунда.

— Ну, так удивите меня, — сказал Пфеннингер. — Или попытайтесь смутить мою душу.

Он щелкнул пальцами, чуть повернувшись в сторону Янтарной Арки, и оттуда появился Садакат. Его манера держаться сильно изменилась: из скромного слуги он превратился в боевого капитана огневой роты.

— Еще раз приветствую вас, дорогие друзья! — радостно заявил он. — Сразу скажу, передо мной стоял вот какой выбор: еще двадцать лет работы по дому, стирки, уборки, прополки, унылого старения, катетеров, проблем с простатой и так далее или вечная жизнь, свободное обучение в рамках Пути Мрака и подвиги в качестве лазутчика в доме 119А. Хм? Дайте-ка подумать... Ну, хотя бы секунд двадцать... Короче, я решил, что путь вашего дворецкого не для меня!

Холли была потрясена.

— Они же вам доверяли! Они же были вашими друзьями!

— Если бы вы были знакомы с Хорологами дольше, чем пять дней, мисс Сайкс, — Садакат подошел к дальнему концу стола и оперся о него с видом хозяина, — вы бы тоже *вскоре* пришли к пониманию того, что Хорология — это клуб бессмертных, которые не позволяют другим обрести те привилегии, которыми обладают сами. Они ведут себя как аристократы. Как белые люди в своей стране — жаль, что приходится ссылаться на расовые предрассудки, но это, увы, очень точная аналогия; они ведут себя как войска в бастионе на берегу богатой империалистической страны, населенной белыми людьми; и из этого бастиона белые люди выпускают торпеды по судам с темнокожими беженцами из стран Угнетенных Небелых Народов, которые пытаются на этот берег высадиться. Я всего лишь сделал выбор в пользу возможности выжить. Любое живое существо на моем месте поступило бы точно так же.

— Поздравляю, Садакат, с переходом на новое место работы, — с безупречной искренностью поздравил его Аркадий. — Теперь ты займешь высокую должность «жнеца человеческих душ». Такая «удача» могла, разумеется, выпасть только очень приличному человеку.

Садакат ощерился:

— Вам, должно быть, забавно видеть, мистер Аркадий, как легко ваш жалкий слуга, ваш раб-пакистанец улавливает вашу тонкую иронию?

— И какое теперь у тебя будет новое имя, хипстер? — спросил у него Ошима. — Майор Честность? Мистер Доносчик? Иуда МакЯнус?

— Я вам скажу, как меня точно звать *не будут*: мистер Небеспокойтесь-насчет-Садаката-он-счастлив-вам-служить-и-взорвать-себя-на-лестнице-чтобы-спасти-наши-драгоценные-вечные-задницы!

— Ну что ж, Садакат сыграл для вас свою роль, — сообщила я Пфеннингеру. — Отпустите его.

Пфеннингер поправил галстук и усмехнулся.

— Не притворяйтесь, Маринус, что знаете мои мысли лучше меня. Ведь если бы вы действительно обо всем знали, вы наверняка не стали бы прикармливать у себя шпиона.

— Хорошо, считайте, что я ни о чем понятия не имела. Он подчинялся вашим приказам. Он за нами шпионил. Он выбросил десять кило нашей взрывчатки. Ну и отпустите его с миром.

Садакат зарычал — он не вел себя так с тех пор, как я впервые пригрозила ему в Беркшире, в госпитале Докинза.

— Это была не просто взрывчатка! Это была *супервзрывчатка* N9D, которую *вы* практически привязали к моей груди!

— На самом деле, Маринус, он наполовину прав, — сказал Аркадий, — потому что технически название той штуки, которую мы загрузили ему в рюкзак...

Садакат, вскочив на скамью, заорал:

— Лжецы! Вы тащили меня за собой, как какой-то ненужный балласт!

— Три раза я пыталась убедить тебя не присоединяться к нашей Второй Миссии, Садакат, — напомнила я ему.

— Вы могли бы подвергнуть меня Акту Убеждения, если так уж хотели, чтобы я остался. А мистер Пфеннингер вовсе и не собирается меня отпускать! Я теперь Двенадцатый Анахорет!

— Извини, что снова поднимаю тему расовой принадлежности, — сказал Аркадий, — но посмотри на Анахоретов повнимательнее, Садакат. Рассмотри их с первого по одиннадцатый. Тебе не бросается в глаза их *этническая* общность?

Но Садакат был неуязвим для сомнений.

— Меня рекрутировали именно для того, чтобы исправить... этот... этнический дисбаланс!

Аркадий фыркнул, не сумел сдержать смех и закашлялся.

— Извини, Садакат. Мне просто слюна не в то горло попала. Но объясни, *почему* все эти Белые Люди выбрали именно *тебя*?

— А у меня психовольтаж *выше всяческих пределов* — вот почему!

— У тебя глупость выше всяческих пределов, — сказал Ошима и зевнул.

— А мне вот что любопытно узнать, Маринус, — сказала Иммакюле Константен. — Ваш любимец-шизофреник только что вас предал, перебежал на нашу сторону, так неужели даже это не заставит вас его презирать?

— Убийство людей и убийство душ вы осуществляете весьма успешно, надо признать. Но я виню вас не в этом, а в том, что вы склонили Садаката, страшившегося смерти, к предательству. Извини, Садакат. Это Война. Я должна была позволить им поверить, что ты станешь самым лучшим ключом к нашему замку. А за сад на крыше тебе большое спасибо. Этого даже твое предательство изменить не может.

— Но я теперь *действительно* Двенадцатый Анахорет! Скажите им, мисс Константен! Скажите им то, что говорили мне! Насчет моего потенциала в качестве последователя Пути Мрака.

— У тебя богатый потенциал, Садакат, — ты способен *залюбить* до смерти, то есть буквально заколоть любимого человека кинжалом. — Поскольку в голосе Константен появились материнские нотки, мне сразу стало ясно: время практически истекло. — Но с точки зрения психозотерики ты стреляешь исключительно холостыми. Впрочем, гораздо хуже, что по натуре ты предатель. Бесталанный, жалкий, лишенный даже чакр, *темнокожий* предатель.

Садакат, явно не веря собственным ушам, посмотрел по очереди на каждого из высоких белокожих Анахоретов. На его изменившееся лицо было больно смотреть, но я уже ничем не могла ему помочь. Он сам выбрал путь. Затем, слава богу, он повернулся к нам спиной и сделал несколько неуверенных шагов к Янтарной Арке. Двое Анахоретов из арьергарда преградили ему путь. Садакат попытался обойти их, но психолассо Пфеннингера, мгновенно обвив его шею, втащило его обратно и мощным рывком подбросило футов на двадцать вверх. Вмешиваться я не стала. Вторая Миссия зависела от того, сумеем ли мы сберечь каждый вольт своей психической энергии для предстоящей дуэли. Константен изобразила в воздухе символ Акта Насилия, и голова Садаката сама собой крутанулась вокруг своей оси. Раздался легкий хруст.

— Ну вот, — промурлыкала Константен. — Не такие уж мы садисты, верно? Все получилось быстро и красиво. Куры страдают куда сильней, когда вы перерезаете им горло, не так ли, Холли?

Обмякшее тело Садаката рухнуло на пол, и кто-то из младших Анахоретов тут же вышвырнул его в восточное окно, точно полный мусорный мешок. Ну что ж, душа Садаката, по крайней мере, отыщет свой путь к Последнему Морю. Этим он выгодно отличается от остальных «гостей», которых приводят в Часовню, чтобы выпить их душу.

Они вот-вот пойдут в атаку, мысленно предупредила меня Уналак.

Чувствуя себя дирижером, который поднимает палочку, готовясь дать сигнал своему Оркестру Всех Сорвавшихся С Привязи Чертей, я мысленно приказала: *Давайте!*

* * *

Уналак с помощью заклинания создала защитное поле, перекрывшее северную четверть Часовни от стены до стены. Его сила была столь велика, что даже стоявшие на расстоянии тридцати шагов от него Пфеннингер, Константен, Хьюго Лэм и Д'Арнок оказались отброшены еще на несколько футов. Источник защитного поля был в поднятых вверх руках Уналак; от ее ладоней исходило мерцающее голубоватое сияние, и они были похожи на чечевицеобразные линзы Глубинного Течения. Однако Пфеннингер и Константен, находившиеся по ту сторону защитного поля, почему-то смотрели на нас снисходительно. Интересно, почему? Элайджа Д'Арнок, сложив ладони рупором, что-то крикнул, но звуку его голоса потребовалось несколько секунд, чтобы пробиться сквозь созданный Уналак экран, так что мы с трудом разобрали долетевшие до нас слова, но все же поняли, что он хотел сказать: *Сзади!*

Я оглянулась, и меня даже затошнило: я увидела, что обугленный лик Слепого Катара быстро себя восстанавливает. Сперва он восстановил кожу и сияющий нимб над головой. Потом начал оживать черный глаз посреди лба. Я понимала: как только этот глаз полностью раскроется, Слепой Катар сумеет с легкостью высосать душу каждого из нас по очереди!

А Пфеннингер издевался: *Вы только посмотрите, вместе с кем вы себя заперли!*

— Этот мой! — крикнул Ошима. — Маринус, Аркадий, держите поле. Прощай, Эстер.

И он выпустил на свободу душу Эстер. Она повисла в сторонке, дрожа и пульсируя в ожидании Последнего Акта. Затем Ошима, огромный, старый, седой воин, повернулся, обеими руками ухватил икону за края и, приблизив к ней лицо примерно на расстояние фута, зажмурился и открыл свой сверкающий чакра-глаз, а через него излил всю психическую мощь Глубинного Течения прямо в черный зрачок в центре лба Слепого Катара. Ошима не мог победить в схватке с этим бестелесным генератором Черного Вина, но он мог выиграть для нас хотя бы одну, но такую драгоценную, минуту.

Пфенинннгер, однако, заметил душу Эстер, лишившуюся убежища, и рявкнул приказание своим приспешникам. Анахореты ринулись к нам, натолкнулись на защитное поле и остановились — по пять человек с каждого конца перегораживавшего помещение огромного стола; их руки яростно двигались, изображая в воздухе какие-то символы. До меня долетел голос Константен: *Сперва уничтожьте защитное поле, а потом займетесь этой неприкаянной душой!* Аркадий, Уналак, Холли и я оказались отброшены назад вспышками янтарного пламени, ударами лазерных лучей и звуковых пуль. Я чувствовала, как пронзительно «вскрикивает» от боли нервная система Уналак после каждого такого удара. Мы с Аркадием, впрочем, старались отвечать, используя силы Глубинного Течения. Пущенные нами заряды вылетали из чакр на наших ладонях, пронзая созданное Уналак поле, и те, что попадали в цель, погружали Анахоретов в состояние хиатуса, сильнейшей заторможенности или вовсе выводили их из строя; однако огненные снаряды, порожденные энергией Пути Мрака, были крайне опасны, ибо буквально поджаривали нашу плоть. Если Анахореты действовали с помощью огнеметов, то мы — скорее с помощью дротиков-транквилизаторов, и наше защитное поле, к сожалению, уже получило несколько пробоин. Несмотря на огонь и дым, мне удалось разглядеть, что несколько наших с Аркадием «выстрелов» оказались весьма удачными: Каммерер, Восьмой Анахорет, замертво рухнул на пол, а Остерби, Шестой Анахорет, был надежно погружен в хиатус и через некоторое время, утратив равновесие, тоже повалился на бок, точно свиная туша; но Дю Норду вскоре удалось активизировать защитное поле, питаемое энергией Пути Мрака, и тем самым предотвратить дальнейшие потери в рядах Анахоретов.

Силы были по-прежнему неравны — нас было трое против девятерых, — и мы к тому же оказались заперты в тесном пространстве со злобным полубогом, сдерживать которого достаточно долго у Ошимы явно не хватило бы сил. Холли скорчилась у стены, но мне совершенно некогда было догадываться, о чем она думает. Уналак с трудом удерживалась на ногах: раскаленное докрасна защитное поле противника наносило удар по нашему защитному полю с силой и скоростью тяжелого грузового состава и с пронзительным визгом буровой установки. В местах нанесенных ударов голубые тона Глубинного Течения становились болезненно багровыми, как пятна у прокаженных; вскоре Уналак пришлось отступать — сперва на один шаг, а потом еще, еще и еще, и занятый нами треугольник в северной части Часовни уменьшился до нескольких квадратных метров. Я не успела даже проверить, отодвинулась ли вместе с нами Холли, потому что еще двое Анахоретов подняли свои ладони открытыми чакрами вверх, и сквозь грохот психоснарядов до меня донесся крик Константен: *Давите их, как муравьев!*

Аркадий бросился Уналак на помощь, вливая все свои силы в созданное ею защитное поле, и на время им удалось остановить отступление, но натиск Анахоретов стал мощнее раза в четыре. Психодуэль была в самом разгаре, и противоборствующие поля, соприкасаясь, вспыхивали так ярко, что больно было смотреть, и во время этих вспышек я старалась прикрывать глаза веками. Но все же успела заметить «третьим глазом», как длинный стол поднялся над полом футов на десять, секунду повисел в воздухе, точно хищная птица над добычей, и ринулся прямо на Аркадия и Уналак. Я инстинктивно начертала в воздухе останавливающее заклятие, и стол замер буквально на расстоянии ладони от лица Аркадия, пронзив собой оба защитных поля. Теперь этот чертов стол оказался как бы одновременно по обе стороны фронта, и наша борьба стала походить на детскую потасовку: Пфениннгер все старался ударить дубинкой Уналак или Аркадия и прорвать наше защитное поле, а я пыталась ему помешать. Мы сражались за контроль над столом довольно долго, словно играя в «Царя горы», скользя и падая, но тут к Пфеннингеру присоединились еще Анахореты, и в какой-то момент я вдруг почувствовала, что более не в силах сдерживать их натиск, — уже в следующую секунду стол врезался прямо в голову доктора Айрис Маринус-Фенби и, к счастью, перелетел на нашу сторону, так что Анахореты больше не могли использовать его в качестве тарана. Но, увы, мой череп оказался расколот практически пополам, и я поспешила совершить эгрессию до того, как мозг моего бывшего тела умрет и закроется навсегда. Так и запишем: причина смерти — летающий стол. Это первый случай в моей врачебной практике и, я думаю, последний, потому что моя окончательная смерть тоже явно была не за горами.

Сквозь становившуюся все более красной пелену защитных полей я видела Пфеннингера, Константен и некоторых других Анахоретов всего в нескольких шагах от меня; они вели шквальный «огонь» по Уналак, и в итоге им удалось не только прорвать наше защитное поле, но и разорвать его на куски. Батист Пфеннингер, улыбаясь, точно отец, гордящийся своими отпрысками, поднял руку и повернул ее ладонью в сторону Уналак; тонкий луч ослепительного света возник в воздухе между его ладонью и сердцем Уналак. Эта была настоящая психоэнергетическая разрывная пуля. Она не просто пронзила тело моей старинной подруги, но буквально сплющила его, превратив в уродливую массу костей и внутренностей. Глаза Пфеннингера и Константен вспыхнули от радости. Аркадий отчаянно пытался в одиночку восстановить наш бледно-голубой защитный барьер, а Ошима по-прежнему был заперт внутри сверкающей иконы Слепого Катара, ведя с ним безнадежную схватку.

Увидев под стеной мое мертвое тело, Анахореты решили, что никто из психозотериков теперь не сможет атаковать их, и красное поле замерцало и погасло. «Ничего, они еще заплатят за эту ошибку», — подумала я, лишенная тела, и, собрав всю свою психическую энергию, направила этот нейрозаряд в наших противников. Моя «бомба» попала в Имхоффа и Вестхузена, Пятого и Седьмого Анахоретов, и оба рухнули на пол. Итак, трое против семерых. Я ингрессировала в тело Аркадия, желая помочь ему восстановить защитное поле, которое сразу обрело более интенсивную синюю окраску и оттолкнуло назад остальных Анахоретов. Но когда Аркадий оглянулся на Ошиму, то я его глазами увидела, что битва Ошимы проиграна. Его тело испарялось прямо у нас на глазах. *Переходи в тело Холли*, мысленно приказал мне Аркадий, и я подчинилась, даже не попрощавшись с ним, о чем пожалела сразу, едва успев завершить ингрессию и осуществить Акт Полного Убеждения. Но... что теперь?

Потеряв Имхоффа и Вестхузена, Анахореты пришли в ярость и всем скопом накинулись на Аркадия. Естественно, такого натиска он не выдержал, и наше голубое защитное поле потухло. Истратив последние силы, Аркадий выпрямился и показал Батисту Пфеннингеру средний палец. И тут же Слепой Катар, ударив ему в спину короткой тяжелой психострелой, превратил его в пар. Битва была окончена. Я понимала, что теперь они либо убьют Холли, либо попытаются высосать ее душу. Я, разумеется, не могла ни увидеть Эстер, ни связаться с нею мысленно, но достаточно будет и нескольких секунд, чтобы Слепой Катар определил, где находится ее душа, и аннигилировал ее, и тогда Хорология окончательно проиграет свою вековую Войну с Анахоретами, которые...

* * *

Часовню вдруг наполнил свет, проникая сквозь руки, прижатые к глазам, сквозь сомкнутые веки, сквозь роговую оболочку глаз, сквозь стекловидное тело, сквозь плоть, сквозь наши души... И этот белый свет был настолько ярок, что казался черным. *Это Эстер! Ей удалось! Она победила!* Мне казалось, сейчас я услышу хруст ломающихся костей, когда Часовня расколется пополам. Я ждала, что услышу пронзительные крики Анахоретов, когда эта машина, дающая им бессмертие, начнет разваливаться на куски...

Но летели секунды... длинная череда секунд...

И ослепительно-белый свет, казавшийся черным, стал меркнуть; сперва он снова стал белым, потом молочно-серым, цвета кремня...

Ко мне вернулась способность видеть. Я, то есть лежавшая на полу Холли, открыла глаза и посмотрела вверх, на купол Часовни. Купол был цел. И Часовня не развалилась на куски.

Значит, подумала я, *Последний Акт, совершенный Эстер, был лишен должной мощи.*

И еще: *Значит, Слепой Катар предпринял контрмеры.*

Собственно, вряд ли было так важно понять, почему попытка Эстер не удалась. Вторая Миссия была нашим последним шансом. Хорология теперь — это всего лишь хакер Л'Окхна и охранник Рохо. Хорология кончилась. Анахореты победили.

Тело Холли страдало; ей хотелось стонать, ее мучила рвота, но я заставила ее оставаться в состоянии, больше похожем на смерть, и быть совершенно неподвижной, пока я буду вырабатывать... Что? У меня не хватило бы психовольтажа даже для того, чтобы выпустить в противника один-единственный заряд. Попытаться спастись? Выйти из тела Холли, попробовать скрыться? Или притаиться где-нибудь поблизости и смотреть, как Холли будут убивать, как будут высасывать из нее душу? Все равно Слепой Катар в итоге заметит меня, маленькую перепуганную мерзавку, пытавшуюся от него спрятаться. Я почти позавидовала Эстер. Она, по крайней мере, умерла в уверенности, что завоевала для Хорологов абсолютную победу. Увы, все получилось совсем не так, как она надеялась.

Оставшиеся в живых Анахореты собрались вместе. Пфеннингер по-прежнему стоял в центре ромбовидного нефа. Его окружали уцелевшие Константен, Д'Арнок, Хьюго Лэм, Ривас-Годой, Дю Норд и О'Дауд. Возможно, через некоторое время мог очнуться и кто-то еще. Они, конечно, понесли большие потери, но у них имелись достаточно длинные списки потенциальных Хищников, так что лет через двадцать они бы полностью восстановили свое могущество. Да и Часовня Мрака, как оказалось, ничуть не пострадала. Не было заметно почти никаких следов недавней битвы, разве что один конец стола как-то странно приподнялся, скамьи оказались сдвинуты и одна из малозначительных икон висела немного криво. Видя все это, я совершенно растерялась и, парализованная собственной нерешительностью, решила пока просто остаться в теле Холли.

— Что это была за яркая вспышка? — спросил Элайджа Д'Арнок.

— Это был Последний Акт, — сказал Пфеннингер. — И очень мощный. Вопрос в том, кто его совершил?

— Эстер Литтл, — сказала Константен, — в бесплотной форме существования. В Контрсценарии, как вам известно, факт ее смерти никогда не подтверждался. Да и я постоянно чувствовала ее присутствие. Она атаковала Часовню в самом ненадежном месте, по линии трещины, надеясь ее разрушить до основания под тяжестью упавших небес. Никто, кроме нее, не смог бы осуществить подобный акт. Нам еще повезло, что ее последний удар оказался не столь мощным, как она рассчитывала.

— Значит, мы победили? — спросил Ривас-Годой.

Пфеннингер переглянулся с Константен, и они в один голос сказали:

— Да.

— Хотя, — тут же признался Пфеннингер, — нам еще потребуется немало очистительных операций, потребуется зализать собственные раны. Но Хорология мертва! Я жалею лишь, что Маринус не дожила до той минуты, когда стало ясно, что они потерпели сокрушительное поражение. Слепой Катар, должно быть, прикончил ее между убийством Ошимы и Аркадия.

— Давайте-ка отправим и эту женщину по имени Сайкс следом за Салакатом, — сказала Константен, делая шаг в нашу с Холли сторону. Потом она вдруг остановилась и спросила у Д'Арнока: — А зачем *все-таки* Маринус притащила ее с собой? Я не... Погодите-ка минутку. — Она вгляделась в глаза Холли — в *мои* глаза — своими не совсем человеческими глазами. — Мистер Пфеннингер, похоже, у нас есть кое-что на десерт! — Константен сделала несколько осторожных шагов в мою сторону и улыбнулась. — Ну-ну, Холли Сайкс, значит — как это говорится? — только *притворяется* мертвой? Но как же ей...

* * *

Часовню наполнил какой-то рев и последовавший за ним страшный грохот. Константен упала на пол. Остальные Анахореты последовали ее примеру. Я — глазами Холли — увидела, что трещина в стене становится все шире, и ужас в моей душе сменился надеждой, а затем дикой радостью, особенно когда грохот и скрежет падающих и ломающихся камней стал еще громче. Прежде тонкая, как волосок, трещина быстро превращалась в черную зигзагообразную щель, тянувшуюся по всей северной стене Часовни до иконы Слепого Катара. Когда этот тошнотворный скрежет наконец затих, воцарившаяся тишина показалась еще более опасной, беременной смертельной угрозой... И я — точнее, скорчившаяся на полу Холли — заметила, как вздрогнула висевшая под куполом в виде светящегося кольца гностическая змея — символ Змея Познания. Сперва вздрогнула, а потом покачнулась, упала на пол и разбилась вдребезги; ее мельчайшие кусочки разлетелись и раскатились по всей Часовне, точно десять тысяч крошечных летучих существ, и один довольно большой осколок размером примерно с крикетный мяч чуть не попал Холли в голову. Я услышала, как Батист Пфеннингер театрально воскликнул: «*Черт!* Вы *видели*, мисс Константен?» И мне вдруг пришло в голову протестировать уровень психической энергии Холли. Странно, что я до сих пор не догадалась это сделать; к моему удивлению, ее психовольтаж оказался куда более высоким, чем я ожидала.

— Это все ерунда, — буркнула в ответ Константен. — Вы лучше на эту трещину посмотрите, Пфеннингер!

Я незаметно осуществила Акт Прикрытия. Если бы какой-то психозотерик посмотрел прямо на Холли, то все же сумел бы разглядеть хотя и смутные, но все же очертания человеческого тела. Однако и это было лучше, чем ничего. Тем более сейчас все семеро Анахоретов были страшно обеспокоены состоянием материи, из которой была создана Часовня. Что ж, этого и следовало ожидать. Мы с Холли осторожно ползли вдоль стены к западному окну, когда снова раздался треск крошащегося камня.

Элайджа Д'Арнок первым заметил, что Холли сдвинулась с места:

— А эта женщина, Сайкс, оказывается, жива!

О'Дауд, Одиннадцатый Анахорет, спросил:

— И куда она направляется?

— Она не одна! Эта сука кого-то в себе прячет! — прогремел голос Дю Норда. — И этот кто-то создал вокруг нее защитное поле!

— Скорей закройте Янтарную Арку! — приказала Ривас-Годою мисс Константен. — Это наверняка Маринус! Ни в коем случае не позволяйте ей отсюда выбраться! Я сейчас осуществлю Акт Разоблачения и...

Над головой у нас словно прорычал великан-людоед; из сильно расширившейся трещины дождем посыпались камни; собственно, трещина теперь выглядела как извилистой формы провал в скальной породе. Мне было ясно: Эстер Литтл все же удалось довести до конца Последний Акт, и сейчас только сам Слепой Катар, прилагая невероятные усилия, поддерживал целостность Часовни. Но даже его древние силы были на исходе.

— Пфеннингер, ШЕВЕЛИТЕСЬ! — закричала Константен.

Но Первый Анахорет, у которого за два века в связи с постоянным употреблением Черного Вина и полной сохранностью здоровья и благополучия, возможно, несколько притупился инстинкт самосохранения, словно застыл на месте. Он успел лишь поднять голову и с некоторым опозданием посмотреть вверх, куда давно уже указывала Константен. Осознав угрозу, он попытался нырнуть в Янтарную Арку, но не успел. Последним, что увидел в своей жизни Батист Пфеннингер, была падающая прямо на него плита с крыши

Часовни, и эта плита размером с семейный автомобиль превратила его в лепешку с той же легкостью, с какой молоток разбивает куриное яйцо. Следом за этой плитой вниз посыпались и еще такие же крупные каменные глыбы, как бы взрываясь при ударе об пол, и мне пришлось еще немного укрепить свое защитное поле. Дю Норд, французский капитан, следовавший Путем Мрака с 1830 года, тоже оказался недостаточно расторопен и не сумел защититься от града каменных осколков, разлетавшихся как шрапнель; хотя эти осколки и не лишили его жизни, но нынешняя жена Дю Норда никогда бы его не узнала, настолько он оказался изуродован. Трое или четверо Анахоретов под прикрытием защитного поля пробирались к Янтарной Арке и уже почти ее достигли, но тут южная часть кровли, точно подтаявший айсберг, съехала вниз и полностью заблокировала путь к спасению. Теперь мы все оказались как бы в запечатанной гробнице.

Сквозь зияющие дыры в кровле в Часовню просачивался Мрак — эта кипящая, какая-то зернистая мгла ощупывала своими щупальцами внутреннее пространство и все время гудела, бормотала, но не так, как гудит пчелиный рой или невнятно бормочет толпа людей. А еще вокруг нас то и дело раздавался какой-то неприятный шелест, шуршание, однако это не было похоже на шелест осыпающегося песка. Щупальце Мрака внезапно развернулось за спиной у Элайджи Д'Арнока, когда тот шарахнулся в сторону, уходя от очередного рухнувшего на пол каменного обломка. Словно не замечая защитного поля, это щупальце обвило шею Д'Арнока, и он мгновенно превратился в сгусток тьмы, имевший форму человеческого тела, хотя форма сохранялась не дольше нескольких секунд.

— Маринус, это вы там во мне? — шепотом спросила Холли.

Извините, я без разрешения подвергла вас Акту Убеждения, мысленно ответила я.

— Мы ведь их победили, правда? Аоифе теперь в безопасности?

Теперь, надеюсь, все семьи будут в безопасности. По крайней мере, от Анахоретов.

Мы с Холли смотрели на груду каменных осколков, в которые превратилась кровля и часть стен Часовни. Среди камней были видны лишь три янтарно-красные фигуры Анахоретов, окутанных защитным полем. Я узнала Константен, Ривас-Годоя и Хьюго Лэма. Краски с иконы Слепого Катара облезали, как шелуха с луковицы, а потом икона и вовсе рассыпалась в прах, словно ее облили кислотой. В Часовне с каждой секундой становилось все темнее. Мрак уже заполнил ее уже по крайней мере на четверть.

— Эта тьма... этот Мрак... — сказала Холли, — вовсе не выглядит таким уж страшным...

Простите, что втравила вас во все это, — сказала я.

— Не нужно просить прощения, Маринус. Вы не виноваты. Это же Война.

Нам оставалось всего несколько мгновений.

* * *

Треск и грохот разрушения, доносившиеся из северного угла, вдруг превратились в подобие колокольного звона, только колокола звучали как бы вразнобой. А на месте иконы возникло нечто странное: овальное отверстие, сквозь которое лился бледный лунный свет.

— Этот звон, — сказала Холли, — похож на наш обеденный колокол в «Капитане Марло». Что это такое, Маринус?

В нескольких футах от нас лежало бесчувственное после моего психического удара тело Имхоффа. Щупальце Мрака дотянулось до него, и Имхофф перестал существовать.

Понятия не имею, — призналась я. — *Может быть, это голос надежды?*

Похоже, трое оставшихся в живых Анахоретов пришли к такому же выводу и дружно двинулись в северный угол Часовни. Мы с Холли последовали за ними, точнее, попыталась это сделать, но прямо перед нами в не защищенное теперь восточное окно проникло длинное перо Мрака, я, поскользнувшись в луже того, что осталось от Батиста Пфеннингера, отползла в безопасный карман с еще относительно чистым и *светлым* воздухом у стены центрального нефа, но крутящаяся колонна какого-то кипящего серого вещества подхватила меня и швырнула к западной стене. Мрак занимал теперь более половины Часовни, и тридцать шагов до открывшегося в стене овала преодолеть было так же сложно, как пройти по минному полю, постоянно меняющему очертания. Я споткнулась о свое прежнее тело, лежавшее под каким-то неестественным углом, но двинулась дальше, понимая, что тело доктора Айрис Фенби через несколько секунд тоже исчезнет. Однако нам с Холли чудесным образом продолжало везти: мы даже сумели добраться до того овала, в который лился лунный свет. Анахоретов больше не было видно. Похоже, имелся еще какой-то тайный выход, использовавшийся в экстренных случаях, что, на мой взгляд, как-то не вязалось с принципами, которыми руководствовался Слепой Катар при строительстве своего убежища. Овальное отверстие теперь светилось еще ярче, а внутренность Часовни еще больше потемнела. Отверстие было словно прикрыто некой мембраной, сквозь которую виднелись быстро летевшие по небу облака; казалось, само небо пришло в движение и затекает внутрь Часовни, которую уже полностью заполнила тьма. Рухнул восточный край кровли, и Холли сказала:

— А что мы, собственно, теряем?

Я почувствовала, как моя «хозяйка», глубоко вздохнув, шагнула в пустоту...

...И мы оказались в узком коридоре, который был лишь чуть шире человеческих плеч и чуть выше человеческого роста; его освещал тусклый, умирающий свет Часовни и те лунные лучи, что проникали сквозь овальное отверстие. Позади еще слышался грохот разваливающихся стен Часовни, но казалось, будто это происходит где-то далеко, на расстоянии по крайней мере мили, а не в нескольких шагах у нас за спиной. Коридор вел куда-то вниз; сделав по нему шагов десять, мы уперлись в стену и стали искать новый проход, для чего сперва свернули влево, потом вправо. Здесь было теплее. Я коснулась стены. Она была примерно температуры человеческого тела и светилась красноватым светом, каким светится в небе планета Марс, а текстура ее напоминала кирпич-сырец. Но я опасалась, что если звук, свет и человеческая плоть оказались способны пройти сквозь мембрану в овальном отверстии, то и Мрак мог за нами последовать. Защитное поле, разумеется, скроет наши следы, тем более что где-то впереди, по всей видимости, трое Анахоретов, но запас психической энергии у Холли крайне мал, а мои силы тоже практически израсходованы, так что оставалось только идти по этому коридору до конца. Он оказался недлинным. Собственно, и правый, и левый коридоры, чуть изгибаясь, вели куда-то во тьму. *Такое ощущение, словно мы попали в некрополис,* — мысленно сказала я Холли, — *однако...*

— Но ведь Слепой Катар, кажется, не утруждал себя заботой о телах своих жертв?

Нет. Их, как и труп Садаката, попросту выбрасывали в окно.

Я оглянулась. Овал, еще видимый в конце коридора, уже начинал меркнуть, поскольку Часовня была практически мертва. Я мысленно спросила у Холли: *Как ты думаешь, лучше направо или налево?*

— Маринус, я, по-моему, только что видела на стене какие-то буквы. Примерно на высоте половины человеческого роста.

Я посмотрела туда и увидела выбитые в камне буквы: JS.

— JS? — каким-то странным тоном повторила Холли. — Может быть, это Жако? Маринус, он всегда именно так подписывал свои...

Она не договорила. Снова раздался знакомый шум, похожий на удары колокола; но на этот раз «колокола» звучали как бы из-под воды. Было ясно, что Мрак преследует нас; даже воздух вокруг несколько изменился.

— *Налево*, Маринус! — приказала Холли. — Теперь свернем налево!

Не было времени спрашивать, почему она так в этом уверена, и я просто подчинилась. Мы поспешно продвигались по узкому, вызывающему приступы клаустрофобии извилистому коридору с графитно-черными стенами. Сердце пятидесятишестилетней Холли тяжело билось; я вспомнила, что, скорее всего, устроила ей растяжение на ноге во время последнего броска через Часовню. Все-таки она была на десять лет старше Айрис, и мне следовало об этом не забывать.

— Проведите моими пальцами по стене, — шепотом попросила она.

Если хотите, я полностью передам вам контроль над телом, и вы сможете вести нас обеих.

— Да, пожалуйста! Сделайте так! — Холли на мгновение прислонилась к стене, чтобы унять легкое головокружение, вызванное напряжением и усталостью. — Господи, как все-таки это странно!

Я могла бы зажечь небольшой «волшебный» огонек, но это может привлечь ненужное внимание.

— Если моя дикая догадка справедлива, то свет мне и не понадобится. Если же я ошибаюсь, то свет мне не поможет. И мы это узнаем очень скоро. Этот проход, по-моему, все еще куда-то изгибается, да?

Да. Там, впереди, наверняка какая-то арка. До нее, думаю, еще шагов сто.

Холли остановилась. Я слышала ее хриплое дыхание, тяжелые удары сердца и настигающий нас обеих шепот Мрака. Холли оглянулась, и в темноте коридора разлилось слабое монохромное сияние. Она подняла руку, и в темноте стал виден слабый блеск ее обручального кольца. *Этот Мрак*, — сказала я ей, — *обладает фосфоресцирующей способностью. Этот слабый свет будет сопровождать нас, пока мы будем двигаться вперед, так что не останавливайтесь.*

— Дьявольщина какая! — сказала Холли и снова пошла вперед.

Я подчинилась, несмотря на терзавшее меня искушение просканировать ее напряженную душу и узнать, что у нее на уме. Еще пятьдесят шагов — и Холли снова остановилась; ей не хватало воздуха. Однако я чувствовала, что ее страх теперь смешан с надеждой.

— Может, мне все это только кажется? Скажи, Маринус, чего я касаюсь пальцами правой руки?

Я проверила, потом проверила еще раз. *Ничего.*

Она повернулась направо и словно приложила ладони к черной пустоте. Потом нащупала ее края, и мы обе поняли, что это вход в какой-то узкий лаз.

— Теперь немного света, пожалуйста. Если можно. Хотя бы как от горящей спички.

Я буквально наполовину вылезла из ее «третьего глаза», вызвав слабое свечение. Моя «хозяйка» сегодня видела уже так много, что совсем не удивилась свету, льющемуся у нее изо лба. Прямо перед нами был короткий и узкий соединительный проход, заканчивавшийся уже в шагах пяти, а дальше виднелся очередной поворот основного туннеля. Справа от нас совсем недалеко, за поворотом, стеной стоял Мрак.

— Мы уже *внутри*, — прошептала Холли. — Погасите, пожалуйста, свет. Теперь мне лучше довериться собственной памяти, чем глазам.

Если вы можете идти и одновременно рассказывать, — сказала я, — *то объясните, пожалуйста, что значит «внутри»; я просто сгораю от любопытства.*

Холли сделала несколько шагов по соединительному проходу до того перекрестка, который она нащупала, упершись ладонями в стену, и свернула направо.

— В последний раз я видела Жако, — начала рассказывать она по-прежнему почти шепотом, — когда паковала рюкзак, собираясь сбежать из дома. Кси Ло когда-нибудь вам об этом рассказывал?

Возможно... я не помню. Это было так давно.

Мы сделали в полной темноте еще шагов десять, и Холли левой рукой снова нащупала пустоту. Это был еще один соединительный проход. Она смело вошла туда, сделала пять шагов до следующего перекрестка и теперь повернула налево. Эти коридоры, похоже, являли собой некие концентрические круги.

— Ну так вот, — продолжала она, — когда я паковала вещи, вдруг появился Жако и подарил мне... один лабиринт. Он обожал рисовать всякие сложные лабиринты-головоломки — просто так, для развлечения... Теперь должен быть еще один короткий проход...

И действительно, через десять шагов за поворотом туннеля Холли отыскала проход — на этот раз справа от себя — и вошла в него. Опасаясь, что мои разговоры ее собьют, я не стала ничего рассказывать о лабиринте, который Кси Ло однажды создал для короля Вильгельма Оранского[1].

За аркой начинался очередной коридор, а чуть дальше очередная развилка. Холли свернула направо и продолжила свой рассказ:

---

[1] В и л ь г е л ь м I О р а н с к и й (1533—1584) — принц, деятель Нидерландской буржуазной революции, лидер антииспанской дворянской оппозиции.

— Но лабиринт, который в тот день подарил мне Жако, был довольно простым. Девять концентрических кругов и между ними в разных местах — соединительные проходы. Однако Жако взял с меня слово, что я непременно выучу этот лабиринт наизусть. Выучу так хорошо, чтобы если мне это когда-либо понадобится, я смогла бы безошибочно найти выход из этого лабиринта даже в кромешной тьме...

Значит, сейчас мы находимся внутри этого лабиринта?

— Да, мы внутри его. И мне кажется, что для нас это важно. Я права?

Да. Скорее всего, это явление некой транссубстантивности. Душа Слепого Катара слилась с материей, из которой создана Часовня Мрака, а душа Кси Ло, как мне представляется, также слившись с этой материей еще во время нашей Первой Миссии, превратилась в этот лабиринт, в нечто вроде доброкачественной опухоли на этой структуре.

Холли тут же спросила:

— Но зачем он это сделал?

Для того, чтобы после Второй Миссии существовал запасной путь обратно, в наш мир. Но по этому пути можете пройти только вы, Холли. Любой другой... Мы обе одновременно подумали о тех Анахоретах, которые вошли в лабиринт раньше нас и вскоре окажутся пойманными в ловушку в его тупиковом конце, а сзади на них будет неумолимо надвигаться стена Мрака.

— Неужели Жако знает, что мы здесь?

Явление транссубстантивности — это колдовской, могущественный акт. Я, например, на такое не способна, и модус его мне неизвестен. Кси Ло никогда не говорил мне, что изучает проблему транссубстантивности. Слепой Катар, впрочем, сразу узнал, что мы находимся в Часовне, так что вполне логично предположить, что и Кси Ло — или Жако — знает, что вы здесь.

Холли отыскала справа от себя проход и вошла в него.

Если это действительно концентрические круги, — подсказала я, — *то мы сейчас движемся в противоположную его центральной части сторону.*

— Тут приходится то входить, то выходить, чтобы иметь возможность двигаться дальше. Теперь снова должен быть перекресток. Немножко света, пожалуйста. — Я немного посветила ей, и там действительно оказался перекресток. Холли выбрала левый коридор. Я снова спряталась и погасила свет.

Значит, вы сдержали свое обещание и выучили весь путь наизусть?

— Да. Ведь это была последняя просьба Жако. После разговора с ним я помчалась к своему тогдашнему бойфренду и больше никогда не видела своего братишку. Рут, моя невестка, — она делает всякие ювелирные украшения — сумела по рисунку Жако сделать мне что-то вроде серебряной подвески. Когда я окончательно ушла из дома, то взяла эту подвеску с собой и постоянно на нее смотрела, каждую неделю, наверно, повторяя наизусть рисунок лабиринта. Теперь будет поворот налево.

Мы повернули налево, и в голове у нас обеих буквально взорвалась боль. Холли зашаталась, упала, но почти сразу вскочила. Однако новый приступ боли на этот раз пронзил ее лодыжки и колени, а перед нашими опаленными глазами словно вспыхнуло множество разноцветных огней. Когда моя «хозяйка» подняла голову, я успела заметить Константен, стоявшую над нами; ее «третий глаз» был открыт и прямо-таки пылал ярко-красным пламенем.

— Покажи мне выход, — спокойным, «материнским», тоном приказала Холли Вторая Анахоретка, — или я превращу твое тело в пылающий факел, чтобы осветить себе путь, и ты будешь долго корчиться и вопить от боли.

Чакры у Константен на ладонях тоже были открыты и пылали красным пламенем, а пальцы обеих рук сжимали светящиеся тяжелые психострелы, с помощью которых она намеревалась осуществить свою угрозу. Холли, вся дрожа, бормотала: *«Пожалуйста, не надо, пожалуйста, не надо, пожалуйста, не надо...»* Я не знаю, что именно услышала Константен, как много она знала, сколько психической энергии еще осталось в ней после битвы, но, по всей видимости, вполне достаточно, чтобы нас прикончить. И я решила оттолкнуть ее от Холли, загнать обратно во Мрак, чтобы хотя бы у Холли был шанс выбраться живой.

И я, объятая сиянием, покинула тело своей «хозяйки».

Ледяным гневным тоном Константен спросила:

— И кто же ты?

Я — Маринус.

— Маринус? Хорошо. Пусть будет Маринус. Времени слишком мало. Веди.

Если ты убьешь нас обеих, ты тоже умрешь.

— Зато я умру чуть более счастливой, зная, *кого* мне под конец удалось прикончить.

Но придумать сколько-нибудь стратегически обоснованный ответ я не успела: «третий глаз» Константен померк, ее голова как-то странно дернулась назад, а тело кулем сползло на пол.

— Я ЖЕ ТЕБЕ СКАЗАЛА! — Холли издала какой-то горловой, скрипучий звук, похожий на клич берсеркера, и второй раз с силой опустила какой-то непонятный, но явно тяжелый предмет на голову нашего главного врага. — НИКТО НЕ СМЕЕТ УГРОЖАТЬ МОЕЙ СЕМЬЕ! — И она в третий раз ударила Константен.

Мое сияние стало еще ярче, и я увидела, что Холли, тяжело дыша, склонилась над бездыханным телом Иммакюле Константен, голова которой представляла собой месиво из крови, золотисто-белых волос и бриллиантов. Я снова нырнула в тело Холли и сразу почувствовала, что она буквально охвачена испепеляющей яростью, выделявшейся на фоне множества иных, еще незнакомых мне, эмоций. Через несколько секунд Холли резко нагнулась, и ее вывернуло наизнанку тремя мощными спазмами.

Все хорошо, Холли, — сказала я. — Я с тобой. Все хорошо.

Холли вырвало в четвертый раз.

Я синтезировала каплю седатива и ввела его ей прямо в гипофиз. *Ну, теперь, по-моему, ты покончила со всеми врагами.*

— Я ее убила. — Холли трясло. — Я убила... Это просто... я вроде... Нет, это была не я! Но я знаю, что это я ее убила.

Я ввела ей еще успокаивающее и сказала: *Она, возможно, еще жива... Точнее, почти жива. Если хочешь, я проверю.*

— Нет. Нет! Мне этого лучше не знать.

Как хочешь. Что это было за орудие убийства?

Холли уронила загадочный предмет и сказала:

— Это скалка.

Господи, где же ты взяла здесь скалку?

— Я прихватила ее у вас на кухне. Еще в 119А. И сунула в сумку.

Холли выпрямилась и охнула. Я тут же постаралась снять боль в ее вывихнутом колене.

Зачем же ты ее взяла?

— Вы все время говорили о Войне, а у меня с собой не было даже складного швейцарского ножа. Так что... Да, *я понимаю*: истеричка, вооруженная скалкой. Совершеннейшее клише. Криспин бы просто вытаращил глаза и сказал: «Ну-ну, давай дальше!» Но мне хотелось... понимаешь?... Ну, *хоть что-нибудь* иметь на всякий случай. Я ненавижу кровь, так что нож я брать не стала, оставила их все в буфете, а вот скалка... В общем, вот так. *Господи, в какое дерьмо я вляпалась, Маринус! Что я натворила!*

Ты всего лишь убила Вечного Хищника, которому было два с половиной века. Причем сделала это с помощью самого примитивного кухонного приспособления. Это было просто здорово, хотя до этого ты весьма успешно изображала из себя жалкую перепуганную пожилую тетку в слезах и соплях.

— Насчет испуга, слез и соплей все верно; мне для этого не потребовалось никаких усилий.

Однако Мрак наступает, Холли. Куда нам теперь?

Она взяла себя в руки.

— Немного света, пожалуйста. — Я посветила ей, и мы увидели перекресток, где на нас напала Константен, теперь лежавшая на полу мертвая или умирающая. — В каком направлении мы двигались?

Я вспомнила, что мы, когда упали, несколько раз поворачивались лицом к Константен, которая ходила вокруг нас и угрожала. Я прибавила свету, но от этого стал виднее только ее труп и лужа рвоты.

Нет, я не могу сказать с уверенностью.

Холли охватила паника. Я старалась, как могла, ее успокоить.

До нас уже доносилось монотонное пение наступавшего Мрака.

Если хочешь, я попробую повести нас.

— Да, — хрипло прошептала Холли. — Пожалуйста, веди.

Перед нами открылось сразу четыре совершенно одинаковых с виду прохода.

Впрочем, нет! Один был, пожалуй, чуточку светлее.

Холли, из лабиринта есть только один выход, верно?

— Да.

Я выбрала более светлый коридор и повернула направо, но уже через десять шагов прямо перед нами возникла стена Мрака. Мрак заполнял туннели, как блестящая, медленно текущая вода. В его приглушенном пении слышались голоса. *Мы не сделаем вам больно*, обещали они на неведомых языках, *не сделаем больно...*

— Куда это мы направились? — неожиданно звонко спросила Холли.

Я повернула назад.

Это тот путь, по которому мы пришли. Мрак следует за нами по пятам. Мы пришли отсюда — на этом перекрестке мы встретились с Константен. — Я перешагнула через ее мертвое тело. — *Постарайся восстановить в памяти рисунок Жако. Или твою подвеску.*

— Я вспомнила! Теперь прямо. — Я подчинилась. — Потом налево. Чуть дальше будет поворот направо, но ты не обращай на него внимания, это тупик... Продолжай идти. По следующему коридору направо. — Я шла и думала, как Мрак разливается над телом Константен. — Теперь налево. Вперед. Еще несколько шагов и... Нет, еще немного вперед. Мы уже совсем близко от центра лабиринта, но нам придется пройти по кругу, потому что впереди ловушка. Следующий поворот налево. Теперь вперед под арку... и поверни направо. — Позади отчетливо слышался шелест преследовавшего нас Мрака; все укорачивавшиеся боковые проходы и тупики, казалось, постепенно высасывают из него силы, заставляя двигаться медленней. — Слева будет проход, но ты на него внимания не обращай... Теперь поверни направо. Через перекресток. Скорей! Поверни направо. Поверни налево. Сейчас мы должны оказаться... — Арочный проход впереди был черен, но не из-за отсутствия в этом подземелье света, а *непроницаемо* черен, как черно Последнее Море; это была чернота, которая ничего не отражала и поглощала даже тот мой свет, который исходил из открытой чакры на ладони Холли.

Я сделала еще шаг и оказалась в...

* * *

...помещении с потолком-куполом тускло-красного, как марсианский, цвета, того же цвета, что и стены в лабиринте, но только *наполненного жизнью* благодаря резким теням множества птиц. Комната была освещена золотисто-красным, вечерним, светом, исходившим от большого золотого яблока, которое висело в воздухе примерно на высоте человеческого роста.

— Боже... — Несмотря на все, что Холли довелось за сегодняшний день узнать и увидеть, у нее перехватило дыхание. — *Посмотри*, Маринус! Оно что, живое?

Мне кажется, это чья-то душа.

За свою невероятно долгую жизнь я, естественно, много раз слышала о золотых яблоках. О золотых молодильных яблоках слагали стихи и сказки. Золотые яблоки изображали на своих картинах художники. Не только Венера на знаменитом полотне Бронзино держала в руках золотое яблоко, но именно эта картина была так хорошо знакома Кси Ло, и у меня возникли кое-какие подозрения. Хотя я и сама однажды держала в руках настоящее золотое яблоко, выкованное из казахского золота в XI веке неким мастером при дворе Сулеймана VI; у того яблока был еще листочек из зеленого персидского жадеита, а на листочке — капли росы из жемчужин с острова Святого Маврикия. Но разница между тем золотым яблоком и этим была равносильна разнице между чтением любовных стихов и состоянием любви.

Глаза Холли были полны слез.

— Маринус...

— Это наш путь назад, Холли. Коснись яблока.

— *Коснуться?* Я не могу его коснуться. Это так...

Кси Ло создал его для тебя, для этого момента.

Она приблизилась к яблоку еще на шаг. Было слышно, как снаружи шелестит воздух в оперении стремительно пролетающих птиц.

— Одно прикосновение, Холли. Пожалуйста. Мрак приближается.

Холли протянула к яблоку свою исхудавшую, грязную, покрытую ссадинами руку.

Покидая тело своей «хозяйки», я услышала нежную песнь горлинки.

Холли исчезла.

* * *

Птицы-тени тоже исчезли, как и золотое яблоко, как и помещение с потолком-куполом. Теперь я находилась то ли в какой-то гробнице, то ли в темном мавзолее. Впрочем, теперь мне было все равно: я умирала. *Умирала насовсем.* Но, умирая, я знала, что Холли Сайкс в безопасности, что долг Хорологов перед нею выплачен до конца. И это хорошо. У Аоифе по-прежнему есть мать. Я вызвала слабое свечение и мысленно спросила у Хьюго Лэма: *Зачем умирать в одиночестве?*

Он убрал защитное поле и стал видимым.

— А действительно, зачем? — Он поморщился, коснувшись сильно разбитой скулы. — Ох ты черт! Ну и вид у меня, должно быть! Чертов смокинг! Мой бангладешский портной с Сэвил Роу — просто гений, но шьет только двадцать костюмов в год. Скажите, а почему Кси Ло оставил вам только один волшебный билет в мир живых?

Я переместилась туда, где раньше висело золотое яблоко. Оно исчезло полностью, до последней частицы, до последнего атома. *Явление транссубстантивности. Слепой Катар постоянно получал подпитку за счет тех душ, которые вы ему поставляли. А Кси Ло поддерживал себя за счет... внутренних резервов; «батареек», если можно так выразиться. Но почему вы-то не воспользовались этим волшебным билетом?*

Он уклонился от ответа и спросил:

— У вас случайно нет сигаретки, Маринус?

Я же дух. У меня и тела-то нет.

Из-под двери, точно песок, просочилась тонкая струйка Мрака.

Вы выискивали жертв, лгали им, обхаживали их, соблазняли, убивали...

— Это были чистые, безболезненные убийства. Эти люди умерли счастливыми.

...став Маркусом Анидером, вы убили даже собственное «я».

— Неужели вы действительно хотите провести последние мгновения жизни, читая мне приговор? Чего вы от меня хотите? Что бы я, как в какой-нибудь пьесе, повинился и воскликнул «Mea culpa!»?

Мне просто интересно, почему Хищник, который столько лет ни о чем другом, кроме себя любимого, не думал и который всего лишь на прошлой неделе хвастался тем, что убил Оскара Гомеса, теперь вдруг...

— Неужели вы до сих пор сердитесь на меня за это?

...Теперь вдруг проявляет благородство и готов пожертвовать своей, чрезмерно растянувшейся, молодой жизнью во имя простой смертной? Ну, говорите же. Обещаю, что не скажу ни одной живой душе.

Бормотание Мрака становилось все громче. Мне не хотелось слышать его голос.

Хьюго Лэм отряхнул рукав своего драгоценного смокинга. Потом спросил:

— Вы ведь сканировали мозг Холли, я полагаю?

Да, и весьма экстенсивно. Мне пришлось это сделать: я должна была отыскать Эстер Литтл.

— Вы видели нас в Ла-Фонтен-Сент-Аньес? Холли и меня?

Я слишком долго колебалась, и он не выдержал:

— Значит, вы всласть насмотрелись? Ну что ж. Вот вам и ответ на ваш вопрос. — Мрак еще активней просачивался из-под двери, напевая, что больно нам не будет, *больно не будет, больно не будет...* Уже треть пола скрывалась под его темной пеленой. — Вы видели, как Холли тогда врезала Константен по башке? Ирландская кровь! Грейвзендские мускулы. Чего стоят после этого всякие рассуждения о происхождении и наследственности!

Значит, вы стояли рядом и спокойно наблюдали?

— Мне никогда не было свойственно бессмысленное геройство.

Константен, можно сказать, была вашей крестной матерью; это она вас рекрутировала в Анахореты. Она была второй в вашей иерархии.

— У меня всегда были проблемы с начальством. Ривас-Годой повернул направо, когда мы вошли в лабиринт, и его сразу прикончили, а я последовал за Константен. Да, эта она меня рекрутировала, но она всегда действовала по принципу «женщины и дети получают первыми». Так что я, окружив себя защитным полем, отстал от нее, а потом услышал Холли и пошел за вами. И вот мы с вами оказались здесь, став перед смертью невольными приятелями. Кто бы мог подумать, а?

Мы оба как завороженные смотрели на струю черного «песка», вытекавшую из-под двери и постепенно заполнявшую помещение. Я мучительно пыталась вспомнить, что же такое важное я пропустила, когда Хьюго Лэм, деликатно кашлянув, спросил:

— Скажите, Маринус, она тоже любила меня? Нет, я не о том времени, когда ей стало известно о моей причастности к обществу Анахоретов... которые так пугали когда-то ее родителей и пытались убить душу ее брата. Я имею в виду ту ночь. В Швейцарии. Когда мы были молодыми. По-настоящему молодыми. Когда Холли и меня совсем засыпало снегом в той маленькой квартирке.

Две трети пола уже скрылись под черным «песком». Лэму оставалось секунд шестьдесят, прежде чем его поглотит Мрак. Я, возможно, протянула бы чуть дольше, если захочу, — до тех пор пока купол не будет заполнен до самой крыши.

И вдруг меня словно ударило: я поняла, что именно упускаю из виду. Хьюго Лэм тоже не подумал об этом. Как и Константен. Убегая от осыпавшихся стен Часовни, пытаясь уйти от наступавшего Мрака, мы все забыли об альтернативном выходе. Если бы я могла мысленно рассмеяться, я бы это сделала. Но получится ли? Если Мрак уже заполнил Путь Камней и потайной ход, то ничего, конечно, не выйдет... К тому же добираться туда придется достаточно долго.

Я мысленно спросила Лэма: *Сколько у вас осталось энергии?*

— Не очень много. А что? Вы бросаете мне вызов? Вам хочется сразиться?

Если я войду в ваше тело, то вместе нам, возможно, еще хватит сил.

Он был смущен.

— Хватит на что?

На то, чтобы отыскать Вход.

Шипсхед

2043 год

26 октября

У подножия лестницы я услышала эту мысль: *Он уже в пути,* — и по рукам у меня поползли мурашки. Кто в пути? Зимбра, успевший подняться по склону, обернулся, чтобы посмотреть, что меня задержало. А я, пытаясь понять услышанное, перебирала звуки позднего вечера. Звяканье остывающей духовки. Грохот волн, налегающих плечом на скалы внизу. Потрескивание старых костей нашего дома. Потрескивание и моих, Холли Сайкс, дряхлых костей, если уж честно. Опершись о перила, я посмотрела на вершину холма, где стоял дом Мо. В спальне у нее горел свет — значит, все в порядке. Ничьих шагов на гравиевой садовой дорожке не было слышно. Да и Зимбра явно не почуял никого чужого. В курятнике было тихо, как и должно быть в такое время суток. Лорелея и Рафик над чем-то смеялись — они устроили в комнате Лорелеи кукольный театр теней: «И ничуточки это на кенгуру не похоже, Лол!»; «А *ты-то* откуда знаешь?»; «А ты *сама* откуда знаешь?» А ведь еще совсем недавно мне казалось, что я никогда больше не услышу веселого смеха моих сироток.

Со временем все приходит в норму. И нечего слушать чьи-то мысли. Ведь кто-то всегда в пути, если задуматься. Но нет. Я отчетливо слышала: *Он уже в пути.* Я была настолько в этом уверена, насколько вообще возможно. Проблема в том, что если тебе когда-то доводилось *слышать голоса,* ты уже никогда не бываешь полностью уверен, действительно ли случайная мысль является *случайной,* или же это нечто большее. И потом, эта дата: завтра пять лет с того страшного дня 2038 года, когда разразилась чудовищная буря, в которую на высоте двадцать тысяч футов попал «Боинг-797» с Аоифе и Орваром на борту, и жизни моих детей, как и жизни еще двухсот пассажиров, были сломаны — так рассерженный неудачей мальчишка ломает модель самолета, которую мастерил; Брендан когда-то любил развешивать такие модели в своей комнате под потолком...

— Ох, не обращай на меня внимания, — пробормотала я, обращаясь к Зимбре, и потащилась вверх по лестнице, по той самой лестнице, по которой когда-то взлетала пушинкой. — Идем, пес, подымай-ка задницу! — И я погладила Зимбру по курчавым завиткам между ушами; некоторые завитки упрямо стояли вверх, а некоторые лежали гладкими кольцами. Зимбра внимательно смотрел на меня большими карими глазами — словно мысли читал. — Ведь и ты наверняка скажешь, что мне не о чем беспокоиться, иначе ты бы меня предупредил, верно?

Хотя, конечно, беспокоиться было о чем. Меня, например, очень тревожила та противная тянущая боль в правом боку, означавшая, что мой рак снова пробудился; меня также мучила мысль о том, что будет с Лорелеей и Рафиком, когда я умру; меня беспокоили заявления ассоциации Китая, Индии и Юго-Восточной Азии насчет Хинкли-Пойнт[1], полностью противоречившие настойчивым уверениям британского правительства, что «полного расплавления реактора в Хинкли ни в коем случае не произойдет»; я не могла, разумеется, не думать о Брендане, который жил всего в нескольких милях от новой «особой зоны», или о высадке близ Уэксфорда множества «приплывших на лодках» людей (интересно, где и как эти тысячи голодных, лишившихся корней мужчин, женщин и детей переживут зиму?), или о том, что, судя по слухам, в Белфасте участились случаи «крысиной лихорадки», или о том, что запасы инсулина у нас на пределе, или о больном колене Мо; или о...

Да уж, беспокойные времена у тебя наступили, Холли Сайкс!

* * *

— Я *так и знал*, что это случится! — сказал Рафик, кутаясь в старую красную куртку Аоифе, теперь служившую ему чем-то вроде теплого халата. Он залез на кровать Лорелеи и уселся обхватив колени. — Когда Маркус обнаружил, что с его плаща пропала брошь, это было просто... В общем, *тогда-то все и разъяснилось!* Нельзя украсть золотого орла у такого племени, как Раскрашенные Люди, и надеяться, что тебе ничего за это не будет. Для них это все равно как если бы Маркус и Эска украли их бога. Ну, *естественно,* они теперь начнут на них охотиться! — Затем, зная, как мне самой нравится эта книга, Рафик попытался меня соблазнить: — Холли, а может, мы почитаем еще *чуть-чуть*? Хотя бы до следующей главы?

— Уже почти десять, — произнесла рассудительная Лорелея, — а нам завтра в школу. — Стоило закрыть глаза, и мне казалось, что рядом со мной пятнадцатилетняя Аоифе.

— Ну, хорошо. А планшет заряжен?

— Да, но электричества по-прежнему нет. И Интернет тоже не работает.

---

[1] Атомная электростанция в графстве Сомерсет, в местечке Хинкли-Пойнт.

— А это *действительно* правда, — спросил Рафик, не проявляя ни малейшего намерения слезать с кровати Лорелеи, — что, когда тебе было столько же лет, сколько мне, можно было сколько угодно пользоваться электричеством, причем *все время*?

— Молодой человек, по-моему, я ничего не меняла в вашем расписании. Вы не забыли, когда вам следует ложиться спать?

Рафик только улыбнулся.

— Должно быть, это просто *магно*, когда столько электричества!

— Должно быть, просто ЧТО?

— *Магно*. Так все говорят. Ну, знаешь, вроде как «круто», «классно», «эпично», «здоровско» и все такое.

— А, вот что это значит. Да, если оглянуться назад, можно, пожалуй, сказать, что это было действительно «магно», но мы тогда считали это само собой разумеющимся.

Я помнила, какое удовольствие испытывал Эд каждый раз, когда возвращался из Багдада в наш маленький домик в Стоук-Ньюингтоне. В Багдаде ему и его коллегам приходилось заряжать лэптопы и мобильники от автомобильных аккумуляторов, которые им приносил торговец запчастями. На Шипсхеде сейчас очень даже не помешал бы такой торговец, но его грузовику понадобилось бы дизельное топливо, а дизельного топлива в свободной продаже давным-давно не было, потому-то этот торговец и был так нам необходим.

— И аэропланы тоже *все время* летали, да? — Рафик вздохнул. — И не только в Нефтяные Государства или в Стабильность.

— Да, но... — Я тщетно пыталась сменить тему разговора, зная, что Лорелее сегодня вечером наверняка тоже не по себе от этих разговоров об «аэропланах».

— А куда тебе доводилось летать, Холли? — Рафику никогда не надоедали такие разговоры, сколько бы я ему обо всем ни рассказывала.

— Повсюду, — сказала Лорелея, стараясь держаться мужественно. — Она летала и в Колумбию, и в Австралию, и в Китай, и в Исландию, и в Старый Нью-Йорк. Ведь правда, ба?

— Летала, да.

Хотелось бы мне знать, как сейчас живется в Картахене, в Перте, в Шанхае. Десять лет назад я могла выйти в Интернет и хотя бы посмотреть, как выглядят улицы этих городов, но сейчас сеть работала так отвратительно, с такими огромными перерывами, что, даже когда был прием, информация закачивалась на какой-то допотопной скорости. Да и электростимулятор у меня в груди стал совсем старым, а в запасе у меня остался только один. Если эти аппараты еще и поступают в Ирландию через концессию «Ringaskiddy», то до Корка они никогда не добираются. Я помню съемки страшного наводнения в 2033 году, когда море полностью затопило Фримантл. А может, это было в 2037-м? Или я путаю это с кадрами затопленного нью-метро, когда под землей осталось пять тысяч человек и они так там и погибли? Или наводнение в Афинах... в Мумбаи... Количество катастроф росло так стремительно, и в течение всех 2030-х годов они были столь чудовищными, что иной раз было трудно вспомнить, какой прибрежный район был опустошен на прошлой неделе, а какой — две недели назад; какой город обезлюдел в результате эпидемии лихорадки Эбола, а какой — из-за вспышки «крысиной лихорадки». Новостные программы превратились в бессюжетные бесконечные фильмы ужасов, и я лишь с трудом могла заставить себя их смотреть. Но после Первого Крушения Интернета мы вообще почти утратили возможность узнавать, что творится на свете, и это оказалось хуже всего.

От ветра дрожали стекла в оконных рамах.

— Все, гасите свет. Давайте побережем лампочку. — У меня осталось всего шесть штук; все они были аккуратно упакованы и спрятаны под полом в моей спальне вместе с последним новым планшетом — с тех пор как начались фокусы с Интернетом и электричеством, планшеты постоянно выходили из строя. Я поцеловала Рафика в курчавую макушку, пожелала ему приятных снов, и он потащился в свою комнатку. Я действительно очень хотела, чтобы ему почаще снились приятные сны, хотя кошмары, мучившие его регулярно, теперь все же стали повторяться гораздо реже, примерно раз в десять дней, но если уж снились, то его отчаянные крики могли разбудить даже мертвого.

Рафик зевнул и сказал:

— И тебе приятных снов, Холли!

Лорелея нырнула под одеяло, натянув сверху еще и овечью шкуру, и, когда я тихонько прикрывала дверь в ее комнату, сказала мне из своей теплой норки:

— Спи крепко, ба, и не позволяй клопам кусать тебя.

Так всегда говорил мне мой отец, и я всегда говорила так Аоифе, а Аоифе передала это Лорелее, и теперь Лорелея словно возвращала мне это забавное пожелание.

Мы вроде продолжаем жить как ни в чем не бывало до тех пор, пока есть люди, с которыми можно жить.

* * *

Наступила уже глубокая ночь, но теперь, когда мне давно перевалило за семьдесят, с меня было довольно и нескольких часов сна — и это, безусловно, было одним из немногих преимуществ старости.

Так что я подбросила в печку еще полено, зажгла лампу-молнию и вытащила коробку со швейными принадлежностями: надо было поставить заплатку на старые джинсы Лол, чтобы их еще мог поносить Рафик, и заштопать несколько пар носков. Хотелось бы, конечно, перестать предаваться тщетным мечтам о горячем душе перед сном. Иногда мы с Мо терзали друг друга воспоминаниями о магазине «Body Shop» и царивших там чудесных ароматах — мускуса, зеленого чая, бергамота, канадских лилий, манго, бразильского ореха, бананов, кокоса, масла жожоба, корицы... Рафик и Лорелея никогда не знали ничего подобного. Для них «мыло» — это лишенный запаха брусок «из Пейла»[1], как теперь называют промзону Дублина. До прошлого года еще можно было купить китайское мыло на рынке, открытом по пятницам, но теперь щупальца черного рынка простирались не дальше Килкрэннога.

Радио я включала, лишь полностью убедившись, что дети уснули, и всегда с тревогой ожидала, что не услышу ничего, кроме тишины. Но сегодня все было нормально: работали все три станции. Станция RTE — рупор Стабильности — каждый час передавала официально одобренные новости, а между новостными блоками рассказывала, как выращивать овощи, как чинить разные вещи, как вообще выживать в нашей расползающейся по швам стране. Сегодняшняя программа, например, была посвящена оказанию первой помощи, в частности накладыванию лубка на сломанную руку, так что я переключилась на JKFM, последнюю частную станцию в Ирландии, чтобы немного послушать музыку, хотя никогда не знаешь, что там можно услышать. Впрочем, все равно. Даже самые «новые» вещи были как минимум пятилетней давности. Я узнала хор Деймона Макниша и «Exocets for Breakfast» в исполнении группы «Sinking Ship» и вспомнила вечеринку в Колумбии — а может, в Мехико-сити? — где познакомилась с этим певцом и музыкантом. И Криспин, по-моему, тоже там был. Я прекрасно помнила и следующую песню «Memories Can't Wait» «Talking Heads», но она напомнила мне о Винни Костелло, и я решила попытать счастья на третьей радиостанции, «Pearl Island Radio». Эта станция вела передачи из китайской концессии в Рингаскидди, одном из пригородов Корка. Дикторы вещали в основном на мандаринском диалекте, но иногда передавали сводки международных новостей на английском, и, когда Интернет не работал, это была единственная возможность получить хоть какую-то информацию, не прошедшую через фильтры Стабильно-

<hr>

[1] Английский Пейл — средневековая колония Англии на территории Ирландии с центром в Дублине с XII по XVI век. Pale (*англ.*) — ограда, граница.

сти. Разумеется, эти передачи тоже имели отчетливый «китайский привкус» — Эд вообще назвал бы это «голимой пропагандой», — и, разумеется, диктор ни слова не сказал о станции «Хинкли-Е», которая была построена китайско-французской фирмой и управлялась ее персоналом вплоть до случившейся пять лет назад аварии, когда всех иностранных операторов срочно оттуда удалили, оставив британцам наполовину расплавившиеся стержни, которые требовалось срочно прикрыть каким-то контейнером. Сегодня никаких новостей на английском не было, но звук китайской речи почему-то меня успокаивал, и я, естественно, вспомнила Жако, а затем — и те дни и ночи, которые почти двадцать лет назад мне довелось провести с Хорологами в Нью-Йорке и за его пределами...

* * *

Часовня, сражение, лабиринт — я не сомневалась, что все это со мной действительно было, но прекрасно понимала, что если когда-нибудь попытаюсь это описать, то мои откровения воспримут как желание привлечь к себе внимание, как безумие или как бэд трип. Но если бы это были только разрозненные куски трипа, застрявшие в моей памяти, если бы я просто очнулась в моем номере в «Empire Hotel», я бы и сама, наверное, списала видения на пищевое отравление, на случайный провал памяти или просто на кажущиеся воспоминания. Но со мной случилось слишком много такого, что было невозможно ни объяснить, ни на что-то списать. Почему, например, после прикосновения к тому золотому яблоку, висевшему в странном помещении с куполом, за стенами которого мелькали тени множества птиц, я почувствовала сильнейшее головокружение и оказалась... совсем не в гостиничном номере, а на галерее дома 119А? Причем мой средний палец оказался прижат к золотому яблоку на картине Бронзино, на подоконнике сидела и нежно пела горлинка, однако ни одного Хоролога рядом со мной не было. И *той* мраморной скалки в ящике буфета на кухне *не оказалось*. И колени мои были все в синяках и ссадинах после того, как мы попали в засаду, устроенную мисс Константен. Я так никогда и не узнала, почему Маринус не отправилась со мной вместе — возможно, золотое яблоко служило проездным билетом только для одного пассажира. И, наконец, самое удивительное: когда с приходом ночи я сдалась и перестала ждать появления хотя бы кого-то из «вечных людей», я взяла такси и, проехав через Центральный парк, вернулась в гостиницу, то оказалось, что мой счет оплачен на неделю вперед некой кредитной картой, но *не моей*. Если портье в нью-йоркской гостинице говорит вам, что ваш номер оплачен, вы можете спорить хоть на собственную жизнь, но с толку его не собьете, а значит, все это вам не снится.

Итак, да: это все случилось со мной на самом деле, однако обычная жизнь шла своим чередом, и каждому последующему дню было все больше наплевать на паранормальные приключения, имевшие место в прошлом. Для водителя такси я была всего лишь очередной рассеянной пассажиркой, направлявшейся в аэропорт «Ла Гуардиа», которая непременно оставит на заднем сиденье очки, если он не проверит. Для стюардессы компании «Aer Lingus» я была очередной пожилой дамой, летящей экономклассом, у которой не работают наушники. Для своих ирландских кур я была двуногим великаном, который бросает им зерно, однако все время крадет у них яйца. В тот «пропавший» уик-энд на Манхэттене я, возможно, видела такие стороны жизни, какие лишь мельком удалось увидеть в лучшем случае нескольким сотням людей за всю историю человечества, но что с того? Я практически никому не могла об этом рассказать. Даже Аоифе и Шэрон завели бы свое: «Да, мы верим, что ты в это веришь, но тебе, пожалуй, лучше все же обратиться к профессионалу...»

Никакого продолжения не последовало. Маринус, если ей и удалось выбраться из помещения с куполом и тенями птиц на стенах, никогда больше не появлялась в моей жизни, а уж теперь-то этого точно никогда не случится. Я несколько раз находила в Интернете улицу, где находится дом 119А, и даже сумела его разглядеть: все тот же таунхаус из коричневого камня с нестандартными и разнообразными окнами, за которым явно кто-то ухаживал; штат Нью-Йорк, в общем, тоже выглядел по-прежнему, хотя Америка в последнее время буквально разваливалась на части; но сама я никогда больше не возвращалась в дом 119А и не пыталась выяснить, кто там теперь живет. Однажды я, правда, позвонила в книжный магазин «Three Lives», но когда мне кто-то ответил, нажала на «Out» и отключилась, даже не спросив, по-прежнему ли Инес живет наверху. Последняя книга, которую по Интернету прислала мне Шэрон — это было еще до того, этот сервис полностью закрылся, — была о двенадцати астронавтах «Аполлона», которые высаживались на Луну, и я подумала тогда, что и мое пребывание в Часовне Мрака и в лабиринте отчасти походило на пребывание на Луне. И теперь, когда я снова вернулась на Землю, я могу либо медленно сходить с ума, пытаясь вернуться в другое измерение, в тот дом 119А, к Хорологам, либо сказать себе: «Нет, это было, но теперь закончилось и осталось в прошлом» — и продолжать жить обычными семейными делами и заботами. Сперва я не была уверена, что мне это удастся; что я смогу, ну, скажем, спокойно вести в Килкрэнноге протокол собрания комиссии «Чистый город», зная, что, пока мы обсуждаем грант на новые игровые площадки, людские души движутся через Сумеречную страну к той черной пустоте, которую называют Последним Морем. Но, как выяснилось, я прекрасно все это смогла. Однажды, давным-давно, за несколько недель до того, как мне исполнилось шестнадцать лет, я познакомилась с одной женщиной, раза в два старше меня. Мы познакомились случайно, в клинике, где делают аборты, рядом со стадионом Уэмбли. Моя новая знакомая выглядела просто шикарно и держалась очень спокойно. А я была страшно испуганная, заплаканная; посмотрев на меня, она прикурила следующую сигарету от предыдущей и сказала: «Милая девочка, очень скоро тебе придется просто удивляться тому, как это ты ухитряешься со *всем этим* жить».

И жизнь показала, что та женщина была совершенно права.

* * *

...Сквозь сон я услышала, как лает Зимбра, и проснулась. Я по-прежнему сидела в кресле возле печки, и Зимбра действительно лаял у бокового крыльца. Я встала, уронив наполовину заштопанный носок, и, шатаясь, как пьяная, двинулась к двери. «Зимбра!» Но он меня не слышал. Зимбра больше не был Зимброй, теперь он был первобытным псом, учуявшим древнего врага. Неужели там и впрямь кто-то есть? Господи, как жаль, что нельзя включить наш старый прожектор — это всегда отлично помогало! Зимбра перестал лаять всего на мгновение, но и этого мне хватило, чтобы понять, в каком ужасе несушки. *Ох, только бы не лиса!* Я схватила фонарь и чуть приоткрыла дверь курятника, но пес тут же протиснулся в эту щелку и стал скрести землю в том месте, где под проволочной оградой был, скорее всего, лисий подкоп. В меня полетели комья земли, а куры совсем ошалели от страха. Я посветила туда фонариком, но никакой лисы разглядеть не смогла. Впрочем, у Зимбры явно не было ни малейших сомнений. Приглядевшись, я обнаружила сперва одну мертвую несушку, потом еще двух; и еще одна явно здорово потрепанная курица слабо хлопала крыльями. *Вот оно!* Два округлых кровавых отпечатка лап на крыше загона! Зимбра — пятнадцать кило веса, помесь немецкой овчарки, черного лабрадора и еще черт знает кого — протиснулся в загон и вспрыгнул на крышу куриного домика. Под его тяжестью домик перевернулся, куры заголосили и, хлопая крыльями, стали метаться по загону. Рыжий промельк в воздухе — и быстрая, как удар кнута, лисица метнулась обратно к дыре и уже почти просунула туда голову, но Зимбра успел вонзить ей в шею свои мощные клыки. На долю секунды я перехватила ее взгляд, а потом пес вытянул ее из дыры, хорошенько тряхнул и отшвырнул с распоротым горлом. Все было кончено. Куры продолжали паниковать, пока одна не заметила, что битва завершена, и все они разом притихли. Зимбра по-прежнему стоял над добычей, медленно приходя в себя после схватки; вся пасть у него была перепачкана кровью. Я тоже встряхнулась и собралась уже вернуться в дом, когда дверь приоткрылась, и на крыльце появился Рафик в своем «халате».

— Что случилось, Холли? Я услышал, что Зим *орет, прямо как бешеный*.

— Лиса в курятник забралась, милый.

— Вот черт! Дрянь паршивая!

— Не ругайся, пожалуйста.

— Извини. И скольких она прикончила?

— Двух или трех. Зим ее убил.

— Можно я посмотрю?

— Нет. Это просто мертвая лиса.

— Но нам-то, по крайней мере, можно будет съесть этих кур?

— Слишком рискованно. Особенно теперь, когда снова полно случаев бешенства.

Большие глаза Рафика еще больше расширились:

— Господи, *тебя-то* она хоть не укусила? Или?..
Благослови его Господь.

— Ступайте обратно в постель, мистер. Со мной все в порядке.

* * *

Ну, кажется, я и впрямь еще держусь на ногах. Рафик убрался к себе наверх, а Зимбру я заперла на веранде. В загоне я обнаружила четырех, а не трех мертвых несушек; в общем, ущерб средней величины; хотя если учесть, что яйца для нас — основной бартерный продукт на пятничном рынке и основной источник белка для Лорелеи и Рафика, то... Впрочем, Зимбра выглядел вполне нормально, и я очень надеялась, что ему не понадобится помощь ветеринара. Синтетических медикаментов для людей почти не осталось, а уж если ты собака, так и вовсе забудь о лекарствах. Я отодвинула солнечные часы, вытащила из тайника бутылку картофельного самогона, собственноручно изготовленного Дикланом О'Дейли, и налила себе то, что мой отец назвал бы «добрым глотком», позволяя алкоголю постепенно обволакивать мои вздернутые нервы. Сама я тем временем изучала свои старые, ох, какие старые руки. Ничего хорошего не увидела: бугристые суставы, извилистые выпуклые вены, старческие веснушки. Левая рука в последнее время постоянно дрожала. Хотя и не особенно сильно. Но Мо сразу заметила и тут же сделала вид, будто ничего не видит. Ровесникам Лол или Рафика кажется, что все старые люди дрожат и трясутся; юным это кажется естественным и ничуть их не беспокоит. Мне стало холодно, и я накинула на плечи плед, сразу став похожей на бабушку Красной Шапочки; впрочем, именно такой я себя и чувствую в нашем мире, где слишком много волков и очень не хватает храбрых дровосеков. На улице и впрямь было промозгло, и я решила, что завтра непременно загляну в бар Фицджеральда и спрошу у Мартина, будут ли у нас этой зимой поставки угля, хотя я и так знаю, что он скажет: «Если мы хоть раз увидим это собственными глазами, значит, будут». Фатализм — слишком слабый антидепрессант, но никаких других более сильных средств для борьбы с депрессией у доктора Кумар попросту нет. В боковое окно был виден мой сад, который в свете почти полной луны казался присыпанным меловой пудрой. Высоко над полуостровом Мизен висела луна. Скоро надо будет убрать урожай лука и посадить немного капусты.

В темном окне отражалась старая женщина, сидящая в старинном кресле, принадлежавшем еще ее бабушке. Я сказала этой старухе: «Шла бы ты спать» — и буквально заставила себя подняться, стараясь не обращать внимания на хруст в тазобедренном суставе. Возле буфета я на мгновение задержалась; там стояла маленькая, сделанная из плавника шкатулка-святилище. Эту шкатулку я смастерила пять лет назад, чтобы хоть чем-то занять руки во время наполненных оглушительным горем и отупением недель, невыносимо медленно тянувшихся после той страшной авиакатастрофы, которая унесла жизни Аоифе и Орвара. Лорелея украсила крышку шкатулки раковинами, а внутрь поместила фотографию своих родителей. Но сегодня я даже не стала приподнимать крышку; я просто гладила большим пальцем крышку шкатулки и пыталась вспомнить, какими были на ощупь волосы Аоифе.

— Спи крепко, дорогая детка, и не позволяй клопам тебя кусать.

27 октября

Я встала еще до рассвета, чтобы ощипать четырех мертвых несушек. Теперь у нас осталось всего двенадцать кур. Когда я перебралась жить в Дунен-коттедж — это случилось четверть века назад, — я бы ни за что в жизни не смогла заставить себя ощипать курицу. Теперь же я запросто могла курицу и оглушить, и обезглавить, и выпотрошить. И тушки я разрубала с той же легкостью, с какой это делала моя мать, когда готовила говядину или рагу. Необходимость заставила меня забыть о тошноте, когда приходилось снимать шкуру с кроликов, а потом их тушить. Я сложила перья и тушки кур в старый мешок из-под удобрений, погрузила его в тачку и повезла в дальний конец сада мимо клетки для кур, где прихватила еще и труп лисы. Это, собственно, был лис. Не тронь лисьего хвоста — так всегда говорит Деклан. Лисий хвост — это натуральное бактериологическое оружие, нашпигованное заболеваниями, а возможно, еще и блохами. У нас и без того хватало хлопот с блохами, клопами и вшами. Лис выглядел так, словно просто прилег отдохнуть, если, конечно, не обращать внимания на его растерзанное горло. Один его клык слегка выступал, как бы вдавливаясь в нижнюю губу. Как у Эда. Интересно, подумала я, а у этого лиса была семья, дети? Поймут ли его детеныши, что он никогда больше к ним не вернется? Будут ли они скучать по нему или продолжат как ни в чем не бывало совершать бандитские набеги на чужие курятники? Если да, то я им завидую.

На море сегодня рябь. По-моему, я заметила в нескольких сотнях ярдов от берега нескольких дельфинов, но когда снова пригляделась, животные уже исчезли, и я засомневалась, что действительно их видела. Ветер был все еще западный, не восточный. Просто страшно было подумать, что будет с нами, если восточный ветер принесет с Хинкли-Пойнт радиоактивную заразу. Вот так. Теперь направление ветра способно было стать для нас вопросом жизни или смерти.

Я опрокинула тачку прямо с каменного причала, сбросив мерзкий груз в море. Я никогда не даю своим курам клички. Гораздо труднее свернуть шею существу, которому ты сама дала имя. И все же мне было очень грустно, что мои верные несушки были вынуждены перед смертью испытать такой страх. Теперь они поплывут в открытые воды залива вместе со своим убийцей.

Я бы и хотела ненавидеть этого лиса, но не могла.

Он ведь тоже всего лишь пытался выжить.

* * *

Когда я вернулась домой, Лорелея на кухне намазывала жалкие остатки сливочного масла на вчерашние булочки, готовя школьный завтрак для себя и для Рафика.

— Доброе утро, ба.

— Доброе. Там еще есть сушеные водоросли. И маринованный турнепс.

— Спасибо. Раф рассказал мне, что приходила лиса. Надо было тебе все-таки меня разбудить.

— Зачем же мне было тебя будить, милая? Ты же все равно не смогла бы оживить убитых кур, а с лисой расправился Зим. — Интересно, вдруг подумала я, а помнит ли Лол, какой сегодня день? — У нас есть несколько кусков ржавой железной сетки, оставшейся от старого курятника, и я попробую дополнительно укрепить ее вокруг загона для кур. Просто для безопасности.

— Хорошая мысль. Это должно отпугнуть следующего гостя.

— Спокойно встречать любые трудности — это, пожалуй, единственное, что ты, Лол, унаследовала от своего дедушки Эда.

Лорелее всегда бывало приятно, если я говорила что-нибудь в этом роде.

— А сегодня, между прочим, мамин и папин день. Двадцать седьмое октября, — как ни в чем не бывало заметила она.

— Да, дорогая, я помню. Хочешь, я зажгу душистую палочку?

— Да, пожалуйста.

Лорелея подошла к маленькой шкатулке-святыне и откинула крышку. На фотографии Аоифе, Орвар и десятилетняя Лорелея стояли на фоне какой-то канавы или канала в Л'Анс-о-Медоуз. Фотография была сделана весной 2038 года — и в том же году они погибли. Зеленые и желтые тона уже начинали выцветать, а синие и красные — тускнеть. Я бы заплатила за реприят сколько угодно, но теперь нет ни электричества, ни картриджей для принтера; да нет и оригинала, с которого можно было бы сделать реприят: мое беспечное поколение доверяло воспоминания Интернету, так что катастрофа 2039 года стала чем-то вроде коллективного удара.

— Ба, ты что? — Лорелея смотрела на меня так, словно я не в себе.

— Извини, милая. Я просто, хм...— У меня теперь довольно часто бывали какие-то провалы в памяти, когда я не могла вспомнить, о чем думала или что собиралась сделать.

— А где у нас жестянка с душистыми палочками?

— А, да! Я ее прибрала. Положила в безопасное сухое место. Хм... Где же она? — Неужели эти провалы в памяти теперь будут случаться все чаще? — Да вот же она, на печке!

Лорелея зажгла от огня, горевшего в печи, душистую палочку и задула крошечное пламя на ее конце, чтобы пошел ароматный дымок, а потом поставила палочку вместе с держателем внутрь нашей маленькой святыни. Рядом со шкатулкой лежали еще старинная римская монета, которую Аоифе подарила Лорелее, и старые часы с заводным механизмом, которые Орвар унаследовал от своего деда. Мы смотрели, как дым с запахом сандала вьется над тлеющим концом палочки. Еще один запах старого мира. В первый год мы попытались отметить этот день иначе: я приготовила специальную молитву и стихотворение, но вдруг расплакалась и плакала так, что никак не могла остановиться, чем привела Лорелею в ужас; и с того раза мы как-то потихоньку договорились, что лучше просто постоять немного возле фотографии и побыть наедине с собственными мыслями. Я каждый раз вспоминала, как махала им на прощанье рукой в аэропорту Корка пять лет назад — это был тот последний год, когда обычные люди еще могли покупать дизельное топливо, водить автомобили и летать на самолетах, хотя цены на билеты уже взлетели чуть ли не до небес; Орвар и Аоифе не смогли бы сами оплатить перелет, если бы австралийское правительство не выдало Орвару соответствующий грант. Аоифе, кроме всего прочего, очень хотелось повидаться с тетей Шэрон и дядей Питером, которые перебрались в Австралию еще в конце 2020-х годов и, как я очень надеялась, до сих пор благополучно живут в Байрон-Бей, хотя уже полтора года не было ни малейшей возможности получить из Австралии хоть какую-то весточку. Как легко, практически мгновенно мы когда-то сообщали друг другу все что угодно из любой точки земного шара! Лорелея взяла меня за руку. Она ведь тогда тоже должна была полететь с родителями, но заболела ветрянкой, и родители привезли ее ко мне из Дублина, где в тот год жили. Лол утешилась довольно быстро: целых две недели с бабушкой Холли вполне служили для нее утешительным призом.

И вот уже пять лет прошло. Я судорожно вздохнула, стараясь не расплакаться. Ведь дело было не только в том, что я больше не могла обнять Аоифе, а в том, что мы сотворили со своим миром. Мы превратили в пустыни целые страны, растопили ледяные шапки на полюсах, изменили направление Гольфстрима, до предела иссушили некогда полноводные реки, затопили морские побережья, задушили отходами своей жизнедеятельности озера и моря, уничтожили множество живых существ, в том числе и насекомых-опылителей, практически исчерпали запасы нефти, сделали бесполезными лекарства и постоянно голосовали за разнообразных лжецов-утешителей, превращая их в руководителей государств, — и все это мы сотворили только ради того, чтобы не менять удобный для себя образ жизни. Люди теперь говорили о Всеобщем Затемнении с тем же ужасом, с каким наши предки говорили о «черной смерти», причем те и другие считали все это божьей карой. Но ведь это мы сами вызвали Затемнение, приближая его с каждой цистерной нефти, которую безжалостно и бездумно сжигали. Мое поколение вело себя как беспечные клиенты в Ресторане Земных Богатств, которые поедают все эти роскошные яства, понимая — хоть и не желая это признавать, — что поступают бесчестно по отношению к собственным внукам, поскольку оставят им такие долги, с которыми никому не под силу расплатиться.

— Мне так жаль, Лол... — Я вздохнула и поискала глазами коробку с бумажными носовыми платками, совсем позабыв, что в нашем мире больше нет ни бумажных носовых платков, ни бумаги.

— Ничего, ба. Все равно хорошо было вместе с тобой вспомнить маму и папу.

Рафик, начав спускаться по лестнице, принялся скакать на лестничной площадке — должно быть, подтягивал или надевал носок, — напевая что-то на условно-китайском языке. Китайские группы казались детям на территории нынешнего Кордона такими же крутыми, какими в свое время казались мне группы американской «Новой волны».

— Нам в некотором смысле еще повезло, — тихо сказала Лорелея. — Мама и папа, по крайней мере, не муча... В общем, для них все очень быстро кончилось, и они до конца были вместе, и мы с тобой сразу узнали, что с ними случилось. А вот Раф...

Я посмотрела на Аоифе и Орвара.

— Они бы гордились тобой, Лол, — сказала я ей.

И тут наконец появился Рафик:

— Лол, у нас найдется хоть капелька меда для овсянки? Привет, Холли, с добрым утром!

* * *

Школьные сумки были упакованы, школьные завтраки приготовлены, косы Лорелеи заплетены, инсулиновая помпа Рафика проверена и даже его синий галстук — последний символ школьной формы в Килкрэнноге, на котором школа все еще имела право настаивать, — завязан, перевязан и снова завязан; наконец мы вышли из дома и двинулись по тропе. Впереди вздымалась гора Кагер, южным склоном которой я вот уже более двадцати пяти лет любовалась во все времена года при любой погоде и при любом настроении. По ее каменистым склонам, покрытым пятнами утесника и поросшим вереском, скользили тени облаков. Внизу раскинулась плантация в пять акров — посадки молодых сосенок. Я шла и толкала перед собой большую детскую коляску, которая была музейным экспонатом еще в 1970-е, когда мы с Шэрон играли с ней во время каникул.

Еще издали мы заметили, что Мо не только встала, но и вышла из дома. Мы окликнули ее из-за калитки. Она развешивала на веревке выстиранную одежду, наряженная в грубый рыбацкий свитер, до такой степени растянутый, что превратился почти в платье.

— Доброе утро, соседи. Ну, вот и снова пятница! Черт знает, куда уходят эти недели? — Мо когда-то была известным физиком, а сейчас стала просто седой старухой, хромой и довольно сердитой. Опираясь на палку, она проковыляла через плохо выкошенную лужайку и сунула мне пустую коробку для продовольственного пайка. — Заранее большое спасибо, — как всегда, сказала она, а я, как всегда, ответила: «Не беспокойся, мне совсем не трудно». И присоединила ее коробку к трем таким же, уже лежавшим в коляске.

— Позвольте мне помочь вам со стиркой, Мо, — сказала Лорелея.

— Со стиркой я и сама справлюсь, Лол, а вот дохромать до города, — «городом» мы теперь называли деревню Килкрэнног, — мне не под силу. Просто не представляю, что бы я делала без твоей бабушки! Как бы я, например, получала паек? — Мо ловко крутанула в воздухе своей тростью, точно печальный и жалкий Чарли Чаплин. — Впрочем, представить-то на самом деле нетрудно: я бы просто потихоньку померла с голоду.

— Чушь какая! — возмутилась я. — О'Дейлы наверняка бы о тебе позаботились.

— А у нас прошлой ночью лисица четырех кур зарезала! — сообщил Рафик.

— Жалость какая! — искренне огорчилась Мо и быстро на меня посмотрела.

Я только пожала плечами. Зимбра нюхал следы на тропе, ведущей к дому Мо, и вилял хвостом.

— Нам еще повезло, что Зимми успел сцапать этого лиса, прежде чем он всех кур передушил! — продолжал Рафик.

— Ну-ну, молодец какой! — Мо почесала Зимбру за ухом, моментально отыскав то заветное местечко, которое заставляло его совершенно расслабиться. — Прямо-таки настоящая ночь в опере.

Я спросила:

— Тебе прошлой ночью случайно не удалось выйти в Интернет? — Собственно, меня интересовало одно: *есть ли новости насчет реактора в Хинкли?*

— Да, но всего на несколько минут и по официальному каналу. Ничего интересного. Все те же заявления. — Ей явно не хотелось развивать эту тему в присутствии детей. — Я потом еще попытаюсь зайти на этот сайт.

— Я, собственно, надеялась, что ты подержишь у себя Зимбру, пока я не вернусь, — сказала я. — Мне совсем не хочется, чтобы на нас обрушился весь гнев организации «Зов дикой природы» — ведь лиса-то он все-таки прикончил.

— Конечно, я его возьму. А ты, Лорелея, будь добра, скажи мистеру Мурнейну, что в понедельник я буду в деревне, так что смогу провести все положенные мне занятия по естествознанию и математике. Кахил О'Салливан повезет туда на лошади свои капканы, вот он и предложил заодно меня подвезти. Так что к школе меня доставят с почестями, прямо как царицу Савскую. Ну все, вам давно пора, я вас совсем заболтала, еще опоздаете из-за меня. Идем, Зимбра! Посмотрим, нельзя ли отыскать ту отвратительную овечью голяшку, которую ты закопал в прошлый раз...

Осень близилась к концу. Зрелость плодов и золото листвы сменились запахом тлена, холодами и дождями; вот-вот должны были ударить первые морозы. В начале 2030-х во временах года царил полный кавардак: летом нередко случались заморозки, а зимой — засуха. Но в последние лет пять лето стабильно было долгим и засушливым, и зима тоже тянулась очень долго, с метелями и порывистыми ветрами, зато весну и осень мы толком и заметить не успевали, так быстро, точно спеша, они начинались и кончались. За Кордоном один за другим переставали работать трактора, и урожаи в последнее время стали просто смехотворными; а две ночи назад по радио RTE сообщили, что на фермах в графстве Мит собираются вернуться к конскому плугу.

Рафик скакал впереди, собирая рядом с тропой случайно уцелевшие поздние ягоды ежевики, и я все подбивала Лорелею заняться тем же. Количество витаминов в выдаваемых нам пайках раз от раза становилось все меньше. Ежевика, правда, росла все так же бурно, но если ее в ближайшее время не вырубить, то наша тропа, ведущая к главной дороге, вскоре превратится в непроходимую колючую стену, как лес вокруг замка Спящей Красавицы. Лужи на дороге становились все глубже, а болотистые места рядом с ней — все более болотистыми; Лорелее то и дело приходилось помогать мне вытаскивать коляску из очередной колдобины — жаль, что я когда-то не позаботилась сделать на тропе твердое покрытие, пока еще можно было это сделать за деньги. Но больше всего я теперь жалела, что никогда не делала никаких более-менее основательных запасов. Впрочем, нам никогда и в голову не приходило, что временные перебои могут в одночасье стать постоянными. А потом стало уже слишком поздно думать о запасах.

Мы миновали ручей, служивший и для нас, и для Мо единственным источником воды. Только благодаря ему мы и могли наполнить цистерны. Сейчас ручей чудесно журчал после недавних дождей, однако прошлым летом он на целую неделю пересох, и это было просто ужасно. Переходя через поток, я каждый раз вспоминала рассказы моей двоюродной бабушки Айлиш о Волосатой Мэри — Противной Фейри, которая якобы жила поблизости, когда я была совсем маленькой. Эта Мэри была такой волосатой, что другие фейри-феи постоянно над ней смеялись, и это ее страшно злило, и она от злости переиначивала все человеческие желания, так что, если тебе чего-то хотелось, нужно было непременно постараться ее перехитрить и попросить как раз то, чего тебе *совсем не нужно*. Или, например, сказать так: «А мне *никогда и не хотелось* иметь скейтборд!» И, разумеется, ты тут же получала в подарок скейтборд. Некоторое время людям отлично удавалось обманывать Волосатую Мэри, пока она обо всем не догадалась, и тогда она стала в половине случаев давать людям то, о чем они мечтали, а в половине случаев давать им нечто совершенно противоположное их желаниям. «И мораль отсюда, моя девочка, такова: если хочешь что-то добиться, так добивайся этого старым, испытанным способом — собственными руками и собственной головой, а не путайся со всякими фейри», — каждый раз почти шестьдесят лет говорила мне бабушка Айлиш.

Но сегодня, сама не знаю почему — возможно, из-за ночного нападения лисы, возможно, из-за тревоги, которую у меня вызывало состояние атомного реактора в Хинкли, — я все же попытала счастья и попросила: *Волосатая Мэри — Противная Фейри, пожалуйста, помоги моим дорогим детям выжить!*

— Прошу тебя! — нечаянно произнесла я вслух, и Лорелея тут же обернулась и спросила:

— У тебя все в порядке, ба?

* * *

Там, где наша тропа выходила на главную дорогу, мы свернули направо и вскоре миновали поворот, ведущий к ферме Нокро, а потом увидели и самого хозяина фермы, пятидесятилетнего Диклана О'Дейли, тащившего куда-то тачку с сеном. Жену Диклана звали Брана; у них было трое детей — двое парней постарше и девочка, которая училась в одном классе с Лорелеей. Диклан владел двумя дюжинами молочных коров джерсейской породы и двумя сотнями овец, пасшимися на дальнем конце полуострова, более каменистом, но и более богатом травой, которая росла там пышными пучками. Высокий лоб, прямой нос, курчавая борода и лицо немало пережившего человека делали Диклана О'Дейли похожим на Зевса, хотя и несколько обрюзгшего. Сосед он был очень хороший, не раз помогал Мо и нам, и мы были очень рады, что он живет неподалеку.

— Я бы с удовольствием вас расцеловал, — сказал он, шагая через двор фермы к дороге в своем чудовищно грязном комбинезоне, — но одна из коров только что сбила меня с ног и уронила прямо в кучу навоза. И что в этом такого смешного, юный Рафик Байати? — Диклан сделал вид, что страшно разгневан. — Вот я вас сейчас поймаю и, клянусь богом, воспользуюсь вами как тряпкой! Мне же надо чем-то вытереться...

Рафик, трясясь от сдерживаемого смеха, спрятался за меня, а Диклан навис над ним, точно перепачканный навозом Франкенштейн.

— Кстати, Лол, — сказал Диклан совсем другим тоном, — Исси просила перед тобой извиниться и передать, что ей с утра пораньше пришлось пойти в деревню — она там помогает своей тетке укладывать овощи в ящики. Для Конвоя. Ты ведь потом к нам придешь, да? И ночевать останешься, насколько я знаю?

— Да, если это удобно, — сказала моя внучка немного смущенно.

— Ну, конечно! Мы тебе всегда очень рады. И не стесняйся. Ты же все-таки не команда регби?

— Но все-таки лишний рот! И это так мило с вашей стороны, Диклан, что вы постоянно приглашаете Лол к себе, — сказала я.

— Гости, которые помогают доить коров, — это не просто гости... — Диклан умолк и выразительно возвел глаза к небесам.

— Ой, *что* это?! — Рафик, вытаращив глаза, смотрел в сторону Кайлин-пик.

Я сперва ничего не разглядела, но услышала какое-то металлическое жужжание, а Диклан возмущенно сказал:

— Нет, вы только посмотрите!

— Это самолет? — спросила Лорелея, словно не веря собственным глазам.

Ну да, вот он, только не самолет, а что-то вроде планера. Сперва мне показалось, что он большой, просто находится довольно далеко, но потом я поняла, что это совсем маленький планер и летит он совсем рядом, над холмами Сифин и Пикин, явно направляясь в сторону Атлантики.

— Дрон, — сказал Диклан каким-то странно напряженным тоном.

— *Магно!* — в полном восхищении воскликнул Рафик. — Самый настоящий НЛА!

— Мне семьдесят пять, — довольно ворчливым тоном напомнила я.

— НЛА — это неуправляемый летательный аппарат, — тут же пояснил мальчик. — Есть и большие самолеты, управляемые на расстоянии, и у них на борту бывают всякие камеры и приборы, а иногда даже ракеты, но этот, пожалуй, для ракет маловат. В Стабильности таких дронов много.

— И что он тут делает? — спросила я.

— Если я не ошибаюсь, — сказал Диклан, — он шпионит.

— А с чего это вдруг кому-то понадобилось за нами шпионить? — спросила Лорелея.

— Вот это-то и есть самый главный вопрос, — сказал Диклан, и в голосе его прозвучала тревога.

* * *

— «Я вздымаюсь из пор океана и гор...» — декламировала Лорелея, когда мы проходили мимо старой заржавевшей электроподстанции.

...Жизнь дают мне земля и вода.
Постоянства не знаю, вечно облик меняю,
Зато не умру никогда [1].

Странно, думала я, почему мистер Мурнейн выбрал именно «Облако»? Лорелея и Рафик не одиноки: у многих детей в Килкрэнноге с тех пор, как установилось Затемнение, погиб по крайней мере один из родителей.

— Ой, ба, *просто невероятно*, но я снова забыла этот кусок!

— «Ибо в час после бури...»

— Все-все, вспомнила:

Ибо в час после бури, если солнце — в лазури,
Если чист ее синий простор,
Если в небе согретом, создан ветром и светом...

— Э-э-э...

Возникает воздушный собор...

Я невольно посмотрела на небо. Воображение все еще проектировало крошечный сверкающий самолетик на голубом фоне небес. Не ту игрушку-переростка, какой мне показался неизвестно зачем залетевший к нам беспилотник — хотя и само по себе это было достаточно запоминающимся событием, — а реактивный самолет, лайнер, тянущий за собой инверсионный след, который сперва выглядит как четкая белая линия, а потом расплывается в белую, тающую вату. Когда же я в последний раз видела летящий самолет? Пожалуй, года два назад. Помнится, Рафик влетел в дом с совершенно безумными глазами, и я решила, что случилось что-то ужасное, но он схватил меня за руку и потащил на улицу, тыча пальцем в небо: «Смотри, смотри!»

Впереди на дорогу выбежала крыса, остановилась и посмотрела на нас.

— Что значит «возникает»? — спросил Рафик, подобрав с земли камень.

— Строится, становится все выше и выше, поднимается ввысь, — сказала Лорелея, — а не уходит в глубь земли, как пещера.

— Значит, у Диклана живот тоже *возник*?

— Ну, не то чтобы «возник»... Но пусть лучше Лол вернется к мистеру Шелли,— сказала я.

— К «мистеру»? — Рафик был изумлен. — Шелли — это девчачье имя!

_____

[1] Стихотворение П. Б. Шелли «Облако». *Перевод В. Левика.*

— Это его фамилия, — сказала Лорелея. — Он — Перси Биши Шелли.

— Перси? Биши? Мама с папой, должно быть, его *ненавидели*! Спорим, его в школе просто изводили.

Рафик метнул заготовленный камень в крысу, но чуть промахнулся, и крыса поспешила скрыться в кустах. Еще совсем недавно я бы наверняка сказала Рафику, чтобы он перестал использовать живые существа как мишень, но с тех пор, как возник страх перед «крысиной лихорадкой», правила совершенно переменились.

— Продолжай, Лол, — сказала я.

— А я уже почти все прочитала.

> Я смеюсь, уходя из царства дождя,
> Я, как тень, из могилы встаю,
> Как младенец из чрева, в мир являюсь без гнева
> И сметаю гробницу мою.

— Очень хорошо, — похвалила я. — У твоего отца тоже была удивительная память.

Рафик сорвал цветок фуксии и высосал капельку нектара. Иногда мне казалось, что не стоило бы упоминать об Орварс в присутствии Рафика. Отца мальчика я никогда даже не видела. Но Рафик, похоже, ничуть не был огорчен и тут же продолжил расспросы:

— Чрево — это то место, где ребенок находится внутри матери, правильно, Холли?

— Да, — сказала я.

— А что такое «гробница»?

— Памятник, построенный в честь умершего человека, часто — в честь погибшего на войне.

— Я тоже не понимала это стихотворение, — сказала Лорелея, — пока мне Мо все не разъяснила. Оно о рождении и возрождении, а *еще* — о круговороте воды в природе. Когда идет дождь, облако расходует себя и вроде как умирает; а ветры и солнечные лучи строят купол голубых небес, который и есть гробница для умершего облака. Но потом дождь, который *был* тем умершим облаком, падает в море, испаряется и превращается в новое облако, которое смеется под голубым куполом небес — в своей гробнице, — потому что теперь оно возродилось. А потом оно сметает свою гробницу и поднимается все выше. Ясно?

Заросли утесника наполняли воздух ароматом ванили и звенели от птичьего пения.

— Хорошо, что мы проходим «Пуфф — волшебный дракон», — сказал Рафик.

У ворот школы Рафик, крикнув «Пока!», сразу ринулся к группе мальчишек, которые, раскинув руки, изображали парящие над землей дроны. Я хотела напомнить ему, чтоб он не забывал об инсулиновой помпе, но промолчала: он и так знал, что у нас в запасе осталась всего одна, да и ни к чему было смущать мальчика перед друзьями.

— Ну, ба, до скорого, ты там осторожней на рынке, — сказала Лорелея, словно это она взрослая, а я подросток с неустойчивой психикой, и неторопливо двинулась к группе знакомых девочек, точнее, юных женщин, собравшихся у входа в школу.

Том Мурнейн, заместитель директора, заметив нас, широким шагом направился ко мне.

— Холли, я как раз хотел с вами поговорить. Вы по-прежнему не хотите, чтобы Лорелея и Рафик посещали уроки христианского воспитания? Отец Брейди, наш новый священник, с сегодняшнего дня как раз начинает изучать с ребятами Библию.

— Нет, Том, подобные занятия не для моих детей. Если, конечно, у вас это не вызовет неприятностей.

— Ну что вы, это совершенно нормально. С вашими детьми в одной лодке еще человек восемь или девять. Вместо Библии они будут изучать строение Солнечной системы.

— И что, Земля будет вращаться вокруг Солнца или наоборот?

Том понял шутку.

— Без комментариев. Как Мо чувствует себя сегодня?

— Спасибо, лучше. Приятно, что вы о ней спросили. Моя па... — Я не договорила, попросту заставила себя замолчать и не произносить в который раз «Моя память стала как решето», потому что это больше уже не выглядело смешным. — Она просила передать вам, что Кахилл О'Салливан привезет ее на своей повозке в следующий понедельник, так что она сможет провести все занятия по естественным дисциплинам и математике, если это все еще актуально.

— Если она будет в состоянии это сделать, то мы будем страшно рады, но передайте ей, чтобы она не слишком торопилась, если колено у нее еще не совсем прошло. — Прозвенел школьный звонок. — Ой, я должен бежать! — И Том умчался.

Я обернулась и увидела Мартина Уолша, мэра Килкрэннога, махавшего рукой своей дочери Ройзин. Мартин был крупным мужчиной с розовым лицом и белоснежными, коротко подстриженными волосами; он напоминал Деда Мороза, который пытается служить охранником в ночном клубе. Раньше Мартин всегда был чисто выбрит, но бритвенные лезвия перестали класть в пайковые коробки еще полтора года назад, и теперь большинство мужчин на нашем полуострове носили бороды того или иного типа.

— Холли! Как вы сегодня себя чувствуете?

— Не могу пожаловаться, Мартин, но Хинкли-Пойнт меня тревожит.

— А, не надо об этом... Вам на этой неделе случайно не удалось связаться с братом?

— Нет. Я много раз пыталась, но сеть либо совсем не работает, либо отключается уже через пару секунд. Так что мы с Бренданом уже вторую неделю не общаемся, а между тем там уже оранжевый сигнал опасности. Его дом находится в огороженном и охраняемом анклаве в пригороде Бристоля, но, увы, слишком близко от запретной зоны; да и что могут поделать с радиацией даже самые лучшие охранники. Однако, как говорится, — обратилась я к самой распространенной «мантре» нашего времени, — чему быть, того не миновать. — Почти у всех моих знакомых кто-то из родственников находился сейчас в опасном районе и практически недоступен для общения, а потому высказывать вслух свои тревоги и опасения с некоторых пор считалось дурным тоном. — Ваша Ройзин выглядела просто чудесно, насколько я сумела разглядеть, конечно. Пряменькая, свеженькая, точно дождем умытая. Значит, это все-таки оказалась не свинка?

— Нет, слава богу, у нее просто железки распухли. У доктора Кумар даже какое-то лекарство нашлось. А как там наш киберневролог?

— Поправляется. Сегодня мы ее застали на улице за развешиванием белья.

— Отлично! Обязательно передайте ей от меня привет.

— Конечно, передам... но, вообще-то, Мартин, я хотела с вами поговорить...

— Да, пожалуйста. — И он, поддерживая меня под локоть, наклонился поближе, словно это он немного глуховат, а вовсе не я, — обычно именно так публичные деятели ведут себя с хрупкими старушками за неделю до выборов, особенно в таких общинах, где всего-то сотни три избирателей.

— Вам случайно не известно, будет ли Стабильность распределять хотя бы какое-то количество угля до начала зимы?

На лице у Мартина было написано «Хотелось бы мне это знать!». Но он сказал:

— Если этот уголь *сумеют* сюда доставить, то, безусловно, да. Дело все в той же старой проблеме: в Дублине, похоже, начинают рассматривать Зону Кордона как вполне успешную; они там считают, что мы очень неплохо живем за счет своих земельных участков, и попросту умывают руки, когда речь заходит о том, что и нам нужно иной раз помочь. Мой кузен из Рингаскидди рассказывал, что на прошлой неделе в порту пришвартовалось судно с углем из Польши, но вот вопрос: когда в Рингаскидди найдется топливо, чтобы заправить грузовики и этот уголь развезти?

— А проклятое ворье между тем совсем распустилось, — раздался рядом с нами голос Ферна О'Брайена, появившегося словно из воздуха, — и уголь по дороге из Рингаскидди до Шипсхеда с такой невероятной скоростью исчезает прямо из кузова грузовиков, что просто дух захватывает.

— Мы поднимали этот вопрос на прошлом заседании комиссии, — сказал Мартин. — Несколько человек, в том числе и я, предложили организовать небольшую экскурсию в горы, к Седловине Кахера, и подыскать подходящее место для добычи торфа. Оззи в своей кузнице сделал — как это называется? — в общем, что-то вроде компрессора для формовки торфяных брикетов вот такой величины. — Мартин раздвинул руки примерно на фут. — Ну, торф — это, конечно, не уголь, но все-таки лучше, чем ничего. И потом, если мы не оставим наши заветные пять акров лесопосадок в покое, то вскоре леса у нас вообще не будет. Нисколько. Глазом моргнуть не успеем. Как только срубленные деревья подсохнут, я скажу Фиону, чтобы когда в следующий раз повезет солярку на ферму Нокро, он отвез по возу дров вам, Холли, и Мо. И мне совершенно неважно, за кого вы намерены голосовать! Морозу на политику наплевать, а мы должны заботиться о людях.

— Я проголосую за того, кто уже доказал, что справляется со своими обязанностями, — заверила я его.

— Спасибо, Холли. Каждый голос для нас важен.

— Но ведь, по-моему, серьезной оппозиции не существует?

Ферн О'Брайен мотнул головой куда-то мне за спину. Я повернулась, подошла к церковной доске объявлений и прочла новый, большой, написанный от руки плакат:

ЗАТЕМНЕНИЕ — ЭТО БОЖИЙ СУД.
«ДОВОЛЬНО!» — ГОВОРЯТ ТЕ, КТО ВЕРУЕТ В БОГА.
ГОЛОСУЙТЕ ЗА ПАРТИЮ ГОСПОДА НАШЕГО!
МЮРИЭЛ БОЙС — В МЭРЫ!

— Мюриэл Бойс? В *мэры*? Но Мюриэл Бойс — это же... То есть...

— Мюриэл Бойс нельзя недооценивать, даже если этот призыв и написан не слишком грамотно, — сказала, подходя к нам, Айлин Джонс. Когда-то она была режиссером-документалистом, но теперь переквалифицировалась в рыбачку и промышляла ловлей омаров. —

У нее тесная дружба и со всяким ворьем, и с нашим приходским священником. Между прочим, я и раньше не раз замечала, что между слепым фанатизмом и плохой грамотностью всегда есть связь.

— Но отец Макгахерн вроде бы никогда раньше политикой не увлекался? — заметила я.

— Это верно, — ответил Мартин, — да только отец Брейди — из другого теста. Приходите в воскресенье. Я, как всегда, буду сидеть на нашей скамье. Сами услышите, как наш новый священник рассказывает, что Господь защитит вашу семью только в том случае, если вы проголосуете за Партию Господа.

— Но люди же не настолько глупы, — сказала я. — Вряд ли они проглотят такую наживку.

Мартин посмотрел на меня с таким выражением, словно я так и не поняла, каков в целом расклад. В последнее время я регулярно замечала, что на меня именно так смотрят.

— Людям нужен спасательный корабль. Им нужны чудеса. Партия Господа *предлагает* им и то и другое. Ну, а я предлагаю торфяные брикеты и полусгоревшие бревна из ям углежогов.

— Но ведь никакого спасательного корабля не существует, а брикеты торфа не только существуют, но и добыть их вполне реально. Не сдавайтесь, Мартин. У вас всегда была репутация человека упорного и решительного. И люди, конечно же, прислушаются к голосу разума.

— Разума? — Айлин Джонс мрачно усмехнулась. — Как говорил мой старый друг доктор Грег, если бы мы могли воззвать к разуму религиозных людей, то никаких религиозных людей попросту не осталось бы. Не обижайтесь, Мартин.

— Да на что ж тут обижаться, — сказал мэр.

* * *

По Чёрч-лейн мы вышли на центральную площадь Килкрэннога. Впереди виднелся бар Фицджеральда, низенькое, какое-то ползучее строение, такое же старое, как и сама деревня. Фицджеральды все время что-то пристраивали к своему бару, и за несколько веков он существенно разросся, точнее, расползся, а недавно его еще и выкрасили белой краской. Вороны сидели на многочисленных коньках его черепичных крыш, словно предвещая что-то недоброе. Справа было дизельное депо, которое, когда я впервые сюда переехала, было самой обыкновенной заправочной станцией, и все мы заправляли там свои «Тойоты», «КИА» и «Фольксвагены», словно никакого завтра для нас не существовало. Зато теперь это завтра наступило, и заправка существовала только для кооперативной автоцистерны, которая объезжала все фермы по очереди. Слева стоял кооперативный магазин, где вскоре специальная комиссия как раз и должна была распределять коробки с пайком, а на южном конце площади находилась наша мэрия. Мэрия также служила в День Конвоя и чем-то вроде рынка. Именно туда мы и направились, и Мартин придержал дверь, помогая мне вкатить коляску. В зале было шумно, но смеха слышно почти не было — Хинкли-Пойнт даже сюда отбрасывал свою длинную тень. Мартин сказал, что постарается попозже непременно со мной увидеться, и отправился по своим делам. Айлин поискала глазами Оззи и направилась к нему: ей нужно было поговорить с ним о каких-то металлических деталях для шлюпки; а я стала осматривать прилавки, пробираясь между раскладными столиками с яблоками, грушами, медом, яйцами, марихуаной, сыром, домашним пивом, самогоном, пластмассовыми бутылками и коробками, вязаными вещами, старой одеждой, старыми книгами и тысячами других подобных вещей, которые мы когда-то в лучшем случае сдавали в благотворительные лавки или в помощь переселенцам. Когда двадцать пять лет назад я впервые переехала на полуостров Шипсхед, торговля на рынке в Западном Корке шла вовсю; местные продавали там домашнее печенье и варенье, а хиппи пытались всучить немецким и голландским туристам скульптуры ирландского «зеленого человека». Люди даже с весьма средними доходами вполне могли купить органическое средство от паразитов, крупные финики из Меджула и моцареллу из буйволиного молока. Теперь же на рынке, как когда-то в супермаркетах, можно было купить все что угодно, кроме продуктов, которые выдавались только в коробках с пайком. С нашими «усовершенствованными» детскими колясками, инвалидными креслами и старыми тележками из супермаркета, мы выглядели как толпа голодных, небритых, не пользующихся косметикой людей, торгующих всяким барахлом, — просто пародия на посетителей «Лидл» или «Теско», а ведь всего каких-то пять-шесть лет назад в этих супермаркетах товаров было полно. Да мы, собственно, и не торговали, а занимались бартером, обменом, хотя в ходу были и деньги — юани и доллары, — а также «деньги» Шипсхеда, металлические кружочки с цифрами, введенные в оборот тремя мэрами Дарраса, Охакисты и Килкрэннога. Не обходилось, разумеется, и без обмана. Мне удалось «превратить» сорок восемь куриных яиц в дешевый китайский шампунь, которым вполне можно было и стирать; а несколько мешочков с солью из водорослей и выращенные в огороде кочаны капусты я поменяла на некрашеную шерсть из Килларни — мне нужно было довязать одеяло; на желе из красной смородины — кстати сказать, стеклянные банки стоили дороже самого желе — я выменяла карандаши и пачку бумаги A4, из которой мы сшивали школьные тетрадки; записи в старых тетрадях дети уже столько раз стирали ластиком, что страницы стали почти прозрачными; и, наконец, я очень неохотно обменяла последнюю пару хороших резиновых сапог, которые пролежали в коробке лет пятнадцать, на листы прозрачного пластика, которые намеревалась, во-первых, превратить в дождевики с капюшонами для нас троих, а во-вторых, использовать их для починки парника после зимних бурь. Полиэтиленовую пленку теперь найти было трудно, но непромокаемые резиновые сапоги и вовсе были редкостью, так что, как только я заявила: «Ну что ж, тогда в другой раз» и сделала вид, что ухожу, мой потенциальный «покупатель» тут же прибавил к пластику двадцать метров акриловой веревки и связку зубных щеток. Я волновалась за зубы Рафика. В нашей диете, как и у всех вокруг, было очень мало сахара; впрочем, ни одного дантиста в Корке все равно уже не осталось.

Я поболтала с Нив Мюрнейн, женой Тома Мюрнейна, которая «продавала» перевязанные пеньковой веревкой пучки овса и белых кур-султанок: у Стабильности не хватало юаней, чтобы платить учителям, так что вместо зарплаты им высылали кое-какие продукты, которые можно было продать или обменять. Я очень надеялась найти у кого-нибудь гигиенические прокладки для Лорелеи, поскольку Стабильность больше не включала их в список «самого необходимого», но мне сказали, что прокладки давно уже не привозили, и на последнем грузовом пароходе Компании их тоже не было. Брана О'Дейли использовала лоскутки от старых простыней, которые еще приходилось стирать, потому что старых простыней тоже осталось не так уж много. Если бы меня хоть раз посетили предчувствия, я бы еще несколько лет назад сделала приличный запас тампонов. Но увы. Жаловаться на отсутствие подобных гигиенических средств было как-то неприлично и даже стыдно, если учесть, что более трех миллионов душ за пределами Кордона вообще выживали неизвестно как.

* * *

В одной из пристроек к бару Шинейд Фицджеральд подавала горячие напитки и суп, приготовленный на кухне, которая заодно давала тепло и мэрии, а потому имела достаточные запасы топлива. Я тащилась мимо со своей коляской, и Пэт Джо, механик из Кооперации, с громадными, перепачканными маслом ручищами, тут же вскочил и принес мне стул; пожалуй, и впрямь пора было присесть и отдохнуть. Путь от Дунен-коттеджа до ярмарочной площади с каждой пятницей казался мне все более долгим и трудным, а боль в боку с каждым днем становилась все ощутимей. Мне давно следовало бы посоветоваться с доктором Кумар, но, с другой стороны, чем она сможет помочь, если это действительно просыпается мой рак? Теперь не существовало ни сканирования, ни УЗИ, и нигде не достанешь ни лекарств, ни хотя бы простого обезболивающего. Рядом за столиком сидели Молли Куган, которая раньше была известным программистом, а теперь выращивала яблоки в оранжереях под холмом Ардахилл, и ее муж Шеймас. Поскольку меня в Корке всегда считали «англичанкой», мне, естественно, тут же задали вопрос, не знаю ли я чего насчет Хинкли-Пойнт, но я, к сожалению, ничем не могла удовлетворить их любопытство.

Никому в последние два-три дня не удавалось ни в сети, ни по мобильной связи соединиться со странами, лежащими за пределами Ирландии. Пэт Джо сказал, правда, что вчера вечером ему удалось поговорить с кузеном из Ардмора, что в Восточном Корке, и все внимание моих собеседников переключилось на него. Он рассказал, что сотни две беженцев из Португалии добрались до нашего побережья на пяти или шести жалких суденышках, высадились там и теперь живут в старом поместье-зомби, построенном еще в Дни Тигра[1].

— И такие наглые, будьте уверены! — говорил Пэт Джо, поглаживая свою чашку с супом. — Такое ощущение, словно это они — хозяева здешних мест! В итоге мэру Ардмора пришлось во главе... э-э-э... целой делегации отправиться в чертово заброшенное поместье — мой кузен тоже входил в эту делегацию — и заявить этим психам, что нам, мол, очень жаль и все такое, но зимовать здесь мы вам никак разрешить не можем, потому что в Кооперации запасы продуктов и так крайне малы, а на лесопосадках леса не хватает и для местных жителей, так что нечего и говорить о дополнительных двух сотнях ртов. В общем, примерно в таком духе. И, представляете, тамошний вожак, здоровенный такой парень, вытащил ружье и хладнокровно так *выстрелил в Кенни, для острастки сбив с него шляпу,* — прямо как в старых вестернах!

— Ужасно! Ужасно! — воскликнула Бетти Пауэр, наш театральный матриарх, а ныне заведующая курильней в Килкрэнноге. — И как же все-таки поступил мэр?

— Послал гонца в гарнизон Стабильности в Дангарван и попросил о помощи — вот только ему сказали, что проклятые джипы заправлять нечем.

— Неужели у *Стабильности* не нашлось солярки даже для собственных джипов? — в ужасе переспросила Молли Куган.

---

[1] Имеется в виду период бурного экономического роста Ирландии, пришедшийся на конец 1990-х — начало 2000-х годов.

Пэт Джо, поджав губы, помотал головой:

— Ни капли! И тамошнему мэру велели «самостоятельно разрешить сложившуюся ситуацию», причем желательно «мирным способом». Вот только как нашим людям разрешить эту чертову ситуацию, если самое грозное оружие у них — хреновина, которая называется «большой упаковочный степлер»?

— А я слышала, — сказала Молли Куган, — что «Сунь Ятсен»[1] — один из китайских суперфрегатов, который сопровождает китайские суда, осуществляющие контейнерные перевозки по Северному морскому пути, — на прошлой неделе вошел в гавань Корка, и на борту у него — пятьсот военных моряков. Похоже, нам демонстрируют силу.

— А вот тут ты точно попала пальцем в небо, Молл, — сказала Ферн О'Брайен, которая перегнулась к нам с соседнего стола. — Билл моей Джуд был в тот день на погрузке в Рингаскидди, и он клянется, что там было никак не меньше *пяти тысяч* китайских военных!

Я легко могла себе представить, как выпучил бы глаза мой давно покойный Эд, услышав столь «достоверные» новости, однако известия сыпались как из рога изобилия, особенно после того, как разговор переключился на невестку кузена Пэта Джо. Она проживала в графстве Оффали и была знакома с одним «человеком, который в курсе дела» из исследовательского центра Стабильности, расположенного в дублинском Пейле; этот ее знакомый якобы утверждал, что шведы вывели генно-модифицированную пшеницу, которая не поддастся болезням и способна самовоспроизводиться.

— Я только передаю то, что мне рассказали, — сразу же отмел все сомнения Пэт Джо. — Говорят, Стабильность намерена уже следующей весной засеять этой пшеницей всю Ирландию. А если у людей будут полные желудки, то и с воронами в павлиньих перьях, и со смутьянами будет покончено.

— Белый хлеб! — вздохнула Шинейд Фицджеральд. — Только представьте себе...

— Я бы не хотел сейчас мочиться на вылепленного тобой снеговика, Пэт Джо, — сказал Шеймас Куган, — но не этот ли «человек, который в курсе дела» рассказывал невестке твоего кузена, что у немцев есть пилюля, способная вылечить от «крысиной лихорадки»? А также что Штаты вновь воссоединились и тамошний

---

[1] Судно названо в честь китайского революционера-демократа Сунь Ятсена (1866—1925), первого президента Китая, основателя партии гоминьдан (1912), выступавшего за опору на рабоче-крестьянские массы, союз с СССР и Коммунистической партией Китая.

президент сбрасывает во всех странах — членах НАТО посылки с одеялами, лекарствами и арахисовым маслом? Или это был друг одного твоего друга, который встретился с психами-беженцами возле Югала и потом клялся жизнью собственной матери, что ему удалось найти некую Техноутопию, в которой по-прежнему двадцать четыре часа в сутки есть электричество, горячая вода, ананасы и мусс из темного шоколада, — где-то то ли на Бермудах, то ли в Исландии, то ли на Азорских островах?

Я вспомнила замечание Мартина насчет того, что народу нужны «спасательные корабли».

— Я только передаю то, что мне рассказали, — сердито фыркнул Пэт Джо.

— Что бы нам ни сулило будущее, — сказала Бетти Пауэр, — все мы в деснице Божьей, вот мы где!

— Ага, именно так говорит и Мюриэл Бойс, — заметил Шеймас Куган.

— Мартин старается изо всех сил, — чуть дрогнувшим голосом проговорила Бетти Пауэр, — но совершенно ясно: только Церковь способна по-настоящему позаботиться о людях и предотвратить дьявольщину, накрывающую наш мир.

— Но почему же любящий Господь способен помочь нам лишь в том случае, если мы за него проголосуем? — спросила Молли.

— Вы должны Его попросить! — захлопала глазами Бетти Пауэр. — Именно так действует молитва.

— Но Молли говорит о том, — вмешался Пэт Джо, — что Он давно уже мог бы ответить на наши молитвы. Зачем Ему непременно нужны еще и наши голоса?

— Чтобы Церковь вновь заняла подобающее ей место! — твердо заявила Бетти Пауэр. — И встала во главе страны.

Атмосфера начинала накаляться, но с тем же успехом можно было бы слушать, как дети спорят по поводу действий и мотивов Санта-Клауса. Я же собственными глазами видела, что случается с человеком после смерти, видела Сумеречную Страну и мрачные дюны, и это было для меня столь же реально, как щербатая кружка с чаем в моей руке. Возможно, те души, которые я *там* видела, и обрели некую жизнь после жизни за пределами Последнего Моря, но если это и так, то все равно это не та жизнь после смерти, которую нам столь красочно расписывают священники и имамы. Не существует никакого Бога, кроме того, которого мы сами себе придумали; я могла бы привести моим соседям-прихожанам массу доказательств этого; человечество всегда существовало и существует само по себе...

...Но мой правдивый рассказ, конечно же, прозвучал бы для них не более безумно и не более здраво, чем их собственные рассуждения и вера в Бога; да и у кого есть право убить Санта-Клауса? Особенно такого, который обещает в итоге соединить Куганов с их мертвым сыном, Пэта Джо — с его умершим братом, а меня — с Аоифе, Жако, мамой и отцом? Который способен превратить Затемнение в его противоположность, вернуть центральное отопление, заказ товаров через Интернет, шоколад и «Райан эйр»? Наша мучительная тоска по любимым, по нашему утраченному миру была столь остра, что превращалась в настоящее горе, тяжким бременем ложившееся на плечи, воющее, требующее пищи. Если бы только эта тоска не делала нас такими податливыми, такими уязвимыми для проходимцев типа отца Брейди...

— ...Забеременела?! — донеслось до меня, и Бетти Пауэр даже рот рукой прикрыла. — Не может быть!

Значит, все снова перешли на местные сплетни. Я бы с удовольствием спросила, кто это на Шипсхеде забеременел, но если я это сделаю, они, естественно, тут же придут к выводу, что я либо глохну, либо у меня начинается старческое слабоумие.

— В том-то и проблема. — Шинейд Фицджеральд склонилась ближе к честной компании. — Трое парней гуляли с юной мисс Хегарти после праздника урожая, и все они... — она изобразила, что курит косяк. — В общем, пока по личику ребенка не станет ясно, на кого он похож, играть в «Выследи папочку» рановато. Вот Дамиен Хегарти и не знает, в кого ему целиться из карабина. Короче, полная неразбериха.

Семейство Хегарти, проживавшее в нижней части нашего полуострова между Ахакистой и Даррасом, занималось разведением коз.

— Ужас, — сказала Бетти Пауэр. — И ведь Нив Хегарти никак не больше шестнадцати, верно? Нет у них матери в доме, чтобы поддерживать порядок, вот в чем все дело. Они думают, все им с рук сойдет. Именно поэтому отец Брейди...

— Послушайте-ка, — прервал ее вдруг Пэт Джо и даже воздел палец.

* * *

Все тут же прислушались: чашки застыли в воздухе, предложения оборвались, младенцев заставили умолкнуть, и почти две сотни жителей Западного Корка разом с облегчением вздохнули. Это был Конвой: два бронированных джипа — спереди и сзади, — а в центре цистерна с топливом и грузовой фургон. У нас, внутри Кордона, все еще имелись и тракторы, и комбайны, и машины из Стабильности все еще ездили на старых запасах солярки в Бантри, обслуживая военные гарнизоны и склады, но в Килкрэнноге эти четыре сверкающих автомобиля, грохочущих по Чёрч-лейн, были единственными регулярными и долгожданными гостями. Для любого старше, скажем, Рафика этот звук как бы пробуждал в нашей памяти тот мир, который был нам когда-то так хорошо знаком. Тогда рев уличного движения считался «шумом», а не тем «звуком», к которому прислушивается каждый. Но теперь все было иначе. Хотя если закрыть глаза, то можно было вообразить, что сейчас еще только 2030 год, и у нас есть свой автомобиль, на котором до Корка всего полтора часа езды, и тело мое так не болит, и катастрофические изменения климата — проблема только для тех людей, которые живут в зонах, подверженных затоплениям... Вот только теперь я не закрывала глаза, потому что слишком больно было потом их открывать и видеть все это. Услышав звуки Конвоя, все, разумеется, высыпали на улицу, чтобы не пропустить шоу, и я тоже, прихватив с собой и свою старую коляску — нет, я не могла бы сказать, что не доверяю односельчанам и боюсь, что кто-то украдет вещи или продукты у старухи, которая одна растит двоих детей, но все же считала, что искушать голодных людей не стоит.

* * *

Джип, ехавший впереди, миновал бывшую заправочную станцию и остановился. Из него выпрыгнули четверо молодых военных, представители Армии Ирландской Стабильности; они явно наслаждались впечатлением, которое производили на окружающих своей военной формой, оружием и выправкой. Нас они, разумеется, считали «деревенщиной». Не случайно некоторые девушки из Килкрэннога приберегали почти исчезнувшие запасы косметики и надевали лучшие платья для дней, когда прибывал Конвой. Например, Коринна Кеннеди с фермы Россмор вышла замуж за одного из таких сопровождающих и теперь жила в Брандонском гарнизоне и по пять часов в день могла в свое удовольствие пользоваться электричеством. Командир подразделения что-то неразборчиво рявкнул своим подчиненным, призывая их уделить больше внимания самому Конвою.

— Каждый ихний шлем небось стоит больше, чем мой дом, — сказал, обращаясь ко мне, Пэт Джо, хотя я уже раз сто от него это слышала.— Если, конечно, у тебя есть связи и можно превратить такой шлем в тверденькие юани.

Еще трое китайских военных выпрыгнули из замыкавшего Конвой джипа; эти были в форме «Pearl Occident Company», или POC. Они были выше ростом, чем их ирландские братья по оружию, и зубы у них были куда лучше, да и оружие тоже «клёвое», как сказала бы в свои пятнадцать лет моя Аоифе. Ирландские военные вполне могли поболтать с местными жителями, но китайским было строго приказано не брататься с местными. Бантри находился на западном, более диком, краю Арендованной Территории, и топливо, которое нам привозили, было дороже золота. Один из ирландских военных, заметив, что Кевин Мари курит трубку слишком близко от цистерны, рявкнул: «Сэр, немедленно затушите вашу трубку!» Кевин, до смерти перепуганный, тут же убрался, шаркая ногами, в пристройку. Конвойным никогда не требовалось прибегать к угрозам. Компания РОС служила пуповиной, связывавшей Килкрэнног со складами в Рингаскидди, и только через нее мы могли получить те товары, которые больше не производили ни в Ирландии, ни где-либо в Европе, насколько нам было известно.

Двое конвойных, приезжавших каждые две недели, были нам хорошо знакомы — Ноэль Мориарти, водитель танкера, и Шеймас Ли, отвечавший за распределение товаров. Ноэль, весьма сообразительный человек лет тридцати пяти, бледный, лысеющий, с вечно озабоченным взглядом, обменялся рукопожатием с Мартином и заговорил с ним, пока водитель пристраивал шланг для перекачки топлива. Мартин спросил, что известно насчет Хинкли-Пойнт. Ноэль сказал, что, по словам его начальника, китайцы мониторят изображение, передаваемое со спутников, летающих на небольшой высоте, но в целом комплекс выглядит так, словно персонала там вообще не осталось. Эта новость разлетелись по толпе местных жителей меньше чем за минуту, однако всегда трудно сделать сколько-нибудь надежные выводы, располагая столь скудной информацией. Ноэль Мориарти и Мартин подписали необходимые бумаги, затем водитель нажал на красную ручку и начал перекачивать солярку в кооперативную цистерну. Мы пытались уловить хотя бы запах топлива и вновь мучительно вспоминали беспечную «нефтяную эпоху».

Фургон тем временем уже въехал задним ходом во двор кооперативного склада на противоположной стороне площади, а Шеймас Ли разговаривал с Олив О'Дуайр, заместителем мэра Килкрэннога. Продукты, которые грузили в фургон, были произведены в основном на фермах: из морозильника доставали свежезамороженную говядину, бекон, индюшатину, крольчатину, баранину и ягнятину, а из сухого хранилища выносили ящики с табаком, луком-пореем, капустой, луком, картошкой, тыквами и поздними фруктами. Большая часть фруктов и овощей пойдет на стол представителей Концессии в Рингаскидди, где чиновники РОС проживают вместе со своими семьями, а часть продуктов перепадет Народно-освободительному Военному Флоту Атлантики. Мясо, не клонированное и не зараженное цезием — ну, пока что это действительно было так, — по сногсшибательным ценам продадут в Пекине, Чунцине и Шанхае. Молоко превратят в Рингаскидди в порошок, поскольку сухое молоко — одна из главных статей нашего экспорта.

В обмен на продукты три главных члена Кооператива Шипсхеда — Даррас, Ахакиста и Килкрэнног — получали дизельное топливо, удобрения, инсектициды, запчасти для машин, электролампы, кое-какие инструменты и скобяные товары, а также кое-что по специальному списку — например, такие жизненно необходимые лекарства, как инсулин для Рафика, — который каждый месяц согласовывался на заседании городской комиссии. У фирмы РОС был также заключен договор со Стабильностью о передаче нам набора вещей и продуктов для еженедельных пайков, вот только качество этих пайков в последние месяцы становилось все хуже и хуже. Впрочем, самая важная вещь, которую обеспечивала нам Компания, — это безопасность. РОС защищала Арендованные Территории, оплачивая милицейские посты, которые Стабильность выставляла вдоль шестидесятимильного Кордона; именно поэтому на десятимильной полосе берега от Бантри до Корка не царило беззаконие, которое, точно чума, свирепствовало в Европе, особенно когда из-за Всеобщего Затемнения отключали основные сети питания. Люди в баре Фицджеральда втихомолку поговаривали, что китайцы делают все это отнюдь не из любви к нам и что компания РОС, несомненно, извлекает большую выгоду из сделок, но даже самый запойный пьяница способен был представить себе, какие дикие нравы стали бы царить на Шипсхеде без этих «трех К»: Компании, Конвоя и Кордона.

* * *

К трем часам дня мы с моей коляской были уже у школьных ворот, и я вспомнила, как забирала Аоифе из разных детских садов в Северном Лондоне и в Рае. Теперь основной темой для разговоров у собравшихся возле школы родителей служило крайне бедное содержимое коробок с пайком, только что полученных в здании Кооператива; в коробках вне зависимости от возраста находились: четыреста граммов плохо очищенной овсянки, в которой попадалась не только шелуха, но и солома; двести граммов коричневого риса; двести граммов чечевицы; пятьдесят граммов сахара; пятьдесят соли; упаковка из десяти пакетиков чая «Dragon Brand»; половинка маленького бруска мыла из демилитаризованной зоны; тюбик корейского дезинфицирующего средства, уже два года как просроченного; пузырек йода с надписью на кириллице и — совершенно неожиданно — ластик «Hello, Kitty!» с запахом кока-колы. То, что не использовалось в семье, становилось разменной монетой на пятничных рынках. Но, пожалуй, сегодняшняя коробка с пайком оказалась самой убогой за последние шесть лет — с тех пор как в 2039 году после жуткого неурожая зерновых ввели систему распределения. «Я понимаю, это действительно позор, — говорил Мартин, окруженный разочарованно ворчавшей толпой, — но я всего лишь мэр, а не волшебник. Я до посинения слал уведомления в Стабильность Корка, но как я мог заставить их ответить, если они отвечать не желают? Стабильность — это не демократия: они в первую очередь заботятся о себе, а ответить изволят только на письмо из Дублина!»

В общем, Мартина спас школьный звонок. Дети гурьбой высыпали на крыльцо, я встретила своих, и мы втроем потащились по главной дороге, ведущей из Килкрэннога к нашему дому. Лорелея и Рафик то и дело по очереди нюхали этот дурацкий ластик. И если у Лорелеи запах пробуждал какие-то ранние воспоминания счастливого детства, то Рафик был еще слишком мал и никогда по-настоящему кока-колы не попробовал, а потому все время спрашивал: «А что это такое? Кола — это такой фрукт, или трава, или что-то совсем другое?»

Последний дом в городе, принадлежавший Мюриэл Бойс, стоял несколько на отшибе, как бы завершая ровный ряд небольших стандартных зданий. Дом был большой и довольно нелепый; окна затянуты сеткой; оранжерея превратилась в большой парник для выращивания овощей, как и почти у всех в деревне. Три предпоследних дома на улице были заняты семьями сыновей Мюриэл Бойс — у нее было четверо здоровенных драчливых сыновей, но четвертый был еще не женат, — и ее невестки, похоже, способны были рожать исключительно мальчиков. Эти выстроившиеся в ряд дома так и называли «Ряд Бойсов». Мне помнилось, что Эд как-то рассказывал, будто у некоторых племен Афганистана большое количество сыновей в семье означает власть, могущество; Всеобщее Затемнение привело нас к тому же. Над дверями и окнами домов в «Ряду Бойсов» были изображены кресты. Мюриэл Бойс всегда отличалась истовой набожностью и в былые времена часто организовывала паломничества в Лурд, но с тех пор как два года назад Господь «призвал к себе» ее мужа — запущенный аппендицит, — у ее веры появились настоящие клыки; она «скрылась от мирской суеты» за высоченной зеленой изгородью, которая, как ни странно, совершенно не мешала ей видеть и замечать все, что творилось вокруг. Мы уже миновали ее дом, когда Мюриэл вдруг меня окликнула. Пришлось повернуть назад, и она вынырнула из садовой калитки, одетая как монашка, в сопровождении своего четвертого сына, пухлого двадцатилетнего Донала. На нем были короткие шорты и майка-«алкоголичка».

— Какой чудесный вечер будет сегодня, верно, Холли? А ты как вытянулась, Лорелея! Совсем скоро станешь прехорошенькой девушкой. Здравствуй, Рафик. В каком же ты классе? Ты ведь в нашей школе учишься, в той, что на пригорке?

— В четвертом, — осторожно ответил Рафик. — Здравствуйте.

— Чудесный денек, Лолли, — сказал Донал Бойс, глядя на Лорелею.

Она кивнула и отвернулась.

— Говорят, у вас снова неприятности с лисами? — сказала Мюриэл Бойс.

— Правильно говорят. У нас действительно неприятности, — сказала я.

— Ах, как вам не повезло! — воскликнула она. — И много птиц вы потеряли?

— Четыре.

— Четыре? Вот как... — она покачала головой. — И все ваши лучшие несушки?

— Да нет, всего одна или две. — Я нетерпеливо пожала плечами; мне хотелось как можно скорее пойти дальше. — Ничего страшного, остальные тоже несутся.

— Но ваш гончий пес, я полагаю, прикончил эту наглую лису?

— Да. — Я очень надеялась, что она попросит меня проголосовать за нее, и я смогу, дав ей некий невнятный ответ, продолжить свой путь, а потому я сразу взяла быка за рога: — Я слышала, вы баллотируетесь в мэры.

— Ну, я не хотела, но Господь мне велел, и я подчинилась. Люди, конечно, вольны голосовать, как им вздумается, — уж *меня-то* вы не поймаете на том, что я раздаю своим друзьям и соседям товар, который особенно трудно достать. — «Между прочим, отец Брейди как раз этим и занимается», — подумала я. Мюриэл смахнула с себя муху. — Нет-нет, Холли, я ведь совсем не об этом хотела с вами словечком перекинуться, — она улыбнулась Лорелее и Рафику, — а о представителях, так сказать, вашего младшего поколения.

Дети казались озадаченными.

— Но я ничего такого не делал! — тут же запротестовал Рафик.

— Никто и не говорит, что ты что-то сделал. — Мюриэл Бойс посмотрела на меня. — Но правда ли то, что вы отказали отцу Брейди в возможности нести вашим детям Слово Божье?

— Вы имеете в виду уроки религии?

— Да, я имею в виду изучение Библии с отцом Брейди.

— Мы сделали иной выбор, и этот выбор — личное дело каждого.

Мюриэл Бойс смотрела вдаль, на Данманус-Бей.

680

— Весь приход восхищался тем, как вы, можно сказать, засучив рукава, взялись за дело и стали воспитывать этих детей, когда Господь отдал их на ваше попечение. Хотя один из них даже не вашей крови! Но никто не стал бы винить вас в этом.

— Кровь не имеет к этому ни малейшего отношения! — с раздражением бросила я. — Я взяла Рафика к себе не потому, что мной «восхищался весь приход», и не потому, что «Господь мне его отдал». Я поступила так потому, что считала это единственно правильным.

Мюриэл Бойс с горькой улыбкой посмотрела на меня.

— И *именно* поэтому весь приход сейчас так разочарован, ибо вы склоняетесь на сторону дьявола и пренебрегаете духовными нуждами этих детей, разочаровывая Господа нашего. Поистине ваш ангел-хранитель в эту минуту льет слезы у вашего правого плеча! Ведь молодежь в наши безбожные времена *нуждается* в молитве больше, чем когда-либо. Это все равно что не давать им необходимого количества пищи!

Лорелея и Рафик огляделись, но никакого ангела у меня за правым плечом, разумеется, не увидели.

— О, я-то вижу ваших ангелов, дети. — Мюриэл Бойс блестящими глазами смотрела куда-то вдаль, поверх наших голов — видимо, она считала, что именно так и должны смотреть провидицы. — Твой ангел, Лорелея, похож на твою старшую сестру, только с длинными золотистыми волосами, а у Рафика ангел — мужчина, смуглый, темноволосый, именно такой, каким наверняка был и один из волхвов. Но все три ваших ангела очень печальны. Голубые глаза ангела-хранителя вашей бабушки покраснели от слез. Его сердце разбито, он умоляет ее...

— Довольно, Мюриэл! Ради бога, довольно!

— Но ведь я только *ради* Господа нашего, Иисуса Христа...

— Нет, нет, нет и нет. Во-первых, *вы* — это еще далеко не весь приход. Во-вторых, те ангелы, которых «видите» вы, что-то уж больно часто выражают точку зрения Мюриэл Бойс, что как-то не внушает к ним должного доверия. В-третьих, родители Лорелеи и в церковь-то практически не ходили, а мать Рафика вообще была мусульманкой, так что я, будучи попечительницей этих детей, всегда стараюсь уважать пожелания их родителей. На этом и закончим наш разговор. Всего хорошего, Мюриэл.

Пальцы Мюриэл Бойс, вцепившиеся в верхнюю планку садовой калитки, были так напряжены, что казались похожими на когти.

— Много было таких, что называли себя «атеистами», когда Сатана искушал их деньгами, абортами, наукой и спутниковым телевидением, но теперь они очень пожалели о своем отречении от Него — когда увидели, к чему это привело! — Одной рукой она направила на меня распятие, висевшее у нее на груди, словно крест способен был повергнуть меня в ужас и заставить покориться. — Но Господь милостив, Он прощает грешников, которые ищут Его прощения. Отец Брейди очень хочет прийти к вам домой и спокойно с вами поговорить. Слава Богу, в *нашей* части света находятся церкви, а не мечети!

Заметив, что Донал откровенно пожирает глазами юную Лорелею, я с силой толкнула коляску и сказала детям:

— Пошли.

— Посмотрим, как вы запоете, — крикнула мне вслед Мюриэл Бойс, — когда Партия Господа возьмет Кооператив под свой контроль и будет решать, что именно и кому положить в коробку для пайка. Еще посмотрим!

Потрясенная, я резко обернулась:

— Это что, угроза?

— Это факт, Холли Сайкс. А вот и еще один: пища в ваших желудках — это ирландская пища. Христианская пища. И если она вам не по вкусу, то очень многие семьи в Англии сейчас вынуждены попрошайничать, и особенно, как я слышала, неподалеку от Хинкли.

Было слышно, как где-то рубят дрова.

— Шипсхед — мой родной дом, — тихо сказала я.

— Вот только очень многие здешние жители так не считают. Тем более теперь, когда всем пришлось затянуть пояс потуже. И хорошо бы вам об этом помнить.

Ноги у меня совсем ослабели, не слушались и были как палки, но я все же повернулась и пошла прочь.

Донал Бойс крикнул нам вслед:

— Мы с тобой еще непременно увидимся, Лол!

Я чувствовала в этом здоровенном, злобном и сильном парне смертельную угрозу и поспешила увести детей из деревни. Мы миновали старый дорожный знак, призывавший сбавить ход и ехать не выше восьмидесяти километров в час, и Лорелея сказала:

— Ба, мне очень не понравилось, как этот Донал Бойс на меня смотрел.

— Вот и хорошо, — сказала я. — Мне это тоже очень не понравилось.

— И мне, — сказал Рафик. — Этот Донал Бойс — просто вонючий потаскун!

Я уже открыла рот, чтобы произнести «Что за выражения!», но так ничего и не сказала.

* * *

Минут через сорок мы наконец добрались до конца той ухабистой тропы, что вела к Дунен-коттеджу. «Дунен» по-ирландски значит «маленькая крепость»; именно такой крепостью наш дом мне всегда и представлялся, даже теперь, когда я разбирала привезенные в коляске продукты — выменянные на рынке и полученные в виде пайков. Пока дети переодевались, я включила планшет, пытаясь связаться с Бренданом или хотя бы с кем-то из родственников, живущих несколько ближе, в Корке, но мне опять не повезло: на экране появилась лишь табличка «Сервер не найден» и еще одна — «В случае проблем обратитесь к местному дилеру». Бесполезно. Я сходила в курятник и вытащила из-под несушек три свежих яйца. Как только Рафик и Лорелея были готовы, мы вместе преодолели заросли, которые теперь отделяли наш сад от сада Мо, и вышли к задней двери ее дома, ведущей на кухню. Дверь была открыта; нам навстречу, махая хвостом, тихо вышел Зимбра. Раньше, когда он был щенком, он сразу начинал прыгать от радости, но с возрастом стал спокойней. Коробку с пайком и свежие яйца я сразу положила в буфет и тщательно закрыла дверцу, чтобы туда не забрались мыши. Мо мы отыскали в ее солнечной гостиной; она развлекалась: играла сама с собой в «Скраббл».

— Привет-привет, ну как, школьники, у вас сегодня дела? А как рынок, Холли?

— Нормально, — сказал Рафик. — Но сегодня утром мы видели дрон.

— Да, я тоже его видела. У Стабильности, должно быть, завелось лишнее горючее, которое можно просто так сжечь. Странно.

Лорелея изучала доску с фишками «Скраббл».

— Кто выигрывает, Мо?

— Я только что наголову сама себя разбила: 384 против 119. На дом что-нибудь задали?

— У меня квадратные уравнения, — сказала Лорелея. — Прелесть.

— Ага, и ты теперь наверняка можешь такие решать даже спросонья, верно?

— А мне нужно географию учить, — сказал Рафик. — Ты когда-нибудь видела слона, Мо?

— Да. В зоопарках. И еще в национальном парке в Южной Африке.

Рафик был явно впечатлен.

— А они правда такие большие, как дом? Так нам мистер Мурнейн рассказывал.

— Пожалуй, да. Величиной с небольшой коттедж. Они водились в Африке и Индии. Потрясающие животные!

— Тогда почему же люди позволили им исчезнуть?

— Тут виноваты все понемногу, но последние стада слонов были уничтожены для того, чтобы некоторые люди в Китае могли продемонстрировать свое богатство, преподнося друг другу подарки из слоновой кости. В основном всякие безделушки.

Мо никогда не было свойственно золотить пилюли, и я заметила, как помрачнел Рафик, переварив это сообщение.

— Жаль, что я не родился шестьдесят лет назад, — сказал он. — Слоны, тигры, гориллы, белые медведи... Все самые лучшие животные уже исчезли, а нам остались только крысы, вороны и уховертки.

— И некоторые первоклассные собаки, — сказала я, поглаживая Зимбру по голове.

Все мы вдруг, без какой-то очевидной причины, примолкли. Муж Мо, Джон, умерший пятнадцать лет назад, улыбался нам из своей рамки над камином. Висевшая на стене картина маслом очень похоже изображала чудесный летний день в саду возле старого дома Мо и Джона на Кейп-Клиар. Джон Каллин был слепым, а его жена всегда отличалась нелегким характером, но жили они очень счастливо, ибо тогда были цивилизованные времена, и местность вокруг была цивилизованной, и желудки у людей были полны. Джон был поэтом, и почитатели его утонченного таланта писали ему даже из Америки.

Но тот мир оказался сделанным не из камня, а из песка.

И мне вдруг стало страшно. Одна сильная буря — и он не выдержит ее натиска.

* * *

Потом Лорелея ушла в гости на ферму Нокро, собравшись там заночевать. А Мо чуть позже притащилась к нам, и мы пообедали втроем — Рафик и две старые дамы. Мы ели крупные бобы и поджаренную в масле картошку. Аоифе в возрасте Рафика наверняка стала бы крутить носом при виде такой простецкой еды, но еще до того, как попасть в Ирландию, Рафик успел познать настоящий, мучительный, голод, так что никогда ни от какой еды не отказывался. На десерт была ежевика, которую мы собрали по дороге домой, и немного тушеного ревеня. За столом на этот раз было тише обычного, поскольку отсутствовала наша девочка-подросток, и я сразу вспомнила, как Аоифе, поступив в колледж, впервые уехала из дома. Когда тарелки были убраны, мы достали карты и втроем поиграли в криббедж, одновременно слушая программу RTE, посвященную тому, как нужно копать колодец. Затем Рафик отправился провожать Мо, пока еще не совсем стемнело, а я пока опустошила ведро в уборной, заменявшее нам унитаз, вылив его содержимое прямо в море с обрыва, и проверила направление ветра: по-прежнему дуло с запада. Потом загнала кур в курятник и крепко заперла дверь, жалея, что и вчера вечером этого не сделала. Рафик вскоре вернулся и, зевая, стал готовиться ко сну: умываться холодной водой и чистить зубы. Когда он лег, я немного почитала — старый номер «New Yorker» за 2031 год, — получив большое удовольствие от рассказа Эрсилии Хольт и восхищаясь обильной рекламой и тем благополучием, которое, казалось бы, существовало еще совсем недавно.

В четверть двенадцатого я снова включила планшет, но тот вдруг запросил пароль, и я тут же отключилась. Мой пароль! Божс, я забыла собственный пароль! Я же никогда его не меняла. Он был как-то связан с собаками...

...Несколько лет назад я бы, пожалуй, посмеялась над подобным внезапным приступом забывчивости, но в моем возрасте это было похоже скорее на медленно приводимый в исполнение смертный приговор. Когда больше не доверяешь собственным мозгам, то становишься как бы ментально бездомной. Я встала и достала записную книжку, куда стала записывать самые разные вещи, но тут увидела Зимбру, спавшего у меня под ногами, и сразу вспомнила: НЬЮКИ! Ну да, так звали нашу собаку, когда я была еще совсем маленькой. Я ввела пароль и в очередной раз попыталась связаться с Бренданом. Целых пять дней неудачных попыток! Я и теперь была уже готова к тому, что девайс укажет мне на какую-нибудь ошибку и связи не будет, но отчего-то с первого же раза на экране появился мой старший брат; он хмуро глядел в планшет, находясь за двести пятьдесят миль от меня в кабинете дома на плато Эксмур. Что-то явно было не так: седые волосы Брендана выглядели растрепанными, его старое отекшее лицо было искажено, да и голос звучал очень нервно.

— *Холли?* Господи, наконец-то я могу тебя видеть! А ты меня видишь?

— И вижу, и слышу! Голос у тебя звучит ясно, как колокол. Но что случилось?

— Ну, если не считать того... — Он протянул руку, и на экране появился стакан с виски, а за спиной у Брендана я увидела его фотографию двадцатилетней давности, на которой он пожимал руку королю Чарльзу на открытии Тинтеджел-Гейтед-Вилледж, —... если не считать того, — повторил Брендан, снова возникая на экране, — что Запад Англии сейчас больше похож на иллюстрацию к Откровению Иоанна Богослова, а ядерный реактор, который находится совсем рядом с нами, вот-вот готов взорваться. И еще бандиты. Нас они уже посетили — два дня назад.

Мне стало нехорошо.

— В деревню зашли или прямо к тебе в дом?

— В деревню. Но уже и это достаточно плохо. Четыре ночи назад наши преданные стражи отсюда отвалили, прихватив с собой половину всех продовольственных запасов, *а также* запасной генератор. — Я поняла, что Брендан уже почти пьян. — Жители-то по большей части остались — да и куда нам идти? — и мы решили теперь по очереди дежурить на складе, даже расписание составили.

— Может быть, ты лучше приедешь сюда, к нам?

— Может быть, если меня не разрежут на кусочки и не разыграют в кости бандиты на хайвее в Суонси. Если водитель не перережет мне горло, проехав всего милю от побережья Уэльса. Если иммиграционные власти в Рингаскидди примут мою взятку...

Теперь я поняла, хотя, наверное, понимала это и раньше, что мы с Бренданом никогда больше не встретимся.

— Может быть, Ошин Коркоран может тебе помочь?

— Вряд ли. Все слишком заняты, пытаясь как-то выжить, чтобы помогать какому-то англичанину восьмидесяти одного года от роду, да еще практически выжившему из ума. Нет, в итоге доживаешь до такого возраста, когда все это... путешествия, поездки... становится не для тебя. Возможно, другие еще смогут... А я... — Он отхлебнул изрядный глоток виски. — Да, я, кажется, начал рассказывать тебе о бандитах. Так вот, сегодня ночью, примерно в час, завопили все охранные устройства, так что я встал, оделся, взял свой пистолет тридцать восьмого калибра и пошел на склад. Там оказалось больше дюжины этих ублюдков, и все были вооружены ружьями, ножами, морды масками закрыты. Они уже грузили наши запасы в микроавтобус, и Джем Линклейтер подошел прямо к их главарю и сказал: «Что же вы нашу еду крадете, ребята? Учтите, мы имеем полное право защищаться». Ну, этот тип посветил фонарем Джему прямо в лицо и заявил: «Это теперь все наше, дедушка, так что шел бы ты отсюда куда подальше, в последний раз предупреждаю». Джем, естественно, никуда не пошел, и ему... — Брендан даже глаза прикрыл, — ...ему выстрелом разнесли голову. Вдребезги.

Я прикрыла рот рукой.

— Господи! И ты все *видел*?

— Стоял в десяти футах от них. А этот убийца спросил: «Ну что, есть еще герои?» И тут кто-то выстрелил, и он упал замертво, а потом началась кровавая катавасия. Зато эти гады поняли, что мы не такие уж покорные старые пердуны, что мы еще вполне способны оказать им отпор. Кто-то выстрелом разбил фары их микроавтобусу, и стало слишком темно, чтобы разобраться, кто где, и я... — от волнения грудь у Брендана буквально ходила ходуном, — ...я забежал в теплицу с помидорами, но там на меня набросился один из гадов, размахивая мачете. Во всяком случае, так мне показалось... И у меня в руке вдруг оказался мой пистолет тридать восьмого калибра, и предохранитель был уже спущен, и прозвучал выстрел, и что-то в меня уткнулось... Когда у него с лица сползла маска, я увидел... увидел, что это совсем еще мальчишка, моложе нашей Лорелеи... А мачете у него в руке оказалось просто садовым совком. А я... — Брендану все же удалось справился с дрогнувшим голосом, — ...его застрелил, Хол. Прямо в сердце попал.

Я видела, что брата бьет дрожь, но лицо его сияло, и я вдруг вспомнила, как одна очень красивая женщина лежала с расколотой головой на пересечении туннелей подземного лабиринта, а у меня в руках была окровавленная мраморная скалка.... Но я все же ухитрилась сказать:

— Знаешь, Брен, при подобных обстоятельствах...

— Знаю. Я сразу понял, что виноваты мы оба, нас обоих подтолкнули рефлексы. В общем, я сам выкопал могилу и его похоронил. В моем возрасте это достаточно сложно — справиться с таким количеством земли. Оказалось, что мы убили четверых, но и они шестерых наших положили, да еще и ранили одного, парнишку Гарри Маккея, пробили ему легкое, и сейчас он очень плох. В Эксмуте есть больница, но медицинский уход там, естественно, практически средневековый.

— Брен, если ты не можешь сюда приехать, то, может, мне попробовать...

— *Нет!* — Впервые Брендан, казалось, испугался. — Ни в коем случае! Ради тебя самой, ради Лол, ради Рафика, ради бога оставайся на месте! Сейчас слишком опасно перемещаться с места на место, если тебя не сопровождает десяток вооруженных людей, готовых убивать. Возможно, Шипсхед сейчас — самое безопасное место в Западной Европе. Когда компания «Pearl Occident» еще только взяла в аренду полоску побережья в Западном Корке, я подумал: какое унижение для всех тамошних падди[1], но, по крайней мере, там будет какой-то порядок. По крайней мере...

Речь Брендана оборвалась на полуслове, и черты его вдруг стали расплываться, словно ветер поменял направление, унося с собой голос моего брата и его изображение на экране.

---

[1] П а д д и — прозвище ирландцев, уменьшительное от имени Padraig, ирландской формы имени Патрик, одного из самых распространенных в Ирландии; святой Патрик считается покровителем Ирландии.

— Брендан, ты меня слышишь?

В ответ — ни звука. Я даже застонала от отчаяния, и Зимбра с тревогой посмотрел на меня. Несколько раз пыталась возобновить связь, перезагружала планшет, пыталась ждать. Я ведь не успела даже спросить, есть ли у Брендана вести от Шэрон из Австралии, но теперь связь явно была потеряна, и что-то говорило мне: вряд ли она когда-нибудь возобновится.

* * *

Поднявшись к себе, я долго не могла уснуть. Тени таились по углам, темные, темнее ночной тьмы. Тени раскачивались от поднявшегося среди ночи ветра, и крыша трещала, и внизу глухо ухало море. Я снова и снова прокручивала в памяти рассказ Брендана и сожалела, что не нашла добрых слов, которые надо было ему сказать, чтобы хоть немного его успокоить, но теперь, естественно, было уже слишком поздно. Мой старший брат, некогда крупный делец, заработавший на продаже недвижимости миллионы, казался совершенно опустошенным и каким-то невероятно хрупким. Я завидовала всем Бойсам мира, отравленным приверженностью к Богу. Молитва действительно может иной раз сыграть роль плацебо, когда человек страдает от собственной беспомощности, а она дает ему какое-то облегчение. В дальнем конце сада грохот волн то замирал, то зарождался снова, и казалось, что это будет длиться вечно, вечно, вечно... Аминь. Даже через коридор я услышала, как Рафик во сне что-то громко и испуганно крикнул по-арабски. Я встала, прошла к нему и тихонько спросила: «Ты что, Рафик?» Но он крепко спал, по-прежнему что-то бормоча во сне, так что я вернулась в свою теплую постель. Боль в животе глухо отозвалась на эти ночные перемещения. Когда-то я считала собой прежде всего свое «тело», но теперь для меня «я» — это прежде всего мой разум, тогда как мое старое тело превратилось во вместилище разнообразных недугов и недомоганий. У меня частенько ныл коренной зуб, меня постоянно грызла боль в правом боку, а суставы на руках и колени словно заржавели от ревматического артрита; если бы мое тело было автомобилем, я бы уже давно с удовольствием его поменяла. Но я прекрасно знала: моя маленькая, поздняя, неожиданная семья — я, Лорелея, Рафик, Зимбра и Мо — продержится ровно столько, сколько будет функционировать мое старое тело. О'Дейли, конечно, присмотрят за детьми, насколько смогут, но мир наш становится только хуже, не лучше. Я видела будущее: оно вечно голодно и жаждет пищи.

Я невольно нащупала в темноте серебряный лабиринт Жако, как всегда, висевший на спинке кровати, и прижала его ко лбу. Извивы его переходов и стен немного охладили воспаленный мозг. «Я сомневаюсь в том, что вы выжили, — прошептала я, обращаясь к любому реальному ангелу-хранителю, к любому Хорологу, если хоть кто-то из них остался в живых, — так что вряд ли вы меня услышите. Но пусть я ошибусь! Пусть вы подарите мне еще одну, последнюю вашу абракадабру! И пусть это будут два золотых яблока спасения, если, конечно, вам не жалко. Спасите моих детей, заберите их отсюда, увезите их в безопасное место, если оно, это безопасное место, где-нибудь существует. Прошу вас!»

28 октября

Старые занавески пропускали ранние, оранжево-розовые лучи солнца, но лучи эти были какого-то холодного оттенка. Ветер и волны с утра звучали размеренно и деловито, а не беспокойно, как прошлой ночью. Я услышала, как Зимбра поднимается по лестнице, носом приоткрывает дверь в мою комнату и, виляя хвостом, протискивается сам, словно говоря мне: «С добрым утром». Странно, как это он всегда чувствует, что я уже проснулась? С момента пробуждения у меня возникло ощущение, что за ночь я успела позабыть какую-то очень неприятную новость. Что же это? Ах да, Брендан! Господи, как он там? Надеюсь, о нем все же позаботятся. Каких-то пять лет назад я запросто могла заказать себе по телефону билет на самолет, сразу поехать в аэропорт, долететь до Бристоля и уже через час оказаться у Брендана в Тинтеджел-Гейтед-Вилледж. А теперь это почти как путешествие на Луну...

Ну, тут уж ничем не поможешь. Чему быть, того не миновать, а пока что у меня полно дел, которые нужно переделать. Я осторожно, как самая настоящая старуха, встала с постели, раздернула занавески и открыла окно. В заливе Данманус была все еще довольно сильная зыбь, но я заметила там парусное суденышко — наверное, Айлин Джонс вышла проверять ловушки для омаров. Заросли синеголовника и лавра на дальнем краю сада здорово потрепал ветер, и они клонились то в одну сторону, то в другую. Это явно что-то означало, но что? Все-таки я что-то упустила из виду, хотя оно где-то тут, прямо у меня перед носом, ясное, как день...

Вот оно: сегодня ветер переменился и дул с востока, из Англии, из Хинкли-Пойнт!

* * *

Сегодня радио РОС не работало; с утра, правда, они сделали какое-то туманное объявление, что по техническим причинам эфира не будет. Так что я включила JKFM, и это было хорошо, потому что там передавали всякие старые вещи в исполнении «Modern Jazz Quartet». Слушая музыку, я разрезала яблоко на четвертушки себе на завтрак и подогрела парочку картофельных оладий для Рафика. Вскоре он и сам, учуяв запах чеснока, протопал вниз в своем невыразимом «халате» и за завтраком стал рассказывать об игре в разведчиков и шпионов, которую собираются затеять в лесопосадках деревенские мальчишки постарше. После завтрака я покормила цыплят, полила тыквы в парнике, приготовила для собаки корм на несколько дней — лепешки из овсянки с шелухой, сдобренные бараньим жиром, — и поточила ножницы, собираясь подстричь Рафика. А он тем временем вычистил бак для питьевой воды и наполнил его, протянув длинный шланг к ручью, а потом спустился на пирс, прихватив удочку. Зимбра, естественно, пошел с ним. Вскоре они вернулись с уловом — сайдой и макрелью. Рафик помнил, как совсем маленьким ловил рыбу в каком-то солнечном заливе с голубой водой, еще до того, как попал в Ирландию, и Диклан О'Дейли всегда подтверждал, что мальчик — прирожденный рыболов. Рафику всегда везло, и это было весьма кстати, потому что мясо они с Лорелеей ели в лучшем случае раз в месяц. Я решила, что запеку пойманную Рафиком рыбу на обед и подам с пюре из брюквы. Затем я приготовила полный чайник мятного чая и начала стричь Рафика. Давно уже пора было, тем более что в школе, как всегда зимой, скоро начнется очередная эпидемия педикулеза.

— А я с утра видел в телескоп Айлин Джонс, — сообщил мне Рафик. — Она вышла в залив на своей лодке «Lookfar» и проверяла ловушки для омаров.

— Это хорошо, — сказала я, — но, я надеюсь, ты был достаточно осторожен и...

— ...Не направлял телескоп на солнце? — засмеялся Рафик. — *Ну конечно*, не направлял, Холли! Я же не совсем того!

— Никто и не говорит, что ты того, — мягко сказала я. — Просто когда у тебя появляются дети, то внутри, ну... включается определитель несчастных случаев и больше уже никогда не выключается. Сам потом увидишь, если когда-нибудь станешь отцом.

— Ну-у-у, — уныло протянул Рафик, так что сразу стало ясно, что подобная перспектива ему совсем не по душе.

— Сиди спокойно. Вообще-то, лучше бы Лол тебя подстригла. У нее это ловчей получается.

— Ни за что! У Лол я сразу становлюсь похожим на мальчика на побегушках из пятизвездочного «Чунцина».

— На какого мальчика?

— Из пятизвездочного отеля «Чунцин». Ну, китайского. Всем девчонкам очень нравится.

Не сомневаюсь. Все девчонки мечтают о богатой жизни в Шанхае. Говорят, в Китае не хватает женщин — по две женщины на трех мужчин, а все из-за выборочного умерщвления плодов. Когда Арендованная Территория была еще в новинку и в Корк запросто можно было съездить на автобусе, мои родственники, живущие там, рассказывали, как часто местные девушки становятся «китайскими невестами» и уплывают за моря — к сытой жизни, возможности круглосуточно, в течение всей недели, пользоваться электричеством и вообще Жить Долго И Счастливо. Но я уже достаточно давно жила на свете, и у меня имелись определенные сомнения в порядочности брачных агентств, устраивающих подобные браки.

Я переключила радио с JKFM на RTE, надеясь, что там будет хоть какое-то сообщение о ситуации в Хинкли-Пойнт, но в восьмичасовых новостях об этом даже не упомянули. Пришел Зимбра и, положив голову Рафику на колени, стал смотреть, как я стригу мальчика, а Рафик тем временем гладил пса по голове. Диктор RTE прочел новости о рождениях, перечислил имена всех новорожденных, назвал вес каждого, фамилию его родителей, приход и графство. Это слушать было даже приятно. Бог свидетель, этих ребятишек ждет нелегкая жизнь, особенно тех, что родились за пределами Пейла или Кордона, но все же каждое имя новорожденного давало ощущение крошечного огонька, зажегшегося в противовес Затемнению.

Я выстригла еще немного вокруг правого уха Рафика, стараясь, чтобы было как слева.

Но состригла все же слишком много, и пришлось еще состричь вокруг левого уха.

— И очень хорошо! Жалко, что это ненадолго. Вот так всегда меня и стриги, — неожиданно обрадовался Рафик.

Мне было приятно, что он доволен, и грустно, что даже такой маленький мальчик понимает, что ничто не вечно.

— Перемены — это, пожалуй, своеобразный жесткий диск нашего мира.

— А что такое «жесткий диск»?

— Ну, это название одной компьютерной детали. Выражение из старых времен. Я хотела сказать... то, что в нашем мире действительно прочно, оно и остается прочным, но при этом постоянно меняется, впитывая новую информацию. Если бы жизнь не менялась, она бы и не была жизнью, а была бы просто мертвой фотографией. — Я выстригла волосы у Рафика на шее. — Хотя даже фотографии со временем меняют вид. Выцветают. Ты разве не знал?

Некоторое время мы молчали. Я случайно уколола его в шею, и он ойкнул, а я сказала: «Извини, пожалуйста», и он поспешил меня заверить: «Ничего страшного!», как самый настоящий ирландец.

Полудикий кот Кранчи, названный мною так в честь полузабытого шоколадного батончика, прошелся по кухонному подоконнику. Зимбра его, разумеется, заметил, но решил не удостаивать своим вниманием и не поднимать шум. Рафик спросил:

— Холли, а как ты думаешь, к тому времени, как мне исполнится восемнадцать, университет Корка уже будет снова открыт?

Я слишком сильно любила этого мальчика, чтобы с легкостью разбить его заветную мечту.

— Возможно. А что?

— Я хочу, когда вырасту, стать инженером.

— Это хорошо. Цивилизации нужно как можно больше инженеров.

— Мистер Мурнейн сказал, что нам будет нужно все чинить, все заново строить и очень многое перемещать с места на место, как это сделали Нефтяные Государства. Но только делать все это придется без нефти.

И надо было начинать лет сорок назад, подумала я.

— Он прав. — Я подтащила стул и села напротив Рафика. — Опусти-ка голову. Я подстригу тебе челку.

Я подняла его челку расческой и постепенно состригла те волосы, что оставались торчать между зубьями, на высоту примерно в сантиметр. У меня получается все лучше и лучше, подумала я. Но, заметив, какое странно напряженное лицо вдруг стало у Рафика, я перестала его стричь и привернула звук радиоприемника до минимума.

— В чем дело, Раф, дорогой?

У него был такой вид, словно он пытается что-то вспомнить, поймать какой-то далекий отзвук прошлого. Потом он посмотрел на подоконник, но кот уже ушел.

— Я помню, как кто-то меня стриг... Какая-то женщина... Ее лица я не помню, но помню, что говорила она по-арабски...

Я откинулась на спинку стула и опустила ножницы.

— Возможно, одна из твоих сестер? Кто-то же должен был тебя стричь до пяти лет.

— А у меня были короткие волосы, когда я сюда попал?

— Во всяком случае, я не помню, чтобы они были длинные. Ты был почти мертв от голода и холода и чуть не утонул, так что длину твоих волос я как-то не запомнила. Но, Раф... ты можешь вспомнить черты этой женщины?

Рафик наморщил лоб.

— Понимаешь, если я вроде как прямо на нее не смотрю, то вижу ее лицо, а как только пытаюсь хорошенько ее разглядеть, лицо сразу расплывается и исчезает. Иногда я вижу ее во сне, но когда просыпаюсь, все лица уже снова исчезают, остаются только некоторые

692

имена. Одно имя я помню: Ассия; *по-моему*, это моя тетя... а может, сестра. Возможно, это как раз она с ножницами. Хамза и Исмаил — это мои братья, мы вместе плыли на той лодке... — Я уже многократно все это слышала, но не стала прерывать Рафика, раз ему вновь захотелось попытаться связать вместе обрывки той жизни, что у него была до Ирландии. — Хамза был смешной, а Исмаил — нет. Там, на лодке, было очень много людей — и мы были прижаты друг к другу плотно-плотно. А женщин там совсем не было и детей тоже, только еще один мальчик, как я, но он был бербером, и я не очень хорошо его понимал, когда он говорил по-арабски. И почти всех очень тошнило, они говорили, что это морская болезнь. Но меня совсем не тошнило. А в туалет все ходили прямо через борт. Исмаил говорил, что мы плывем в Норвегию. Я у него спросил: «Что такое Норвегия?» И он сказал, что это такое безопасное место, где мы сможем заработать денег, где нет лихорадки Эбола, где никто ни в кого не стреляет... И мне это очень понравилось, но мы все плыли и плыли, много дней и ночей, и потом стало совсем плохо... — Рафик нахмурился и помолчал. — А потом мы увидели огни за полосой воды — это был берег какого-то залива, но видно было плохо, потому что была ночь и на берегу шло какое-то большое сражение. И Хамза сказал нашему капитану по-арабски: «Это не может быть Норвегия!», а капитан ему ответил: «С какой стати мне вам врать?», и Хамза, который, по-моему, держал в руках компас, сказал: «Посмотрите, нам нужно еще проплыть к северу», а капитан рассердился и выбросил компас за борт. Тогда Хамза сказал остальным: «Он врет нам, чтобы сберечь топливо. Эти огни на берегу — вовсе не Норвегия! Это какая-то другая страна!» И все закричали, начали стрелять, и... — В глазах и в голосе Рафика появилась уже знакомая мне пугающая пустота. — Именно это мне в основном и снится в кошмарах. Мы ведь были там так стиснуты, что...

Я вспомнила, как Хорологи умели «редактировать» плохие воспоминания, и пожалела, что сама не способна сделать Рафику столь милосердный дар. Или не милосердный... не знаю.

— ...было не повернуться. А потом мне всегда снится, как Хамза кидает в воду спасательный круг и говорит мне: «Прыгай, мы вместе поплывем к берегу», но я не прыгаю, и тогда он бросает меня в воду, а потом... потом никто больше за мной в воду не прыгает... И больше я ничего не помню. Я все забыл. — Рафик вытер мокрые глаза тыльной стороной ладони. — Все. Всю свою семью. Все их лица...

«...Оуэн и Иветт Ричи из Лиффорда, что в графстве Донегал, — донеслось из радиоприемника, — сообщают о рождении у них дочери Кезайи — хрупкой, но очаровательной малышки весом полные шесть фунтов... Добро пожаловать на борт, Кезайя!»

— Тебе было всего пять лет, Рафик! Когда море выбросило тебя на камни там, внизу, у дальнего конца нашего сада, ты был в состоянии сильнейшего шока, твой организм был истощен и переохлажден, у тебя на глазах совершалась самая настоящая резня, а потом тебя бог знает сколько времени носило по волнам Атлантики, и ты был совершенно один в безбрежном океане. Ты не из тех, кто забывает! Ты из тех, кто сумел выжить. По-моему, просто чудо, что ты вообще хоть что-то помнишь.

Рафик взял пальцами прядку своих волос, упавшую ему на штаны, и стал с мрачным видом ее теребить. А я задумалась о прошлом, о весенней ночи, довольно тихой и теплой для апреля, что, возможно, и спасло Рафику жизнь. Прошло полгода со дня гибели Аоифе и Орвара, и Лорелея все еще была не в себе, как и я, впрочем, но мне — ради нее — приходилось притворяться. Я разговаривала со своей подругой Гвин по скайпу, сидя в бабушкином кресле, когда вдруг в дверях показалось лицо маленького смуглого мальчика с глазами утонувшего призрака, и он смотрел прямо на меня. Зимбры у нас тогда еще не было, так что никто его не спугнул, и он вошел прямо в дом. Как только я сумела очнуться от изумления, я втащила его внутрь, и его тут же вырвало. Из него вылился, по крайней мере, литр морской воды. Мальчик был буквально насквозь пропитан водой и весь дрожал; кроме того, он нас совершенно не понимал или, может, притворялся, что не понимает. Тогда у нас еще было топливо для бойлера, хотя и не очень много, но я достаточно хорошо знала, что такое переохлаждение, и понимала, что если этого ребенка прямо сейчас усадить в горячую ванну, то это может вызвать у него аритмию и, возможно, даже остановку сердца, поэтому я просто сняла с него мокрую одежду и, завернув в одеяла, усадила у самого огня. Он все еще дрожал и никак не мог согреться, но это был скорее положительный знак, дававший надежду.

Вскоре проснулась Лорелея и сразу принялась готовить теплый имбирный чай для «мальчика из моря». Я связалась по Интернету с доктором Кумар, но она была занята в Бантри — там случилась очередная вспышка «крысиной лихорадки», — и еще несколько дней нам пришлось обходиться собственными силами. У нашего юного гостя был сильный жар и озноб, он был до крайности истощен, его преследовали кошмары, но примерно через неделю мы с помощью Мо и Браны О'Дейли сумели его выходить и привести в относительно нормальное состояние. К тому времени уже выяснилось, что его зовут Рафик, но мы так и не смогли понять, откуда он взялся. Карты не помогали, так что Мо бросила в Сети клич, предлагая высказаться всем темнокожим беженцам на любом языке и диалекте: сработал марокканский диалект арабского. С помощью Мо Лорелея стала изучать арабский по пособиям, выложенным в Интернетс; она же в итоге стала для Рафика первой учительницей английского, чем сама себя буквально вытащила из состояния непрерывного оплакивания погибших родителей. Когда из Стабильности прибыл какой-то неулыбчивый офицер — он явился вместе с Мартином, нашим мэром, — и стал выяснять, что это за нелегальный иммигрант у нас поселился (это случилось примерно через месяц после «явления» Рафика), мальчик уже вполне мог составить несколько простых, но вполне связных английских предложений.

— По закону он должен быть депортирован, — заявил офицер.

У меня даже голова закружилась, но я все же нашла в себе силы спросить, куда именно его намерены депортировать и как.

— Это не ваши проблемы, мисс Сайкс, — сказал офицер.

Тогда я прямо спросила: неужели Рафика вывезут за Кордон и прогонят прочь, как ставшую ненужной собаку? Во всяком случае, у меня лично сложилось именно такое впечатление.

— Это не ваши проблемы, мисс Сайкс, — повторил офицер.

А что нужно, спросила я, чтобы Рафик мог остаться на Шипсхеде на законных основаниях?

— Чтобы его официально усыновил гражданин Ирландии, — ответил офицер.

Поблагодарив себя за то, что еще в молодости приняла ирландское гражданство, я услышала, как вполне внятно заявляю, что я, ирландская гражданка, хочу усыновить Рафика.

— Это еще одна пайковая коробка для вашей деревни, которую придется наполнить, — напомнил мне офицер. — Вам нужно будет получить разрешение у вашего мэра.

Мартин, который все понял по моему лицу, тут же сказал:

— Можете считать, она его уже получила.

— *А также* вам понадобится подтверждение от офицера Стабильности пятого ранга или выше. Например, от меня.

Он облизнул языком крепко сжатые губы, и мы все посмотрели на Рафика, который, похоже, почувствовал, что его жизнь и будущее висят на волоске. Единственное, что мне удалось, это выдавить из себя слово «пожалуйста» и умоляюще посмотреть на этого человека.

Офицер расстегнул молнию на папке, которую все это время крепко прижимал к себе, и сказал:

— У меня тоже есть дети, мисс Сайкс.

* * *

«И, наконец, последний, но далеко не самый худший, — бормотало радио, — это мальчик, родившийся у Джера и Мэггс из Баллинтобера, Роскоммон; мальчика зовут Гектор Райан, он весит целых восемь фунтов и десять унций! Вот это дело, Мэггс! Наши поздравления всем троим!»

Рафик виновато посмотрел на меня, явно сожалея, что испортил мне настроение, но я — тоже взглядом — дала своему приемному сыну понять, что ему не о чем беспокоиться, и вновь занялась его густыми спутанными волосами, переместившись ближе к макушке. Немногочисленные свидетельства, которые нам удалось собрать, говорили об одном: предполагаемые родители или родственники Рафика погибли. Но даже если они и не погибли, то я просто не знала, каким образом они смогут когда-либо выяснить судьбу своего сына — к тому времен, как Рафик оказался в Дунен-коттедже, ни «Африкен.нет», ни государственная марокканская сеть практически не работали. Теперь Рафик стал членом моей семьи. И пока я жива, я буду заботиться о нем так хорошо, как только смогу.

Наконец-то по RTE начались новости, и я чуть прибавила громкость.

«Доброе утро, это Рут О'Малли с десятичасовыми новостями RTE. Сегодня суббота, двадцать восьмое октября 2043 года. — Прозвучали и умолкли знакомые звуки фанфар, возвещавшие начало новостного блока. — Этим утром в ходе пресс-конференции в ратуше Лейнстера глава Стабильности премьер Имон Кингстон подтвердил, что «Pearl Occident Company» в одностороннем порядке расторгла соглашение от 2028 года об Арендованных Территориях, согласно которому этому китайскому консорциуму предоставлялись права на торговлю с Корк-Сити и промышленной зоной Западного Корка, известной как Арендованная Территория».

Я уронила ножницы, но так их и не подняла; я была способна только тупо смотреть на радиоприемник.

«Спикер Стабильности в Корке подтверждает, что контроль над Концессией Рингаскидди был возвращен ирландским властям сегодня в ноль часов четыре минуты, когда торговое судно РОС открыло огонь по сопровождающему его фрегату Флота Народного Освобождения. Премьер сообщил журналистам, что РОС сохраняла в тайне свои намерения о расторжении соглашения, желая обеспечить спокойную смену власти, и решение компании связано прежде всего с вопросом выгоды. Имон Кингстон прибавил также, что ни в коем случае не следует связывать сложившуюся ситуацию с вопросами безопасности, поскольку во всех тридцати четырех графствах безопасность по-прежнему сохраняется. Не связано решение китайцев и с утечкой радиации на атомной станции Хинкли-Пойнт в Северном Девоне...»

Потом были и еще какие-то новости, но я больше не слушала. Куры стучали, кудахтали и скреблись в своем курятнике.

— Холли? — Рафика явно испугало выражение моего лица. — Что значит «в одностороннем порядке расторгла»?

В голове у меня крутилось множество разнообразных мыслей о последствиях этого «расторжения», но главной была только одна мысль, просто сбивавшая с ног: *инсулин для Рафика.*

* * *

— Папа говорит, что все будет нормально, — выпалила Исси О'Дейли, — и Стабильность непременно сохранит Кордон в том же виде, что и сейчас.

Исси и Лорелея примчались бегом через поле с фермы Нокро и нашли нас с Рафиком и Зимброй на кухне у Мо. Мо тоже послушала новости по RTE, и мы обе уверяли Рафика, что перемен будет не так уж много, хотя импортные китайские товары теперь, конечно, станут менее доступными. Коробки с пайками Стабильность по-прежнему будет раздавать каждую неделю, и наверняка окажутся предусмотрены какие-то особые заказы, в частности, на специальные лекарства. Рафик, казалось, почти успокоился, хотя, может, и притворялся. Но Диклан О'Дейли сказал Исси и Лорелее практически то же самое.

— Папа говорит, — продолжала Исси, — что Кордон как был окружен изгородью из колючей проволоки высотой в пятнадцать футов, так и остался, да и у представителей армии Стабильности нет причин покидать свои посты.

— Твой папа — очень мудрый человек, — сказала я Исси.

Она кивнула.

— Папа и Макс поехали в город, чтобы проведать тетю.

— И правильно сделали, — одобрила Мо. — А теперь, дети, если вы немного поиграете с Зимброй в саду, то я испеку оладьи. Возможно, у меня даже сохранилось где-то щепотка какао. Идите-идите! Дайте нам с Холли немножко побыть в тишине.

Как только они убежали, мрачная Мо, уже не скрывая тревоги, попыталась связаться со своими друзьями в Бантри, где стоял самый западный гарнизон Кордона. Обычно связь с Бантри осуществлялась без затруднений, но сегодня на экране не возникло даже надписи «error message».

— У меня отвратительное ощущение, — сказала Мо, неотрывно глядя на пустой экран, — что у нас сохранялся хоть какой-то доступ к Интернету только потому, что функционировал центральный сервер в Рингаскидди, обслуживавший китайцев, но теперь, когда они ушли... все кончено.

А у меня было такое ощущение, словно кто-то умер.

— Значит, Интернета больше не будет? *Никогда?*

— Возможно, я ошибаюсь... — сказала Мо, но по ее лицу было ясно: *Да, больше никогда.*

Почти всю свою жизнь я видела, как мир вокруг меня сжимается под натиском технологического прогресса, и казалось, что таков естественный порядок вещей. Мало кто из нас задумывался, что этот «естественный порядок вещей» — дело рук человека, и иной мир, который начнет расширять свои границы по мере того, как технологический прогресс пойдет на убыль, не просто возможен, а уже расправляет крылья. Дети в саду с пластмассовой тарелкой фрисби, которая была гораздо старше любого из них — если присмотреться, на ней еще можно было разглядеть почти стершийся логотип Лондонской Олимпиады 2012 года. Аоифе, помнится, истратила на покупку этой тарелки все свои карманные деньги. Тогда был жаркий день, и мы поехали на пляж... Исси показывала Рафику, как, сделав шаг вперед, метнуть фрисби одним плавным движением. «Интересно, — думала я, — дети просто притворяются такими храбрыми? И на самом деле они не меньше нас испуганы тем, что Арендованных Территорий больше не существует и нам будут угрожать всевозможные банды, местная милиция, сухопутные пираты и бог знает кто еще, ибо вся эта нечисть, естественно, устремится за Кордон?» Зимбра старательно приносил брошенную тарелку, и Рафику наконец удалось удачно ее метнуть — ему, правда, помог порыв ветра, — так что Лорелее пришлось высоко подпрыгнуть, сильно вытянув руки, чтобы поймать фрисби; от этого движения кофточка у нее задралась, и из-под нее выглянул краешек уже довольно полной девичьей груди.

— Медицина, лекарства для хронических больных — это, конечно, проблема номер один для беспокойства, — высказывала я вслух свои мысли, — но какая жизнь ждет женщин, если и дальше все пойдет как сейчас? Если Донал Бойс — это лучшее, на что смогут в будущем рассчитывать девочки из класса Лол? Мужчина всегда остается мужчиной, это ясно, но за нашу жизнь, по крайней мере, женщины успели создать для себя арсенал законных прав, и только поэтому — один закон за другим, одна перемена в отношениях за другой — наше общество стало более цивилизованным. А теперь, боюсь, Затемнение попросту уничтожит все наши достижения. Мне страшно даже подумать, что Лол может стать всего лишь рабыней в семье какого-нибудь тупицы, застрявшего на уровне неприветливой, голодной, бесцветной, лишенной законов Саудовской Аравии, но с легким гэльским привкусом.

Лорелея метнула фрисби, но восточный ветер подхватил диск и швырнул в сторону, прямо в заросли камелий Мо.

— А оладьи-то! — воскликнула Мо. — Ладно, я сейчас отмерю муку, а ты разобьешь несколько яиц. Штук шесть, наверно, нам пятерым будет достаточно?

* * *

— Что это за звук? — спросила Исси О'Дейли полчаса спустя, когда все еще сидели за кухонным столом с остатками «роскошного» ланча.

Мо и впрямь удалось раскопать в одном из своих бездонных тайников банку какао-порошка. Должно быть, уже больше года в наших пайках не появлялось даже крохотных плиток русского, словно вощеного, шоколада. Ни я, ни Мо не съели ни крошки, но с наслаждением смотрели, как дети уплетают приправленные какао оладьи.

— Вон там, — снова сказала Исси, — какой-то... треск или шум. Разве вы не слышите? — Вид у нее был встревоженный.

— Это, наверно, у Рафа в животе бурчит, — сказала Лорелея. — Он столько оладий слопал!

— Всего на одну больше, чем ты! — запротестовал Рафик. — И потом...

— Да-да-да, я знаю: ты у нас мальчик, ты еще растешь, тебе нужно больше есть, — поддразнила его сестра. — Вот ты и вырастешь — в настоящего оладьевого монстра!

— Ну вот, опять! — сказала Исси, махнув на них рукой, чтоб замолчали. — Слышите?

Мы прислушались. И я, точно мне и впрямь уже сто лет, сказала:

— Но я ничего не слышу...

Тут вскочил Зимбра и, поскуливая, подбежал к двери, а Рафик крикнул:

— Тише, Зимбра!

Пес притих, и — вот оно! Резкая, тошнотворная череда выстрелов. Я посмотрела на Мо, и Мо кивнула, подтверждая мою догадку:

— Стреляют.

Мы выбежали наружу, на плохо выкошенную лужайку, заросшую одуванчиками. Ветер все еще дул с востока и был таким сильным, что закладывало уши. Новая автоматная очередь послышалась уже где-то совсем неподалеку. А через несколько секунд донеслось и ее гулкое эхо — откуда-то со стороны Мизен-Хед, что по ту сторону залива.

— Разве это не в Килкрэнноге стреляют? — спросила Лорелея, а Исси сказала дрожащим голосом:

— А папа как раз туда поехал...

— Кордон не мог пасть *так быстро!* — вырвалось у меня, и я сразу же пожалела, что не удержалась и высказала вслух сразу зародившиеся у меня опасения.

Зимбра скалился и рычал, глядя в сторону деревни.

— Я, пожалуй, лучше побегу домой, — сказала Исси.

Мы с Мо переглянулись.

— Исси, — сказала Мо, — может быть, пока еще не ясно, с чем мы имеем дело, твои родители предпочли бы, чтобы ты пока... залегла на дно?

Затем со стороны деревни донесся рев джипов; машины явно двигались по главной дороге, и, судя по звуку, их было несколько.

— Это наверняка джипы Стабильности, — сказал Рафик. — Только у них есть дизель. Верно?

— Честно говоря, будь я твоей мамой, — сказала я Исси, — я бы тоже попросила тебя...

— Я... я... я осторожно, обещаю! Я спрячусь так, что меня никто и не заметит...

Исси судорожно сглотнула и, не ожидая дальнейших уговоров, исчезла за высокой стеной фуксий.

Я с трудом отогнала от себя отвратительную мысль, что вижу Исси О'Дейли в последний раз, и почти сразу поняла, что рев джипов изменился — из натужного и яростного стал осторожным и ворчливым.

— По-моему, одна из машин свернула на нашу дорожку, — сказала Лорелея.

У меня мелькнуло смутное подозрение, что этот беспокойный осенний день вполне может стать последним в моей жизни, и я тут же подумала о детях. Нет, детей я спасу! Чего бы мне это ни стоило! Мо явно одолевали те же мысли.

— Лорелея, Рафик, послушайте, — сказала она. — Просто на тот крайний случай, если это все же не представители Стабильности... В общем, лучше бы вы поскорее увели Зимбру куда-нибудь в безопасное место.

Рафик, у которого вокруг рта еще виднелись следы какао, искренне возмутился:

— Но мы с Зимом обязаны охранять вас, женщин!

Я понимала логику Мо.

— Понимаешь, Рафик, — сказала я, — если это местная милиция, то они Зима попросту сразу пристрелят. Еще до того, как начнут с нами разговаривать. Они обычно именно так и поступают.

Лорелея, как и следовало ожидать, перепугалась:

— А как же вы, ба?

— А мы с Мо спокойно с ними поговорим. Мы птицы старые, стреляные. А вы, пожалуйста, поскорей... — Мотор джипа уже ревел на низких оборотах где-то убийственно близко от дома, — ...уходите! Так вам и родители ваши сказали бы. Ну, скорей!

Рафик все еще возмущенно таращил глаза, однако кивнул в знак согласия, и тут мы услышали, как по металлическим бокам машины скребут ветки кустов, с хрустом ломаясь под колесами. Но Лорелея медлила, явно чувствуя себя предательницей по отношению ко мне. Я умоляюще посмотрела на нее, одними губами прошептала: «Пожалуйста!», и она наконец кивнула.

— Идем, Раф, бабушка на нас рассчитывает. Мы можем спрятать Зима в старом овечьем загоне над Белой Отмелью. Идем, Зим! Зимбра! Кому я сказала, идем!

Наш мудрый пес озадаченно посмотрел на меня.

— Иди! — махнула я на него рукой. — Присмотри за Лол и Рафом! *Иди!*

Зимбра все еще слегка упирался, однако позволил схватить себя за ошейник и затащить в заросли. Затем под прикрытием парника все трое перемахнули через садовую ограду и исчезли. Прошло не более десяти секунд, и из кустов вынырнул джип, явно принадлежавший Стабильности; по заросшей травой подъездной дорожке, расшвыривая колесами камешки, он подъехал к самому дому Мо, а несколькими мгновениями позже появился второй джип. У обоих на борту было написано слово «Стабильность». Безусловно, это были представители закона и порядка, но я почему-то чувствовала себя раненой птицей, которую кошка все-таки отыскала в кустах.

* * *

Из джипов вылезли молодые люди — по четверо из каждого, — и даже мне стало ясно, что к Стабильности они никакого отношения не имеют. Их военная форма была чистой импровизацией, а вооружены они были кто чем — пистолетами, автоматами, арбалетами, гранатами и ножами; да и двигались они как бандиты, а не обученные строевому шагу солдаты. Мы с Мо стояли прямо перед ними, но они прошли мимо, к дому, словно мы были невидимками. Один, возможно, вожак, задержался, внимательно наблюдая за домом, а остальные поднялись на крыльцо, держа оружие наготове. Вожаку было лет тридцать; он был тощий, весь в татуировке; на нем был милицейский зеленый берет и армейская куртка вроде той, какую Эд носил в Ираке; на шее у него болталась крылатая фигурка от «Роллс-Ройса».

— Бабушка, дома еще кто-нибудь есть?

— А что вам, собственно, здесь нужно, молодой человек? — спросила Мо.

— Если в доме кто-нибудь прячется, то живым он оттуда не выйдет.

— Там никого нет, — сказала я. — И уберите, ради бога, ваши ружья, пока никого не ранили.

Он словно прочел мои мысли.

— Бабка говорит, там все чисто, — крикнул он остальным. — Если она врет, стреляйте на поражение. Вся кровь будет на ее совести.

Пятеро бандитов вошли в дом, двое других остались снаружи и обошли его по периметру. Лорелея, Рафик и Зимбра сейчас должны были уже добраться до соседнего поля, которого от дома было практически не видно за разросшимся боярышником. Вожак, отступив на несколько шагов от дома, стал внимательно осматривать крышу. Он даже влез на ограду патио, чтобы лучше видеть.

— Не могли бы вы сразу сказать, что вам нужно? — спросила Мо. — *Пожалуйста.*

Где-то внутри дома хлопнула дверь. Ниже по склону холма в моем курятнике беспокойно закудахтали куры, еще оставшиеся в живых после налета лисы. Чуть дальше, на пастбище О'Дейли, замычала корова. С главной дороги у въезда на Шипсхед доносился рев других джипов. Один из бандитов, выйдя из дома, крикнул:

— Я тут лестницу нашел, Худ. Принести?

— Давай, — сказал вожак. — Не надо будет свою вытаскивать и ставить.

Вскоре из дома вышли все пятеро, и один из них, бородатый великан, сказал:

— Внутри все чисто. Есть одеяла и немного еды, но в деревне на складе лучше.

Мы с Мо переглянулись: уж не значит ли это, что они там, в Килкрэнноге, людей поубивали?

А что, и милицейские часто убивают. Это они так выполняют свои «охранные обязанности».

— Ну, тогда мы заберем только панели, — сказал Худ. — Что ж, бабушки, сегодня вам повезло. Уайят, Муг, давайте.

Они хотят забрать солнечные батареи? Двое бандитов — один в страшных шрамах после «крысиной лихорадки» — приставили лестницу и взобрались на крышу. Теперь все стало ясно.

— Нет, — возмутилась Мо, — вы не имеете права забирать мои батареи!

— Запросто заберем, бабушка. Вы себе даже не представляете, как легко мы это сделаем, — сказал бородатый великан, придерживая лестницу, чтоб не шаталась. — Тут и нужна-то всего пара кусачек. Перекусим болты и аккуратненько спустим панели на землю, всего и делов. Мы это сотню раз проделывали.

— Но мне они тоже нужны! Для освещения и для планшета! — пыталась сопротивляться Мо.

— Отныне вам семь дней в неделю придется молиться темноте, — сказал Худ, — так как только она будет вашей единственной защитой от грабителей. Воспринимайте это как любезность, которую мы вам оказали. А планшеты вам и вовсе больше не понадобятся. Интернета на Арендованной Территории больше нет. Добрые старые времена закончились, бабушка. Зима близко.

— Вы вот называете себя «Hood»[1], — сказала ему Мо, — но на самом деле вы же настоящий «Robbing Hood»[2], а вовсе не Робин Гуд! Вы и со *своими* пожилыми родственниками так же обошлись бы?

— Сейчас главная задача — это выжить, — ответил Худ, наблюдая за людьми на крыше. — А мои родственники — что ж, они все уже умерли. И у них, если честно, жизнь была куда лучше, чем у меня. Да и у вас она была куда лучше — с электростанциями, автомобилями чуть ли не у каждого, с удобствами. Ну что ж, вы пожили достаточно долго, и ваш счет исчерпан. Сегодня, как только мы снимем с вашей крыши первую панель, вы начнете платить по долгам. Воспринимайте это как визит судебных приставов.

— Но ведь не лично мы запакостили этот мир, — сказала Мо. — Такова была всеобщая система. Нам не под силу было ее изменить.

— В таком случае не лично мы и панели у вас отбираем, — сказал Худ. — Это система, которую мы изменить не можем.

Было слышно, как за три поля от нас отчаянно лает собака О'Дейли. «Господи, — думала я, — только бы с Исси все было в порядке, только бы эти вооруженные мерзавцы оставили девочек в покое!»

— Что вы будете делать с нашими панелями? — спросила я.

— Мэр Кенмэра, — сказал Худ, глядя, как двое его людей тащат первую солнечную батарею к джипу, — строит себе целый дворец. Обнесенный высокой стеной с видеокамерами. Такой маленький собственный Кордон. Ему нужно много электричества. А за солнечные батареи он платит жратвой и дизельным топливом. — На крыше между тем отодрали вторую панель. — Мы еще и вон с того дома, что внизу, батареи снимем, — Худ мотнул головой в сторону моего коттеджа.— Все нашему мэру пойдут.

Мо соображала быстрее меня:

— У моей соседки нет солнечных батарей!

— Кто-то тут здорово врет, — пропел бородатый великан. — «Мистер Дрон» сообщил нам, что батареи там есть, а «мистер Дрон» всегда говорит правду.

— Так, значит, вчера тут ваш беспилотник летал? — спросила я, словно это могло чему-то помочь.

---

[1] Плащ с капюшоном (*англ.*); прозвище Робин Гуда, носившего такой плащ.

[2] Грабитель в плаще (*англ.*).

— Стабильность всегда знает, как найти добычу, — сказал великан, — и посылает нас, а мы идем и забираем ее. Ой, только не принимайте такой оскорбленный вид, бабушка! Стабильность — это теперь основа народного ополчения вместе с нашей милиционной армией. Ведь китаёзы-то ушли.

Я сразу представила себе, как моя мать, поджав губы, поправила бы его: «Не «китаёзы», а китайцы!»

— Что дает вам право отбирать нашу собственность? — спросила Мо.

— Оружие нам такое право дает, — сказал Худ. — Ясно вам?

— Значит, у нас теперь господствует закон джунглей? — спросила Мо.

— Да вы же сами его и вернули! Вы приближали его возвращение каждый раз, заполняя бак топливом!

Мо стукнула палкой по земле и припечатала:

— Вор, разбойник и убийца!

Он обдумал ее слова, поглаживая колечко-пирсинг в брови.

— Значит, так. Что касается убийцы: если решаешь вопрос, убить или самому быть убитым, то я, конечно, скорее убийца. Ну, а понятие «разбойник» — вещь вообще спорная; у всех бывают особые моменты, бабушка. Вором же я себя и вовсе не признаю; я скорее меняла. Вот вы отдадите мне свои солнечные батареи, а я преподнесу вам радостное известие.

Он сунул руку в карман и вытащил оттуда два маленьких белых цилиндрика. Я испытала невероятное облегчение, увидев, что он вытаскивает не пистолет, сразу протянула руку и взяла с его раскрытой ладони эти штуки. На них были нарисованы череп и скрещенные кости и что-то написано по-русски. Из голоса Худа почти исчезла насмешка:

— Между прочим, отличный выход. На случай если налетят бандиты, или разразится эпидемия «крысиной лихорадки», или приключится еще что, а врача рядом не будет. Действует быстро и не вызывает рвоты. В каждой пилюле достаточно фенобарбитала, чтобы через тридцать минут встретить достойный конец. Мы их называем «черничкой». Съешь — и отбываешь на тот свет вроде как совсем безболезненно. А детишкам эти трубочки нипочем не открыть.

— Я лично свою порцию тут же отправлю в сортир! — сердито заявила Мо.

— Тогда давайте ее обратно, — сказал Худ. — Полным-полно тех, кому это надо.

Вторую солнечную батарею уже успешно спустили с крыши и пронесли мимо нас к джипу. Я сунула обе упаковки в карман; Худ,

704

заметив это, заговорщицки мне подмигнул, но я никак не прореагировала.

— Там, в нижнем доме, кто-нибудь есть? — Он мотнул головой в сторону моего коттеджа. — Например, молодые парни, о которых нам следует знать заранее?

Я с острой завистью вспомнила, как Маринус и другие Хорологи подвергали людей «убеждению», заставляя их сделать то, что нужно им. А у меня в качестве средства убеждения имелся только собственный язык.

— Мистер Худ, у моего внука диабет. Его состояние контролируется с помощью инсулиновой помпы, которую нужно перезаряжать каждые несколько дней. Если вы заберете наши солнечные батареи, вы его убьете. Пожалуйста, не делайте этого.

Было слышно, как на холме блеют овцы, абсолютно равнодушные к расцветам и падениям человеческих империй.

— Увы, бабушка, ваш внук родился в Эпоху Невезения. Считайте, его убил некий влиятельный господин из Шанхая, который решил, что Арендованные Территории в Западном Корке не окупают своего содержания. Даже если мы оставим вам батареи, их у вас через неделю уволокут бандиты.

Цивилизация как экономика или как «цыганское чудо»: если люди перестают в нее верить, она попросту умирает.

— Неужели вы по ночам спите спокойно? — спросила Мо. — И вас не мучают кошмары?

— Первое дело — это выжить, — повторил Худ.

— Это не ответ, — фыркнула моя соседка. — Видимо, «черничка», которую вы пытаетесь всучить каждому, помогает вам заглушить остатки совести.

Худ, не обращая на слова Мо ни малейшего внимания, повернулся и с нежностью, которой я в нем никак не подозревала, вдавил мне в ладонь третий цилиндрик с ядом, накрыв руку своей большой рукой. И вспыхнувшая было надежда подобно электрическому разряду ушла из моего тела в землю сквозь подошвы башмаков.

— Там, в нижнем доме, никого нет. Пожалуйста, не трогайте моих кур.

— Мы не тронем ни перышка, бабушка, — пообещал Худ.

Бородатый великан уже тащил лестницу по тропе к Дунен-коттеджу, но тут совсем рядом с нами вдруг что-то взорвалось, словно пробив дыру в плотной тишине полдня, и все вздрогнули и напряглись — даже Мо и я.

Неужели это в Килкрэнноге? Эхо, эхо, эхо и отголоски эха...

Кто-то крикнул:

— А это еще, *черт побери,* что такое?

Парнишка с изуродованным «крысиной лихорадкой» лицом сказал, показывая пальцем:

— Это вон там...

И мы увидели, как над стеной фуксий поднимается огромный, как джинн, столб жирного черного дыма, в котором поблескивают оранжевые вспышки. Сперва столб поднимался совершенно вертикально, а потом его начало сносить ветром за гору Кахер. Кто-то хрипло воскликнул: «Да это же гребаное нефтехранилище!»

Худ тут же включил свое переговорное устройство:

— База, это «Роллс-Ройс». Мы находимся в Дунене, в миле от Килкрэннога. Что там за взрыв? Прием.

За дальним полем слышался тошнотворный грохот оружейной стрельбы.

— База, это «Роллс-Ройс»... Вам нужна помощь? Прием!

Из наушников Худа даже до нас доносилась чья-то невнятная, лихорадочно быстрая речь, в которой отчетливо чувствовалось паническое возбуждение.

— База? Это «Роллс-Ройс». Прошу ответить на вопрос. Прием. — Худ подождал, глядя на дым, по-прежнему застилавший небеса над Килкрэнногом, потом переключил связь на кого-то другого и сказал: — «Ауди»? Это «Роллс-Ройс». У вас есть связь с Базой? Что там случилось в городе? Прием.

Он снова подождал. Ждали и все мы, глядя на него. Но в наушниках была тишина.

— Значит так, парни: либо это крестьяне восстали, либо у нас *гости*. Явились через Кордон, хотя и раньше, чем мы предполагали. Короче, придется срочно возвращаться в город. Бросайте всё и по машинам!

Восемь «ополченцев» тут же погрузились в джипы, даже не взглянув на нас с Мо. Джипы задним ходом выбрались на главную дорогу и рванули в сторону шоссе.

А стрельба в Килкрэнноге становилась все более интенсивной.

Значит, поняла я, нам еще, возможно, удастся перезарядить инсулиновую помпу Рафика.

И, по крайней мере, пока все будет как прежде; но Худ сказал, что скоро появятся бандиты.

— Вот гады, даже мою чертову лестницу обратно не принесли! — проворчала Мо.

* * *

Первым делом я сходила к Белой Отмели и привела детей. Волны в заливе Данманус никогда не бывают уверены, в какую сторону им направиться, если ветер дует с востока. Зимбра сразу выбежал мне навстречу из старой рыбачьей конуры, сделанной из проржавевших железных листов; следом за ним бежали Лорелея и Рафик, взволнованные и обрадованные возможностью наконец обрести свободу. Я рассказала им о «милиционерах-ополченцах» и о похищенных у Мо солнечных батареях, и мы пошли в Дунен-коттедж. Оружейные выстрелы все еще время от времени разрывали полуденную тишину, а потом мы увидели очередной беспилотник, который кружил над деревней, время от времени как бы зависая в одной точке. По нему явно стреляли, и Рафику удалось заметить, что его в итоге сбили. На вершине холма надсадно ревел какой-то джип. На краю поля мы нашли гигантский гриб-дождевик размером с футбольный мяч, и хотя мысль о еде меня в тот момент совершенно не занимала, гриб мы сорвали, и Лорлея с гордостью понесла его домой. Его нарезанная тонкими ломтиками и поджаренная в масле мясистая белая мякоть составила бы отличную основу обеда для нас четверых — кто знает, когда мы теперь увидим снова хотя бы одну коробку с пайком, если это вообще когда-нибудь произойдет. Возможно, домашние запасы и то, что еще растет в парнике, помогут нам продержаться недель пять, если очень экономно расходовать продукты. И если какая-нибудь вооруженная банда все это у нас не отнимет.

Добравшись до дому, я обнаружила, что Мо кормит кур. Она сказала, что пыталась связаться со своими знакомыми в Килкрэнноге, Ахакисте, Даррасе и Бантри, но Интернет был абсолютно мертв. Как и радио. Молчала даже станция RTE.

— Повсюду полная тишина, как в гробнице, — сказала Мо.

Что теперь делать, я понятия не имела. То ли забаррикадироваться в доме, то ли отослать детей в какое-нибудь удаленное место, скажем, на маяк, то ли сходить на ферму О'Дейли и узнать, что случилось с Исси и ее семьей. Оружия у нас не было, хотя если учесть, сколько раз сегодня на полуострове Шипсхед поднималась стрельба, то даже будь оно, нас бы скорее прикончили, чем спасли. Мне было ясно одно: пока опасность, исходящая от тех людей, приехавших на джипах, не приближается к Дунен-коттеджу, мне уже не так страшно. Особенно когда Лорелея и Рафик рядом. Конечно, если мы уже начали впитывать смертоносные радиоактивные изотопы, то все будет развиваться по классическому сценарию, но все же стоило пока что рассматривать стадии Апокалипсиса по очереди.

Сейчас самое большое неудобство — это то, что мы полностью лишены связи с кем бы то ни было, лишены жизненно необходимого доступа к новостям. В деревне, кажется, прекратилась стрельба, но мы пока не знали, что там творится, и решили, что лучше поостеречься и туда не ходить. О'Дейли наверняка знают больше нас, но это если Диклану удалось нормально вернуться домой. Казалось, их ферма сильно отдалилась от нас за один лишь этот день, исполненный стрельбы и насилия. И все же мы с Лорелеей решили туда сходить; Рафика я очень серьезно попросила остаться дома и вместе с Зимброй охранять Мо; а также, прибавила я, что бы ни случилось, он непременно должен остаться в живых, ибо именно этого так хотели его родители, оставшиеся в Марокко: ведь ради этого они и пытались переправить его в Норвегию. Мои доводы возымели нужное воздействие, хотя, может быть, мне лучше было бы таких вещей мальчику и не говорить. Но если когда-либо и существовала книга под названием «Правильные вещи, которые следует делать и говорить, когда гибнет цивилизация», то мне не довелось ее прочесть.

* * *

Мы пошли на ферму Нокро кружным путем, по берегу моря, мимо скал, где я обычно собирала ламинарию и съедобные водоросли, которые у нас называются «ирландский мох»; через нижнее пастбище О'Дейли, где паслось небольшое стадо коров джерсейской породы, мы вышли прямо к дому. Коровы двинулись было к нам, желая, чтобы их подоили, и мы насторожились: это был не слишком хороший знак. На дворе у О'Дейли стояла зловещая тишина. Лорелея указала мне на крышу старой конюшни — оттуда тоже были сняты солнечные батареи. Я помнила, что Исси сказала, будто Диклан и Макс, старший брат Исси, еще утром отправились в деревню, но Том, или сама Исси, или их мать Брана должны же были находиться где-то поблизости. И лая их овчарки Шуль тоже слышно не было, как не было видно и их пастуха-англичанина Фила. Открытая дверь в кухню хлопала на ветру, и я почувствовала, как Лорелея просунула мне в ладонь свою холодную ладошку. Дверь явно выбили. Мы прошли мимо кучи навоза через двор, и я дрожащим голосом крикнула, заглянув в кухню:

— Эй, есть кто-нибудь дома?

Колокольчик, подвешенный Браной в окне над подоконником, позванивал на ветру, поскольку окно тоже было полуоткрыто.

Лорелея крикнула так громко, как только посмела:

— ИССИ! ЭТО МЫ!

Мне было страшно заходить.

Немытые тарелки так и остались после завтрака в раковине.

— Ба? — Лорелее тоже было очень страшно. — Как ты думаешь...

— Я не знаю, милая, — сказала я. — Ты лучше подожди снаружи, а я...

— Лол? Лол!

Это была Исси, а с ней — Брана и Том. Они бросились к нам через двор. Том и Исси были невредимы, хотя явно пережили сильное потрясение, а вот Брана О'Дейли, черноволосая строгая женщина пятидесяти лет, была вся перепачкана кровью.

— Брана! Ты ранена? — невольно вскрикнула я.

Брана остановилась. Она явно была настолько же озадачена, насколько я была перепугана. Потом до нее дошло:

— Ох ты, матерь божья! Нет, Холли, нет-нет! Я вовсе не ранена! Просто одна из наших коров вздумала отелиться. У Коннолли бычок в прошлом году как раз в возраст вошел, вот мы его прошлой весной к ней в загон и запустили. А теперь она теленочка принесла. Нашла время! Но она же, бедная, не знала, что Кордон пал и банды всяких отщепенцев бродят по деревням и солнечные батареи у людей отнимают, да еще и пристрелить грозятся. Ей тоже нелегко пришлось, а она все ж таки родила телочку, да такую хорошенькую! Еще одна молочная корова будет.

— Они и у вас батареи забрали, — сказала Лорелея.

— Я знаю, детка. И я ничего не могла сделать. А потом они направились к вам в Дунен «с визитом вежливости», верно?

— Да, и сняли у Мо батареи, — сказала я, — а у нас не успели: услышали взрыв и сразу уехали. Все бросили и смотались.

— Да, и у нас они тоже быстренько убрались.

— А что, Диклан и Макс еще не вернулись? — спросила я. Брана только пожала плечами и молча покачала головой.

— Их до сих пор нет! — сказал Том и возмущенно прибавил: — А мама не разрешает мне пойти их поискать!

— Там стреляют. А туда и так двое из троих мужчин О'Дейли направились, вполне достаточно. — Было ясно, что Брана страшно тревожится, но старается этого не показывать. — И потом, папа велел тебе защищать наш дом и ферму.

— А ты меня заставила спрятаться! — Голос шестнадцатилетнего Тома дрогнул. — Спрятала меня в этой гребаной куче сена вместе с Исси! Какой же из меня защитник, если я прячусь!

— *Где* я заставила тебя спрятаться? — ледяным тоном переспросила Брана.

Том нахмурился и точно таким же ледяным тоном сказал:

— В куче сена на чердаке. Вместе с Исси. Но почему...

— Восемь бандитов, вооруженных новейшими китайскими автоматами, — упрекнула его Исси, — против одного парнишки, вооруженного винтовкой, которой уже лет тридцать! Догадайся, дурачок, какой будет счет? Ой, сюда, по-моему, кто-то едет на велосипеде! Вот уж помяни черта, и он тут как тут...

Том не успел ответить: у ворот радостно залаял Шуль и, махая хвостом, бросился кому-то навстречу. Из-за поворота на горном велосипеде выехал старший брат Тома Макс и спрыгнул на землю в нескольких шагах от нас. На скуле у него виднелась здоровенная ссадина, взгляд был дикий. Похоже, в деревне случилось нечто ужасное.

— Макс! — Брана испуганно смотрела на сына. — А где папа? Что с ним?

— Папа... папа жив. — Голос Макса предательски дрогнул. — А с вами все в порядке?

— Да, слава богу... Тебе глаз-то не задело, сынок?

— Нет, все нормально, это в меня камень угодил, когда... наше хранилище топлива взлетело к чертовой матери и...

Мать так крепко его обняла, что ему трудно было говорить.

— Господи, и почему в моем доме все вдруг стали употреблять бранные слова? — сказала Брана, беспомощно уткнувшись сыну в плечо. — Мы с отцом не так вас воспитывали, чтобы вы выражались, как эти чертовы бандиты! Ну, ладно, рассказывай, что там, в деревне, случилось.

* * *

Пока я на кухне промывала Максу рассеченную скулу, он сперва проглотил стакан отцовского самогона, чтобы хоть немного успокоиться, а потом — огромную кружку мятного чая, чтобы смягчить довольно-таки мерзкий вкус мутного пойла. Ему явно было трудно начать, но он все же собрался с силами и сразу затараторил, не давая себе возможности ни остановиться, ни хотя бы передохнуть:

— Мы с папой только добрались до тети Сьюк, когда прибежал Сэм, старший сын Мэри де Бурка, и закричал, что всем нужно срочно собраться в мэрии. Было часов двенадцать, по-моему, но в мэрии собралась почти вся деревня. Мартин выступал первым; он сказал, что просил всех прийти, потому что Кордон пал, а потому нам теперь нужно собрать свой добровольческий полк Шипсхед, вооружиться тем, что у кого дома найдется, и выставить посты на дорогах, ведущих в Даррас и в Рафериджин, чтобы, если нагрянут бандиты, не сидеть, как индюки в ожидании Рождества. И большинство парней сочли эту идею очень даже разумной. Но следующим выступал отец Брейди; он заявил, что это Господь позволил Кордону рухнуть, потому что мы уверовали в фальшивых идолов, понадеялись на колючую проволоку и китайцев, и теперь нам в первую очередь нужно выбрать такого мэра, который будет пользоваться поддержкой Господа. Пэт Джо и некоторые другие ему ответили типа «ну вас с вашими гребаными выборами, сейчас не время для выборов», и Мюриэл Бойс сразу завизжала, что они, мол, будут гореть, гореть, гореть в адском огне, потому что все те, кто верит, будто жалкая горстка фермеров-овцеводов с ржавыми винтовками способна предотвратить предсказанное в Книге Откровений, — это проклятые богоотступники, и они скоро станут мертвыми богоотступниками. Затем Мэри де Бурка — *ой-сссс!...* — зашипел Макс, когда я щипцами извлекла кусочек камня из раны у него на скуле.

— Извини, — сказала я. — Это уже последний.

— Спасибо, Холли. Так вот, Мэри де Бурка сказала, что вполне неплохо следовать принципу «Господь помогает тем, кто сам себе помогает», и тут мы услышали рев моторов. Машин было много, и все они двигались к нам и ревели, как пятничный Конвой, только гораздо громче. Зал сразу опустел, а на площадь выехали двадцать джипов Стабильности и с ними еще цистерна. Из каждой машины выскочило человек по пять-шесть таких здоровенных ублюдков. Да, мама, это были *отвратительные здоровенные ублюдки*! Все они были из Стабильности и еще из этой «армии ополчения», которую они называют «милицией» и которая раньше хозяйничала по ту сторону Кордона. Нас, мужчин, было, пожалуй, не меньше, но силы все равно были не равны: эти-то были вооружены до зубов и, похоже, специально обучены убивать. Один из них, такая же здоровенная дубина, как и все они, влез на крышу джипа и стал орать в мегафон. Заявил, что его следует называть «генерал Дроэда» и что на бывших Арендованных Территориях Западного Корка теперь вводится закон военного времени в связи с падением Кордона, а сам он послан Стабильностью Корка, чтобы реквизировать у населения Шипсхеда все солнечные батареи для правительственных нужд и вывезти все топливо, доставленное вчера. Ну, мы только переглянулись — мол, «хрена тебе лысого, а не топливо», — но этот Дроэда тут же заорал, что любое противодействие будет расценено как предательство. А предательство, согласно какому-то там положению какого-то там акта Юридической Стабильности, будет караться исключительно пулей в голову. Тогда Мартин Уолш подошел к этому стоявшему на крыше джипа «генералу Дроэде», сказал, что он мэр Килкрэннога, и спросил, нельзя ли поближе познакомиться с приказом штаба Стабильности о реквизиции. И этот гад тут же выхватил револьвер и стрельнул прямо Мартину под ноги. Мартин подпрыгнул вверх аж футов на шесть и сразу назад отошел. А Дроэда, если, конечно, его действительно так зовут, сказал: «Ну что, вы достаточно близко познакомились с этим приказом, мистер мэр?» И прибавил, что, мол, если ваши герои попытаются нам помешать, то мы и продуктовый склад тоже опустошим, так что вам в Килкрэнноге зимой камни есть придется.

— Представители Стабильности не стали бы так себя вести, — неуверенно сказала Брана. — Ведь не стали бы?

Макс сделал несколько жадных глотков и поморщился.

— Теперь никто ни в чем не уверен. Когда Дроэда высказался, около десятка джипов уехали из деревни по главной дороге в сторону Дунена, а еще десять направились на противоположный конец города, чтобы сразу за дело приняться. Эти гады вытащили из багажников складные лестницы и полезли на крыши тех домов, где были солнечные батареи. Правда, внизу на всякий случай оставили охрану, и уж те пальцев со спускового крючка не спускали — это на случай каких-либо возражений. А их цистерна пока откачивала топливо из нашей. Все наши, конечно, пришли в ярость — уж больно нагло вели себя эти чертовы «представители», — но сделать ни хрена не могли: ведь если бы кто-то попытался их остановить, его бы попросту пристрелили, а батареи и топливо все равно увезли бы. В общем, цистерна потихоньку наполнилась, с крыш сняли солнечные батареи, джипы вернулись на площадь и стали ждать, когда вернутся те, что поехали в сторону фермы Нокро и Дунена. А потом... началось. Я не видел, что послужило толчком. Мы стояли вместе с отцом и Шоном О'Дуайером, когда вдруг раздались громкие крики с той стороны, где стоял джип генерала Дроэды...

Я стала осторожно, щадящими движениями смазывать рану на лице Макса антисептическим кремом; он только постанывал.

— Оказалось, что это сам Дроэда так орет на своих «милиционеров». А голову он, кстати, украсил шильдиком «Ауди». Дроэда орал, что именно *ему* поручено тут всем командовать, а если, мол, кому-то это не нравится, тогда он может... Ну, в общем, это имело отношение... к чьей-то матери... Неважно. Ветер как раз улегся, так что его крики разносились по всей деревне. А потом я увидел, как один из наиболее нахальных «милиционеров» зашел ему сзади и, ну... в общем... — Макс нахмурился, сглотнул, пытаясь не заплакать, но это ему не удалось, и голос у него окончательно сорвался. — В общем, он ему выстрелил прямо в затылок. Мозги так и полетели. Вот просто так, ни слова не говоря, взял и вышиб человеку мозги! У всех на глазах, на этой самой... гребаной площади!

— О господи! — прошептала Исси.

— Бедный мой мальчик, — сказала Брана. — И ты все это *видел*?

Макс, закрыв лицо руками, всхлипывал, тщетно пытаясь успокоиться.

— Ох, мам, — сказал он, — это было еще только начало! Представители Стабильности и «ополченцы» набросились друг на друга, как псы. И ведь все они были вооружены, так что это было... как буря с градом, только вместо града сыпались пули... — Макс помолчал, сердясь на себя за невнятный рассказ. — В общем, как в старых фильмах про войну, когда с крыш падают каскадеры, а по тротуару ползут раненые... — Макс крепко зажмурился и отвернулся, пытаясь прогнать мучившие его видения. — Мы, деревенские, отползли как можно дальше, но... мам... Шеймас Куган все равно получил пулю.

Я не сумела сдержаться:

— Шеймас Куган ранен?

Макса затрясло, и он молча помотал головой.

Тогда Том, глядя на брата широко раскрытыми от ужаса глазами, спросил:

— Его *убили*?

Макс кивнул. Исси, Брана, Лорелея, Том и я молча переглядывались, чувствуя холодный ветер близкого будущего. Я вспомнила, что только вчера разговаривала с Шеймасом Куганом. Макс сделал еще несколько жадных глотков и продолжил рассказ; казалось, ему, чтобы не сойти с ума, надо было обязательно выговориться, сообщить, что именно он видел. Да, скорее всего, так.

— Я... я попытался... но... все, похоже, произошло мгновенно. — Макс закрыл глаза, тряхнул головой и как-то странно отмахнулся. — Меня папа оттуда вытащил. Он кричал мне прямо в ухо, что Шеймасу все равно уже ничем не поможешь. А потом мы забежали за дом Фицджеральдов и спрятались у них в гараже. Как раз вовремя, потому что цистерна на площади взорвалась и — ну, вы же, наверное, слышали этот взрыв, да?

— Его наверняка и в Типперэри слышали, — сказала Брана.

— А через некоторое время — я не знаю, сколько времени прошло, может, час, а может, и больше — снова послышались выстрелы, и мы увидели, как какого-то парня подстрелили прямо на подъездной дорожке Фицджеральдов... И вдруг все джипы сорвались с места и поехали в горы, к трону Финна Маккула[1], и... потом опять стало тихо. Даже птицы запели. Все повылезали из своих убежищ... ошалелые, как, как... Господи, неужели все это *действительно* случилось? Здесь у нас? В Килкрэнноге? — Глаза Макса опять наполнились слезами. — Да, там были и убитые, и раненые — значит, все это происходило на самом деле. Берни Айткин пытался защищать свои солнечные батареи с винтовкой в руках и был серьезно ранен. Теперь, мам, он, по-моему, умрет... А наша деревенская площадь была как... как... А вы *даже и не думайте* пойти туда! Нечего вам на это смотреть! — строго сказал Макс, поворачиваясь к Тому, Исси и Лорелее. — Даже не вздумайте! До тех пор, пока там все не уберут, пока дождь все не смоет. Я... я... я и сам, черт возьми, жуть как хотел

---

[1] Легендарный герой кельтских мифов III века н. э. Ирландии, Шотландии и острова Мэн, воин, мудрец и провидец.

бы ничего этого не видеть! Теперь, наверное, могил двадцать или тридцать копать придется. И там еще остались некоторые раненые «милиционеры», которые не могли идти. Их там попросту бросили. А кто-то из наших парней предложил скинуть их в море, раз они с нами так поступили... — Лицо Макса вспыхнуло от гнева, он даже несколько успокоился. — Доктор Кумар сейчас делает для них все, что в ее силах, но они все равно, наверное, умрут. А на месте нашего склада теперь здоровенная воронка, и во всех домах, выходящих на площадь, повылетали стекла. У Джози Малоун весь фасад высадило. А гребаный паб и вовсе превратился в кучу дерьма.

Испытывая смутную тревогу, я думала о Брендане. Скорее всего, столкновения между различными бандитскими группировками за раздел быстро уменьшающихся запасов продовольствия и предметов первой необходимости происходят сейчас по всей Европе; возможны лишь небольшие вариации в плане военной формы и конкретного сценария. Интересно, где теперь Худ и тот бородатый великан, что к нам приезжали? Мертвы, спасаются бегством, умирают в клинике доктора Кумар? Глотают свою «черничку»?

— Макс, а папа сейчас чем занимается? — спросила у сына Брана.

— Помогает Мэри де Бурка руководить расчисткой. Мартин Уолш и еще двое поехали на велосипедах в Ахакисту, чтобы договориться о совместных постах на дорогах. Перекрыть дороги сейчас особенно важно. Может быть, нам удастся даже создать свой небольшой Кордон: от Дарраса через поля до Кумкина, а затем вдоль большой дороги до Бултинага и в сторону Бантри. Конечно, нам пока не под силу там поставить ограду и проложить ров; пока граница будет просто условной, а охранять ее станут группы вооруженный парней. Ночевать они будут там же, в палатках. Вроде бы есть возможность даже автоматическое оружие раздобыть — у Мартина, оказывается, двоюродный брат служит в гарнизоне Деррикауна. Во всяком случае, служил до недавнего времени. Я думаю, людям из Стабильности тоже понадобится спрятать свои семьи где-нибудь в безопасном месте. В общем, мне пора обратно. Я обещал прихватить с собой пару заступов.

— *Нет*, — твердо сказала Брана. — У тебя просто шок, Макс. Приляг. Завтра у тебя здесь будет полно работы.

— Мам, — сказал Макс, — если мы не создадим что-то вроде пропускных пунктов на дорогах, то завтра *вполне может и не наступить*. Там тоже полно работы, и ее кто-то должен делать.

— Тогда и я пойду с тобой, — заявил Том.

— *Нет*, — сказали уже одновременно Брана и Макс.

— Пойду! Мне уже шестнадцать. Ма, ты же и сама прекрасно справишься с дойкой. Ведь справишься, да?

Брана устало потерла лицо. Все правила менялись на глазах.

С дойкой ей помогла Лорслея, а я покормила кур. Потом мы пошли домой по берегу моря, собирая в мешок морской шпинат. Песчаные блохи то и дело кусали мои голые лодыжки; между камнями и выброшенным на отмели мусором бродили кулики-сороки, ловко охотясь за устрицами и ковыряя клювами ил в поисках червей-пескожилов. Футах в двадцати от нас ловила рыбу серая цапля, бросаясь в воду со скалы; солнце уже опускалось за западный край моря. Ветер постепенно переходил в южный, сметая беспорядочно разбросанные по небу клочки облаков, похожие на овечью шерсть, зацепившуюся за колючую проволоку. Мы нашли большой кусок плавника — толстую ветку, выбеленную водой; такой ветки зимой должно было хватить для нашей плиты на пару дней. Недалеко от дома мы увидели Рафика, который удил рыбу с причала; он так поступал всегда, когда хотел успокоиться. Историю Макса О'Дейли мы изложили ему в несколько облегченном варианте, хотя основное скрывать не стали — все равно раньше или позже он обо всем узнает, — и Рафик помог нам дотащить собранный плавник до дома. Мо задремала, устроившись в старом кресле Айлиш; Зимбра лежал у ее ног. На коленях у Мо покоилась биография Витгенштейна[1]. Возможно, теперь Мо придется перебраться к нам, в «апартаменты» бабушки Айлиш, ведь у нее в доме больше нет электричества. Я велела отделать эти комнаты, когда узнала, что Аоифе беременна; мне хотелось, чтобы она, Орвар и будущий ребенок могли спокойно останавливаться там, когда будут приезжать ко мне в гости, но со временем это помещение стало служить нам просто кладовой.

Зимбра тут же вскочил нам навстречу. Мо тоже проснулась. Лорелея приготовила целый котелок зеленого чая из листьев, собранных в парнике Мо, мы уселись, и я рассказала ей о гибели Шеймаса Кугана и обо всем, что поведал нам Макс. Мо слушала, не перебивая, потом вздохнула, вытерла глаза и сказала:

— Мартин Уолш, к сожалению, прав. Если мы хотим, чтобы жизнь через десяток лет у нас была хоть чуть лучше, чем в Средние века, нам нужно действовать по-солдатски. Варвары по два раза друг на друга нападать не станут.

Мои часы показывали пять. Рафик встал.

---

[1] Людвиг Витгенштейн (1889—1951), австрийский философ и логик, представитель аналитической философии. С 1929 года жил в Великобритании. Разработал доктрину логического атомизма, представляющую собой проекцию структуры знания на структуру мира.

— Я хотел поймать еще пару рыбок, пока не стемнело, можно? А Мо будет с нами чай пить?

— Надеюсь, что да. Мы ее за ланчем совершенно объели.

Мо явно думала о своей так и не растопленной плите, о бесполезных теперь электрических лампочках.

— Почту за честь. Спасибо всем за приглашение.

Когда Рафик ушел, я сказала:

— Я завтра пойду в город.

— Не уверена, что сейчас это имеет смысл, — сказала Мо.

— Мне нужно поговорить с доктором Кумар об инсулине.

— Сколько у тебя осталось? — спросила Мо, прихлебывая чай.

— На шесть недель, — сказала Лорелея, понизив голос. — Одна запасная инсулиновая помпа и три упаковки с катетерами.

— А сколько есть у доктора Кумар? — спросила Мо.

— Именно это я и хочу выяснить. — Я почесала руку, укушенную каким-то насекомым. — Вчера Конвой ничего не привез, а послезавтра... не думаю, что Конвои теперь вообще появятся. У нас есть вода; мы, возможно, сумеем как-то обойтись самым малым количеством еды, сумеем обеспечить себе относительную безопасность, если будем вести себя как в социалистической Утопии, но инсулин синтезировать без хорошо оборудованной лаборатории все-таки невозможно.

— А Рафик что-нибудь говорил на эту тему? — спросила Мо.

— Нет. Он мальчик умный. И так все понимает.

Через боковое окно на стену падал прямоугольник последних вечерних лучей. И на фоне этого прямоугольника то и дело мелькали тени птиц.

Одни тени были видны очень отчетливо, а другие — очень смутно. Где-то я уже видела нечто подобное — но в другое время и в другом месте.

— Ба? — Лорелея явно ждала ответа на какой-то вопрос.

— Извини, милая. Я просто... Что ты сказала?

* * *

Радио по-прежнему молчало. Мо попросила Лорелею немного поиграть нам на скрипке после такого тяжелого дня, и моя внучка выбрала «She Moved through the Fair». Слушая ее, я мыла морской шпинат, а Мо потрошила рыбу, пойманную Рафиком. Мы решили, что гигантский дождевик поджарим в масле в последнюю минуту. Будь я помоложе, я бы, конечно, тоже отправилась с Максом помогать раненым и приводить город в порядок после случившегося, но теперь от меня проку было мало; вряд ли я годилась на то, чтобы копать могилы и сколачивать гробы из чего придется. А вот для отца

Брейди дело найдется. Возможно, он уже провозглашает сейчас, что спасение Килкрэннога есть акт божественного вмешательства. «Как хорошо все-таки играет Лорелея!» — думала я. Прекрасно сыграла этот совершенно магический припев к песне! Видно, от отца унаследовала не только скрипку, но и музыкальные способности. Если бы Лол принадлежала к моему поколению или хотя бы к поколению Аоифе, вполне можно было бы подумать для нее о музыкальной карьере; но музыка, по всей видимости, станет еще одним еле теплящимся огоньком, который в итоге погасит Всеобщее Затемнение.

Рафик вломился в дом с таким грохотом, что все подскочили от неожиданности. Господи, что там еще случилось?

— Рафик, — спросила Мо, — говори, ради бога, скорей, в чем дело?

Он задыхался, хватая ртом воздух, и я сразу подумала: все проклятый диабет! Но Рафик, отдышавшись, стал тыкать пальцем куда-то вниз, на берег залива:

— Там, там!..

Лорелея перестала играть.

— Глубже дыши, Раф... В чем дело?

— Там корабль! — выпалил Рафик. — И лодка! И люди с оружием! Они плыли к нашему берегу, и когда увидели меня, то заговорили со мной через такой большой рупор. Но я не знал, что сказать. Из-за того... что сегодня случилось.

Мо, Лорелея и я смущенно переглянулись.

— Ты что-то непонятное говоришь, — сказала я. — Какой еще корабль?

— *Такой!* — Он снова ткнул пальцем в сторону залива.

Мне видно не было, но Лорелея выглянула в окно и охнула: «Господи!» Теперь уже и я поспешила к окну, и Мо заковыляла за мной следом. Сперва я видела только серо-голубые воды залива, но потом разглядела какие-то странные точки желтого света, пожалуй, метрах в трехстах от берега.

— Сторожевой корабль, — сказала Мо рядом со мной. — Кто-нибудь из вас видит, какой на нем флаг?

— Нет, — сказал Рафик. — Но с этого корабля и спустили лодку, и она быстро поплыла прямиком к нашему пирсу. И с этой лодки со мной говорили через тот большой рупор. Очень громко! — И Рафик руками изобразил мегафон.

— По-английски? — спросила Мо, и Лорелея одновременно с ней спросила:

— И что сказали?

— Да, по-английски, — ответил Рафик. — Спросили: «Холли Сайкс здесь живет?»

Мо и Лорелея посмотрели на меня; я посмотрела на Рафика:

— Ты *уверен*?

Рафик кивнул.

— Я и сам подумал, что ослышался, но он снова это спросил. И я прямо-таки окаменел от удивления, а потом, — Рафик посмотрел на Лорелею, — он спросил, живешь ли здесь ты, и назвал твое полное имя: Лорелея Орвардсдоттир.

Лорелея вся как-то сжалась и посмотрела на меня.

— А ты не разглядел, это были не иностранцы? — спросила Мо.

— Нет, не разглядел. Они все были в таких огромных защитных очках. Но выговор у этого человека и впрямь был не очень-то ирландский.

Сторожевой корабль так и остался на прежнем месте. Довольно-таки большое стальное судно с оружейной башней и сдвоенными пушками на носу и на корме. Не помню уж, когда я в последний раз видела у нас в заливе такое военное судно.

— Может, это все-таки английский корабль? — снова спросила Мо.

Откуда мне было знать? И я сказала:

— Я слышала, что последние шесть судов Королевского военно-морского флота ржавеют в Мидуэе — ждут топливо, которое никогда не будет доставлено. Да и потом, разве британские суда не всегда ходят под «Юнион Джеком»?

— У китайских или русских судов было бы топливо, — разумно заметила Лорелея.

— Но что китайцам или русским от нас нужно?

— Или, может, это еще какие-то охотники за нашими солнечными батареями? — продолжала размышлять вслух Лорелея.

— Ты посмотри на размеры этого корабля, — сказала Мо. — У него водоизмещение три или четыре тысячи тонн. Подумай, сколько топлива понадобится, чтобы сюда дойти. Нет, они сюда пожаловали явно не за несколькими далеко не новыми батареями.

— А вы видите моторку? — спросила я у детей и поправилась: — Моторную лодку?

Лорелея ответила не сразу — вглядывалась.

— Нет, я никакой лодки не вижу.

— Она, наверное, за пирсом, — с раздражением сказал Рафик.

И в эту минуту Зимбра, протолкнувшись у меня между ногами, подскочил к двери и зарычал на густые темные заросли боярышника у калитки. Ветер колыхал высокую траву, кричали чайки, а вечерние тени были длинными и остроконечными.

Они уже здесь, поняла я.

— Раф, Лол, — прошептала я, — быстро на чердак.

Оба начали возражать, но я тут же это пресекла:

— *Пожалуйста*.

— Не волнуйтесь, — сказал от калитки какой-то человек в военной форме, и мы все дружно вздрогнули от неожиданности.

Он подошел чуть ближе, и стал виден камуфляж, эргошлем и аудиовизор, которые скрывали его лицо и возраст и делали его похожим на какое-то насекомое. Сердце у меня понеслось вскачь, а он между тем попытался нас успокоить:

— Мы куда дружелюбней тех, что заходили к вам сегодня с утра.

Первой взяла себя в руки Мо.

— Кто вы такой? — строго спросила она.

— Капитан третьего ранга Аронссон. Военно-морской флот Исландии. А мой корабль называется «Сьялуфстади», что значит «Независимость». — Говорил он по-военному отрывисто и четко, а когда повернулся влево, его пуленепробиваемый аудиовизор вспыхнул в лучах заходящего солнца. — А это лейтенант Эриксдоттир. — Он указал на хрупкую женскую фигурку с ним рядом. Лейтенант Эриксдоттир, также наблюдавшая за нами, не снимая аудиовизора, кивнула в знак приветствия. — И наконец разрешите вам представить «мистера» Гарри Веракруса, советника президента, который сопровождает нас в этой миссии.

Третий человек сделал шаг вперед; он был одет как рассеянный любитель птиц, которые во множестве слонялись с фотоаппаратами по разным странам в эпоху, предшествовавшую Затемнению: на нем был рыбацкий свитер и всепогодная куртка-ветровка на молнии, в данный момент расстегнутая. Он был молод, едва за двадцать; губы выдавали его африканских предков, а глаза — восточно-азиатских; кожа у него была вполне европейская, а волосы гладкие и черные, как у американских индейцев, как их показывали в старых фильмах.

— Добрый день, — сказал он мне негромко и с такими интонациями, которые могли принадлежать жителю любой страны. — Или в это время уже полагается говорить «добрый вечер»?

Я смутилась.

— Я... хм, не знаю. Это, хм...

— Я профессор Мо Мунтервари, из *бывшего* Министерства международных технологий, — решительно заявила моя соседка. — Чем мы можем помочь вам, капитан Аронссон?

Капитан наконец поднял забрало своего аудиовизора, и перед нами предстало лицо классического представителя нордической расы с квадратной челюстью и светлыми глазами, которые он все время щурил из-за слишком яркого света. Ему было лет тридцать с небольшим. Зимбра пару раз сердито тявкнул, и капитан сказал:

— Во-первых, успокойте, пожалуйста, вашего пса. Я не хочу, чтобы он сломал себе зубы о наши пуленепробиваемые доспехи.

— Зимбра, — скомандовала я, — домой! Зимбра!

Пес насупился, точно вечно всем недовольный подросток, но подчинился. Однако, уже зайдя в дом, все равно старался следить за происходящим, просунув нос между моими лодыжками.

Лейтенант Эриксдоттир тоже подняла свое забрало. Она была моложе, лет двадцати пяти; все лицо буквально усыпано веснушками. По-английски она говорила с куда более заметным скандинавским акцентом.

— Вы, я полагаю, и есть Холли Сайкс?

Я бы предпочла сперва узнать, что им нужно, а уж потом представиться, но мистер Гарри Веракрус сказал с какой-то странной улыбкой:

— Да, это определенно она!

— Значит, именно вы являетесь законным опекуном, — продолжала лейтенант Эриксдоттир, — Лорелеи Орварсдоттир, гражданки Исландии?

— Лорелея — это я, и я действительно считаюсь гражданкой Исландии, — сказала Лорелея. — Мой папа был родом из Акюрейри.

— Акюрейри — мой родной город, — улыбнулся капитан Аронссон. — Он совсем небольшой, так что я хорошо знаю семью Орвара Бенедиктссона. Кроме того, ваш отец, Лорелея, был известным ученым, — он быстро глянул в сторону Мо, — *весьма знаменитым* в своей области.

Я тут же ощетинилась:

— Что вам нужно от Лорелеи?

— Наш президент, — сказал капитан, — приказал нам отыскать мисс Орварсдоттир и репатриировать ее. Вот почему мы здесь.

Летучая мышь зигзагами носилась по саду, пересекая длинные полосы света и тени.

Моей первой мыслью было: «Слава богу, моя девочка спасена!»

Моей второй мыслью было: «Я не могу ее потерять!»

Моей третьей мыслью было: «Слава богу, она спасена!»

Куры что-то клевали, кудахтали и возились возле своей кормушки; осенний, хрупкий, почти лишенный листвы сад шуршал под порывами вечернего ветра.

— *Магно!* — воскликнул Рафик. — Слушай, Лол, этот здоровенный корабль приплыл сюда из самой Исландии специально за тобой!

— Но как же моя семья? — услышала я голос Лорелеи.

— Разрешение на иммиграцию есть только для мисс Орварсдоттир, — Аронссон повернулся ко мне. — *Только для нее.* И это не обсуждается. Квоты у нас очень строгие.

— Но я же не могу бросить мою семью! — сказала Лорелея.

— Это трудно, я понимаю, — сказала ей лейтенант Эриксдоттир, — но все же подумайте хорошенько, Лорелея. Пожалуйста, подумайте. На Арендованных Территориях вы жили в относительной безопасности, но, как вы и сами сегодня поняли, эта жизнь в прошлом. Кроме того, довольно близко отсюда находится неисправный атомный реактор, а это очень опасно, особенно если ветер дует с той стороны. Исландия безопасна. Именно поэтому наши иммиграционные квоты столь строго соблюдаются. У нас есть электричество — благодаря геотермальным источникам, и о вас позаботится ваш дядя Хальгрид и его родные.

Я хорошо помнила старшего брата Орвара — по лету, которое провела в Рейкьявике.

— Значит, Хальгрид жив?

— Разумеется. Наше изолированное географическое положение спасает нас от самого худшего... — капитан Аронссон поискал нужное слово, — ...от всех трудностей, связанных с Затемнением.

— Но, должно быть, на земном шаре существует немало исландцев по рождению, — сказала Мо, — которые молятся deus ex machina, чтобы такое судно, как ваше, подплыло к дальнему краю их сада. Почему именно Лорелея? И как получилось, что вы прибыли столь своевременно?

— Десять дней назад мы узнали, что «Pearl Occident Company» планирует уйти из Ирландии, — спокойно ответил капитан. — И один из уважаемых советников нашего президента, — Аронссон искоса глянул в сторону Гарри Веракруса и чуть нахмурился, — убедил нашего президента, что репатриация вашей внучки — это проблема государственной важности.

Мы все, разумеется, тут же уставились на мистера Гарри Веракруса. По всей видимости, этот молодой человек был персоной куда более влиятельной, чем это могло показаться. Он стоял опершись о калитку, точно сосед, заглянувший поболтать, и на лице у него было написано: «А что я-то могу сказать?» Однако он все же сказал, обращаясь ко мне, и меня снова поразило, до чего молодо звучит его голос:

— Обычно, Холли, я гораздо лучше подготавливаю почву и делаю это заранее. Но на этот раз у меня попросту не было такой возможности. Чтобы все сразу расставить по своим местам и не особенно вдаваться в подробности, скажу сразу: я — Маринус.

У меня все так и поплыло перед глазами; я пошатнулась и ухватилась за первый попавшийся предмет — за дверную раму и за локоть Лорелеи. Мне казалось, что я слышу, будто кто-то с шелестом переворачивает страницы очень толстой старинной книги, но это всего лишь ветер шуршал в густых зарослях. Доктор Маринус из Грейвзенда; психиатр Айрис Фенби из Манхэттена; бестелесное существо, голос которого слышался у меня в ушах в подземном лабиринте, который не мог существовать, но все же существовал; и этот молодой человек, который внимательно смотрел на меня сейчас с расстояния в десять шагов...

Погодите. А почему я, собственно, так уверена? У этого Гарри Веракруса вид, безусловно, честного человека, но такой вид обычно у всех удачливых лжецов. И тут в ушах у меня прозвучал его голос: *Лабиринт Жако, помещение с куполом, тени птиц, золотое яблоко...* Взгляд молодого человека был спокойным и понимающим. Я вопросительно посмотрела на остальных, но больше никто этих слов не слышал. *Это я, Холли. Действительно я. Прости, я вовсе не хотела тебя шокировать своим внезапным появлением. Я прекрасно знаю, какой у тебя сегодня был трудный день. Но так уж вышло.*

— Ба? Что с тобой? — В голосе Лорелеи слышалась паника. — Ты не хочешь присесть?

Дрозд-деряба пел, сидя на моем заступе, воткнутом в грядку с капустой.

А Маринус — я вспомнила этот глагол — продолжал мне телепатировать: *Это очень долгая история. То золотое яблоко — помнишь? — могло спасти только одну душу, так что мне пришлось искать иной выход из лабиринта и иного «хозяина». И этот путь оказался долгим и окольным. Прошло шесть лет, прежде чем я смогла возродиться в одном восьмилетнем мальчике из сиротского приюта на Кубе, что почти совпало с началом карантина в 2031 году. Лишь в 2035 году я наконец смогла покинуть остров. Моему тогдашнему «я» было всего двенадцать лет. Когда же я все-таки добралась до Манхэттена, то оказалось, что местность вокруг дома 119А совсем одичала, а сам дом заброшен. Мне потребовалось еще три года, чтобы связаться с оставшимися в живых Хорологами. Затем начались неприятности с Интернетом, и выследить тебя стало почти невозможно.*

— А как же та Война? — спросила я вслух. — Вы — то есть мы — тогда победили?

Улыбка молодого человека была весьма двусмысленной. *Да. Можно сказать, что победили. Анахоретов больше не существует. Хьюго Лэм был последним, и именно он помог мне спастись из царства Мрака, но мне неизвестна его дальнейшая судьба. Ведь он больше не мог пополнять запас своих психофизических сил за счет Черного Вина, так что теперь он, должно быть, уже довольно пожилой человек, если вообще сумел дожить до сегодняшнего дня.*

— Холли? — Судя по выражению лица Мо, она была уверена, что у меня внезапно поехала крыша. — Какая война, Холли? О чем ты?

— Это мой старый друг, — невпопад ответила я. — По тем временам, когда я... еще писала книги.

Не знаю почему, но Мо мои слова еще больше встревожили.

— Точнее, *сын* старого друга. Холли именно *это* хотела сказать, — вмешалась Маринус. — Моя мать была коллегой того психиатра, который лечил Холли еще в детстве, в стародавние времена.

Капитан Аронссон очень вовремя получил какое-то сообщение и в данный момент, отвернувшись от нас, что-то говорил по-исландски в микрофон своего невероятно сложного шлема. Потом он посмотрел на часы, выключил переговорное устройство и снова обратился к нам:

— Капитан нашего судна хочет выйти в море через сорок пять минут. Я понимаю, Лорелея: это маловато, чтобы принять столь важное решение, но мы бы не хотели привлекать к себе излишнее внимание. Прошу вас, обсудите все с вашей семьей, а мы, — он посмотрел на лейтенанта Эриксдоттир, — постараемся, чтобы вам никто не мешал.

Мыши-полевки, куры, воробьи, собака. Сад был полон глаз.

— Вам лучше пройти в дом вместе с нами, — сказала я Гарри Маринусу Веракрусу.

Он со скрипом отворил калитку и вошел во двор. Как здороваться с возродившимся «вечным человеком», которого ты не видела восемнадцать лет и считала погибшим? Обнять? Поцеловать? По-европейски два раза коснуться щекой щеки? Гарри Веракрус молча улыбался, но в ушах у меня звучал голос Маринус: *Это очень странно, я понимаю, Холли. Но все равно — добро пожаловать в мой мир. Или, точнее, с возвращением в наш мир. Хоть и ненадолго.* Я отступила в сторону, пропуская молодого человека в дом, и вдруг меня осенило.

— Капитан Аронссон, можно задать вам один вопрос?

— Задавайте.

— У вас в Исландии есть инсулин?

Он нахмурился — видимо, решил, что не понял. Но Маринус сказала ему, обернувшись через плечо:

— По-исландски это будет точно так же, капитан. *Инсулин.* Лекарство от диабета.

— А-а, — кивнул офицер. — Да, мы производим это средство на новом предприятии, неподалеку от воздушной базы в Кефлавике. Оно необходимо двум или трем тысячам наших граждан, в том числе нашему министру обороны. А почему вы спрашиваете? У вашей внучки диабет?

— Нет, — сказала я. — Мне просто любопытно.

Вернувшись на кухню, я поставила на стол светодиодную лампу. Она мерцала, как свеча. Обед был почти готов, но есть нам всем совершенно расхотелось.

— Ба, — сказала Лорелея, — я не могу поехать в Исландию.

Это будет один из самых трудных обманов в моей жизни, подумала я.

— Ты *должна* поехать, Лол! — сказал Рафик, и я про себя благословила его. — У тебя там будет хорошая жизнь. Ведь правда будет, мистер Вера... верак...

Маринус уже внимательно изучала книги в нашем книжном шкафу.

— Людей, которых я уважаю, я всегда прошу называть меня просто Маринус, — сказала она ему. — Да, Рафик, ты прав: жизнь у твоей сестры там будет куда лучше, чем на Шипсхеде, — и в смысле еды, и в смысле образования, и в смысле безопасности. И, по-моему, сегодняшний день это уже доказал.

— Ну, тогда, Лол, — вместо меня сказал мой золотой Рафик, — это твой спасательный корабль.

— Спасательный корабль, плывущий только в одном направлении, я права? — спросила Лорелея.

«Мистер Веракрус» нахмурился:

— Спасательные корабли обычно выдают билеты только в один конец.

— В таком случае я никуда не поплыву. И вас я здесь не оставлю! — Сейчас Лорелея была просто невероятно похожа на Аоифе, такая же неуступчивая. В моей душе вновь проснулась старая тоска. — И ты, Раф, на моем месте никуда бы не поехал, уверена!

И тут Рафик, набрав в легкие воздуха, выпалил:

— А ты на *моем* месте была бы диабетиком в стране, где нет инсулина! Подумай об этом.

Лорелея с жалким видом отвернулась и промолчала.

— У меня вопрос, — сказала Мо, опускаясь на стул возле кухонного стола и прислоняя к столешнице свою палку. — Точнее, три вопроса. Холли знала вашу мать, мистер Маринус, и это прекрасно, но почему она должна вам верить в отношении Лорелеи? Почему она должна думать, что поступает правильно?

Молодой человек сунул руки в карманы и покачался на каблуках — обычный молодой человек с гибкими суставами и крепкими мышцами.

— Профессор, я ничем не могу доказать вам, что именно я являюсь тем достойным доверия Холли человеком, как пытаюсь — практически голословно — это утверждать. Во всяком случае, за сорок минут я ничего не смогу ни подтвердить, ни объяснить. Я могу лишь отослать вас к Холли Сайкс.

— Это очень-очень длинная история, Мо, — сказала я, — но Маринус, точнее его мать... нет, мне слишком трудно выразить это словами. В общем, она спасла мне жизнь.

— В твоих «Радиолюдях» был некий Маринус, — сказала Мо, которая всегда очень хорошо запоминала прочитанное, — сыгравший в книге одну из главных ролей. Врач из Грейвзенда. — Мо посмотрела на меня. — Это именно его родственник?

— Да, — призналась я; мне страшно не хотелось сейчас вдаваться в подробности о существовании «вечных людей».

— Тот доктор Маринус был моим дедом, — Маринус солгала лишь отчасти, — с китайской стороны. Но Холли оказала моей матери Айрис огромную услугу. И не только ей, но и ее друзьям. Это было еще в 2020-е годы. Возможно, это сообщение до некоторой степени предвосхитит ваши следующие вопросы, профессор. У меня перед Холли Сайкс долг чести. Если я обеспечу хотя бы ее внучке возможность жить той жизнью, какая была до Всеобщего Затемнения, я, наверное, смогу отчасти выплатить этот долг.

Мо кивнула, признавая справедливость доводов Маринус.

— И вы так спешите из-за нынешних событий на Шипсхеде, потому что?..

— Мы сумели проникнуть в базу данных спутников-шпионов.

Мо холодно кивнула, но ученый в ее душе все же не дремал, и она спросила:

— Чьих?

— В военное время лучше работают китайские, а в условиях мира русские. Но мы взломали компьютеры еще функционирующего американского Большого Глаза. В последнее время Пентагон практически забыл о безопасности.

Рафик недоверчиво спросил:

— Но нельзя же из космоса видеть, что происходит на Шипсхеде? Это все равно... что быть богом. Или это волшебство?

— Ни то ни другое. — Маринус улыбнулось мальчику. — Это чисто технологическое решение. Я, например, знаю, что на ваших кур прошлой ночью напала лиса, и *ты*, — она ласково почесала Зимбру за ухом, явно доставив псу удовольствие, — эту лису прикончил. — Маринус посмотрела на меня. — Несколько месяцев назад Л'Окхна, наш IT-специалист, засек компьютерный сигнал из этой местности, соответствовавший записям голоса Холли, и мы, разумеется, вспомнили, что все вы теперь живете здесь, но нас отвлекла серия кризисов на Ньюфаундленде. После того как состояние реактора на

Хинкли-Пойнт стало критическим, а РОС расторгла соглашение с Ирландией, мы решили действовать более энергично. И вот мы здесь. — Ее взгляд привлекла скрипка Лорелеи. — Кто здесь играет?

— Я. Немножко, — сказала Лорелея. — Это папина скрипка.

Маринус взяла скрипку в руки и тщательно ее осмотрела — я-то знала, что когда-то она была профессиональным скрипичным мастером.

— Прекрасные линии! — похвалила она.

— Что ты делаешь в Исландии, Маринус? — спросила я, тоже присаживаясь за стол и чувствуя, что и у меня ноги отчего-то вдруг разболелись.

— Мы создаем хранилище мысли. Л'Окхна назвал его «Предвидение» — довольно скромно, на мой взгляд. Он начал эту работу еще до моего туда прибытия. Рохо, который — помнишь? — присматривал за Аоифе во время твоей недели на Манхэттене восемнадцать лет назад, тоже вместе с нами. Ну и еще горстка других. В политическом отношении мы вынуждены быть более интервентами, что ли, чем... чем, скажем, была моя мать. Президент, в общем, очень ценит наши советы, даже если мы порой и суем нос во что не следует. — Маринус перебирала струны скрипки, пробуя звучание. — Осталось всего тридцать минут. Нужно что-то решать насчет будущего Лорелеи, Холли.

— Я уже все решила, — заявила моя внучка. — Я не могу оставить бабушку и Рафа. И Мо.

— Это благородный и достойный внимания ответ, Лорелея. Можно мне сыграть несколько тактов?

Несколько растерявшись от столь неожиданной просьбы, Лорелея сказала:

— Конечно, пожалуйста.

Маринус взяла смычок, пристроила скрипку к подбородку и сыграла несколько тактов из знаменитой «Не плачь по мне, Аргентина».

— Теплое звучание. А «ми» всегда немного... звучит в миноре, да? Холли, вам дается *уникальная* возможность!

Я и забыла, как хорошо Маринус знает — пусть даже наполовину, — о чем именно ты думаешь.

— Если Лорелея уедет с тобой, — *если ты действительно уедешь, Лол!* — ей будет гарантирована полная безопасность?

— Да, несомненно.

— Значит, тот корабль в заливе — это *действительно* спасательный корабль для цивилизации?

— В метафорическом смысле — да.

— Капитан Аронссон сказал, что поехать может только Лорелея?

— Технически — да.

— А ты не можешь превратить одно пространство в два поменьше? Воспользовавшись твоей... ну, ты понимаешь... — Я сделала жест, изображающий наложение чар.

Маринус напоминала юриста, чья линия допроса идет в точности так, как и было намечено.

— Ну, хорошо. Но мне придется осуществить весьма мощный Акт Убеждения по отношению к капитану и его помощнице, которые сейчас стоят там и ждут нашего решения. Затем, когда лодка приблизится к кораблю, мне понадобится проделать то же самое с капитаном судна и его первым помощником, чтобы бедного Рафика немедленно не вернули на берег. *Затем*, в течение плавания на север, мне придется возобновлять Акт Убеждения регулярно, пока мы не пройдем точку невозврата, и пусть тогда все действующие лица попытаются понять, что это им взбрело в голову. Не стану лгать: это невероятно трудная задача. Только истинный адепт Глубинного Течения способен стряхнуть с себя воздействие подобного трюка...

Я испытывала одновременно и легкое раздражение, и безмерную благодарность, и надежду.

— Значит, ты можешь это сделать?

Маринус положила скрипку.

— Да, но только для Лорелеи и Рафика. У многих членов команды нашего корабля есть свои дети, так что они бессознательно будут им сочувствовать, а значит, их гораздо легче будет подвергнуть убеждению. Возможно, Кси Ло или Эстер Литтл смогли бы втиснуть и вас с профессором на борт судна, но я хорошо знаю предел своих возможностей, Холли, и, боюсь, если я хотя бы попробую это сделать, все мои усилия пойдут прахом. Мне очень жаль.

— Ничего страшного. Но скажи, в Рейкьявике Лол и Раф смогут остаться вместе?

— Мы найдем способ. — Молодые глаза Маринус были большими, серыми и такими же правдивыми, как глаза Айрис Фенби. — Они, например, могут остаться у меня. Мы живем в здании бывшего французского консульства. Там полно свободных комнат. — Она повернулась к Лорелее и Рафику. — Не бойтесь. Я куда более опытный ангел-хранитель, чем кажусь.

Часы все тикали. У нас оставалось всего двадцать пять минут.

— Я не совсем понимаю, Холли... — сказал Раф.

— Одну минутку, милый. Лол, если ты поедешь, то и Раф сможет поехать с тобой в ту страну, где есть инсулин. Если ты не поедешь, то вскоре возникнет тот крайний случай, когда мы ничем не сможем ему помочь. Прошу тебя. Поезжай.

Наверху с грохотом захлопнулась дверь. Вечерний свет был цвета мандариновой корки. Лорелея была готова расплакаться, но если она заплачет, тогда и меня ничто не остановит.

— А кто же позаботится о *тебе*, ба?

— Я о ней позабочусь! Кто же еще? — Мо нарочно сказала это сердитым тоном, чтобы не дать Лорелее раскиснуть.

— И О'Дейли, — подхватила я, — и Уолши, и все наша новая Республика Шипсхед. Меня выберут министром водорослей — уж такую-то честь они мне окажут.

На лицо Лорелеи невозможно было смотреть, и я отвернулась и уставилась на своих улыбающихся, поблекших от времени мертвых, которые смотрели на меня с каминной полки из более безопасных миров, из своих деревянных, пластмассовых и перламутровых рамок. Я стояла и прижимала головы обоих ребятишек к своим старым, истерзанным болью бокам, целовала их в макушки и приговаривала:

— Я обещала твоим маме и папе, Лол, что буду о тебе заботиться, и то же самое я обещала тебе, Раф. Посадить вас обоих на это судно — это для меня значит сдержать слово. *Ничто* не даст мне большего покоя или... или... — я судорожно сглотнула, — или радости, чем знать, что вы оба в безопасности, что вам не грозит все то... все то... — я махнула рукой в сторону города, — ох, все то, что случилось сегодня. И вскоре наверняка случится снова. *Пожалуйста,* самые дорогие мои существа, два моих сокровища, сделайте мне такой подарок! Если вы... — Нет. *«Если вы меня любите»* — это шантаж. — Нет, *потому что*... — горло у меня так сдавило, что я с трудом смогла произнести последние слова, — ...вы меня любите, уезжайте.

* * *

Наши последние минуты, проведенные вместе, были наполнены суматохой и запомнились смутно. Лорелея и Рафик ринулись наверх, чтобы собрать вещи для двухдневного путешествия. Маринус сказала, что в Рейкьявике они пройдутся по магазинам и купят более теплые вещи, словно магазины — это по-прежнему самое обычное дело. Мне порой снились магазины: «Хэрродз» в Лондоне, «Браун Томас» в Корке; даже огромный «СьюперВалю» в Клонакилти. Пока дети были еще наверху, Маринус уселась в кресло Айлиш и закрыла глаза; тело и лицо «Гарри Веракруса» вдруг словно стали неподвижными и пустыми, а психозотерическая душа моего старого друга, покинув тело молодого человека, отправилась внушать старшим командирам судна фальшивую сильную, настоятельную мысль, что необходимо взять на борт *обоих детей*. Мо смотрела на все это, как зачарованная, и все бормотала, что мне придется очень многое потом ей непременно объяснить. Через несколько минут душа Маринус вернулась в тело Гарри Веракруса, и на пороге появились два исландских офицера, которые сказали, что их капитан только что сообщил им, что президент расширил свое предложение и предоставит убежище также для Рафика Байяти, названого брата Лорелеи Орварсдоттир. Они оба казались несколько ошарашенными этим приказом и выговаривали слова, как изрядно выпившие люди, которые изо всех сил стараются выглядеть трезвыми. Гарри Веракрус поблагодарил капитана Аронссона и подтвердил, что оба ребенка принимают предложение президента, а потом попросил, чтобы на пирс с лодки выставили его матросский сундучок. Офицеры ушли, и Мо сказала, что она сейчас могла бы назвать по крайней мере три закона физики, которые Маринус по всей очевидности нарушила, но со временем, видимо, ей будет ясно, что нарушены и другие законы природы.

Вскоре оба офицера принесли непромокаемый чемодан из углепластика. Маринус раскрыла его у меня на кухне и вытащила оттуда десять больших запечатанных контейнеров, в каждом из которых были странные запаянные трубочки с каким-то порошком.

— Концентрированный полевой рацион, — пояснила она. — В каждой трубочке — полторы тысячи калорий, питательные вещества и витамины. Лучше смешивать с водой. Боюсь, правда, что в хранилище имелся только порошок со вкусом гавайской пиццы, но если вы не будете особенно придираться к постоянному привкусу ананаса и сыра, то этого вам хватит, чтобы продержаться года три. Все-таки лучше, чем ничего... А вот это еще больше, пожалуй, вам пригодится. — Маринус вытащила упаковку из четырех планшетов в оболочке и вручила мне один, объяснив, что все четыре подключены друг к другу таким образом, что для установления связи не потребуется никакого Интернета. — Один для тебя, один для меня, и по одному для Лорелеи и Рафика. Не то же самое, конечно, что их присутствие у тебя на кухне, но так они все-таки не исчезнут из твоей жизни, как только мы скроемся за западным выступом полуострова. Эти планшеты заряжаются биоэлектронным способом, достаточно их просто подержать в руках, так что они будут функционировать и без солнечных батарей.

Из-под лестничных перил высунулась голова Рафика.

— Простите, мистер Маринус, а у вас в Исландии есть зубные щетки?

— Сколько хочешь! На всю жизнь хватит. И дантисты тоже имеются. И называй меня просто Маринус.

— Класс! Ладно. Холли, скажи еще раз, что такое дантист?

* * *

Туман уплыл вдаль. Мы стояли на пирсе, и сумерки медленно затягивали залив Данманус. Мы — это Лорслея, Рафик, Маринус, шестеро исландцев, Зимбра и я; и все это происходило на самом деле.

Мо пришлось оставить у моей калитки, потому что тропинка, ведущая вниз, к причалу, слишком крутая и каменистая, была ей не под силу. Ее чересчур храброе выражение лица, всхлипывания и слезы детей словно давали попробовать на вкус, каково будет мое ближайшее будущее.

— Закутайтесь хорошенько, — сказала детям Мо, — и помашите Дунен-коттеджу, когда судно будет покидать залив. Я тоже вам помашу.

Сторожевой корабль почти полностью скрывался в густой тени Мизен-Хед. Его местонахождение обозначено было только несколькими пятнышками света. В любой другой вечер его уже окружили бы лодки и шлюпки, собравшиеся, чтобы поближе рассмотреть этого невероятного стального гостя, но сегодня люди были слишком заняты наземными событиями и слишком травмированы трагедией, случившейся в Килкрэнноге, а потому исландское судно и продолжало спокойно стоять в полном одиночестве.

Сундучок вновь погрузили в моторку, пришвартованную к одной из бетонных опор пирса. Теперь в нем лежала одежда детей, их любимые книги, шкатулка-святилище Лорелеи, ее скрипка и коробка Рафика с крючками, поплавками и мормышками — Маринус заверила мальчика, что ловля лососей в Исландии первоклассная. Ключ от Дунен-коттеджа так и остался висеть у Рафика на шее, то ли случайно, то умышленно, я не знала, но ничего ему не сказала: это был *его* ключ. Я заметила, что он взял еще два белых камешка с берега возле пирса и сунул их в отвисший карман куртки. Затем мы все втроем обнялись, и если бы я могла выбрать какое-то мгновение своей жизни, забраться внутрь кого-то из них и сидеть там до скончания веков, как это делала Эстер Литтл, столько десятилетий находившаяся внутри меня, я бы наверняка это сделала. Ведь Аоифе тоже всегда будет там, внутри Лорелеи, как и Эд, как и Зимбра со своим холодным носом и нервным поскуливанием. Пес тоже прекрасно понимал, что происходит нечто очень важное.

— Спасибо тебе за все, ба, — сказала Лорелея.

— Да, — сказал Рафик. — Спасибо.

— Для меня это большая честь, — сказала я.

Мы наконец разомкнули объятья.

— Береги их, Маринус, — сказала я.

Я здесь именно для этого, ответила она мысленно, а вслух сказала:

— Конечно.

— Скажи от меня «до свидания» Исси и всем О'Дейли, и... вообще всем, — сказала Лорелея; из глаз у нее ручьем текли слезы, но совсем не от холода.

— И за меня тоже с ними попрощайся, — сказал Рафик, — а мистеру Мурнейну скажи: пусть он меня простит за то, что я так и не выполнил домашнее задание на деление.

— Вы сами им все это скажете, — сказала Маринус, — по планшетам.

Я не могла сказать «Прощайте!», потому что это слово казалось мне болезненно конечным, но и сказать «Ну, до скорого!» я тоже не могла: я понимала, что вряд ли когда-нибудь еще смогу увидеть и обнять этих самых дорогих для меня людей. Скорее всего, этого никогда уже не случится. Так что я изо всех сил старалась улыбаться, хотя сердце мое было уже выжато до капли, точно старая кухонная тряпка, и во все глаза смотрела, как лейтенант Эриксдоттир помогает Лорелее и Рафику сесть в лодку, а следом за ними садится снова полная молодых сил древняя Маринус.

— Мы свяжемся с тобой сразу же, как высадимся на берег в Рейкьявике, — крикнула она мне, уже стоя в лодке. — Это будет, скорее всего, послезавтра.

— Отлично! Обязательно сделайте это! — крикнула я ей в ответ, чувствуя, как тонок мой голос, как он напряжен, точно перетянутая скрипичная струна, которая вот-вот порвется.

Рафик и Лорелея смотрели на меня из лодки, не зная, что сказать. Маринус мысленно пожелала мне удачи, и я почувствовала, что она откуда-то знает и о моем «оживающем» раке, и о «черничках» в капсулах, недоступных для детей, которые надежно припрятаны «на всякий случай». Так что я просто кивнула в ответ этому Гарри-Маринусу-Веракрусу, ибо собственному голосу я больше не доверяла.

Высокий моряк отвязал лодку и оттолкнулся от пирса. В соснах Нокро заухали совы. Подвесной мотор заурчал, ожил. Этот звук заставил Лорелею сперва застыть, как изваяние, а потом встрепенуться, и я почувствовала, как ей страшно, потому что страшно вдруг стало и мне. Это была та самая *точка невозврата*. Моторка рванула прочь от пирса, описав крутую дугу. Ветер швырнул Лорелее в лицо прядь волос. Вспомнила ли она, что надо взять с собой шерстяную шапку? Слишком поздно. Над Нокнамадри-маунтин на Мизен-Хед проплыла пара неясных перекрывающих друг друга лун. Я вытерла мокрые глаза обшлагом старой флиски, и две планеты-пленницы снова стали одной луной, бледно-золотистой и сильно исцарапанной. Я вся дрожала. Близилась холодная ночь. Теперь моторка уже неслась прочь на полной скорости по темной, покрытой рябью воде, и Рафик махал рукой, и Лорелея махала, и я махала в ответ, пока могла хоть немного различать в шумном синем морском просторе их силуэты и белый след, тянувшийся за стремительно уходящей вдаль лодкой... Но вскоре не стало видно и этого, а набегающие на берег волны успели стереть все наши следы, и я чувствовала себя тоже стертой, исчезающей, превращающейся в невидимку. Но все же, наверное, чтобы началось новое путешествие, старое должно подойти к концу? По-моему, именно так.

Содержание

Литературно-художественное издание

Дэвид Митчелл

ПРОСТЫЕ СМЕРТНЫЕ

Ответственный редактор *Ю. Раутборт*
Редактор *В. Ахметьева*
Младший редактор *Е. Никитина*
Художественные редакторы *А. Дурасов, А. Стариков*
Технический редактор *Г. Романова*
Компьютерная верстка *Л. Панина*
Корректор *М. Мазалова*

ООО «Издательство «Э»
123308, Москва, ул. Зорге, д. 1. Тел. 8 (495) 411-66-86; 8 (495) 956-39-21.

Өндіруші: «Э» АҚБ Баспасы, 123308, Мәскеу, Ресей, Зорге көшесі, 1 үй.
Тел. 8 (495) 411-68-86; 8 (495) 956-39-21.
Тауар белгісі: «Э»
Қазақстан Республикасында дистрибьютор және өнім бойынша арыз-талаптарды қабылдаушының
өкілі «РДЦ-Алматы» ЖШС, Алматы қ., Домбровский көш., 3«а», литер Б, офис 1.
Тел.: 8 (727) 251-59-89/90/91/92, факс: 8 (727) 251 58 12 вн. 107.
Өнімнің жарамдылық мерзімі шектелмеген.
Сертификация туралы ақпарат сайтта Өндіруші «Э»

Сведения о подтверждении соответствия издания согласно законодательству РФ
о техническом регулировании можно получить на сайте Издательства «Э»

Өндірген мемлекет: Ресей
Сертификация қарастырылмаған

Подписано в печать 23.10.2015. Формат 84×108 $^1/_{32}$.
Гарнитура «NewtonCTT». Печать офсетная. Усл. печ. л. 38,64.
Тираж 5000 (3000 ОблАтлПрДМ + 2000 ИБ) экз. Заказ № 8240,8239.

Отпечатано с готовых файлов заказчика
в АО «Первая Образцовая типография»,
филиал «УЛЬЯНОВСКИЙ ДОМ ПЕЧАТИ»
432980, г. Ульяновск, ул. Гончарова, 1

Валери
Тонг Куонг

Провидение

Если вы думаете, что одиноки, вы ошибаетесь!

Валери
Тонг Куонг

Valérie Tong Cuong · Providence
Провидение

Эта книга — ода надежде. Автор убеждён: ничего не предопределено заранее, нужно идти до конца и верить в свою удачу.
Verbix Femina